제4판

프로그램 평가

대안적 접근과 실천적 지침

Jody L. Fitzpatrick, James R. Sanders, Blaine R. Worthen 공저

김규태, 이진희, 박찬호, 허영주, 정진철, 권효진 공역

PEARSON   아카데미프레스

Program Evaluation: Alternative Approaches and Practical Guidelines, 4/E
by Jody L. Fitzpatrick, James R. Sanders, Blaine R. Worthen

Authorized Translation from the English language edition, entitled PROGRAM EVALUATION: ALTERNATIVE APPROACHES AND PRACTICAL GUIDELINES, 4TH Edition by FITZPATRICK, JODY L.; SANDERS, JAMES R.; WORTHEN, BLAINE R., published by Pearson Education, Inc. Copyright © 2011

KOREAN language edition published by PEARSON EDUCATION KOREA AND ACADEMY PRESS, Copyright © 2014

Pearson
is an imprint of

역자 서문

우리는 기관이나 조직에서 제공하는 프로그램의 영향을 받고 살아간다. 사실 우리는 프로그램을 통해서 태어나고 그것을 통해서 이 세상을 마감한다. 즉 출산도 삶도 장례도 모두 프로그램으로 이루어진다는 것이다. 그리고 우리가 좋은 직장에의 취업, 정치인의 공직 입직과 활동, 교사들의 학생지도도 모두 프로그램을 통해 이루어진다. 한편, 우리가 속하는 학교, 직장, 공공기관, 회사 등에서 흔히 접하는 것들 중 하나는 평가이다. 시험을 본다, 입학 사정을 한다, 감사를 받는다, 논문을 심사한다, 주식의 가치를 따진다, 정책 효과를 따진다, 경영 컨설팅을 받는다, 업적을 평정한다 등을 많이 접하게 된다. 이렇듯 프로그램과 평가를 벗어나서는 살지 못하는 존재라 할 것이다.

우리는 프로그램을 통해 양육되고, 교육받고, 직장을 얻고, 돈을 벌고, 결혼을 하고, 아이를 낳고, 아프면 치료를 받는다. 그러면서 그 프로그램이 좋고 나쁜 것에 대한 판단을 한다. 우리는 어떤 프로그램은 좋게 보고 다른 프로그램은 그렇지 않게 생각한다. 즉 어떤 프로그램은 이래서 좋고 저 프로그램은 저래서 그렇지 않다고 평가한다. 그래서 프로그램에 대한 평가는 우리의 삶 속에 투영된 하나의 문화일 수도 있다. 프로그램에 대한 평가가 우리의 삶 속에서 자리매김하고 있듯이, 우리가 속한 기관이나 조직에서도 그러하다. 조직에서는 다양한 프로그램이 운영되고 있고 의사결정자들은 그것이 조직에 미치는 영향과 효과가 어떠한가를 파악하여 그것을 지속하거나 폐지하려는 판단을 할 것이다.

우리가 번역한 Fitzpatrick, Sanders과 Worthen의 『프로그램 평가: 대안적 접근과 실천적 지침』(제4판)은 프로그램 평가가 무엇인가를 체계적으로 소개하고 있다. 또한 프로그램 평가를 실시하는 타당하고 신뢰로운 절차와 방법을 소개하고 있다. 이 번역본은 총 4부로 구성되어 있다. 제1부는 평가의 목적과 활용 및 개념, 평가의 역사적 전개, 평가에서의 정치적이고 윤리적인 쟁점을 소개하고 있다. 제2부는 프로그램 평가의 다양한 접근들을 전문가 및 소비자중심 접근, 프로그램중심 접근, 의사결정중심 접근, 참여자중심 접근 등으로 구분하여 소개하고 있다. 제3부는 프로그램 평가를 어떻게 계획하고 실시할 것인가를 소개하고 있다. 제4부는 평가 정보 수집 및 분석 방법과 평가 결과의 활용에 대한 실용적 가이드라인을 제공한다.

이 책을 번역한 우리들이 외국의 상황과 문화로 가득 찬 언어로 집필된 저자들의 의도와 내용을 독자들이 정확하게 이해하도록 혼신의 힘을 다했지만 여러 곳에서 어색한 부분, 때로는 오류를 범한 부분도 적지 않을 것으로 생각된다. 이러한 번역의 부족함은 모든 지식과 경험이 일천한 번역자들의 책임이다. 이 책을 익히 알고 있고 또 앞으로 읽게 될 독자들의 많은 질책과 피드백에 대해 우리 번역자들은 두 귀를 열어놓고 경청할 것임을 밝힌다. 이 책이 나오기까지 물심양면으로 지원해 준 아카데미프레스의 홍진기 사장과 책이 모양새를 갖추도록 여러 수고를 아끼지 않은 편집실 선생님께도 감사의 말을 전하고 싶다.

2014년 8월
역자 일동

저자 소개

Jody Fitzpatrick은 1985년도부터 콜로라도 대학교 덴버 캠퍼스의 행정학과 교수로 재직 중이며, 현재는 연구방법과 평가의 과정을 가르치고, 많은 학교와 복지시설의 평가를 수행하며, 평가의 성공적인 실행에 관하여 광범위한 집필 작업을 하고 있다. Jody는 미국평가학회의 위원직(Board of the American Evaluation Association)과 「미국 평가저널과 평가의 새로운 방향(American Journal of Evalution and New Directions for Evaluation)」의 편집위원을 맡았다. 또한 미국평가학회에서 평가최고이익단체교수 의장직(Chair of the Teaching of Evaluation Topical Interest Group)을 수행하였고, 자교에서 세계 지도자 상을 수상하였다. 최근 발간한 저서 『실천 평가: 전문 평가자와의 인터뷰를 바탕으로(Evaluation in Action: Interviews with Expert Evaluators)』에는 하나의 평가에 있어서 평가자가 평가를 계획하고 수행하게 된 계기와 그 선택에 영향을 준 요소에 관하여 이야기한 인터뷰 내용을 담았다. 그녀는 최근 중·고등학교에 있어서 상담자의 역할변화와 이민 온 중학교 여학생들이 학교에 적응하고 정착을 도울 수 있는 프로그램에 관하여 평가하고 있다. 그녀의 국제적인 업적은 스페인과 유럽에서의 평가 연구도 포함하고 있으며, 최근에는 프랑스, 스페인, 덴마크, 멕시코, 칠레의 정책입안자들과 평가자들 사이에서도 언급되고 있다.

James Sanders는 1975년부터 교수직을 역임하며 평가를 수행하고 연구하고 그에 관한 책도 발간하였던 웨스턴 미시간 대학교에서 교육학 명예교수로서 평가연구센터에 재직 중이다. 버크넬 대학원과 콜로라도 대학에서 미국평가학회 위원 및 회장을 역임하였고, 미국평가학회의 전신이었던 평가 네트워크(Evaluation Network)를 구축한 운영위원회 의장직을 수행하였다. 그는 학교, 학생, 프로그램 평가 등에 관한 저서를 집필하였고, 학교, 재단, 정부, 비영리 기관 등에서 평가를 수행하기 위한 개발 활동에 광범위하게 참여하였다. 교육 평가를 위한 기준마련 합동위원회(Joint Committee on Standards for Educational Evaluation)의 의장으로서 『프로그램 평가기준(The Program Evaluation Standards)』의 제2판 출간에 적극적으로 참여하여 이끌었으며, 또한 학생 평가를 위한 '응용수행평가

(applied performance testing)', 재단이나 정부 기관에 의한 프로그램 평가를 위한 '집단 평가(cluster evalution)', 조직 발전을 위한 '평가 주류화(mainstreaming evalution)' 등의 개념 설계에 관여하기도 하였다. 평가에 있어서 James의 국제적인 업적은 주로 캐나다, 유럽, 라틴아메리카 등에 집중되어 왔다. 그는 평가에 관한 박사 과정을 개설하는 데 업적을 세운 웨스턴 미시간 대학과 미시간 평가협회로부터 공로상을 수상하였다.

Blaine Worthen은 평가방법론 박사 과정을 직접 설립하고 지휘한 유타 주립대학교와 연구와 평가 서부연구소(Western Institute for Research an Evaluation)에서 명예 심리학 박사직을 맡고 있으며 미국과 캐나다의 지역 및 국가적으로 350여 개의 평가를 수행하고 있다. 그는 오하이오 주립대학에서 박사학위를 받았으며, 『평가 수행(Evaluation Practice)』의 초판 제작자이며 「미국평가저널(American Journal of Evaluation)」의 초판 집필자이다. Blaine은 미국평가학회 위원 임원직을 수행하였으며, 미국평가학회가 특별한 평가 전문가에게 수여하는 뮈르달 상과 최고 평가연구 상을 수상하였다. 1969~1999년에는 대학 평가 과정을 가르쳤고, 1973~1978년에는 미국 17개 주에 걸쳐 이루어지는 평가를 관리 하였으며, 수많은 정부 기관과 사립 기관을 관할하며, 미국, 영국, 호주, 이스라엘, 그리스, 에콰도르 등의 여러 나라에서 평가 워크숍을 통해 150여 개의 평가 기초를 마련하기도 했다. 그는 평가, 측정, 사정 등에 관한 광범위한 저서를 집필해 왔으며, 6권의 책과 135편의 기사를 작성하기도 했다. 『파이 델타 카판(Phi Delta Kappan)』에 작성한 그의 기사 "대안적 평가의 미래를 결정할 비판적 견해"는 2000 백악관 국정 목표 회의에서 500여 명의 개별 초청자들에게 소개되었으며, 이 분야의 국제적 권위자로 알려져 있다.

저자 서문

평가에 있어 21세기는 흥미진진한 시기이다. 이 분야는 성장하고 있으며 학교, 조직, 정책입안자, 공공기관 등의 많은 사람들이 프로그램이 작용하는 방식과 프로그램의 성공과 실패의 요인을 배우는 데 흥미를 갖고 있다. 21세기 초기 10년간 경험한 혼란을 바탕으로, 많은 사람들이 회사, 정부, 학교, 비영리 조직 등의 책임론에 관심을 갖고 있다. 판매량이 가장 많았던 이 책의 최신판인 제4판은 독자들로 하여금 평가가 어떻게 이러한 목적을 수행할 수 있는지를 고려할 수 있도록 돕는 데 방향이 맞추어져 있다. 이전 판은 독자에게 평가에 대한 다른 접근방식과 평가를 수행하는 실용적인 방법을 동시에 제시하는 몇 권 되지 않는 책 중 하나였다.

개정판의 특징

제4판은 많은 변화를 담고 있다.

- 평가에 있어 정치인의 역할과 윤리적 고려사항에 관한 장 추가
- 평가에 있어 가장 최신의 접근방법과 이론에 관하여 설명하고 논의한 2부의 재조직
- 설계, 데이터 수집, 분석 등에 있어서 혼합방법론에 대한 초점 증대
- 각 장에 소개된 주제에 대한 설명을 뒷받침해 줄 평가를 실제로 수행한 평가자들과의 인터뷰 게재를 통해, 평가 시 직면한 어려움과 선택 이유에 관한 견해 제시
- 수행평가, 결과들, 효과들, 기준들에 대한 오늘날의 초점이 어떻게 평가에 영향을 미쳤는가에 대한 논의
- 조직 연구, 평가능력 계발, 평가 주류화, 평가와 조직에 있어서의 트렌드와 같은 문화적 경쟁력에 대한 장을 추가

오늘날, 평가는 다양한 방식으로 변하고 있다. 정책입안자, 관리자, 시민, 소비자 등은 더 원활한 활동과 결과가 나오기를 원하고 있다. 더 중요한 것은, 많은 사람들이 사회 문제를 더 잘 이해하고 프로그램과 정책들이 이러한 문제를 줄이는 데 기여하기를 바라고 있다는 것이다. 수행평가와 결과, 또는 평가의 영향을 포함한 많은 형태의 평가가 세계적

으로 확대되고 있다. 또한 조직에서 일하는 사람들은 조직에 대한 이해도를 강화하는 방식으로서의 평가에 관심을 보이고 있다. 그들은 그들이 얼마나 잘 하고 있는지, 조직이 직면한 어려운 문제들에 어떻게 대응할지, 그들의 수행능력을 어떻게 개선하고 고객과 지역사회에 더 나은 서비스를 제공할지에 대해 알고 싶어한다. 설계와 데이터 수집을 위한 혼합적 방법, 평가 개발에 있어 새롭고 다양한 이해관계자들의 증대된 관여, 평가의 잠재적 활용과 영향에 대한 확장된 고려사항 등 다양한 많은 방법들이 개발되고 사용되었으며, 연구 결과들을 응용하기 위한 더 효과적이고 다양한 방식도 연구 중에 있다. 평가가 세계적으로 확대됨에 따라, 평가를 다양한 조건과 환경에 적용시킨 실험 결과들이 이 분야를 더 풍부하게 해주고 있다.

개정판에서는 평가의 수행과 관련하여 독자들에게 활력과 창의력을 전달하기를 희망한다. 우리 각자는 모두 학교, 공공 복지기관, 정신 건강 센터, 환경 프로그램, 비영리 조직, 회사 등을 포함한 다양한 환경에서의 평가를 수년간 수행해 온 경험을 갖고 있으며, 또한 수년간 학생들에게 어떻게 그들이 조직이나 지역사회 안에서 평가를 응용할 것인지를 가르쳐 온 경험이 있다. 우리의 목표는 초판을 낼 때부터 지금까지 일관적으로 독자들로 하여금 평가를 수행하거나 그들의 직장이나 상대하는 고객 또는 지역사회에 변화를 가져올 만한 평가에 참여함에 있어서 적절한 정보를 제공하는 데 있다. 개정판에서 어떻게 그것이 진행될 것인지 이제부터 보여주고자 한다.

개정판의 구성

이 책은 네 개의 부로 구성되어 있다. 1부에서는 독자들에게 평가의 역사, 트렌드, 윤리적 · 정치적 요소, 그리고 평가의 모든 면을 초월하고 아우르는 대인관계적 요소와 같은 핵심 개념을 소개한다. 평가는 비연구가들의 결정과 관리방식을 향상시킬 목적으로 실제로 이루어진다는 점에서 연구에 따라 다르게 나타난다. 결과적으로, 평가자들은 사용자와 이해관계자들과의 협력을 증진시키고 평가 결과가 다른 수요자와 의사결정자들에게 영향력이 있는 정치적 환경에서 작업하고자 한다. 평가자들은 그러한 환경에서 어떻게 결과를 사용할지를 알아야만 한다. 게다가, 때로는 윤리적 제동이 가해지기도 한다. 우리는 평가가 저항과 관심에 따라 달리 취해야 할 방식을 찾고자 한다. 그것이 우리가 평가를 우리 필생의 사업으로 삼은 이유이다. 1부에서는 독자들에게 이러한 차이점과 공적 · 정치적 맥락에서 평가가 기능하는 방식을 소개하고자 한다.

2부에서는 평가를 하기 위해 소위 사례, 이론이라고 불리는 다양한 몇 가지의 접근방식을 소개하고자 한다. (목적 또는 결과가 성취되었는지 여부를 결정하는 것은 평가에 접근하는 유일한 방식이 아니다!) 접근법은 평가자가 무엇을 연구할 것인가를 결정하는 방식과 그들이 연구하는 분야에 다른 사람을 연계시키는 방식에 영향을 미친다. 우리는 우리의 논의를 이론기반(theory based), 의사결정중심(decision-oriented), 참여적 접근(participatory approach)으로 확장시킴으로써, 평가자가 프로그램의 적용을 이해하기 위하여 논리적 모델과 프로그램 이론을 사용한 새로운 방식을 설명하며, 이해관계자의 힘을 강화시켜 주고 학습의 또 다른 방식을 만들어 내는 참여적, 변형적 접근법을 비교 및 대조, 설명한다. 평가자들은 방법론을 반드시 알아야 한다. 그러나 또한 평가시 의식적이고 현명하게 접근법을 선택하거나 프로그램, 고객, 이해관계자, 그리고 평가의 맥락에 가장 적절한 혼합된 접근법을 선택할 수 있도록 다른 접근법에 대해서도 알아야 한다.

3부와 4부는 책의 핵심이라 할 수 있는데, 평가 연구를 계획하고 실행하는 방법에 대해 설명한다. 3부는 계획 단계로서, 프로그램에 대해 배우고, 이해관계자와의 충분한 대화를 통해 연구 목적을 알고 장차 사용될 방향을 고려하며, 연구가 나아가야 할 방향을 알려줄 평가 항목을 마무리 짓는다. 3부에서는 독자들이 평가 계획과 연구를 수행하기 위한 시간과 예산을 포함한 관리 계획을 설립하는 방법을 안내해 준다. 4부에서는 설계안 선택과 개발, 표집, 데이터 수집, 전략 분석, 결과 해석, 외부인에게 결과 설명 등에 있어 평가자들이 하게 될 방법론적 선택과 결정에 대해 논의한다. 각각의 장은 요약이 이루어지고 평가 연구에 있어서 시행되는 순서를 보여주는 형태로 순차적으로 구성되어 있다. 다양한 그래픽, 목록, 예시 등이 독자들의 이해를 돕기 위해 제시된다.

개정된 내용

각 장은 가장 최신의 서적, 논문, 연구를 고려하여 수정되었고, 새로운 많은 참고 문헌과 현 시대의 예시적 상황들이 첨가되었다. 따라서, 무선 통제 집단과 평가 결과를 위한 적절한 설계, 평가 정책과 실행에 관한 정치적 영향에 대한 현 시대의 논란, 참여적 접근법에 대한 연구, 문화적 경쟁력에 대한 논의와 조직 설계 능력, 평가를 사용할 새로운 모델, 결과의 해석과 전파 등에 관한 현재의 논란 등이 독자들에게 소개될 것이다.

우리는 과감하게 평가에 대한 접근에 절충적인 입장을 취하고자 한다. 설계에 있어 적합하기만 하다면 다른 많은 접근법과 방법론을 사용할 것이며 독자들에게도 그렇게 하기를 권한다. 우리는 한 가지 접근법만 지지하지는 않으며 독자들 또한 그렇기 하기를 기대한다. 독자들은 다양한 많은 접근법과 방법론을 2부에서 배우게 될 것이며, 3부와 4부에서는 데이터 수집에 관한 다른 방법론들을 알게 될 것이다.

독자의 이해를 돕기 위해, 우리는 이전 판에서 사용했던 대부분의 교육학적 구조를 계속 고수해 왔다. 각 장에서는 현 시대의 기초적인 쟁점들에 대하여 실용적이고 접근 용이한 방식으로 정보를 제공한다. 핵심 사안을 설명하기 위하여 표와 그림들이 첨가되었으며, 각 장은 그 장에서 다루어질 논점의 일부를 독자들에게 소개하기 위한 핵심 질문으로 시작되어 마지막에는 다루어진 주요 개념과 이론, 토의 문제, 적용 연습, 또 주제에 관해 논의된 참고할 만한 읽을거리 등으로 마무리 짓는다.

우리는 이전 판에서 사용된 사례 연구를 사용하기보다는 이제 독자들에게 실제 평가에 대해서 소개해야 할 때라고 판단하였다. 다행스럽게도 Blaine Worthen이 「미국평가저널(American Journal of Evaluation)」의 편집자로 재직하던 때 Jody는 평가 수행을 마친 평가자들과 인터뷰한 내용의 칼럼을 썼는데, 그 내용이 현재 평가에 관하여 지도를 할 때 널리 사용되고 있다. 개정판은 각 장에 소개된 주제에 맞게 추천된 인터뷰 내용을 각각 게재하고 있다. 독자들과 지도자들은 『Evaluation in Action』(Fitzpatrick, Christie, & Mark, 2009)을 이 책과 함께 병행해서 보거나, 「미국평가저널」 원본을 참고하여 더 많은 인터뷰 내용을 접해도 좋을 것이다. 각 장의 말미에는 책 속에서 인용된 내용 혹은 저널의 원본 인터뷰 내용을 한 개에서 세 개 정도 소개해 두었다.

우리는 이 책이 독자들로 하여금 질문하고, 탐구하고, 평가적인 방식으로 주제에 관해 새로운 접근방법을 생각할 수 있도록 돕기를 바라며 또한 프로그램, 정책, 조직의 변화에도 그러한 영향을 미칠 수 있기를 바란다. 이미 평가자로서의 역할을 하고 있는 독자들에게는 실제 적용에 있어서 이 책이 도구 역할을 하고 새로운 관점을 제시해 줄 것이다. 또, 새롭게 평가자가 되려고 하는 독자들에게는 평가 연구에 있어서 새로운 참가자 혹은 정보력이 좀 더 견실한 사용자가 되고 아마도 자신만의 평가 영역을 공고하게 구축할 수 있도록 도와줄 것이다.

감사의 말

이토록 흥미진진한 평가영역 분야에서 계속해서 함께 연구를 펼쳐준 동료들에게 깊은 감사의 뜻을 전합니다! 매번 개정판을 낼 때마다 우리는 평가에 있어서 진보가 이루어지고 있음을 느끼고, 평가의 이론과 실제에 있어서 우리 동료들의 놀라운 통찰력을 볼 수 있었습니다. 또한, 전혀 피로한 기색 없이, 더 창의적이고 부지런한 연구로 이 원고를 더욱 풍성하게 만들 수 있도록 연구를 지원해 주신 Sophia Le에게도 심심한 감사의 뜻을 전합니다. 끝으로 우리가 연구에 몰두하는 동안 변함없이 관심과 자부심과 인내와 사랑을 보내준 우리의 가족들에게도 깊은 감사를 전합니다.

차례

9 최근 고려사항: 문화적 역량과 능력 구축 ·················· 291

10 평가 접근법의 비교분석 ····························· 305

제3부 **평가 계획을 위한 실질적인 안내 지침**

---

11 평가 요구와 책임 명확히 하기 ···················· 323

12 범위 설정과 평가 맥락 분석하기 ···················· 354

제4부　　**평가 실시 및 활용을 위한 실천적 지침**

Part I

평가에 대한 소개

1부에서는 학생들이 본 책을 읽기 전에 이해해야 할 기본 지식을 설명한다. 우리는, 평가의 개념과 평가의 다양한 의미를 탐구하고, 프로그램 평가의 역사와 학문으로서의 발전사를 살펴보며, 독자들에게 프로그램 평가에 영향을 미치는 요소 등의 세 가지 요소를 이해하고자 한다. 또한 독자들에게 이 분야에 있어 최근의 논란과 경향을 소개할 것이다.

1장에서는 평가의 기본 목적과 평가자의 달라지고 있는 역할을 논의할 것이다. 우리는 평가를 구체적으로 정의 내리고, 평가에 있어 중요한 다른 몇몇 특징과 개념을 소개할 것이다. 2장에서는 오늘날 평가가 우리 사회의 공적, 비영리적, 영리적 프로그램에서 그 영향력이 강화됨에 따라, 평가의 사상, 실제, 그리고 그 역사적 진화의 기원을 요약할 것이다. 3장에서는 모든 평가에 내재되어 있는 정치적, 윤리적, 인간상호적 요소를 논의 하고 다른 연구와 구별되는 특징을 강조할 것이다.

1부는 독자들에게 앞으로 읽어나갈 부분뿐만 아니라 프로그램 평가에 있어서 문학에 존재하는 풍부한 요소에 대한 필수적 요소들에 대한 정보를 제공하는 데 그 의의가 있다. 비록 이 책의 나머지 부분은 주로 프로그램 평가에 있어서 평가를 적용하는 데 초점이 맞추어져 있지만, 대부분은 정책, 생산 그리고 그러한 영역의 과정의 평가에 적용하고, 실지로는 평가의 어떤 목적에도 적용된다. 2부에서는 평가자들과 이해관계자들이 평가에 적용할 수 있는 다양한 선택에 대한 독자의 이해도를 넓히기 위한 다른 접근법들을 소개할 것이다.

1

평가의 기본 목적, 활용 및 개념

핵심 질문

1. 평가란 무엇인가? 왜 중요한가?
2. 형식적 평가와 비형식적 평가의 차이는 무엇인가?
3. 평가의 목적은 무엇인가? 평가자는 어떠한 역할을 할 수 있는가?
4. 형성평가와 총괄평가의 주요한 차이점은 무엇인가?
5. 요구 사정, 과정평가, 결과평가에 있어서 평가자는 어떠한 질문들을 다룰 수 있는가?
6. 내부 평가자와 외부 평가자의 장점과 단점은 무엇인가?

21세기를 맞이하는 시점에서 우리는 많은 과제에 직면하게 된다. 그러나 그 중 일부만이 정말로 '새로운' 것이다. 미국과 그 외 다른 나라에서도 정부와 비영리 기관들이 새로운 시대의 교육, 준 문맹자의 감소방안, 가족의 강화, 노동인구로서의 진입 또는 재진입을 위한 교육, 재직자에 대한 연수, 각종 질병과 정신병과의 싸움, 인종차별에의 대처, 범죄ㆍ약물남용ㆍ아동과 배우자 학대의 감소방안 등 수많은 복잡한 문제들의 해결을 위해 고군분투하고 있다. 좀 더 최근에는 환경을 보호하면서 경제발전을 추구하는 균형 유지와 개발도상국에서의 경제성장과 안정 확보가 주요 관심사가 되어오고 있다. 이 책에 쓰여 있듯이, 미국과 전 세계 여러 나라들은 사회의 모든 면에 영향을 끼칠 경제 문제에 직면하고 있다. 이러한 문제들에 대처하기 위해 만들어진 정책과 프로그램 중 어떤 프로그램이나 정책이 효과가 있고 어떤 것이 그렇지 않은지, 어떤 정책을 추구해야 하는지를 결정하기 위하여 평가가 필요하다. 사회가 복잡해지고 그에 따라 직면하는 각종 문제들도 날로 복잡해짐에 따라서 십 년 주기로 변화에 대한 대처방안을 추가해야 하는 것처럼 보인다.

이렇게 팽배하고 복잡한 문제들에 대한 사회의 관심이 더 강해짐에 따라 이를 해결하기 위한 노력도 강화되고 있다. 총체적으로, 지역사회, 지방, 국가, 국제사회 차원에서 이러한 문제를 제거하고 그 근저에 내재된 원인을 해결하기 위해 많은 프로그램들을 제시하였다. 몇몇 경우에는 비효율적이라고 판단되어 사장 혹은 폐기시키고 문제를 다른 각도에서 더 효과적일 것으로 기대되는 방식으로 다룰 수 있는 새로운 프로그램으로 대체하기도 해왔다.

최근에는 행정가와 프로그램 개발자들이 자신들의 가장 전도유망한 프로그램을 유지하기 위해서 노력하지만 부족한 자원과 예산 문제로 더욱 어려움을 겪고 있다. 점점 더 정치인과 운영관리자들은 더 효율적인 새로운 프로그램에 충분한 자금을 공급하기 위해 몇몇 프로그램이나 하위요소를 없앨 것인지 현재의 예산 한도 내에서 그대로 유지만 할 것인지를 선택해야 하는 힘든 상황을 맞이하고 있다.

이러한 상황에 현명하게 대처하기 위하여, 정책입안자들은 프로그램들의 상대적 효과에 대한 좋은 정보를 필요로 한다. 어떤 프로그램이 효과적인가? 어떤 것이 실패하고 있는가? 프로그램의 상대적 비용과 편익은 어떠한가? 유사하게, 각 프로그램의 운영관리자들은 프로그램들이 각기 다른 영역 중 어떤 부분이 제대로 이루어지는지 알아야 한다. 실제 이루어져야 하는 것보다 잘 실행되지 않는 부분을 향상시키기 위해서 어떻게 할 수 있는가? 프로그램의 모든 측면들이 계획단계에서 신중하게 검토되었는가, 아니면 계획을 좀 더 보완해야 하는가? 프로그램의 효과 측면에서 이론적·논리적 모형은 무엇인가? 어떻게 수정해야 이 프로그램을 더 효과적으로 만들 수 있겠는가?

이러한 질문들에 답하는 것이 프로그램 평가의 주요 과제이다. 이 책의 주요한 과제는 여러분에게 평가의 개념과 현대사회의 모든 분야에서 평가의 중요한 역할에 대하여 소개하는 것이다. 그러나, 좋은 평가가 좋은 프로그램의 필수 요소라는 것을 확신시켜 주기 전에, 다음 각 영역의 기본 개념들을 최소한 이해하도록 돕고자 한다.

다양한 이론가들의 평가에 대한 정의는 다음과 같다.

- 형식적 평가와 비형식적 평가의 차이
- 형식적 평가의 기본 목적과 다양한 활용
- 평가의 기본 유형들 간의 구분
- 내부 평가자와 외부 평가자의 구분
- 평가의 중요성과 한계

이러한 내용을 모두 다루는 데는 사실 한 장뿐 아니라, 책 한 권을 채울 수 있을 것이다. 이 장에서는, 앞으로 여러분이 보게 될 다른 장의 내용을 이해하기 위해 필수적인 요소들과 각각의 개념에 대해서 개괄적으로 파악할 수 있도록 각 주제별로 간단하게만 다룰 것이다.

비형식적 평가와 형식적 평가

평가란 새로운 개념이 아니다. 실제로, 인간의 역사 이래로 사람들은 계속 평가하고, 검토하고 판단해왔다. 네안데르탈인들이 어떤 묘목이 최고의 창을 만들지 알아낼 때, 페르시아 족장들이 딸에게 가장 어울리는 배필을 고를 때에도, 그리고 영국 군인들이 웨일즈식 긴 활을 더 선호하여 그들 고유의 활을 포기했을 때도 평가가 이루어진 것이었다. 영국인들은 긴 활은 화살이 단단한 갑옷을 더 잘 관통할 수 있게 해주며, 자신들의 활은 한 번에 하나밖에 쏘지 못하는 데 반해 긴 활은 세 개를 동시에 쏠 수 있다는 것을 알아낸 것이다. 영국인에게 어떻게 그러한 활들 간의 차이가 알려진 것인지에 대한 공식적인 평가 기록은 없지만, 그들이 긴 활의 가치를 측정할 때 프랑스와 전투 시에 긴 활을 사용하는 것이 그들에게 더 유리하게 작용할 것이라는 것을 염두에 두었던 것만은 분명하다. 따라서 영국군은 고유의 활을 버리고 개선된 웨일즈식 활을 그들만의 것으로 개량하고 백년전쟁의 대부분의 기간 동안 무적의 승리를 이어갔다.

반면에 프랑스 궁수들은 긴 활을 간단히 실험해 보고는 자신들의 활을 다시 사용해서 계속해서 전투에서 지게 되었다. 이러한 것이 서투른 실험의 폐해다! 불행하게도, 프랑스로 하여금 질이 낮은 무기를 계속하여 사용하게끔 한 잘못된 판단과 같은 일들이 역사를 통하여 너무나 자주 반복되어 온 비공식적 평가 패턴이다.

인간으로서 우리는 매일 평가를 하게 된다. 전문직 종사자, 운영관리자, 정책입안자들은 모두 학생, 고객, 직원, 프로그램, 정책에 관하여 판단을 내리게 된다. 이러한 판단은 선택과 결정으로 이어진다. 이는 삶의 자연스러운 일부분이다. 예컨대 학교의 교장은 교실에서 수업을 하는 교사를 관찰하고 교사의 효율성에 대해서 나름대로 판단을 한다. 재단 프로그램 관리자는 약물남용 프로그램 실행형태를 알아보고 프로그램의 질과 효과를 판단한다. 정치인은 보험에 들지 않은 아이들에 대한 새로운 보건 방안에 대한 강연을 듣고, 그 방법이 자신의 지역에서도 실제로 유용할지 결론을 내릴 수 있다. 그러한 판단들은 우리 일상에서 수시로 일어난다. 그러나 이러한 판단들은 비형식적, 비체계적 평가에 기초하는 것이다.

비형식적 평가는 잘못될 수도 있고 현명한 판단으로 이끌 수도 있다. 그러나 그러한 평가는 체계적인 과정이나 공식적으로 수집한 증거도 없기 때문에 깊이와 폭이 결여되어 있다는 특징이 있다. 인간으로서 우리는 선입견을 주거나 혹은 정보를 제공할 수도 있을 우리의 과거 경험에 의해 영향을 받는데다가, 다양한 학생, 고객, 많은 상황들을 관찰할 기회를 갖지 못하였기 때문에 판단을 내리는 데 한계가 있다. 비형식적 평가는 진공 상태에서 발생하지는 않는다. 경험, 본능, 일반화 그리고 추론 등이 우리의 비형식적 평가의 결론에 모두 영향을 미칠 수 있으며, 그 중 일부 혹은 전부가 옳거나 잘못된 판단의 기초가 될지도 모른다. 기분 좋은 날 혹은 나쁜 날의 선생님을 본 적이 있는가? 유사한 학생, 교육과정, 교수방법에 대한 과거 경험은 우리의 판단에 어떤 영향을 미치는가? 비형식적 평가를 수행할 때 우리는 이러한 한계에 대해 제대로 인지하지 못한다. 그렇지만 형식적 평가가 불가능할 경우, 정보 및 경험이 풍부하며 공정한 사람들에 의해 실시된 비형식적 평가는 실제로 매우 유용할 수 있다. 모든 개인, 단체, 조직이 공식적으로 모든 것을 평가하는 것은 불가능하다. 때때로 비형식적 평가가 유일한 실용적 접근이 될 수 있다.

형식적 평가와 비형식적 평가는 형식성의 정도에서 연속선상에 위치한다. Schwandt(2001a)는 일상생활에서의 판단이 갖는 중요성과 가치를 인정하고 평가란 단지 방법이나 규칙의 문제만은 아니라고 주장한다. 그는 평가자란 프로그램 실시자들이 '비판적 지식을 함양하는 데' 도움을 주는 사람이라고 본다. 다시 말해, 평가란 "일상적 삶을 이해하기 위하여 방법론, 일반적 원칙, 규칙 등에 과도하게 의존하고 지나치게 적용하는 것과 인간적 직관과 영감을 신뢰하는 것 사이에"(p. 86) 위치해 있다고 한다. Mark, Henry와 Julnes(2000)도 같은 맥락에서 평가를 도움을 얻어 이해하기(assisted sense-making)라고 설명하며 이에 동조하였다. 그들이 관찰하기에 평가란 "정책, 프로그램을 비롯하여 평가가 필요한 대상에 대하여 관찰하고 이해하고 판단을 내릴 수 있는 인간의 자연적 능력을 지원하고 확장해주기 위하여 발전되어 온 것"(p. 179)이라고 말한다.

그렇다면, 평가란 인간 행동의 기본 형태이다. 때때로 철두철미하고 구조적이고 형식적이다. 더 많은 경우 개인적이며 전체 인상에 좌우된다. 이 책에서의 초점은 더 형식적이며 구조화된 공식적 평가에 맞추어져 있다. 우리는 다양한 독자들에게 다양한 평가접근법을 소개하고자 하며, 평가기준을 개발하고 대안들에 대한 정보 수집 방법에 대해서 알려주고자 한다. 전문적 평가자가 되기를 원하는 모든 독자들에게 우리는 형식적 평가연구에 사용되는 접근법과 방법론을 알려주고자 한다. 모든 독자, 현장 종사자, 평가자들에게 비판적 지식을 함양시켜 주기를 희망하고, 비형식적 판단과 결정에 영향을 미치는 요소들에 대하여 인식할 수 있도록 돕기를 원한다.

평가 및 기타 주요 용어에 대한 간단한 정의

바로 앞에서, 통찰력 있는 독자들은 '평가'라는 용어가 맥락에 내포된 의미적 요소를 벗어나 훨씬 더 넓은 의미로 사용되어 왔다는 것을 알게 되었을 것이다. 그러나 우리가 이용어에 대해 좀 더 정확하게 정의를 내리지 않고 진행한다면, 이 장의 나머지 부분은 더혼란스럽게 다가올 것이다. 직관적으로, 평가를 정의 내리는 것은 어렵지 않아 보인다. 예를 들어 사전상 의미 중 하나를 빌려온다면 평가란 "가치를 고정하거나 확정하는 것, 검토하고 판단하는 것"이라고 나와 있다. 매우 직설적으로 보이지 않는가? 그러나 전문 평가자들 사이에서는 '평가란 무엇인가'에 대하여 공식적으로 정확하게 내려진 정의라는것은 존재하지 않는다. 사실, 평가에 있어 언어의 역할을 고려해볼 때, 평가의 기초를 제시한 Michael Scriven은 최근 평가에 있어서 언어의 역할에 대해 쓴 글에서 글 속에서 적용되는 평가에 대해서는 거의 60개 이상의 용어가 있을 수 있다고 말했다. 이런 용어에는판결(adjudge), 감정(appraise), 분석(analyze), 사정(assess), 비평(critique), 조사(examine), 등급(grade), 점검(inspect), 판단(judge), 평정(rate), 등위(rank), 검토(review), 채점(score), 연구(study), 검사(test) 등이 있을 수 있다(cited in Patton, 2000, p. 7). 이 장에서는 독자들에게 실제 적용에 있어서의 다양성을 소개하고자 한다. 그러나 그 중에서도 가장 다른 의미들을 다 아우를 수 있는 정의에 초점을 맞추고자 한다.

이 분야의 연구 초창기에, Scriven(1967)은 평가를 사물의 가치나 장점을 평가하는 것이라고 정의 내렸다. 많은 최근의 정의들은 이러한 평가에 대한 정의를 대부분 받아들이고 있다(Mark, Henry, & Julnes, 2000; Schwandt, 2008; Scriven, 1991a; Stake, 2000a; Stufflebeam, 2001b). 우리 역시 평가란 평가대상(그것이 무엇이든)에 대한 가치를 결정내리는 것이라는 점에는 동의한다. 좀 더 넓게는, 우리는 평가를 평가 대상의 가치를 납득할 만한 기준에 맞추어 식별, 증명, 적용하는 것이라고 정의 내린다. 이러한 정의는 분명하고 명백하고 받아들여질 만한 기준이 필요하다는 것은 분명하다. 실제로, 우리의 평가 목적의 판단은 다를 수 있다. 왜냐하면 우리는 개인마다 사물을 판단하는 데 사용하는 기준을 명백하고 분명하게 하는 데 실패해오곤 했기 때문이다. 어떤 교육자는 읽기 교과과정이 독서에 미칠 수 있는 영향을 중시하여 그것을 가치 있다고 여길 수 있고, 또 다른교육자는 그것이 다른 교육과정만큼이나 철자나 단어나 의미를 해석하고 인지하는 데 학생에게 도움이 될 수 없다며 폄하할 수도 있다. 이렇게 각각의 교육자들은 그들의 평가기준이 각각 다르기 때문에 가치를 부과하는 교육과정도 다를 수밖에 없다. 평가자의 중요한 역할 중의 하나는 각각의 이해당사자들이 그들의 기준을 분명히 하는 것을 도와주고,

그것들에 대한 논의를 활발하게 하는 것이다. 우리가 내린 정의에서는 그러한 기준들을 사물의 가치판단을 내리는 데 사용할 것을 강조하고 있다.

평가는 방법을 평가하고 연구하는 것을 포함한다. 예를 들어 (1) 질적 수준을 판단하는 기준을 명확히 하고, 그러한 기준들이 연관되어 있거나 절대적인 것인지 판단한다거나, (2) 연관된 정보를 수집한다거나, (3) 그러한 기준들을 가치판단이나 질적 판단, 효율성이나 중요성, 실용성 판단에 적용한다거나 하는 것이다. 그러한 것들은 평가가 그것이 목적한 의도에 맞게끔 적절히 사용되며, 이해당사자들이 평가 대상물을 채택한다거나 계속 사용한다거나 확대 사용할지를 결정하는 데 도움이 될 것이다.

프로그램, 정책, 산출물

미국에서는 종종 "프로그램 평가"라는 용어를 쓴다. 그러나 유럽과 다른 나라에서 평가자들은 종종 "정책 평가"라는 용어를 사용한다. 이 책은 프로그램과 정책, 결과의 평가 모두를 다루고 있다. 그러나 우리는 개별 직원이나 고용인에 대한 평가는 하지 않는다. 그것은 다른 영역이며 좀 더 인간 개인과 관리와 관련된 영역이다(Joint Committee[1988] 참조).[1] 그러나 바로 그 점에서 우리가 프로그램과, 정책과, 산출물로부터 의도한 것들을 간략하게 논의할 필요가 있다. "프로그램"은 많은 다양한 방식으로 정의 내려질 수 있는 용어이다. 가장 간단하게 말하자면 서비스를 위하여 제공되는 고정된 형태의 준비형식이다(Cronbach et al., 1980, p. 14). 교육평가기준합동위원회(Joint Committee on Standards for Educational Evaluation, 1994)에서는 **프로그램**을 "지속되는 본질에 제공되는 활동" (p. 3)이라고 간단하게 정의 내렸다. 합동위원회는 『기준(Standards)』(2010)의 최신판에서 프로그램은 활동의 조합 그 이상의 것이라고 말한다.

프로그램을 완전히 정의하자면, 다음과 같다.

- 계획된 체계적 활동의 총합
- 관리되는 자원의 사용
- 특정한 목표 획득
- 특별한 필요와 연관
- 특정하고, 명확한 참여 개인 또는 단체에 관한 것

---

[1] 교육평가기준합동위원회는 교육 현장에서 근무하는 교사나 행정직원의 수행능력을 평가하는 데 관계자들이 관심을 두고 있는 인사평가에 대한 기준들을 개발해왔다. 이에 대한 자세한 내용은 http://www.eval.org/evaluationdocuments/perseval.html을 참고하기 바란다.

- 특정한 맥락과 연관
- 문서로 표시 가능한 산출물이나 효과를 제시
- 가정된(명시적, 내재적) 신념체계(프로그램의 적용방식에 대한 진단적, 일반적, 조정적, 이행적 이론)를 따름
- 특정하고 조사 가능한 비용과 이윤을 포함함(Joint Committee, 2010, in press)

그들의 새로운 정의는 프로그램이 특정한 필요와 연관된 목표를 얻기 위한 것이라는 것과 특정 이론이나 가정에 기초한 것이라는 것을 강조하고 있다는 것을 알 수 있다. 후에, 프로그램 이론에 관해 논의할 때 좀 더 자세하게 다루기로 한다. 우리는 단지 프로그램이라는 것은 교육적, 사회적, 상업적으로 인지된 문제에 대한 반응으로서 특정한 산출물을 추구하기 위한 계획된 중재안이며 계속해서 진행되는 것이라고 간단히 요약할 수 있다. 그것은 전형적으로 사람이나 조직 등 단체들이 중재안이나 서비스를 수행하는 것을 포함하고 있다.

반면에 "정책"이라는 단어는 일반적으로 공적 조직이나 정부 기관들이 수행하는 좀 더 넓은 형태의 활동을 일컫는다. 기관들은 모두 정책을 가지고 있다. 다시 말해, 직원을 모집하고, 고용하며, 소비에 대해 계획을 세우고 미디어와 조직에 의해 서비스를 제공받는 고객관계 등 모두 정책과 연관되어 있다. 그러나 입법부, 사법부 등 여타 기관들을 포함한 정부 기관들 또한 정책을 개발한다. 그것은 법이나 규정일 것이다. 평가자들은 종종 그들이 프로그램 평가를 연구할 때 수행하는 것과 마찬가지로 그러한 정책들의 효율성을 판단하기 위하여 연구를 수행한다. 때때로, 프로그램과 정책 사이의 경계는 꽤나 희미하다. 프로그램과 마찬가지로, 정책도 어떤 산출물을 내거나 변화를 가져오기 위해 시행된다. 그러나 프로그램과 달리 정책은 서비스나 활동을 제공하지는 않는다. 대신 정책은 지침, 규정과 같이 변화를 가져오기 위한 유사한 무엇인가를 제공한다. 공공정책을 연구하는 사람들은, "공공정책이란 시민들의 삶에 영향을 미칠 수 있도록 직접적, 혹은 매개체를 통하여 수행하는 정부활동의 총합이다"라고 정책을 좀 더 넓게 정의한다(Peters, 1999, p. 4). 정책분석가들은 평가자들이 정부 프로그램의 효율성에 대해 연구하듯이, 그들 역시 정부정책의 효율성을 연구한다. 때때로 그것은 중복되기도 한다. 어떤 사람이 정책이라 부르는 것을 다른 사람은 프로그램이라고 부를지도 모른다. 실제로 미국에서 정책 분석가들은 정치학과 경제학을 교육받는 경향이 있으며, 평가자들은 심리학, 사회학, 교육학, 공공관리론에 대한 훈련을 받는 경향이 있다. 평가영역이 확대됨에 따라서, 고객은 정부 프로그램에 관해 좀 더 많은 정보를 얻기를 바라며, 평가자들은 프로그램과 정책의 효

율성을 더 연구하게 된다.

결국, "산출물(product)"이라는 것은 정책이나 프로그램의 개별 영역이 아닌 좀 더 구체적인 독립체로 존재하는 것이다. 그것은 여러분이 읽고 있는 교과서, 여러분이 사용하는 소프트웨어의 일부분에도 존재할 수 있다. Scriven은 산출물이라는 것에 대해 어떤 사물의 산출량(output)이라고 매우 넓게 정의 내린다. 그래서 그 산출물이라는 것은 훈련을 잘 받은 사람이나 학생이 될 수도 있고, 학생의 과제물일 수도 있고, "개발노력이나 연구결과"의 교육과정이 될 수도 있다.

이해관계자

평가에 있어서 자주 언급되는 또 다른 용어는 "이해관계자(stakeholders)"이다. 이해관계자란 평가결과나 개발된 프로그램에 의해 영향을 받을 수 있거나 직접적으로 이해관계가 있는 개인 또는 단체를 말한다. 『평가백과사전(Encyclopedia of Evaluation)』에 의하면, Greene(2005)은 네 가지 형태로 이해관계자를 분류한다.

(a) 자문위원회, 정책입안자, 자금제공자를 포함하여 프로그램에 권한을 가진 사람

(b) 프로그램 개발자, 행정가, 관리자, 프로그램 수행자를 포함하여 프로그램에 직접적 책임이 있는 사람

(c) 지역사회, 가족 또는 프로그램을 통하여 의도된 수혜자

(d) 프로그램에 의해서 손해 또는 손실을 보는 사람(자금을 잃거나 프로그램으로 인해 서비스를 받지 못하는 사람)

Scriven(2007)은 이처럼 그룹화된 이해관계자들을 어떻게 그들이 프로그램에 의해 영향을 받는지에 따라 다시 그룹으로 나누고, Greene보다 정치적 그룹과 같은 좀 더 많은 그룹을 포함시켰다. "상류 피효과자(upstream impactees)"는 납세자, 정치적 지지자, 자금제공자 그리고 프로그램에 영향을 미치는 정책을 만드는 사람들을 지칭하고, Alkin(1991) 또한 언급했던 "중류 피효과자(midstream impactees)"는 프로그램 관리자 혹은 직원을 의미하고, "하류 피효과자(downstream impactees)"는 프로그램의 산출물이나 서비스를 소비하는 사람을 말한다.

이 모든 그룹의 사람들은 그들이 때때로 인지하지 못한다 하더라도 실제로 그러한 프로그램의 향후 방향에 어느 정도 이해관계를 가지고 있다. 평가자들은 보통 최소한 일부 이해관계자들을 계획단계에서 고려하거나 평가를 수행하기도 한다. 그들을 참여시킴으로써 평가자들은 프로그램과 그것을 사용할 사람들에게 필요한 정보를 더 잘 이해할 수 있다.

평가와 연구의 차이점

평가와 연구 간의 차이점은 매우 중요하다. 왜냐하면 그 차이점이 바로 우리가 평가의 본질적 특성을 이해할 수 있도록 해주기 때문이다. 일부 평가 방법은 전통적 사회과학 연구 방법에서 파생되기도 하지만 평가와 연구 사이에는 중요한 차이점이 있다. 그 중 하나가 바로 목적이다. 연구와 평가는 다른 목적을 추구한다. 조사의 주요한 목적은 어떤 분야에 지식을 부가하고 이론의 발전에 이바지하는 것이다. 훌륭한 조사연구는 지식의 증가를 위해 이루어진다. 반면에 평가연구의 결과는 지식의 발달에 공헌하며(Mark, Henry, & Julnes, 2000), 그것은 평가에 있어서 두 번째 관심사이다. 평가의 주요한 목적은 대상이 무엇이든 이해관계자의 판단이나 결정을 도와주기도 하면서 그들에게 유용한 정보를 제공하는 것이다.

연구는 결론을 도출하고자 하지만, 평가는 판단을 이끈다. 가치부여는 평가에 있어서 필수불가결한 것이다. 평가자와 연구자를 구별 짓는 기준은, 만약 연구되는 것의 가치가 아무런 데이터를 만들어내지 못하더라도 그것이 실패로 간주되느냐를 묻느냐는 데에 있다. 엄격히 대답하는 연구자는 아마 '아니오'라고 대답할 것이다.

이러한 목적에 있어서의 차이점이 어떤 접근법을 취할 것인가에 영향을 미치게 된다. 연구라는 것은 법칙이나 이론전개의 탐구, 즉 한 가지 또는 그 이상의 다양성 사이의 관계를 논하는 것이다. 그래서 연구의 목적은 전형적으로 일반적인 관계를 설정하고 탐구하는 것이다. 대신, 평가라는 것은 특정한 분야를 조사하고 기술하는 것이며, 궁극적으로는 가치를 측정하는 것이다. 때로는 그러한 점을 기술하는 것이 일반적인 관계를 조사하는 것을 포함하기도 하지만 항상 그런 것은 아니다. 평가가 일반적인 이슈에 초점을 맞출 것인지 여부는 이해관계자에게 필요한 정보에 의존한다.

이것은 바로 평가와 연구가 누구에 의해 제안되느냐에 있어 또 다른 차이점을 강조한다. 연구에 있어서 조사되어야 할 가설은 그 지식분야의 이론전개에 있어서 적절한 다음 단계가 무엇인가를 결정할 조사자의 평가에 근거하여 정해진다. 평가에서는 답을 찾아야 할 질문은 오히려 평가자의 것이라기보다는 많은 주요 이해관계자를 포함한 자료들에 기인한다. 평가자는 질문을 던지지만 이해관계자들과의 협의 없이 연구의 초점을 결정하지는 않는다. 사실 그러한 행위들은 평가에 있어서 비윤리적인 행위이다. 연구와는 달리 훌륭한 평가란 언제나 이해관계자들, 때로는 매우 광범위한 단위의 이해관계자들이 많은 이유로 계획단계나 수행단계에서 연관되어야만 하기 때문이다. 그것은 평가가 이해관계자들의 필요를 심사숙고하고, 결과의 타당성을 향상시키며 그 유용성을 강화시키기 위해서이다.

평가와 연구 사이의 또 다른 차이점은 결과의 일반화에 있다. 특정 부분에 있어서는 판단을 내려야 한다는 평가자의 목적이 주어져 있기 때문에, 훌륭한 평가라는 것은 평가 대상이 포함되어 있는 전후사정과 매우 밀접하게 닿아있다. 이해관계자들은 특정 평가 목적물이나 프로그램 또는 정책에 대해서 판단을 내리지만, 연구자들이 하듯이 다른 상황들에 대해서 일반화를 정의 내리는 것에는 관심이 없다. 사실, 평가자들이 그러한 세부 사항들에 더 관심이 있어야 하며 그것들이 프로그램의 성공과 실패에 연관이 있는 요소인지에 관심을 갖고 주목해야 한다(주변상황과 맥락이란 어느 학교의 작은 프로그램이 될 수도 있고, 여러 장소를 아우르는 국가적인 것일 수도 있다). 반면에, 연구의 목적은 일반적 지식을 축적하는 것이기 때문에 방법론이라는 것은 대개 많은 다양한 상황 속에서도 일반성을 확산시키는 것에 맞추어진다.

앞서 언급되었듯이, 연구와 평가의 또 다른 차이점은 결과의 사용목적에 있다. 책의 후반부에서 우리는 평가에서 발생할 수 있는 여러 가지 다른 유형의 용도에 대해서 논의할 것이나 궁극적으로는 평가란 상대적으로 즉각적인 효과를 가져오는 데 그 목적이 있다. 그 효과란 즉각적인 결정을 내리는 데에 있을 수도 있고, 멀지 않은 미래의 결정 또는 한 사람 또는 그 이상의 이해관계자들이 평가나 평가 그 자체의 목적에 대해서 가질 수 있는 관점에 있을 수도 있다. 그것이 무엇이든 평가라는 것은 실사용을 위해 수행된다. 좋은 연구는 즉시 사용될 수도 있고 아닐 수도 있다. 사실 어떤 이론에 중요한 영향을 미칠 수 있는 연구는 즉시 알아챌 수 없을지도 모르며, 그 이론에 연결되기까지는 연구 수행 후 몇 년 뒤가 되어서야 이루어질 수도 있다.[2] 그럼에도 불구하고 연구는 그 분야나 원칙에서 연구 기준이 되기 위하여 좋은 연구로서 고고하게 남아있다. 누군가의 발견이 그 분야에 이상적으로 지식을 축적시키려면, 그 결과는 시공을 초월한 것이 되어야만 한다.

따라서, 연구와 평가는 그 타당성을 판단하는 데 사용되는 기준부터가 다르다(Mathison, 2007). 연구의 타당성을 판단하기 위한 두 가지 중요한 준거는 인과관계에 있어서의 그 연구의 성공을 의미하는 내부적 타당성과, 다른 시간과 공간에서도 일반화 가능성을 가질 수 있는 그 연구의 외부적 타당성이다. 그러나 이러한 준거들은 평가의 질을 판단하

---

2) 이와 관련하여 주목할 만한 예는 진화론에 관한 다윈의 업적이다. 그의 저서인 『종의 기원』의 설명들은 불과 얼마 전까지만 해도 과학자들에게 받아들여지지 못했고 최근에서야 몇 부분은 옳다는 새로운 연구 제안이 재고되고 있는 상황이다. 따라서, 새로운 기술 개발과 발전이 이루어지고 그것이 과학자들로 하여금 지난 연구결과를 재고하게 함으로써 100년도 더 이전에 시행된 연구가 새롭게 부상될 수도 있다는 것을 알 수 있다.

는 데 충분하지도 적절하지도 않다. 앞서 언급했다시피, 일반화 가능성 즉 외부적 타당성
은 평가의 초점이 평가되는 정책이나 프로그램의 구체적 특징에 있기 때문에 중요성이
덜하다. 대신 평가는 대개 그 **정확성**(그 정보가 현실과 어느 정도 대응하여 현실성을 얻
게 되었는지 하는), **유용성**(그 결과가 사용자들의 의도에 맞게끔 실용적인 정보를 제공하
였는가 하는), **실행가능성**(평가가 현실적이며, 신중하게 이루어졌으며, 외교적이며, 소박
한지 하는), 그리고 **정당성**(평가가 윤리적이며 합법적으로 관련된 사람들의 권리를 보호
하면서 이루어졌는가 하는)에 의해 판단이 된다. 이러한 기준들과 **평가 책무성**과 연관된
새로운 기준은 평가기준합동위원회에 의해서 평가 사용자들과 평가자들 자신이 평가란
무엇을 해야 하는가를 이해하기 위해서 개발되었다(Joint Committee, 2010). (더 많은 기
준을 위해선 3장을 참조하시오.)

　연구자들과 평가자들은 또한 그들의 업무를 수행하는 데 요구되는 기술과 지식에 있
어서도 차이가 있다. 연구자들은 그들이 연구하는 한 가지 이론에서 깊이를 얻기 위해 훈
련된다. 연구자들의 연구는 대개 한 가지 분야나 이론에 머물기 마련이므로 이러한 접근
은 적절하다고 할 수 있다. 그들이 사용하는 방법은 상대적으로 평가자들이 사용하는 것
들보다 지속적이다. 왜냐하면 연구자들의 초점은 연구의 특정 방법에 그들 자신으로 하여
금 계속 유사한 문제에 놓이게 하기 때문이다. 반면에 평가자들은 많은 다른 유형의 프로
그램이나 정책들을 평가하고, 많은 필요한 정보 속에서 고객이나 이해관계자들의 요구에
반응을 하게 된다. 그러므로, 평가자들의 방법론적 훈련은 확대해야 하고 그들의 초점은
많은 이론들을 초월해야 한다. 그들의 교육은, 만약 그들이 프로그램이나 정책의 가치에
적절히 접근하고자 한다면, 반드시 그들로 하여금 그들이 접근하게 될 광범위한 분야에
민감하게 반응할 수 있도록 돕는 방향이어야 한다. 평가자들은 이해관계자들의 필요와 특
정 프로그램에 가장 적절한 방법을 찾을 수 있도록 많은 다양한 방법론과 기술에 광범위
하게 익숙해져야 한다. 게다가, 평가란 프로그램 이론이나 메타평가(metaevaluation)와
같은 것들을 이해하기 위한 이론적 모델을 사용하는 것과 같은 그것만의 특정한 방법론
을 개발해왔다. Mathison은 "평가는 실질적으로 사실과 가치 모두를 얻기 위해 모든 이론
과 생각의 방법을 부끄럼 없이 빌려온다"(2007, p. 20)라고 했다. 그녀의 말은 평가자들에
게 요구되는 방법론적 폭과 또 평가자들의 방법이 사실관계를 정립할 뿐 아니라 그 가치
를 높이는 데 도움이 되어야 한다고 서술하고 있다.

　결론적으로, 평가자들은 고객과의 인적 관계를 반드시 설정해야 한다는 점에서 연구
자들과 다르다. 그 결과 평가자들에게 요구되는 능숙도에 대한 연구는 대인관계 기술 훈
련이나 커뮤니케이션 기술에 필요한 것으로 맞추어져 있다(Fitzpatrick, 1994; King, Ste-

vahn, Ghere, & Minnema, 2001; Stufflebeam & Wingate, 2005).

요약하면, 연구와 평가는 그 목적에 있어서 분명 다르고, 그 결과 각자의 영역에서 평가자와 연구자들의 연구에 있어서 그 대비과정과 기준은 그 일을 판단하는 데 사용된다(차이점을 요약해놓은 표 1.1 참조). 이러한 차이점이 평가와 연구가 수행됨에 있어서 그 방식의 차이점을 가져온다.

물론, 평가와 연구가 중복되는 때도 있다. 평가연구는 지식 분야에 있어서 이론이나 법칙을 연구하는 우리의 지식을 부가시켜 주기도 한다. 연구는 프로그램이나 정책에 있어 그 결정과 판단을 내리는 데 정보를 제공해줄 수도 있다. 그러나 근본적 차이점은 남아 있다. 앞선 논의에서 평가 입문자들에게 평가자들이 연구자들에 비해 다르게 행동하는 방식을 이해하도록 돕기 위해 이러한 차이점을 강조하였다. 평가는 한 분야에 지식을 더해 줄 수도 있고, 이론 발달에 이바지할 수도 있으며, 대강의 관계를 정립시킬 수도 있고, 현상 간의 관계에 대한 설명을 제공해줄 수도 있다. 그러나 그것은 주요 목적이 아니다. 평가의 주요 목적은 이해관계자들로 하여금 가치판단을 하고 무엇이 평가되어야 할 것인지를 결정하는 것을 도와주는 데에 있다.

실행연구

전적으로 다른 연구 분야는 실행연구이다. 실행연구는 최초로 Kurt Lewin(1946)에 의해

표 1.1 평가와 연구의 차이점

요소	연구	평가
목적	지식을 첨가하고 이론을 발달시킴	판단을 내리고, 결정시에 정보 제공
누가 안건을 정할 것인가?	연구자	이해관계자와 평가자가 함께
결과의 일반화 가능성	이론에 부가하는 것이 중요	중요성이 덜함. 요점은 정책이나 프로그램의 세부사항과 전후 맥락에 있음
결과의 사용 용도	중요하지 않음	중요한 기준임
적절성 판단 준거	내부적, 외부적 타당성	정확성, 유용성, 실행가능성, 정당성, 평가 책무성
이 분야에 종사하는 사람들에 대한 준비 (과정)	방법론적 수단이나 접근보다 주요문제에 대한 깊이 있는 이해가 더 중요	학제간, 많은 방법론적 수단과 대인관계 기술이 중요

개념화되었고, 좀 더 최근에는 Emily Calhoun(1994, 2001)에 의해 발전된 것으로서 전문가들이 그들의 실행을 개선하기 위해 수행하는 협력이다. 그 전문가들은 자신들의 전문적 실행을 개발하기 위한 연구방법과 사고 수단을 사용하고 있다. 연구로써, 전문가들에 의해서 그들의 이론을 좀 더 향상시키기 위해서 협력적으로 수행되어온 이론이다. 그 전문가들에게는 그들의 이론을 좀 더 발달시키기 위한 사고의 수단과 연구 방법으로써 사용하고 있는 사회복지사, 교사 또는 회계사 등이 있으며, 그들은 Elliott(2005)이 주장하듯이, 실행연구는 항상 발달적 목적을 가지고 있다. 교육론에서 행동발달을 기술한 Calhoun은 그들의 이론을 개념화하기 위해서 함께 연구하는 예를 들고 있다. 그들은 자료를 수집하고, 분석하며, 이슈에 대한 데이터를 해석하고 그들이 시행하고 있는 커리큘럼이나 프로그램과 교사로서의 그들의 실행을 어떻게 개선할 것인지에 대한 결정을 내린다. 데이터 수집 과정은 프로그램 평가 활동과 중복될지도 모르지만 거기엔 중요한 차이점이 있다. 실행연구는 그들의 실천을 개선시키고자 하는 목적을 가진 전문가에 의해서 수행된다는 점이다. 실행연구는 또한 전문가들이 협력적으로 배우고 실험하고 그들의 실행을 연구하는 그 조직의 문화를 변화시키기 위한 전략으로도 고려된다. 그래서 실행연구는 프로그램 개선에 사용되는 정보의 형성평가와도 유사한 정보를 생산해낸다. 이 연구는 연구의 근저에 있는 요소를 향상시킴과 더불어 프로그램을 시행하는 사람들에 의해서 연구되고 전문성 개발과 조직변화에 관하여 주요한 목적을 지니고 있다.

평가의 목적

앞서 평가에 대한 정의와 관련하여 우리는 평가의 주요한 목적은 평가되는 것이 무엇이든 그 가치에 대한 판단을 하는 것으로 믿고 있다. 이러한 관점은 형식적 평가의 목적에 대한 윤곽을 보여준 초창기 학자인 Scriven(1967)의 견해와 필적한다. 그는 "평가의 방법론(The Methodology of Evaluation)"이라는 세미나에서, 평가는 무엇이 평가되든 그 가치나 장점을 결정해야 한다는 단 한 가지 목적을 가지고 있다고 주장했다. 최근의 저서에서는 Scriven은 평가의 주요한 목적은 사물의 가치나 장점을 판단하는 데 있다고 자신의 주장을 관철했다(Scriven, 1996).

그러나 평가가 진화해옴에 따라서 다른 목적들이 드러나기 시작했다. 이러한 목적에 대한 논의 중 하나는 오늘날 세계에서의 평가의 관행에 눈을 돌리고 있다. 평가에 있어 초기 독자들에게는 이러한 목적들이 평가와 그 사용에 대한 많은 양상을 실증한다. 비록 우리는 Scriven의 평가의 목적에 관하여 프로그램, 정책, 과정이나 생산물의 가치나 장점을 판단한다는 역대 주장들에 동의하지만, 우리는 시행되고 있는 평가의 목적들 또한 주목한다.

몇 년 전, Talmage(1982)는 평가의 중요한 목적은 평가를 결정하는 데 있어서 "정책결정을 내리는 데 책임이 있는 사람들을 도와주는" 데 있다고 주장했다(p. 594). 그리고 사실 정책입안자들에 의해서 만들어진 결정의 질을 향상시킬 정보를 제공하는 것은 프로그램 평가의 주요한 목적이 되고 있다. 실은 학교, 주, 지방자치단체, 연방정부, 비영리 단체 등에 의해서 오늘날 그렇게 많은 평가 데이터가 수집되는 이유는 이러한 조직에 있는 정책입안자들로 하여금 프로그램의 지속 여부, 새로운 프로그램의 개발 여부 혹은 가장 중요하게는 프로그램의 구조나 자금제공에 변화를 줄 것인지를 결정하는 것을 도와주는 데에 있다. 정책입안자들에 의해 결정된 결정과 더불어, 평가는 프로그램 관리자(교장, 부서 책임자), 프로그램 수행자(교사, 상담가, 의료인, 또는 프로그램에 의해 제공되는 다른 서비스를 수행하는 사람들), 프로그램 소비자(고객, 학부모, 시민) 등에게 그들이 무엇인가를 결정하는 데에 정보를 제공하는 데 그 목적이 있다. 어떤 교사 단체는 학생들의 수행평가를 프로그램의 자료나 커리큘럼을 결정하는 데 사용할 수도 있다. 학부모는 학교의 수행에 대한 정보에 기초하여 어느 곳에 있는 학교에 보낼지를 결정할 수도 있다. 학생들은 평가 정보에 기초하여 더 높은 수준의 교육을 제공하는 기관을 선택할 것이다. 그들에게 제공되는 데이터나 평가 정보가 결정을 내리는 데 가장 유용하게 사용될 수도 있고 아닐 수도 있지만, 그럼에도 불구하고 평가는 분명 이러한 목적에 사용된다.

여러 해 동안, 평가는 프로그램의 향상을 위해 사용되어 왔다. 이 장의 뒷부분에서 언급할 것이지만, Michael Scriven은 비록 프로그램 향상이 가치판단의 초기 과정을 통하여 얻어지긴 하나, 오래전에 그것을 평가의 역할 중의 하나로 정의했다. 오늘날, 많은 사람들이 조직적 프로그램의 향상을 평가의 주요하고 직접적인 목적으로 간주하고 있다(Mark, Henry, & Julnes, 2000; Patton, 2008a; Preskill & Torres, 1998).

프로그램 관리자나 그것을 수행하는 사람들은 평가결과에 기초하여 프로그램의 향상을 위한 변화를 가져올 수 있다. 사실, 이것이 평가의 가장 빈번한 용도 중 하나이다. 많은 예가 있는데, 교육방법이나 교육과정을 변경하기 위하여 학생들의 평가 결과를 사용하는 교사, 환자들의 약물 투여량이나 사용에 대해서 환자들과의 의사소통을 하는 방법으로써 환자들의 약물 사용 평가 결과를 사용하는 의료인, 직업의 적절한 수행능력을 향상시키기 위하여 수습직원으로부터 피드백을 받아 사용하는 교육 담당자 등이 그 예가 될 수 있다. 바로 이 모든 것들이 평가가 프로그램을 향상시킬 목적으로 제공되는 경우이다.

오늘날 많은 평가자들은 평가가 새로운 방식으로 프로그램이나 조직의 향상을 위해 사용된다고 본다. 뒷장에서 언급되겠지만, Michael Patton은 소위 그가 말하는 "개발평가"라는 분야에서 특별하거나 중요한 목적은 없지만 대신 지속적인 진보나 적응, 교육을 위하여 도움을 주는 등 오늘날에도 유용하게 활용되곤 한다고 말했다(Patton, 1994, 2005b). Hallie Preskill(Preskill, 2008; Preskill & Torres, 2000)과 다른 학자들(King, 2002; Baker & Bruner, 2006)은 생각의 새로운 방식을 주입시킴으로써 전체적인 조직의 수행을 향상시키는 데 있어서 평가의 역할에 대하여 기술해왔다. 평가에 참여하는 과정은 그 자체로, 조직 접근 업무에 종사하는 사람들의 업무 방식에 영향을 미치기 시작할 수 있다. 예를 들어, 평가받아야 할 프로그램에 대하여 이론적 모델을 개발해야 하는 직원들을 포함하거나 프로그램의 과정에 대하여 어떤 결론을 이끌어내기 위해 데이터를 조사하는 평가는 직원들로 하여금 그러한 과정을 사용하도록 유도하거나 미래에 이러한 문제에 접근하는 방식을 사용하게끔 해서 조직 개선에 기여하게끔 할지도 모른다.

물론, 프로그램이나 조직 개선의 목적은 다른 것들과 중첩되기도 한다. 평가가 프로그램 향상을 위해 만들어졌을 때, 평가자들은 반드시 그러한 프로그램 경영이나 수행이 프로그램 향상을 위한 연구결과에 들어가게 될 것이라는 결과를 고려해야 한다. 그래서 평가의 목적은 프로그램 향상과 결론을 내리는 양쪽에 모두 제공되는 것이다. 우리는 이 두 가지 목적을 구별하기 위해 지나치게 사소한 것에 신경 써서는 안 되고 단지 평가가 두 가지 목적에 제공될 수 있다는 것만 인지할 것이다. 우리의 목적은 평가의 목적에 대한 다양한 견해를 넓히고 독자들로 하여금 고유의 상황과 조직에 맞게끔 그 목적을 고려하도록 도와주는 것이다.

최근의 몇몇 평가의 목적에 대한 논의는 이러한 것들보다 평가가 사회의 좀 더 궁극적인 영역에 영향을 미칠 수 있는 목적에 대한 것으로 이동되고 있다. 몇몇 평가자들은 평가의 중요한 목적 중 하나는 정책을 만들거나 프로그램을 계획하는 데 있어서 잘 들을 기회가 없었던 사람들에게 도움의 손길을 주는 것이라고 지적한다. 그래서 House와 Howe(1999)는 평가의 목적은 심도 있는 민주주의를 육성하는 데 있다고 주장한다. 그들은 평가자들로 하여금, 영향력이 적은 이해관계자들도 목소리를 얻도록 돕고 민주주의 시대의 이해관계자들 사이의 대화를 더욱 촉진하도록 권장한다. 또 다른 사람들은 평가자들의 역할은 더 큰 사회정의와 평등을 가져오는 것이라고 강조한다. 예를 들어 Greene은 가치는 필연적으로 평가의 실행에 영향을 미치고 따라서 평가자들은 결코 중립적일 수 없다고 말한다. 대신에, 그들은 평가에 있어서 나타날 수 있는 가치의 다양성을 인지하고 이 사회에서 요구되는 사회정의와 형평성의 가치를 얻기 위해 노력해야 할 것이다 (Greene, 2006).

Carol Weiss(1998b)와 Gary Henry(2000)는 평가의 목적은 사회가 더 나아지도록 하는데 있다고 논쟁해왔다. Mark, Henry, Julnes(2000)는 사회의 개선책이란 "사회적 문제를 완화하고 인간의 기본적 필요를 충족시키는 것"이라고 보았다(p. 190). 그리고 사회 개선을 위한 평가자들의 목적은 최소한 미국평가학회(American Evaluation Association)에 의해 채택된 지도 방침, 혹은 도덕률에 부분적으로나마 반영되어 있다. 그 지침 중 하나는 대중적, 공공복지를 위한 평가자들의 책무성에 대해 다룬다. 특히 Principle E5에서는 다음과 같이 언급하고 있다.

평가자들은 대중의 이익과 관심을 아울러야 할 의무가 있다. 왜냐하면 대중의 이익과 관심은 투자자들이나 고객을 포함한 어떤 특정한 그룹의 이익과는 거의 일치하지 않기 때문이고 평가자들은 항상 특정 이해관계자들의 이익을 넘어서 사회 전체의 복지를 고려해야 할 것이다(American Evaluation Association, 2004).

이러한 이론은 다른 어떤 이론보다 평가자들 사이에서 더욱 많이 논의되어온 주제이고, 마땅히 그래야 한다. 그럼에도 불구하고 이것은 중요한 한 가지 평가의 목표에 대해 설명한다. 평가는 사회를 개선시키기 위해 마련된 정책과 프로그램에 관한 것이다. 그들의 목적은 정책가들, 프로그램 관리자들 그리고 이런 프로그램과 관련된 다른 사람들이 만들어낼 프로그램과 정책에 관한 것이다. 결과적으로 평가자들은 반드시 사회적 개선을 성취해야 한다는 목적에 관심이 있어야 한다. Chelimsky와 Shadish가 다가오는 21세기에 관하여 1997년에 쓴 바에 의하면, 평가자들은 21세기의 더 넓은 도전 과제로 그 대상을 확대하여 사회 개선을 성취하기 위하여 평가에 있어 세계적 관점을 지녀야 한다고 강조하였다. 그것은 바로 새로운 기술, 전 국가적인 인구불균형, 환경보호, 지속가능한 발전, 테러리즘, 인간의 권리 그리고 한 국가나 하나의 프로그램을 넘어선 다른 사회적 이슈들을 포함한다(Chelimsky & Shadish, 1997).

결과적으로 많은 평가자들은 평가의 목적이 지식을 확대하는 것이라는 것을 계속적으로 인지하게 된다(Donaldson, 2007; Mark, Henry, & Julnes, 2000). 비록 지식을 더해가는 것이 연구의 주요한 목적이겠지만, 평가연구 또한 사회과학 이론과 법칙에 관한 우리의 지식을 축적시킬 수 있다. 그것들은 다른 그룹의 새로운 환경에서도 그 이론이 사실로 증명되는가를 시험해 봄으로써 새로운 그룹에서도 이론이나 법칙이 존재하는지 테스트하거나 실생활에서도 이론이 적용되는지 확인해볼 기회를 제공한다. 프로그램이나 정책은, 비록 항상은 아닐지라도, 종종 몇몇 사회과학적 이론이나 원리에 기초한다.[3] 평가자는 이러한 이론들에 기회를 제공한다. 평가는 고객집단이나 그 문제에 대한 정보, 문제의 원인이나 결과에 대한 정보, 연관된 효과 이론에 대한 테스트 등 우리의 지식에 더해줄 많은 종류의 정보를 수집한다. 예를 들어 Debra Rog는 1990년대 초반에 소유주택이 없는 가족들에 대한 거대한 중개 프로그램에 대한 평가를 실시했다(Rog, 1994; Rog, Holupka, McCombs-Thronton, Brito, & Hambrick, 1997). 당시, 무주택 가족들에 대해서는 많이 알려지지 않았고, 계획 중이었던 초창기 추정치들도 정확하지 않았다. Rog는 무주택 가족들의 환경에 대해 좀 더 연구하기 위하여 그녀의 평가 계획을 채택하였다. 그 결과 더 나은 프로그램 계획을 세울 수 있었을 뿐 아니라 무주택 가족들, 그들의 보건 필요성 그리고 그들의 환경에 대한 우리의 지식을 더해주었다. 연구와 평가의 차이점에 대한 토론에서 우리는 연구의 주요한 목적은 한 분야에 지식을 더해주는 것이고 이것이 평가의 주요 목적은 아니라는 것을 강조했다. 우리는 그러한 구별을 여전히 사용하고 있다. 그러나 몇몇 평가의 결과는 사회과학 이론이나 법칙에 대한 우리의 지식을 증가시켜 주기도 한다. 이것은 주요한 목적은 아닐지라도 평가가 제공해줄 수 있는 단순한 목적이 될 수 있다.

우리는 평가가 많은 다른 목적을 제공할 수 있다는 것을 보았다. 그것의 주요 목적은 가치를 결정하는 것이지만 또한 다른 많은 목적들을 제공할 수도 있다. 이러한 것들은 프로그램, 조직, 사회의 전체적인 향상을 돕고, 적은 힘으로 목소리를 내어 민주주의를 강화시키며, 우리의 지식 기반을 더해줌으로써 결정을 내리는 데 도움을 줄 수 있다.

전문 평가자의 역할과 활동

전문가로서 평가자들은 평가를 수행함에 있어 다양한 역할을 하고 수많은 활동을 수행한다. 평가의 목적에 대한 논의가 우리로 하여금 가치와 장점을 결정함으로써 무엇을 의도하려 하는지를 더 잘 이해할 수 있도록 도와주는 것처럼, 평가자들에 의해 추구되는 역할과 활동에 대한 짧은 논의는 어떤 분야에서 추구되는 전문들의 활동 범위에 대해 독자

---

3) 기초연구, 응용연구, 혹은 평가연구가 주어진 프로그램 실습이나 실행이 의도된 결과를 도출해내는 것이기 때문에, 프로그램은 사회과학 연구조사 결과 위주로 설계되어야 한다는 관점에서 '증거기반 실행'이라는 용어가 만들어졌다.

에게 정보를 제공해줄 것이다.

　그 분야에서 강조하고 논의하는 평가자들의 주요한 역할은 평가 결과의 활용을 장려하는 것이다(Patton, 2008a; Shadish, 1994). 활용을 장려하는 수단이나, 기대되는 활용의 방식은 다를지 모르지만, 결과의 활용을 고려해보는 것은 평가자들의 주요한 역할이다. 17장에서, 우리는 그러한 활용을 촉진하기 위해서 쓰인 다양한 방법, 평가에 대해 내려진 정의 등 다른 사용 방식들에 대해 논의할 것이다. 그러나 Henry(2000)는 활용에만 주로 초점을 맞추는 것은 평가를 오로지 프로그램과 조직향상에만 초점을 맞추게 할 것이고, 궁극적으로는 최종적인 가치결정을 피하게 할 것이라고 경고했다. 그러한 염려가 가능하지만, 만약 평가의 청중들이 프로그램의 가치를 결정하는 사람이라면 이러한 문제는 발생하지 않을 것이다(이 장에서의 형성평가와 총괄평가에 대한 논의 참조). 활용은 분명, 전문가들의 평가 코드와 기준에 있어 그 주요한 역할에서 보이듯이 평가의 중심에 있다(3장 참조).

　평가자들에 대한 또 다른 논의들은 평가자들이 이해관계자들과 다른 활용자들과 상호작용을 하게 될 방식에 대해 설명한다. Rallis와 Rossman(2000)은 평가자들의 역할을 중요한 친구가 되는 것이라고 본다. 그들은 평가의 중요한 목적은 학습이라고 보고 학습이 일어나기 위해서, "황제가 잘 알고 귀를 기울일 수 있는 사람이 있다면, 그 사람은 비록 판단을 제공하는 것을 두려워하지 않을지라도 판단의 대상이기보다는 친구에 더 가까울 것이다"라고 말하며 평가자들은 신뢰받는 사람이 되어야 한다고 주장한다(p. 83). Schwandt(2001a)는 평가자의 역할은 전문가들이 비판적 판단을 할 수 있도록 도와주는 것이라고 설명한다. Patton(2008a)은 평가자들을 조력자, 협력가, 교사, 경영 컨설턴트, 조직개발 전문가, 사회변화 에이전트 등 다양한 역할로 제시한다. 이러한 역할들은 조직과 함께 일을 하면서 발전적 변화를 가져오려는 노력을 반영한다. Preskill과 Torres(1998)는 조직적 학습과 학습환경을 조성해주는 데 있어서 평가자들의 역할을 더 강조한다. Mertens(1999), Chelimsky(1998), Greene(1997)은 평가에 있어서 종종 외면당해 왔던 이해관계자들을 포함한 역할의 중요성을 강조했다. Howe(1999)는 평가자들의 중요한 역할을 다양한 집단들 사이의 대화를 촉진하는 것이라고 주장한다. 평가자들은 단지 정보를 기록하고 그 정보를 사용할 가능성이 매우 높은 제한적이고 지정된 핵심 이해관계자들에게 정보를 제공할 뿐 아니라, 대화를 촉진하여 제외된 집단에서도 민주주의적 의사결정을 장려하는 데 그 역할이 있다.

　평가자들은 또한 프로그램 계획에도 그 역할이 있다. Bickman(2002), Chen(1990), Donaldson(2007)은 평가자들이 프로그램 이론이나 이론 모델을 분명히 하는 것을 도와줌에 있어서 하게 되는 역할의 중요성을 강조한다. Wholey(1996)는 수행평가에 있어서 평가자들의 중요한 역할은 정책가들과 관리자들로 하여금 평가되어야 할 수행범위를 선택할 뿐 아니라 그러한 범위들을 평가함에 있어서 수단을 선택하는 것을 도와주는 것이라고 주장한다.

또한, 분명 평가자들은 과학전문가의 역할도 할 수 있다. Lipsey(2000)가 언급하듯, 전문가들은 "무언가를 추적할 전문 지식과, 그것들을 체계적으로 관찰하고 측정하여 목적에 대한 신뢰를 갖고 비교, 분석, 해석할 전문지식"을 가진 평가자들을 필요로 하거나 원한다. 평가는 사회과학 연구에서 비롯되었다. 우리는 새로운 접근이나 패러다임의 발생이나 성장, 우리의 목적에 대한 교육사용자들에 있어 평가자들의 역할을 설명할 것이지만, 이해관계자들은 전형적으로 평가자들과 기술적, 또는 '과학적' 전문지식 그리고 외부의 '객관적' 견해를 제공하기 위해 접촉한다. 평가자들은 때때로 다른 유사한 프로그램 연구에서 인지될 수 있는 프로그램 이해관계자들을 구성하는 데 있어서 중요한 역할을 할 수도 있다. 때때로, 프로그램을 관리, 운영하는 사람 또는 프로그램의 입법적·정치적 결정을 하는 사람들은 그들의 주요한 책임을 다하느라, 다른 프로그램이나 유사한 역할을 하는 단체에 대해 알지 못하고 이러한 활동이 수행되는 연구도 인지하지 못한다. 잠재적인 계획이나 방안을 확인하기 위해서 유사한 기존 프로그램을 전형적으로 연구하는 평가자들은 이해관계자들이 연구를 이해함에 있어서 과학적 전문가의 역할을 할 수 있다(예를 들어, 다른 프로그램에 대한 기존 연구를 이해관계자들에게 제공하는 Bledsoe의 역할에 대한 Fitzpatrick과 Bledsoe[2007] 참조).

따라서, 평가자들은 많은 역할들을 해낸다. 지지와 중립 사이의 긴장에 관하여 언급하며, Weiss(1998b)는 평가자들이 하는 역할은 평가의 맥락에 많이 의존한다고 말한다. 평가자들은 새로운 독서 프로그램의 초기 단계를 향상시키기 위한 평가 디자인에 있어서 교사나 비판적 친구의 역할을 할 수 있다. 평가자들은 그 지역의 실업률의 해결책을 찾기 위해 지정된 지역사회의 협력가나 조력가가 될 수도 있다. 어떤 지역의 새로운 이주민들의 취직능력에 대한 평가를 수행함에 있어서, 평가자들은 이민자들과 정책가 그리고 고용을 위해 경쟁해야 하는 비(非)이민자들 사이의 대화를 촉진시키는 역할을 할 수도 있다. 결과적으로, 평가자들은 학생들의 학습을 향상시키기 위해 매년 수행되는 효율성에 관하여 의회가 수행하고 계발하는 연구의 외부적 전문가로서의 역할을 할 수도 있다.

이러한 역할을 수행함에 있어서, 평가자들은 많은 활동을 하게 된다. 평가의 목적을 정의 내리기 위해 이해관계자 그룹과 협상하는 것, 계약을 성사시키는 것, 감독관을 고용하는 것, 예산을 관리하는 것, 권리가 박탈당하거나 과소평가된 단체를 확인하는 것,

도움이 되는 패널들과 협력하는 것, 질적·양적 정보를 수집·분석·해석하는 것, 다양한 이해관계자들과 잦은 접촉으로 평가의 정보를 제공하고 결과를 기록하는 것, 정보를 전달하기 위해 효과적인 방법을 연구하는 것, 진행과 그 결과를 기록하기 위해서 다른 대표들이나 언론들과 만나는 것, 평가를 평가하기 위해 다른 사람들을 채용하는 것 등이 그것이다. 이러한 것들과 다른 활동들이 평가자들의 역할을 구성한다. 오늘날 많은 조직에서 그러한 역할들이 많은 사람들에 의해 수행되고 있고, 그들은 전형적으로 훈련되고 평가자로서 교육을 받았으며 전문 회의에 참석하고 그 분야에 대해 많이 독서하며, 그들의 전문적 역할을 스스로 또는 학생들·고객들과 직접적으로 업무를 담당하는 책임을 지닌 관리자들에 의해 확정받는다. 그러나 몇몇 평가업무는 서로 섞여 있다. 이 모든 각각의 일들이 앞서 묘사된 것들을 예상하고 주어진 업무를 수행하게 할 것이다.

평가의 활용과 목적

이 시점에서 평가가 사용될 수 있는 다양한 방법들을 설명하는 것이 유용할 것 같다. 완전한 목록을 작성하는 것은 이 책 지면의 분량을 넘어서는 것이다. 우리는 이제 이 사회의 선택된 분야에서 평가가 사용되는 대표적인 예를 몇 가지 제시하고자 한다.

교육에서의 평가 활용 예시

1. 학교의 예산을 어떻게 할당할 것인지에 대해 선생님의 목소리를 높임
2. 특정한 분야에서 학교의 교육과정의 질을 판단함
3. 최소한의 승인 기준을 충족시키거나 초과한 학교에 대한 인가
4. 중학교의 정규 과정의 중요성 판단
5. 외부 보조금 지원단체가 지원하는 학교 프로그램의 효율성에 대한 보고 시 요구조건 충족
6. 지역의 학부모와 학생들의 학교 선택 시 정보 제공
7. 교사들의 자발적 독서 프로그램 장려 촉진

기타 공공/비영리 분야에서의 평가 활용 예시

1. 도시의 수송 프로그램 확대 여부와 확대 지역 결정
2. 직업 훈련 프로그램의 가치 설정
3. 저가 주택 공급계획의 대여 정책 변경 여부에 관한 결정

4. 헌혈 자원 프로그램의 개선

5. 조기 출소자의 재범방지 프로그램의 효과에 대한 결정

6. 대기오염방지를 위한 화석연료 사용규제에 대한 사회적 반응 측정

7. 소아/어린이의 면역력 증진에 대한 자원 봉사활동의 효과 산정

산업과 사업체에서의 평가 활용 예시

1. 상업적 생산품의 품질 향상

2. 사업체 내 팀 협력 프로그램의 효율성 판단

3. 생산성의 향상, 인재 채용, 생산성 유지 등에 있어 새로운 근무시간 자유선택제의
   효율성 판단

4. 이윤창출에 있어 구체적인 프로그램의 공헌도 판단

5. 기업의 환경에 대한 이미지의 사회적 인식 재고

6. 기업의 기존 임원들과 신입사원 사이의 관계 유지 및 향상을 위한 다양한 방법 추천

7. 서로 칭찬하기 문화의 효율성에 대한 질적 연구

확실히 산업과 사업체에 있어서 평가의 활용에 대한 분명한 사실이 한 가지 더 있다. 개인적인 영역에 익숙하지 않은 평가자들은 때로, 개인에 대한 평가가 사업이나 산업체 안에서 평가의 유일한 사용 수단이 되는 것은 아니라는 것이다. 아마도 '평가'라는 용어가 평가를 하는 사람으로 하여금 많은 상호간의 협력적 활동이나 프로그램 속에서 분명히 측정될 수 있는 어떤 부분을 빠뜨리고 있기 때문일 것이다. 질적 보증, 질적 통제, 연구 발달, 총체적 질관리(TQM) 또는 지속적 질적 향상(CQI) 등이 자세히 들여다보면 프로그램 평가에 있어서 많은 다양한 특징들을 포함하고 있다는 것이 증명된다.

평가의 일반적인 활용의 적용

분명한 것은, 평가의 방법은 분명히 다양한 방식으로 변형될 수 있다는 것이다. 평가의 사용은 지속적일 수 있지만 그것이 적용되는 기관(다시 말해, 평가의 대상)은 넓은 분야에 다양할 수 있다. 그래서 평가는 상품의 생산성을 향상시키거나, 사회공동체의 훈련 프로그램에 쓰이거나, 어떤 학군의 학생들에 대한 평가 시스템에서도 사용될 수 있다. 그것은 제록스사, E. F. Lilly 재단, 미네소타 대학의 교육학과 또는 유타 주의 가정지원과 등의 조직적 능률 창출을 위해서 사용될 수 있다. 평가는 San Juan 자치주의 이민자 교육 프로그램, 미국의 우편 노동자들, 영국의 Barclays 은행의 고용인들 또는 동부 로스앤젤레스의 거주자들에 대하여도 사용될 수 있다. 평가는 직업 훈련센터, 지역사회의 정신건강 클리

닉, 의과 대학 또는 지역사회 협력 사무소 등에서도 사용될 수 있다. 이러한 예들은 이외에도 무궁무진하지만 이 정도로도 충분히 우리가 말하고자 하는 것들을 알릴 수 있다.

몇 가지 예에서 특정한 분야에서 특별히 더 유용한 방식의 평가 기술이 제시되었고 똑같은 대상에 같은 평가가 이루어졌다. 그 한 가지 예가 평가 훈련에 있어서 Kirkpatrick의 모델이다(1997; 1983; 2006). 몇몇 분야에서 어떻게 넓은 분야의 대상을 효율적으로 평가할 것인가에 대한 연구가 다양한 하위분야의 평가 방식의 개발을 이끌었고, 그 예가 생산평가, 개인평가, 프로그램 평가, 정책평가, 수행평가 등이다.

평가의 기본 유형

형성평가와 총괄평가

Scriven(1967)은 최초로 평가에 있어서 형성평가와 총괄평가를 구분했다. 그 후로, 이 용어가 이 분야에서 거의 보편적으로 사용되어 왔다. 사실상 평가에 대한 이러한 두 구분은 다소 모호할지도 모른다. 그러나 이러한 용어의 구분은 평가가 제공할 수 있는 결정의 유형을 강조해주는 기능을 한다. 사실 이러한 용어들은 이해관계자들이 평가의 결과로써 받아들일 수 있는 두 가지 행태들을 대조적으로 보여준다.

평가는 그 주요한 목적이 프로그램 향상을 위한 정보제공에 있다면 형성적으로 여겨진다. 종종 그러한 평가들은 어떤 프로그램의 가치 판단을 위한 정보를 제공해준다. 그 세 가지 예는 다음과 같다.

1. 지역의 고등학교의 신학기가 시작되면서 교육위원회에 의해 Perrymount 학군의 중앙 부서 임직원들은 새로운 수업 일을 지정하도록 요청받았다. 이것은 청소년들의 생체리듬이 이른 아침에 많이 침체되어 있고, 학부모들이 오후 2시 30분 이전에 학교 수업이 끝나기를 바란다는 연구에 기초하였다. 형성평가는 현재 학교의 스케줄에 대한 그들의 견해를 고려하고 그것이 더 나은 방향으로 나아지기를 바라는 학부모, 교사, 직원 그리고 학생들로부터 정보가 수집된다. 계획을 짜는 직원들은 다른 스케줄을 사용하고 있는 다른 학교를 찾아가 이러한 스케줄을 관찰하고 기대되는 효과들을 인터뷰하게 될 것이다. 그리고 계획을 세우는 직원들은 현재 스케줄에 대한 최종적 변경권을 지니고 있는 방과후 학교 자문위원회에 정보를 제공하게 된다.

2. Akron 카운티 인적자원개발 부서의 감독책임을 지니고 있는 직원들은 근무평정을 수행하기 위한 새로운 방식을 훈련받아 왔다. 훈련의 목적 중 하나는 근무평정에 대한 인터뷰를 개선하여 고용인들로 하여금 그들의 업무수행을 향상하도록 동기를 부여하는 것이다. 훈련을 시키는 사람들은 인터뷰를 수행하는 동안 그들이 제공하는 정보들이 그 프로그램을 이수한 감독관들에 의해서 사용되는지 여부를 알고 싶어 할 것이다. 그들은 그 결과를 사용하여 훈련 프로그램의 일부를 수정하기도 할 것이다. 형성평가는 감독관들이 실제 또는 가상의 인터뷰뿐 아니라 피드백을 받아온 고용인과 훈련을 받아온 감독관들 둘 다에 초점을 맞추고 인터뷰를 하고 있는가를 모두 포함한다. 형성평가에 대한 피드백은 또한 훈련받는 사람들이 인터뷰를 연습할 수 있는 훈련의 막바지 몇 주 혹은 훈련의 최종 단계에서 수행되는 반응조사를 통하여 수집될 수도 있다.

3. 멘토링 프로그램이 교실에서의 신규교사들을 돕기 위하여 개발되고 시행되고 있다. 신규교사들은 시간 관리부터 규율에 이르기까지 개인적인 도움 지원을 받을 선배교사들을 지정받는다. 이 프로그램의 초점은 멘토들로 하여금 신규교사들이 겪을 문제들을 돕고 그들로 하여금 해결책을 찾는 것을 돕도록 하는 데 있다. 왜냐하면 이 프로그램은 매우 개인적이며 프로그램 주관에 대한 보조 감독 책임은 그것이 계획한 대로 수행되고 있는지를 배우는 것과 관련되어 있기 때문이다. 멘토들이 신규교사들과 신뢰관계를 맺고 그들이 맞닥뜨리는 문제들을 학습해 나가고 있는가? 가장 전형적인 문제의 유형들은 무엇인가? 문제들을 나열하면 어떤가? 멘토들이 효과적인 보조를 지원할 수 있는 가능성이 적은 문제들은 어떤 유형들이 있는가? 인터뷰, 일지, 기록, 신규교사들과 멘토들의 만남에 대한 관찰들은 이러한 이슈들을 해결하기 위한 데이터들을 수집하는 데 사용될 것이다. 보조 책임자는 어떻게 더 나은 훈련을 하고 멘토들을 이끌지에 대하여 고심하기 위해 그 결과들을 사용할 것이다.

프로그램의 개발에 대해 초점을 맞춘 형성평가와는 대조적으로, 총괄평가는 프로그램의 채택, 지속 여부, 확대 등에 대하여 판단을 돕거나 결정을 내릴 수 있도록 하기 위하여 정보를 제공하는 것과 연관되어 있다. 그것들은 중요한 기준에 있어서 프로그램들이 전체적으로 가치 있고 연관되어 있는지에 대하여 판단하는 것을 돕는다. Scriven(1991a)은 총괄평가를 "개발뿐 아니라 어떠한 이유로든 가치 있는 결론을 내리는 것을 필요로 하는 결정책임자를 위하여 또 그들에 의하여 이루어지는 평가이다"라고 정의 내렸다(p. 20). "요리사가 스프맛을 볼 때 그것은 형성평가이고, 손님이 맛을 볼 때 그것이 총괄평가이다." (p. 19) 다음 예에서 우리는 초기 형성평가를 총괄평가로 확대시킬 것이다.

1. 새로운 계획이 개발되고 시행된 후에는 그것이 그 지역 다른 고등학교에도 확대되고 지속될 수 있는지 여부를 결정하기 위해서 총괄평가가 수행된다. 학교위원회가 이러한 정보의 주요한 독자들이 될 것인데, 왜냐하면 지속, 확대, 중단에 대한 판단이 그들의 주요한 역할이기 때문이다. 그러나 중앙 행정관, 총괄 책임자, 학부모, 학생, 또 대중들 또한 관심이 있는 이해관계자일 수 있다. 이 연구는 방과 후 활동에 있어 출석, 성적, 참여도 등에 대한 정보를 수집할 것이다. 다른 부수적 효과로는 청소년 비행 방지와 방과 후 학생들의 일할 기회, 다른 오후 활동들과 같은 것들이 추측될 수 있다.

2. 업적평가 프로그램이 지속되어야 할지 여부를 결정하기 위하여 인력개발부서 담당자들과 관계자들은 직업만족도와 수행도에 대한 새로운 업적평가의 효과 판단을 요청할 것이다. 고용인들과 수행에 대한 지속적 기록에 대한 조사가 데이터 수집의 핵심적 역할을 할 것이다.

3. 신규교사에 대한 멘토링 프로그램이 형성평가의 결과를 사용함으로써 몇 년간 임시방편으로 사용되어 왔기 때문에, 담당자는 그 프로그램이 지속되어야 할지 여부를 알고 싶어 한다. 총괄평가는 신규교사의 이직률, 직업 만족도, 수행정도 등에 초점을 맞출 것이다.

형성평가와 총괄평가의 수용자들은 매우 다르다. 형성평가에 있어서 수용자들은 일반적으로 프로그램을 실행하거나 그것에 근접한 사람들이다. 우리가 든 예에서 그들은 새로운 계획을 수립하고 프로그램 훈련을 실행하고, 멘토링 프로그램을 관리하는 데 책임이 있는 사람들이었다. 왜냐하면 형성평가는 프로그램을 향상시키기 위해 만들어진 것이기 때문에 주요한 수용자들이 프로그램과 매일의 적용에 변화를 가져오는 지위의 사람들이라는 것은 중요하다. 총괄평가의 수용자는 학생, 교사, 고용인, 관리자 또는 프로그램을 채택할 수 있는 단체의 임원 등 잠재적인 소비자들, 자금 공급자, 다른 기관의 관리 감독관뿐 아니라 프로그램 인사담당자 등을 포함한다. 총괄평가의 수용자들은 대개 정책입안자나 관리자이지만, 사실 계속이냐 중지냐를 결정할 수 있는 권한을 가진 어떤 위치의 사람이라도 가능할 수 있다. 고객, 학부모, 학생들과 같은 소비자들은 총괄적인 정보에 기초한 프로그램에 참여할 것인지 여부 혹은 프로그램의 전체적 가치를 판단하는 것에 대해 결정한다.

형성평가와 총괄평가의 균형. 형성평가와 총괄평가가 필수적인가 하는 여부는 분명해야 한다. 왜냐하면 프로그램을 향상시키고 강화하는 개발 단계에서 결정이 필요하고 다시 프로그램이 안정되면 미래에 그것의 최종적 가치를 판단해야 하기 때문이다. 불행하게도, 몇몇 조직은 업무의 초점을 총괄평가에 너무 많이 둔다. 이러한 경향은 오늘날 많은 자금투자자들이 프로그램이나 정책의 초기단계에서 나온 결과를 강조하는 것에서 볼 수 있다. 총괄평가에 대한 지나친 강조는 불행할 수 있다. 왜냐하면 형성평가가 없는 개발과정은 불완전하고 비효율적이기 때문이다. 그것은 예를 들자면 새로운 항공 디자인을 개발하고 그것을 사전 풍동시험을 거치지 않고 최종 비행에 내보내는 것과 같다고 할 수 있다. 프로그램의 테스트 비행은 특히 성공가능성을 짐작하지 않은 채로 수행한다면 비싼 대가를 치를 수 있다.

프로그램의 초기단계에서 수집된 형성평가의 자료들은 다음 단계에서 수정, 변경될 수 있는 프로그램의 수행단계나 이론, 모델 등의 문제점들을 알아낼 수 있도록 도와준다. 프로그램을 수행하는 사람들은 좀 더 많은 훈련과 그 모델을 효과적으로 시행할 수 있게끔 하는 자료들을 필요로 한다. 그 모델은 채택될 필요가 있는데, 왜냐하면 그것을 제공받는 고객이나 학생들은 프로그램 개발자들이 예상했던 것과 정확히 일치하지는 않기 때문이다. 그들은 아마도 다른 학습 단계나 기대했던 것보다 더 적은 지식과 기술 또는 동기를 가졌을 수도 있다. 그러므로 훈련 프로그램이나 교육과정은 확대되고 변화되어야 한다. 다른 예에서, 프로그램에 참여하는 학생이나 고객은 프로그램 개발자가 기대했던 것보다 더 많은 혹은 다른 기술이나 문제점을 지닐 수 있다. 그렇다면 그 프로그램은 그것들을 수행하기 위하여 받아들여져야 한다.[4] 그래서 형성평가는 프로그램의 초기단계에서 그것이 의도한 결과를 도출하는 것을 성공시키기 위하여 매우 유용할 수 있다.

반대로, 몇몇 조직은 총괄평가를 회피할지도 모른다. 개선에 대한 평가는 중요하지만, 궁극적으로 많은 생산물과 프로그램들이 그 최종적인 가치가 판단되어야 하기 때문이다. Henry(2000)는 결과에 대한 사용을 장려하는 것에 대한 평가의 강조는 우리로 하여금 새롭고 때로는 형성적인 결과를 가져오게끔 하며 평가의 주요목적인 가치 판단을 하지 못하게 한다고 말했다.

비록 형성평가가 프로그램 개발의 초기단계에서 이루어지고 총괄평가는 최종단계에서 이루어지기는 하지만, 평가들이 그런 시간적 틀에 제한될 것이라고 생각하는 것은 착

---

4) 직업 연수 프로그램 평가에 관한 Stewart Donaldson의 인터뷰를 참고하길 바란다(Fitzpatrick & Donaldson, 2002). 그는 책에서 미시건에서는 성공적으로 이루어진 그의 프로그램 평가가, 노동자로 돌아가는 것에 힘겨움을 느끼고 있는 이유 자체가 다른 캘리포니아에서는 적용되지 않았다는 것에 대해 이야기한다. 그 프로그램은 한쪽의 대상은 가지지 않은 문제점을 다른 쪽에서는 가질 수도 있다는 것을 가정하여 설계되었다.

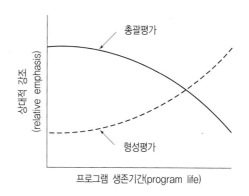

그림 1.1 형성평가와 총괄평가의 관계

각일 수 있다. 잘 설계된 프로그램은 형성평가에서 그 이익을 얻을 수 있다. 몇몇 새로운 프로그램들은 너무 문제가 많아서 총괄적 결정이 지속되지 않기도 한다. 그러나 형성평가와 총괄평가에 연관된 강조는 그림 1.1에서 보듯이 프로그램 전체에서 변화한다. 비록 이러한 일반화된 개념은 분명 특별한 프로그램 진화단계에서는 정확히 들어맞지 않을 수도 있다.

몇몇 단계에서 형성평가와 총괄평가를 구분하려는 노력은 표 1.2에서 볼 수 있다. 대부분의 개념구분과 마찬가지로, 형성평가와 총괄평가는 종종 이 책에서 보여주듯 실제로 구분하는 것이 쉽지는 않다. Scriven(1991a)은 그 두 가지는 종종 깊게 엮여 있기도 하다는 것을 인정했다. 예를 들어 프로그램이 총괄평가에 대한 연구를 바탕으로 지속된다면 연구의 결과는 총괄평가에도 그리고 후에 형성평가의 목적에도 사용될 수 있다. 실제로 형성평가와 총괄평가 사이의 경계는 모호하다.

형성평가와 총괄평가의 이면. 평가의 목적에 대한 우리의 논의는 수십 년간 평가의 실행에 있어 발생한 변화와 확대를 반영한다. Michael Patton(1996)은 형성평가와 총괄평가 차원에서 포함되지 않은 평가의 세 가지 목적을 다음과 같이 설명했다.

1. 평가는 사물에 있어 즉각적이고 중요한 판단이나 결정보다는 개념적 사고를 제공. 평가의 실행이 확대되고 어떻게 평가가 사용될 것인지 연구가 수행됨에 따라, 평가자들은 평가의 결과들이 종종 즉각적으로 사용되기보다는 오히려 점진적이고 개념적으로 이해관계자들로 하여금 그들이 서비스를 제공하는 고객이나 학생들에게 프로그램의 이상적 모델이나 이론 또는 얻고자 하는 결과의 방식에 대하여 생각의 변화를 가져오게 했다.

표 1.2 형성평가와 총괄평가의 차이점

	형성평가	총괄평가
사용	프로그램 개선	프로그램의 미래와 채택에 대한 결정
수용자	프로그램 관리자와 관계자	행정가, 정책입안가, 잠재적 소비자 또는 자금 제공기관
시행자	종종 외부평가자에 의해 피지원되는 내부평가자	종종 내부평가자에 의해 피지원되는 외부평가자
주요 특징	피드백 제공을 통한 프로그램 향상	결정권자들이 그것을 지속할 것인지와 소비자들이 그것을 수용할 것인지 결정을 가능하게끔 정보를 제공
설계 한계점	어떤 정보가 언제 필요한가?	결정을 내리기 위해 어떤 기준이나 준거가 사용될 것인가?
데이터 수집 목적	진단	판단
데이터 수집 빈도	높음	낮음
표본의 크기	종종 작음	대부분 큼
질문	무엇이 작용하는가? 무엇이 향상될 필요가 있는가? 어떻게 향상될 것인가?	어떤 결과가 발생할 것인가? 누구와 함께할 것인가? 어떤 조건이 있을 것인가? 어떤 훈련이 병행될 것인가? 비용이 얼마나 들 것인가?

2. 넓고 장기적인 조직적 학습과 지속적 향상에 대한 평가. Patton의 개발평가는 이러한 영역을 포함한다. 그러한 평가의 결과는 (형성평가의 목적인) 직접적 프로그램의 개선을 가져오는 데 사용되지는 않았지만 프로그램이나 그 배경적인 맥락에서 새로운 연구 결과나 변화를 가져오기 위하여 시행되어야 할 조직의 향방, 변화, 적용 등을 고려하게끔 했다(Preskill, 2008; Preskill and torres, 2000 참조).

3. 평가과정의 평가는 결과의 사용보다 더 중요하다. 앞으로 17장에서 논의하겠지만, 평가의 사용에 대한 연구는 단지 평가의 결과뿐 아니라 평가과정에서의 참여 그 자체로 중요한 영향을 미친다. 그러한 참여는 사람들로 하여금 프로그램에 대한 이론적 모델을 개발하고 프로그램 계획에 참여하고 다른 방식으로 개발하는 데 힘을 싣는 것 등을 통하여 미래에 그들이 프로그램을 계획하는 방식에 변화를 가져다준다. 앞서 논의했듯이, 평

가의 한 가지 목적은 민주주의의 발달에 있다. 몇몇 평가는 그들에게 정보를 제공하고 정책입안자들에게 알려진 환경이나 그들의 필요를 충족시키기 위한 목소리를 높임으로써 대중의 힘을 강화하고 권리가 박탈된 이해관계자들이 결정에 있어 참여를 더 많이 하게끔 한다.

형성평가와 총괄평가의 구분은 평가가 제공할 수 있는 결정의 유형을 고려해볼 때 여전히 중요한 부분으로 남아있다. 그러나 평가의 다른 목적을 생각해보는 것과 그렇게 함으로써 평가의 계획단계에서 각각의 평가가 그것의 충분한 잠재력을 발현할 수 있도록 이러한 목적을 인지하고 고려하는 것은 중요하다.

요구 사정, 과정평가, 결과평가

형성평가와 총괄평가의 구분은 주로 평가결과와 함께 이루어지는 판단 또는 결정과 연관되어 있다. 형성평가와 총괄평가에 연관된 강조의 차이점은 연구의 초기단계에 중요하다. 왜냐하면 그것은 평가자로 하여금 연구의 맥락, 의도, 잠재적 사용에 관한 정보를 제공해주고 연구의 가장 적절한 수용자들을 암시하기 때문이다. 그러나 그 용어 자체로는 연구가 설명할 질문의 본질을 알려주지는 못한다. Chen(1996)은 과정에서 고려되어야 할 유형 분류체계와 형성평가와 총괄평가 차원에서 따라오는 결과들을 제시했다. 우리는 이제 과정 분류체계와 더불어 평가의 필요성을 함께 논의할 것이다.

몇몇 평가자들은 평가연구가 설명할 질문의 유형과 평가의 초점을 언급하기 위하여 요구 사정(needs assessment), 과정(process), 결과(outcome)라는 용어를 사용한다. 이러한 용어들은 또한 독자들로 하여금 평가자들이 측정할 주요한 이슈들의 총체를 인지할 수 있도록 도와준다. 시험 질문은 (a) 존재하는 문제나 필요성 여부를 설정하고 그 문제를 설명하는 것, (b) 그 문제를 줄이기 위한 방법들을 추천하는 것, 즉 다양한 조정의 잠재적인 효율성 등과 연관되어 있다. 과정 또는 모니터링 연구는 전형적으로 어떻게 프로그램이 시행되는지를 설명한다. 그러한 연구는 그 프로그램이 어떤 기술된 계획이나 모델에 따라서 수행되는지 아니면 좀 더 열린 결과를 가져오고 단지 수행의 본질을 묘사하고 가져오는 성공이나 문제들에 초점을 맞춘다. 과정 연구는 서비스를 제공받는 고객이나 학생의 특징이나 프로그램 시행자들의 자질, 시행 환경의 특징, 활동 그 자체의 실제적 본질 등 다양한 이슈를 다룰 수 있다. 결과 또는 효과 연구는 프로그램 수혜자, 수혜자의 가족이나 동업자와 같은 부차적 수용자, 프로그램 결과로서의 지역사회 등에게 발생할 수 있는 변화의 결정, 탐구, 묘사 등과 연관되어 있다. 이러한 결과들은 즉각적 효과나 결과(예를 들어, 즉각적 학습 목표 달성 등과 같은)에서부터 장기적 목적, 최종 목표 그리고 의도된 결과에까지 이른다.

이러한 용어들은 어떻게 정보가 사용될 것인지를 암시하지는 않는다. 형성평가, 총괄평가와 같은 용어들은 평가의 결과가 즉각적인 결정을 내리는 데 사용될지도 모르는 방식 사이의 구분을 도와준다. 요구 사정, 과정, 결과평가는 검토될 질문이나 이슈의 본질을 언급한다. 과거에 사람들은 때때로 형성평가라는 용어를 과정평가와 같은 용어로, 총괄평가는 결과평가와 같은 것으로 혼동하였다. 그러나 Scriven(1996)은 "형성평가는 과정평가의 한 종류가 아니고, 반대로 총괄평가는 과정평가의 전체일 수 있다."고 하였다(p. 152).

표 1.3은 Chen(1996)이 제안한 유형 분류체계를 설계함에 있어 이러한 평가 용어들이 적용된 사례를 설명하고, 그에 대한 평가도 덧붙였다. 표 1.3이 보여주듯이, 평가는 그것이 제공하는 형성평가 또는 총괄평가의 행위뿐 아니라 그것이 설명하는 문제의 본질에 의해서도 특징지어질 수 있다.

예를 들면, 요구 사정 연구는 총괄적(새로운 프로그램을 채택할 것인가?)일 수도 있고 형성적(어떻게 이 프로그램을 실제 학교나 업무에 적용해야 할 것인가?)일 수도 있다. 과정 연구는 종종 프로그램 제공자나 관리자에게 프로그램의 목적이 성취될 가능성을 높일 수 있도록 프로그램 시행의 질을 향상시키기 위해 어떻게 활동을 변화시킬 것인지에 대해 정보를 제시함으로써 형성적 목적을 제공한다. 그러나 과정 연구는 또한 총괄적 목적도 제공한다. 과정 연구는 프로그램이 너무 복잡하거나 비용이 많이 들어서 수행할 수 없는지 여부나 학생, 훈련받는 사람, 고객과 같은 수혜자들이 기대만큼 등록을 하지 않는지 여부 등을 드러내준다. 책무성 연구는 종종 총괄적 결정을 내리기 위하여 과정 데이터를

표 1.3 평가 연구의 유형별 주요 질문

	판단	
	무엇을 변경할 것인가? 형성평가	무엇을 시작, 지속, 확대할 것인가? 총괄평가
요구 사정	우리가 고려하고 있는 모델을 어떻게 적용할 것인가?	프로그램을 시작해야 하는가? 충분한 필요성이 있는가?
과정	프로그램을 적절히 수행하기 위하여 더 많은 직원 훈련이 필요한가?	충분한 수의 대상 수용자들이 프로그램을 지속할 가치가 있을 만큼 참여하고 있는가?
결과	목적한 결과를 얻기 위하여 어떻게 우리의 교과과정을 수정할 것인가?	이 프로그램이 자금을 계속 지원받을 만큼 충분히 그 목적을 달성하고 있는가?

사용한다.

결과 연구는 형성적, 총괄적 목적을 제공할 수 있고 실제로 제공하기도 한다. 형성적 목적은 좀 더 즉각적 결과를 측정함으로써 성취된다. 왜냐하면 프로그램 시행자들은 이러한 결과를 이끌어낼 수 있는 행위들을 더 잘 통제할 수 있기 때문이다. 예를 들어, 교사와 훈련가들은 교육과정과 훈련방법을 변경하기 위하여 학생들의 학습을 즉각적으로 연구한 것을 사용하기도 한다. 그들은 어떤 영역에 시간을 좀 더 할애할 것인지 또는 어떤 학습 목적을 더 잘 성취하기 위하여 학생들의 실습 문제와 과정의 유형을 더 확대할 것인지, 학생들이 이미 경쟁력을 획득한 분야에서는 시간을 줄일 것인지를 결정하기도 한다. 그러나 총괄적 결정을 내리는 정책결정자들은 수료 비율이나 취업과 같은 좀 더 광범위한 결과를 얻는 데 더 관심을 갖는다. 왜냐하면, 이러한 결과들에 그들의 책임이 있기 때문이다. 자금 문제를 고려한 그들의 결정은 이러한 궁극적 목적을 달성했느냐와 연관이 있다. 연구가 프로그램의 결과나 효과를 조사한 것이라는 사실은 그 연구가 형성적이나 총괄적 결과를 제공할 것인가에 대해서는 아무것도 말해주지 않는다.

내부평가와 외부평가

'내부', '외부'라는 단어는 프로그램 고용인에 의해 수용되느냐 또는 외부인에 의해 수용 되느냐에 따라 구별되는 개념이다. 샌프란시스코의 공립학교에서 시행된 시범학교 프로그램은 내부적으로는 학교 직원에 의해서, 외부적으로는 캘리포니아 주 교육위원회에 의해 지명된 현장방문 조사단에 의해서 평가되었을 것이다. 여섯 개의 지역사회에 설치된 거대한 의료기관은 내부적으로는 소아와 어린이들의 면역력이 향상되었는지, 외부적으로는 자문기관이나 대학 연구 단체를 고용하여 모든 여섯 개의 프로그램을 관찰하도록 하여 각 시설의 직원들의 봉사활동의 효율성을 평가하도록 했을 것이다.

매우 간단해 보이지 않는가? 가끔은 그렇다. 그러나 만약 그것이 프로그램을 시행하는 차터스쿨(공적 자금을 받아 교사·부모·지역 단체 등이 설립한 학교)의 관여를 받지 않는 중앙에서 시행된 평가라면 어떻게 연중 학교 프로그램의 평가가 내부적일 수 있는가? 실제로 정확한 답은 둘 다이다. 왜냐하면 그러한 평가는 분명 차터스쿨의 관점에서는 외부적인 것이지만, 지방의 학부모나 교육위원회의 관점에서 본다면 내부적인 것이기 때문이다.

내부 및 외부 평가의 역할과 관련된 분명한 장점과 단점들이 있다. 표 1.4에 그중 일부를 요약해 놓았다. 내부적 평가는 프로그램과 그 역사, 직원, 고객 그리고 어떤 외부 조건과의 갈등도 잘 알 수 있는 가능성이 있다. 또한 결정을 내릴 때 어떤 조직의 문화나 양식도 잘 안다. 설득력 있는 정보나 논쟁에 대해서도 더 익숙하고 누가 실제로 행동을 옮길 것

표 1.4 내부 평가자와 외부 평가자의 장점

내부 평가자	외부 평가자
조직과 프로그램의 역사에 대해 좀 더 친숙하다	조직의 결정 유형을 잘 안다
현재와 미래의 결과를 타인에게 나타낸다	기술적인 결과들을 더 자주 그리고 분명하게 소통할 수 있다
객관적으로 인식되며 더 큰 신뢰도를 가져온다	특정 평가에 있어서 전형적으로 더 넓고 깊은 기술적 전문성을 보여준다
다른 유사 조직과 프로그램이 작용하는 방식에 대한 지식을 갖고 있다	

인지 누가 다른 사람에게 설득력 있을 것인지도 잘 안다. 그러나 바로 이 장점이 또한 단점이 될 수도 있다. 그들은 프로그램과 너무 밀접하게 연관되어 그것을 분명히 바라보지 못한다. (각각의 평가자들은, 내부적이든 외부적이든, 평가에 대한 그들만의 관점과 편향을 가지게 될 것이다. 그러나 내부 평가자의 근접성은 해결책이나 새로운 상황을 발빠르게 대처할 수 있는 변화를 가져오지 못할 것이다.) 성공적인 내부 평가자는 관점의 장애를 극복할지 모르지만 지위의 장애를 극복하는 것은 어려울 것이다. 만약 내부 평가자가 충분한 결정권, 자치권, 방어권을 가지고 있지 않다면 평가는 이루어지지 못할 것이다.

외부 평가자의 강점은 그들이 프로그램으로부터 거리를 두고 있고(만약 올바른 평가자가 고용되었다면), 전문성이 있다는 점이다. 외부 평가자는 대중이나 정책평가자들에 의해 좀 더 믿을 만한 사람이라고 인식되기 때문이다. 사실 외부 평가자는 전형적으로 더 큰 행정적·재정적 의존도를 가지고 있다. 그럼에도 불구하고 외부 평가자의 목적은 과대 평가되고 있다.(2002년 Enron의 파산과 스캔들에 있어 외부적 역할을 했던 Arthur Andersen 사를 생각해보자. 더 큰 계약을 따내려는 유혹은 외부 단체가 계약을 유지하는 데 필요한 약속을 어기게끔 자극할 수 있다.) 그러나 높은 가시성이나 비용 또는 많은 논란을 가진 프로그램에는 외부 평가자가 프로그램으로부터 매력적인 정도의 자율성을 제공할 수 있다. 외부 평가자는 만약 조사나 고용과정이 적절하게 수행된다면 특정 프로젝트에 전문화된 기술을 제공할 수도 있다. 그러나 모든 매우 큰 조직에서는 내부 평가자는 그 조직에 필요한 지속적인 도움이 될 만한 팔방미인이 되어야 한다. 그러나 조직은 외부 평가자를 탐색할 때 시간이 한정된 프로젝트를 위해 필요한 기술과 전문성을 지녀야 할 것이다.

최대한의 효과를 내기 위한 내부평가 조직. 최근 몇 년간 조직에 고용된 사람들에 의해 수행된 평가는 자금 지원자들의 책임에 대한 요구가 늘어남에 따라 기하급수적으로 성장했다. 이 성장은 최소한 부분적으로는 평가를 수행하기 위한 내부 조직 역량에 대한 평가 전문가의 강조 때문이다. (평가 설계와 활용 능력은 2000년과 2001년 각각 미국평가학회의 학술 주제가 되었고 2001년 학회에서는 공동 저자가 참여한 주제도 있었다.) 앞으로 9장에서 평가 설계 능력을 논의하겠지만 이 장에서는 조직의 수행과 평가 향상을 위한 내부 평가 구조의 방식을 논의하고자 한다.

첫째, 내부 평가자 간의 비평. 몇 년간 대규모의 학구에서 내부평가 부서가 있었고, 지금도 많이 편성, 운영하고 있다. 교육에 대한 경제적 제약은 내부평가 부서의 수를 줄일 수밖에 없도록 했지만 아직 많은 학군에서 이를 편제 운영하고 있다(예를 들어, Eric Barela를 인터뷰한 Christie가 있다[2008]). 많은 비영리 단체에서도 내부평가는 증가하고 있다. 이러한 성장은 많은 비영리 인적자원 조직의 자금 조달처인 비영리단체공제(United Way of America, UWA)에 의해 추진되어 왔다. 이 기관은 비영리단체들이 결과를 측정하기 위한 평가 전략을 실시하도록 격려해왔다(Khendrichs, Plantz, & Pritchard, 2008). 오늘날 대략 19,000개의 지방자치단체가 이곳으로부터 자금을 지원받아 내부평가를 수행하고 있으며, 이곳에서 훈련을 지원받아 기관의 산출물을 측정하고 있다. 비슷하게, 협동조합과 다른 유사 조직들도 내부평가를 활발히 시행하고 있다(Lambur, 2008). 미 정부와 지자체들은 연방 성과관리 시스템을 통하여 보다 활발한 평가 역할을 추진하고 있다. 이러한 모든 노력들은 공공단체와 비영리조직 직원들이 프로그램의 결과를 기록하고 이러한 산출물을 문서화하기 위해 평가를 수행하도록 훈련을 받게 한다.

내부평가의 성장이 이루어지고 있기 때문에, 어떻게 이러한 내부평가가 최대한의 효과를 이끌어 내도록 수행되는가를 생각해보는 것은 적절할 것이다. 평가자들은 몇 년 동안 이러한 내부평가를 강화하기 위해 그 방법들을 제시해왔다(Chelimsky, 1994; Love, 1983, 1991; Scriven, 1975; Sonnichsen, 1987, 1999; Stufflebeam, 2002a). 아마 성공적인 내부평가를 하기 위해 알려진 가장 중요한 두 가지 조건은, (a) 조직의 최고 관리자로부터 활발한 평가지원을 받는 것과 (b) 내부 평가자 사이의 분명한 역할 분담일 것이다. 내부 평가자들의 영향력은 조직 내부의 결정을 내리는 데 지속적으로 힘을 미치고 있다. 조직 내부 지도자들의 활발한 지원 없이는 내부평가가 그러한 역할을 수행할 수 없다.

거대한 조직에서 평가자들이 어떤 지위를 지니고 있어야 하는가에 대한 의견은 일치하지 않는다. 내부 평가자들은 그들이 조직의 문제를 이해하고 그러한 문제들을 다루기 위한 평가 계획을 수립, 착수할 수 있으며, 그것을 이용할 수 있는 이해관계자들과 결과를 상호 의사소통할 수 있는 지위를 지니고 있어야 할 것이다. 그러므로 몇몇 평가자들은 내부 평가자들은 최고 결정권자들과 밀접하게 상호 협력할 수 있는 조직 내 부서에 있어야 한다고 주장한다. 이러한 방법으로 내부 평가자들은 최고 관리자들에게 조언의 역할을 할 수 있고, 필요하다면 조직 내 부서에서 수행되어 다양한 평가 연구의 정보를 교류할 수 있다. 대부분은 아닐지라도 많은 내부평가 조직이 중앙에 위치해서 그러한 능력을 발휘할 가능성을 지니고 있다. 최고 관리자에의 접근성을 지니고 내부 평가조직의 임원은 조직에 있어서 평가의 가치를 증명할 수 있을 것이다.

그러나 다른 사람들은 조직의 프로그램을 수행하고 있는 사람들을 직접적으로 프로그램 향상에 대하여 평가할 수 있도록 내부 평가자들은 서로 흩어져 있어야 한다고 주장한다. 그러한 위치에서 내부 평가자들은 프로그램 수행자들과 좀 더 신뢰도 있는 관계를 맺을 수 있고 그들의 평가 결과가 사용될 만한 기회를 더 증가시킬 수 있을 것이다. Lambur는 협동조합의 내부 평가자들과의 인터뷰에서, 그 단점은 행정기관과 밀접하게 연관되어 있는 것이라고 지적하였다(2008, p. 49). 교사, 사회복지사, 트레이너 등과 같은 프로그램을 시행하는 사람들은 중앙에서의 평가를 프로그램 향상에 기여한다기보다는 책임소재가 무엇인가와 정부의 요구를 잘 반영하고 있는가에 더 관심이 있다고 본다. Lambur는 프로그램 조직에서 일을 했던 평가자들은 프로그램에 더 가까워질 수 있고 그 결과 어떻게 좀 더 실용적인 평가를 수행할 수 있을지를 알고 있다고 말했다. 그들은 객관적이기 어렵다는 사실을 인지했지만 그들의 평가가 좀 더 엄격할 수 있다는 것도 알았다. 그러한 위치에서 내부 평가자들은 Rallis와 Rossman(2000)이 언급한 비판적 친구(critical friend) 역할을 할 수 있을 것이다.

Patton(2008b)은 내부 평가자들을 인터뷰하는 한편 그들이 겪게 되는 어려움도 알아보았다. 그들은 주요한 결정시 제외될 수 있고, 진정한 평가보다는 공적 관계 기능에 더 많은 시간을 쓰기를 요구받는다. 게다가, 그들은 외부 자금원으로부터 책임에 관한 요구를 받아 데이터를 수집하는 데 더 많은 시간을 소비한다. 이것은 그 프로그램을 수행하는 사람들과 행정관들과의 관계를 발전시키는 데 시간을 뺏는다. 내부 평가자들은 전적으로 평가만을 담당하지 않는다. 그들은 조직의 많은 전문가들처럼 평가자로서의 역할과 상충되는 다른 책임을 수행한다.

Patton(2008b)과 Lambur(2008)는 내부 평가자들은 책무성을 위한 평가와 프로그램 개선을 위한 평가를 하는 데 있어서 상충되는 요구에 직면하고 있다고 한다. 두 학자 모두 프로그램 개선을 위한 내부 평가자들의 중요성을 강조하고 있다. 다음은 Lambur의 주장이다.

"내부 평가자로서의 개인적 경험을 통하여, 나는 평가가 조직의 책무성에 대한 요구를 충족시키기보다는 프로그램 개선을 위한 도구로서 개발되는 것이 훨씬 더 효과적이라는 것을 배웠다. 만일 프로그램 담당 직원이 자신을 주요 이해당사자로 본다면 그들은 수준 높은 평가 수행 과정에 보다 관심을 기울일 것이다. 그러한 평가의 결과는 첫째로는 프로그램을 개선하는 데 활용할 것이고 다음에는 책무성 목적을 위해 활용할 것이다."

내부평가 조직에 대한 저술들은 내부 평가자들이 직면하는 어려움을 인정한다. 그러나 그것들은 많은 유용한 제안을 하기도 한다. 그러나 개별 조직을 위한 해결책은 자체 평가의 사명과 목적에 달려있다. 몇몇 조직에서 최고 관리자들이 있는 중앙부서에 평가조직을 배치하는 것은 중요한 총괄평가에 있어 신뢰할 수 있는 프로그램으로부터 거리를 유지할 수 있을 것이다. 그리고 평가자들에게 평가의 역할에 대해 중역 임원들을 교육시킴으로써 조직학습과 문화에 영향을 미칠 수 있는 방식을 제공할 것이다. 각각의 예에서 내부 평가자들은 최고관리자, 중앙관리자, 감독관으로부터 조직적 지원을 필요로 한다. 내부 평가자들은 평가가 가치 있는 정보를 제공함으로써 결정을 내릴 수 있는 진정한 학습조직을 만들어내는 데 도움을 줄 수 있다. 그러나 그렇게 하는 것은 신중한 계획과 지속적인 의사소통을 필요로 하고 조직에 있어서 평가의 역할을 분명히 하고 지지받을 수 있는 지원을 필요로 한다.

가능한 역할 구성. 내부평가와 외부평가를 어떻게 조합할 것인가를 고려하는 것은 중요한데, 그 이유는 내부평가 역량이 향상되었기 때문이다. 그 조합의 한 가지 방식은 평가의 목적을 고려하는 것이다. 형성평가와 총괄평가의 범위는 내부평가와 외부평가의 차원과 결합되어 그림 1.2와 같이 제시될 수 있다. 평가에 있어 가장 중요한 공통적인 역할은 1, 4분면에 제시되어 있다. 형성평가는 종종 내부 평가자들에 의해 수행되고, 그러한 접근에

	내부	외부
형성	1. 내부 형성	2. 외부 형성
총괄	3. 내부 총괄	4. 외부 총괄

그림 1.2 평가 역할의 조합

는 분명한 장점이 있다. 프로그램과 그 역사, 직원들, 고객들에 대한 지식은 매우 중요하지만 신뢰성은 총괄평가에서만큼 문제 되지 않는다. 프로그램의 직원들은 종종 주요한 독자가 되고 그들과의 지속적인 평가자들과의 관계는 조직학습에서의 결과 활용을 강화시킬 수 있다. 총괄평가는 아마도 외부 평가자들에 의해 가장 잘 수행된다. 예를 들어, 특정 자동차가 같은 가격의 경쟁사의 차보다 훨씬 더 훌륭하다는 포드 자동차의 평가에 대한 신뢰성은 가늠하기 어렵다. 3분면에 있는 내부 총괄 프로그램 평가에 따른 신뢰도가 학교나 비영리조직에 적용되는 것은 좋지 않다.

비록, 어떤 경우에는 자금이 외부 평가자에게는 무용지물일 수 있고, 혹은 능숙한 외부 평가자들이 확인되지 않을 수도 있다. 많은 경우에 총괄평가는 내부적으로 수행되고 그런 경우 역할 조합은 결과의 신뢰도를 높이기 위해 가능하다. Patton(2008a)은 내부평가의 질을 검토하고 평가하는 데 외부 평가자들을 사용할 것을 제안한다. 다른 경우에 외부 평가자들은 평가의 중요한 요소를 구성할 수 있고, 평가 질문을 정의 내리는 데 도움을 주며, 내부 평가팀들과 합동으로 평가 설계를 발전시킬 수 있다. 그런 다음 내부 평가자들은 평가를 수행하고 각기 다른 이해관계자 그룹에게 결과를 전달하기 위해 효과적인 방법을 개발할 수 있다. 그러한 역할 조합은 중요한 회계 자원을 절약하고, 내부 능력을 향상시키고, 결과에 대한 신뢰도를 강화할 수 있다(예를 들어, Fitzpatrick이 몇몇 도시에 걸친 무주택 가족들에 대한 프로젝트의 외부 평가자로서 그녀의 역할에 관해 Debra Rog와 인터뷰한 것을 보자. 그녀는 자신의 안내에 따라 평가를 계획하고 수행하는 데 도움을 준 각 조직 사이에서의 직원의 역할에 관해 논의한다[Fitzpatrick and Rog, 1999]). 어떤 경우에는, 총괄평가가 내부적으로 수행될 때, 조직 내부의 관리자들은 프로그램이 평가되는 것과 관계된 조직에서 평가자들의 위치에 있을 필요가 있다. 그들은 최대한의 독립성을 확보하고 평가자들이 그들의 상관이나 동료에 의해 개발된 평가 프로그램에서 불안정한 위치에 있지 않도록 하는 역할을 해야 한다.

Sonnichsen(1999)은 조직이 내부 평가자가 효과적으로 작용하는 조건을 설정했을 경우, 내부 평가자가 가질 수 있는 높은 영향력에 대해 썼다. 조직에 강한 영향을 미칠수 있는 평가 항목들과 관련해서 그가 언급한 요소들은 완전한 독립체로서 작용하고, 최고 지휘자로서 기록하고, 최상위 위치를 주고, 자기 내부 평가에 권위를 부여하며, 권고하고, 평가를 모니터링하고, 조직 전체에 널리 결과를 퍼트리는 것 등이다. 그는 내부 평가자의 가능성을 그리고, "내부 평가자의 실행은 조직의 학습과 감지, 문제해결, 자정 메커니즘의 역할을 할 수 있다. 그것은 조직 행동가들의 자아반성과 논쟁을 자극하고 지속적 문제에 대한 대책을 추구함으로써 이루어진다"(Sonnichsen, 1999, p. 78)라고 썼다.

평가의 중요성과 한계점

많은 사례에서 알 수 있듯이, 평가가 어떤 효과적인 시스템이자 사회에서도 가치 있을 뿐 아니라 필수적이라는 주장은 거의 자명한 듯이 보인다. 시민들은 책무성을 위한 평가에 주목한다. 정책자들과 결정권자들은 그것을 요구하고 중요한 결정을 내리는 데 활용한다. 프로그램 직원들은 고객의 요구와 사회적 필요에 더 부응하도록 프로그램을 개선하고 예산안을 어떻게 편성할 것인지를 결정하기 위해서 평가를 활용한다. 학부모, 학생, 고객과 같은 소비자들은 그들에게 서비스를 제공하는 기관이나 병원 클리닉을 선택할 수 있다. 평가자들은 그러한 프로그램을 지속함에 있어 많은 역할을 할 수 있다. 그 역할들은 그들이 좋은 프로그램을 개발하도록 하고, 변화하는 상황 속에 변화하는 고객에 대한 프로그램을 수행할 수 있도록 하며, 목적을 달성하기 위해 가장 성공적인 중재안을 찾을 수 있도록 해준다. 평가자들은 학습문화를 자극함으로써 조직 내의 구성원들이 고객과 그 필요에 따른 그들의 목적과 수단을 생각하고 의문을 던질 수 있도록 돕고 그들에게 자신들의 필요를 충족시킬 수 있도록 어떻게 평가 연구방법을 활용할 것인가를 시사해준다. 몇몇 평가자들이 언급했듯, 평가는 민주주의에서 지속적으로 중요한 역할을 한다. 그것은 시민들에게 정보를 제공하고, 그에 따라 학교, 정부, 비영리조직에 영향을 미칠 수 있게 힘을 부여한다. 그것은 중요한 결정을 지을 때 빠져있었던 이해관계자들로 하여금 목소리를 부여하고 평가를 통해 힘을 부여함으로써 영향을 미칠 수 있다. Scriven(1991b)은 그것을 다음과 같이 잘 설명한다.

> 잘 훈련된 평가 과정은 생각과 훈련을 통해 모든 영역에 스며든다. … 학술 도서 논평, 공학기술의 품질 관리 과정, 소크라테스의 대화법, 심각한 사회 도덕적 비평, 수학, 상고법원에서 내려진 판결에서도 발견된다. 그것은 가치결정의 체계화와 목적을 의무로 하는 과정이다. 그러한 과정 없이는 가치 있는 것과 그렇지 못한 것을 구분하지 못한다(p. 4).

Scriven은 또한 실용적 측면(나쁜 상품과 서비스는 목숨과 건강을 담보로 하고, 삶의 질을 파괴시키며, 낭비할 여유가 없는 자원을 낭비한다)과 정의적 측면(평가는 정의를 제공하는 핵심 도구이다), 사회 비즈니스 측면(평가는 그것이 가장 필요로 하는 곳을 향하고, 전통보다 새로운 기술이 나을 때 새로운 것을 지향하고, 신기술보다 전통이 나을 때 그것을 추구한다), 지적 측면(평가는 생각의 도구를 정련한다)과 개인적 수준(평가는 정당화할 수 있는 자기존중감에 대한 근거로서 제공된다)을 주장한다(p. 43). 아마 이러한 이유 때문에 평가는 지속적으로 조직과 지역사회의 기구, 국가, 국제적 차원에서 목적을 추구하기 위해 사용이 증가하여 왔을 것이다.

그러나 평가의 중요성이 사용되는 방법, 정보를 제공받는 이해관계자, 판단되는 가치와 장점에 제한되는 것은 아니다. 평가는 우리에게 생각의 방식과 프로그램과 정책의 발달, 수행, 변화의 방식을 개선하는 과정을 제공한다. Schwandt는 평가자들은 스스로를 계발하고 평가에 있어 타인에게 지적 신뢰를 줄 필요가 있다고 주장한다. 그는 "평가에 있어 지적 신뢰를 포함하는 것은 가치의 구별을 강조하는 과학이나 예술에서 특히 잘 준비된 평가자들의 특별한 책임이다"라고 썼다(2001, p. 139). 그는 우리에게 평가는 단지 우리가 사용하는 방법이나 도구가 아니라 생각의 방식이라고 말한다. 과학에 대한 정치적 조작과 같은 상황의 모든 조건에서 양단(兩端) 간의 결정을 해야 하는 문제를 지적하면서 Schwandt는 평가자들은 시민들과 이해관계자들이 더 나은 추론 방식을 선택할 수 있도록 도와줄 것을 요청한다. 이러한 더 나은 추론 방식은 평가자들이 좋은 생각을 끌어내는 데 의존할 것이다. 그러한 추론의 특징에는 애매함에 대한 인내, 다양한 관점에 대한 인식, 그러한 다른 관점으로부터 배우려는 열망, Don Campbell이 언급한 '실험사회'를 경험하는 것 등이 있다. 이러한 사회를 설명함에 있어 평가자들의 역할을 Schwandt는 다음과 같이 말한다.

지금은 우리가 어떤 유형의 사회를 살아가야 하고 어떤 방향을 채택할 것인가에 관해 중요하고 심각한 질문을 던져야 하는 사회이다. 지금은 불확실성, 모호성, 해석가능성이 팽배한 사회 환경이다. 그러한 환경에서 평가는 일종의 사회의식이며, 사회의 방향에 대한 진지한 회의와 관련되며, 단지 우리가 하는 일이 좋은 것인지 그리고 우리가 무엇을 하는 것인가에 대해 모르는 것이 무엇인가를 탐색하는 노력을 필요로 하는 사회이다. 그래서 우리는 다양한 앎의 방식으로 우리가 배울 수 있는 것을 탐색한다. 평가에 있어 우리는 안내자로서 시도한다고 말하는 정책가들의 말을 인용하며 소위 위에서 아래로의 (top-down) 평가와 활용하는 사람이 관여하고 참여하는 아래에서 위로의(bottom-up) 평가를 한다. 이 모든 것은 우리가 한 사회인으로서 옳은 일을 하는가에 대한 다양한 해석, 무엇이 올바른 일을 하는 것인가에 대한 다양한 견해에 대해 할 수 있는 분위기를 내포한다.

다른 평가 전문가들이 지적했듯이 Schwandt도 우리에게 평가가 무엇을 해야 하는지를 상기시켜 준다. 평가자로서, 우리는 많은 이론에서부터 정보를 제공하고 프로그램과 정책의 판단에 도달하기 위해 어떻게 연구방법을 사용할 것인지를 배우지만 우리의 방법과 이론은 추론에 대한 접근을 기반으로 한다. 이러한 접근은 가장 좋은 가능성을 가진다.

평가의 한계. 영향력에 대한 잠재성뿐 아니라, 평가는 많은 한계를 지니고 있다. 비록 이 책의 목적이 독자들로 하여금 어떻게 좋은 평가를 수행할 것인가를 배우도록 돕는 것에 있지만, 우리는 이러한 한계를 논의하지 않을 수 없다. 평가의 방식은 완벽하지 않다. 다중적 방식을 연구하는 것이라 해도, 어떤 연구도 완전히 정확한 진실을 보여줄 수는 없다. 왜냐하면 진실은 다각도에서 구성되는 것이기 때문이다. 형성평가는 내부평가보다 신중하고 체계적이라는 점에서 어느 부분은 더 성공적이다. 형성평가는 정확한 질문과 비평에 따라 이루어진다. 그것은 다양한 관점을 고려한다. 그 방식은 누군가가 합리적 연결고리와 평가 논쟁을 따르도록 하고, 좀 더 신중하게 결과의 정확성과 타당성을 고려하도록 한다. 그러나 평가는 프로그램과 맥락에 따른 특징, 평가 직원들의 역량, 예산, 시간계획 등의 한계에 의해 제약을 받는다.

그러나 평가에 있어서 방법론적이고 재정적 제한보다 더 심각한 한계는 정치적인 것이다. 우리는 민주주의 사회에 살고 있다. 그것은 선출 또는 임명되는 관리자들이 많은 이슈들을 다루어야 한다는 것을 의미한다. 평가 결과는 어떤 식으로든 그들의 유일한 정보 제공원이 아니어야 할 것이다. 시민들의 노력과 기대가 결정을 내리는 데 분명 역할을 한다. 많은 이해관계자 그룹과, 전문가, 입법가, 정책가, 로비스트들도 중요한 경험과 정보를 지닐 수 있다. 그래서 평가는 최상의 상황에서 민주주의 사회에서 의사결정자에 의해 사용되는 정보가 될 수 있다고 믿는다.

마지막으로 평가자들과 고객들은 평가를 합리적 추론과 개인과 조직의 성장을 계속적으로 추구하는 체제로 보기보다는 별개의 연구로 바라보는 경향이 있다. 그러나 당신이 행동하는 것과 믿는 것에 따른 행동에 대해 묻는 것은 어려울 수 있다. 그러나 평가 연구는 우리의 평가를 평가하는 메타평가와 프로그램 평가에서 우리가 그렇게 하도록 자극해야 한다. 몇몇 부실하게 계획되고, 형편없이 운영되고, 부적절하게 무시된 평가들은 우리에게 놀랍지 않다. 그리고 그러한 실패는 인간의 노력이 들어간 어떤 분야에서도 발생된다. 이 책은 평가자들과 정책자, 관리자 그리고 평가에 참여하는 모든 다른 이해관계자들로 하여금 그들의 평가 수단을 향상시키고 평가 실행을 개선하는 데 그 목적이 있다.

주요 개념과 이론

1. 평가는 평가 대상의 가치와 장점 등을 결정하기 위해 정당화할 수 있는 준거에 대한 확인, 명료화, 그리고 활용이다. 분명한 평가 기준에 대한 명세화와 활용은 우리가 일상적으로 행하는 형식적 평가와 비형식적 평가를 구분하는 준거가 된다.

2. 평가는 그 목적과 연구의 초점을 정함에 있어서 평가자의 역할과 질적 판단을 내리는 준거, 이해관계자의 관여, 그것을 실행하는 연구자의 역량에 따라 달리 구분된다.

3. 평가의 기본적 목적은 평가 대상의 가치에 대한 결정을 내리는 데 있다. 또 다른 목적으로는 프로그램과 조직의 발전을 위한 정보를 제공하고 결정을 내리며 더 나은 사회를 위해 지속적으로 민주주의 가치를 유지하고 개선하며 다양한 이해관계자들 사이의 의미 있는 논의가 오가게 할 뿐만 아니라 사회과학 이론에 대한 지식을 증가시키고 프로그램에 대한 감독과 순응을 제공하는 것에 있다.

4. 평가자들은 조력자, 계획자, 지지자, 과학 전문가, 비평적 동반자, 협력자 그리고 결정권자와 다른 이해관계자들에 대한 조력자 등이다.

5. 평가는 형성적 또는 총괄적 결정을 내리게 하는 역할을 할 뿐 아니라 다른 목적도 가지고 있다. 형성평가는 프로그램 향상을 위해 만들어진다. 독자는 가장 전형적으로 프로그램에 가까이 있는 이해관계자이다. 총괄평가는 프로그램의 채택, 지속, 확장을 결정하는 역할을 한다. 이러한 평가에 대한 독자는 그것의 지속 여부에 대한 결정을 위한 능력을 반드시 가져야 한다.

6. 평가는 요구 사정, 과정, 결과에 대한 문제를 다룬다. 어떤 유형의 질문이라도 형성적, 총괄적 목적을 제공할 수 있다.

7. 평가자들은 조직의 내부, 외부에 있을 수 있다. 내부 평가자들은 조직의 환경을 잘 알고 의사소통을 하며 결과를 사용할 수 있다. 외부 평가자들은 좀 더 신뢰도 있는 평가를 제공하고 새로운 관점과 평가의 다른 기술을 제시할 수 있다.

8. 평가는 특정한 방식과 도구를 넘어선 생각의 방식을 제공한다. 평가자들은 이해관계자들과 대중들에게 평가가 생각의 방식이라는 개념을 제공할 수 있다. 이러한 방식의 생각에는 교육, 가치전달, 응용, 다른 관점의 연구와 지식 습득, 창의, 실험사회의 권장 등이 있다.

토의 문제

1. 당신이 속한 조직의 프로그램을 생각해보라. 만약 평가된다면, 이 시점에서 평가의 목적은 무엇이겠는가? 프로그램의 단계와 다른 이해관계자 그룹 사이에 필요한 정보를 생각해보라. 평가를 수행함에 있어 평가자들의 역할에는 무엇이 있을 수 있는가?

2. 어떤 유형의 평가가 가장 유용하겠는가? 형성평가인가 총괄평가인가? 어떤 평가가 당신의 직장, 학교위원회, 선출임원들에게 가장 유용하겠는가?

3. 외부 평가자와 내부 평가자 중 어느 쪽을 더 선호하며 그 이유는 무엇인가?

4. 내부 평가자들이 외부 평가자들보다 더 적절한 예를 설명해보라. 그 이유는 무엇인가? 이번에는 외부 평가자들이 더 적절한 예를 설명해보라.

적용 연습

1. 당신이 알고 있는 조직이나 기관에서 시행된 평가 연구의 리스트를 제시해보고, 각각의 상황에서 평가자들이 내부적인지 외부적인지 기술하라. 각 연구가 형성적인지 총괄적인지, 그리고 요구 사정과 과정이나 결과에 초점이 맞추어졌는지를 결정하라. 평가가 적절한 질문을 제시하는가? 그렇지 않다면 다른 어떤 질문이나 목적을 제시할 수 있는가?

2. 당신이 수행한 다른 형성평가를 되새겨보라. 그것이 내부평가와 다른 점을 세 가지 확정하고 당신이 수행한 10가지 비형식적 평가를 나열하라.

3. 프로그램 평가의 가능성과 한계를 논의하라. 당신 분야의 프로그램에서 평가할 수 있는 것과 없는 것을 확인해보라.

4. 당신의 조직에서(만약 당신이 대학생이면 대학에서) 당신이 생각하기에 당신이 하는 연구에서 적절한 몇 가지 평가 목적을 확정하라. 각각에서 (a) 이해관계자 그룹과 평가 연구가 제공할 수 있는 목적을 제시하고, (b) 평가로 다룰 수 있는 질문의 유형을 말하라.

사례 연구

개정판에서는 독자들이 평가 실습시 더 잘 이해하도록 실제 평가를 하는 데 도움이 되는 새로운 연습을 해본다. 각 장의 마지막에는 수행한 평가에 관해 잘 알려진 평가자와 이루어진 인터뷰를 제시하는데, 대상은 책의 저자인 Jody Fitzpatrick 또는 Christina Christie이다. 각 지문은 평가에 대한 짧은 요약으로 시작한다. 그리고 Jody Fitzpatrick, Christina Christie는 평가의 목적을 결정하고, 이해관계자를 포함시키고, 설계와 데이터 수집 방법을 선택하고, 데이터를 수집하고, 결과를 기록하고, 사용안을 마련하는 데 있어서 선택을 하게 되는 평가자와의 인터뷰를 시행하게 된다: Fitzpatrick, J. L., Christie, C. A., & Mark, M. M. (2008). *Evaluation in action: Interviews with expert evaluators*. Thousand Oaks, CA: Sage.

또는 독자은 「미국평가저널」에 게재된 개별 인터뷰를 읽게 될 것이다.

이번 장에서는 독자들에게 『Evaluation in Action』의 1장(James Riccio)과 7장(Gary Henry)에 실린 매우 다른 두 형태의 평가를 소개하려 한다.

1장에서 James Riccio는 캘리포니아 주의 복지개혁 프로그램의 장점과 가치를 판단하기 위해 설계된 평가 프로그램을 만들 때 그가 선택했던 것들이 복지개혁 최초의 시작이라고 설명한다. 그의 주요한 이해관계자는 캘리포니아 의회이고, 그 연구는 전통적이고 복합적 방식의 평가를 대단한 수단을 사용한 것처럼 묘사한다. 출처는 다음과 같다: Fitzpatrick, J. L. & Riccio, J. (1997). A dialogue about an award-winning evaluation of GAIN: A welfare-to-work program. *Evaluation Practice, 18*, 241-252.

7장에서 Gary Henry는 K-12 교육을 강조하기 위한 모니터링을 수행한 초기단계에서 조지아 주의 학교들이 '성적표'를 개발하였던 것을 설명한다. 학교는 조지아 주의 학부모, 시민, 정책입안자들로 하여금 개별 학교의 성과를 더 잘 알 수 있도록 상세한 설명을 제공하였다. 출처는 다음과 같다: Fitzpatrick, J. L. & Henry, G. (2000). The Georgia Council for school performance and its performance monitoring system: A dialogue with Gary Henry. *American Journal of Evaluation, 21*, 105-117.

추천 도서

Green, J. C. (2006). Evaluation, democracy, and social change. In I. F. Shaw, J. C. Greene, & M. M. Mark (Eds.), *The Sage handbook of evaluation*. London: Sage Publications.

Mark, M. M., Henry, G. T., & Julnes, G. (2000). Toward an integrative framework for evaluation practice. *American Journal of Evaluation, 20*, 177-198.

Patton, M. Q. (1996). A world larger than formative and summative. *Evaluation Practice, 17*(2), 131-144

Rallis, S. F., & Rossman, G. B. (2000). Dialogue for learning: Evaluator as critical friend. In R. K. Hopson (Ed.), *How and why language matters in evaluation*. New Directions for Evaluation, No. 86, 81-92. San Francisco: Jossey-Bass.

Schwandt, T. A. (2008). Educating for intelligent belief in evaluation. *American Journal of Evaluation, 29*(2), 139-150.

Sonnichsen, R. C. (1999). *High impact internal evaluation.* Thousand Oaks, CA: Sage.

Stake, R. E. (2000). A modest commitment to the promotion of democracy. In K. E. Ryan & L. DeStefano (Eds.), *Evaluation as a democratic process: Promoting inclusioon, dialogue, and deliberation.* New Directions for Evaluation, No, 85, 97-106. San Francisco: Jossey-Bass.

2

현대 프로그램 평가의 기원과 동향

핵심 질문

1. 평가의 초기 단계는 오늘날 평가의 실제에 어떻게 영향을 주었는가?
2. 평가의 진보를 가속화했던 1950년대 후반과 1960년대 초반에 일어난 주요한 정치적 사건들은 무엇이라고 생각하는가?
3. 현대 프로그램 평가의 출현을 촉발했던 의미 있는 사건들은 무엇인가?
4. 1970, 1980년대에 평가는 전문적으로 어떻게 진화했는가?
5. 지난 두 세기동안 평가는 어떻게 변화되었는가? 이런 변화에 영향을 미친 요인들은 무엇인가?

교육적, 사회적, 사적인 분야에 대한 형식적 평가들이 지난 4세기동안 일어났던 가장 신속한 발전과 더불어 여전히 완성되고 있는 중이다. 법, 교육, 회계학이나 사회학, 정치학, 심리학, 교육학과 같은 분야와 견주어볼 때, 이는 매우 신선하다. 이 장에서 우리는 평가의 역사와 완전한 전문성과 간학문성을 가진 방향으로의 진보를 고찰할 것이다. 평가에 대한 역사와 최근 상태에 대한 논의의 결론은 독자의 평가에 대한 이해를 도울 것이다.

사회에서의 평가에 대한 역사와 영향

형식적 평가의 초기 형태들

몇몇 재치 있는 평가자들은 전형적인 평가는 호랑이를 피하는 방법에 대해 배울 때 어떻게 피하는 방법이 생존율이 높은지를 배우는 데에서나 쓰일 것이라고 말한다. Scriven은 형성평가 수단을 제안하는 것이 초기 석기 시대의 산물로 돌아갈 수도 있다는 말이 농담 이 아니라고 하면서, 사무라이들이 활동하던 시절의 평가로 역행할 수도 있음을 진지하게 주장하였다.

공공 분야에서, 형식적 평가는 일찍이 기원전 2000년부터 있었는데, 중국 정부는 행정 부서 지원자들의 능력을 측정하기 위해 공무원 시험을 실시하였다. 그리고 교육 분야에 서, 소크라테스는 학습 과정의 부분으로서 언어를 매개로 하는 평가를 사용하였다. 그러 나 사회와 교육적 결정을 내릴 때 종교와 정치적 신념이 강하게 작용하기 때문에 형식적 평가가 종교와 정치적 신념과 경쟁하는 데에는 몇 세기가 걸렸다.

몇몇 논객들은 이후 직접적인 관찰을 최우선으로 하는 17세기 자연과학의 후속세대에 필요한 선구자로 여겨졌다. '어떤 왕국, 나라 혹은 행정지역에 대한 조사 혹은 관점을 포현 하는 단어'라며 최신의 'state-istics'를 언급하기 전까지는 사망자, 건강 그리고 인구 표들 은 가끔씩 미숙한 경험주의적 사회연구의 전통을 따랐다(Cronbach et al., 1980, p. 24).

그러나 양적 연구가 1700년대의 근대적 사회 연구의 유일한 선구자는 아니었다. Rossi와 Freeman(1985)은 선원에게 라임을 먹도록 강요한 처치집단과 선원들의 보통 식 단을 받은 통제집단으로 구분한 영국 선장의 예를 들었다. 그 실험은 "라임을 먹는 것이 괴혈병을 방지한다."는 것을 보여주었을 뿐만 아니라, "결국 영국 선원들이 감귤류의 과 일을 먹게 되었고, 이것은 여전히 영국에 적용되는 'limeys' 라벨의 어원이 되었다." (pp. 20-21).

프로그램 평가: 1800∼1940년

1800년대 동안, 대영 제국의 교육과 사회적 프로그램에 대한 불만은 정부가 지정한 왕립 위원회가 증거를 수렴하고 각 기관을 평가하기 위하여 조금 덜 형식적인 방법을 사용하 는 개혁 운동을 만들었다. 이것은 영국과 유럽의 대부분에서 학교에 대한 외부 사찰 시스 템으로 현존하고 있다. 그러나 오늘날 그러한 시스템은 평가에 대한 다양한 근대적 개념 을 사용하고 있다. 예를 들면, 판단과 맥락의 중요성에 대한 가치와 기준의 역할에 대한 인식이다. 사찰단은 질과 관련된 판단을 내리고 향상에 대한 피드백을 제공하기 위해서 학교를 방문한다. 판단은 학교 전체적인 질 또는 교사, 교과 또는 주제들에 대한 질로 결 정된다(Standaert, 2000 참고).

미국에서 1800년대 동안 교육적 평가는 조금 다른 행보를 보였는데, Horace Mann의 종합적인 연보의 영향을 받아서 1840년대 매사추세츠의 교육에 대한 경험적 보고서와

1845년과 1846년 보스턴 학교 연합의 몇 개 과목에 인쇄된 시험을 사용한 것이다. 이 시험은 대규모 학업성취 평가를 학교 비교의 근거로 제공한 첫 번째 사례이다. 매사추세츠의 이러한 개발은 대규모 학교 시스템의 질을 평가하기 위해 학생의 학업성취를 객관적으로 측정하고자 한 첫 번째 시도였다. 이러한 전례들은 학교의 효과성 판단에 대한 주요한 근거로 학생들의 시험 점수를 사용하는 표준 기반 교육 운동에서 보이고 있다.

이후, 1800년대 후반동안, 자유주의 개혁가 Joseph Rice는 교육 방법의 질에 대한 정보를 제공하기 위해 설계된 첫 번째 비교 연구 중의 하나를 수행하였다. 그의 목표는 학교에서의 시간이 비효율적으로 사용된다는 그의 주장을 입증하는 것이었다. 이를 위해서 그는 철자법 훈련으로 많은 시간을 소비하는 학교들을 비교하였고, 학생들의 철자법 능력을 검사하였다. 그는 철자법 수업이 일주일에 100분 정도인 학교들과 한 주마다 10분 정도의 수업을 하는 학교들 간에 학생의 철자법 능력이 무시할 수 있는 정도의 차이가 있음을 발견하였다. 그는 이 자료를 교육자들이 그들의 실천을 경험적으로 조사해야 한다는 필요성을 보여주는 데 사용하였다.

1800년대 후반에는 또한 미국의 대학과 중등학교들이 인증을 위한 노력을 시작하는 시기였다. 그럼에도 불구하고 이러한 움직임은 몇 개의 강력한 대학 인정 협회들이 설립되었던 1930년대까지는 교육 기관 평가에 주요한 힘을 발휘하지 못했다. 1900년대 초에 있었던 또 다른 인증의 예는 155개의 의과대학과 그 운영을 평가한 Flexner(1910)에서 찾을 수 있다. 각 학교를 그와 그의 동료가 단 하루만 현장 방문한 것에 근거했으나, Flexner는 훈련이 분명히 질이 낮다는 것을 입증하였다: "실험기구, 박물관 진열 표본, 도서관 학생들의 존재 또는 부재는 실험실들을 산책하면서 드러났다; 그런 느낌들은 해부학을 대하는 자세에 대한 내부적 이야기를 들려주었다"(Flexner, 1960, p. 79). Flexner는 의과대학의 의료 훈련에 대해 "냉혹한 폭로"를 했다는 의견을 가진 의과대학들의 소송과 위협에도 단념하지 않았다. 그는 그의 평가의 발견을 통렬한 용어들로 전달하였다. 예를 들면, 그는 시카고의 15개 의과대학을 "의학 교육에 관한 역병의 근원지"로 불렀다(p 84). "학교들은 곧 소리 없이 무너졌다"(p. 87). Flexner의 보고서가 평가한 것에 의문을 가지는 사람은 아무도 없었다.

공익의 다른 영역들은 1900년대 초반에 평가를 받았다. Cronbach와 그의 동료들(1980)은 빈민가의 환경, 학교의 운영과 효과적인 연구 그리고 지방 정부의 부패에 대한 조사를 실시했다. Rossi, Freeman, Lipsey(1998)는 도시 지역의 전염병과 관련된 공중위생 분야와 읽기와 직업훈련에만 초점이 맞춰져있던 교육분야에서 처음으로 평가가 나타났다는 것에 주목했다.

또한 1900년대 초반에는 Thorndike와 그의 제자들에 의한 측정 기술의 신속한 발전에 힘입어 교육적 검사 운동(educational testing movement)이 가속화되기 시작했다. 1918년, 객관식 시험은 교육의 모든 수준에서뿐만 아니라 군대와 민간 기업에까지 만연하여 번영하였다. 1920년대에 출현한 규준-참조 검사(norm-referenced test)는 개인의 수행 수준을 측정하는 데 사용하기 위해서 개발되었다. 1930년대 중반에, 미국의 반 이상이 주 전체를 대상으로 하는 표준화된 규준-참조 검사 양식을—성취도 검사와 인성 그리고 흥미 프로파일을 포함한—가지고 있었고 이것은 거대한 상업적 기업이 되었다.

교육자들이 측정과 평가를 거의 동의어로 간주했던 이 기간 동안, 측정은 학생의 시험 수행을 요약하고 등급을 지정하는 것으로 생각되었다. 오늘날 우리가 알고 있듯이 평가의 더 넓은 개념이 있기는 하지만 여전히 초기 수준이었고, 평가자들을 위한 유익한 측정 도구라는 인식이 빠르게 확산되었으며, 학교 프로그램 또는 교육과정의 평가가 공식적으로 출판된 것은 또 다른 20년 동안에 나타난 일이다. 하나의 주목할 만한 예외적인 사건은 8년 연구(Smith & Tyler, 1942)였는데, 이는 발전된 방법론과 성과에 대한 측정과 학습 간의 관계를 포함한 교육 평가에 대한 새 기준을 마련했다. 이 연구와 후속 연구들(예, Tyler, 1950)에서 Tyler의 작업은 규준-참조 검사의 성공적인 대안이 될 수 있는 기준기반 검사(standards-baced test)의 씨앗을 심는 것이었다. (Tyler와 그의 전통을 따랐던 이들이 프로그램 평가에, 특히 교육 분야에 미친 중대한 영향은 6장에서 다룰 것이다.)

그 동안 교육을 위한 기반들은 복지 사업과 개인적인 영역을 포함한 교육의 전 분야에 놓여 있었다. 1900년대 초반에는 Fredrick Taylor의 과학적 경영 운동(scientific management movement)이 많은 영향을 미쳤다. 그의 초점은 체계화와 효율성에 있었다—과제를 수행하기 위한 가장 효율적인 방법을 발견하고 그 방법으로 모든 구성원이 수행할 수 있도록 훈련하는 것. 산업계에서 "효율성 전문가"의 출현은 곧 재계에까지 스며들었고, Cronbach 외(1980)는 "사회 복지 사업의 기업체 간부급들은 이런 서비스들에서 더 높은 효율성을 계속 요구했다."(p. 27)고 적고 있다. 몇몇 도시와 사회 단체들은 내부적인 연구단을 구성하기 시작했고 사회학자들은 공공 위생, 주택 요구, 작업 생산성 등의 특별한 영역에 사회학 연구를 적용한 연구물로 정부 서비스 조직 안으로 흘러 들어가기 시작했다. 그러나, 이런 선구적인 사회학 연구로서 "평가의 선도자"는 적었고 시민들의 일상이나 정부 기관의 결정에 거의 영향을 미치지 못하는 독립적인 활동이었다.

그러다가 대공황이 찾아왔고 루즈벨트 대통령의 뉴 딜 프로그램으로 정부 서비스와 기관들의 갑작스런 확산이 미국의 경제를 구조하기 위해 시행되었다. 이것은 1900년대 연방정부의 첫 번째 주요한 성장이었고 그 영향은 심오했다. 복지, 관공서 공사, 인력 관리, 도시 개발, 건강, 교육 그리고 다수의 다른 복지 사업 분야에서 새로운 국가적 프로그램을 감독하기 위해 연방 기관들이 설립되었고 점점 늘어가는 사회과학자들이 이 기관에서 일하게 되었다. 응용 사회학 연구가 아주 많았기 때문에, 사회과학자들은 이 프로그램과 관련된 다양한 변인들을 연구하기 위해서 기관에 소속된 동료들과 합류하기 시작했다. 몇몇 과학자들은 이 새로운 사회적 프로그램들의 명백한 평가를 요청했지만, 대다수의 학자들은 기관의 요구와 그들의 개인적인 흥미의 교집합에 있는 응용 연구를 추구했다. 따라서 사회학자들은 사회학과 기관의 원칙에 흥미 있는 질문을 추구했지만, 흥미에 대한 질문은 종종 사회학으로부터 발현되었다. 이와 같은 경향은 경제학자, 정치과학자 그리고 연방정부의 프로그램 연구를 수행하는 다른 학자들에게도 나타났다. 그들의 프로젝트들은 "현장 연구"로 여겨졌고 현장의 원칙 안에 있는 주요한 문제들을 설명하기 위한 기회로 제공되었다.(예시를 위해 이 장의 끝에 제시된 "추천 도서"에 있는 Michael Patton의 인터뷰를 참조하라. 이 인터뷰에서 그는 그의 논문을 초기에는 사회학의 현장 연구로 계획했지만 평가 분야를 선도하게 되었다고 말했다.)

프로그램 평가: 1940~1964년

적군의 선전에 대한 취약성 축소, 사기 증진, 군인의 작업 배치 및 훈련 향상과 같은 영역에서 군인들을 돕기 위한 정부 프로그램을 연구자들이 조사하게 되면서, 응용 사회 연구는 세계 2차 대전 동안 확대되었다. 그 다음 10년 동안, 연구들은 직업 훈련, 주택, 가족 계획, 공동체 개발 등의 새로운 프로그램으로 향해 있었다. 지난 과거처럼, 이런 연구들은 종종 연구자들이 가장 큰 관심을 두는 프로그램의 특별한 측면에 초점이 맞춰져 있었다. 그러나 이런 프로그램들의 영역과 규모가 커지게 되면서 사회과학자들은 자신의 연구를 개인적으로 흥미로운 것들을 발견하기보다는 전체적인 프로그램에 보다 직접적인 것에 집중하기 시작했다.

　　이러한 광범위한 주제들을 가지고 "평가 연구"로서 그들의 연구는 점점 더 많이 거론되었다(사회 연구 방법론은 특정한 프로그램의 질을 높이는 데 적용되었다).[1] 만약 우리가 보건 복지 프로그램에서 대부분의 자료 수집을 담당하는 데 있어서 평가의 정의를 늘릴 수 있는 자유가 있다면, 1950년대와 1960년대 초에 이러한 영역들에서 평가가 번창했었다고 말할 수 있다. Rossi 외(1998)의 학자들은 그 시기동안 사회과학자들이 "비행범죄

---

[1] 이 책의 나머지 부분에서 이 용어는 사용하지 않는다. 왜냐하면, 이전 장에서 설명했던 평가와 연구 사이의 유용한 구분은 명료하지 않다고 생각되기 때문이다.

예방 프로그램, 흉악범 갱생 프로젝트, 정신심리와 정신약리학적 치료, 공공 주택 프로그램 그리고 지역사회 조직 활동의 평가에 관여한 것"은 매우 일반적인 일이었다고 말했다 (p. 23). 이런 일들은 또한 다른 국가와 대륙에도 퍼졌다. 중앙 아메리카와 아프리카의 많은 나라들이 건강과 영양, 가족 계획 그리고 도시 공동체 개발을 평가하기 위한 장소들이었다. 이런 연구들의 대부분이 현존하는 사회학 연구 방법론에 의지한 것으로 행동과학과 사회학 연구에서 이미 확립된 것을 넘어선 평가의 개념적 또는 방법론적 영역에 대한 확장은 아니었다. 이러한 노력은 이후에 도래하게 된다.

1940년에서 1965년 사이에 교육 프로그램 평가의 개발은 다소 다른 방식으로 전개되었다. 1940년대는 이전의 평가 개발에 대한 합병의 시기였다. 학교 교직원은 표준화 검사 향상, 유사 실험 설계, 인증, 학교 설문에 그들의 에너지를 쏟았다. 1950년대와 1960년대 초기에는 교육자들에게 목표를 정확하고 측정 가능한 용어들로 서술할 수 있는 방법을 가르치고 인지적 영역(Bloom, Engelhart, Furst, Hill & Krathwohl, 1956)과 정의적 영역 (Krathwohl, Bloom, & Masia, 1964)에서 가능한 교육 목표들을 분류하는 Tyler식 접근을 향상시키려는 의미 있는 노력들이 보였다.

1957년, 소비에트의 스푸트닉 1호의 성공적 발사는 미국 학생들의 수학과 과학에 대한 더 효과적인 교수법에 대한 요청을 빠르게 증폭시켰다. 대응은 신속했다. 1958년 국가 방위교육법(National Defense Education Acts, NDEA)의 통과는 대규모의 새로운 교육과정 개발 프로젝트에, 특히 수학과 과학에 수백만 달러를 쏟아 부었다. 다만 몇 안 되는 프로젝트들이 자금을 마련하였지만, 그 크기와 인식된 중요성은 정책입안자들이 그 대부분을 평가 기금으로 쓰도록 이끌었다.

연구결과들은 그 시대 평가의 개념적, 방법론적 빈곤을 드러냈다. 부적절한 설계와 관련 없는 보고들은 문제의 일부일 뿐이었다. 연구의 대부분이 연구에는 적당하나 학교 프로그램의 평가에는 적합하지 않은 수입된 행동과학과 사회과학 연구의 개념과 방법에 의존하고 있었다.

평가와 직접적인 관련이 있는 이론적 작업들이 없었고, 사회학이나 행동과학 연구의 이론적이고 방법론적인 사고는 평가의 많은 측면들을 수행하는 방법을 제공하는 데 실패했다는 것이 분명해졌다. 그러므로 교육학자와 실천가들은 응용 사회학, 행동과학, 교육학 연구로부터 활용할 수 있는 것을 모아야 했다. 그들이 모은 것들은 매우 빈약했으나, Cronbach(1963)는 지난 평가를 비판하는 중요한 논문과 새로운 방향성에 대한 요구를 집필했다. 그의 권고는 즉시적인 영향은 거의 없었지만, 다른 교육학자들의 주의를 끌었고 다음 세기에 출현할 평가의 확장된 개념을 촉발하는 데 도움을 주었다.

근대 프로그램 평가의 출현: 1964~1972년

지금까지 논의된 발전은 강력하고 지속가능한 평가 운동을 유발하기에 충분하지는 않았지만, 그런 움직임을 태동하게 하는 상황을 만드는 데 일조했다. 상황들은 평가의 개념적이고 방법론적인 발전을 가속화하였고, 미국 Lyndon Johnson 대통령 정부 입법부의 핵심인 가난과의 전쟁, 위대한 사회가 촉매제가 되었다. 그의 행정부의 저변에 깔린 사회적 의제는 모든 계층의 시민들에게 기회를 제공하고 평등해지도록 노력하는 것이었다. 교육, 보건, 주택, 사법 제도, 실업, 도시 정비 그리고 다른 영역들에 수백만 달러가 투입되었다.

사적인 영역과는 달리 회계사, 경영 컨설턴트 그리고 R&D 부서들은 기업 프로그램의 생산성과 수익성에 대한 피드백을 제공하면서 오랫동안 존재해 왔지만, 이런 거대하고 새로운 사회적 투자에는 그들의 진보를 시험할 준비가 된 유사한 메커니즘이 없었다. 관련된 능력을 가진 공무원—다양한 연방 부서, 특히 회계감사부서(General Accounting Office, GAO)[2]의 사회과학자들과 기술적 전문가들—이 있었지만, 그 수가 너무 적어서 이런 광범위한 정부 혁신의 효과성을 결정하는 것을 다루도록 충분히 조직될 수 없었다. 문제들이 복잡해지면서, 많은 연구 방법들과 작은 프로그램에 작용했던 관리 기법들이 이런 광범위한 사회 개혁 프로그램의 크기와 범위에 맞지 않게 또는 부적절하게 제공되었다.

잠시 동안 기업과 제조업에서 성공적으로 개발되고 실행되었던 또 다른 개념들은 이러한 연방정부의 프로그램 계획, 프로그래밍, 예산 산정(Planning, Programming, and Budgeting System, PPBS)을 평가하는 데 효과적으로 적용될 수 있었다. PPBS는 포드 자동차사에서 시스템 추구방식으로 활용했던 것으로 이후 Kennedy의 국방장관이었던 Robert McNamara에 의해 미 국방부(DOD)에 도입되었다. PPBS는 대규모 항공우주 산업, 의사소통, 자동차 산업에 사용되었던 시스템 추구방식의 변종이었다. 이것은 본래의 목적들을 규정하고 그것을 시스템의 산출물, 예산과 연결함으로써 시스템의 효율성과 효과성의 향상, 그리고 예산 배분 결정을 목적으로 하였다. PPBS가 연방정부 기관에 이상적으로 적합하다는 많은 생각하에 빈곤전쟁 프로그램 관리라는 책임을 맡겼으나, 이것을 수용하기를 원하는 기관의 상위 관료들은 거의 없었다. 그러나, 연방정부의 평가 시스템에 선도적인 역할을 수행했던 PPBS는 최근 정부 수행 결과 법률(Government Performance Results Act, GPRA)과 프로그램 평가 순위 도구(Program Assessment Rating Tool, PART)에 권한을 이임하고 있다.

---

2) 이것이 GAO의 원래 명칭이다. 2004년, 이 명칭은 회계감사원(Government Accountability Office)으로 변경되었다.

모니터링, 산출물, 결과에 초점을 맞추고 있는 PPBS는 성공하지 못했다. 대신, 미국, 캐나다, 독일의 근대적 평가의 출발은 사회적 개입에 대한 실험으로부터 얻어진 배움을 통해 프로그램을 향상시키려는 요구에 영감을 받았다. Ray Rist는 "첫 번째로 움직였던 (First Wave)" 국가라고 불린 미국, 캐나다, 독일, 스웨덴의 각기 다른 평가를 연구하기 위해 국제 행정과학 연구기관(IIAS)에서 만든 정책과 프로그램 평가의 실무 그룹(Working Group on Policy and Program Evaluation)에 참여했다. 이들은 사회적 프로그램의 개선과 조정이라는 목적을 가지고 1960년대와 1970년대에 근대 평가를 시작한 국가들이었다. 평가는 종종 프로그램 계획의 일부가 되었고 평가자들은 그들이 평가하는 프로그램과 가까운 곳에 있었다. 이 장의 후반부에서 논의하게 되겠지만, 21세기 초반의 평가는 첫 번째로 움직였던(First Wave) 때의 본래의 것보다는 초기 PPBS 시스템과 더 유사하다.

미국의 평가단계는 여러 사실에 근거해 세워졌다. 연방정부의 행정가들과 관리자들은 이러한 큰 프로그램을 관리하는 것이 처음이었으며 이 일을 하기 위해서는 도움이 필요하다고 느꼈다. 관리자들과 정책가들, 사회과학자들은 어떻게 진행되는지에 대해 더 배우고 싶어했다. 그들은 사회문제를 해결하는 법을 배우기에 적당하다고 평가된 만큼 에너지와 자산을 쓰고 싶어했다. 의회는 상태유지를 원했고, 프로그램을 사용할 각 지역 사용자들은 규정된 만큼의 지출을 원했다. 따라서 1962년에 의회로 위임된 연방 비행청소년 프로그램(federal juvenile delinquency program)(Weiss, 1987)과 같은 해에 연방국 차원에서 인력개발과 훈련 프로그램(federal manpower development and training program)을 제정한 것(Wholey, 1986)과 같은 이러한 프로그램들에 평가를 부가하려 했던 첫 노력들의 규모는 작았다. 하지만, 처음이 무엇이었느냐는 크게 중요하지 않다. 왜냐하면 이들 중 평가의 발전에 지속적인 영향을 준 것이 하나도 없기 때문이다. Robert F. Kennedy가 미국의 교육시스템에 큰 충격을 준 사건을 일으키고 3년도 더 지나서야, 정책가들과 실행자들 모두가 시스템적인 평가에 대해 자각하기 시작했다.

초·중등 교육법. 초·중등 교육법(the Elementary and Secondary Education Act, ESEA) 의 한 구절은 현 시대의 프로그램 평가가 출현하는 데 큰 공헌을 했다. 이 법안은 지역구의 학교, 주립 혹은 지역 기관과 대학교 교육에 대한 연방정부 재정지원의 증대를 제안하였다. 이 제안의 가장 큰 분야는 Title I(훗날 Chapter 1으로 개명됨)인데, 훗날 미국 역사에 있어서 가장 예산이 많이 든 연방 교육 프로그램이 된다. Wholey와 White(1973)는 Title I을 당대의 평가에 영향을 "제정법들 중에서 최고(grand-daddy)"라고 불렀다.

ESEA가 발의되고 의회가 이에 대한 고려를 하기 시작했을 때, 특히 상원 의원에서 교육에 대한 연방정부의 재정지원이 실제로 교육발전에 기여했는지에 대한 뚜렷한 증거가 없다는 걱정이 표출되기 시작했다. 실제로, 명백한 파급효과가 거의 나타나지 않는 교육 프로그램이라는 늪에 빠진 돌처럼 가라앉고 있는 ESEA 이전의 교육에 연방정부의 재정지원이 할당되었다고 믿는 의회의 몇몇 사람들이 있었다. Robert F. Kennedy는 ESEA의 모든 수혜자들은 연방정부 재정지원의 지출로 인한 결과를 보여줄 수 있는 평가 보고서를 작성할 필요가 있다고 주장하였다. 이러한 의회의 평가권한을 통해 최종적으로 Title I(보상의 교육)과 Title III(혁신적인 교육 프로젝트)가 승인되었다. 오늘날까지도, 이러한 요구사항은 "그 시대 프로그램 평가의 최첨단으로 여겨진다."(Stufflebeam, Madaus, & Kellaghan, 2000, p. 13). 이러한 요구사항들은 책무성에 관한 고민의 진지함뿐 아니라 의회 수준에서 매우 놀라운 수준까지 세부적으로 통제하고 있음을 의미하는데, 거기에는 학생들의 학습과 학습목표와 관련된 성과를 증명하기 위해서 표준화된 검사를 사용하는 것까지 포함되었다.

다른 영역에서의 평가의 성장. 위대한 사회 프로그램(Great Society Program)으로 개발되었던 직업교육, 도시 개발, 주거, 그리고 빈곤 척결 프로그램에서도 이와 비슷한 경향이 나타났다. 빈곤 척결과 다른 사회적 프로그램에 대한 연방정부의 투자비용은 1950년에서 1979년 사이에 발생한 인플레이션 이후 600%나 성장했다(Bell, 1983). 사람들은 특히 교육 부분에서 프로그램이 어떻게 작동했는지에 대해 궁금해했다. 관리자와 정책입안자들은 어떻게 하면 프로그램을 향상시키고 어떤 전략이 최상의 성과를 이끌어낼 수 있을 지에 대해 알고 싶어했다. 의회는 투자를 계속해야 할 프로그램의 종류에 대한 정보를 얻고자 했다. 평가들은 점점 더 많은 권한을 부여받게 되었다. 1969년에 정부가 평가에 보조금과 계약으로 투자한 금액은 1,700백만 달러였다. 1972년에 이는 1억 달러로 증가했다 (Shadish, Cook & Levition, 1991). 연방정부는 새로운 사회적 프로그램을 생각하고 지출을 늘렸지만, 교육 분야처럼, 담당자들, 정치학자들, 경제학자들, 사회학자들이 그러한 프로그램을 관리하고 평가하는 것은 새로운 일이었다. 예를 들면 다소 다른 훈련을 하는 전문성과 그것들을 적용하는 방향과 같은 새로운 평가에 대한 접근 방법, 방법론, 전략이 필요했다. (이 장의 "추천 도서"에 인용한 Lois-Ellen Datta와 Carol Weiss의 인터뷰 내용을 참고하라. 여기서 그들은 이러한 정부의 새 프로그램을 연구하고 발전시키면서 느낀 기쁨과 기대들을 말한다.)

이론적이거나 방법론적인 일들이 평가와 직접적으로 연관된 적은 없었다. 평가자들은 유사한 정책들 사이에서 발견할 수 있는 만큼 이론들을 세우고, 실험 설계, 심리 측정, 조사결과, 문화인류학과 같은 더 발전된 방법 연구를 통해 최대한 자료를 모으고자 했다. 평가에 대한 더 자세한 자료들이 필요해지자 중요한 책들과 논문들이 등장하기 시작했다. Suchman(1967)은 서로 다른 평가 방법을 비교한 책을 출판했고, Campbell(1969b)은 시험 프로그램의 효과를 검증하기 위해 사회적으로 실험하는 것에 대해 논했다. 실험 설계와 준실험 설계에 대한 Campbell과 Stanley(1966)의 책은 크나큰 영향을 끼쳤다. Scriven(1967), Stake(167), Stufflebeam(1968)은 평가 실습과 이론에 관한 논문들을 쓰기 시작했다. Wholey와 White(1973)는 조직 내에서의 평가 활동의 정치적 측면을 알아냈다. Carol Weiss의 영향력 있는 글(1973)이 출판되었고 평가에 대한 책들이 나타났다(Caro, 1971; Worthen & Sanders, 1973). 평가에 대한 논문들은 전문적인 학술지에도 자주 등장하기 시작했다. 이와 함께 이러한 출판물들은 특정한 유형의 평가에 부합하는 수많은 평가 모형을 만들어냈다(그 예로 ESEA Title III 평가 또는 정신건강 프로그램에 대한 평가가 있다).

몇몇의 획기적인 평가에 대한 연구는 그 시대에 대단한 관심을 얻기도 했다. 여기에는 Title I의 평가뿐만 아니라 Head Start와 TV 시리즈인 Sesame Street에 대한 평가도 있었다. 프로그램의 일부가 프로그램 개발자들에게 향상을 위한 피드백으로 제공됐기 때문에, Sesame Street에 대한 평가는 형성평가의 최초 사용에 대한 부분을 실증적으로 보여주었다. 1960년대 후반과 1970년대 초반의 위대한 사회 프로그램(Great Society Program)과 다른 프로그램들에 관한 평가는 사회적 실험과 위대한 사회 프로그램의 목표에 고무되었다. 여러 명의 평가분야의 선구자들을 가르쳤던 Donald Campbell이라는 한 저명한 방법 연구학자는 'Reforms as Experiments'라는 그의 논문에서 'experimenting society'에 관한 글을 써서, 관리자들이 좋은 프로그램을 개발하기 위해 자료와 "실험"들을 사용하도록 독려했다(Campbell, 1969b). 그는 관리자들은 프로그램이 아니라 프로그램에 내재한 문제를 해결하는 방법을 옹호해야 한다고 주장했다. 해결법을 옹호하고 그것들을 실험해 봄으로써, 관리자들은 정책결정자, 시민, 그리고 다른 관련자들이 범죄, 취업난, 문맹률과 같은 어려운 사회적 문제들을 효과적으로 줄이는 프로그램을 개발하는 고된 과정에서 좀 더 인내심을 갖게 할 수 있었다. 한 인터뷰에서, 같은 분야를 연구하는 Don Campbell과 Tom Cook, William Shadish는 현대 평가에 대한 연구를 시작하면서 자극을 북돋아준 이유로 "사회적 문제를 해결하겠다는 엄청난 열정과 에너지였다. 어떻게 하면 사회적 변화가 일어나고 평가가 어떻게 이러한 사회적 변화에 도움을 줄 수 있는지에 대해 알고 싶었다."고 말했다(Shadish & Miller, 2003, p. 266).

평가의 출현과 관련한 대학원 프로그램. 전문가가 고안해낸 유용한 평가들에 대한 수요는 갑작스러운 것이었고 시장 또한 이에 따라 변화했다. 의회는 대학들이 교육에 대한 조사와 평가를 다루는 대학원 수업을 개설하도록 투자했다. 여러 대학들은 교육과 사회과학 분야를 평가하는 인재를 육성하는 데에 목표를 두고 대학원 프로그램을 개설했다. 이와 관련된 분야에서는 정부의 프로그램을 관리하고 감독하는 행정가들을 훈련하기 위해 행정학으로부터 학교 행정학이 파생되었고, 정책 분석학이 새로운 분야로 떠올랐다. 사회과학 분야에서 대학원 교육은 크게 팽창했다. 1960년에서 1970년 사이에 경제학, 교육학, 정치학, 심리학, 사회학에서 박사학위를 따는 사람의 수가 2,875명에서 9,463명으로 333%나 증가했다(Shadish et al., 1991). 많은 대학원생들은 공익 혹은 비영리기구를 위해 평가를 개발하는 쪽으로 진로를 정했다. 근대의 프로그램 평가는 우리가 앞서 언급한 세 가지 요소에 근거해 단계가 세워졌다. 즉 세계 2차 대전 이후 미국 경제의 급성장, 1960년대 동안 교육과 다른 정치 분야에서 연방정부 역할이 극적으로 성장한 점, 그리고 평가와 정책 분석에 관심을 가진 사회과학 분야 졸업자의 수가 증가했다는 사실이다(Shdaish et al., 1991).

평가가 전문분야가 되다: 1973~1989년

이 시기에는 접근을 통한 성장, 학생들을 평가자로 훈련시키는 프로그램 그리고 전문적인 협회 등을 통해 평가가 특정한 영역으로 발전하고 있다는 특징이 있다. 동시에, 평가의 분야들이 다양화되기 시작했고, 연방정부의 간섭은 줄어들었다.

이 분야의 여러 저명한 학자들은 새롭고 다른 모형들을 제시했다. 목표가 달성되었는지의 여부를 떠나, 관리자들에게 필요한 정보와 의도하지 않은 결과들을 고려하기 시작했다. 가치와 기준이 강조되었고, 이익과 가치에 대한 의사 결정의 중요성이 분명해졌다. 이러한 새롭고도 논란이 많은 아이디어들은 평가 용어와 연구물의 발전에 영향을 주는 토론과 대화를 만들어냈다. 평가자들이 목표지향 평가의 활용법을 암기하는 것을 넘어서 활동할 수 있게 하며, 탈목표 평가를 제안한 Scriven(1972)은 평가자들이 절차를 조사하고 프로그램의 맥락 속에서 의도하지 않은 결과를 발견할 것을 요구했다. 의사 결정자에게 유익한 정보를 더 많이 제공해야 하는 평가의 필요성에 반응한 Stufflebeam(1971)은 CIPP 모형을 만들었다. Stake(1975)는 평가자들이 실험적, 사회과학적 패러다임에서 벗어날 수 있는 반응적 평가를 제안하였다. Guba와 Lincoln(1981)은 Stake의 업적에 힘입어, 질적 방법론과 양적 방법론의 상대적인 장점과 관련해 많은 논쟁을 야기한 자연주의적인 평가를 제안했다. 총체적으로 이러한 평가에 대한 새로운 개념들은 기존의 관점을 더 넓혀 주는 새로운 사고방식과 경험 과학자들의 기술을 단순히 활용하던 것보다 더 많은 것을 포함하는 좋은 프로그램 평가에 대한 정의를 명료하게 하였다.(이 모형들과 다른 것들은 2부에서 다룰 것이다.)

이러한 평가 문헌의 급성장은 연구자들의 철학적·방법론적 선호도의 차이를 드러내었다. 그리고 평가는 기존에 다른 영역에서 사용했었던 방법론이 언제 어떻게 적절하게 사용되었는지에 대해서 새롭게 개념화하고 통찰할 것을 요구하는 다차원적인 기술과 정치적 복합체라는 사실을 강조하였다. Shadish와 그의 동료(1991)들은 평가의 독특한 이론들에 대한 필요성을 인지하면서 "평가가 성숙해지면서, 그 이론들은 20년에 걸쳐 현역들, 그들이 시도했던 해결 방법, 평가자들의 학문적 전통에 의해서 노출된 문제들 사이의 상호작용에 대한 결과로 그 이론 자체의 특성을 갖게 되었다."라고 말했다(p. 31).

「Evaluation and Program Planning」, 「Evaluation Practice」, 「Evaluation Review」, 「Evaluation Quarterly」, 「Educational Evaluation and Policy Analysis」, 「Studies In Educational Evaluation」, 「Canadian Journal of Program Evaluation」, 「New Directions for Program Evaluation」, 「Evaluation and the Health Professions」, 「ITEA Journal of Tests and Evaluation」, 「Performance Improvement Quarterly」, 「Evaluation Studies Review Annal」 등과 같은 학술지와 시리즈물들을 포함하여 평가에만 초점을 맞춘 출판물들이 1970년대와 1980년대에 급격히 성장하였다. 주요 내용이지만 제목에서 평가가 누락된 것들 중에는 「Performance Improvement Quarterly」, 「Policy Studies Review」 그리고 「The Journal of Policy Analysis and Management」이 있다. 1970년대 후반 이후부터 1980년대 동안, 교과서, 참고서, 개요서, 백과사전 등과 같은 평가에 대한 출판물들은 뚜렷하게 증가했다. 실제에서 평가를 실행해 봄으로써 얻은 경험과 요구에 반응하면서, 평가 특유의 내용이 개발되고 성장했다.

동시에, 전문가협회와 관련조직들이 형성되었다. 미국교육학회 H 사업부(The American Educational Research Association's Division H)에서는 평가에 대해 전문적인 활동을 하는 데에 우선적으로 초점을 맞추었다. 이와 비슷한 기간에, 평가에만 초점을 맞춘 두 개의 전문협회로 평가연구학회(Evaluation Research Society, ERS)와 평가협회(Evaluation Association, AEA)가 설립되었다. 1985년에 이러한 기구들은 미국평가학회(American Evaluation Association)라는 형태로 통합되었다. 1975년, 평가자들과 소비자 모두가 평가의 질을 측정할 수 있는 기준을 세우기 위해 교육과 심리학분야에서 평가를 전문적으로 하는 12개 전문협회의 연합체인 '교육평가기준합동위원회(Joint Committee on Standards for Educational Evaluation)'를 형성하였다. 1981년, 그들은 『교육 프로그램, 프로젝트,

교구 평가를 위한 기준(Standards for Evaluations of Educational Programs, Projects, and Materials)』이라는 책을 출판하였다. 1982년, 평가연구학회는 평가를 실행하는 데 있어서 평가자들이 따라야 할 기준, 혹은 윤리적 지침서를 개발하였다(Evaluation Research Society Standards Committee, 1982). (이러한 『기준(Standards)』과 미국평가학회가 초반의 ERS 기준을 보완하기 위해 개발한 윤리 규정인 '1995 안내 원칙(Guiding Principles)' 은 3장에서 살펴볼 것이다.) 이러한 활동들은 평가의 성과를 판단할 수 있는 기준, 실행을 인도하는 데 있어서의 윤리 규정, 그리고 훈련, 교육, 아이디어의 교환을 위한 전문단체를 위한 기준을 가진 전문 분야로서 평가의 형식화에 크게 기여하였다.

평가에 대한 전문적인 구조가 형성되는 동안, 평가의 시장 또한 급격하게 변화했다. 1980년 Ronald Reagan의 당선은 연방정부 차원의 평가에 급속한 감소를 가져왔는데, 주(州)들에게 교부금이 주어지고 평가 요구에 대한 의사결정과 선택권이 주차원으로 위임되었기 때문이었다. 하지만, 연방정부 차원에서 평가의 감소는 평가 실행의 상황과 접근방법에 대한 다양한 요구들을 가져왔다(Shadish et al., 1991). 많은 주와 지역 단체들은 그들 스스로의 평가를 시행하기 시작했다. 재무 능력을 가진 집단들과 다른 비영리 기구들은 평가를 강조하기 시작하였다. 평가의 투자자들이 다양해지면서, 평가의 성격과 방법은 조정되고 다양해졌다. 피드백을 제공하여 발전을 도모하고 프로그램의 과정과 결과 간의 연결점을 찾아주는 형성평가가 더욱 중요해졌다. 평가에 있어서 선호 고객이 누군지를 알고 고객의 요구에 맞춰 건의사항을 수용하고자 하는 Michael Patton의 활용중심 평가(utilization-focused evaluation)는 많은 평가자들이 따르는 모델이 되었다(Patton, 1975, 1986). Guba와 Lincoln(1981)은 실행 단계에서 프로그램의 성격을 매우 사실적으로 묘사하는 "심층적 설명"을 개발하여 평가자들이 더 많이 사용할 수 있는 질적 방법을 강조하였다. 또한 David Fetterman은 교육 평가의 문화인류학적 방법에 대한 그의 책을 가지고 대안적 방법을 작성하기 시작했다(Fetterman, 1984). (의원, 장관급 부서, 법률가 등의) 정책입안자들을 기본 고객으로 생각하여 그들에게 집중했던 평가자들은 다양한 이해당사자들과 다른 종류의 평가에 대한 투자, 다른 요구들을 고려하기 시작했다. 정책 참여에서 배제되던 이해당사자들도 포함하는 참여자중심 방법이 등장했는데, 이 방법이 우세해지기 시작했다. 그 시대의 평가에는 극적이고 놀라운 사건이었지만, 연방정부 차원의 투자 감소는 이익과 가치를 결정하는 데에 있어서 더욱 풍부하고 다양한 접근방법을 개발하도록 이끌었다.

1990년부터 현재: 역사와 최근 경향

오늘날 평가는 다양한 접근법과 방법을 갖춘 다양한 환경에서 실행된다. 평가는 전문적인 분야로 매우 잘 형성되었고, LaVelle와 Donaldson이 말하듯 지난 몇 년간 "순조로운 성장"을 하였다(2010, p. 9). 많은 직업들을 활용할 수 있다. 비록 많은 평가자들이 다른 훈련을 통해서 전문성을 터득하기도 하지만, 미국에서 대학에 기반한 평가 훈련 프로그램의 수는 1994년 38개에서 2008년 48개로 증가했다(LaVelle and Donaldson, 2010). 거의 6,000명에 이르는 사람들이 미국평가학회에 속하며 1,800명의 사람들은 캐나다평가학회(Canadian Evaluation Society, CES)에 속해있다. 2005년, 다양한 나라에서 온 멤버들과 참관자들로 구성된 약 2300명의 평가자들이 참여한 토론토의 연합 컨퍼런스를 AEA와 CES가 후원하였다. 정책입안자들과 정부와 비영리조직의 관리자들은 평가에 대해 알았고 종종 평가를 요구하였다. 많은 고객들에게 평가—그것에 투자하고, 관리하고 실행하는 것—는 그들의 책무 중 하나였다. 따라서 적어도 미국과 캐나다의 평가자들만큼은 더 이상 그들의 원칙과 싸울 필요가 없었다. 하지만 1990년 이후, 평가는 오늘날 평가의 실행에 영향을 미친 여러 중요한 변화를 맞이하게 되었다.

다른 국가로의 평가의 확산

최근 몇 년 동안 평가는 다른 나라에서도 급속하게 성장하였다. 평가자들은 자신의 국가 상황과 이해당사자들의 기대와 요구에 적응하기 때문에, 이러한 평가의 국제화는 평가의 실행에 큰 영향을 주었다. 오늘날, 전 세계에는 75개 이상의 지역적이고 국가적인 평가 협회가 존재한다(Preskill, 2008). 유럽평가학회(European Evaluation Society), 호주평가학회(Australasian Evaluation Society), 영국평가학회(United Kingdom Evaluation Society), 아프리카평가협회(African Evaluation Association) 등이 주요 학회로 포함되어 있다. "좋은 정부, 효과적인 의사결정 그리고 시민사회의 역할을 강화할 수 있도록 평가학회, 협회, 네트워크를 법률화하고 지원하는 것을 돕는" 임무를 가지고 있는 국제평가연합기구(International Organization for Cooperation in Evaluation, IOCE)는 24개의 국가적이고 지역적인 평가협회의 회원들로 2003년에 설립되었다(IOCE, 2003, para 3).

이 장의 앞부분에 명시되었듯이, Ray Rist와 그의 동료 학자들은 미국, 캐나다, 독일, 스웨덴을 사회적 실험의 시기였던 1960년대 후반과 1970년대 초반에 시작된 현대 평가의 "첫 번째 물결"을 맞이한 국가들로 정의했다. 첫 번째 물결 국가들의 평가는 그러한 사회적 실험과 프로그램의 개선과 연관되어 있었다(Rist, 1990). Rist와 그의 동료 학자들은 유

럽국가들 중에서 평가가 다른 맥락에서 시작된 국가들을 "두 번째 물결"로 정의하였다.[3]
영국, 네덜란드, 덴마크, 프랑스로 대변되는 두 번째 물결 국가들에서 평가는 국가의 예산
을 통제하고 정부 지출을 줄이기 위한 노력에서 시작되었다. 이때의 평가는 사회적 실험
과 프로그램의 개선보다는 책무성과 비생산적인 프로그램을 걸러내는 데에 초점이 맞춰
져 있었다. 이러한 목적에 따라 두 번째 물결 국가에서의 평가는 예산이나 특혜권 등과
관련된 정책을 만드는 사람들의 주변, 즉 중심부에 위치하게 되었다. Rist와 그의 동료 학
자들은 각 국가에서 평가의 초기 자극이 그 나라 평가의 목적과 부산물에 강한 영향을 끼
친다는 점을 발견했다. 최근 유럽에서의 평가의 영향은 유럽연합과 유럽의회의 평가 권한
에 대한 것이었다. 동유럽의 많은 국가들에서, 이러한 평가 권한에 반응하는 것은 평가에
대한 그들의 첫 여정으로 볼 수 있다.

　다양한 문화와 국가에서 평가는 흥미로운 모험인데, 이는 단지 평가가 정책에 대한 질
문과 이슈들을 설명하는 데 도움을 줄 뿐만 아니라 북미의 평가자들이 다른 국가들의 노
력으로부터 기관 차원의 접근방법과 새로운 방법들을 배울 수 있기 때문이다(Mertens,
1999). 많은 여행객들이 알고 있는 것처럼, 사람은 자신과 다른 문화적 차이를 보고 경험
함으로써 그 사람의 고유 문화가 가지는 태도의 장단점 모두를 보게 된다. 이전에 문제가
되지 않았던 것들도 다른 문화에서 다르게 행동하는 사람들이나 제도들을 관찰하게 되면
서 주의를 가져오게 된다. 시민들은 정부와 정책에 대한 기대와 믿음이 다르고 정부에 대
해 알기를 바라거나 기대하는 것도 다르다.[4] 프로그램을 판단하는 방법, 피드백을 주는
것, 또는 참여자를 찾는 것은 나라마다 문화마다 서로 다르다. 이러한 차이점들은 연구를
계획하고 실행하기 위해 평가의 문화적이고 정치적인 맥락에 주의를 기울여야 하는 평가
자에게 영향을 미치게 된다. 21세기에는 서구의 평가자들이 다른 국가에 있는 그들의 동
료 평가자들의 경험으로부터 배워야 할 것이며, 그러한 노력은 우리의 연구를 더 강화하
고 프로그램을 판단하고 결정을 내리기 위한 자료가 되는 평가의 문화를 세계로 전파할
것이다.

---

3) Rist와 동료들의 연구는 유럽, 캐나다, 미국에 한정되었었다.
4) 예를 들면, 프랑스 평가자인 Fitzpatrick을 인터뷰했을 때, 그는 미국인들이 정부가 하는 일과 실수한 것
　에 대해 알기를 원하기 때문에 평가에 대한 비옥한 기반을 만들 수 있었다고 말했다. 그는 프랑스 국민
　들은 정부 활동에 대한 의심이 적기 때문에 평가에 대한 관심이 적다고 말했다. 이 장의 끝에서 인터뷰
　를 인용한 Patton은 일본과 미국 간의 문화적 차이가 평가에도 드러난다고 말했다. 일본에 대한 그의 연
　구에서, 그는 실수를 비판하거나 관심을 가지는 것을 피하기 때문에, 평가적 발견이 미국과는 다른 방식
　으로 작동할 것이라고 하였다.

비평가자들의 내부평가에 대한 책임

최근 몇 년간 평가의 또 다른 변화가 평가와 관련된 업무를 이행하는 사람들의 유형과 수에 영향을 미치고 있다. 평가가 확산될수록, 관리자, 감독관, 그리고 다른 프로그램 전문가 등 다양한 사람들이 평가를 그들의 직업의 한 부분으로 여기고 책임을 지기 시작했다. 역사 속에도 나타나듯이, 평가는 종종 평가에 대한 특별한 훈련을 받지 않은 사람들에 의해 수행되어 왔다. 사회과학자들이 수요에 맞추어 평가 연구를 수행했던 1960년대부터 시작해서, 평가는 종종 특별한 교육 또는 훈련을 받지 않은 사람들에게 맡겨졌다. 초창기에, 이런 사람들은 방법론이나 연구법을 훈련받은 사회과학자들이었으나 상황과 사용과 관련된 평가의 이론과 실제에는 익숙하지 않았다. 오늘날 사회과학 연구자들은 평가를 수행해오고 있다. 하지만, 평가의 원칙이 성장하고 더 잘 알려지면서, 많은 사람들이 평가의 규율에 대해 배우고, 방법론적 전문성을 독서, 훈련, 평가 회의 등을 통해 보충한다. 오늘날에는 평가와 사회과학 연구 방법의 방법론 훈련이 부족한 프로그램 관리자와 직원들이 증가하고 있지만, 종종 내부평가에 책임이 있다(Datta, 2006).

기관의 평가와 주요한 자료를 수집하는 책임이 있는 내부 평가자들―이들은 전형적으로 다른 프로그램에 책임이 있는 프로그램 관리자와 직원들―을 확장한 대표적인 사례는 비영리적 분야에서 이루어지는 평가이다. 미국 사회복지 프로그램의 대부분을 90만이 넘는 비영 단체와 종교 단체에서 진행한다(Carman, Fredericks, and Introcaso, 2008). 이 기관 중 대부분이 1300여 개의 지역 United Way 기구로부터 자금을 얻고, United Way는 이러한 기관들에게 그들의 프로그램에 대한 평가를 요구한다. United Way는 평가를 위해 훈련을 시키는 등 대단한 노력을 하지만 대부분의 평가들은 가끔씩 외부 전문가의 안내를 받는 기존 직원들에 의해 진행된다(Hendricks, Plantz, and Pritchard, 2008). 다른 면에서 United Way의 접근방법에 호의적이었던 Hendricks 외(2008)는 평가 전문능력이 부족한 직원에게 과도하게 의지하는 것은 그 기관이 평가 결과를 효과적으로 사용하게 되는 시기를 놓치게 할 수 있음을 걱정하였다. 평가자들을 대상으로 한 설문조사에 따르면 기관내부 혹은 조직 내에서 다른 책임분야에 속한 평가자들의 수가 늘어나고 있다. Christie(2003)는 캘리포니아 주에서 조사한 평가자들 대부분이 내부 소속이거나 관리, 책임을 맡고 있음을 알아내었다. 대부분 평가에 대한 훈련을 거의 받지 못하거나 아예 받지 못했으며, 평가이론과 접근방법에 대해 생소했다.

교육 분야에서, 학교구는 막대한 예산안 문제에 직면해 있었고, 평가부서를 포함한 중앙의 사무직원을 해고하는 방법으로 국가의 재정 통제에 대처하려고 하였다. 최근 기준기반 환경에서 교육에 대한 요구가 증가하면서, 학교들은 소수의 평가 전문가들과 이러한 상황에 대처해야 했다. 결과적으로, 교사들과 행정실 직원들이 평가 책임의 일부를 감당해야 했다. 그러므로 평가의 확산은 조직의 역량을 형성하고 교육과 훈련을 개선하는 데 영향을 미치는 예상치 못한 결과들을 가져왔다.

내부평가에 참여하는 많은 사람들이 평가보다는 다른 분야에서 주된 전문성을 지니고 있다. 그들은 전업 평가자가 되는 데 관심이 없기 때문에, 대학 기반 교육은 이런 개인들을 위해 제공되는 훈련으로 가장 좋은 방법이 아니다. (Datta[2006]를 보면 원하는 훈련방법이 무엇인지에 따라 평가에 대해 더 배울 필요가 있다는 것을 설명하였다.) 평가 영역에서 훈련 기회의 확대와 창조적 사고는 평가 기술의 발전을 도우려는 사람들을 필요로 하였다. 평가 도구들은 풍부했지만 종종 정의된 목적, 이해관계자 그리고 사용에 대한 숙고처럼 주요한 이슈가 아니라 조사 설계와 같은 기본적인 방법론적 이슈에 집중했다.

평가 수행 기관 직원의 폭발적인 증가가 평가 연구의 정확도, 신뢰도, 활용과 훈련에 심각한 영향을 미쳤지만, 학교와 평가 기관의 다른 직원들을 포함하려는 움직임에는 큰 장점이 된다. 2000년과 2001년에, 미국평가학회(AEA)의 대표들이 제안한 회의의 주제는 평가의 질과 활용도를 높이기 위해 다른 조직의 직원들과 협업하는 것이었다. 우선 AEA의 2000년도 대표였던 Laura Leviton은 평가의 수요가 증가하고, 프로그램과 정책에 영향을 주기 위한 평가자들의 노력을 지켜보면서, 평가자들이 더 발전된 평가를 위해 능력을 키우는 방법을 토론해 보고자 "평가 능력 구축"이라는 주제를 정하였다. 그녀는 프로그램의 논리와 실제, 조직적 행동, 그리고 조직을 이해하고, 평가를 활용하는 등 조직에 도움이 되는 기술들이 프로그램 실행자의 능력을 강화하는 데 사용되고 인지되어야 한다고 주장했다(Leviton, 2001). Leviton은 몇몇 평가자들이 해왔듯이 프로그램 관리자와 관련 직원들과 거리를 두기보다는, 평가자들이 이러한 사람들로부터 조직 내의 경험을 얻고 배우도록 독려했다. 이 책의 공동 저자이자 2001년도에 AEA의 회장을 맡았던 James Sanders는 그의 주제를 "평가 주류화"로 설정했다. 개회사에서, Sanders는 그와 Blaine Worthen이 1973년에 이 책의 초판을 출판한 시기에 그들은 "평가가 매우 활발히 이루어지는 분야 중 하나이지만 오늘날 시스템에 있어서는 그 이용이 미미하다"는 사실을 발견했다고 말했다(2002, p. 253). 그는 평가의 지위가 나아지기는 하였지만, 아직 조직의 제2의 본성에 불과하다고 여겼다. 평가 주류화의 개념을 설명하기 위해 Sanders는 "주류는 조직의 모든 일상 활동을 종합적으로 평가하는 과정을 의미한다. 평가가 주류에 속하게 된다면, 이는 단지 주변에서 맴도는 것이 아니라 조직의 연구 윤리에 일상적인 부분이 된다. 이것은 조직의 모든 수준에서 문화적 그리고 직업 전문성의 일부가 된다"(2002, p. 254)라고 말했다. 오늘날 평가와 책무성에 대한 많은 관심과 많은 관리자들과 다른 분야의 직원들이 평가에 참여한다는 점에서, 우리는 평가를 주류에 속하게 할 수 있는 기회를 가지고 있다. 앞서 언급했듯이, 평가 책임의 확산은 위험하지만 평가와 조직을 위한 내재된 이점을 가지고 있다. 1장에서 이미 다뤘듯이, 우리는 훈련 기회를 확대시키고, 내부와 외부 평가자들 간의 협력을 도모함으로써 이러한 위험요소에 맞설 수 있다. 한편으로, 조직, 학교 그리고 다른 조직들의 직원들이 그들 스스로를 평가자라고 인식하지 못하고 평가에 참여하는 것은 평가가 조직 문화의 일부가 될 수 있는 기회이다. 하지만, 이는 우리가 조심스럽게 진행할 때만 이루어질 것이다. 1960년대에 평가를 수행했던 사회과학자들이 평가를 단순한 연구 방법의 적용으로만 본 우를 범했던 것처럼, 오늘날 조직 내에서 다른 책임과 균형을 유지하면서 평가를 수행하는 바쁜 관리자들과 전문가들 또한 평가를 단순히 정보를 수집하고 보고하는 것으로만 생각할 수도 있다. Sanders의 평가 주류화에 대한 개념은 조직적인 학습과 활용을 위해서 평가의 목적을 만드는 것을 포함한다.

성과와 영향 측정에 대한 초점

1990년대에 평가와 관련해 등장한 또 다른 주요한 경향은 성과를 측정하고 책무성의 목적을 위해 평가를 사용하는 것이었다. 미국은 Ray Rist와 그의 동료 학자들(1999)이 혁신적인 실험과 프로그램을 개선하고 새로운 검사 도구로 자료를 수집하는 데 초점을 두었던 "첫 번째 물결"로 평가를 시작했다. 하지만, 미국은 책무성과 프로그램의 지속가능성 혹은 증대가능성에 대한 총합적이고 예산을 염두에 둔 결정을 내리기 위한 평가에 초점을 둔 "두 번째 물결" 국가로 전환했다. 성과에 주목하는 것은 1990년대 초기에 시작되어 오늘날까지 지속되고 있다.

교육 분야에서, 최근 기준기반 성과에 주목하는 재단은 1983년 『위기의 국가(A Nation at Risk)』의 출판과 함께 시작되었다(National Commission on Excellence in Education, 1983). 이 보고서는 미국의 교육 상황에 대한 심각한 걱정을 드러냈고, 변화를 위한 자극제를 제시했다. 오늘날까지 지속되고 있는 그 메시지는 미국의 교육이 무너지고 있으며, 연방정부는 해결을 위해 더 적극적으로 참여할 필요가 있다는 것이다. 이러한 정책은 몇 년 안에 결정되는 것이 아니라, 책무성에 초점을 맞춘 연방정부의 역할이 커지는 것을 의미한다. 역사적으로, 지역 학교구와 주는 미국의 학교에 대한 책임을 지고 있었다. 따라서 지역 공동체의 요구에 기반했던 이런 이슈들 안에서 연방정부의 역할이 커지는 것은 다소 논란이 되었다. 하지만 1989년 국립 주지사 연합회는 주지사와 대통령의 교육 회담 자리에서 George H.W. Bush 대통령을 만나 주와 지역의 통제를 유지하면서 교육에 대한 국가적 목표를 지지하였다. 나중에, 1989년 당시 Bush 대통령과의 회담에서 국립 주지사 연합회를 이끌었던 Clinton 대통령은 교육에 관한 연방정부의 권한과 1994년에 제정한 6개의 주요 법안에 담긴 기준들을 강조했다. 언론에서는 "1960년대 이후로 획기적인 교육법안이 제정되지 않았으나" 이 6개의 조항은 "미국 교육에 있어서 아주 중요하고 길이 남는 변화를 가져올 것이다"라고 보도했다(http://www.ed.gov/pressreleses/10-1994/legla.html). 이러한 법률제정은 1965년에 제정된 근대 평가의 시작을 알린 초·중등 교육 법안의 개정안인 「미국 학교 개선 법안(Improving America's Schools Act, IASA)」과 「교육목표 2000: 미국 교육 법안(the Goals 2000: Educate America Act)」을 포함한다. 여러 가지 가운데, 이 법안들은 각 주에 학업 성취를 위한 높은 수준의 기준을 개발하고, 교육을 인도하고, 학교가 이러한 기준을 성취할 수 있도록 진행되고 있는지를 모니터할 수 있도록 금전적 지원과 인센티브를 제공했다. 1994년의 연말쯤에, 40개의 주가 기준 개발을 위한 자금을 신청했다. 주 스스로 기준을 개발함으로써 지역 통치권을 유지하게 해야 하는지에 대한 논쟁이 있었다; 연방정부의 역할은 그렇게 되도록 자금을 지원하고 기준을 요구하는 것이었다. 2001년에, George W. Bush가 이끌던 의회에서는 이제껏 없었던 교육 개혁에 초점을 맞춘 「낙오학생방지법(No Child Left Behind, NCLB)」이라는 법안을 통과시켰다. 이 법안은 학생의 수행, 시험, 그리고 교사 훈련에 대한 더 많은 요구 사항을 담고 있었으며 목표에 도달하지 못하면 국가 재정 허가와 수정 법안을 추가함으로써 연방정부의 역할을 확대했다.[5] 당연히 기준과 사정의 방법은 50개의 주가 각각 다르지만, 각 주마다 기준들과 사정의 도구는 교육 개혁에 초점 맞춰져 있었고 오늘 날에는 교육평가에 더 많이 주목하고 있다. Lauren Resnick은 "교육에서 시험에 좌우되는 책무성은 현실이 되고 있다."(2006, p. 33)라면서, "시험과 책무성을 계산하는 공식에 더 많은 무게를 두고 있다"(2006, p. 37)고 하였다.[6]

이러한 정책들은 미국의 공립학교에서 평가의 역할을 크게 변화시켰다. 기준과 그들의 사정은 많은 국민들의 관심을 받으며, 대부분의 주에서 교육 정책, 실행, 평가에 있어서 중요한 역할을 하고 있다. 오늘날 미국의 K-12 교육에 대한 평가는 다음과 관련한 이슈들에 초점을 맞추고 있다: 학생과 그들의 성장을 평가하는 적절한 도구를 개발하는 것, 성공한 학교와 실패한 학교를 구별하는 것, 기준에 맞게 학생들의 수행 능력을 이끌어 내도록 도울 수 있는 방법을 찾는 것. 기준에 맞지 않는 학교들을 폐교하거나 교사 또

---

5) Obama 대통령은 낙오학생 방지법을 바꿀 것을 제안하였으나, 아직 이에 대한 특별 법안은 통과되지 않았다.

6) Resnick은 특별한 이슈로 『Educational Measurement: Issues and Practice』에서 다룬 4개 주의 사례 연구와 기준과 사정의 측정이 실행되고 사용되는 방법에 대해 주목하고 있다.

는 행정가를 바꿀 수 있기 때문에, 평가의 초점은 총괄(이 학교가 지속되어야 하나? 교직원을 교체할 것인가, 아니면 폐교할 것인가?)과 형성(주어진 학교의 학생들 중에 누가 기준에 실패하는가? 그들이 경험한 것은 무엇이었는가? 성공한 학생들 간의 공통되는 경험은 무엇인가? 아직 기준에 도달하지 못한 학생들을 적절하게 도와줄 수 있는 방법은 무엇인가?) 모두에 두고 있다. 이러한 평가 노력들은 당연히 학교를 발전시키지만, 기준에 대한 초점과 그들의 사정은 위험 요소를 가지고 있다. 자원이 부족해지고 많은 학교 평가 노력들이 다른 곳으로 몰리게 되면, 교육 평가에 대한 초점은 기준과 책무성으로 변하게 된다.

반작용과 정책 성명. 최근에 미국평가학회(AEA)는 시험과 교육 책무성에 대한 이슈에 처음으로 정치적 자세를 취했다. 2000년, AEA의 회장이었고 이 책의 공동저자이기도 한 James Sanders는 조직의 입장에 대한 상태를 개발하고 연구하기 위해 K-12 교육에서의 고부담 시험에 대한 대책위원회를 약속했다. 2002년에 유초중등교육(PreK-12)의 고부담 시험에 대한 AEA의 입장 발표가 AEA 의회에서 통과되었고 이는 AEA의 웹사이트인 www.eval.org/hst3.htm에서 찾아볼 수 있다. 이 성명은 고부담 시험의 장단점에 대한 연구 결과를 정리하고 있으며, 이들은 "고부담 시험의 영향에 대한 증거들은 평가를 실행하는 데에 장점보다 단점이 많다는 것을 보여준다"라는 결론을 내린다(2002, p. 1). 대책위원회는 다음과 같이 적고 있다.

> 비록 20년이 넘도록 주에서 실행되어 왔지만, 고부담 시험은 학교의 질을 개선하지 못했다; 양성 간, 인종 간, 계층 간의 교육적 성취에 있어서의 차이를 줄이지 못했다; 나라가 도덕적, 사회적, 경제적으로 발전하지도 못했다. 미국평가학회(AEA)는 책무성에 대한 강력한 지지자였으나, 책무성을 좌우하는 것은 시험이 아니다. AEA는 고부담 결정을 위한 시험의 부적절한 사용에 반대하는 다른 다양한 전문 협회와 함께 한다. (2002, p. 1)

대책위원회는 그들이 최근 사용했던 목적, 다양한 측정 방법, 그리고 다양한 범위의 입장에 대한 고려를 목적으로 하는 현행 시험의 타당성을 포함하여 평가 수행을 개선할 수 있는 다른 방법을 보여준다. 2006년, AEA 의회는 교육적 책무성에 대해 두 번째 정책 성명을 승인했다(http://www.eval.org/edac.statement.asp 참고). 이 성명은 세 가지 주요 이슈에 관한 내용을 포함하고 있다.

> 학생들의, 특별히 아주 어리고 역사적으로 대우받지 못했던 학생들, 학습이 정확히 측정되지 못한다거나 복합적인 교육적 진보와 성취를 포괄하지 못하는 표준화된 시험 성적

에 지나치게 의존하는 것;

가능하다고 제시된 역사적인 증거보다 더 높고 더 빠른 시험 성적의 향상을 성공이라고 정의하는 것; 그리고

지역의 상황적 변수 또는 지역의 교육적 노력을 무시하고 하나를 모두에게 맞추려고 하는 것 (American Evaluation Association, http://www.eval.org/eda.statement.asp, 2006, p. 1)

이러한 AEA의 정책 성명은 다양한 측정의 사용과 시간이 지나면서 나타나는 개별 학생의 진보, 상황을 고려한 보고, 교사와 학교를 위한 자원 분배를 고려하는 자료의 사용, 접근 가능한 과정들, 공공의 참여와 접근 가능성을 독려하고 있다.

교육에 있어서의 선택. 오늘날 교육 환경에서 평가에 영향을 미치는 또 다른 요소는 학교 선택이다. 선택이란 나라의 곳곳에서 다양한 방법으로 나타난다. 워싱턴 DC와 밀워키 (Milwaukee), 위스콘신(Wisconsin) 등과 같은 몇몇 도시에서는 바우처와 선택 시스템을 가지고 있었고, 이러한 시스템들에 관해 많은 조사가 진행되었다(Buckley & Schneider, 2006; Goldring & Shapira, 1993; Hoxby, 2000). 많은 학교구에서, 학부모는 지역구 내의 다른 공립학교로 자녀를 전학시킬 수 있으며, 가끔씩 외부로 보내기도 한다. 전통적인 이웃학교에서 마그넷 학교, 차터 스쿨, 그리고 어떤 지역에서는 사립학교에 바우처를 두는 것과 같이 미국의 각 지역구들은 다양한 선택들을 가지고 있다. K-12 교육에 있어서 선택들은 평가의 영향을 받는다. 선택의 이론은 경쟁이 효율을 높인다는 시장의 이론에 기반한다. 따라서 부모들이 학교를 선택하는 것은 학교가 더욱 경쟁적이게 되어 학교의 수행과 학생의 성취를 향상하는데 일조한다(Chubb & Moe, 1990).

몇몇 지역구에서, 평가는 각 학교 또는 학교 집단의 교육 행정가들과 교사들이 어떻게 하면 학교에 다른 학생들을 유치할 수 있는지에 대한 고민을 돕는 역할을 한다. 새로운 프로그램이 등장하면 낡은 프로그램은 잊혀지게 된다. 최소한, 학교는 학생들의 등록을 예측하고 학교를 적당하게 꾸릴 계획을 세우는 데에 많은 노력을 한다. 더욱이, 학교 행정가들과 교사들은 더 우수한 학생들을 가르치기 위해 고안된 새로운 프로그램들을 개발하고 보완하기 위해 노력한다. 공립학교 행정가들에게는 생소한 이러한 선택들은 도전적인 결심을 요구한다. 어떤 프로그램, 커리큘럼 혹은 개입으로 학교의 성적을 향상시킬 수 있을까? 어떤 프로그램, 커리큘럼 혹은 개입으로 더 많은 학생들을 학교에 유치할 수 있을까? 전통적인 평가 방법들은 교사들과 행정가들이 이러한 결정을 하는 데 도움을 주었고 새로운 사용법을 제공하는 평가를 위한 기회를 제공해왔다. 예를 들어, Fitzpatrick은

주로 선택환경에서 뒤처지는 저임금 부모들이 학교를 선택하는 것에 대해 어떻게 배우고 아이들을 위해 어떤 선택을 하는지에 대해 연구했다(Teske, Fitzpatrick, & Kaplan, 2006). 이러한 연구들은 학교구들이 부모들에게 선택에 대해 더 많은 것을 알리는 것을 돕기 위해 설계되었다. 이러한 환경에서, 교육환경을 개선하고 바꾸려는 교사와 행정가들에게 평가자는 큰 도움이 될 수 있다. (Rodosky and Munoz[2009]에서 도시의 학교구가 책무성에 대한 평가 책임을 어떤 방법으로 관리하는지에 대한 예를 볼 수 있다.)

다른 정부 분야에서의 감시 활동. 1990년대 후반부터 21세기 초반까지 교육이 기준, 사정과 책무성에 대한 평가와 관련해 주목을 받았듯이, 다른 정부 분야와 비영리 기구에서도 수행을 감시하고 성과를 평가하는 데에 초점을 맞추기 시작했다.[7] 정부의 성과 측정 경향의 초기 영향은 신공공관리(New Public Management)에서 비롯되었는데, 이는 공공 행정부와 관리부의 운동으로 관계자들은 "정부를 재창조한다"라고 말했다. 1992년, David Osborne과 Ted Gaebler는 유명하고 영향력 있는 책인『정부재창조(Reinventing Government)』라는 책을 집필했다. 이 책은 정책입안자들과 관리자들이 사적인 분야에서 계량과 품질경영(Quality Management, TQM)을 통해 실험에 성공할 것을 촉구했다. Osborne과 Gaebler는 관리자가 시민들을 "고객"으로 보고 정부 관리자가 프로그램, 정책, 개입을 실험하고 개발하는 기업가적인 고객 지향 정부를 주장했다.[8] 정부를 개혁하는 것은 비판 없이는 이루어지지 않았다. (예로 deLeon and Denhardt[2000]는 경제를 기반으로 하는 정부 재창조의 시장 모델과 시민을 고객으로 보는 것이 광의적인 공공 이익에 저해될 수 있다는 것을 보여준다. 하지만 정부 개혁과 그 원리는 연방국가의 단계만큼이나 널리 많은 주와 지역 기관에 적용되었다. Clinton 정부 시절, 부통령이었던 Al Gore는『국가업적평가(National Performance Review)』라는 책을 썼다. 이 책은 Osborne과 Gaebler의 개혁 원리에 따라서 어떻게 변화시킬지를 보고한 책이었다(National performance Review, 1993). 이 보고서와 추천서들은 공공 관계자들이 기업가처럼 예산안을 설정하고 더 효율

---

7) 비록 이러한 분야의 역사는 교육의 역사와는 조금 다르지만, 결과에 이르는 이론과 접근법은 동일하다. 따라서 두 분야 모두에서 성과를 측정하기 위해 유사한 압력을 가지고 각각에 영향을 미치는 것을 알게 되는 것은 유익한 일이다.

8) 정부 개혁과 학교의 선택이론의 비슷한 점에 주목하라. 둘 다 시장과 개별적인 "성공"이라는 개념, 그리고 공공 기관이 사적 분야나 사업처럼 성공할 수 있다는 믿음에서 비롯된 것이다. 관리자와 학교 교장은 "기업가"가 되고 고객, 학부모와 학생들은 서비스에 대해 결정하고 선택을 할 수 있는 "소비자" 혹은 "고객"이 되는 것이다. 미국에서 나타난 민간 부문의 경제적 실패와 2008년과 2009년 경우 때문에, 우리는 성공이라는 단어에 따옴표를 붙인다. 왜냐하면 경제학자와 시민들은 민간 부문의 성공에 대해 확신을 갖지 못하기 때문이다. 규제가 없는 기업가의 행동은 주택난과 여러 은행의 문제들을 일으켰다.

적으로 쓰는 동시에 시민들의 요구를 충족시키도록 촉구하는 것이었다.

정부를 개혁하는 데 있어서 중요한 부분은 당연히 과세나 어떠한 것이 성공했고 실패했는지에 대한 정보수집이다. 따라서 Clinton 정부는 정부성과 관리체계(Government Performance Results Act, GPRA)가 이러한 새로운 시작에 대한 책임을 표명해 달라고 제안했다(Radin, 2006). (GPRA에 대해 더 알고 싶다면 OBM Watch[2000], http://www.ombwatch.org/node/326 참고) GPRA는 1990년대 후반에 캐나다와 호주를 포함한 여러 국가에서 지지받고 시행되어 온 수행감시 수단의 예시이다(Perrin, 1998; Winston, 1999). 1970년대 미국 정부의 평가에 있어서 저명한 인사였던 Joseph Wholey는 GPRA의 개발에 참여했고, 수행측정에 관해 선구자였다(Wholey, 1996). 1994년에 통과되어 1997년에 시행되기 시작한 GPRA는 모든 연합 기구들이 전략적인 계획을 수립하고, 수행 자료와 함께 계획에 그려진 목표에 도달하기 위한 과정을 측정하기를 요구했다. 따라서 GPRA는 프로그램 또는 정책의 성과를 측정하기 위한 연방정부의 첫 주요 임무였다. 전국의 정부 관계자들은 GPRA와 성과를 측정하고 밝혀내기 위해 각 정부마다 다른 단계의 요구사항들도 잘 알게 되었다.

Bush 정부에서는 수행기반 관리에 대해 지속적으로 강조했고, GPRA를 대신해 성과를 측정할 사업평가 측정기법(Program Assessment Rating Tool, PART)이라는 방법을 고안해냈다(OMB, 2004). PART는 프로그램 수행에 대한 정보를 얻기 위해 고안된 25개의 항목으로 이루어진 설문지이다. 각 프로그램의 점수는 수행사의 반응에 따라 계산되고, PART 점수의 절반은 성과에 따라 매겨진다. 매년 관리예산처(Office of Management and Budget, OMB)에서는 모든 정부 프로그램의 20%에 대한 PART 점수를 얻어낸다. 프로그램은 교대로 PART를 진행하게 되고, 그에 따라 모든 프로그램은 5년마다 평가된다(http://wwww.whitehouse.gov/omb/part/ 참고). 기준기반 시험 점수가 직원들과 각 학교의 존속에 영향을 주는 것처럼, PART 점수는 예산안 심의에 사용된다. 교육분야에서, PART 점수의 사용과 함께 프로그램 예산이 줄어드는 경우는 드물지만, 이와 같은 성과와 결과를 통해 이익이 생기는 것은 확실하다(Gilmour & Davis, 2006).

비영리 분야에서의 성과 측정. 최근 들어 학교와 다른 공공기관만이 성과에 기반하는 쪽으로 변하는 것이 아니다. 비영리 기구 또한 과세와 성과보고에 대한 평가에 치중한다. 앞서 언급했듯이, United Way는 비영리 분야에 있어서 많은 평가들에 영향을 주었다. 비영리 기구에 속하는 자선단체들과 자선기구들 또한 요구사항을 받아들이기 시작하면서 이러한 평가 분야에 영향을 주고 있다. 이러한 투자 대행사는 비영리기구가 그들의 성과를 측정하도록 장려한다. United Way의 평가 시스템은 성과측정 시스템이라고 불리며, 이러한 이름이 의미하듯, 성과에 초점을 맞춘다. 시스템의 또 다른 요소들은 투입, 수행, 산출, 그리고 성과 간의 이론적 구조를 개발하는 것과 성과에 대한 양적이고 반복적인 측정, 프로그램 발전을 위해 결과들을 적극적으로 활용하는 것이다. United Way는 이러한 활동들을 "평가"로 분류하지 않는다. 대신에, "성과를 추적하는 일반적인 방법"이라고 생각한다 (Hendricks et al., 2008, p. 16). 하지만 이러한 활동들은 전통적인 평가 방법에서 주로 나타난다. United Way의 모델은 전반적인 비영리 분야에 영향을 주었다. 하지만 United way의 모델과 성과중심 교육, 그리고 다른 공공기관 간에는 주목할 만한 차이점이 여러 개 있다. 첫째, United Way 모델의 책임은 프로그램의 발전 목표에서 부차적인 것에 불과하다. 둘째, 성과를 측정하는 데에 대한 기대치는 공공기관이 요구하는 것보다 더 현실적이다. 예로, 예산기획부가 성과의 증거에 대한 토론 중에 무선 통제 실험(Randomized Control Trials, RCTs)의 사용을 장려하는 것이다.[9] United Way는 많은 비영리적 복지기구가 성과에 대해 전문적인 평가를 시행하기에는 자원이 부족하기 때문에, 다른 손해가 발생하지 않도록 과정을 성과를 감시하는 행동으로 여기는 것을 선호한다. 다른 공공 분야의 기구들처럼 비영리기구들은 투입과 수행 행동을 투자자에게 보고한다. 프로그램 성과에 대해 접근하고 감시하려는 움직임은 프로그램을 종합적으로 잘 평가하기 위한 일종의 방법이다.

조직학습에 대한 고려와 평가의 더 큰 잠재적 영향

21세기에 들어와서 평가에 영향을 준 유행은 조직적인 학습에 있어서 평가의 역할에 대한 논의였다. 공공관리, 평생학습, 직업교육, 조직적 관리와 변화, 교육행정, 리더십, 그리고 평가 등 각기 다르지만 관련된 분야에 속한 사람들은 조직학습에 대해 고민하고 있으며, 조직의 매 시기마다 학습하고 운영할 수 있는 능력을 키우기 위한 방법을 모색해왔다. Senge가 1990년에 조직에 대해 쓴 책에서는 이러한 분야에 관한 많은 이론과 조사결과에 대해 소개하고, 관리자, 정책가 그리고 다른 사람들이 조직이 학습하고 변화하는 것에 대해 생각할 수 있도록 자극을 주었다. 평가자들이 조직의 이해관계자들을 고려해서 평가 정보를 사용한다는 점에서 조직학습은 중요하다. Preskill과 Torres가 쓴 『조직학습

---

9) OMB의 무선 통제 실험에 대한 지지는 15장에서 다시 다루어질 것이다. 무작위 실험은 부작용을 발생시키지만, 미국평가학회에 따르면 우리는 부작용을 해결하는 다양한 접근방법이 있으며 이때 정해진 방법은 프로그램의 내용에도 적합하고 평가로부터 나온 결정이어야 한다.

의 평가적 연구(Evaluative Inquiry for Learning in Organizations)』가 평가 요구에 따라 평가자들이 위와 같은 개념을 갖도록 해준 책이었다. 하지만 다른 평가 이론들과 접근 그리고 평가자들의 경험은 조직에 있어서 평가의 역할과 평가자들이 수행해야 할 임무에 대해 생각해보게 하였다. 일찍이 1994년에 Reichardt는 평가를 수행하면서 무엇을 배웠는지에 대한 기사를 쓰면서, 평가자들은 프로그램의 계획단계에 더 적극적으로 참여해야 한다고 주장했다. 왜냐하면 평가자들이 제안하는 기술들은 프로그램이 끝난 후보다는 시작단계에서 더 유용할 것이라고 생각했기 때문이다. 평가 목표를 설정하고 적절한 상황을 고려한 목표를 세우기 위해 평가자들이 이론 모델을 사용하는 것이 늘어나자 프로그램의 이해관계자들은 이론 모델에서만 아니라 사고에 있어서도 평가모드를 지닌다(Rogers & Williams, 2006). 이러한 변화는 특정 정보가 평가 결과에서 얻어지기 때문이 아니라, 평가과정에 참여하면서 그들이 얻는 것들 때문에 나타난다. 평가과정 자체는 미래에 대해 새롭게 생각하게 한다. 프로그램을 개발하는 논리적 모델을 사용하거나 의사결정을 위한 데이터를 더 편하고 확실하게 사용하는 데 직접적인 것을 학습할 수 있다.

따라서, 조직에 대해 배운다는 것과 평가자들의 반성과 관찰, 그리고 이들의 잠재적 영향은 평가자들이 결과를 이용할 때 전통적인 방법에서 벗어나 평가의 더 넓은 범위의 사용과 이에 도달하는 효율적인 방법에 대해 집중할 수 있도록 자극을 준다.

기준기반 운동, 결과에 대한 초점, 그리고 진행 중인 내부시스템에 대한 정보를 수집하는 업무에 대한 정부와 United Way의 관심처럼 우리가 토론한 것들은 기관의 문화를 변화시키고 기관의 교육과 의사결정을 향상시켜 주기 위한 것이다. 이러한 변화는 정책가, 공공 행정가 그리고 관리, 예산 혹은 재정 분야의 사람들과 같은 평가 외부의 사람들로부터 시작되기도 한다. GPRA와 United Way와 같은 수행 감시 시스템에 속한 평가자들은 권한부여 평가와 평가 설문을 통해 조직적으로 교육받는 것을 지지하는 사람들과는 다른 학파이다. 그럼에도 불구하고, 이러한 변화의 방향은 조직이 배우고 결정 능력을 키우고 적합해지는 데 필요한 방향이다. 몇몇 방법들은 다른 방법보다 성공적일 수 있지만 근래에 평가자들은 더 큰 개념으로 평가를 생각하기 시작했다. 과거에는 평가자와 그의 고객들이 평가를 지속적인 교육 시스템인 기관을 위해 정보를 주고 교육기회를 주는 일환으로 생각하지 않고, 특정 문제나 정책만을 위해 사용했었다.

개개의 중요한 평가 연구는 오늘날 많이 나타나고 있다. 하지만 초기에 방법론적 문제에 대해 협소한 시각을 갖던 쪽에서 기관 내 평가의 역할을 넓게 생각하는 방향으로 오늘날 옮겨가는 추세이다. 평가자들은 기관의 문화, 교육, 변화에 대해 더 알고 그들의 평가 이론이나 실행 지식뿐만 아니라 다른 정책들도 고려해야 함을 깨달았다. 그들은 평가 정보와 발전하는 기관의 성과에 대해 개방적인 방법을 정의해야 한다. 평가자들이 기관의 변화나 교육에 대해 고려하기 때문에, 그들은 계획, 성과 감시, 예산 결정과 같은 평가기반 행동에도 포함된다. 그들은 연관된 일들을 알림으로써 정보의 수집과 제공이 서로 협력하고 배우게 하여 다시 정보를 분류하여 쓰게 되는 방법에도 도움이 될 수 있도록 부서 간의 혹은 시스템 간의 협력이 필요하다고 깨달았다. Preskill과 Boyle(2008)은 기관이 "종합 지식 관리 시스템"(p. 455)을 개발하기 위해서는 다른 정보 시스템과 협력해야 한다고 주장했다. 그러한 시스템이 필요한 데는 다양한 이유가 있지만 미래에 교육을 위해 혹은 결정을 위해 필요한 정보를 유지하려고 교차 시스템을 계획하는 것이 큰 이유이다.

평가하는 이웃 학교들, 기관들, 정부부서들, 투자원들의 역할은 변화하고 있으며 여기서 우리가 논의했듯 계속 변화할 것이다. 평가는 증가하고 있으며 20세기에 세계가 중대한 경제적, 사회적 도전에 직면함으로써 더욱 중요해지고 있다. 정책가, 관리자, 대중은 평가 정보를 기대하고 요구한다. 비록 그들이 이를 다른 이름으로 부르더라도 말이다. 많은 사람들이 기관 내의 평가에 참여함으로써, 평가자들은 시스템을 계획하고, 내부 능력을 키우고, 방법을 사용하여 평가를 가능케 할 수 있게 하는 데에 큰 역할을 한다. 또한 그들은 결정을 내리고 알리기 위해 혹은 조직적 교육을 이루어내기 위해 정보를 수집하는 데에서도 중요한 역할을 한다.

표 2.1은 우리가 논의한 평가의 역사적 흐름을 정리한 것이다.

표 2.1 평가의 발전 단계들

시기	연구/ 참고문헌	특징
1800년 이전	라임을 먹는 선원들	종교적, 정치적 믿음에 근거한 판단
1800~1940	의회 학교들에 대한 대규모 보고서 교육에서의 Thorndike와 Tyler Taylor와 효율성 인증평가(Flexner)	측정과 전문성의 도입이 시작됨 공공보건, 교육에 초점 학교에서의 형식적 검사의 시작 사회과학자가 정부로 이동 연구가 사회과학 이슈를 다룸
1940~1963	군대에서의 WW II 연구 NDEA Cronbach(1963)	사회과학 연구방법의 증가 소련과 경쟁하기 위해 학교 평가가 증가 다양한 영역으로 평가 확장 사회과학에 의존한 방법론들 유지
1964~1973	1965년 ESEA 평가의 시작 위대한 사회 프로그램 Campbell과 Stanley(1966) Stufflebeam과 CIPP(1971) Stake와 반응적 평가(1967)	위대한 사회 프로그램을 평가하기 위한 첫 번째 권한 사회적 연구의 기간 평가 문헌 및 논문 등장 이론가들이 첫 번째 모델 개발 평가를 다루는 대학원 프로그램 신설
1974~1989	합동위원회 기준(1981) 활용중심 평가(Patton, 1978) 자연주의적 평가(Guba and Lincoln, 1981)	전문가협회, 기준, 윤리 강령 개발 평가를 위한 연방정부의 지원 평가 방식과 설정의 다양화
1990~현재	권한부여 평가(Fetterman, 1994) AEA 안내 원칙(1995) United Way 성과 측정 시스템 (1996) 참여적 모형(Cousins and Whitmore, 1998) 합동위원회 기준－제3판(2010)	평가가 세계적으로 퍼짐 참여적이고 가변적인 접근들 이론기반 평가 윤리적 이슈 기술적 진보 평가를 수행하는 새로운 사람들 성과와 모니터링 수행 조직학습

주요 개념과 이론

1. 특정 문제, 객관적 시험, 업적에 대한 보고서는 평가의 초기 형태이다. 대공황 시절, 사회과학자들은 사회적 질병을 치료하고 경제를 활성화하기 위해 연방정부와 함께 일하였다.

2. 스푸트닉 1호를 러시아가 발사하자 미국은 긴장하고 미국 학생들에게 효과적으로 수학과 과학을 가르치는 방법을 개발하게 만들었다. 의회에서 1958년에 제정한「국가방위교육법안(National Defense Education Act, NDEA)」에 따라 교육분야에서 평가가 이루어지기 시작하였다.

3. 1960년대와 1970년대에 Johnson 정부에 의해 위대한 사회(Great Society) 법안이 제정되었을 때 연방정부는 교육과 사회 환경에 대한 책임을 지기 시작하였다. 사회 실험이 생겨났던 이 시기는 미국에서 평가가 성장하기 시작한 첫 시대를 대표한다.

4. 평가의 성장은 전문가들이 평가를 수행할 수 있도록 교육받고 훈련받을 수 있게 해주었다. 또한 다른 평가 이론, 모델, 개념들이 형성되고 귀감이 되는 평가 작업들이 생기기 시작하였다.

5. 미국평가학회와 같은 전문기관, 평가 기준, 행동강령이 생겨나면서 전문성이 갖추어졌다.

6. 질적인 접근과 어떻게 평가자들이 다양한 집단에 평가를 적용할 수 있을지에 대한 논의를 위해 더 많은 방법들이 생겨났다.

7. 1990년 이후로, 여러 유행들이 평가에 영향을 끼쳤다. 이는 다른 국가로의 확산이나, 조직 내의 많은 운영자들과 전문가들이 평가를 수행하고, 성과를 평가하는 쪽을 중시하고, 조직적인 학습에 있어서 평가의 중요성에 대해 생각하게 되었기 때문이다. 이제 평가의 해결과제는 행동 감시나 기획과 같은 분야에서 나타나고 있다.

토의 문제

1. 1965년 전과 같은 초기의 평가가 어떻게 오늘날의 평가에 영향을 끼쳤을까?

2. 1965년의 초중등교육법과 위대한 사회 프로그램은 평가를 보고하고 프로그램 결과를 알려줄 수 있는 예산 투자 기관을 필요로 했다. 평가 보고의 영향과 현대 프로그램 평가에 끼친 영향, 그리고 평가와 평가자들 모두가 이러한 의무를 위해 갖게 되는 문제점에 대해 토론해보라. 이 시기의 평가의 중요한 특징들은 무엇인가?

3. 1990년대 이후 조직 내의 많은 관리자들과 전문가들은 행동을 감시하고 평가에 책임을 져야 했다. 이러한 변화의 강점과 약점은 무엇인가? 이러한 사람들의 평가에 대한 지식과 능력을 1960년대와 1970년대에 평가에 의무를 지녔던 사회과학자들의 지식과 능력과 대조해보라.

4. 우리가 이야기해온 최근 유행 중에 어떤 것이 미래의 평가에 영향을 끼칠까? 그 이유는 무엇인가?

적용 연습

1. 평가의 역사에 있어서 무엇이 중요한 사건이고 주제인가? 그것들은 당신 분야의 사람들이 평가에 대해 바라보는 시선에 어떻게 영향을 끼쳤는가? 당신의 분야에 속한 사람들은 어떻게 평가 연구에 접근할 수 있을까?

2. "추천 도서"에 인용된 인터뷰들 중 하나를 읽고 어떻게 그 사람의 초기단계의 평가 경험이 오늘날 평가에 영향을 주었는지 토론해보라.

3. 수행 측정과 기준기반 교육이 어떻게 당신의 학교나 조직에 영향을 주었는가? 이러한 평가 방법은 당신의 조직에 유용한가? 고객에게는 유용한가? 그렇다면 그 이유가 무엇인가? 그렇지 않다면 그 이유가 무엇인가?

4. 당신 조직의 문화가 어떻게 조직의 학습에 영향을 주었는가? 이는 어떻게 평가에 도움을 주는가?

5. 당신의 조직에서도 성과를 측정하는가? 성과에 대한 집중은 의무적이었는가 아니면 조직이 직접 선택한 것인가? 성과를 측정하는 것이 어떻게 당신의 조직에 영향을 주었는가? 학습적이었는가?

추천 도서

Madaus, G. F., & Stufflebeam, D. L. (2000). Program evaluation: A historical overview. In D. L. Stufflebeam. G. F. Madaus, & T. Kellaghan (Eds.), *Evaluation models: Viewpoints on educational and human services evaluation*. Boston: Kluwer-Nijhoff.

Mark, M. (Ed.). (2002). *American Journal of Evaluation, 22*(3). This issue contains 23 articles by leaders in the evaluation field on the past, present, and future of evaluation. It is a follow-up to the 1994 issue of *Evaluation Practice, 15*(3), edited by M. Smith, in which different contributors considered the past, present, and future of evaluation.

2003년 Jean King, Melvin Mark, Robin Miller로 구성된 구술 역사 프로젝트 팀은 초기

미국의 평가 영역에 있었던 사람들과 인터뷰를 시작했다. 이 인터뷰는 오늘날 이해되고 실용되는 미국의 평가에 공헌한 이들의 전문가적 발전을 포착하려는 의도였다. 그들은 초기 평가의 본질과 현재 평가의 실제에 미치는 영향을 전달하는 데 흥미롭고 재미있는 읽을거리를 선사했다. 그 인터뷰들이 아래에 제시되어 있다. 우리는 독자들이 이 인터뷰들을 읽고 통찰을 얻기를 바란다.

Datta, L. E., & Miller, R. (2004). The oral history of evaluation Part II: The professional development of Lois-Ellin Datta. *American Journal of Evaluation, 25,* 243-253.

Patton, M. Q., King, J., & Greenseid, L. (2007). The oral history of evaluation Part V: An interview with Michael Quinn. *American Journal of Evaluation. 28,* 102-114.

Sanders, J., & Miller, R. (2010). The oral history of evaluation. An interview with James R. Sanders. *American Journal of Evaluation, 31*(1), 118-130.

Scriven, M., Miller, R., & Davidson, J. (2005). The oral history of evaluation Part III: The professional evolution of Michael Scriven. *American Journal of Evaluation, 26,* 378-388.

Shadish, W., & Miller, R. (2003). The oral history of evaluation Part I: Reflections on the chance to work with great people: An interview with William Shadish. *American Journal of Evaluation, 24*(2), 261-272.

Stufflebeam, D. L., Miller, R., & Schroeter, D. (2008). The oral history of evaluation, The professional development of Daniel L. Stufflebeam. *American Journal of Evaluation, 29,* 555-571.

Weiss, C. H., & Mark, M. M. (2006). The oral history of evaluation Part IV: The professional evolution of Carol Weiss. *American Journal of Evaluation, 27,* 475-483.

3

평가에 있어 정치적, 대인관계적, 윤리적 쟁점사항

핵심 질문

1. 평가는 왜 정치적인가? 어떤 정치적 환경에서 효과적으로 일하기 위해 평가자가 취할 수 있는 행동들은 무엇인가?
2. 평가에 있어 왜 의사소통 기술이 중요한가?
3. 좋은 평가를 판단하는 주요 기준들은 무엇인가?
4. 평가자가 따라야 할 중요한 윤리적 의무는 무엇인가?
5. 평가에 영향을 줄 수 있는 편견의 원천은 무엇인가? 그러한 편견들은 어떻게 최소화될 수 있는가?

평가에 대한 다양한 접근법 그리고 평가를 실제 수행하는 데 필요한 전문적인 기술들에 대한 소개를 시작하기에 앞서, 모든 평가 행위에 영향을 미치는 근본적인 쟁점사항들을 먼저 논의함이 중요하다. 평가는 단지 방법론적 그리고 기술적인 행위가 아니다. 좋은 평가에 있어 방법론적 기술이 중요함에도 불구하고, 그러한 기술들은 흔히 평가자들이 수행해야 할 일들을 형성하는 정치적, 대인관계적, 윤리적 쟁점사항에 의해 흐려진다. 모든 기술적인 부분에서는 더할 나위 없지만, 많은 좋은 평가가 대인관계적 무감각, 빈약한 의사소통, 윤리적 불화, 또는 정치적 순박함 때문에 실패하였다. 고객들은 평가에 대해 어떤 기대를 지니고 있다. 때로 이러한 기대는 정확하기도 하지만, 때로는 그렇지 않기도 하다. 평가자들은 그러한 관점들을 알고, 평가가 수행되는 정치적 환경을 이해하기 위해 주의 깊게 관찰하고 들을 필요가 있다. 이해관계자 집단들은 프로그램과 평가에 대해 다른 관점, 흥미, 관심을 갖는다. 평가자들은 다른 집단들과 함께 일하고, 그들의 의사소통을 적절하게 촉진하며, 평가가 다른 집단들(어떤 정치적 환경 내에서 서로 다른 집단들은 다른 이해관계 속에서 애쓴다)의 요구에 어떻게 부합할 것인지에 대한 선택을 하기 위해 인간 관계와 의사소통에 숙련되어야만 한다.

평가자들은 자료를 수집하고, 분석하고, 보고하기 위한 그들의 도구들을 연마하는 데 만족할 수 없다. 그들은 즉각적으로 자료를 제공하라는 압력 또는 결과가 오용되는 것을 어떻게 다루어야 하는지를 고려해야만 한다. 그들은 평가에 대한 두려움 또는 오해를 최소화하기 위한 방법들, 평가에 다양한 집단들을 관여시키는 방법들, 그리고 그들의 관심과 요구의 균형을 맞추는 방법들을 고려해야만 한다. 평가자들은 평가 보고서가 다른 이해관계자들에게 어떻게 받아들여질 것인지, 평가 결과가 은폐되거나, 오용되거나, 또는 무시되지는 않는지, 그리고 많은 다른 대인관계적, 정치적 쟁점사항들에 대해 생각할 필요가 있다. 인적, 윤리적, 정치적 요인들이 평가 연구의 모든 측면에 스며들 수 있기 때문에 이러한 쟁점사항들을 무시하게 되면 자멸을 자초할 수 있다. 이러한 쟁점사항들을 평가자들의 주의를 중요한 방법론적 과업으로부터 딴 데로 돌리는 단순한 골칫거리로 치부하여 무시하는 것은 어리석은 짓이다. 정치적, 윤리적, 인적 요인들은 모든 프로그램 평가에서 나타난다. 이것들에 대한 고려 없이 전진하는 것은 연구의 기술적인 장점에도 불구하고 나쁜 평가로 이끌 것이다. 1장에 제시된 평가와 연구의 차이점에 대한 논의를 기억하라. 평가자들은 실제 사람, 조직, 사회에 영향을 미치기 위해 일한다. 그렇게 하기 위해 평가자들은 좋은 자료를 수집할 뿐만 아니라, 의도된 청중들이 그 자료의 사용에 동의하거나 영향을 받을 수 있음을 알아야만 한다. 이것은 도전적인 과업일 수 있다!

이 장에서는 세 가지 중요한 상호 관련된 주제들이 다루어질 것이다. (1) 평가의 정치적 배경, (2) 평가자와 연구 또는 프로그램에 관련된 다른 사람들 간의 의사소통, (3) 평가에 있어 윤리적 고려사항과 잠재된 편견의 원천들.

평가와 평가의 정치적 배경

평가 연구자들이 사회적이고 정치적인 현실의 복잡성을 예측하는 데 초기에 실패한 것은 단순히 순진했기 때문일까? 이 연구자들[평가자들]은 행성 간 공간의 차가운[변하지 않는] 깊이를 대담하게 탐색하기 위한 사회과학의 지배적인 뉴턴 패러다임에 의해 마음의 준비가 되어 있었다. 대신 그들은 그들 스스로가 다윈 정글의 열대 악몽에 충분히 준비되어 있지 못함을 알았다. 모든 것이 살아있고 빈틈없이 당신을 알고 있는, 김이 나는 녹색의 지옥에서 대부분의 것들은 독이 있거나 그렇지 않으면 위험하고, 어떤 것도 외부의 힘에 피동적으로 움직이고자 기다리지 않는다. 이 복잡한 세계는 매정하게도 경쟁적이고 전략적으로 예측 불가능하다. 왜냐하면 [평가] 정보는 힘이고, 힘은 경쟁 우위를 부여한다. 다윈 정글은 경솔한 방랑자를 조종하고 현혹하여 무수한 대립적이고 상반되는 목적에 임하게 한다. 무더운 우주복은 폐기되어야만 한다(Sechrest & Figueredo, 1993, p. 648).

프로그램들이 관리되고 평가되는 복잡하고 예측 불가능한 환경에 평가자들이 처음으로 관여함에 대한 이 다채로운 묘사는 평가자들이 정치적인 환경에서 일하게 된다는 중요한 점을 강조한다. 평가 자체는 정치적 행위이고, "정치"를 피하고 기술적인 고려사항들만을 취급하기를 선호하는 전문 평가자는 잘못된 진로 선택을 한 것이다.

현대의 평가가 시작되면서부터 평가자들은 평가 활동의 정치적 본질에 대해 기술하여 왔다. Suchman(1967), Weiss(1973), 그리고 Cronbach와 그의 동료들(1980)은 모두 평가의 정치적 본질을 강조하여 공공 기관에 대한 평가는 공공 정책 형성 그리고 그 과정에 관련된 모든 정치적 힘과 밀접하게 관련되어 있다는 사실을 강조하였다. 그러나 이 장의 앞부분에서 Sechrest와 Figueredo의 묘사가 생생히 가리키고 있듯이, 정치적 영역으로 이동하여 1970년대 미국에서 성장의 시기 동안 평가를 수행한 연구자들은 정치적 환경에서 일함이 그들의 방법론적 직무에 줄 수 있는 의미를 알지 못했다(이 초기 평가들에 대한 설명은 Datta와 Miller[2004]와 Weiss와 Mark[2006] 참조).

오늘날 적어도 부분적으로 이 분야가 평가를 수행함에 있어 성숙하고 보다 많은 경험을 획득하고 평가의 성공에 영향을 미치는 요인들을 고려할 시간을 가져왔기 때문에, 평가자은 그들이 정치적 환경에서 일하고 있음을 보다 많이 알게 되었다. 그럼에도 불구하고 아마도 평가자들에 대한 훈련이 방법론을 강조하기 때문에, 평가자들은 그들의 일에 있어 정치적 환경에 계속해서 놀라고, 그 안에서 무엇을 해야 하는지 다소 자신없어한다(Chelimsky, 2008; Leviton, 2001). 적어도 미국 평가자들의 정치적 세계에 대한 순진함에 대한 또 다른 설명은 그들이 연구하는 학문 분야에 달려 있을 수 있다. 미국평가학회 회원들을 대상으로 한 연구에 따르면 미국 평가자들이 공부하는 가장 일반적인 분야는 교육학과 심리학임이 밝혀졌다(American Evaluation Association, 2008). 유럽 평가자들과는 달리(Toulemonde, 2009), 미국 평가자들 가운데 정치학 또는 경제학 분야에서 훈련받은 이는 거의 없었고, 따라서 그들에게 있어 정치학과 정치적 상황에 대한 고려는 상대적으로 새로운 것일 수 있다. 심리학을 공부한 평가 이론 및 방법론의 리더인 Shadish는 평가에 있어 정치가 중요한 역할을 수행함을 이해하게 되었다고 언급한다(Shadish & Miller,

2003). 그는 사람들이 상당히 성공적이었음이 입증된 프로그램의 채택을 선택하지 않은 몇 해 전의 놀라움을 이야기하였다. 이로 인해 그는 심리학 학술지의 선두주자인 「American Psychologist」에 정책입안에 대한 논문을 읽고 이윽고 쓰게 되었다(Shadish, 1984). 논문을 준비하면서 그는 경제학과 정치학에서의 몇몇 다른 논문들과 함께 높이 평가되는 정치과학자인 Charles Lindblom의 "정치와 시장"을 읽었고, "갑자기 나는 세상이 효과적인 방식으로 작동하지 않음을 알게 되었다. 그것은 전적으로 다른 문제들(정치와 경제)에 기반을 두어 작동하였다"고 언급하였다(Shadish & Miller, 2003, p. 270).

이 부분에서 우리는 평가가 정치적인 이유와 정치적 환경의 본질에 대해 논의할 것이다. 그리고 정치 세계에서 평가자들이 어떻게 효과적으로 일할 수 있는지에 대한 몇 가지 제안을 제시할 것이다.

평가는 어떻게 정치적인가?

"정치"라는 용어는 아주 많은 다양한 현상에 너무 포괄적으로 적용되어 그 의미를 거의 잃어버렸다. 그것은 학교 또는 조직 내에서의 권력 대결과 모략으로부터 정치 캠페인 또는 정부 기구 간의 관계까지를 의미하게 되었다. 이 다양한 의미를 반영하여 『메리엄 웹스터』 사전은 정치를 다음과 같이 다양하게 정의하고 있다.

- "정부와 관련된 기술 또는 과학 …"
- "정부 정책을 안내하거나 영향을 미치는 것과 관련된 기술 또는 과학"
- "권력 또는 리더십을 위해 경쟁하는 이해 집단들 또는 개인들 간의 경쟁"
- "사회 속에서 사는 사람들 간 관계들의 전체적인 복합체"(Merriam-Webster, 2009)

따라서 평가 상황은 어떻게 정치적인가? 이 정의들에서 인용된 각각의 방식으로 정치적이다! 평가는 가장 일반적으로 정부 프로그램과 관련된다. 이 프로그램들은 국제적, 국가적, 주 단위, 또는 지역 수준에서 재정 지원되거나 작동한다.[1] 국제적인 수준에서 유럽 연합의 의결 기구인 유럽 위원회는 유럽에서 국가들에 걸친 평가를 하도록 공식적으로 명령하였고, 그 결과 많은 유럽 국가들, 특히 서유럽 국가들에 평가가 도입되었다. 미국에

---

[1] 미국에서 많은 평가들은 비영리 조직들, 정의상 비정부 기구들에서 발생한다. 그럼에도 불구하고 우리는 논의를 계속하기 위해 이 조직들을 정부의 또는 정치적이라고 고려할 것이다. 왜냐하면 지난 몇 십 년 동안 미국 정부가 민영화되어 감에 따라 과거 정부 기관에 의해 제공되었던 많은 사회 서비스가 비영리 조직들에게 외주로 제공되었기 때문이다. 이 정부 계약으로 대부분 비영리 조직들이 평가를 수행하고, 정부 기구와의 상호작용에 있어 유사한 정치적 상황에 놓이게 되었다.

서는 앞 장에서 언급하였듯이 현대적 평가가 1970년대 동안 연방정부의 명령에 의해 시작되었다. 하지만 현재 모든 수준에서 활발하게 수행되고 있다. 첨가하면 평가는 주 교육부와 지역 학군에서 상당히 활발하다.

물론 평가는 두 번째 정의인 "정부 정책을 안내하거나 영향을 미치는 것"과 관련된다. 하지만 아마도 보다 중요한 것은 평가자들이 정부 정책을 안내하거나 이에 영향을 미치는 것에 관련된 개인들 그리고 이해관계자들 집단들과 일하고 있다는 것이다. 이 이해관계자들은 그들의 선거인을 돕고 정부와 사회를 개선하는 것을 포함하여 많은 이유들 때문에 정부 정책에 영향을 주기를 원한다. 그러나 정부 정책에 미치는 영향력에 그들이 관심을 갖는 한 가지 이유는 세 번째 정의와 관련된다. 이 이해관계자들은 자원, 권력, 리더십을 위해 서로 경쟁하고 있다. 평가는 프로그램 재정 지원, 프로그램의 지속, 확장 또는 삭감, 그리고 이 프로그램들에 영향을 주는 정치에 대해 의사결정을 하는 행정부와 의회 의사결정자들을 돕는다. 평가는 또한 프로그램 관리자들과 사회 문제 해결을 위한 개입을 개발하고 실행함에 있어 재정, 자원, 리더십을 위해 다른 집단들과 경쟁하는 여타 이해관계자 집단들을 돕는다. 정책 입안가들과 관리자들, 여타 이해관계자들은 자원, 권력, 리더십에 대해 서로 경쟁하고, 평가는 그들이 그들의 집단 또는 프로그램을 위한 자원에 대해 논의하는 데 사용할 수 있는 강력한 도구이다. 그러므로 평가는 정치 체제의 일부분이고 정치적 환경 속에서 작동한다.

끝으로 물론 평가는 조직들 내에서 발생하는데 여기에는 많은 집단들 간의 복잡한 관계, 예를 들면 학교의 경우 학부모, 교사, 학생, 교장, 교육청 사이, 사회복지 부서의 경우 고객, 사회복지사, 관리자, 정책입안가 사이의 관계가 존재한다. 가장 기본적인 평가라고 할지라도 이러한 관계들을 뒤엎거나 바꿀 수 있기 때문에 평가는 정치적이다. 평가자는 평가에 대한 의사결정에 있어 다양한 집단들을 포함할 수 있고, 자료 수집은 이해관계자들로 하여금 그들이 고려해오지 않았거나 목소리를 내지 않았던 믿음 또는 태도를 드러내도록 유발할 수도 있으며, 그 결과는 프로그램과 프로그램의 성공과 실패가 보이는 복합적인 방식을 설명할 수도 있다. 따라서 평가 작업은 그 자체가 정치적이다.

평가의 목적은 프로그램 또는 정책의 장점 또는 가치에 대한 판단을 하는 것임을 기억하라. 이런 방식으로 평가는 연구와 다르다. 평가는 단지 사회과학 연구 방법을 사용하여 자료를 수집하는 것이 아니다. 대신 평가는 연구 대상의 질에 대한 판단을 하는 것과 관련된다. 그러므로 평가는 상당히 정치적이다. 연구자들은 판단을 하지는 않고, 결론을 도출해낸다. 하지만 평가자들은 판단을 한다. 형성평가에서 흔히 일어나듯이 그 판단은 프로그램의 일부분일 수도 있고, 총괄적인 의사결정을 돕기 위한 전체로서의 프로그램 또는 정책에 대한 것일 수도 있다. 하지만 자료로부터 판단으로 옮겨감은 또한 평가자들을 정치적 영역으로 이동시킨다. 게다가 평가적 판단은 흔히 변화를 위한 제안사항을 포함하고, 그러한 변화는 정치적이다. 이 판단들과 제안들은 자원, 리더십, 권력을 위한 이해관계자 집단들과 개인들 간의 경쟁에 영향을 미친다.

정치적 환경에서의 평가: 혼합된 축복? 많은 평가자들에게 있어 평가의 매력적인 측면은 평가가 그들에게 정책과 실행의 실제 세계에 영향을 미칠 수 있도록 한다는 점이다. 연구자들은 그 세계로부터 보다 더 분리된다. 연구가 정책 또는 실행에 영향을 줄 수도 있지만, 연구자는 그러한 연결을 만들어낼 책무가 없다. 평가자는 그러한 책무가 있다. 평가는 유용성에 의해 판단되므로 활용 가능성이 높도록 평가를 설계하고 실행하는 것은 평가자의 책임 가운데 하나이다. 그러므로 활용되도록 하기 위해서 평가자들은 그들이 연구하고 있는 프로그램 또는 정책의 정치적 환경에 주의해야만 한다.

많은 평가자들은 정치를 나쁜 것으로 보는 경향이 있지만, 우리는 보다 계몽된 견해가 있음을 제안한다. 공적 지원을 받는 프로그램에 대한 사려 깊은 평가자들은 정치를 법률과 프로그램 규정이 만들어지는 방법, 개인과 집단들이 정부에 영향을 미치는 방법, 그리고 정부로 하여금 이러한 개인들과 집단들의 요구에 반응하도록 하는 가장 핵심으로 인식한다. 실제로 정치가 없다면 정부 프로그램들은 공공의 요구 자체에 덜 반응할 것이다. Carol Weiss가 언급하였듯이, "정치는 한 국가로서 차이점을 해결하고 결론에 도달하여 정책적 쟁점사항들을 결정하기 위해 우리가 지니고 있는 방법이다. 우리가 판명된 방식을 항상 좋아하는 것은 아니지만, 그것은 우리 체제의 필수불가결한 부분이다"(Weiss & Mark, 2006, p. 482).

게다가 평가는 우리의 정치 체제의 핵심적인 목적인 책무성에 기여한다. 책무성이란 정부가 국민들, 리더를 선출한 대중들에게 의무를 다해야 함을 의미한다. 평가 정보를 의회에 제공하는 미국 회계감사원(과거 명칭 General Accounting Organization, 현재 명칭 Government Accountability Office)의 프로그램 평가 및 방법부 전임 국장이었던 Eleanor Chelimsky는 "우리가 수행하는 일의 궁극적인 고객 또는 사용자는 국민"이라고 주장하였다(2008, p. 403). 그녀는 정부의 과업을 보다 투명하게 하는 민주주의에서는 평가가 중추적이어서 리더들이 책무성을 유지할 수 있다고 본다. 비민주적인 국가들이 정부 내에 그들의 과업을 평가하는 조직을 두는 것은 드물다고 그녀는 언급하였다(Chelimsky, 2006).

따라서 평가자들은 정치적 상황에서 일을 하고 평가는 적어도 부분적으로는 정부가 책무를 다하도록 하기 위해 존재한다. 물론 이 체제가 항상 완벽하게 작동하지는 않지만,

평가자들이 이 체제 내에서 그들의 역할에 대한 잠재성을 인식하는 것은 중요하다. 그 잠재성이란 대중과 이해관계자 집단들에게 정보는 제공하는 것이다. 이때 이해관계자 집단이란 정책입안가들, 프로그램 관리자들, 또는 특정한 이유에 대하여 또는 이에 반하여 로비를 하는 집단들일 수 있다. 그러나 그렇게 잘 하기 위해서는 평가자들이 그 체제와 그 체제 내에서 평가자들의 상호작용과 관련된 복잡성을 어느 정도 이해할 필요가 있다.

평가자들이 때로 정치에 관련되기를 꺼려하는 이유 가운데 하나는 평가 결과의 강점은 그 결과들이 독립적이거나 객관적으로 인식되는 데 있다는 그들의 우려 때문이다. 달리 말하면 정책관계자들과 대중은 평가자들과 그들의 평가들이 정치적이지 않고 대신 중립적이어서 정치적 견해와 신념에 "더럽혀지지 않은" 정보를 제공한다고 생각하기 때문에 평가를 존중한다. (사실 대부분의 평가자들은 자료와 평가가 어쩔 수 없이 가치에 영향을 받고 자료 수집으로부터 편견을 완전히 제거하는 것은 불가능함을 인정한다. 이 장의 뒷부분에서 자료 수집에 대해 그 쟁점사항을 좀 더 논의할 것이다. 여기에서는 이해관계자들이 평가가 객관적이라고 인식하기 때문에 평가가 이해관계자들에 의해 흔히 가치를 인정받는다고만 말해두겠다.) 그러므로 평가자들은 이 정치적 환경 내에서 그들의 일이 그들의 일의 인지된 객관성에 어떻게 영향을 미칠 수도 있음에 합법적으로 관여할 수 있다. 평가자들은 정치적 환경에서 그들의 연구가 중요한 쟁점사항들을 밝혀내고 있고, 그들이 수행한 일의 인지된 독립성 또는 객관성을 해치지 않고 합당한 사람들 또는 집단들에게 그 결과가 주어질 것임을 확실히 하기 위해 어떻게 상호작용을 할 수 있는가? 이 질문에 대한 쉬운 답은 없지만, 정치적 체제 내에서 평가자들이 수행할 수 있는 몇 가지 잠재된 방식을 기술할 것이다.

정치 체제와의 상호작용. Vestman과 Conners(2006)는 평가자들이 정치 체제와 상호작용할 수 있는 세 가지 다른 입장을 제시하였다.

1. **가치 중립적인 평가자.** 이 입장에서 평가자는 평가의 인지된 합법성과 객관성을 유지하기 위해 정치로부터 평가를 보호하거나 분리하려고 한다. 평가자들은 자료를 수집하여 이해관계자들에게 제공하는 합리적인 방법론자들이다. 그리고 질에 대한 판단이 이해관계자들에 의해 내려진다. 평가자는 변함없이 분리되고 독립적인 상태로 일하고, 따라서 평가의 객관성을 유지한다.

2. **가치에 민감한 평가자.** 이 입장에서 평가자는 평가의 기술적인 측면인 정보의 제공을 정치와 분리하여 유지하기 위해 일한다. 그러나 평가자는 평가의 다른 구성요소, 특히

판단을 제공하고, 윤리적 쟁점사항들을 고려하며, 민주적 가치를 조성하는 요소들이 평가자로 하여금 정치적 환경을 이해하고 이에 관여하도록 요구함을 인식하고 있다.

3. 가치 결정적인 평가자. 정치로부터 평가를 분리함이 어느 정도 가능한지 그리고 어느 정도 바람직한지 여부의 연속선상에서 이 입장을 취하는 평가자는 가치란 정치의 밀접한 부분이고, 평가자들이 정치에 능동적으로 관여하여 그러한 가치들을 분명히 함이 중요하다고 믿는다. 이 세 번째 입장에서 평가와 정치는 보다 큰 관점에서 인식된다. Vestman과 Conners는 가치 결정적인 평가자는 "정치를 우리의 일상생활에 통합된 무엇으로 보고", 따라서 "평가와 정치는 분리될 수 없고, 평가자에 의해 취해질 수 있는 중립적 가치 또는 사용 가능한 입장은 없다"고 언급하였다(2006, p. 235). 그러므로 평가자는 무엇이 공공의 선인가를 생각함에 있어 능동적인 역할을 수행하고, "사회에 대한 우리의 이해에 있어 협력적이고 조직하는 힘으로서" 기능한다(2006, p. 236)(Dahler-Larsen[2003] 참조).

오늘날 대부분의 평가자들은 첫 번째 입장이 비현실적이라고 생각한다. 이 입장은 평가 영역으로 이동해 왔지만, 평가의 목적과 목표, 특히 활용의 중요성에 대해 잘 알지 못하는 응용 연구자들에 의해 흔히 취해지는 것이다. Weiss(1998a, 1998b), Datta(1999), 그리고 Patton(1988, 2008a)은 모두 1970년대 평가가 활용되지 않은 주된 이유는 평가자들이 정치적 환경을 고려하는 데 실패했기 때문이라고 언급하였다. 오늘날 대부분의 평가자들은 그들의 평가가 적어도 정치적 환경에서 일부 이해관계자들에게는 유용함을 확인하고, 평가가 참여와 평등의 민주적 가치를 발전시키는 것임을 확실히 하기 위해 그들의 연구에 있어 기술적인 측면과 정치적 환경에 대해 보다 잘 이해해야 할 필요가 있음을 인식하고 있다. 우리의 견해는 세 번째 입장이 타당도의 구성요소를 지니고 있어, 적어도 비공식적인 평가에서 정치와 평가는 일상생활의 일부분이고, 자료 수집은 정확히 중립적인 행위가 아니며, 평가자들은 공공의 이익을 고려해야만 한다는 것이다. 그러나 공식적인 평가와 그러한 평가들을 수행하는 평가자들은 현대 사회에서 책무성에 대한 사람들의 관심을 구명하는 다른 종류의 정보를 제공한다는 견해에 주목함이 중요하다고 생각한다. 평가 연구의 결과들이 신뢰할 수 있어야 함은 중요하다. 따라서 평가자는 연구의 타당도와 그 결과의 인지된 독립성을 유지하는 데 주의해야만 한다(평가의 윤리 규정에 대한 보다 상세한 사항은 이 장의 뒷부분에서 읽을 수 있을 것이다). 그러나 Vestman과 Conners에 의해 개발된 이 세 가지 입장은 평가와 정치 간에 존재할 수 있는 관계의 유형과 그러한 관계들에서 고려되어야 할 중요한 쟁점사항들을 설명한다. 그리고 그들은 우리로 하여금 특정한 평가들에서 수행되어야 할 역할을 곰곰이 생각하는 것을 돕는다. 그 역할은 평가가 이루어지는 상황에 기반을 둘 때 평가에 따라 다를 수 있다.

이 절에서 우리는 독자들에게 평가는 정치적 환경에서 발생하고, 왜 그러하며, 정치적 환경에 대한 지식이 평가자가 평가 결과의 활용을 야기하여 궁극적으로 정부와 사회의 개선을 돕는 데 어떠한 이점이 될 수 있는지를 인식시키기 위해 노력하였다. 우리는 또한 평가자들이 그런 환경에서 취할 수 있는 역할 또는 입장의 일부와 이러한 다른 역할들의 위험요소와 잠재된 이익을 설명하였다. 다음 절에서 우리는 평가자가 정치적 환경에서 효과적으로 일하기 위해 취할 수 있는 몇 가지 행동들을 보다 깊이 있게 탐색할 것이다.

정치적 환경 내에서의 활동을 위한 제안

Chelimsky(2008)는 평가와 정치 사이의 "문화의 충돌"을 언급하였다. 우리가 언급하였듯이 그 "충돌"은 흔히 우리의 훈련이 방법론에 초점을 두고, 그러한 방법론적 기술들은 일반적으로 실증주의자들의 독립성과 중립성의 가정에 초점을 두는 연구 과정에서 습득되기 때문에 발생한다. 우리는 우리 자신을 주로 연구자라고 생각하고, 정치적 환경에서 일함에 있어 우리의 독립성과 중립성을 잃어버릴 것을 염려한다. 덧붙여 평가 분야 학생들은 일반적으로 이해관계자들과 또는 정치적 환경에서 일하는 충분한 훈련을 받지 못한다(Dewey, Montrosse, Schroter, Sullins, & Mattox, 2008).

그러나 교육평가기준합동위원회(Joint Committee on Standards for Educational Evaluation)는 평가자들이 정치적 상황에 주의해야 할 필요가 있음을 오랫동안 인식하여 왔다. 2장에서 논의하였듯이 교육평가기준합동위원회는 현재 평가에 관심을 가지고 있는 교육학과 심리학 분야의 18개 다른 전문가 조직들로 구성된 연합체이다. 1981년 합동위원회는 평가자들과 평가의 소비자들이 평가의 질을 판단하는 데 사용할 수 있는 기준을 출판하였다. 1994년 합동위원회는 이 기준을 다음과 같이 기술하였다.

> **정치적 타당도.** 평가는 다양한 이해집단들의 다른 입장을 예측하여 계획되고 수행되어야만 한다. 그렇게 함으로써 그들의 협조를 구할 수 있고, 평가 공정을 단축하기 위한 가능한 시도들이 이러한 집단들의 누군가에 의해 이루어지며, 그 결과들에 대한 편견이나 오용이 피해지거나 무효화될 수 있다(p. 71).[2]

---

[2] 이 기준의 2010년 판에서는 이 기준이 "상황적 타당도: 평가는 문화적 그리고 정치적 이해관계와 개인들과 집단들의 요구들을 인식하고, 모니터하며, 균형 잡아야만 한다"로 확장되었다(Joint Committee, 2010). 우리는 새로운 기준과 상황의 많은 구성요소에 대한 새로운 기준의 보다 넓은 주목에 찬성한다. 하지만 정치적 환경의 특별한 구성요소를 설명하기 위해 여기에서는 1994년 판을 사용하였다.

이 기준의 표현이 두 가지 관점을 반영하고 있음에 주목하라: (a) 정치적 상황, 즉 다양한 이해집단들의 입장에 대한 이해, 이를 통해 연구가 실행가능하고 효과적으로 수행될 수 있다. (b) 연구가 진행되는 동안의 평가에 대한 가능한 편견과 연구가 종료된 이후 가능한 오용을 피하기.

이 두 가지 관점은 잠재된 환경을 이해했을 때 얻게 되는 장점과 그렇게 하지 않음으로써 발생하는 위험을 제안한다. 좋은 평가자는 프로그램에 관한 다양한 이해집단들의 이해관계를 포함하는 정치적 환경에 대해 학습한다. 보다 포괄적으로 평가자는 누가 프로그램에 관심을 가지고 있는지, 누가 프로그램에 대한 힘 또는 통제권을 지니고 있는지, 또는 누가 어떠한 이유 때문에 프로그램에 반대할 수 있는지 다양한 집단들의 정체를 알 시간을 가져야 한다. 평가자는 프로그램과 관련된 쟁점사항들 모두에 관한 이러한 집단들 각각의 관점을 습득한다. 그들의 역사는 어떠한가? 그들의 가치는 무엇인가? 프로그램에 대한 그들의 관심 또는 반대를 형성한 것은 무엇인가? 향후 평가와 그 결과들을 그들은 어떻게 활용할 수 있는가? 이 탐색의 시간은 평가자들이 프로그램의 정치적 환경을 긍정적인 방법으로 이해하고 미래를 위한 중요한 기반을 제공하는 데 도움이 된다. 평가자들은 평가와 이것이 구명하는 질문들이 다양한 이해관계자들에 의해 어떻게 사용될지를 알게 된다. 그리고 그들은 그러한 이해관계자들이 예를 들면 평가 과정 또는 보급 단계에 어떻게 통합되는지를 고려할 수 있다.

기준은 또한 평가들이 정치적 환경에서 발생하기 때문에 평가자가 직면하는 위험요소들을 전달한다. 즉 개인들 또는 집단들은 평가에 편견을 주도록 행동할 수 있다. 자원들이나 리더십 또는 권력에 대해 경쟁하는 개인들 또는 집단들이 평가를 일어날 수 있는 위협으로 또는 반대로 그들의 목적 달성을 위해 사용할 수 있는 도구로 봐야만 함에 놀라서는 안 된다. 물론 정책입안가들이 책무성과 바라는 성과가 달성되었음을 입증함을 주로 중요하게 여기는 이 시기에, 프로그램의 관리자들, 학교 교장들, 기관의 관리자들 등은 그들의 프로그램이 성공적이었음을 보여주기 위해 평가가 좋게 보이기를 원한다. 반대로 흔히 쉽게 파악되기 어려운 다른 사람들, 평가가 프로그램을 나쁘게 보이도록 하거나 실행 또는 성과를 달성함에 있어 심각한 문제점들을 제안하기를 원하는 이들이 있다. 따라서 물론 평가자는 정치적 압력에 좌우된다. 그 압력은 평가가 한 사람 또는 집단이 바라는 성과 또는 질문을 구명하는지를 알도록 일하게 하기, 어떤 사람들이 인터뷰되고 다른 사람들은 피해야 하거나 바라는 결과를 제공할 것이라고 그들이 생각하는 방식으로 자료가 수집되어야 함을 제안하기, 긍정적이든 부정적이든 바라는 목적을 위해 결과의 해석이나 보고를 조작하기, 그리고 마지막으로 결과를 사용하지 않거나, 인용하지 않거나, 배경 없이 "중거"를 인용하거나, 의도적으로 결과를 왜곡하기와 같은 많은 형태를 띨 수 있다. 평가자들은 이러한 모든 방식으로 그리고 그 이상으로 이해관계자들에 의해 압력을 받는다. 그러므로 평가자가 정치적 환경과 이해관계자 집단들을 알고, 연구의 타당도 또는 정확도를 유지하고 정확한 방식으로 결과를 유포함에 있어 용감한 입장을 취할 의지가 있어야 함은 모두 필수적이다. 우리는 이 장의 후반부에서 윤리 기준과 규정 또는 평가에 있어 기대되는 윤리적 행위에 대한 우리의 논의에서 이러한 쟁점사항들의 일부를 구명할 것이다. 여기에서 우리는 평가자가 정치적 상황을 이해하고 정치적 환경으로 인한 편견 또는 오용의 문제들을 피하기 위해 취할 수 있는 몇 가지 단계를 논의할 것이다.

Eleanor Chelimsky는 "문화의 충돌"을 줄이고 "평가적 독립성과 민주사회의 정치적 요구 간의 '일치도'를 향상시키기 위한" 여러 사항을 제안하였다(2008, p. 400). 그녀는 원하지 않는 정치적 영향이 평가 기간 중 어떠한 때, 설계 단계 동안, 연구가 수행되어 감에 따라, 결과가 해석되고, 보고되고, 유포될 때 발생할 수 있음을 언급하였다. 그녀의 제안은 이러한 각 단계를 다루고 있다. 그녀의 제안과 각각에 따르는 서술에서 평가를 향상시키기 위해 평가자가 어떻게 그녀의 제안을 사용할 수 있는지에 대한 설명을 제시하면 다음과 같다.

1. 설계 단계를 확장하라. 앞서 기술된 정치적 상황을 이해하기 위한 시간을 가져라. 프로그램의 역사와 프로그램을 지지하거나 반대해온 이해관계자들의 가치와 관심을 학습하라. 평가가 의뢰된 이유, 구명하고자 하는 질문들, 그리고 평가와 평가의 초점이 어떻게 이해관계자들의 관심을 보완하거나 파괴할 수 있는지를 고려하라.

2. 관련되었을 경우 평가에 시민 집단을 포함시켜라. 뒷부분의 장들에서 논의할 것과 같이 오늘날 평가는 일반적으로 적어도 어느 정도 참여적이고, 때로는 많은 다양한 이해관계자 집단들을 관련시킨다. 평가자는 평가를 위해 만들어진 자문 또는 계획 위원회에 다양한 집단들을 포함할 수도 있고, 인터뷰 또는 설문조사를 통해 다양한 집단들로부터 자료를 수집할 수도 있으며, 각각의 집단을 다른 방식으로 포함할 수도 있다. 다양한 이해관계자들로부터 의견을 구함으로써 여러 방식으로 평가를 도울 수 있다. 평가 결과는 프로그램에 대한 많은 다양한 관점들을 제시하기 때문에 평가의 타당도와 신용도를 향상시킨다. 많은 집단들 또는 개인들의 참가를 구함으로써 평가를 위해 다양한 집단들의 지지 또는 적어도 이해를 구할 수 있다. 마지막으로 관여는 대중 그리고 관련된 이해관계자 집단들이 평가와 그 결과를 알도록 하는 가능성을 증가시킨다. 이것은 책무성 기능을 충족함을 돕고, 다른 형태로 이용되도록 하는 데 도움을 줄 수 있다. 프로그램과 관련된 많

은 이들이 평가를 모른다면 평가가 어떻게 차별화될 수 있겠는가?

3. 협상에 상당히 의존하라. Chelimsky는 이 쟁점에 관해 두 가지 중요한, 하지만 대조되는 요점을 제시하였다. (a) 다른 사람들과 대화하고, 대화하고, 대화하라. 많은 쟁점 사항들은 우리가 단지 관련된 집단들 또는 개인들과 지속적으로 대화하고 타협과 변경에 대한 여지를 발견하면 처리될 수 있다. (의회를 생각하라. 논쟁이 되는 법안을 통과시킴에 있어 왜 그렇게 긴 시간이 걸리는가? 입법가들은 지역에 따라 때로는 극적으로 다른 선거 구민들의 견해 또는 요구를 대변하려고 노력하기 때문이다.) (b) 논쟁이 되고 있는 쟁점사항이 타협될 수 없거나 평가의 정당성을 위협하는 작자 불명의 자료원을 드러내거나 자료 또는 결과를 바꾸는 것과 같은 무엇이라면, 평가자는 "그 결과가 행복한 무엇이 아니라 할 지라도 협박을 받음에 마음 내키지 않음을" 보여주어야만 한다(Chelimsky, 2008, p. 411).

4. 신용도에 대한 생각을 절대 멈추지 마라. 평가자의 강점은 연구의 정직성, 적절한 방법들의 사용, 정직하고 균형 잡힌 결과 해석, 그러한 결과에 기초한 판단과 제안에 있다. 평가자들과 조직 내 평가 단위 또는 평가 계약을 체결하는 평가 회사들은 명성을 쌓아간다. 평가 결과가 항상 일부 이해관계자들 또는 핵심 고객들이 바라는 바에 부합하지 않을 수는 있지만, 평가자들은 정치적 환경에서 일하기 때문에 그들이 수행하거나 그들의 조직 또는 부서에서 수행되는 평가를 신뢰할 수 있음을 고객들이 믿는 것이 중요하다.

5. 유포 전략을 개발하라. Chelimsky(2008)는 평가를 민주사회를 위한 중요한 도구로서, 정부가 국민들에게 책무를 다할 수 있도록 하는 도구로서 강력하게 믿고 있다. 그러므로 평가자는 각각의 청중에 의해 이해될 수 있는 방식으로 평가 결과를 의사소통하고, 그러한 결과들이 보급되는 적절한 방법들을 개발해야만 한다. 지역단위 평가에서 결과들은 흔히 모임, 즉 학교 PTA의 학부모들과 교직원 모임에서 프로그램 스태프들에게 가장 효과적으로 유포된다. 고객들과 보다 큰 대중들에게는 짧은 뉴스레터 또는 웹 사이트를 통해 전달될 수 있다(결과 보고 제안에 관해서는 16장 참조).

우리의 이전 논의와 Chelimsky의 제안에 기초하여 몇 가지 다른 제안을 더하면 다음과 같다.

1. 계획 단계에 정치적 상황을 학습할 수 있는 시간을 넣어라. 주요 고객이 평가에서 달성하기를 바라는 것은 무엇인가? 누가 평가에 재정을 지원하고 그들이 알기 원하는 것은 무엇인가? 그것으로부터 얻기 원하는 것은? 평가에 잠재된 관심을 갖는 기타 개인들과

집단들은 누구인가? (여기에는 분명히 프로그램이 서비스를 제공하는 이들과 프로그램을 운영하는 이들, 프로그램에 재정을 대거나 정책을 설정한 기관들, 경쟁하고 있거나 경쟁할 잠재력이 있는 프로그램들, 같은 고객들에게 서비스를 제공하는 다른 프로그램들 또는 조직들이 포함될 것이다.) 초기에 이러한 집단들의 개인들 또는 대표자들을 인터뷰하여 프로그램에 대한 그들의 관점, 평가에 대한 그들의 관심 등을 학습할 시간을 가져라(정치적 환경을 분석하고 다양한 이해관계자 집단들의 관점을 확인한 평가를 기술한 Fitz-patrick, 1989 참조).

2. 계획 단계 동안 고객에게 대부분의 평가에서 몇 가지 성공사항과 일부 실패점을 발견할 수 있음을 확실히 알려라. 많은 고객들은 그들의 프로그램이 모든 목적을 달성하고 평가가 이를 입증해줄 것이라고 가정한다. 초기 단계들에서 우리는 항상 모든 목표를 달성하는 프로그램은 거의 없고, 어떤 것은 매우 잘하고 다른 것은 그렇게 잘하지는 못함을 우리가 발견할 가능성이 높음을 언급할 기회를 찾는다. 우리 평가들의 대부분은 다소 형성적인 구성요소를 지니고 있으므로, 프로그램을 어떻게 향상시킬지에 대한 정보와 제안을 또한 우리가 제공할 수 있어야만 한다.

3. 자료 수집과 관련된 정치적 상황에 대해 생각하라. 누군가 피하기를 바라는 집단들, 개인들, 또는 자료원이 있는가? 그렇다면 왜인가? 그들의 관점 또는 그들이 제공할 수 있는 정보에 대한 감각을 익히기 위해 이 자료원으로부터 일부 자료 수집을 예비 조사하라. 예비조사가 그들로부터 유용한 투입이 있음을 제안한다면 연구의 타당도를 더하기 위해 이 자료원으로부터 자료를 수집해야 함을 논쟁하기 위해 자문 집단과 자신의 추론 결과를 이용하라. 특정한 집단들에 의해 특히 권장되거나 방해될 수 있는 자료 수집 또는 설계 방법 또는 구성요소에 대해 주의 깊게 생각하라. 그들이 그러한 관점을 갖는 이유는 무엇인가? 그 관점이 당신에게 그들의 가치와 그들이 요구하거나 신뢰할 수 있는 유형의 정보에 대해 무엇인가를 이야기하는가? 또는 그들의 제안에 영향을 미치는 정치적인 이유, 성공 또는 실패에 대한 바람이 있는가? 적어도 부분적으로 당신의 방법론적 전문성 때문에 이 평가를 수행하도록 당신이 선정되었음을 기억하라. 그 전문성을 평가를 위해 가장 적절한 방법적인 전략을 옹호하고, 궁극적으로 선정하는 데 사용하라.

4. 결과의 해석에 다른 사람들, 당신의 자문 집단과 다른 이해관계자들을 포함시켜라. 다른 관점을 구하는 것은 도움이 되지만, 그러한 관점들에 주목하라. 무엇인가에 대한 개인의 다른 해석은 성실한 대안적인 관점을 반영한 유용한 식견인가? 평가자를 포함

하여 모든 이의 관점은 개인의 가치와 경험들에 의해 영향을 받는다. 하지만 당신이 들은 관점들이 어느 정도 정치적인 이해관계로부터 발생하는지를 고려하고, 그러한 이해관계의 실제 의미를 조사하라.

5. 최종 보고서와 결과를 유포하는 다른 생산물들에 대해 많은 사람들로부터 의견을 구하라. 최종 서면 보고서가 핵심 이해관계자들에게 놀라움이 되어서는 안 된다. 그들은 최종 보고서를 받기 전에 결과를 보고 들어야만 한다. 그들을 검토 회의에 포함시키고 자료가 분석될 때 그들의 반응을 구하고 당신의 해석과 제안에 대해 논의하기 위해 그들과 만남으로써 그들이 보고 들어왔음을 확실히 할 수 있다. 이러한 모임들은 서면 보고서보다 이해와 변경을 구하는 데 훨씬 더 유용할 수 있다. 결론과 제안사항이 결과로부터 어떻게 도출되었는지를 분명히 하라. 평가는 개별 사람들에 대한 잘못을 확인하는 것이 아니라, 오히려 프로그램과 정책의 가치, 강점과 약점을 확인하는 것과 관계된다. 따라서 표현을 깊이 생각하라. 가능할 때 개선 또는 행동을 위한 제안을 하라. 하지만 조심스럽게 함으로써 결론, 판단, 제안사항의 정당성을 입증할 수 있음을 확실히 하라.

다행스럽게도, 미국평가학회에 의해 개발된 프로그램 평가 기준과 안내 원칙이 또한 평가자들에게 이러한 정치적 쟁점사항들을 다룰 수 있는 도구를 제공한다. 많은 평가자들이 작업을 시작할 때 그들의 고객들과 여타 이해관계자들에게 안내 지침을 공유함이 유용함을 발견하였다.

좋은 의사소통 확립 및 유지

정치적 환경에서 일함에 대한 이 논의가 가리키고 있듯이, 좋은 평가 작업은 자료를 수집하고 분석하는 방법에 대한 지식보다 훨씬 많은 것을 필요로 한다. 정치적 환경에서 일하는 것에 대한 우리의 제안은 흔히 이해관계자들과의 의사소통과 관련된다. 그러나 대인관계 기술과 의사소통은 여기에서 절을 나누기에 충분한 이점이 있을 정도로 중요하다. 이 절에서 우리는 평가를 수행하는 동안 고객들 그리고 여타 이해관계자들과 좋은 대인관계를 어떻게 형성하고 유지하는지를 고려하기를 원한다. "숨겨진 의제들, 평가자의 영입, 평가 질문의 파괴, 설계 또는 측정 계획의 방해 행위, 결과의 오용"과 같은 정치적 환경에서 다른 사람들과 일함으로부터 오게 되는 평가에 대한 위험요소의 몇 가지를 언급한 후, Laura Leviton은 미국평가학회장 수락 연설에서 평가자들 스스로가 나타내는 문제들에 대한 견해에 초점을 두었다. "때로 평가는 불시에 습격을 받고, 그 생산물은 사람과 조직들을 다루는 우리 자신의 기술 결여 때문에 할 수 있는 수준보다 떨어진다"(2001, p. 3). 연구 결과 많은 다양한 유형의 지능이 있음이 밝혀졌고, 평가자들의 강점은 흔히 분석력에 있다고 언급하며, 다음을 첨가하였다.

> 때로는 평가자들이 그들의 단어 그리고 다른 사람들에 대한 행동의 부정적인 효과에 완전히 놀라서 말이 안 나온다고 나는 생각한다. 하지만 잘 의사소통하고 다른 사람들과 잘 관계하는 능력이 보다 좋고 보다 유용한 평가 질문을 협상하고, 보다 적은 저항으로 보다 좋은 방법들을 채택하며, 고객들에게 결과를 보다 효과적으로 전달함에 있어 중요함이 분명해져야만 한다. 달리 말하면 대인관계 지능과 "대인 기술"의 부족이 흔히 평가의 부정적인 증후군을 더 악화시킬 수 있다. 똑같이 나쁘다고 하더라도, 대인 기술의 부족은 우리로 하여금 양질의 유용한 평가를 생산해내는 우리의 다른 재능과 기술들을 최적화시키지 못하게 한다.(Leviton, 2001, p. 6)

지금, 많은 평가자들은 대인관계 기술을 지니고 있지만, 그들이 방법론적 쟁점사항들과 사회과학자로서 그들의 역할에 너무 초점을 두고 있기 때문에 평가를 수행함에 있어 효과적인 방식으로 그러한 기술들을 사용할 생각을 단순히 하지 않을 수도 있다고 생각한다. 평가하는 프로그램의 정치적 환경에 대해 학습해야 할 평가자들의 책무에 대해 우리가 논의한 것처럼, 평가에 관련된 사람들과 효과적으로 의사소통함이 평가의 성공에 결정적임을 강조하고 싶다. Leviton이 제안하였듯이, 평가자들은 그들의 언어를 생각하고, 다른 사람들의 관점을 이해하며, 평가가 수행됨에 따라 그들을 관여시켜 그들로부터 배워야만 한다.

평가 동안 좋은 의사소통을 확립하고 유지하기 위해 몇 가지 제안을 하면 다음과 같다.

1. 평가를 계획할 때, 즉 제안서를 작성하거나 계약을 준비할 때 의사소통을 위한 시간을 넣어라. 모임들, 모임들, 그리고 더 많은 모임들을 통해 의사소통할 시간을 포함시켜야 함을 기억하라! 평가 계획과 결과를 먼저 핵심 집단들과 구두로 논의하라. 의견 교환을 허락하라. 당신이 만나고 있는 다양한 개인들이 평가 계획 그리고 나중에 결과에 어떻게 반응하는지 귀 기울여라. 물론 다른 사람들과의 의사소통이 항상 집단으로 이루어질 필요는 없다. 평가자는 현장에 있을 때 프로그램을 운영하거나 관리하는 인사들과 이야기할 시간을 가져야 함을 기억해야만 한다. 평가와 프로그램 자체에 대한 그들의 우려사항이 무엇인지 학습하라. 그들은 무엇을 걱정하고 있는가? 그들은 어떤 압력 아래에 있는가? 자주 만나지 못하는 개인들 또는 집단들에게 정보를 전달하기 위해 중간보고서와 메모를 사용하라. 하지만 이후에 유선으로 또는 개인적으로 대화를 하여 그들의 생각을 구

하라. 이러한 집단들과 의사소통하여 그들의 생각을 들으려고 얼마나 노력하는지에 따라 평가자가 임명될 필요는 없다. 하지만 프로그램과 평가에 대한 그들의 생각, 그들의 관점, 그들의 경험을 듣는 것은 평가자가 평가에 대한 장애물을 제거하고, 평가 결과를 받아 이를 믿을 수 있고 유용하게 보도록 이해관계자들을 준비시킬 수 있는 유일한 방법이다.

2. 평가를 위해 고객들(평가에 재정을 지원하는 이들)과 여타 이해관계자들을 준비시켜라. 평가의 목적과 이익에 대해 모든 참가자들과 대화함으로써 "평가 정신"을 개발하라. 평가에 대한 저항은 대부분의 사람들에게 자연스럽게 오고, 무엇이 기대되는지 모르는 것은 이러한 저항을 단지 증가시킬 수 있다. 이해관계자들이 평가에 익숙하지 않거나 평가에 대해 과거 안 좋은 경험을 지니고 있다면, 그들의 염려와 두려움에 대해 보다 더 학습하라. 평가에 대한 그들의 과거 경험들과 이 평가가 무엇을 할 것이라고 생각하는지에 대해 물어라. 그들로 하여금 평가와 평가가 무엇을 할 수 있는지에 대한 당신의 견해를 알게 하라. 적절할 때 평가와 자기조사가 조직을 위해 무엇을 달성할 수 있는지를 설명하기 위해 이해관계자들에게 다른 평가들이나 평가 접근들 또는 조직 변화와 학습에 대한 정보를 제공하라. 지속적인 개선과 학습조직에 대한 현재의 문헌들이 도움이 될 수 있다(조직에서의 학습을 증진시키기 위해 평가를 사용하고 평가 관행을 개선하기 위해 학습에 대한 연구를 어떻게 사용할지에 대한 논의에 대해서는 9장 참조).

3. 외부 참가를 요청하고 조성하라. 예를 들면 학교 프로그램을 평가할 때 학부모들, 학교운영위원회 위원들, 지역사회 주민들이 모두 잠재적인 이해관계자임을 기억하라. 그들의 참가는 평가를 강화할 뿐만 아니라 이것이 중요한 프로젝트임을 또한 알려준다. 보건 복지 서비스 또는 기업 환경에서의 프로그램들을 평가할 때 외부 이해관계자들은 다를 수 있다(예를 들면 시민 집단들, 치료를 받은 이들의 가족들, 군단위 행정 장관들, 서비스 제공자들, 기업 이사회 이사진들, 소비자 단체 집단들). 프로그램에 대한 이해관계자들이 누구인지 학습하라. 평가자들은 이러한 집단들의 대표자들을 논의에 포함시킴으로써 과거 권리를 빼앗겼던 집단들에게 권한을 위임하도록 함에 있어 중요한 역할을 수행할 수 있다(참여적인 권한위임 접근에 대한 논의는 8장 참조).

4. 평가 의사결정에 대한 핵심 개인들 또는 집단들에게 의견을 구하라. 평가자들은 단독으로 중요한 의사결정을 해서는 안 된다. 평가자들이 자료 수집 방법에서 가장 전문가일 수 있는 반면, 고객과 이해관계자들은 평가받는 프로그램과 그것에 대한 그들의 경험에 있어 전문성을 지니고 있다. 그들의 요구와 견해는 발견되어 고려되어야만 한다.

팀워크, 협상, 타협의 정신을 강화하라. 평가 목적을 결정하고, 평가 질문들을 개발하며, 자료 수집을 위한 자료원과 방법을 선택하고, 측정도구를 개발하거나 기존의 측정도구를 찾으며, 자료를 분석하고 해석하며, 그리고 물론 결과의 의미를 고려하는 것을 포함하여 중요한 지점에서 다른 사람들의 의견을 구하고 상의하라. 평가자는 흔히 결과를 (모든 것이 완결될 때까지 기다리지 않고) 언제 유포할 것인지 그리고 이를 어떻게 할지에 대해 다른 사람들에게 의견을 구해야만 한다. 다른 사람들은 무엇이 가장 듣거나 읽히고 싶어하는지, 개인들 또는 집단들은 언제 결과에 관심이 있는지, 그리고 그들에게 어떤 결과가 가장 관심을 주는지를 알 것이다. 그럼에도 불구하고 정치적인 의제들에 주의하라. 사람들이 알고자 하는 것에 대해 가정하지 마라. 대신 이를 발견하기 위해 그들과 이야기하라.

5. 평가에 대한 건설적인 비판을 조장하라. 이해관계자들을 초청하여 가정들 또는 약점들에 이의를 제기하게 하라. 확산적인 인식을 조장하라. 비판적인 피드백이 주어질 때 공정성과 개방성의 정신을 형성하라. 이해관계자들로 하여금 그들의 작업에 대해 건설적이고 비판적인 피드백을 제공하도록 촉진하고, 수용적이고 열린 방식으로 반응함으로써 평가자들은 그들이 이해관계자들에게서 보고자 하는 평가 정신을 증명할 수 있다(평가자들이 프로그램에 대해 논평하는 것처럼, 프로그램에 참가한 사람들이 평가에 대해 논평할 수 있는 도구를 제공하기 위해 평가가 진행되는 동안 360도 피드백을 사용한 Donaldson의 논의에 대해서는 Fitzpatrick과 Donaldson[2002] 참조).

이러한 제안을 따름으로써 평가에 대한 그리고 그로 인한 평가의 뒤이은 활용에 대한 반응성을 향상시킬 수 있고, 평가 산출물 자체의 질을 증진시킬 수 있다.

윤리 기준 유지하기: 평가자를 위한 고려사항, 쟁점사항, 책임

평가가 실제 정치적인 상황에서 발생하고, 좋은 평가를 수행하기 위해 평가자들은 정치적 배경에 대해 학습하고 이해관계자들과 원활한 의사소통을 해야만 한다면, 평가자들에게 있어 윤리적 문제들이 흔히 발생할 수 있다는 것에 놀라서는 안 된다. 정치적 배경에 대한 논의에서 정치적 압력이 등장하여 평가 목적 또는 평가 질문을 바꾸고, 바라는 결과를 양산할 가능성이 높은 자료원 또는 설계를 선택하며, 물론 보다 선호되거나 기대되는 방식으로 결과를 해석하거나 보고할 수 있음을 언급하였다. 이에 더하여 평가자가 고객들과 이해관계자들과의 의사소통을 증진시키기 위해 일함에 따라 보다 가까운 관계가 형성되고, 이러한 관계는 윤리적인 문제들을 보여줄 수 있다. 그러므로 평가자들은 평가에서 발생할 수 있는 잠재된 윤리적 문제들에 충분히 민감하여, 문제가 발생했을 때 이를 인식할 수 있고, 그 문제들에 대해 어떻게 할지에 대한 감각을 지녀야만 한다. 이러한 방향으로의 첫 단계는 평가에 있어 윤리적 행위에 대한 해당 직종의 기대에 대한 지식을 획득하는 것이다.

평가에 있어 윤리적 행위에 대한 중요한 이 부분을 다른 종류의 산출물을 낳은 평가에서 윤리적 실패의 실제 사례로 시작하겠다. 2009년 전 세계는 소위 "금융 파탄"에 직면하였다. 주택 가치와 주식 시장은 수직으로 떨어지고 있었다. 수천 명이 권리 상실로 인해 그들의 집을 떠나야만 했다. 실업은 증가하고 있었고, 미국의 경우 10%에 이를 것으로 전망되었다. 전 세계의 모든 국가들은 이 위기의 영향을 받았다. 금융 파탄에 영향을 미친 요인들은 많았음에도 불구하고, 분석가들과 선출직 공무원들은 이 위기에서 신용 평가 기관들의 역할에 대해 매우 비판적이었다. Moody's Investors Service, Fitch, 그리고 Standard & Poor's와 같은 신용 평가 기관들은 주식과 채권을 분석한 그들의 연구에 기초하여 신용 등급을 매겼다. 20세기 초반으로 거슬러 올라가면 이러한 기관들은 채권을 발행하는 회사들의 질을 판단하고, 그들의 등급을 통해 이러한 등급에 기초하여 의사결정을 하는, 즉 어떤 회사가 투자하기에 안전하거나 불안전한지를 결정하는 투자자들에게 정보를 제공하기 위해 연구를 수행하기 시작하였다. 50년 이상의 기간 동안 투자자들은 등급에 대해 이러한 회사들에게 돈을 지불하였다. 1970년대 경기가 더 안 좋아짐에 따라, 채권을 발행하는 회사들은 그들 자신의 등급에 대해 신용 평가 기관들에 돈을 지급하기 시작하였다. 하지만 이러한 비용 지출로 인해 상대적으로 주목되지 않은 이익이 대립되었다. 평가 기관들은 현재 그들에게 비용을 지불하는 회사의 채권을 평가한다. 물론 일부 채권들은 지속적으로 낮은 등급을 받지만, 많은 경우 높은 등급을 받는다. 2007년 37,000개 "구조화된 금융 상품들"(현재 재정 혼란의 대부분의 원천이 된 복잡한 금융 상품)이 가장 높은 가능 등급을 받았다("A Brief History of Rating Agencies," 2009). 오늘날 이러한 등급의 상당수는 등급이 격하되었지만, 기업 구제비용을 지불하고 있는 많은 투자자들과 시민들에게는 너무 늦은 조치였다. 이러한 평정 체계의 문제점들은 이전에 이러한 신용 평가 기관들로부터 가장 높은 등급을 받았던 Enron Corporation이 채무 불이행을 했던 2001년 처음으로 제기되었다. 2007년 이러한 신용 평가 기관들의 최고경영자들은 미국 의회에서 증언하기 위해 소집되었고, 위험한 투자를 확인하고, 투자자들에게 경고하는 데 대한 그들의 실패에 대해 크게 비난받았다.

평가자들은 Moody's, Standard & Poor's, 그리고 Fitch의 분석가들처럼 무엇인가의 질을 판단하여 고객들과 기타 이해관계자들이 그러한 판단에 기초하여 의사결정을 내리도록 정보를 제공한다. 우리의 행동들이 집합적으로 세계 경제의 금융 안정성을 위협하지는 않음에도 불구하고, 우리가 수행하는 일의 많은 요소들은 매우 유사하다. 고객들과 다른 사람들(대중들)은 평가자들이 프로그램, 산출물, 또는 정책의 질에 대해 객관적이고 독립적인 판단을 제공할 것을 요구한다. 우리는 산출물을 판단하기 위해 분석적인 방법들을 사용하고, 이러한 방법들의 투명성과 타당도가 우리의 결과를 입증한다고 생각한다. 하지만 신용 평가 기관의 직원들이 분석을 수행하기 위해 그들이 가치 판단하는 회사들의 실제 인사들과 상호작용해야 하는 것처럼, 우리도 또한 우리가 판단할 프로그램들 또는 정책들에 대해 이해하기 위해 고객들, 이해관계자들과 상호작용한다. 많은 경우 우리의 고객은 우리가 평가하려는 프로그램의 관리자이거나 CEO이다. 채권 평가자의 결과가 투자자와 회사 관리자들에 의해 사용되어 한 회사에 대한 투자에 관한 의사결정을 하는 것처럼, 우리의 결과들은 우리의 고객 또는 프로그램 관리자에 의해 사용되어 추가적인 재정 지원을 찾거나 한 프로그램의 재정 지원에 대한 의사결정을 하게 된다. 우리가 볼 수 없는 갈등이라고 하더라도 윤리적 갈등의 잠재력은 매우 크다. 갈등은 단순히 방법론적 선택에 있는 것이 아니라, 실제 세계에서 연구 방법들이 사용될 때 발생하는 관계에 있다. 이 부분에서 우리는 평가자들이 마주칠 수 있는 몇 가지 윤리적 문제들을 기술하고, 그들의 실천을 안내하도록 개발된 윤리 규정을 논의하며, 어떻게 윤리적으로 행동할 것인지를 평가자들이 생각하는 데 도움을 줄 수 있는 몇 가지 제안점을 제공할 것이다.

평가자들은 어떤 유형의 윤리적 문제에 직면하는가?

현역 평가자들에 대한 연구들은 평가자들이 직면하는 윤리적 도전의 유형들을 밝혀내었다. Morris와 Cohn(1993)은 미국평가학회(American Evaluation Association) 회원들을 대상으로 설문조사를 실시하여 거의 2/3의 평가자들이 평가를 수행하면서 주요 윤리적 도전에 직면하였음을 발견하였다. 회원들이 직면한 윤리적 위반 유형에 대한 그들의 분석은 다음과 같은 문제의 유형들을 보여주었다.

A. 계약 단계에서의 도전
- 이해관계자는 이미 결과가 "어떠해야만 하는지"를 결정하였거나, 결과를 윤리적으로는 의문스러운 방식으로 사용할 계획을 지니고 있다.
- 이해관계자는 실질적으로 관련이 있음에도 불구하고, 평가에서 어떤 연구 질문

들은 사용하지 못하도록 선언한다.

● 합리적인 이해관계자들이 계획 과정에서 배제된다.

B. 비밀 보장 또는 합의 공개에 대한 윤리적 염려

● 최종 보고서, 원자료 등의 소유권/배포에 대한 논쟁 또는 불명확

● 비밀 보장을 위반하도록 이해관계자들의 압력을 받지 않았음에도 불구하고, 평가자는 어떤 결과를 보고하는 것이 그러한 위반을 보여줄 수 있다고 걱정한다.

● 평가자는 이해관계자에 의해 비밀 보장을 위반하도록 압력을 받는다.

C. 결과 제기에서의 도전

● 평가자는 이해관계자에 의해 결과 제시를 바꾸도록 압력을 받는다.

● 평가자는 특정되지 않은 이유들 때문에 결과 전체를 제시하기를 꺼린다.

● 평가자는 불법, 비윤리적, 위험한 등의 행동을 발견하였다.

● 평가자는 결과를 제시함에 있어 객관적이거나 공정할 수 있는 자신의 능력을 확신하지 못한다.

D. 보고서가 완결된 이후 오해 또는 오용에 대한 윤리적 염려

● 결과가 이해관계자에 의해 은폐되거나 무시된다.

● 이해관계자에 의한 구체화되지 않은 오용

● 결과가 누구인가를 처벌하는 데 사용된다(평가자 또는 여타의 인사).

● 결과가 공표되기 전에 이해관계자에 의해 의도적으로 수정된다.

● 결과가 이해관계자에 의해 잘못 해석된다(Morris & Cohn, 1993, pp. 630-632).

Morris와 Cohn의 연구는 평가자들이 현장에서 직면하게 되는 윤리적 도전사항을 실증적으로 조사한 몇 가지 연구 가운데 하나이다. 가장 흔한 유형의 문제들은 결과를 준비할 때 발생하였다. 거의 2/3의 평가자들이 결과를 바꿀 것에 대해 이해관계자들의 압력을 받았다고 보고하였다. Morris와 Cohn은 그들의 연구로부터 몇 가지 재미있는 결론을 도출하였다. 첫째, 반응에 대한 그들의 내용 분석은 윤리적 문제들은 "평가의 모든 단계에서 발생할 수 있고, 실제로 발생함"을 밝혀내었다(1993, p. 639). 응답자들이 평가의 매 단계에서 문제들을 보고하였음에도 불구하고, 가장 흔히 언급된 문제들은 평가의 마지막 단계인 결과를 제시할 때 발생하였다. 이러한 윤리적 문제들은 평가 산출물에 관해 일반적으로 이해관계자, 전형적으로 고객의 압력으로부터 발생한다. 달리 말하면 이해관계자들은 최종 산출물, 평가 결과, 그리고 보고서보다 연구가 진행되는 동안에는 압력을 덜

행사하려 한다. 사실 고객들은 아마도 그들이 고용한 평가자가 수행하는 작업의 과학적이고 객관적인 특성에 가치를 둔다. 하지만 결과가 놀랍거나 동의하기 어려울 때 산출물 자체에 대해 우려하기 시작한다. 고객들 또는 여타 이해관계자들이 결과의 해석 또는 결과 제시에 대해 평가자와 논쟁을 할 때 평가자는 독립적이고 객관적인 평가자로서의 역할을 개념화하였다면 아마도 놀라게 된다. 따라서 Morris와 Cohn은 평가자에 의해 확인된 이해관계자들의 압력은 "진실을 발견하고 이를 의사소통하는 과학적인 연구의 사명을 손상시키고" 평가자들은 "과학자로서의 역할을 타협하도록 압력을 느낀다"고 언급하였다 (1993, p. 639). 이러한 대립은 Eleanor Chelimsky에 의해 설명되고 이 장의 시작 부분에서 논의된 "문화의 충돌"을 보여준다. 즉 정치적 상황에서 이해관계자들은 자원, 권한, 리더십을 경합한다. 그들은 평가 결과를 이러한 경쟁에서 그들의 이익을 위해 사용할 수 있는 하나의 도구로 생각한다. 평가는 인지된 객관성 때문에 가치가 있다. 하지만 결과가 경쟁에서 그들의 요구와 충돌할 때 정치적 상황은 지속된 객관성 또는 평가자 결론의 독립성보다 이해관계자에게는 보다 중요하다.

이러한 윤리적 갈등에 직면하여 평가자는 이 평가와 향후 평가의 신용도를 지키려는 입장을 취해야만 한다. 상황이 쉽지는 않다. 이해관계자들이 평가자들에게 실제로 자료를 변경하도록 요구하는 것은 상대적으로 드물다. 그리고 평가 결과가 사용되도록 하기 위해 좋은 평가자들은 일반적으로 결과를 해석하고 요약 보고서에서 결과를 제시함에 있어 고객들과 여타 이해관계자들의 요구를 구한다. 따라서 고객이 변경을 제안하는 피드백을 줄 때 평가자들은 이러한 "제안들"을 달리 해석할 수 있다. (제안의 본질은 무엇인가? 결과적으로 해석에 있어 주된 차이가 있게 되는가? 고객이 어느 정도 강력하게 변경을 요청 또는 요구하는가?) 그러므로 변경에 대한 요구는 평가자에 의해 해석되어야만 한다. 물론 어떤 경우에는 윤리적 도전이 꽤 분명할 것이다. 고객은 평가자가 프로그램의 질에 관한 주요 결론들을 변경하도록 요구한다. 다른 경우 고객은 문구 수정 정도로 인식한 것을 요구할 수도 있지만, 평가자는 만들어진 판단의 명확성 또는 강점을 희석하라고 인식한다. 이러한 보다 모호한 윤리적 도전을 평가자는 어떻게 다룰 것인가? 프로그램의 질에 대한 주된 결론을 요구하는 첫 번째 상황을 다룸에 있어 분명한 윤리적 도전은 평가자 입장에서 결과의 타당도를 유지하려는 용기와 정직을 요구한다. 두 번째 윤리적 도전을 다룸에 있어서는 결국 용기와 정직을 요구할 것이지만, 고객의 문구 수정 제안의 의도와 보고서, 보고서의 표현법, 결론들의 소유권에 관한 주의 깊은 생각과 심사숙고를 초기에 필요로 할 수도 있다. 마지막으로 두 상황 모두 평가자로 하여금 윤리적 도전이 발생하였음을 인지하도록 요구한다.

Morris와 Cohn 연구가 평가자들이 실제로 직면하게 되는 윤리적 갈등의 유형에 관한 이해관계의 상당 부분을 밝혔음에도 불구하고, 그들은 또한 표본의 1/3이 평가 작업에서 어떠한 윤리적 갈등도 직면하지 않았다고 보고한 것을 우려하고 있다. 그들의 우려는 사실 이러한 평가자들이 보다 안전한 환경에서 일을 수행하지 못하고, 대신 발생하고 있는 윤리적 갈등 또는 도전을 인식하고 있지 못하다는 것이다. Morris와 Cohn이 결론 내고 있듯이, "많은 도전받지 않은 집단 구성원들[윤리적 도전을 보고하지 않은 사람들]이 갖는 윤리성의 주관적인 인식은 도전받은 집단 구성원이 갖는 체계적 방식과는 다르다"(p. 635). 그들의 연구가 평가자들이 직면하는 윤리적 문제들을 설명하는 데 관심을 가진 이래, 그들은 윤리적 행위에 대한 이러한 다른 인식의 원인들을 탐색할 수 없었다. 하지만 이 차이는 평가자들로 하여금 그들이 직면할 수 있는 윤리적 도전을 논의하고 탐색하는 (윤리적 도전을 어떻게 인식하고 해석할지, 그리고 궁극적으로 이를 어떻게 다룰지) 교육 및 훈련이 필요함을 설명한다고 그들은 권고하였고, 우리도 이에 동의한다.

평가자들 사이에서의 윤리적 행위에 대한 몇몇 다른 연구들 가운데 하나는 소수의 평가자들에게 그들의 일에서 윤리적 쟁점사항을 어떻게 다루는지를 논의하도록 요구하는 질적 접근을 취하였다(Honea, 1992). Honea는 이러한 평가자들이 그들의 직업 생활에서 윤리 또는 가치에 대해 거의 논의하지 않음을 발견하였다. 그녀는 이러한 논의를 저해할 것 같은 네 가지 요인들을 확인하였다. 구체적으로 그녀의 면접자들은 다음과 같이 인식하였다.

1. 그들이 "객관적인 과학자" 모형을 따를 때 그들은 윤리적이었고, 객관성의 해이는 윤리적이라기보다는 방법론적인 우려로 인식되었다.
2. 평가 참가자들은 늘 윤리적으로 행동한다. 따라서 윤리에 대한 논의는 불필요하다.
3. 평가 팀의 일원이 되어 팀 논의에 참여하게 되면 비윤리적 행위이 발생할 수 없다.
4. 평가에 관련된 평가자들과 여타 인사들은 윤리적 쟁점사항들에 직면하거나 논의할 시간이 없다.

이러한 연구들은 평가자들을 교육하고 훈련함에 있어 윤리적 쟁점사항에 보다 주의해야만 함을 제안하고 있다. 다음 절에서는 평가자들이 윤리적 의무에 대한 인식을 높이고 이해관계자들에게 직업적 의무를 의사소통하는 데 도움이 될 수 있는 직업 규정에 대해 논의할 것이다.

평가 윤리 기준

1970년대 중반 이래 평가 영역에서는 여러 가지 윤리 규정 또는 기준을 적극적으로 개발하여 왔다(평가에 있어 윤리 규정의 역사에 대한 논의와 다른 분야 규정과의 비교에 대해서는 Fitzpatrick[1999] 참조). 현재 미국 내에서 평가를 위한 가장 유명한 두 가지 규정은 교육평가기준합동위원회에 의해 개발된 『프로그램 평가 기준』(1981, 1994, 2010)과 1995년 미국평가학회에 의해 개발되고 2003년에 개정된 『평가자를 위한 안내 원칙(Guiding Principles for Evaluators)』이다.

이 두 규정은 목적에 있어 차이가 있다. 기준은 평가자들과 소비자들 모두가 특정 평가의 질을 판단하는 데 도움을 주기 위한 목적으로 설계되었다. 안내 원칙은 평가자들의 일상 업무에 있어 윤리적 안내사항을 제공하기 위한 것이다. 기준은 평가의 산출물에 초점을 두고 있고, 안내 원칙은 평가자의 행동에 초점을 두고 있다. 하지만 두 가지 모두 평가가 수행되는 윤리적이고 적절한 방식에 대해 알려준다. 그리고 Sanders(1995)가 확인하였듯이 두 문서 간에는 대립되는 사항이나 일관되지 않은 부분이 없다.

다른 국가들도 또한 윤리 규정을 개발하는 데 관여하여 왔다. 캐나다평가학회(Canadian Evaluation Society, 1992)와 오스트랄라시안평가학회(Australasian Evaluation Society, Amie, 1995)는 평가자들을 위한 윤리 규정을 각각 개발하였다. 스위스, 독일, 프랑스, 영국과 같은 많은 유럽 국가들은 윤리 규정 또는 기준을 채택하였다. 아프리카 평가 지침(African Evaluation Guideline)과 같이 스위스와 독일 규정들은 합동위원회의 기준을 이용하였다(Rouge, 2004). 아시아, 남아메리카, 아프리카의 국가들은 개별적으로 또는 집단으로 규정을 개발하고 있다(Stufflebeam, 2004a). 이 활동은 평가자들이 그들의 일을 수행하면서 겪는 많고 다양한 윤리적 도전을 반영한다. 미국평가학회의 안내 원칙이 처음 출판되었을 때 Hendricks와 Conner(1995)가 언급하였듯이, 평가 상황과 주된 관심을 두고 있는 윤리 원칙들은 국가마다 다르다. 예를 들면 Rouge(2004)는 아프리카의 다양한 국가들에서의 평가 규정 개발과 합동위원회의 기준을 하나의 안내서로 시작하였음에도 불구하고, 그 규정들이 아프리카의 다양한 정치와 정부 상황에 따라 어떻게 변경되었는지를 논의하였다. 특히 아프리카의 많은 독재 정부에서 지침들은 평가자들의 보호, 정치적인 실행 가능성과 결과의 공표에 대한 특별한 고려사항들을 포함하고 있다. 평가 문화가 새로운 이러한 국가들에서는 윤리 지침들이 그러한 문화의 형성을 돕는 데 유용할 수 있다.

평가자들의 윤리적 의무는 무엇인가? 프로그램 평가 기준과 안내 원칙의 윤리적 구성요소들을 여기에서 개괄적으로 고찰할 것이다. 두 문서의 보다 완전한 원문은 부록 A에 제시되어 있다.

프로그램 평가 기준. 『기준』 자체에 대한 논의에 들어가기에 앞서 『기준』이 어떻게 개발되었는지를 간략하게 기술하겠다. 1975년 처음 임명되었을 때 교육평가기준합동위원회의 과업은 평가자들과 여타 청중들을 위해 기준을 개발하여 평가의 전반적인 질을 판단하는 데 사용하도록 하는 데 있었다. 오늘날 합동위원회에는 18개 학술 및 전문가 단체가 속해 있고, 『기준』의 개정과 출판을 감독한다.[3] 이 『기준』은 미국기준협회(American National Standards Institute, ANSI)로부터 인증을 받았고, 미국과 캐나다에서 교육 평가를 위한 하나의 모형으로 기능할 뿐만 아니라, 다른 국가들과 주거 및 지역사회 개발과 같이 교육 이외의 분야에서 사용되도록 변경되었다(Stufflebeam, 2004a). 1981년에 출간된 첫 번째 『기준』은 미국 내 공립학교에서의 평가 활동을 구명하기 위해 설계되었다. 1994년의 개정판은 다른 교육 환경으로 확장하여 의료, 법률, 정부, 기업, 그리고 기타 기관들에서의 고등교육 및 훈련을 포함하였다.

『기준』의 개발과 개정에 있어 이례적으로 "공공 기준-설정 과정"을 사용하여, 교육자들, 사회과학자들, 그리고 일반 시민들이 기준을 검토하고, 현장 테스트를 하고, 의견을 제시하고, 타당화하였다(Joint Committee, 1994, p. xvii). 『기준』의 개발을 주도한 Daniel Stufflebeam은 1975년 초기 단계에서의 주요한 조치는 합동위원회에 평가자들과 응용 연구자들을 대표하는 전문가 집단뿐만 아니라 학교 행정가들, 교사들, 카운슬러들, 그리고 교육 평가의 일반적인 고객들도 포함할지를 결정하는 것이었다고 언급하였다(Stufflebeam, 2004a). 합동위원회에 이러한 집단들을 포함시킴으로써 무엇이 좋은 평가를 구성하는가에 대한 논의가 지속되었다. 그러나 이러한 논의들은 평가자들이 평가 설계를 실행하고, 고객들과 여타 이해관계자들이 평가로부터 무엇이 기대되는지를 아는 데 도움을 줄 수 있는 유용한 안내서인 기준을 만들어내는 데 도움이 되었다. 기준은 또한 메타평가 또는 평가의 최종 산출물을 판단하는 데 주요한 역할을 하게 된다(메타평가에 대한 구체적인 사항은 13장 참조).

합동위원회는 평가 기준을 "전문적인 평가 활동 수행에 관여된 사람들에 의해 충족되었을 경우 평가의 질과 공정성을 증진시킬 것이라고 상호 동의된 원칙"이라고 정의하였

---

3) 여기에는 미국교육연구학회(American Educational Research Association, AERA), 캐나다교육연구학회 (Canadian Society for the Study of Education, CSSE), 미국심리학회(American Psychological Association, APA), 미국교육측정학회(National Council on Measurement in Education, NCME), 그리고 미국교육연합(National Education Association, NEA), 미국학교행정가협회(American Association of School Administrators, AASA), 미국주교육감협회(Council of Chief State School Officers, CCSSO)를 포함한 학교 행정과 교육에 관한 많은 협회들뿐만 아니라, 미국평가학회, 캐나다평가학회가 포함되어 있다.

다(Joint Committee, 1994, p. 3). 이와 같이 『기준』은 평가가 어떻게 수행되어야만 하는지에 대한 논의에 들어가기 전에 청중들이 고려해야 할 중요한 것이다. 왜냐하면 『기준』은 평가를 계획하고 수행함에 있어 평가자들이 무엇을 고려해야 하는지를 전달하기 때문이다. 『기준』은 평가자를 위한 안내서 그리고 평가자들이 고객들과 여타 이해관계자들과 평가에 있어 중요한 쟁점사항들을 논의하고 심사숙고하는 도구로서 기능한다.[4]

합동위원회는 30개의 기준을 개발하였고, 전체가 부록 A에 제시되어 있다. 30개의 기준이 구성된 평가의 다섯 가지 중요한 특성에 주목할 필요가 있다. 이러한 다섯 가지 특성을 확인하는 것은 그 자체로도 평가 분야에 대한 매우 유의미한 단계이다. 왜냐하면 평가를 수행함에 있어 중요한 주요 영역들을 나타내기 때문이다. 네 영역은 (1) 유용성, (2) 실행 가능성, (3) 정당성, (4) 정확성이다. 2009년 『기준』의 개정판에 (5) 평가 책무성이 추가되었다. 이 영역들을 확인하기에 앞서, 일반적으로 평가는 타당도 또는 정확성에 기초하여 판단되어야만 한다고 생각됨에 주목하라. 왜냐하면 타당도는 연구의 질을 판단하는 주된 도구이기 때문이다(Stufflebeam, 2004a). 여타 영역들에 대한 확인은 평가자들과 그들의 고객들에게 평가는 또한 다른 쟁점사항들에 주목할 필요가 있음을 상기시킨다. 왜냐하면 평가는 현장에서 그리고 연구와는 다른 목적으로 수행되기 때문이다.

원래의 네 영역의 의미를 분명히 하기 위해, 합동위원회의 1994년 판 『기준』을 인용하겠다.[5] 각 영역의 도입 부분에는 다음의 개념들이 거론된다.

유용성 기준은 평가들을 안내하여 평가들이 정보를 제공하고, 시의적절하며, 영향력이 있게 된다. 유용성 기준은 평가자들로 하여금 그들의 청중들을 파악하고, 고객들을 분명하게 정의하며, 고객들의 정보 요구를 규명하고, 이러한 요구에 부합하게 평가를 계획하고, 관련된 정보를 분명하고 시기적으로 알맞은 방식으로 보고할 것을 요구한다. (중략)

실행 가능성 기준은 평가가 일반적으로 실험실과 반대되는 자연스러운 상황에서 수행되고, 가치 있는 자원들을 소비함을 인식한다. 그러므로 평가 설계는 현장 상황에서 사용할 수 있어야만 하고, 평가들은 평가 질문들을 구명하는 데 필요한 것 이상의 자원, 물질, 인사, 또는 시간을 소비해서는 안 된다. (중략)

---

4) 합동위원회는 모든 기준이 모든 평가와 관련되지는 않는다고 언급하였다. 그들은 개별 평가 상황이 다르므로 평가의 본질이 다르다고 인식하였다. 평가자와 기타 인사들은 기준 가운데 무엇이 개별 평가를 안내하거나 판단하는 데 가장 밀접하게 관련되어 있는지를 고려해야만 한다.

5) 2009년 말경 합동위원회는 2010년에 출판될 새로운 기준을 승인하였다. 우리는 새로운 기준들의 출판 전 리스트를 획득하였으나, 이러한 기준들에 대한 논의와 설명은 2010년에 출판될 예정이었다. 따라서 우리가 2010년 기준을 제시하지만, 원래의 네 영역에 대한 논의와 그것들의 의미들은 이전 판에 의존할 것이다.

정당성 기준은 평가가 다양한 방식으로 많은 사람들에게 영향을 미친다는 사실을 반영한다. 이러한 기준들은 평가에 의해 영향을 받는 개인들의 권리 보호를 조장하기 위함이다. 이것들은 평가를 수행하는 이들에 의한 불법적인, 비양심적인, 비윤리적인, 그리고 부적절한 행동들에 대한 민감성을 증진하고, 이에 대해 경고한다. (중략)

정확성 기준은 평가가 건전한 정보를 생산했는지 여부를 결정한다. 한 프로그램에 대한 평가는 종합적이어야만 한다. 즉 평가자들은 프로그램의 확인될 수 있는 특성들을 가능한 한 많이 고려해야만 하고, 프로그램의 가치 또는 장점을 사정하는 데 중요하다고 판단된 이러한 특정한 특성에 대한 자료를 수집해야만 한다. 게다가 정보는 기술적으로 적절해야만 하고, 내려진 판단은 자료와 논리적으로 연결되어야만 한다(Joint Committee, 1994, pp. 5-6).

이러한 네 관심 영역을 확인하는 것은 우리에게 평가는 다른 사람들에게 건전한 정보를 제공하기 위한 의도로 현장에서 수행됨을 상기시킨다. 첫 번째 영역은 평가에 있어 이용의 중요성을 강조하여 평가가 사용될 가능성을 최대화하기 위해 평가자가 채택할 수 있는 몇 가지 단계를 제시한다. 관심 영역으로서 실행 가능성을 확인함은 평가가 실제 고객들과 이해관계자들과 함께 실제 현실 상황에서 이루어지기 때문에 고려되어야만 하는 특별한 사항들을 반영한다. 절차는 실용적이고 비용 효과적이어야만 한다. 이에 더해 평가가 실행 가능하기 위해서 평가자는 평가가 수행되는 환경(정치적이고 문화적인 관심)을 고려해야만 한다. 정확성 기준은 연구의 범위와 자료가 수집되는 도구에 대한 관심을 반영한다. 이 세 영역 각각을 밝히기 위한 방법들은 이후의 장들에서 보다 더 논의될 것이다. 17장은 유용성 기준과 이용에 초점을 두고 있어 평가의 사용에 대한 연구와 이론들을 논의할 것이고, 이용도를 증진시키기 위한 방법들을 제안할 것이다. 실행 가능성은 14장에서 거론되어 연구의 계획과 관리가 논의될 것이다. 마지막으로 정확성은 15장과 16장에서 조사되고 방법론적인 사항에 대해 논의할 것이다.

이 장에서 우리의 주된 관심은 평가에 있어 윤리적 수행에 있기 때문에 여기에서는 적절성 영역에 초점을 둘 것이다. 2010년 판 『기준』에서 정당성 아래에 제시된 구체적인 기준들은 다음과 같다.

- "P1 **반응성 및 통합성.** 평가는 이해관계자들과 그들의 공동체에 반응해야만 한다." 2010년 판의 많은 기준들처럼, 이 기준은 이해관계자들에게 반응하고, 평가에 관심을 가질 수 있는 많은 다양한 집단들을 고려해야 하는 평가자의 의무를 강조한다.

- "P2 **공적 합의.** 의무사항을 명백히 하고, 고객들과 여타 이해관계자들의 요구, 기대, 문화적 상황을 고려하기 위해 평가 계약은 협의되어야만 한다." 외부평가는 일반적으로 공식적인 계약을 포함하지만, 내부평가는 흔히 그렇지 않다. 합동위원회는 평가자들로 하여금 각각의 평가에서 계획 단계에 공식적인 계약을 체결하고, 이것을 안내서로 사용할 것을 권장한다. 이 기준에 대한 지침은 공식적인 계약에 포함될 수 있는 정보 유형의 유용한 리스트를 제공한다.

- "P3 **참여자 권리와 존중.** 평가는 인권과 법률적 권리를 보호하고 참가자들과 여타 이해관계자들의 존엄을 유지하도록 설계되고 수행되어야만 한다." 피험자의 권리는 자료가 수집되는 이들에 대한 사전 동의 획득, 프라이버시에 대한 권리 유지, 기밀보장 보증과 같은 쟁점사항들을 포함한다고 이해된다(연구윤리위원회(Institutional Review Board, IRB)에 대해서는 이 장의 뒷부분 참조).

- "P4 **명료성과 형평성.** 평가는 이해관계자의 요구와 목적을 밝히는 데 있어 이해할 수 있어야 하고 공정해야만 한다." 2010년 판 『기준』에서 새로운 점은 명확성에 대한 강조로, 많은 다양한 청중들과 이해관계자 집단들은 평가에 관심을 가지고 있고 그들이 쉽게 이해하고 알 수 있는 방식으로 결과를 받아야 함을 인식하고 있다.

- "P5 **투명성과 공개성.** 평가는 모든 이해관계자들에게 결과, 제한점, 결론에 대한 완전한 설명을 제공해야만 한다. 그렇지 않다면 법적, 정당성 의무를 위반하게 된다." 21세기 초반의 정부는 투명성을 강조하였고, 이전의 기준들도 법적 테두리 내에서 영향을 받거나 관심이 있는 모든 이들에게 결과를 공표할 것을 강조하였음에도 불구하고 2010년 기준의 표현은 이러한 강조점을 반영하고 있다.

- "P6 **이해관계의 충돌.** 평가는 평가를 손상시킬 수도 있는 실제 또는 지각된 이해관계 대립을 공개적이고 정직하게 확인하고 구명해야만 한다." 이해관계의 대립이 항상 모두 제거될 수 있는 것은 아니지만, 평가자들이 잠재된 이해관계의 대립을 고려하고, "구매자가 알아서 사야 한다"는 정신으로 이것의 가치와 편견을 가능한 한 공개적이고 정직하게 명백히 한다면, 고객들은 적어도 가장 정직한 평가자의 작업에조차도 무의식적으로 스며들 수 있는 편견을 경계할 수 있다.

- "P7 **재정적 책임.** 평가는 모든 지출된 자원들을 설명하고 건전한 재정적 절차와 과정에 따라야만 한다." 이 기준은 모든 판에 포함되어 평가의 재정적 의무가 중요함을 반영한다. 또한 인권 존중뿐만 아니라 이러한 재정적 책무성을 적절하게 다루는 것이 평가의 적절성의 한 부분임을 강조한다.

『기준』은 극히 일부의 다양한 쟁점사항들을 강조하고, 윤리적 염려가 평가의 많은 차원에 어떻게 걸쳐 있음을 설명하며, 연구 전반에 걸쳐 고려되어야만 함에 주목하라. 전통적으로 사회과학에서의 윤리 규정은 다른 사람들로부터 자료를 수집하기 위한 도구에 초점을 둔다. 즉 사전 동의, 비밀보장, 또는 익명성이 적절하게 확립되고, 그들로부터 자료를 수집할 때 개인의 권리를 보호함에 있어 중요한 다른 쟁점사항들을 다루고 있다. 이러한 기준들은 피험자의 권리를 확립함이 평가에 있어 아마도 하나의 매우 중요한 기준임을 나타낸다. 하지만 정당성 기준은 또한 평가자에게 다른 영역의 윤리적 염려를 전달한다. 많은 이해관계자들에게 반응하고, 평가에 있어 중요한 문화적, 정치적 가치를 고려하며, 평가에서의 계약과 의무, 이해관계의 대립, 결과 및 결론의 보고에서 명확해야 하고, 재정 자원을 적절히 관리해야 함 등이 그것이다. 공식적인 계약에 대한 기준은 평가가 연구와는 달리 늘 다른 관계자들을 포함하므로 오해가 발생할 수 있음을 입증한다. 일반적으로 평가는 평가자와 고객 간의 파트너십을 필요로 한다. 합의사항을 기록하여 따르거나, 변경이 필요할 경우 공식적으로 이를 수정함은 평가자와 고객들에게 이러한 기대를 분명히 하는 도구를 제공한다. 과정 초기에 평가자와 고객은 그들의 이해와 기대를 이야기하여 이를 기록함으로써 시작할 수 있다. 이 합의는 문서로 제공되어 평가에 대한 이러한 이해를 모니터하는 데 사용되고, 다른 정당성 기준들의 위반을 방지할 수 있다. 예를 들면 고객들은 사전 동의 또는 다른 사람들에게 결과를 유포하는 의무와 같은 정당성 쟁점사항을 모를 수도 있다. 공식적인 계약은 이러한 염려사항들을 분명히 하는 데 기능할 수 있다. 2010년 판 기준의 명확성과 투명성에 대한 강조는 더 나아가 평가가 많은 다양한 이해관계자들에게 민주주의 정신에 대해 주목할 것을 요구하는 공적인 영역에서 일어난다는 사실을 강조한다.

각각의 의미와 의도를 파악하기 위해 잠시 시간을 내어 부록 A에 제시된 모든 기준들을 읽어보자.

안내 원칙. 미국평가학회의 평가자들을 위한 안내 원칙은 다섯 가지 기본적이고 광범위한 원칙들을 정교화한 것이다(여기에서는 A~E를 부여하여 원문의 목록을 반영하였다).

A. **체계적 탐구:** 평가자들은 체계적인, 자료에 기반을 둔 조사를 수행한다.

B. **유능성:** 평가자들은 이해관계자들에게 만족스러운 성과를 제공한다.

C. **도덕적 무결성/정직성:** 평가자들은 그들 자신의 행동에 있어 정직과 성실을 드러내고, 평가 과정 전반에 있어 정직과 성실을 지키기 위해 노력한다.

D. **사람에 대한 존중:** 평가자들은 응답자들, 프로그램 참가자들, 고객들, 여타 이해관

계자들의 보안, 존엄, 자존감을 존중한다.

E. **일반 및 공공의 복지에 대한 책임:** 평가자들은 평가에 관련될 수 있는 일반적인 그리고 공공의 관심과 가치의 다양성을 명확히 하고 고려한다(American Evaluation Association, 2004의 The Principles 부분)(안내 원칙의 전문 제시는 부록 A 참조).

체계적인 조사는 일상생활에서 수행되는 공식적인 프로그램 평가와 평가자들 간의 차이를 강조한다. 프로그램 평가자들은 그들의 평가를 완료하기 위해 특수한 기술적 방법들을 사용한다고 이 원칙은 가정한다. 절대적인 방법은 없기 때문에, 이 원칙은 평가자들로 하여금 작업에 대해 정확하게 이해하도록 하기 위해 방법들과 접근법의 강점들과 약점들을 고객들과 여타의 사람들과 공유할 것을 권장한다.

역량 원칙은 평가자들로 하여금 그들의 전문성 영역 내에서 실행하고 "최고 수준의 수행을 제공하기 위해 그들의 역량을 지속적으로 유지하고 개선해야 할" 필요가 있음을 알도록 한다(American Evaluation Association, 2004, B.4 부분). 전문적인 지식의 유지에 대한 강조는 많은 직업의 윤리 규정에서 흔한 원칙으로, 실천가들에게 그들의 교육은 계속 진행 중이고 해당 분야의 기준과 명성을 유지하는 일을 할 수 있도록 그 직업에 대한 책무를 가짐을 상기시키는 역할을 한다(Fitzpatrick, 1999). 안내 원칙의 2004년 개정판에서는 특히 평가자들에게 그들이 평가하는 프로그램 상황에서 문화적으로 유능할 필요가 있음을 언급하였다. B.2 원칙은 다음과 같이 언급하였다.

다양성에 대한 인식, 정확한 해석, 존중을 확실히 하기 위해, 평가자들은 평가팀의 구성원들이 집합적으로 문화적 역량을 지니고 있음을 입증해야만 한다. 평가자들이 그들 자신의 문화에 기초한 가정들을 인식하고자 노력하고, 평가에서 문화적으로 다른 참가자들과 이해관계자들의 세계관을 이해하며, 문화적으로 다른 집단들과 일함에 있어 적절한 평가 전략들과 기술들을 사용하는 데 문화 역량이 반영될 수 있다. 다양성은 인종, 민족, 성별, 종교, 사회적 경제, 또는 평가 상황에 관계된 여타 요인들에 관한 것일 수 있다(American Evaluation Association, 2004, B.2 부분).

이 새로운 원칙은 평가자들이 그들과는 다른 문화적 경험들과 규준들을 지니고 있는 고객들을 위해 일하거나 그러한 여타 이해관계자들을 관여시키는 프로그램들을 평가할 책무가 흔히 있음을 인식하여 미국평가학회와 전문 평가자들이 문화적인 역량의 쟁점사항에 최근 주목하고 있음을 반영한다. 프로그램을 능숙하게 정확히 평가하기 위해 평가자는 프로그램과 프로그램이 다루는 사람들의 환경을 고려할 필요가 있다. 기준의 2010년 개정판도 또한 문화적 상황을 학습할 필요가 있음을 강조하고 있다(이 장의 말미에 제시된 "추천 도서"에서 Katrina Bledsoe와의 인터뷰 부분 참조. 평가에 대해 기술함에 있어 고객들, 자원봉사자들, 프로그램 스태프, 관리자들의 다른 문화적 규준들이 프로그램을 평가하고 개선을 위한 제안사항을 제시함에 있어 중요하다고 기술하고 있음).

도덕적 무결성/정직성 원칙은 또한 기준에 제시된 많은 쟁점사항들을 반영한다. 이것은 고객들 그리고 관련된 이해관계자들과의 협상, 이해관계의 충돌, 재정 지원 원천, 결과의 허위진술, 방법들에 대한 고려에 관한 윤리적인 염려를 다룬다. 여기에서 두 가지 쟁점사항을 강조해보자. 안내 원칙 C.5는 "평가자들은 그들의 절차, 자료, 또는 결과에 대해 허위진술을 해서는 안 된다. 합리적인 제한점 내에서 평가자들은 그들의 작업이 다른 사람들에 의해 잘못 사용되는 것을 방지하거나 바로잡으려고 노력해야만 한다"라고 명시적으로 언급한다(American Evaluation Association, 2004, C.5 부분). 더 나아가 C.6 원칙은 "만약 평가자들이 어떤 절차들 또는 행위들이 잘못된 평가 정보 또는 결론들을 생산할 것 같다고 결정한다면, 평가자들은 이것들에 대한 우려사항과 이유를 [고객에게] 의사소통해야 할 책임이 있다"라고 기술한다(American Evaluation Association, 2004 C.6 부분). 이 두 가지 원칙들은 Morris와 Cohn(1993)에 의해 앞서 기술된 연구에서 평가자들이 직면하는 일부 윤리적 도전들을 방지하기 위해 평가자들을 단정적인 입장에 놓는다.

언급하였듯이, 『기준』과 안내 원칙 각각은 평가자들에게 그들의 전문적 책무를 고객들에게 전달하기 위한 도구를 제공한다. 고객은 자율성과 전문성 때문에 평가자를 고용한다. 그 전문성의 일부에는 그 직업의 윤리 기준을 알고 따름으로부터 발생하는 전문가 정신에 대한 의식이 포함된다. 평가자들이 이 『기준』과 안내 원칙을 고객들에게 알려야 하는 의무가 있음에도 불구하고, 평가의 신용도를 증가시킴으로써 『기준』과 안내 원칙에 따름은 또한 고객들의 이익일 수 있다.

사람들에 대한 존중은 p. 3 기준인 "참여자 권리와 존중"에 대응한다. 이 원칙 그리고 관련된 기준은 자료가 수집되는 사람들로부터 사전 동의를 구하고, 익명성의 범위와 한계에 관해 참가자들에게 알림에 대한 기대와 관계된다. 이 원칙의 핵심은 개인들로부터 자료를 수집하는 것과 관련된 많은 사회과학, 예를 들면 미국심리학회, 미국인류학회, 미국연구학회의 윤리 규정으로부터 도출되었다. 2004년 판 이 원칙의 새로운 절은 프로그램과 이해관계자들의 정치적, 사회적, 경제적 풍토를 포함하여 평가자가 평가 환경을 이해할 의무에 초점을 두었다. 이 추가된 부분은 평가자가 문화 역량을 지녀야 하는 책무를 발판으로 하였다. 그러나 환경과 환경의 정치적, 사회적, 경제적 구성요소가 이 원칙이 초점을 두고 있는 사람에 대한 존중을 보여주는 부분임을 또한 강조하였다. D 원칙은 또한 평가자는 자료를 제공하는 사람들이 자발적으로 그렇게 하고, 그들이 평가에 참가하기를 거부한다면 그 프로그램이 제공하는 서비스들을 잃을지도 모른다는 두려움으로 인해 평가에 참가한다고 느끼지 않도록 확실히 해야 함을 가리킨다. 사람에 대한 존중은 또한 평가자들에게 평가를 계획하는 것에서부터 그 결과를 보고하는 것까지 평가의 모든 단계에서 참가자들과 이해관계자들 사이의 민족적, 문화적, 그리고 기타 차이에 민감해야 하는 책무가 있음을 상기시킨다.

안내 원칙은 비방법론적인 쟁점사항들에 보다 초점을 둠으로써, 보다 초기의 전문가 연합인 평가연구학회(Evaluation Research Society)에 의해 1982년에 개발된 기준들로부터의 변화를 나타낸다(Fitzpatrick, 1999). 이는 일반적인 공공복리를 위한 책임에 관한 안내 원칙 E에서 보다 분명하다. 이 원칙은 평가자들이 "모든 이해관계자들의 관련된 관점들과 이해들"을 포함하여, "무엇이 평가되고 있든지 즉각적인 작동과 성과뿐만 아니라 그것의 넓은 가정, 의미, 그리고 잠재적인 부작용"을 고려하고, "고객의 요구와 다른 사람들의 요구 간의 균형을 유지하며," "특정한 이해관계자의 관심에 대한 분석을 넘어서서 사회 전체의 복리를 고려해야 할" 책무를 강조한다(American Evaluation Association, 1995, pp. 25-26). 이 원칙이 포함됨으로써 대중에 대한 평가자들의 책무에 대한 대화가 촉발되었다. 분명히 어떤 평가자도 공익이 무엇인지 정확히 이해하지 못하지만, E 원칙은 우리의 책무가 고객에 대한 우리의 특정한 책무보다 넓음을 알려준다. 현역으로 활동하고 있는 평가자들은 또한 사회의 요구를 고려해야만 한다. 우리의 역할은 이 요구들에 대한 대화를 자극하고, 프로그램 활동들의 의미를 고려함에 있어 이해관계자들을 관여시키는 것일 수 있다. 이 원칙은 또한 평가자가 정책 또는 프로그램의 직접적인 고객 또는 프로그램에 의해 간접적으로 영향을 받을 수 있는 여타의 사람들에 대한 의도되지 않은 부작용에 대한 자료 수집 요구에 주의하도록 자극할 수도 있다. 어떤 행동이 취해지든, E 원칙은 평가자들에게 지역사회와 사회 전체를 위한 프로그램의 의무에 주의할 것을 상기시킨다.

사실 E 원칙은 안내 원칙과 1994년 판 『기준』이 등장하기 이전에 Smith(1983)에 의해 제기된 우려사항을 다룬다. 그는 오로지 방법론적 쟁점사항들에 초점을 두기 위해 평가 윤리를 기술함을 비판하였다. Smith는 다음과 같이 적고 있다.

지금까지 수행된 평가 윤리(예를 들면 전문 평가자로서 한 개인의 도덕적 행위)에 대한 작업들의 대부분은 자료의 익명성, 피험자의 보호, 적절한 전문적인 행동 등과 같은 평가의 도덕적 쟁점사항들에 초점을 두어 왔다. 이 정신병원은 환자들을 일찍 퇴원시킴으로써 지역사회를 위험에 처하게 하는가? 이 가정 간호는 거주자의 사적 인권, 이동의 자유, 개인적인 표현을 대가로 신체적 요구에만 부합하는가? 영재 학생들을 위한 이 교육 프로그램은 인지적 능력은 향상시키지만 특별한 인식과 특권에 대한 그들의 감정적 의존성을 강화하는가와 같은 프로그램의 도덕적 쟁점사항에 대해서는 거의 초점을 두지 않았다(1983, p. 11).

E 원칙은 평가자가 프로그램 자체의 결과로 발생하는 도덕적 또는 윤리적 쟁점사항들을 고려해야 하는 책무가 있음을 언급함으로써 Smith가 우려하고 있는 것을 다룬다.

미국평가학회 웹 사이트(http://www.eval.org/Publiciations/GuidingPrinciples.asp)를 방문하여 고객들과 이해관계자들에게 평가자들의 직업적인 책무를 알게 하고, 거기에 제공된 추가적인 훈련 교재와 읽을거리를 활용하는 데 사용될 수 있는 안내 원칙 브로슈어를 독자들이 다운로드할 것을 권한다.

피험자 보호와 연구윤리위원회의 역할

『기준』과 안내 원칙 모두는 윤리적으로 행동하기 위해 평가자들이 자료를 수집하는 사람들의 권리를 보호해야만 함을 강조한다. 연구윤리위원회는 다섯 명 또는 그 이상의 동료 연구자들의 위원회로 이들은 제안된 연구에 대해 자료 수집 계획 또는 프로토콜을 고찰하고, 피험자의 권리가 보호되고 있는지를 확실히 하기 위해 계속되는 연구를 모니터한다.[6] IRB는 미국 보건복지부의 한 부분인 연구윤리사무국(Office of Human Research Protections, OHRP)의 관리를 받는다. 1991년부터 연방법은 연구를 위해 연방 재정을 지원받는 조직들은 IRB를 두어서 조직에 의해 수행되는 모든 연구를 고찰할 것을 요구한다. 법률 전체 조항은 http://ohrp.osophs.dhhs.gov에서 이용할 수 있다. OHRP는 만약 기관이 법률에 부합하지 않는다고 보이면 연방 재정 지원을 받는 연구를 중지할 수 있다. 이러한 중지가 "극히 드물고 매우 논쟁의 소지가 있음에도" 불구하고, 이 위협은 기관들로 하여금 많은 IRB 절차들을 고찰하고 엄격하게 하도록 촉발한다

---

6) "피험자(human subject)"라는 단어는 연구를 위해 자료를 제공하는 사람들을 언급하기 위해 역사적으로 연구에서 사용되어 왔다. 이것이 여기에서 우리가 "피험자"란 단어를 사용하는 방식이다. 그러나 "대상(subject)"이라는 단어가 오늘날의 연구와 평가 노력들에는 부적절하다고 알려진 무력함 또는 피동성을 의미한다. 다른 사람들도 그러하듯이 설문조사 완성, 포커스 집단 또는 인터뷰 참가, 관찰 허용 등을 통해 평가를 위한 자료를 제공하는 사람들을 언급할 때 우리는 "참가자"라는 단어를 사용할 것이다. 이 단어를 사용한 다른 사람들에 의해 수행된 작업을 인용하거나 논의할 때 혼동을 피하기 위해 우리는 "피험자"라는 단어를 사용한다. 따라서 예를 들면 IRB는 흔히 Human Subject Review Boards라고 불린다.

(Oakes, 2002, p. 450).

피험자 보호를 위한 안내 지침은 생의학 연구에 초점을 둔 Belmont 보고서(1979)에서 등장하였지만, Belmont 보고서 자체는 악명 높은 40년 Tuskegee 매독 연구에 대한 의회와 국민들의 분노에서 촉발되었다.[7] 사회과학 연구의 윤리에 대한 심각한 위반 사례가 또한 발생하였다(Humphreys, 1975; Kahn & Mastroianni, 2001; Milgram, 1974). 피험자 보호에 관한 Belmont 보고서의 제안에 따라 연구윤리위원회와 규정들이 촉발되고 권고되었다.

평가 연구들에 있어 IRB의 일반적인 관심은 참가자들이 사실 연구에 참가하기 위해 사전 동의를 제공하였는지 여부를 결정하는 것이다. "상처받기 쉬운 모집단들", 일반적으로 아동들, 임산부들 또는 임신했을 수 있는 여성들, 재소자들, 제한된 역량을 지니고 있는 사람들을 사용하는 연구들에 IRB와 규정은 특별히 주의를 기울인다. 적어도 부분적으로 그들은 완전한 사전 동의를 제공할 수 없을 수 있기 때문이다. 그러나 많은 평가 연구들은 규정에 따라 IRB 심의로부터 면제될 수도 있다. 특히 전통적인 교육 관행을 연구하기 위한 의도인 교육적 상황에서의 연구는 IRB 심의로부터 면제된다. 뿐만 아니라 공공 행위에 대한 설문조사, 인터뷰, 관찰을 포함하는 것으로 정의된 "교육적 검사"를 통한 자료 수집도 개인들이 식별될 수 없고 자료의 기밀성이 유지될 때 면제된다. 그러나 자신의 연구가 면제 대상이 되는지 여부를 개별 평가자가 결정해서는 안 된다. 대신 IRB 위원회가 면제 상황이 적절한지를 결정해야만 한다. 이것은 흔히 IRB와의 연락 또는 신속 심의 과정을 통해 상대적으로 쉽게 이루어질 수 있다. 사실 많은 평가들은 연구 프로토콜이 한 명의 IRB 위원이 심의하는 신속 심의 과정을 통해 심의된다.

하지만 최근 IRB는 사회과학 연구에 대한 그들의 엄격한 심의에 대해 일부 비판을 받고 있다. 비평가들은 일부 IRB 요구가 합법적인 연구를 위태롭게 한다고 주장한다. 개인

---

7) Tuskegee 매독 연구 또는 Tuskegee 실험은 1932년에 시작되어 그것이 중지된 1972년까지 지속되었다. 이 연구는 처음에 매독의 자연적인 진행을 기술하기 위한 목적으로 매독에 걸린 가난한 흑인 소작농 399명을 모집하였다. 1940년대에 페니실린이 매독에 대한 치료제로 발견되어 일반적인 치료가 되었다. 연구에 참여한 사람들에게는 이 정보가 알려지지 않았고, 그 연구가 40년 동안 지속될 때 그들은 치료되지 않은 상태에 두어졌다. 이 연구는 공공 의료 서비스 성병 연구자인 Peter Buxton의 노력을 통해 1972년 중단되었다. 연구를 중지시키기 위한 그의 노력은 1960년대 말엽에 시작되었음에도 불구하고, 그는 공식적인 경로를 통해 연구를 중지시킬 수 없었다. 그는 1970년대에 언론사로 갔고 의회 청문회가 열렸다. 연구가 진행되는 동안 많은 남자들이 죽었다. 이들의 부인들 가운데 40명이 감염되었고, 아이들 가운데 19명이 선천적으로 매독에 걸려 태어났다. 1997년 클린턴 대통령은 보건부를 통해 이 연구에 재정을 지원하고 이를 수행한 미국 정부를 대신하여 공식적으로 사과하였다. 이 연구는 연구 규제를 기술하기 위해 정부로 하여금 위원회를 만들도록 촉발하였고, 그 결과가 Belmont 보고서이다.

적인 경험으로부터 우리는 개별 IRB가 항상 합리적인 피드백을 제공하는 것은 아니고, 연구와 사전 동의에 대한 지식의 부족으로 인해 그들의 한계를 넘을 수 있음에 동의한다. 자료 수집에 있어 융통성과 변경을 필요로 할 수 있는 질적 자료 수집은 특정한 문제들을 제기할 수 있다. 평가 목적과 인터뷰를 받고 있는 사람의 예전 발언에 맞게 질문을 변경할 수 있는 융통성을 평가자가 요구할 때, IRB는 심의를 위해 기준화된 인터뷰 질문들을 요청할 수 있다. 미국과학재단(National Science Foundation)은 질적 연구를 위한 안내 지침을 명확히 하도록 함에 있어 지도적 역할을 수행하여 왔다. 자료 수집과 윤리 심의에 관해 자주 묻는 질문(FAQs)을 포함하고 있는 그들의 웹 사이트는 이러한 관심을 가지고 있는 독자들에게 특히 유익하다(http://www.nsf.gov/bfa/dias/policy/hsfaqs. jsp#exempt 참조). Oakes의 "IRB에 대한 평가자의 안내"는 IRB의 역사와 그들의 요구사항에 대해 보다 상세한 사항을 제공한다(Oakes, 2002).

이 장에서 우리의 관심은 평가 연구에서 자료가 참가자들의 권리를 보호하는 방식으로 수집되고 있음을 입증하는 데 있다. 평가자들이 그들의 작업을 감독하는 IRB의 정책과 IRB를 통제하는 연방 법률을 학습할 뿐만 아니라, 자발적으로 IRB 심의를 구하도록 고려함 또한 중요하다. 우리는 연구자들과 평가자들이 그들의 자료 수집에 관해 다른 사람들의 의견을 구하는 데 유용한 자료 수집(사람들을 대상으로 한)을 둘러싸고 있는 윤리를 연구한 많은 이들의 생각에 동의한다. 흔히 연구자 또는 평가자는 자신의 연구에 닫혀 있어 위협이 될 수 있는 무엇인가를 볼 수 없다. IRB는 사람들로부터의 자료 수집에 관한 윤리적 쟁점사항들을 잘 알고 있는 다른 연구자들의 유용한 의견을 제공할 수 있다.

기밀성과 사전 동의. 기밀성과 사전 동의는 자료를 수집하는 어떤 평가자라도 자료를 수집할 때 잘 알고 고려해야만 하는 쟁점사항들이다. 흔히 기밀성과 익명성은 혼동된다. 익명성은 누구도 자료를 제공한 사람의 정체를 알 수 없음을 의미한다. 기밀성은 연구자, 평가자, 또는 DB를 개발하는 사람이 다른 문서들에는 이름으로 연결될 수 있는 부호를 가지고 있을 수 있지만, 자료를 제공한 사람들의 정체는 다른 사람들에게 드러나지 않을 것임을 뜻한다. 분명히 인터뷰 또는 관찰은 익명적이지 않다. 인터뷰 또는 관찰을 수행한 사람은 개인의 정체를 알고 있다. 유사하게 누가 응답하였든지 추적하고 그렇게 응답하지 않은 이들을 재촉하기 위해 설문조사에서 부호가 사용될 때, 누군가는 이러한 부호들, 설문조사에 대한 응답들, 그리고 개인들의 이름 사이를 연결할 수 있다. 그러나 자료 분석에서는 개별적인 식별자가 사용되지 않을 것이므로, 따라서 그 자료는 기밀하다. 게다가 자료로부터 이름과 부호를 분리하고 이름과 부호 목록의 보안을 유지하기 위한 특별한 절차가 확립되어야만 한다. 어떤 자료 수집 활동도 그들이 제공하는 자료가 익명으로 또는 기밀하게 처리되어야만 하는지 여부에 대해 개인들에게 정확히 알려야만 한다.

사전 동의는 피험자들의 권리를 보호하기 위한 중심적인 메커니즘이다. IRB에 대한 평가자들의 안내에서 Oakes가 기술하였듯이, "사전 동의는 인간을 대상으로 한 연구를 밑받침하는 주요 윤리 필요조건의 하나이다"(2002, p. 463). 사전 동의는 집단수용소 수감자들을 대상으로 연구를 수행한 나치 과학자들의 Nuremberg 실험 이후로 중심적인 윤리 원칙으로 등장하였다. 그 실험 이후에 개발된 Nuremberg 규정은 연구자들은 먼저 동의를 구하지 않고 누군가로부터 자료를 수집할 수 없고, 그러한 동의는 완전하게 자발적이고 통지되어야만 한다는 원칙을 확립하였다. "통지된"이라는 것은 참가자들이 연구의 목적, 그들에게 잠재된 위험과 이익, 정보의 기밀성, 정보가 어떻게 처리되고 보호될 것인지 그리고 연구에 참가함이 그들에게 어떤 의미인지, 즉 수집될 자료가 무엇인지에 대한 여타 관련된 쟁점사항들이 설명되어야만 함을 의미한다. 그들의 참가가 자발적인 속성을 지니고 있음이 또한 분명히 되어야만 한다. 예를 들면 평가들은 일반적으로 프로그램 환경에서 수행된다. 참가자들은 그들이 연구에 참가하지 않는 선택을 했을 때조차도 그들이 지속적으로 프로그램의 서비스를 받을 수 있음을 알 필요가 있다. 만약 서비스를 받는 사람들이 계속해서 프로그램에 참가하기 위해서는 그들이 연구에 참가해야만 한다고 믿는다면, 연구에 대한 그들의 참가는 진정으로 자발적이지 않다. 사전 동의는 일반적으로 연구, 연구의 목적, 잠재된 위험과 이익, 참가의 자발적인 속성, 자료 취급 방식, 그리고 여타 다른 사항들을 설명한 사전 동의서를 통해 획득된다. 하지만 이러한 문서의 언어가 의도된 청중에게 분명하고 이해할 수 있어야 함이 중요하다. 참가자가 가질 수 있는 질문들에 답하기 위해서는 사전 동의의 윤리적 우려에 대해 훈련을 받은 평가팀의 구성원이 포함되어야만 한다(사전 동의에 대해서 Fitzpatrick[2005] 참조). IRB는 일반적으로 사전 동의의 쟁점에 대해 상당한 주의를 기울이고, 새로운 평가자들이 그들 자신의 연구에서 동의서를 위한 안내로 사용할 수 있는 동의서 샘플을 가지고 있을 수 있다.

문화적 역량과 민감성. 마지막으로 윤리적 자료 수집은 문화적 규준들 그리고 자료가 수집되는 개인들과 집단들의 믿음에 대한 민감성과 관련된다. 한 집단에서 수집되는 데 매우 적합하다고 생각될 수 있는 정보가 다른 집단에서는 아주 개인적으로 생각되거나 오해될 수 있다. 안내 원칙 B.2와 D.6에서도 설명되었듯이, 이러한 민감성은 문화적 역량을 획득함의 한 부분이다. 예를 들면 최근 도착한 이민자들의 아이들을 위한 학교 프로그램의 평가를 생각해보라. 이 이민자들의 일부는 국가 내에 불법으로 체류 중일 수 있다. 하지만 대부분의 경우 아이들 부모들의 이민 상태는 평가와 관련이 없다. 평가자는 이러한 자료를 수집하라는 압력을 피해야만 하고, 보다 중요하게 개별 질문들의 표현을 심사숙고해야만 한다. 만약 질문들이 어떻게 입국하게 되었는지와 관련된 정보를 수집하는 것처럼 보일 경우, 이는 다른 문항들에 대한 응답의 타당도를 위협할 수 있고, 평가에 참가한 이들의 프라이버시에 대한 존중을 보이지 않을 수 있다. 평가자들은 평가와 기밀성이 의심될 수도 있거나 설문조사를 완성하는 사람들에게 이질적인 개념일 수도 있음을 인식해야만 한다. 그들 자신과 그들의 가족들에 대한 정보를 제공함은 위협적이거나 두려운 경험일 수 있다. 말할 것도 없이 조사도구는 학부모들이 읽고 이해할 수 있는 언어와 단어들로 번역되어야만 한다. 인터뷰는 언어적으로 유창할 뿐만 아니라, 특정한 이민자 집단의 문화와 규준들을 잘 알고 있는 이들에 의해 수행되어야만 한다.

마지막으로 강조하건대, 평가자들은 그들이 자료를 수집하는 이들의 권리를 고려하고 그러한 권리들이 보호되고 있음을 확실히 하기 위한 윤리적 책무성을 지녀야 한다. IRB 위원회 또는 견문이 넓은 다른 연구자들, 자문 집단의 구성원들, 고객들 또는 자료가 수집되는 개인들의 대표자들에 상관없이 다른 사람들로부터 자문을 구함은 이 과정의 중추적인 부분이어야만 한다. 자료를 제공하는 개인들은 연구의 목적과 연구에 참가함으로써 초래될 수 있는 위험들에 대해 잘 알고 있어야만 한다. 게다가 평가자는 평가를 위해 필요하고 핵심적인 자료만을 수집해야 한다. 평가는 관련되지 않은 자료를 수집하거나 개인의 프라이버시를 불필요하게 침해함을 허락하지 않는다.

윤리적 행위의 학습과 실천. 이 절에서 우리는 독자들이 평가자들을 안내하기 위해 개발된 기준과 규정에 대해 잘 알게 하도록 노력하였다. 하지만 개별 평가에 이러한 기준 또는 규정을 적용함은 상당히 다른 문제이다. 합동위원회가 강조하듯이, 모든 평가에서 모든 기준이 동등하게 중요한 것은 아니다. 선택이 이루어져야만 한다. 유사하게, 안내 원칙은 "일상 업무에서 전문가들의 행동을 사전에 대처하도록 안내하기" 위함이지만(American Evaluation Association, 2004 서문 C), 특정한 평가에서 이것들을 어떻게 적용할지를 결정함은 특히 충돌이 발생할 때 주의 깊은 생각과 어려운 선택을 요구한다. Morris와 Cooksy는 「미국평가학회지(American Journal of Evaluation)」에 윤리적 딜레마에 대한 계속되는 칼럼을 통해 우리가 이러한 선택들의 복잡성을 알도록 도와왔다. 1998년 Morris에 의해 시작되고 2004년 Cooksy에 의해 인수된 이 칼럼은 한 가지 윤리적 문제를 제시하고, 그 쟁점사항에 평가자들이 어떻게 반응할지를 기술하기 위해 두 명의 다른 경험이 있는 평가자들을 이야기한다. 분명한 차이가 발생한다. 예를 들면 비밀 인터뷰 동안 보고된 관리자의 성희롱에 관한 윤리적 문제에 대해 Cooksy와 Knott 간의 의견 차이를 보라 (Morris, Cooksy, & Knott, 2000). 이러한 차이들은 평가자들로 하여금 그들이 직면하는 윤리적 문제들을 인식하고 분석하며 그들이 내릴 수 있는 선택권을 고려하도록 교육하고 민감화함을 돕는다. 우리는 평가 업무를 위해 독자들이 어떻게 반응할 것인지를 생각하고, 윤리적인 추론에 있어 그들의 기술들을 세련되게 하도록 하기 위해 이러한 윤리적 딜레마들과 그 반응들 가운데 몇 가지를 읽을 것을 권한다.

다음 절에서 우리는 모든 평가에서 발생하는 윤리적 문제 또는 우려, 즉 편견과 많은 편견의 원인에 보다 집중할 것이다.

편견과 이해관계 충돌의 원인에 대한 심사숙고

이해관계의 충돌을 피하고 성실하게 평가를 수행하기 위해 여러 『프로그램 평가 기준』 (U.1, U.4, P.6, A.8)과 안내 원칙(C.3과 C.4)이 평가가 정직하고 공정해야 하는 중요성과 관련된다. 그러나 연구가 보여주듯이 많은 평가자들은 그들이 윤리적 문제들에 직면해 왔음을 믿지 않고, 그들이 정당하다고 여겨지는 사회과학 방법과 "객관적인 과학자" 모형을 따르고 있기 때문에 그들은 물론 윤리적으로 행동하고 있다고 생각한다(Honea, 1992; Morris & Cohn, 1993). 이 절에서 우리는 평가자들이 주의 깊게 고려해야만 하는 잠재된 편견과 이해관계의 충돌을 논의하고 싶다.

첫째, 우리는 인간이 완벽하게 편견 없는 판단을 할 가능성이 매우 적음을 알아야만 한다. 사실 단순히 평가자들이 결론을 도출하기 위해 사회과학 방법론들을 사용함으로써 그들은 객관적이고 편견이 없다고 믿기 때문에 일부 평가자들은 실제로 보다 편견에 영향을 받기 쉬움은 아이러니하다. 하지만 평가의 창설자 가운데 한 명인 Carol Weiss는 "당신은 결코 긁적거린 것으로부터 시작하지 않는다. 우리는 우리 자신의 관점과 일치하는 아이디어를 뽑는다. 그러므로 사람들은 그들이 알고 있는 것 또는 그들이 하길 원하는 것에 부합하는 이런 생각 또는 연구 보고서의 저런 해석을 선택한다"고 언급하였다(2006, p. 480).

평가자들과 평가에 관련된 사람들은 그들의 편견에 대해 주의 깊게 생각해야만 한다. 이러한 편견을 잘 알게 됨으로써 누군가는 평가에 대한 이것들의 일부 영향을 고려하고 아마도 대항할 수 있다. 윤리적인 평가자는 평가 업무가 선택, 평가 목적과 질문들에 대한 선택, 어떤 이해관계자가 포함되고 어떤 설계와 자료 수집 전략이 사용될 것인가에 대한 선택, 자료를 분석하고 결과를 해석하는 방식에 대한 선택으로 구성됨을 인식하고 있다. 예를 들면 연구하고 채권에 등급을 부여하는 Moody's 또는 Fitch's의 분석가들도 어떤 정보가 중요하였고, 무엇이 그렇지 않았는지, 어떤 유형의 사업과 투자 전략들이 재정적으로 건전하였는지에 대해 평가하고 있었음에 주목하라. 그들의 평정은 단순히 몇 가지 숫자들을 더하는 것 훨씬 이상을 포함한다. 시대의 대의, 변화하는 사업 관행, 그들이 평가하는 회사의 이익, 그리고 그들에게 비용을 지불하는 사람들에 의해 영향을 받아, 그들의 평정은 바람직하지 않은 방식으로 영향을 받았다. 선택은 속성상 주관적이다. 평가자들은 편견이 고의가 아니건 의도적이건 평가 접근을 선택함에서부터 보고서를 기술함까지 그들이 하는 거의 모든 선택에 섬세하게 개입할 수 있음을 점점 더 깨닫게 된다. 채권 분석가들의 잘못된 결과를 피하기 위해 평가자들은 그들이 수행하고 있는 각각의 평가에서 발생할 수 있는 편견과 이해관계 충돌의 잠재된 원인에 대해 보다 주의 깊게 생각해야만 한다.

그들이 직면한 윤리적 문제들을 묘사하도록 요청받았을 때 평가자들은 이해관계자들에 의해 제시된 문제들을 묘사하는 경향이 있음을 알 가치가 있다(Morris & Cohn, 1993). Morris와 Cohn이 언급하였듯이, 평가자들이 그들 자신이 행한 윤리적 문제들을 인식하거나 보고하기는 보다 어려울 수 있다. 평가자에서 비롯된 것 같다고 그들이 발견한 유일한 윤리적 문제는 결과를 제시함에 있어 객관적이거나 공정한 그들의 능력에 대한 우려였다. 이 특정한 문제에 대한 인식은 하지만 중요한 첫 단계이다. 이것은 고객 또는 이해관계자의 압력에 의해 나타나는 많은 윤리적 문제들에 직면할 때조차도 일부 평가자들은 그들 자신의 편견이 결과를 정확히 제시함을 어떻게 방해할 수 있는지를 여전히 인식하고 있음을 시사한다. (물론 이해관계자의 압력과 결과를 제시함에 있어 객관적이고 공정하고자 하는 염려는 중첩될 수 있다. 고객으로부터 강력한 압력에 직면하였을 때, 그 고객에 대해 편견을 갖고 과장하여 연기하며, 반대 방향으로 덜 공정하고 객관적이 되지 않기란 어려울 수 있다. 이것은 결과적으로 당신이 균형 잡힌 견해를 유지하기보다는 보복으로 또는 당신이 객관적임을 보이기 위해 보고하거나 문제들을 강조할 수도 있다. 당신에게 부적절하게 행동한 누군가의 관점에서 사물을 보기란 어려울 수 있지만, 이는 모든 측면을 고려하기 위해 평가자가 수행해야만 하는 것이다.)

윤리 규정과 기준의 지침. 합동위원회의 『기준』과 미국평가학회의 안내 원칙은 정치적 문제 영역에 대한 이해를 높이고 이를 고려하는 좋은 첫 번째 단계로 흔히 작용할 수 있다. 따라서 편견과 이해관계 충돌의 쟁점사항과 관련된 몇 가지 기준과 원칙을 고찰해보자. 안내 원칙 C는 도덕적 무결성과 정직과 관련된다. C.2와 C.4 원칙은 가치, 이해관계, 관계에 관한 기대를 직접적으로 기술한다.

> C.2 평가 과제를 수락하기 전에 평가자는 평가자로서의 자신의 역할이나 이해관계에서의 상충(혹은 상충 징조)을 야기할 수 있는 그 어떤 역할이나 관계든 공개하여야 한다. 평가를 계속 맡게 된다면 평가 결과 보고서에 이러한 이해상충(들)을 명확하게 기술하여야 한다.
>
> C.4 평가자는 평가의 수행 및 결과에 관한 자신, 의뢰인, 기타 이해관계자의 관심사와 가치관을 명료하게 밝혀야 한다(American Evaluation Association, 2004, C 부분, 도덕적 무결성/정직성).

C.7 원칙은 재정적인 공시에 관한 기대를 기술한다.

> C.7 평가자는 평가의 재정적 지원이 어디서 나왔는지, 누가 평가 요청을 하였는지를 공개하여야 한다(American Evaluation Association, 2004, C 부분, 도덕적 무결성/정직성).

정보를 보고하는 본질, 평가자의 신용도, 평가 결과를 해석하고 최종 판단을 내리는 데 관련된 가치의 확인에 관해서 여러 기준들이 또한 평가 자체에 대한 중요한 기대들을 나타낸다. 이러한 기준의 하나는 앞서 기술된 이해관계의 충돌에 관한 정당성 기준 P.6이다. 합동위원회는 이해관계의 충돌을 다음과 같은 방식으로 정의하였다. "평가자의 개인적 또는 재정적 이해관계가 평가에 영향을 미치거나 평가에 의해 영향을 받을 때, 평가에서 이해관계의 충돌이 존재한다"(Joint Committee, 1994, p. 115). 이러한 충돌들은 내부 평가들에서 보다 흔하고, 외부 평가자들의 향후 계약 체결에 대한 바람으로 인한 "밀접한 우정과 개인적인 실제 관계"에 의해 유발될 수 있다고 그들은 언급한다(Joint Committee, 1994, p. 116). 우리는 이해관계의 대인관계적, 재정적 충돌을 나중에 논의할 것이지만, 먼저 평가자들에게 방향을 제시하는 기준들에 초점을 둘 것이다.

평가가 정확성 기준을 달성하는 데 필요한 요소들을 기술하면서, 1994년 판 『기준』은 중요한 기준의 하나로 공정한 보고를 구체화하였다.

> ● A.11 **공정한 보고.** 보고 절차는 개인적인 감정들과 평가에 대한 어떤 집단의 편견들에 의해 발생하는 왜곡에 대비하여 평가 보고서가 평가 결과들을 공정하게 반영하도록 해야만 한다(Joint Committee, 1994, p. 181).

『기준』의 2010년 개정판은 이를 지속적으로 강조하고 있다.

● **A.8 소통과 보고.** 평가 소통은 적절한 범위에서 이루어져야 하며 잘못된 개념, 편견, 왜곡, 실수가 없도록 주의하여야 한다(Joint Committee, 2010).

재미있게도 편견을 언급하는 다른 두 기준들은 투명성과 신용도가 평가 연구와 그 결과의 궁극적인 사용에 얼마나 중요한지를 반영하여 유용성 기준에 속해 있다.

● **U.1 평가자 신뢰성.** 평가는 평가 맥락에서 신뢰성을 구축하고 유지할 수 있는 자격이 있는 사람에 의하여 실시되어야 한다.

● **U.4 가치의 명시성.** 평가는 목적, 과정, 판단에 내재된 개인적·문화적 가치를 밝히고 명료화하여야 한다(Joint Committee, 2010).

가치, 견해, 문화에 의해 발생하는 편견. 이러한 원칙들과 기준들은 평가자, 고객과 여타 이해관계자들에게 전문적인 기대를 상기시키는 데 도움이 된다. 기준들과 원칙들이 무엇이 기대되는지의 관점으로 표현됨에도 불구하고, 그것들은 인정되지 않은 가치와 사람들 또는 조직들 간의 관계들이 평가 연구의 신용도와 성실도에 끼칠 수 있는 피해를 간접적으로 증명한다. 그러므로 평가자들은 이해관계자들과 고객들의 가치뿐만 아니라, 평가의 수행과 성과 모두에 영향을 미칠 수 있는 그들의 개인적 가치들 또한 고려하도록 모색해야만 한다. 프로그램 또는 이와 같은 다른 것들에 대한 평가자의 견해, 가치, 경험, 고객들, 고객들이 속해 있는 조직, 조직의 미션은 무엇인가? 당신이 저소득층 이민자 학생들을 위한 학교의 국가 학업 기준 성취에서의 성공을 평가하도록 요청받았다고 가정하라. 그 학교는 지난 3년 동안 알려진 높은 기준을 충족하는 데 실패하였고, 현재 심의 중이다. 학교는 다음 해에 폐쇄되고 학생들은 다른 학교들로 전학갈 수도 있다. 교육 기준에 대한 당신의 견해는 무엇인가? 높은 비용의 검사에 대해서는? 이 학교, 교원들, 행정가들의 노력에 대해서는? 학교가 복무하고 있는 아이들에 대해서는? 당신의 가치와 견해가 당신이 평가를 수행하는 방식에 어떻게 영향을 미칠 것인가? 평가에 당신이 포함한 이해관계자들은? 당신이 결과를 해석하는 방식은? 당신의 궁극적인 결론은? 당신은 결과를 공정하게 보고할 수 있는가? 기준에 기초한 교육과 성취도를 높이려는 정책들은 미국에서 논쟁을 일으키고 있는 쟁점사항들이다. 교육에 관련된 거의 모든 이들이 기준에 대한 견해와 경험을 가지고 있다. 이러한 견해들과 경험들이 적어도 당신이 연구를 수행하고 당신의 결론에 도달하게 하는 방식들의 일부에 영향을 주지 않도록 피함은 거의 불가능할 것이다. 당신의 견해와 경험들의 영향을 줄여서 평가가 편견을 가지지 않고 믿을 수 있게 보이도록 노력하기 위해 당신은 어떤 단계들을 밟을 것인가? 또는 당신이 이 평가를 수행하도록 요청받았음은 아마도 이 쟁점사항에 대한 과거 주단위 또는 지역단위 연구가 "다른 편" (그 편이 어느 쪽이든)에 속한 사람들(평가에 있어 윤리 규정을 잘 몰라서 그들의 견해 또는 경험이 평가 작업에 영향을 미치도록 허락한 사람들)에 의해 주로 수행되었기 때문에 우연적이라고 보는가? 당신의 견해를 밝힘은 당신이 연구를 수행할 기회를 위태롭게 할 수도 있기 때문에 당신은 다른 견해를 제시할 수도 있다. 당신은 무엇을 해야만 할까?

자신의 가치에 의해 발생한 편견을 생각할 때 직면할 수 있는 다른 쟁점사항들의 또 다른 예가 도움이 될 것이다. 당신은 부모님이 돌아가신 아이들을 위한 지원 집단의 평가를 수행하도록 요청받았다. 당신이 이 쟁점사항에 대해 개인적인 경험을 지니고 있기 때문에 당신이 그러한 프로그램들을 평가하는 일을 특히 잘 수행할 수 있을 것이라고 당신은 생각한다. 당신의 아이들이 상대적으로 어렸을 때 당신의 배우자가 예상치 못하게 사망하였고, 당신의 아이들은 아이들과 십대들을 위한 슬픔 치료 집단에 참가하였다. 당신은 또한 그 쟁점사항을 충분히 읽었고, 무엇이 당신의 아이들을 도왔는지를 알고 있다. 당신의 견해와 아이들을 위한 슬픔 치료 집단에 대한 개인적 경험이 평가를 수행하는 당신의 능력을 향상시키거나 또는 손상시켰는가? 당신은 고객에게 당신의 개인적 경험과 견해를 말해야 할 의무가 있는가? 얼마나 많은 당신의 개인적 경험 또는 당신 아이들의 개인적 경험들을 당신이 밝힐 의무가 있는가?

문화 역량 또는 문화적 무능은 평가의 타당도와 윤리도에 영향을 주는 또 다른 개인적 요인이다. Kirkhart는 우리의 "문화적 경계"를 인식함에 있어 우리 자신의 어려움을 논의하였다. 하지만 좋은 평가란 "복합적인 문화적 관점들을 정확하게, 충분히, 적절하게" 기술해야만 한다(1995, p. 3). 언급하였듯이, 안내 원칙의 2004년 개정판은 문화 역량의 중요성을 거론하였다. 우리는 문화 역량을 9장에서 보다 충분하게 논의할 것이지만, 여기에서 그 쟁점사항을 또한 언급함은 필수적이다. 문화 역량은 평가를 수행함에 있어 자신의 가치와 경험의 역할에 대한 인식 때문에 평가에서 관심사항의 하나로 등장하였다. Hood는 "평가 공동체는 그들 자신 집단의 인종적, 문화적 배경에 근거하고 있는 가치들에 대해 제한적으로 이해하고 있는 사람들로 가득하다"고 언급한다(2000, p. 78). 공공 또는 비영리 프로그램들에 의해 서비스를 받는 많은 사람들은 어려움에 처한 사람들이다. 그들은 다음과 같은 많은 측면에서 평가자와 다를 수 있다: 분명히 수입에서는, 어쩌면 인종 또는 민족에서, 아마도 프로그램에 대해 그들이 지니고 있는 가치, 신념, 기대와 그들의 목표에서, 그리고 꽤나 대개는 다른 사람들이 그들을 대하고 간주함에 있어서.

편견을 줄이기 위한 전략. 개인적인 견해와 경험이 평가에 가져오는 편견을 최소화하기 위해 평가자는 무엇을 할 수 있는가? 질적 연구자들(Lincoln & Guba, 1985; Miles & Huberman, 1994; Schwandt & Halpern, 1989)에 의해 제안된 한 가지 전략은 "추적 기록"을 보유하는 것으로 Schwandt는 이를 연구를 수행하는 과정의 모든 세부사항을 기록하기 위하여 "체계적으로 유지된 문서화 체제"라고 정의하였다(2001b, p. 9). 추적 기록은 진화하는 인식들에 대한 평가자의 기록들, 하루하루의 절차들, 방법론적인 결정들, 하루하루의 개인적 자기성찰, 평가 설계가 어떻게 출현하고 있는지를 평가자가 탐색하는 것을 돕는 식견과 가설 개발, 그러한 진화에서 평가자에게 영향을 줄 수 있는 가치와 경험들을 포함할 수 있다(자료 수집에서 직면하는 윤리적 문제를 반성적으로 생각함을 돕는 그러한 메모들을 사용하는 우수한 예에 대해서는 Cooksy, 2000 참조). 평가자는 가치와 경험들이 어떻게 편견을 가져올 수 있는지에 대한 자기반성과 생각을 위해 그 기록들을 사용하도록 선택할 수 있다. 대안적으로 평가자는 그 기록들의 일부를 외부 당사자와 공유하도록 결정할 수도 있다. 일반적으로 다른 평가자인 이 사람은 평가 결정의 적절성과 편견이 도입되는 방식을 탐색하기 위해 그 추적 기록을 고찰할 수 있다.

편견을 최소화하는 다른 전략은 메타평가의 과정 또는 외부 인사가 평가의 질에 대해 평가를 심의하는 평가에 대한 평가의 과정을 통해서이다. 이 주제는 16장에서 상세하게 구명된다. 어떤 방법들이 사용되든, 평가자들(그리고 고객들)이 그들의 개인적 가치와 신념을 조사하고, 이러한 요인들이 각각의 평가 그리고 그들의 궁극적인 결론들과 판단들에 대한 그들의 접근에 어떻게 영향을 미칠 수 있는지를 고려함은 중요하다. 알게 됨은 편견을 제거하는 첫 단계이다.

대인관계와 편견. 우연한 관찰자에게조차도 개인들의 서로에 대한 감정들이 서로에 대한 것뿐만 아니라 다른 사람이 결합되어 있다고 인식되는 실질적인 무엇인가에 대한 그들의 판단에 영향을 미칠 수 있음은 분명하다. 따라서 배우자에 대한 서약에 있어 법률적인 제한이 있고, 가족 구성원들의 임금, 승진, 또는 직업 안정에 대한 의사결정을 하는 지위에 가족들을 금지하는 반족벌주의 정책이 있다. 이와 유사하게 평가자들은 친한 친구 또는 가족 구성원이 정책입안가, 관리자, 또는 프로그램을 운영하는 인사로서 관계된 프로그램들을 평가함을 피해야만 한다. 대인관계에 의해 발생하는 편견을 평가자가 극복할 수 있다고 하더라도, 이해관계의 충돌이 매우 강할 것임은 분명하다.

가장 큰 조직들을 제외하고, 내부 평가자들은 그들이 아는 사람들로 배치된 프로그램을 거의 피할 수 없게 평가하고 있다. 그러므로 내부 평가자들은 이러한 상황에서 그들의 역할을 어떻게 정의할 것인지에 대해 주의 깊게 생각할 필요가 있다. 평가의 목적이 형성적이거나 또는 조직학습을 위한 것일지라도, 평가자는 부정적인 피드백을 줄 수 있도록 준비될 필요가 있다. 변화를 달성하기 위해 그 피드백은 분명하지만 기분 좋은 방식으로 전해질 것이다. 그럼에도 불구하고 평가자들은 프로그램을 운영하거나 관리하는 사람들과 그들의 관계가 내려진 선택과 의사결정에 어떻게 영향을 미칠 수 있는지를 조사하는 데 주의를 게을리하지 않아야만 한다. 그러한 관계들은 평가가 구명하는 질문들로부터 결과가 해석되고 제시되는 방식에 이르기까지 평가의 많은 구성요소에 영향을 미칠 수 있다. 평가자로서 당신은 독립적이고 공정한 판단을 제공하기 위해 고용되거나 선임되었고, 개인적인 관계에 대한 관심이 평가자의 책임을 방해해서는 안 된다.

하지만 이 장의 앞부분에서 논의되었듯이, 평가자들은 평가에 관계된 고객, 이해관계자들과 어떤 유형의 관계를 형성해야 할 책임이 있다. 평가자들은 그들과 효과적으로 의사소통할 수 있어서 그들의 요구를 이해하고, 그러한 요구에 부합하는 방식으로 정보를 제공할 수 있어야만 한다. 해당 평가 상황을 처음 접한 평가자들은 프로그램을 관찰하고, 고객들과 이해관계자들과 만나며, 관계를 형성하는 데 시간을 써야만 한다. 이러한 관계들은 평가가 불신을 줄이고, 이해를 높이는 등 성공적이도록 돕기 위함이지만, 또한 편견을 낳는다. 평가자들은 가치와 신념이 그들 자신과 유사하여 평가를 지지하고, 평가 방법들에 개방적이며, 평가 결과에 관심을 지니고 있는 사람들에게 보다 편안함을 느끼는 경향이 있다. 동시에 평가자들은 평가에 관계된 일부 사람들은 대하기가 더 어렵다는 것을 알고 있다. 그들은 의심이 많고, 문책하며, 지나치게 요구하고, 융통성이 없으며, 또는 평가자에게 좌절감을 주는 많은 방식으로 행동한다. 좋든 나쁘든 이러한 관계들은 평가자의 행동에 영향을 미친다. 평가자는 그가 좋은 관계를 확립한 사람들에게 그들이 좋아하지 않을 것임을 알고 있는 어렵고 부정적인 결과들을 제시할 준비가 되어 있는가? 연구가 지속되는 데 도움을 줄 수 있는 사람들에게도? 이것들은 곤란한 쟁점사항이지만, 평가자들은 기꺼이 그것들을 다루고, 어려운 결과에 대해 독자들을 준비시키며, 그것들을 전달하는 데 스스로를 준비시켜야만 한다.

계획 단계 동안 평가가 시작할 때 각자의 역할을 분명히 하고 입증함이 유용함을 우리는 알고 있다. 평가자들은 모진 사람일 필요는 없지만, 어려운 질문을 하고 어려운 피드백을 제공할 의지를 지닐 필요가 있다. 후반부의 장에서 평가자가 프로그램을 이해하도록 돕는 방법의 하나로 우리는 평가의 초기 단계 동안 논리적 모형들을 사용하는 것을 논의할 것이다. "현재, 이 행동이 X 변화를 이끌 것이라고 당신이 생각하는 이유는 무엇인가? 내가 읽은 연구의 일부는 그것을 지지하지 않는다" 또는 "당신의 목표들 가운데 당신이 아마도 달성하지 않을 것이라고 생각하는 것은 무엇인가?"와 같이 정밀히 조사하는 또는 어려운 질문들을 함은 일반적으로 유용한 시간이다. 당신은 다른 질문들을 선택할 수도 있지만, 우리의 요지는 연구가 시작될 때 끝까지 기다리지 말고 그들과 그들의 프로그램에 관심을 가지고 있지만, 또한 호기심이 있고, 객관적이며, 지적 호기심이 강한 사람으로서 당신의 역할을 정의하기 시작해야만 한다는 것이다. 이 페르소나(persona) 또는 버릇이 이윽고 프로그램에서 다른 사람들과 당신의 대인관계의 일부가 된다.

재정 관계와 편견. 불행히도 재정적인 고려사항들은 이 장의 앞부분에서 논의된 Moody' s에 의한 채권 평정에서 그러한 것과 마찬가지로 평가에서 편견의 원천이다. 평가를 어떤 방식 또는 다른 방식으로 움직이도록 하기 위해 뇌물을 받는 평가자들의 많은 사례가 있음을 우리는 의심하지만, 재정적인 압력은 좀처럼 그렇게 분명하고 직접적이지 않다. 이 상황이 얼마나 곤란할 수 있는지를 설명하기 위해, 실제 사례를 설명하겠다.

우리의 지인인 평가자(우리는 그녀를 Diane이라 부를 것이다)가 학교들을 위해 모범적인 프로그램들과 실천들을 개발하고 검사하는 미션을 지닌 미국 정부 지원 연구 센터에 고용되었다. 센터의 평가 부서를 지휘하도록 선임되어, 제 시간 내에 Diane은 중등학교 학생들의 수학 성취도와 수학에 대한 태도(AMP)를 향상시키기 위해 설계된 센터 프로그램에 대한 평가를 완결하였다. AMP 프로그램에는 많은 비용이 들었다. 의회는 이 프로그램의 개발에 백만 불 이상을 투자하였고, 학생들이 그 프로그램을 좋아함을 Diane이 밝혀내었음에도 불구하고, 그 프로그램이 학생들의 성취도에 어떤 영향이 있음을 제시하는 한 조각의 증거가 없었다. 의회가 해당 프로그램을 시작하게 한 재정 지원 기관에 이러한 정보를 보고함이 갖는 의미로 인해 걱정을 하자, Diane은 최종적으로 성공의 증거를 생산하는 데 AMP가 실패하게 된 원인은 평가에 있음을 전달하기 위해 그녀의 보고서 초안을 작성했다. 보고서의 요약은 다음과 같다(이탤릭체 부분).[8]

> **요약.** 연구의 결과는 학생들이 AMP(Accelerated Mathematics Program) 교재를 좋아하는 경향이 있었다는 측면에서 AMP가 수학에 대한 긍정적인 태도를 개발하는 데 다소 효과적이었음을 가리킨다. 하지만 수학 능력의 장기 또는 단기 학생 성취도 변화가 유추될 수 있는 증거를 이 연구가 제공하지는 않았다. **AMP는 수학 성취도의 변화를 촉발하는 데 효과적이지 않았지만, 평가 설계의 여러 단점과 제한점이 이러한 변화들의 확인과 측정을 허락하지 않았다는 것을 그 결과가 반드시 가리키는 것은 아니다.**

---

8) 이 요약과 계속된 편지에서 이름, 조직, 직함은 익명성을 제공하기 위해 수정되었지만, 핵심적인 내용은 변경되지 않았고, 여기에 정확히 말 그대로 제시되었다.

그리고 나쁜 뉴스를 완화시키기 위한 이 분명한 노력에 재정 지원 기관이 어떻게 반응하였을까? 보고서 초안에 대한 그들의 반응은 다음에 제시된 편지로 왔다.

친애하는 Diane:

AMP 영향 연구에 대한 세 권의 초안에 감사합니다. 최종 보고서를 기대하겠습니다.

우리의 향후 노력이 구조화되어 "요약"에서와 같은 언급이 있지 않기를 바랍니다. 대신 최종 보고서에서 중요한 수행도의 변화에 관한 긍정적인 무엇인가를 우리가 말할 수 있기를 바랍니다. AMP에 대해 많은 좋은 것들을 들어왔기 때문에, 이것이 단기 성취도 효과를 지니고 있다는 증거가 부족함에 낙심하였고, 따라서 장기 효과에 대한 잠재성을 주장할 수 없습니다.

여기에서의 쟁점은 확실합니다. 당신들과 같은 재정 지원 센터를 위해 여기 부서 내에서 내부적으로 그리고 의회와 외부적으로 제가 할 수 있는 최선의 논점은 우리의 생산물이 미국 학교들에서의 이익을 위해 측정 가능한 변화를 이끌었다는 것입니다. AMP에 대해 제가 지니고 있는 긍정적인 "느낌"에 상관없이, 당신의 보고서 초안대로, 성취 준거 측면에서 우리는 모든 노력을 정당화할 수 없을 것 같습니다. 그것은 결함입니다만, 우리가 향후 노력들을 통해 극복할 수 있는 것이라고 생각합니다. 당신의 최종 보고서에 희망을 가지며.

진심을 담아,

Larry

Lawrence T. Donaldson
Chief Administrator

이 메시지는 노골적으로 분명하다. Diane은 AMP 그리고 이와 관련된 프로그램들이 투자할 가치가 있음을 입증할 수 있는 긍정적인 무엇인가를 찾아야만 한다. 그렇지 않으면 재정 지원이 취소되고, 프로그램은 중단되며, Diane 자신은 다른 일자리를 찾게 될 것이다. 이러한 상황에서 특히 그녀의 급여가 위협받는 프로그램으로부터 직접적으로 올 때, 어떤 윤리적인 중압감을 실제로 느끼지 않으려면 강건한 정신이 있어야 한다! 다행스럽게도 Diane이 처음에는 애매한 표현을 했음에도 불구하고, 이 이야기는 결국 행복한 결말을 가져왔다. 최종 보고서는 진실한 이야기를 하였고, Diane은 같은 센터의 다른 프로그램을 위한 개발 스태프에 대한 평가자로서의 역할을 (분명한 양심을 지니고) 맡을 수 있었다.

평가자가 프로그램들 또는 산출물들이 평가받은 기관의 외부에 있을 때조차도, 재정적인 의존성은 편견의 잠재적인 원천일 수 있다. 예를 들면 피할 수 없이 반복되는 사업에 의존적인 외부 평가 컨설턴트들 또는 회사들에 의해 유지되어야만 하는 미묘한 균형을 생각하라. Scriven(1993)은 이 편견의 잠재적인 원천을 간결하게 가리킨다. " … 평가 계획에 관한 하나의 핵심적인 경제적 식견은 이것이다: 아무도 하나의 평가 계약으로 부유해지지 않는다"(p. 84). 향후 평가 계약 또는 컨설팅의 가능성은 평가자에 의해 완결된 가장 최근의 평가를 고객이 어느 정도 좋아하는지에 달려있다. 프로그램을 부정적으로 드러낸다고 할지라도, 고객이 진실을 무척 좋아한다면 여기에는 아무 문제도 없다. 하지만 고객이 비판의 첫 번째 힌트에 경직된다면 어떻겠는가? 기준에서 제시된 공식적인 계약을 체결함이 일부 보증할 수 있지만, 평가자들은 항상 재정적인 관계를 주의 깊게 생각하고, 독립적이고 공정한 평가자로서의 장기적인 명성이 그들의 지속 가능성에 중요함을 인식해야만 한다.

조직적인 관계와 편견. 평가자들에게 있어 조직과의 관계는 즉각적인 재정 획득보다 더 큰 관심사일 수 있다. 평가자들과 그들이 평가하는 프로그램들 간의 관계는 그들의 현재 재정적인 번영뿐만 아니라 향후 고용을 결정할 수 있다. 게다가 조직은 평가자의 사무실 공간, 조직 체제를 유지하는 자원, 설비, 기록에 대한 접근, 심지어 주차 공간 편의와 같은 다른 특권을 크게(또는 전체적으로) 통제하는 데 영향을 미칠 수도 있다. 조직이 평가자의 생활을 쉽게 또는 보다 어렵게 만드는 이 통제권을 행사하는 방식은 확실히 편견을 지닌 문제들을 야기할 수 있다.

이 주장을 입증하기 위해 우리는 표 3.1에 평가자들과 그들이 평가하는 프로그램들 간에 가능한 여덟 가지 조직적인 관계를 제시하였다. 일반적으로 가장 큰 편견의 잠재성은 표 3.1의 첫 행에 존재하고, 가장 적은 편견의 잠재성은 마지막 행에 존재한다. 따라서 조직적인 압력의 잠재성은 평가자가 외부 기관에 의해 고용되었을 때보다 프로그램이 평가되는 조직에 의해 고용되었을 때 더 크다. 이에 더하여 편견은 평가자가 프로그램 외부의 인사에게 보고할 때보다 내부 평가자가 평가받는 프로그램의 책임자에게 보고할 때 발생할 가능성이 높다. FBI 내부 평가 조직의 책임자인 Sonnichsen(1999)은 내부 평가자들이 효과적이기 위해서는 독립적으로, 프로그램들로부터 떨어져서 위치해야만 한다고 주장한다. 내부 평가에 대한 논평에서 Lovell(1995)은 장기적으로 조직은 내부 평가가 기대했던 성과를 올리기를, 즉 향상된 조직 운영을 위한 제안을 제공하기를 기대한다고 언급한다. 프로그램들에 대한 과도하게 긍정적인 보고서를 생산하는 편견은 약속을 충족시키지 않

표 3.1 평가자의 고객과의 조직적인 관계들

평가자가 어디에 고용되었는가	한 가지 평가를 하는가 아니면 계속되는 평가를 하는가	평가자가 누구에게 보고하는가
1. 평가받는 프로그램에 대한 책임을 갖는 조직 내부에	1. 계속되는 평가	1. 평가된 프로그램의 책임자에게 직접적으로
2. 평가받는 프로그램에 대한 책임을 갖는 조직 내부에	2. 한 가지 평가	2. 평가된 프로그램의 책임자에게 직접적으로
3. 평가받는 프로그램에 대한 책임을 갖는 조직 내부에	3. 계속되는 평가	3. 평가받는 프로그램 외부, 하지만 같은 조직 내의 인사
4. 평가받는 프로그램에 대한 책임을 갖는 조직 내부에	4. 한 가지 평가	4. 평가받는 프로그램 외부, 하지만 같은 조직 내의 인사
5. 외부 기관에 의해	5. 계속되는 평가	5. 컨설턴트 또는 계약자로서 평가받고 있는 프로그램의 책임자에게
6. 외부 기관에 의해	6. 한 가지 평가	6. 컨설턴트 또는 계약자로서 평가받고 있는 프로그램의 책임자에게
7. 외부 기관에 의해	7. 계속되는 평가	7. 프로그램을 지원한 외부 재정 지원 기관에 직접적으로
8. 외부 기관에 의해	8. 한 가지 평가	8. 프로그램을 지원한 외부 재정 지원 기관에 직접적으로

는 평가로 이끈다.

Mathison(1999)은 내부와 외부 평가자로 근무하였고, 이 쟁점사항을 자주 기술하였다. 내부와 외부 평가자들은 같은, 하지만 다른 공동체에 속한 윤리적 도전을 직면하고, 이 공동체들은 윤리적 도전에 대한 그들의 반응에 영향을 미친다고 그녀는 믿는다. 내부 평가자들은 외부 평가자들보다 소수의 공동체들 내에서 움직이고, 그들의 주요 공동체는 그들이 일하고 있는 조직이라고 그녀는 주장한다. 단순히 전형적인 내부 평가자들이 그 조직 내에서 수주 동안 그리고 수년 동안 보낸 시간의 양을 생각하라. 반대로 외부 평가자들은 그들이 평가하는 조직들, 그들을 고용한 조직, 평가, 그들의 동종 직업협회 동료들, 재정지원 기관 등이 포함될 수 있는 많은 공동체들을 갖는다. 이러한 공동체들은 평가자들의 윤리적 선택에 많은 복잡한 방식으로 영향을 미친다고 Mathison은 주장한다. 예를 들면 내부 평가자의 조직과의 친밀함, 조직 내에서의 관계는 조직 내에 지속적인 평가 문화를 조성하거나 평가에 의해 밝혀진 논쟁이 될 수 있는 쟁점에 대한 대화, 변화를 가져올 것을 요구할지도 모를 대화를 지속할 때 평가자가 보다 윤리적으로 행동하도록 할 수 있다. 반대로 외부 평가자의 공동체의 다양성과 평가받는 조직의 공동체로부터의 보다 큰 거리는 평가자로 하여금 프로그램 또는 조직 내의 비윤리적인 쟁점사항에 관한 질문을 보다 쉽게 제기하도록 한다. 내부와 외부 평가자들을 위한 Mathison의 관계 공동체의 개념은 보다 효과적으로 다룰 수 있는 문제들의 유형을 고려함에 유용하고, 우리가 평가자들의 윤리적 행위에 대한 개인적, 대인관계적, 재정적, 조직적인 요인들의 복잡한 영향을 인식하도록 하는 데 도움이 된다.

편견에 대한 조직적, 재정적인 관계들의 영향을 고려할 때 마지막으로 중요한 고려사항은 평가가 주로 형성적인지 아니면 총괄적인지의 여부이다. 평가자의 재정적, 행정적인 의존성 또는 고객으로부터의 독립성의 찬반을 고려할 때 그러한 의존성은 형성평가에서는 견딜 만하기도 하고 심지어 바람직할 수도 있다. 내부 평가자의 조직과의 관계는 조직에 대한 그의 보다 큰 이해와 충성심 때문에 프로그램과 조직의 특정한 정보 요구에 보다 잘 응답하도록 자극할 수도 있다. 또는 Mathison이 언급하였듯이 내부 평가자의 조직과의 친밀한 관계는 그가 조직의 가치와 신념을 알기 때문에 외부 평가자가 돌아간 훨씬 이후에 쟁점사항에 대한 대화를 지속하고 그 대화의 본질을 향상하도록 자극할 수 있다. 하지만 내부 평가자는 총괄평가에 대해서는 그렇게 효과적이지 않을 수 있다. 특히 평가가 크고, 비용이 들거나, 남의 시선을 끄는 프로그램에 관한 것일 때 그러하다. 이 경우 내부 평가자의 조직 그리고 종업원들과의 관계는, 특히 내부 평가자가 프로그램을 운영하는 부서에 속해 있을 경우, 편견을 도입할 가능성이 꽤 있다. 이 유형의 총괄평가들에서는 외부의 독립적인 평가자가 일반적으로 선호된다. 하지만 앞 절에서 언급하였듯이 독립성은 여러 요인들에 의해 정의된다.

윤리 규정 이외의 윤리

우리가 판단하건대 앞서 기술된 평가 기준과 안내 지침은 평가 업무를 개선하는 데 매우 유용하다. 높은 질의 평가를 수행하기를 갈망하는 이들은 이러한 기준과 안내 지침을 숙지하고 이를 부지런히 적용해야 한다고 우리는 강력히 주장한다. 동시에 윤리 기준을 단순히 하지만 완전하게 고수함이 윤리적 행위를 보증하지는 않는다. 평가 관행들을 성문화하는 보다 넓은 쟁점에 관해 Peter Dahler-Larsen이 기록한 것처럼, 이 규정은 "대체제가 아니라 기껏해야 평가에 있어 정당한 판단에 대한 보조재"로 기능한다(2006, p. 154).

Mabry(1999)는 윤리 규정은 평가와 모든 인간 노력에 내재된 주관성을 제거하지 않음을 우리에게 상기시킨다. 그녀는 윤리적 수행에 대한 기준과 안내 지침은 어떤 평가에서 나타나는 넓은 범위의 특수성을 예측할 수 없다고 주장한다. 따라서 평가자들의 개인적인 기준과 판단이 그들이 수행하는 평가에 이러한 수행 규정을 어떻게 적용할지에 불가피하게 어떤 역할을 수행한다.

Sieber가 여전히 이를 가장 잘 언급하고 있다.

특별히 프로그램 평가자들을 위한 윤리 규정은 ⋯ 최소한의 기준일 것이다. 이것은 단지 현재 분명하게 정의된 이러한 윤리적 문제들과 관련하여 정직, 역량, 예절의 방식에서 해당 직업이 모든 평가자들에게 무엇을 기대하는지를 언급할 뿐이다.

반면, 윤리적임은 폭넓게 진화하는 개인적 과정이다. ⋯ 프로그램 평가에서 윤리적 문제들은 책무와 이해관계의 예측되지 않은 대립 그리고 평가의 의도되지 않은 해로운 부작용과 관련된 문제들이다. 윤리적임은 이러한 문제들을 예측하고 우회하는 능력을 진화시킴이다. 그것은 획득된 능력이다. ⋯ 누군가 새롭고 다른 유형의 평가에 착수하면 사회가 변하듯이, 누군가의 윤리적인 능력은 새로운 도전들에 부합하도록 성장해야만 한다. 따라서 프로그램 평가에 있어 윤리적임은 이해, 인식, 그리고 개인들과 사회의 관심을 반영하는 창조적인 문제해결 능력의 성장 과정이다. (1980, p. 53)

주요 개념과 이론

1. 좋은 평가 실천이란 방법론적 기술들 이상을 필요로 한다. 평가자들은 때로는 매우 정치적인 환경에서 잘 일하는 능력들을 지녀야만 하고, 고객들과 다른 이해관계자 집단들과 잘 의사소통할 수 있어야만 하며, 평가자들이 직면할 수 있는 윤리적 문제들과 좋은 평가 실천을 위한 윤리적 기대를 알아야만 한다.

2. 평가는 공공 정책들을 안내하거나 이에 영향을 미칠 수 있고, 그 결과가 권력을 위해 경쟁하는 개인들과 이해관계자 집단들에 강력한 영향을 미치며, 사람, 조직, 프로그램들에 대한 판단과 관련되기 때문에 본질적으로 정치적 행위이다.

3. 평가자들은 평가가 사용될 가능성을 높이고 정책적 행동들이 결과에 편견을 품게 하지 못하도록 하기 위해 정치적 환경에서 일하는 능력들을 지닐 필요가 있다. 이러한 능력들에는 정치적 환경과 그 안에서 이해관계자들의 지위에 대해 알기, 다른 이해관계자들과 대중을 평가에 적절하게 포함시키고 고려하기, 평가의 신용도를 유지하기 위해 일하기가 포함된다.

4. 평가자들은 이해관계자들의 관심사항에 귀 기울이고, 평가에 대한 그들의 경험을 알며, 평가가 제공할 수 있는 다른 목적들을 이해관계자들에게 교육시키고, 고객과 여타 적절한 이해관계자들과 자주 만나며, 그들을 평가에 관한 의사결정에 참여시킴으로써 이해관계자들과의 좋은 의사소통을 강화해야만 한다.

5. 프로그램 평가 기준과 미국평가학회의 안내 원칙은 좋고 윤리적인 평가 수행을 위한 안내를 제공한다. 평가자들은 그들 국가의 기준과 원칙에 대해 알 수 있어야만 하고, 고객들과 여타 이해관계자들에게 전문가로서 평가자들에 대한 기대사항을 알려주는데 이것들을 사용해야만 한다.

6. 자료를 제공하는 이들의 권리를 보호함은 좋은 윤리적 평가에 있어 필수적이다. 이러한 권리들에는 서비스를 잃게 된다는 위협 없이 평가에 참여하는 자유로운 선택권을 갖고, 평가와 자료 수집의 본질 그리고 이것의 위험과 이익을 이해하며, 기밀성과 이것의 제한점에 대한 정보를 제공받고, 존경과 존엄을 지니고 대우받는 것이 포함된다. 평가자들은 적절한 예방 조치가 취해졌음을 확실히 하기 위해 자료 수집의 윤리에 대해 잘 알고 있는 연구윤리위원회 또는 다른 사람들의 투입 또는 승인을 구해야만 한다.

7. 평가는 개인적인 견해와 평가자의 경험들, 프로그램 스태프, 관리자들, 고객들에 대한 평가자의 견해와 관계, 재정적인 또는 조직적인 압력들에 의해 편견을 지닐 수 있다. 평가자는 편견의 이러한 원천들을 의식하고 있어야만 하고, 평가 결과의 지각된 중립

성을 지나치게 위협할 수 있는 관계들을 피하기 위한 방안을 모색해야만 한다. 평가자는 평가 환경에서 문화 역량을 획득하기 위해 일해야만 하고, 다른 사람들의 문화적 견해를 고려해야만 한다.

8. 윤리적 실천은 평가자들로 하여금 기준과 안내 원칙을 잘 알게 되어 고객들에게 이러한 전문적인 기대들을 숙지시킬 뿐만 아니라, 평가를 통해 잠재된 윤리적 우려사항들의 측면에서 주의 깊게 의사결정할 것을 요구한다. 직업 규정은 윤리적 문제들의 해결을 위한 하나의 원천일 수 있지만, 지속적인 개인적 성장, 독서, 반성, 다른 사람과의 논의가 필수적이다.

토의 문제

1. 정치적 환경에서 발생하는 평가 연구들의 좋은 구성요소들은 무엇인가? 나쁜 구성요소들은? 정치는 어떻게 당신이 알고 있는 평가에 개입하는가?

2. 정치적 환경에서 평가자들이 취할 수 있는 Vestman과 Conner에 의해 기술된 세 가지 입장들 가운데 무엇이 가장 적절하다고 느끼는가? 그 이유는 무엇인가?

3. 평가에서 명백한 윤리 기준에 대한 요구가 있는 이유는 무엇인가? 이 기준을 고수함으로써 평가자와 고객에게 발생하는 이익은 무엇인가?

4. 어떤 유형의 윤리적 위반이 당신이 잘 알고 있는 조직들에서 가장 일반적으로 발생한다고 생각하는가? 이러한 위반들은 어떻게 방지되는가?

적용 연습

연습 문제 1에서 3까지를 위해, 당신이 참가자이거나 평가자인 평가를 생각하라.

1. 정치가 이 평가에 어떻게 가담하였는가? 정치가 편견 또는 문제를 도입하였는가? 평가자는 정치적 환경을 어떻게 처리하였는가?

2. 평가자 또는 평가 팀은 당신 그리고 여타 핵심 이해관계자들과 어떻게 의사소통하였는가? 어떤 쟁점사항에 대해 그들은 당신의 의견을 구하였는가? 평가에서 당신 그리고 여타 이해관계자들과 확립된 평가자의 관계가 편견을 낳았다고 생각하는가? 아니면 평가를 개선하였는가?

3. 이 평가를 프로그램 평가 기준과 미국심리학회의 안내 원칙에 관련하여 생각하라. 그 평가의 윤리적 강점들과 약점들은 무엇인가?

4. 이제 당신이 잘 알고 있는 당신 조직의 어떤 프로그램을 생각하라. 당신이 그 프로그램을 평가해야만 한다면, 어떤 편견을 당신이 가질 수 있는가? 그것을 평가하는 데 당신이 적절한 사람이라고 생각하는가? 가장 좋은 대안은 누구(사람 또는 조직)인가? 그 이유는 무엇인가?

사례 연구

정치, 대인관계, 윤리에 대한 이 장을 마치기 위해, 우리는 이 장에서 논의된 쟁점사항들을 설명하는 평가를 기술하는 인터뷰를 추천하고자 한다. 이 장을 위해 우리가 추천하는 인터뷰는 『Evaluation in Action』의 4장(Len Bickman)과 12장(Katrina Bledsoe)에 있다.

4장에서 미국평가학회의 전임 회장인 Len Bickman은 정신건강보호체제에 대한 전국적으로 공인된 평가에서 그가 직면한 몇 가지 다양한 정치적 환경들을 기술하고 있다. 출처는 다음과 같다: Fitzpatrick, J. L., & Bickman, L. (2002). Evaluation of the Ft. Bragg and Stark County stems of care for children and adolescents: A dialogue with Len Bickman. *American Journal of Evaluation, 23*, 67-80.

12장에서 Katrina Bledsoe는 읽기와 문자해득능력을 촉진시키기 위해 부모들과 유치원 아이들을 위한 프로그램에 대한 그녀의 평가를 묘사하였다. 그녀는 프로그램에 참가하고 있는 사람들과 긴밀한 대인관계를 형성하고, 문화 역량을 성취하도록 일하고 다른 문화적 견해들을 이해하며, 최종 보고서에서 고객으로부터의 윤리적인 도전사항을 직면하는 그녀의 기술들을 보여준다. 출처는 다음과 같다: Fitzpatrick, J. L., & Bledsoe, K. (2007). Evaluation of the Fun with Books Program: A dialogue with Katrina Bledsoe. *American Journal of Evaluation, 28*, 522-535.

추천 도서

Chelimsky, E. (2009). A clash of cultures: Improving the "fit" between evaluative independence and the political requirements of a democratic society. *American Journal of Evaluation, 29*, 400-415.

Joint Committee on Standards for Educational Evaluation. (2010). *The program evaluation standards*. Thousand Oaks, CA: Sage.

Morris, M. (Ed.). (2008). *Evaluation ethics for best practice: Cases and commentary*. New York: Guilford Press.

Shadish, W. R., Newman, D. L., Scheirer, M. A., & Wye, C. (Eds.). (1995). *Guiding principles for evaluators*. New Directions for Program Evaluation, No. 66. San Francisco:

Jossey-Bass.

Vestman, O. K., & Conner, R. F. (2006). The relationship between evaluation and politics. In I. F. Shaw, J. C. Greene, & M. M. Mark (Eds.), *The Sage handbook of evaluation*. Thousand Oaks, CA: Sage.

Part II

프로그램 평가의 대안적 접근

제1부에서 우리는 교육, 정부, 기업, 비영리 단체 등 많은 분야에서 활용되는 평가 연구에 대해 언급했으며 이에 청중들은 다양한 평가의 목적에 대해 소개받았을 것이다. 우리는 평가에 있어 다양한 접근이 있다는 점을 시사(示唆)하였지만 구체적으로 그것들을 언급하지는 않았다. 우리는 이것을 제2부에서 제시할 것이다.

제4장에서 우리는 다양한 관점들에 기여해온 요인들을 살펴볼 것이다. 많은 평가 접근을 몇 가지 범주로 분류하는 노력에 대해 논의할 것이며 이후의 장에서 활용될 범주를 제시할 것이다.

제5장부터 제8장에서 우리는 평가 실행에 영향을 미쳐온 네 가지 접근 범주들을 기술할 것이다. 이것들은 우리가 보기에 일반적으로 널리 활용되고 있는 것으로 간주될 수 있는 접근들이다. 우리는 각 장에서 그 접근 범주들이 어떻게 출현하였고 그 주요 특징은 무엇이며 어떻게 활용되고 있는가를 논의할 것이다. 각 범주에는 몇 가지 접근들이 있다. 예를 들면, 참여적 평가에는 많은 모델 또는 접근이 있는데 그것들의 각각의 특징과 기여, 그 접근이 활용되는 방식, 그 강점과 약점 등을 기술할 것이다. 그런 다음 제9장에서 우리는 개별 모델 또는 접근을 넘어서면서도 오늘날의 평가 실행에 주요한 영향을 미치는 여타 평가 모델 또는 접근 주제를 다룰 것이다.

우리가 논의할 평가 접근을 주창한 학자들에 의해 집필된 저서들은 Alkin(2004)이 지적한 "처방적 이론들(prescriptive theories)"을 다루고 있다. 이 저서들은 깊이 있게 각 평가 접근을 제시하고 있고 그것대로 평가를 실시할 것을 제언하고 있다. 본 저서는 특정한 접근을 옹호하지 않는다. 우리들은 평가자나 평가 학도(學徒)들이 여러 접근 중에서 평가 용도에 맞게 선택 활용하는 데 익숙해지는 것이 중요하다고 생각한다. 우리가 기술하는 평가 접근은 평가에 관한 어떤 것, 평가자들이 취해야 하는 관점들, 평가를 수행하는 방식들에 대한 것이다. 미국과 전 세계에서 평가에 대한 요구가 증가하는 시기—Donaldson 과 Scriven(2003)이 "평가에 있어서 제2의 전성기"라고 부른 시기—동안, 평가자들이 각 평가 접근의 전체 과정, 평가하는 프로그램에 적합한 요소들, 평가 고객과 다른 이해당사 자의 요구들, 평가의 맥락 등을 인식하는 것은 중요하다.

4

평가의 대안적 견해

핵심 질문

1. 평가에 대한 접근법이 다양한 이유는 무엇인가?
2. 평가에 대한 다른 접근법들에 반영되었듯이 다양한 평가이론을 학습하는 것이 중요한 이유는 무엇인가?
3. 어떠한 철학적 · 방법론적 차이가 각각 다른 접근법의 발달에 영향을 주었는가?
4. 다른 책에서는 평가 접근법을 어떤 식으로 분류해 왔는가? 이 책에서는 어떻게 분류하는가? 그 근거는 무엇인가?
5. 어떤 실질적 쟁점이 평가 접근법의 다양성에 영향을 미쳤는가?

평가가 하나의 특정 분야로서 떠오를 당시에는 개념적이고 이념적인 논쟁이 있었다. 평가에 대해 글을 쓴 사람들은 평가가 무엇인가, 누가 평가를 어떻게 해야 할 것인가에 대해 다양한 견해를 제시했다. 1960년대부터 1990년대까지 평가가 어떻게 수행되어야 하는지에 대한 60여 개의 제안들이 제시 · 배포되었고, 이러한 제안들이 평가 접근에 대한 개념을 정의한 때부터(Gephart, 1978) 평가 모델의 개발에 대한 최근 견해에 이르기까지(Stufflebeam, 2001b) 연대기로 기록되어 왔다. 이러한 방안들은 다양한 방식으로 시행되어 왔다. 좀 더 발전된 틀을 완성하기 위해, 몇몇 평가는 기존의 개념적 틀이나 결과를 고려하지 않고 다른 평가 접근법을 취했다.

평가자들에 의해 제안된 다양한 접근법이나 이론은 평가 분야의 내용을 구성한다. William Shadish는 1997년 미국평가학회에서 행한 연설 주제를 "평가 이론은 '우리가 누구인가'이다(Evaluation Theory is Who We Are)"라고 정하면서, "모든 평가자들은 평가 이론을 알고 있어야 한다. 왜냐하면 그것이 전문가적 정체성의 핵심이기 때문이다"라고 주장했다(1998, p. 1). 그가 주장한 바와 같이 평가 이론은 "우리가 평가 관련 언어로 서로 대화를 할 때 사용되는 언어를 제공해주며", "우리의 전문성을 규정하는 지식기반이 된다."(Shadish, 1998, pp. 3, 5). Stufflebeam 또한 평가 이론에 대한 연구와 그 접근의 중요성을 강조한다. 그는 "대안적 평가 접근법에 대한 연구는 프로그램 평가의 전문화와 과학적 발전과 작용을 위해 중요하다"라고 하였다(2001b, p. 9). Shadish와 Stufflebeam의 언급에서 보이듯, 몇몇 평가자들은 평가"이론"이라는 용어를 사용하고, 다른 이들은 평가 "모델" 또는 "접근법"이라는 용어를 사용한다. 우리는 접근법이라는 단어를 선호한다. 그 이유는 진정한 이론에 가까운 넓은 영역을 아우를 수 있는 용어가 거의 없으며 용어 선택의 의도는 평가 수행 방식을 안내하는 데 있기 때문이다.[1]

오늘날, 비록 지배적인 평가 이론이나 접근법은 없을지라도, 과거보다는 훨씬 더 많은 합의를 이루어냈다. 그럼에도 불구하고, 독자들이 다른 접근방식에 좀 더 친밀함을 느끼게 하는 것은 중요하며, 전문 평가자들이 토론하는 이슈와 그 영역에 대한 기본적인 지식을 습득하는 것뿐 아니라 각각의 평가를 활용할 수 있도록 다른 평가의 요소와 접근에 대한 의식적 선택을 하도록 돕는 것 또한 중요하다. 오늘날 많은 평가자들이 그들이 평가하는 프로그램에 대한 가장 적절한 요소, 내용, 이해관계자들을 선택함에 있어서 복합적인 접근법을 사용한다. 때로는 비록 평가자들이 선택한 접근이 프로그램이나 내용에 적절하지 않아서 변화를 협상하더라도 자금 제공자들이 다른 접근방법에 익숙하지 않을 경우 그들이 선택한 접근법을 사용하기도 한다. 그러나 이러한 다른 접근방식에 대한 지식 없이도, 평가자들은 그들이 다루어야 할 문제에 관한 충분한 지식이 없는 선택, 이해관계자들이 관계된 방식, 데이터를 수집하기 위해 사용해야 하는 방식, 결과의 활용을 극대화하기 위한 수단을 선택하는 경향도 있을 것이다(예를 들면 Christies의 2003 실용 평가자 연구 참조).

가장 일반적이고 잘 알려진 평가 접근법들은 다음의 네 장들에서 제시된다. 이러한 접근은 평가자들로 하여금 특정한 환경에서 평가를 디자인할 수 있는 개념적 수단을 제공해준다. 이 장에서 우리는 접근법에 차이를 준 요소들, 접근의 방식이 개념화된 방법, 그리고 오늘날 활용되는 보편적인 접근법을 개념화한 방식을 논의할 것이다.

---

1) Shadish(1998)는 '이론'이라는 것은 '주요 관심에 따라서 평가에 관한 좀 더 많거나 적은 수많은 이론적 기술의 총체'라고 정의 내린다(p. 1). 이 주장은 '접근법'과 마찬가지로, 어떻게 평가가 수행되어야 하고 실행에 실제로 영향을 미치는 요소에 관해 논의한다.

프로그램 평가의 다양한 개념

1960년대 이후로 부상한 많은 평가 접근법은 종합적인 모형에서 활동 체크리스트까지 망라한다. 몇몇 작가들은 프로그램 판단을 위해 종합 모델을 선택하는 반면, 다른 이들은 평가를 결정권자들을 돕기 위해서 자료를 수집하고 확인하는 과정으로 간주한다. 여전히 누군가는 평가를 전문적 판단과 밀접한 영역이라고 보며 프로그램의 질에 대한 판단이 전문가의 견해에 근거하는 분야라고 본다. 어떤 학교에서는 평가가 명백히 특정된 목표에 수행 데이터를 비교하는 과정으로 간주하는 반면, 다른 학교에서는 프로그램과 결과 간의 일반적 관련성을 세우기 위한 프로그램에 대한 실험 연구를 신중히 통제하는 것과 밀접히 연관되어 있다고 본다. 누군가는 자연적인 연구의 중요성을 강조하며 가치다원성이 인식되고 보편화되며 보전되기를 촉구하지만, 다른 누군가는 사회적 순수가치에 초점을 맞추고 평가되는 독립체와 연관된 것들이 중요한 역할을 해야 하고 심지어 평가 연구는 어떤 방향을 취하고 어떻게 수행해야 하는지를 결정하는 데 주요한 역할을 해야 한다고 주장한다.

이러한 다양한 모델들이 각각 다른, 때로는 갈등을 일으키는 개념들과 평가 개념들을 토대로 만들어졌다. 교육에서의 예를 살펴보자.

- 만약 누군가가 평가를 필연적으로 전문적 판단과 밀접하다고 본다면, 교육 프로그램의 가치는 (연구된 주제 내에서 종종) 실제로 프로그램을 관찰하거나, 교육과정 상황을 조사한 전문가에 의해서 평가되거나 신중한 판단을 기록하기 위해 충분한 정보를 얻은 다른 방식으로 평가될 것이다.
- 만약 평가를 학생의 수행지표와 목표의 비교로 본다면, 그 기준은 교육과정에 맞추어질 것이고 관련된 학생의 지식과 기술은 표준화되거나 평가자가 세운 기준을 사용하여 측정될 것이다.
- 만약 평가가 결정을 내리는 데 있어서 유용한 정보를 제공하는 것이라고 본다면, 의사결정자와 밀접하게 관련이 있는 평가자들은 내려야 할 결정을 명확히 할 것이고 각각의 선택 가능한 결정에서 무엇이 최선인지를 판단하기 위하여 그 연관된 장단점에 대하여 충분한 정보를 수집할 것이다. 또는, 만약 선택 가능성이 애매하다면 평가자들은 내려야 할 결정을 분석하고 정확히 하기 위하여 정보를 더 수집할 것이다.
- 만약 평가자들이 참여적 접근을 강조한다면, 그는 연관된 이해관계자 그룹을 명확

히 할 것이고 프로그램에 대한 그들의 견해의 정보와, 가능하다면 그들의 정보 필요성도 얻어낼 것이다. 데이터 수집은 인터뷰, 관찰, 문서의 분석 자료와 같이 프로그램에 다중적인 견해를 제공할 수 있도록 마련된 질적 척도에 초점을 맞춘다. 이해관계자들은 평가의 각 단계에 연관되어 평가 능력을 만들어내는 것을 돕고, 사용되는 방법, 결과 분석 및 이해관계자들의 다양한 견해가 반영된 최종적 결론을 명확히 할 것이다.

● 만약 평가자들이 평가를 프로그램 활동과 그 결과 간의 일반적 연관성을 도출하는 데 있어 중요한 것이라고 간주한다면, 프로그램과 각 대안책에 학생과 교사와 학교의 무작위 과제를 사용하여, 의도된 결과를 도출하기 위하여 방대한 양의 데이터를 수집하고, 그러한 결과를 가져옴에 있어 프로그램이 성공적이었다는 것에 대한 결론을 이끌어낼 것이다.

이러한 예시들이 설명하듯, 누군가가 평가를 바라보는 방식은 곧바로 그 평가가 계획되고 사용되는 평가 방식에 직접적인 영향을 미치게 된다. 위의 예를 면밀히 다시 살펴보면, 각각은 훌륭한 평가로 간주될 것이다. 그러나 평가는 그것이 수행되고 사용되는 맥락을 반드시 고려해야 한다. 프로그램의 본질과 그 단계, 연구의 주요 청중층, 이해관계자들의 필요와 기대, 프로그램이 수행되는 정치적 배경 등 각각의 맥락은 그 속에서 차이를 만들어내는 평가 연구의 수행을 가장 적절히 이루어낼 접근법에 대한 단서를 제공한다. 그러므로, 맥락을 설명하지 않고서는 우리는 어떤 예시가 최상의 평가 연구를 이끌어낼지에 대한 고려를 시작조차 할 수 없다. 또한 우리 혼자만의 가치 판단으로는 어떤 예시가 가장 적절한지 판단을 내릴 수도 없다. 대신, 우리는 각각의 접근에 대한 중요한 요소와 특징을 배워서 특정 영역에서 평가를 수행할 때 가장 적절한 선택을 할 수 있어야 한다.

평가에 대한 대안적 관점의 기원

평가 접근의 다양성은 다양한 배경, 경험, 저자의 세계관에서 비롯되었고, 그것은 다양한 철학적 기원, 방법론과 실행에 대한 선호를 제공했다. 이러한 다른 경향은 저자들과 그의 지지자들로 하여금 평가를 수행하고 정보와 데이터를 수집하고 해석하는 데 때로 폭넓은 다른 방식을 제안하게 하였다. 이러한 평가 접근 차이는 직접적으로 그들의 지지자들의 다른 견해로 이어지고 평가 자체의 성질이나 의미뿐 아니라 존재론적, 인식론적 본성의 차이도 이끌었다.

평가에 대한 대안적 개념의 기원을 이해하기 위하여, 독자들은 존재론과 인식론의 다른 철학적 견해를 먼저 살펴볼 필요가 있다.

철학적, 관념적 차이

논리적 실증주의(logical positivism). 초기의 평가는 사회과학, 특히 교육학과 심리학에서 시작되었는데, 당시 지배적인 패러다임은 실증주의였다. 실증주의에서 좀 더 극단적으로 파생된 논리적 실증주의는 지식이란 경험, 특히 관찰을 통해서 얻어진다고 주장했고 세계와 근거수집에 대해서 엄격한 견해를 취했다(Godfrey-Smith, 2003). 그들은 우리가 연구하는 목적은 (a) 오로지 한 가지 현실로만 존재하며 연구자들과 평가자들의 목적은 사회과학 연구 방법론과 통계적 가능성 이론을 연구하여 한 가지 현실을 발견해내고 그것이 어떻게 돌아가는지에 대한 이론을 세우는 것이며, (b) 현실에서 효과적으로 지식을 얻어내서 연구자들이 과학적 목적을 달성하는 것이라고 주장했다. 그러한 접근의 핵심 요소는 연구자들이 그 연구 대상으로부터 어느 정도 거리를 유지해야 하며 그래서 프로그램 자체와 참가자들 또는 연구결과에 영향을 미치지 않도록 하는 것이다. 이러한 목적과 거리를 유지하기 위해 사용된 방법들은 전형적으로 양적 접근이었다. 연구자들의 견해나 가치관이 얻어진 결과에 영향을 미치지 않도록 하는 객관주의, 혹은 객관성은 실증주의의 핵심 이론이었다.

후기실증주의(postpositivism). Reichardt와 Rallis(1994)는 비록 논리적 실증주의의 일부 요소는 지속적으로 평가와 연구에 영향을 주기는 했지만, 2차 대전 이후로 힘을 잃기 시작했다고 말한다. 그러나 1984년경, 권위 있는 연구 방법론 학자이자 양적 연구의 기원을 열었던 평가자인 Donald Campbell은 "20여 년 전에 논리적 실증주의가 과학 철학을 지배했지만 … 오늘날 그 흐름은 완전히 철학, 과학 그 어디에서도 과학 이론가들로부터 외면당하고 있다. 논리적 방법은 이제 거의 보편적으로 통용되지 않는다"(p. 27)라고 말했다. 실증주의는 논리적 실증주의에서 비롯되었고 불행하게도 많은 이들이 그 둘을 이제 외면한다. Guba와 Lincoln(1989)은 실증주의적 견해는 평가에 대한 다른 접근법들과 양립될 수 없다고 주장했다. 그러나 각각 양적, 질적 평가자인 Reichardt와 Rallis(1994)는 Compbell과 Stanley(1966), Cook과 Capmbell(1979)과 같은 실증주의자들이 논리적 실증주의적 견해를 유지하지 않았다고 반박했다. 대신 그들은 이러한 실증주의자들과 그 외의 사람들이 연구에 있어서 사실적 요소, 방법론 연구 선택이 연구자들의 가치에 의해 영향을 받았다는 사실을 인지했다는 그들의 연구를 인용함으로써 지식은 오류를 범할 수도 있고, 데이터는 많은 다른 이론에 의해 설명될 수도 있으며 그러한 현실은 사람과 경험을 바탕으로 이루어진다고 말했다.

그러나 실증주의의 핵심은 비록 일시적인 사실은 잘못될 수 있을지라도, 외부적 세계를 설명하기 위한 이론과 법칙을 만들어내기 위한 일반적인 관계를 연구하는 데 있다. 객관성이 아닌, 응답과 공통주관성이 훌륭한 연구를 확신시키는 열쇠이다(Frankfort-Nachmaias & Nachmias, 2008). 공통주관성이란 누군가가 어떠한 방식으로 연구를 해내면 다른 사람도 그것을 같은 방식으로 했을 때 똑같은 결과를 얻어낼 수 있는가에 대해서 상호소통할 수 있는 능력을 포함한다. 평가에 있어서, House와 Howe(1999)는 그들이 일반적으로 받아들여지는 견해라고 말하는, 이러한 철학적 접근의 핵심적 특징 중의 하나는 사실을 가치로부터 분리하여 바라보는 것과 평가자들이 오로지 사실에만 초점을 맞춘다는 것이라고 하였다.

구성주의 패러다임(constructivist paradigm). 평가가 계속됨에 따라서 평가자들은 맥락과 가치가 평가에 있어서 매우 중요한 역할을 하게 된다는 것을 보았다. 단계를 밟아감에 있어 일반화되어 가고 있는 많은 과학적 법칙과는 달리, 교육적·사회적·경제적 프로그램의 성공에 영향을 미칠 수 있는 요소는 각 상황별로 다르다. 또한 평가에 있어 고객과 이해관계자들은 인과성을 설정하는 것과 관련되기보다는 프로그램을 더 잘 이해할 수 있는 정보를 필요로 한다. 프로그램 개발자들은 변화하는 '현실', 조건, 또는 프로그램이 제공하고자 하는 삶의 경험이 달라서 그것들은 고객들에게 다른 효과를 미칠 수 있다는 것을 보았다. 그들은 이러한 상황을 더 잘 파악하여 그들의 프로그램을 향상시킬 수 있는 데 도움이 되기를 원했다. 그리고 가치는 프로그램, 정책, 평가가 직면하게 되는 통합적인 부분이므로 가치로부터 평가의 분리는 평가를 불완전하게 만든다고 본다.

구성주의 패러다임은 이러한 평가자들과 프로그램 개발자들의 견해와 경험에 좀 더 가깝게 반응하였다. 구성주의자들은 존재론과 인식론에 대해 다른 견해를 가지고 있다(Guba & Lincoln, 1994). 비록 현재 우리는 그들이 주장했던 것처럼 차이가 극단적이지는 않다는 것을 알고 있지만, Guba와 Lincoln은 우리의 구성된 세계를 이해하는 것, 특히 다른 이해관계자들이 보고 경험한 다중적인 실제에 초점을 맞추었다. 그들은 우리 각각은 우리의 경험에 의해 영향을 받은 우리만의 시야로만 바라보게 되므로 객관성이란 불가능하다고 주장했다. 후에 House와 Howe(1999)는 사실-가치 양분론, 또는 객관적 '사실'과 주관적 '가치' 사이의 엄격한 구분은 사실 연속체라고 강조했다. 우리의 가치는 우리가 사실이라고 인지하는 것에 영향을 미친다. 그래서 평가자들은 가치와 관련되어야 하며 이해관계자들이 그들의 가치를 분명히 하는 것을 돕고, 평가에 있어 내재된 가치를 분명히 하며, 현실에 있어 이해관계자들의 각각 다른 관점을 통하여 프로그램을 작용시켜야 한다. 구성주의는 또한 Schwandt(1997)가 지식의 지역성(localness)이라고 부른 것에도 또한 계속해서 초점을 맞추었다. 평가는 특정 프로그램과 그 맥락에 대한 이해를 위한 의도를 지니고 있고 다른 조건에 있어서 법칙이나 이론을 발전시키고 일반화하는 것과는 거리가 있다.

변혁적 패러다임(transformative paradigm). 좀 더 최근에는 변혁적 패러다임이라는 평가에 관한 새로운 패러다임이 떠올랐다. 그것은 처음부터 그리고 지금까지도 미국과 서방 국가에서 지지되고 있긴 하지만 국제 개발 업무와 개발도상국에서 많이 활용되는 이론이다. 구성주의나 후기실증주의와 마찬가지로, 이 패러다임도 실증주의에 대한 비판에서 시작되었을 뿐 아니라 연구나 평가가 개발도상국의 실패한 정치적이고 사회적 문제를 설명하는 반응으로 개발되었다. 구성주의와 같이 변혁적 패러다임, 즉 변혁주의도 다양한 현실을 인식하고 평가에서 그러한 현실을 반영할 필요가 있다고 본다. 그러나 변혁주의가 강조하는 것은 그러한 현실을 구성하는 정치, 사회, 경제적 요소들을 기반으로 해야 한다는 점이다. 변혁주의는 방법론적 선택을 지양하고 평가가 주장하는 문제의 본질과 어떻게 이해관계자들이 평가에 관계되어 있는지에 더 관심이 있었다. 변혁적 평가는 사회적 힘이 미약한 그룹의 힘을 더 강화하는 데에 관심이 있다. 그 속에는 빈곤층, 인종적 소수민족들, 여성, 장애인도 포함될 수 있다(Mertens, 1999). 평가의 핵심은 이러한 사람들이 지식을 쌓고 평가의 중심적 역할을 할 수 있도록 함으로써 그들의 힘을 강화시키는 것을 돕는 것이다(Hall, 1992; Freire, 1970, 1982). 평가자들은 권력과 지식의 변화를 위하여 그러한 평가에 있어서 이해관계자들에 의한 선택의 조력자 역할을 한다. 몇몇 사람들은 변혁주의를 새로운 패러다임으로 본다. 또 누군가는 그것을 접근법이라고 본다. 우리는 이러한 유형의 평가를 8장에서 좀 더 광범위하게 다룰 것이다.

평가실행에서의 패러다임 영향. 이러한 철학적 패러다임과 방법론적 선택에 있어 그것들의 영향은 다양한 평가적 접근의 발달에 영향을 미쳐왔다. 어떤 이들은 패러다임과 질적·양적 방법론은 구분되어야 한다고 주장한다. 왜냐하면 후기실증주의와 구성주의의 핵심적 관념은 양립할 수 없기 때문이다(Denzin & Lincoln, 1994). Reichardt와 Rallis(1994)는 이 패러다임들이 양립할 수 있다고 논증하였다. 질적이고 양적이라는 각기 다른 방법론적 입장을 대표하는 실용주의자들은 이 둘이 양립할 수 없다는 논쟁을 반박하였고, 평가자들과 연구자들이 존재론적, 인식론적 논쟁을 넘어서 그들이 무엇을 연구하며 관련된 이슈를 탐구하는 적절한 방법론이 무엇인지를 고려할 것을 촉구했다. 다시 말해, 평가 방법론 선택은 어떤 패러다임이나 철학적 견해를 바탕으로 하는 것이 아니라, 특정한 연구 분야에서 보이는 개념이나 각각의 특정한 평가의 실용적 특징을 바탕으로 해야 한다는 것이다. 다음 장들에서 논의하겠지만, 많은 평가자들은 패러다임에 관한 논쟁을 건너뛰고 실용적 접근만을 선호하는 경향도 있다(Patton, 1990; 2001; Tashakkori and Teddls, 2003). Howe(1998)와 좀 더 최근에는 Tashakori와 Teddlie(1998)가 실용적 접근을 패러다임 그 자체라고 주장했다. 그들은 존재론적, 인식론적 논의는 아무런 소용이 없다고 보고, 연구자들과 평가자들의 방법적 선택은 그들이 답하려고 하는 질문에 근거해야 한다고 주장한다. 그들은 "실용적 연구자들은 연구의 질문이 그들이 사용하는 방법이나 방법의 근저에 있는 패러다임보다 더 중요하다고 본다"고 말한다(Tashakkori & Teddlis, 2003, p. 21).

그러나, 독자들이 이러한 패러다임에 익숙해질 필요는 있다. 왜냐하면 그들의 철학적 가정이 각기 다른 평가적 접근의 발달에 핵심적 영향을 미쳤고, 여전히 많은 평가와 접근에 영향을 미치고 있기 때문이다.

방법론적 배경과 선호

오랫동안 평가자들은 앞서 본 바와 같이, 질적 · 양적 연구방법의 가치와 사용을 구분하고 논쟁했다. 이러한 방법론적 선호는 앞서 설명한 패러다임들에 근거한다. 즉, 후기실용주의 패러다임은 양적 방법론을 평가자와 연구자들이 연구하는 현상들 사이의 인과관계에 대한 객관적 정보를 얻을 수 있는 더 나은 방법이라는 데 초점을 맞추었다. 분명히 양적 방법론은 수적 데이터를 산출해내는 것이다. 그 중에는 테스트, 조사 또는 학교의 성과를 측정하기 위해 고등학교를 졸업한 학생들의 진학률 조사, 음주운전 훈련 프로그램의 평가를 위한 혈중 알코올 함량 퍼센트 조사, 경제개발 프로그램을 평가하기 위해 문맹자 수 조사와 같은 것들도 포함할 수 있을 것이다. 양적 조사 방법 또한 인과관계를 도출해내기 위해 실험, 준실험설계 혹은 다변량 통계 방법에 의존한다.

구성주의자들은 다른 관점을 제시하고 새로운 이론을 발견해내고 탐구하는 데 좀 더 관심이 있다. Guba와 Lincoln은 연구되는 현상에 대해 탄탄한 설명(thick description)을 도출하기 위해 논의했다. 그러한 심도 있는 설명은 질적 관찰, 인터뷰, 기존 문건의 분석에 사용될 가능성이 높다. 구성주의자들은 또한 인과관계 연구의 이점을 알았지만, 그들은 프로그램과 결과 사이의 명확한 인과관계를 도출해내기보다는 그것을 이해하는 것을 좀 더 강조하였다. 이러한 주장과 함께, 구성주의자들은 질적 척도를 선호하였다. 질적 척도는 수적으로 축소될 수도 없고, 인터뷰나, 초점 그룹, 관찰, 기존 문건의 내용분석과 같은 데이터 수집 방법을 포함한다.

몇몇 평가자들은 양적 접근이 이론을 테스트하고 확정하는 데 쓰였던 반면에 질적 접근은 탐구와 이론 개발에 좀 더 사용되었다고 말했다(Sechrest & Figueredo, 1993; Tashakkori & Teddlie, 1998). 만약 평가된 프로그램이 기존의 이론에 근거하고 평가의 이익이 그러한 이론이 이러한 새로운 상황에 적용되는지를 결정짓는 것에 있다면, 양적 접근은 사실 그러한 이론에 의해 가설된 인과 메커니즘이나 효과가 실제로 발생했는지를 알아보는 데 사용될 것이다. 예를 들어, 기존의 이론에 근거한 독서 프로그램은 더 어린 그룹이나 새로운 학교 환경에서도 시도될 수 있다. 초점은 다른 조건에서와 마찬가지로 그 이론이 독해력을 향상시키는 데 있어서 새로운 상황에서도 효과가 있는가를 결정하는 데 있다. 학생은 무작위로 선발되어 기존의 방식과 새로운 방식에 몇 달간의 일정 기간을 정하여, 독해력 테스트를 통하여 데이터가 수집될 것이다. 질적 방법론 또한 인과관계를 측정하기 위해 사용될 수 있지만, 만약 초점이 확실한 인과관계를 설립하는 데 있다면 양적 연구방법이 더 선호될 것이다. 반면에 만약 평가자가 실험적 프로그램 또는 정책—예를 들면 특정 학군에서 교사들에게 성과급을 지급하는 것—과 같은 것들을 평가한다면 양적 접근이 일반적으로 그 프로그램이 어떻게 돌아가는지를 이해하고 설명하는 데 일반적으로 더 적절할 것이다. 비록 현재 몇 군데에서 성과급을 실험적으로 실시하고 있지만, 교육환경에서 그것이 어떠한 역할을 하는지에 대해 알지 못하며, 다른 분야에 미치는 영향 및 그 결과와 섞여 있다(Perry, Engbers, & Jun, 2009; Springer & Winters, 2009). 이러한 경우 교사들, 교장들, 다른 직원들과의 인터뷰, 직원 미팅을 통한 관찰, 정책 자료 분석, 학교 환경에 있어 성과급이 미치는 영향에 대해 알기 위한 여타의 방법, 교사의 존속과 만족도 및 업무, 팀워크, 교사-교장과의 관계 그리고 다른 이슈들을 통하여 많은 질적 데이터를 수집하는 것이 중요할 것이다.

평가의 초기 몇 년 동안 대부분 평가자들의 훈련은 양적 방법에 따랐다. 특히 심리학, 교육학, 사회학 이론을 바탕으로 한 평가자들이 그러했다. 평가에 있어 새로운 질적 방법론의 등장은 양적 연구에 익숙해진 사람들에게 초기에는 강한 저항을 받았다. 그러나 오늘날에는 대부분의 평가자와 (연구자들은) 혼합된 방법론의 가치를 인지하고 대부분의 대학원 과정에서도 비록 누군가는 둘 중 한 가지 방법을 선호할지라도 학생들을 각각 훈련시킬 필요성을 인지하였다. 대부분의 시간을 유사한 주제를 탐구하는 데 보내는 연구자들에게는 몇몇 방법론에 있어 집중적인 훈련이 생각의 유형을 정리하는 데 적절하고 그들이 연구하는 환경에도 그러하다. 그러나 평가자들은 많은 종류의 프로그램과 그들의 연구에 있어 중요한 다양한 요소를 담고 있는 정책을 연구한다. 그러므로, 평가자들은 현재 양적 · 질적 방법론적 기술을 습득하여 그들이 평가하고자 하는 프로그램과 맥락에 가장 적절한 방법을 선택하고자 한다.

지난 몇 년간 이른바 평가의 지적 맥락을 분석한 Stevenson과 Thomas(2006)는 지난 몇 년간 평가자들과 접근법 사이의 차이점을 설명할 한 가지 유용한 틀을 제시했다. 그들은 한 가지 이론에 매우 근접한 평가에 있어서 세 가지 전통을 확인했다.

(a) **실험적 방식**(experimental tradition)은 주로 심리학적 사회학적으로 훈련된 사람으로, 인과관계를 설정하는 데 초점을 맞추어 양적 연구를 하는 이들로 구성되어 있다. Donald Campbell은 이러한 전통 초기의 학자로서, 사회심리학자들로 하여금 실험실을 벗어나 실용적인 연구를 수행할 수 있도록 좀 더 실용적인 생각을 하도록 이끌었다.

(b) **사례/맥락 방식**(case/context tradition)은 Ralph Tyler와 그의 제자 Lee Cronbach에 의해 주도되었는데 주로 교육을 바탕으로 하고 있다. 이러한 움직임은 테스트와 학생들의 평가를 근간으로 했지만 교사들로 하여금 무엇이 이루어지고 있는지에 대한 이해를 얻을 수 있도록 프로그램과 작업을 설명하는 것으로 변화했다.

(c) **정책 영향 방식**(policy influence tradition)은 정치과학적으로 훈련되었으며 연방정부에 속해있는 사람으로 구성된다. 이러한 리더들로는 Carol Weiss와 Joseph Wholey가 있다. 개인적 프로그램으로부터는 어느 정도 떨어져 있지만 선출 또는 지명된 정부 관료들을 지원하는 그들의 정책적 역할은 무엇을 자금 지원하고 어떠한 방향을 정부가 채택할 것인지를 결정하고 다른 종류의 사용과 고안에 대한 초점으로 이끄는 것이다.

비록 평가자들이 오늘날 2000명이 참여하는 미국평가학회와 같은 전문 협회의 규모로 모이지만, 이러한 방식들은 여전히 눈에 띈다. 그들은 각각의 방식으로부터 조금씩 배우지만 종종 원래 그들의 교육방식과 업무와 같이 그들의 환경과 익숙한 이슈들에 좀 지속해서 초점을 맞춘다. 이 책에서 다른 접근방식을 보여줌으로써, 우리는 독자들이 이러한 방식과 훈련을 연결 지어 그들의 업무에서 무엇이 가치 있는지를 학습하는 것을 도울 수 있기를 기대한다.

학문적 범위와 평가방법. 이러한 풍부한 대체 평가 접근법이 있음에도 여전히 몇몇 평가자들 사이에서는 평가 방법을 프로그램, 이해관계자, 확정된 평가 항목의 필요를 충족시킬 수 있도록 개발하거나 적응시키기보다는 수단오류의 법칙[2]을 희생자의 몫으로 남기는 경향이 여전히 존재한다는 것은 아이러니한 일이다. 많은 경우, 평가에 있어서 수단오류의 법칙은 평가자의 기존의 훈련 방식에 근거한다. 그러나 Scriven(1991c)은 평가는 단지 한 가지 이론이 아니라, 논리, 설계, 통계와 같이 초학문(transdisipline) 이론의 넓은 범위에 적용된다고 사실상 주장했다.

　그래서 접근에 대한 우리의 설명 의도는 한 가지 접근법을 지지하려는 것이 아니라, 독자들로 하여금 어떤 방식 혹은 각기 다른 접근 요소들을 선택하여 계획하고자 하는 특정 평가에 적절한 것을 선택하도록 장려하는 데 있다.

평가 이론 또는 접근의 분류

기존의 분류와 비판

최근 몇몇 평가자들이 평가 이론을 각기 다른 목적을 위하여 분류하려고 시도해왔다. Shadish, Cook, Leviton(1995)의 저서는 중요한 평가 이론을 검토하는 데 영향을 주었고, 그 분야의 역사적 경향이나 변화를 부분적으로 설명하였지만, 주로 평가 이론을 확인하고 설명하였다. Shadish 등은 미국에서 부상한 세 단계의 평가 이론을 확정지었다. 1960년대의 첫 번째 단계는 사회문제 해결과 정부 프로그램의 효율성을 연구하는 데 있어 그 결과를 얻어내기 위해 과학적으로 엄격한 평가 방식을 사용하는 데 초점을 맞추는 데 그 특징이 있었다. 이 단계에서 강조된 점은 이러한 정보를 바탕으로 프로그램과 각 그 프로그램의 가치 간의 인과관계를 관찰하는 것이었다. Shadish 등은 각 단계에서 개인적인 평가자들이 지배적인 이론을 설명하는 데 초점을 맞추었다. 첫 번째 단계에서, 프로그램 혹은 정책의 가치 판단에 초점을 둔 이론을 개발한 Michael Scriven과 실험실 밖에서의 프로그램의 인과적 효과를 설립하도록 유사 실험 방식을 개발하고 어떻게 이러한 방식들이 관리자와 평가자에 의해 사용되어야 할 것인지에 대해 논의한 Donald Campbell을 언급한다. 두 번째 단계는 평가 결과가 사용되는지에 대해 평가자들의 관심이 높아져 가는 것을

---

2) Kaplan(1964)은 이것을 다음과 같이 설명한다. 만약 당신이 소년에게 망치를 한 개 준다면, 갑자기 그 소년이 마주하게 되는 모든 일에 망치질이 필요하게 되어버린다. 그는 이것이 과학자들에게도 마찬가지라고 주장한다. 특정한 방법이나 기술을 사용하는 데 익숙하고 편안함을 느낀 과학자는 갑자기 모든 문제를 비틀어 그것이 적절하든 아니든 상관없이 그들의 경향에 맞추어 적용할 수 있도록 변형시켜 버린다는 것이다.

반영했다.[3] 이 단계에서 평가자들의 초점은 평가자들이 특정 이해관계자들이 사용을 촉진하도록 그 관계를 발전시키거나 각기 다른 이해관계자들의 이익과 잠재적 정보 요구에 부응하는 방법을 확대하기 위하여 평가가 다양한 방식으로 성장하고 변화하도록 촉진했다. 두 번째 단계에서 언급되는 Carol Weiss, Joseph Wholey, Robert Stake 등은 매우 다른 방식으로 늘어나는 평가의 사용과 호응에 관심을 보였다. 세 번째 단계에서 Shadish 등은 Lee Cronbach와 Peter Rossi와 같은 평가자들이 사실에 관한 첫 번째 단계에서의 강조를 통합한다고 보거나 이해관계자에 대한 평가자들의 사용을 강조한 두 번째 단계의 과학적 당위성을 언급했다. 평가를 유용하고 타당하게 하기 위한 노력으로, 세 번째 단계에서의 평가자들은 평가에 도움을 주기 위하여 사회 프로그램 이론을 발전시키고 그것을 다른 곳에 적용시킨다는 새로운 개념을 소개했다.

Stufflebeam(2001b)도 역시, 우리와 마찬가지로 평가 이론이나 혹은 '접근법'이라 불리는 그것을 분석하였다. 그의 연구는 급속도로 늘어나는 평가 이론들을 환원하여 가장 큰 잠재력을 지닌 것을 확인하는 쪽으로 설계되었다. 그는 몇 가지 핵심 기술어를 사용하여, 많은 이론들을 각각 요약하기 위해 20개의 각기 다른 평가 접근법에 대한 집중적 연구를 통해 정리하였다. 그리고 그는 합동위원회에 의해 개발된 '기준'을 사용하여 9개의 접근을 좀 더 상세하게 판별하였다. 다양한 방법론에 대한 그의 평가는 또한 그가 "프로그램의 가치를 평가하기 위한 평가의 근본적인 요구사항"으로 보았던 각각의 접근법에 영향을 받기도 했다(Stufflebeam, 2001b, p. 42). 흥미롭게도 20여 개의 접근법을 (a) 문제 그리고/혹은 방법중심 접근, (b) 개선/책무성 접근, (c) 사회적 의제와 옹호 등 세 가지 범주로 분류하였다. 그의 분류의 첫 번째인 (a) 문제 그리고/혹은 방법중심 접근법은 셋 중에 가장 큰 그룹이며 20개 접근법 중 13개를 포함하고 있다. 그가 말하기를 이러한 접근법들은 특정한 문제나 방법에 초점을 맞춤으로써, "평가의 범위를 좁히는 경향이 있다"는 점에서 서로 비슷하다(2001b, p. 16). 이 범주의 접근법은 무엇이 평가되어야 할지를 결정하기 위한 특정한 전략에 초점을 맞추어야 하거나(목적중심 접근법, 이론기반 접근법), 데이터 수집에 특정한 방법을 사용하고(목적 테스트, 과업 테스트, 실험 연구, 사례 연구, 비용 편익 분석), 또는 데이터를 조직하고(정보 시스템 관리), 결과를 나타내고 판단하기 위해 특정한 방법을 사용하는 것(심리설명, clarification hearing)과 같은 것을 포함한다.[4]

---

3) 1단계 이론가들은 결과가 소비자, 관리자, 정책입안자 등에 의해서 자연스럽게 사용될 것이라고 가정하였기 때문에, 사용에 관해서는 광범위하게 기술하지 않았다.

4) 이러한 하위 범주 구분은 Stufflebeam에 따른 것이 아니라, 13개의 접근법의 우리만의 해석이다.

Stufflebeam의 두 번째 분류인 개선/책무성 접근은 "프로그램의 장점과 가치를 충분히 평가하는 것이 필요함을 강조"하는 접근법을 포함한다(2001b, p. 42). 그는 이러한 접근이 프로그램 평가에 있어서 가치와 장점을 판단하기 위한 그들의 목적을 수행하는 데 좀 더 포괄적이라고 보았다. 그 전형적인 예로는 인증/증명적 접근법, 그리고 Scriven의 잠재적 소비자를 위한 생산품의 질을 판단하기 위한 소비자중심 접근법 등이 있다. 사회적 의제와 옹호 접근법은 주로 생산품의 전체적인 질을 판단하거나 특정 방법을 강조하기보다는 오히려 "프로그램 평가를 통하여 사회적 차이를 드러내는 데" 의의가 있다(Stufflebeam, 2001b, p. 62). 평가를 수행함에 있어, 이러한 접근법은 사회적 약자인 그룹에 힘을 실어 주고 그들을 포함하는 데 관심이 있다. 이러한 접근법은 Stake의 고객 중심적 또는 고객 대응적 평가와 House의 숙의적 민주주의 평가도 포함한다.

1985년에 Alkin과 Ellett는 포괄적 이론을 탐색하기 위해서는 평가 이론이 방법론, 어떻게 데이터가 평가/판단되는지, 평가의 활용과 같은 세 가지를 강조해야 한다고 주장했다. 후에 Alkin과 House(1992)는 세 가지 이슈를 세 가지 연속체로 발전시켰다. 그것은 (a) 방법들은 질적 연속체에서 양적 연속체로 나아감에 따라 특징지어진다는 것, (b) 가치는 단일체(데이터나 프로그램을 판단하는 한 가지 가치 혹은 방식)에서 다원체(다양한 가치)로 감에 따라 특징지어진다는 것, (c) 활용은 수단에 대한 열망이나 직접적 쓰임에서부터 계몽 혹은 간접적 사용까지 범위가 미칠 수 있다는 것 등이다. Alkin과 Christie는 2004년도에 평가 이론가들과 그들의 접근법을 분류하기 위해 시각적 나무 구조를 통한 이러한 차원을 사용했다. 이 평가법의 분류의 근간은 그들이 바라보는 것이 평가의 두 가지 기초, 즉 사회적 요구(방법의 체계적이고 정당한 합의 이용)와 책임 및 통제(평가에 목적과 의도된 사용을 반영하는 것)라는 것을 반영한다. 이 세 가지 이론에서 뻗어나온 것들은 초기의 Alkin과 House(1992)가 정의 내렸던 세 가지 차원의 방법, 가치, 활용을 반영한다. 각각의 이론가들은 그들의 접근법에 대한 핵심 범위를 반영하기 위하여 세 가지 중 한 분야에 주안점을 둔다. Shadish 등(1995)과 Alkin, Cristie는 개별 평가 이론가들을 평가의 각각 다른 접근법을 설명하기 위하여 사용한다.

이러한 개별화된 평가 접근법이나 이론들은 평가와 그 역사와 사용에 있어서 유용한 통찰을 제공한다. 그래서, Shadish, Cook, Leviton은 초기에는 평가가 사회 프로그램에 대한 판단을 가져올 것이라고 했다. 그 후에는 평가가 필요하다고 여겨지는 곳에 사용된다고 인식하였으며, 훨씬 뒤의 단계에서는 두 가지가 통합되고 응용된다는 것에 초점을 맞추었다. Alkin과 Christie의 모델은 Shadish 등에 의한 정의에 기초하여 다른 방식으로 제시되었다. 그 뿌리는 사회적 탐구, 책무성, 통제에 있지만, 그것은 방법, 가치 응용 등 세 가지 영역에 평가의 주안점을 둔다. Stufflebeam의 범주는 그가 개인적 평가자나 범주를 확정짓기 위한 저술에는 초점을 맞추지 않는다는 점에서 초기의 그것들과는 다르지만 평가 이론이나 모델에는 초점을 둔다.[5] 그는 평가 자체에 초점을 맞추는 데 사용된 초기 장치나 이론을 고려함으로써 범주를 발전시켰다. 평가에 초점을 맞추기 위해 고려된 우선사항은 그의 세 가지 범주에 반영되었다. 특별한 평가 질문 또는 방법을 사용하고, 프로그램의 질을 고려하여 판단을 내리기 위해 통합적 접근법을 채택하는 것, 사회적 형평성을 고려함으로써 적은 힘으로 그러한 필요를 충족시키고 프로그램과 사회 향상을 도모하는 것 등이 그것이다. Stufflebeam과 마찬가지로 우리의 목적도 평가 접근법의 현재 흐름을 환원하는 것이다. 비록 Stufflebeam의 접근 환원 방식이 각각의 질을 판단하는 것이었을지라도 우리의 종합적 접근은 각각의 접근이 여러분과 독자들을 돕고 업무에 있어 그 잠재력이 발현되는 것을 설명하려는 의도를 지니고 있다.[6] 비록 평가에 관한 많은 접근법들이 혼란스러울지도 모르지만, 그런 다양성들이 평가자들로 하여금 그들이 평가하는 각각의 프로그램에 있어 가장 효과적인 접근 요소와 접근법을 선택하게끔 해준다. 우리가 할 일은 독자들로 하여금 그러한 방식을 이해하고 평가가 수행되는 방식을 바라보는 관점의 다양한 가능성을 열어두도록 그것들을 분류하는 것이다.

평가 접근법을 위한 분류 틀

우리는 평가의 방향을 결정지어 주는 주요한 요소를 정의 내린 우리의 연구를 근거로, 각기 다른 많은 평가 접근법들을 네 개의 범주로 분류해 보기로 한다.

1. **프로그램 혹은 결과물의 질에 관한 종합적 판단을 지향하는 접근:** 이러한 접근법은 전문성을 추구하고 고객지향적인 평가를 포함한다. 이것은 평가에 있어 가장 오래된 접근법이며 공식적 평가 접근법이 발달되기 전에 많은 사람들에 의해서 사용되어왔다. 우리는 Elliot Eisner의 감식력과 비평, 인정(인증)에 대한 저술과 Michael Scriven의 소비자중심 접근법이라는 저술에 대해 논의할 것이다. 전문적이고 고객

---

5) 물론, 지지자들의 글을 검토해보면, 각 개인들은 자신의 접근법이나 이론에 대해 설명하게 되기 때문에 이론을 다시 한 번 고려해보게 된다. 차이점은 Alkin과 Christie(2004)와 Shadish 등(1995)은 각 개인들이 이론들에 대해 실증하는 데 초점을 맞추었고, Stufflebeam은 개인들에 대한 초점의 비중이 좀 더 낮다는 것이다. 비록 Stufflebeam의 실험에서 몇몇 이론은 개인에 대한 논의가 있지만 대부분은 그렇지 않다.

6) 비록 우리의 목적이 각각의 접근법에 대한 질을 평가하는 것이 아니라 독자들에게 그것을 소개하는 데 있을지라도, 평가에 있어서 가치 있는 목적을 제공하지 못하는 접근법을 끌어내지는 않는다.

지향적인 접근법들은 누가 평가를 수행하는가 하는 면과 방법론적 측면에서 달라지지만, 공통적인 것은 평가자들이 평가하는 것의 질을 판단하고 가치측정을 하는 데 초점을 맞추도록 유도한다는 점이다.

2. **프로그램의 특성을 지향하는 접근:** 이러한 방식은 목적, 기준, 이론을 근간으로 하는 평가 방식을 포함한다. 각각의 접근법에서 평가자들은 프로그램의 특성과, 그 목적, 그리고 그것이 획득하고자 하는 것을 위해 만들어진 기준, 또는 어떤 평가 항목이 평가를 위해 초점이 맞추어질 것인가를 확정 짓는 것을 기본으로 하는 프로그램의 이론 등을 사용한다.

3. **프로그램에 관한 의사결정을 지향하는 접근:** 이러한 방식은 Daniel Stufflebeam의 CIPP(Context-Input-Process-Product) 접근법과 Michael Patton의 활용중심 평가(Utilization-Focuced Evaluation)뿐 아니라 Joseph Wholey의 평가성 사정과 업적 모니터링 등을 포함한다. 이러한 방법들은 이해관계자들 또는 조직에 의한 결정의 질을 향상시키기 위한 정보제공에 있어 평가자들의 역할에 초점을 맞춘다.

4. **이해관계자들의 참여 지향적 접근:** 이 방법들은 Robert Stake의 반응적 평가(Responsive Evaluation), 실행적 참여 평가(Practical Participatory Evaluation), 개발 평가(Developmental Evaluation), 권한부여 평가(Empowerment Evaluation), 민주주의 지향 접근법 등을 포함한다.

이러한 범주들로 분류된 평가 접근법은 어느 정도 임의적이다. 몇몇 접근법들은 다면적이고 한 가지 이상의 범주로 분류될 수 있도록 한 특징을 포함한다. 이러한 접근법들이 한 가지 범주에 포함될 수 있도록 명료성을 부여하고 그것이 각 장에 적절하게 배치되고 다른 특징들도 참고 표시를 하였다. 이러한 분류는 그것이 평가를 하기 위한 원동력이라고 본 데 근거하며, 무엇을 공부할 것인지 선택하는 것과 연구가 수행되는 방식 등의 요소를 포함한다. 각각의 범주 안에서 각 접근법들은 형식과 구조의 단계에 따라서 달라지고, 어떤 것들은 상대적으로 철학적이고 절차적으로, 또 다른 것들은 조금 그렇지 않게 다루었다. 어떤 것들은 자주 사용되고 어떤 것들은 덜 사용되기도 하지만 평가자들의 사고에는 주요한 영향을 미쳐왔다. 다음 장에서는 이러한 접근법을 확장하여 설명할 것이다.

주요 개념과 이론

1. 평가의 비교적 짧은 역사에서, 어떻게 평가를 시행할 것인가에 관한 많은 접근법과 이론들이 나타났다.

2. 평가자들은 그들이 평가하는 특정 프로그램과 맥락에 가장 적절한 접근법에 관한 요소들과 그 접근법을 선택하기 위하여 다양한 방식들에 익숙해져야 한다.

3. 각기 다른 평가 접근법들은 다양한 존재론과 인식론적 관점과 타당한 지식을 얻기 위한 방식에 의해 영향을 받았다. 이러한 관점들은 평가자들 개인의 삶의 경험과 교육과 종종 연관이 있다.

4. 오늘날, 평가에 있어 주요한 패러다임과 사회과학은 후기실증주의자, 구성주의자, 변혁주의, 실용주의를 포함한다.

5. 다른 이들은 평가 이론 혹은 접근법들을 사실과 활용 그리고 두 가지의 통합에 초점을 맞추어 분류한다. 그것은 문제 혹은 방법, 개선/책무성에 따라, 사회적 의제와 옹호에 따라, 방식, 가치, 활용에 대한 그들의 초점에 따라 나누어진다.

6. 우리는 평가시 취해지는 행동을 유발하는 주요한 요소들에 기초하여 이론들을 분류하였다. 우리의 분류는 프로그램의 특징, 의사결정, 이해관계자들의 참여를 바탕으로 프로그램의 질을 고려한 전체적 판단을 하는 데 초점을 맞춘 접근법들을 포함한다.

토의 문제

1. 평가에 영향을 준 패러다임들 사이의 가장 핵심적 차이는 무엇인가? 어떤 패러다임이 당신에게 가장 적합해 보이며 그 이유는 무엇인가?

2. 누군가가 프로그램 평가를 정의하는 방식이 평가 연구에 어떻게 영향을 미치는가?

3. "평가는 전통적 이론이 아니라 변혁적 이론이다"라는 말은, 방법론자들 또는 평가자들이 평가시 채택할지 모르는 접근법들에 어떤 영향을 미치는가?

적용 연습

1. 당신이 어떻게 평가할 것인지 생각해보라. 당신이 선택할 단계를 설명하고, 당신의 철학적 방법론적 선호도에 따라서 접근법을 분석하라. 당신의 배경을 설명하고 당신이 평가할 것이 당신의 접근법에 어떤 영향을 미칠 것인가를 설명하라. 평가에 있어 당신

의 접근법이 미칠 다른 영향을 설명하라.

2. 당신이 있는 분야에서 당신이 평가하고자 하는 프로그램을 확정하라. 사용될 수 있는 질적 평가 방식을 나열해보라. 이제 당신이 적절하다고 생각하는 양적 접근법을 설명하라. 각 차이점이 당신에게 무엇을 말해줄 수 있겠는가?

3. Anderson 공립학교 지구는 최근 교장들을 대상으로 새로운 훈련 프로그램을 시작했다. 만약 당신이 후기실증주의자 패러다임을 바탕으로 이러한 훈련 프로그램 평가를 시행한다면 어떤 질문을 하겠는가? 어떤 유형의 데이터를 수집하겠는가? 만약 당신이 구성주의적 관점에서 시행한다면 어떻게 평가가 달라지겠는가? 변혁주의 관점에서는 어떻겠는가?

추천 도서

Alkin, M. C. (Ed.). (2004). *Evaluation roots*. Thousand Oaks, CA: Sage.

House, E. R., & Howe, K. R. (1999). *Values in evaluation and social research*. Thousand oaks, CA: Sage.

Reichardt, C. S., & Rallis, S. F. (Eds.). (1994). *The qualitative-Quantitative debate: New perspectives*. New Directions for Program Evaluation, No. 61. San Francisco: Jossey-Bass.

Sechrest, L., & Figueredo, A. J. (1993). Program evaluation. *Annual Review of Psychology, 44,* 645-674.

Shadish, W. R., Cook, T. D., & Leviton, L. C. (1995). *Foundations of program evaluation*. Newbury Park, CA: Sage.

Stufflebeam, D. L. (2001). *Evaluation models*. New Directions for Evaluation, No. 89. San Francisco: Jossey-Bass.

5

첫 번째 접근법:
전문가중심 접근법과 소비자중심 접근법

핵심 질문

1. 전문가적 판단을 프로그램 평가의 수단으로 사용하자는 주장에 대한 찬반 논거는 무엇인가?
2. 전문가중심 접근법에는 어떤 유형들이 있는가? 그들은 어떤 점에서 유사하고 어떻게 다른가?
3. 오늘날 고등교육 기관의 인증이 논쟁이 되는 이유는 무엇인가? 이 논쟁들은 여러 평가에서 수시로 발생하는 논쟁을 어떻게 반영하는가?
4. 소비자중심 접근법은 전문가중심 접근법과 어떤 점에서 유사하며 어떤 차이가 있는가?
5. 오늘날 이러한 접근법들이 평가 실무에 어떻게 영향을 미치는가?

모든 사람들이 평가를 한다. 1장에서 이야기한 것처럼 우리가 마주치는 것들의 질이 어떠한지 우리는 의견을 내거나 판단을 한다. 방금 끝낸 식사 또는 지난주에 본 영화나 콘서트와 같이 간단한 것부터 고등학교 중퇴 위기 학생들을 돕기 위한 프로그램 또는 학교에 새로 온 학부모를 위한 부모 접촉 프로그램에 이르기까지 모든 것이 평가에 포함된다. 우리가 여기에서 초점을 맞추고자 하는 것은 무언가에 대한 우리 개개인의 판단이 아니라 보다 공식적이고 구조화되었으며 대중적인 평가이다. 우리는 여기에서 이 개인적 평가를 보다 공식적인 평가와 연결시키는데, 그것은 최초의 평가가 거의 전적으로 어떤 것의 질에 대한 판단과 관계가 있기 때문이다. 그러한 판단은 종종 자신의 준거와 프로그램 또는 산출물을 판단받고 싶어하는 일군의 개인들로부터 유래되었다.

평가에 대한 최초의 현대적 접근법은 전문가중심 평가와 소비자중심 평가였다. 이 접근법들은 전문적인 평가의 현장에서는 과거만큼 폭넓게 활용되지는 않고 있지만 오늘날에도 지속적으로 사용되고 있다. 그러나 이 접근법들은 평가에 대한 우리의 관점과 평가의 목적 및 방법에 영향을 미치고 있다. 우리는 이 접근법의 핵심 원칙과 함께 그 원칙들이 평가 실무에 어떻게 지속적으로 영향을 미치는지를 밝히기 위해 현재 가장 널리 사용되는 방법인 인증에 초점을 맞춰 각각을 간단히 살펴볼 것이다.

전문가중심 접근법

평가를 위한 전문가중심(expertise-oriented) 접근법은 아마도 가장 오래된 유형의 대중적 평가일 것이며, 이름이 암시하는 바대로 기관, 프로그램, 산출물 또는 활동의 질을 판단하는 데 있어 주로 직업적인 전문지식에 의지한다. 예를 들어 학교장들을 위한 리더십 훈련 프로그램의 장점은 리더십, 교육행정, 훈련을 포함한 다양한 분야의 전문가들이 평가할 수 있을 것이다. 이 전문가들은 사용 중인 프로그램을 관찰하고, 내용과 밑바탕에 깔린 이론을 점검하며, 때에 따라서는 훈련자와 참여자를 인터뷰하기도 하고, 다른 방식으로는 그 가치에 대한 사려 깊은 판단을 내리기 위해 충분한 정보를 수집하기도 한다.

또 다른 경우에, 병원의 질은 의학, 의료 서비스, 병원 경영의 전문가가 그 병원의 특별 프로그램, 운영 중인 시설, 응급실 운영, 입원 환자 운영, 조제실 등을 점검함으로써 평가할 수도 있다. 전문가들은 그 병원이 전문적 기준을 적절히 충족시키는지 결정하기 위해 병원의 시설과 설비, 서류상 또는 실제의 운영 절차, 서로 다른 절차가 사용된 빈도와 그 결과에 대한 자료, 인적 자원의 자격, 환자 기록 및 병원의 다른 측면들을 점검할 수 있다.

모든 평가적 접근에는 전문가적 판단이 어느 정도 개입됨에도 불구하고 이 접근법은 일차적인 평가 전략으로 전문성에 직접적으로 또 공개적으로 의존한다는 점에서 다른 접근법들과 결정적으로 다르다. 그러한 전문성은 평가를 받는 대상이나 절차에 대해 누가 가장 많은 것을 제공할 수 있는지에 따라 평가자나 내용 전문가가 제공할 수 있다. 대체로 프로그램, 기관 또는 에이전시를 적절하게 평가하는 데 필요한 필수적인 지식을 한 개인이 전부 지니지는 못한다. 서로를 보완해주는 일군의 전문가 집단이 견실한 평가를 할 가능성이 훨씬 높다.

몇몇 특정한 평가 절차는 이 접근법의 변형으로 다음을 포함한다. 즉 위원회가 관할하는 박사 학위 심사, 제안서 검토 위원단, 직업적 인증 협의회의 현장 방문 및 결론, 주(州) 면허국의 기관 또는 개인 심사, 승진이나 종신 재직권 관련 결정을 위한 직원 실적 심사, 전문 학술지에 제출된 논문의 동료 심사, 프로그램 후원자의 요청에 따른 교육 프로그램

표 5.1 네 유형의 전문가중심 평가 접근법의 특징

전문가중심 평가 접근법의 유형	기존의 구조	공표된 기준	상세화된 일정	다수 전문가들의 의견	결과로부터 영향을 받는 상태
공식 검토 시스템	있음	있음	있음	있음	대체로
비공식 검토 시스템	있음	거의 없음	가끔 있음	있음	대체로
임시 패널 검토	없음	없음	없음	있음	가끔
임시 개인 검토	없음	없음	없음	없음	가끔

의 현장 방문, 명망 있는 최상위 위원단의 심사와 권고, 그리고 심지어 감시자 역할을 맡는 다방면 전문가의 비판 등이 포함된다.

다양한 전문가중심 평가 활동에 일정한 질서를 부여하기 위해서, 우리는 이들을 다음과 같이 네 범주로 정리해서 논의할 것이다. 네 범주는 (1) 공식적인 전문 검토 시스템, (2) 비공식적인 전문 검토 시스템, (3) 임시 패널 검토, (4) 임시 개인 검토 등이다. 이 범주들 간 차이는 다음 기준에 따라 표 5.1에 제시되어 있다.

1. 검토를 위한 기존의 구조가 있는가?
2. 공표되었거나 명백한 기준이 검토의 일부분으로 사용되는가?
3. 검토가 정해진 주기대로 예정되어 있는가?
4. 검토에는 다수의 전문가 의견이 포함되는가?
5. 검토의 결과가 평가되는 것이 무엇이든 그것의 상태에 영향을 미치는가?

전문가중심 평가 접근법의 개발자들과 그들의 공헌

이 접근법은 오랫동안 우리가 사용해왔기 때문에 그 기원을 정확히 찾아내기는 어렵다. 이 접근법은 학교들이 대학 입학 요건을 표준화하기 시작한 1800년대에 교육에서 공식적으로 사용되었다. 비공식적으로는 전문지식을 대중적으로 인정받은 개인이 어떠한 성과의 질을 처음으로 판단한 이래 사용되어 왔으며 그러한 일이 언제 일어났는지에 대해 역사는 기록하지 않고 있다. 몇몇 움직임과 개인들이 다양한 형태의 전문가중심 평가에 자극을 주어 왔다.

이번 장의 후반부에 논의할 초기의 평가자인 Elliot Eisner는 교육평가에서 감식안(connoisseurship)과 비판의 역할, 평가받아야 할 내용의 전문지식을 요구하는 역할들을 강조했다. James Madison과 Alexander Hamilton은 「The Federalist Papers」에서 새롭게 제안한 헌법의 의미와 장점에 대해 논의하고 상술함에 있어 "전문 평가자"의 역할을 맡았다. 그들은 헌법의 초안을 작성한 헌법 제정 회의에 참석하고 활동했다는 점에서 전문가였다. 그래서 그들은 내부 평가자이기도 했다! 그들의 글은 그 당시에도 영향력이 있었으며, 전문가들의 논리적인 판단에서 나올 수 있는 중요한 행위를 밝히고 있다는 점에서 헌법의 의미를 해석하고자 하는 미국 법원의 법학자들이 아직도 사용하고 있다. 고등교육 기관의 인증은 오늘날 전문가중심 평가가 적용되는 주요한 사례이다. 뉴잉글랜드 지방에서 대학 인증을 처음 시작하여 지금까지 지속하고 있는 뉴잉글랜드 학교 및 대학 협회(New England Association of Schools and Colleges)는 대입을 준비하는 고등학교 졸업생들이 무엇을 알아야 하는지 논의하기 위해 뉴잉글랜드 지방의 대입 준비 고등학교(preparatory secondary schools) 교장들이 대학의 총장들과 만났던 1885년에 시작되었다. 그리하여 백 년도 넘은 기간 이전에 학교와 대학의 지도자들이 서로의 교육과정을 연계할 방안에 대해 논의하고 있었던 것이다!

공식적인 전문 검토 시스템: 인증

역사적 토대. 많은 사람들에게 가장 익숙한 공식적인 전문 검토 시스템은 인증, 즉 한 기구가 학교, 대학, 병원과 같은 기관들을 인증하는 과정이다. 1800년대 후반부터 시작하여 미국의 지역 인증 기관들이 서구에서 빌려온 학교 점검 시스템을 점차적으로 대신하였다. 이 기관들은 1930년대 동안 고등교육 기관을 인증하는 유력한 권한을 지니게 되었다. 기관의 질을 결정하고 규정하는 인증 과정들을 제도화한 것은 교육만이 아니었다. 질에 대한 관심으로 인해 동료 전문가들을 교육하려는 노력을 전문가들이 대규모로 받아들이게 되면서 의학과 법학을 포함한 다른 직업에도 비슷한 노력이 진행되었다. 아마도 가장 기억에 남을 예는 1900년대 초반 미국과 캐나다에서 열등하다고 언급된 수많은 학교를 폐교하게 만든 Flexner(1910)의 의과대학 점검일 것이다. Floden(1983)이 주목한 것처럼 Flexner의 연구는 의과대학들이 자발적으로 참여한 것이 아니므로 엄격한 의미에서 인증은 아니다. 그러나 교육 기관에 대한 개인적 판단이라는 점에서 넓은 의미에서 인증의 고전적인 사례이다.

의미 있는 두 가지 점에서 Flexner의 접근법은 동시대의 대부분 인증 활동과 차이가 있다. 첫 번째는 Flexner가 자신이 판단할 수 있다고 여긴 직업의 종사자가 아니었다는 점이다. Flexner는 의학적 전문성을 빙자할 구실이 없는 교육학자였지만 그럼에도 불구하고 두 나라에서 의학 교육의 질을 판단하는 모험을 했다. 그는 상식이 아마도 가장 적절한 형태의 전문성일 것이라고 주장했다.

> 속박되지 않은 문외한이 … 일반적인 설문을 수행하기에 가장 적합하다는 것이 여러 번
> 드러났다. … 확실히 전문가에게는 자신의 자리가 있다. 그러나 법학 교육을 연구하는
> 가장 유망한 방법을 제시하라는 요구를 받는다면 나는 법학 교수가 아닌 일반인을 구해
> 야 할 것이다. 또는 교사 훈련을 조사하기 위한 적절한 방법을 위해 내가 전혀 고용하고
> 싶지 않은 사람은 교육학 교수일 것이다. (Flexner, 1960, p. 71)

Flexner의 연구는 자신의 요점을 단지 부분적으로만 지지했다는 점에 주목해야 한다. 의학에 대해서는 비전문가였지만 그는 교육자였고, 그의 판단은 의료 실무보다는 오히려 의학 교육을 향해 있었다. 그래서 여기에서조차 적절한 전문지식이 적용된 것처럼 보인다.

둘째로, Flexner는 자신이 사용한 준거들이나 절차를 경험적으로 뒷받침하려고 하지 않았다. 왜냐하면 그는 자신이 사용한 기준이 학교의 질에 대한 "분명한" 지표여서 그러한 뒷받침이 필요하지 않았다고 주장했기 때문이다. 정보를 수집하고 판단을 내리는 그의 방식은 단순하고 직선적이었다. "실험실을 걸어 지나가보면 장치, 박물관 표본, 도서관, 학생들이 있는지 없는지 드러났다. 그리고 혹 끼치는 냄새로 해부가 어떤 방식으로 행해졌는지 그 내막을 알 수 있었다."(p. 79)

셋째로, Flexner는 오늘날 인증 과정의 부정적 결과에서조차 종종 발견되는 전문적 섬세함과 정중한 비판들을 생략했다. 한 학교에 대한 그의 보고서 발췌본에는 다음과 같은 가차없는 고발이 포함되어 있었다. "그 학교의 소위 장비라는 것은 말할 수 없이 더럽고 어수선하다. 그 학교의 해부 장비는 뼈가 담긴 작은 상자와 시체 하나에서 나온 바짝 말라 불결하기 짝이 없는 조각들로 구성되어 있다. 차갑게 녹슨 인큐베이터, 겨우 하나뿐인 현미경, … 그리고 카운티 병원에는 출입이 불가하다. 그 학교가 생기도록 법을 허가해준 주(州)에게 그 학교는 불명예다."(Flexner, 1910, p. 190)

의사가 아닌 교육자로서의 전문지식이 시금석이라면, Flexner의 접근은 전문가중심 평가의 훌륭한 예임에도 불구하고, 판단을 평가의 필요조건으로 보고 많은 준거들을 논리와 상식의 명백한 확장으로 본 그 시대 평가자들의 접근과 매우 유사하다(예, Scriven, 1973).

오늘날 고등교육에서의 인증. 오늘날 미국 및 다른 여러 나라의 인증은 전문가중심의 공식 검토 시스템에 대한 준거를 충족시킨다. 이 시스템은 현존하는 구조를 이용하는데, 이는

미국에서는 대체로 자치 지역이나 국가의 인증 기구이며 다른 나라에서는 정부 기구이다. 또한 이 시스템은 인증을 책임지는 기구가 공표한 준거와 함께, 예를 들어 2년, 5년, 또는 10년 주기의 기관 검토와 같은 특정 스케줄, 여러 전문가들의 의견 등을 이용한다. 그리고 기관, 학과, 대학, 또는 학교의 지위는 그 결과에 영향을 받는다. 인증은 평가받는 실체의 질에 대한 판단을 내리기 위해 그 프로그램이나 기관에 전문지식을 가지고 있는 사람들을 이용하기 때문에 전문가중심 평가의 훌륭한 예가 된다.

기관이나 프로그램 인증은 소비자와 다른 이해관계자들에게 기관의 질에 대한 어떤 징후를 현장 전문가들이 판단한 대로 제공하고 총괄적인 결정을 촉진할 수도 있다. 예를 들어 많은 학생들이 기관 또는 프로그램에 지원하거나 참석할지 여부 결정에 도움을 받기 위해 기관이나 프로그램의 인증 상태를 활용한다. 게다가 인증 과정에서 기관에 제공한 피드백은 프로그램과 제도 개선, 의사결정에 사용될 수 있다. 그리하여 인증 과정은 형성의 목적도 충족시킨다.

미국에서의 인증은 고등교육 기관에서 가장 흔하다.[1] 우리는 이 과정을 설명하는 데 약간의 시간을 할애할 것인데, 그 이유는 이것이 최근에 매우 정치적인 논란거리이며, 또한 그러한 논쟁은 인증 과정에 참여하지 않은 독자들에게조차 어느 평가에서든 일어날 수 있는 정치적 이슈와 선택의 유형을 보여주기 때문이다. 여기에는 형성이든 총괄이든 평가의 목적에 대한 의견의 차이, 전문가나 평가자의 중립성과 독립성, 산출물을 판단하는 데에 사용될 준거, 수집하거나 검토해야 할 자료, 과정의 투명성, 즉 대중이나 기관 외부에 있는 다른 이해관계자들에게 무엇을 활용 가능하게 해야 하는지 등이 포함된다. 인증받은 기관에 학자금 대출을 제공한다는 점에서 인증에 대해 이해관계를 가지고 있는 미국 교육부가 전통적으로 인증을 목적으로 대학들을 검토해온 독립적 지역 인증 기구들의 인증 관행에 이의를 제기하기 시작함으로써 이러한 논란이 드러나기 시작했다.

앞서 이야기한 것처럼 독일, 네덜란드, 인도, 영국을 포함한 많은 나라에서 고등교육 기관은 법에 의해 인증을 필요로 한다. 정부 기관은 일반적으로 교육부를 통해 인증 과정을 지휘한다. 캐나다와 같은 일부 나라들에서는 고등교육을 위한 인증 과정이 없는데, 이는 부분적으로 대부분의 고등교육 기관들이 지방정부에 의해 운영되고 또 관리권만으로

---

[1] 가끔 중등교육 기관들과 교육구도 인증을 받는다. 예를 들어 어떤 주는 교육구를 검토해서 인증을 하는 방향으로 움직이고 있고, AdvancED와 같은 협회들은 K-12 학교 인증을 위해 북중부와 남부 고등교육 인증 기구로부터 독립해 나왔다. 게다가 많은 사립학교들이 인증을 받는다. 우리가 고등교육 인증에 초점을 맞추는 것은 그것이 가장 오랜 시간에 걸쳐 확립되었고 따라서 그 전통이 전문가중심 평가 및 관련 논란에 대해 많은 것을 보여주기 때문이다.

감시하는 데에 충분하다고 여기기 때문이다. 미국에서는 정부에 대한 미국 시민들의 불신을 많이 반영하는 방식으로 인증이 발달했다. 정부의 역할을 최소화하려는 욕구에 따라 다른 나라에서는 대개 정부 기관들이 이행하는 인증 업무를 비영리 또는 자발적 협회에서 수행한다.

앞서 이야기한 것처럼 뉴잉글랜드 학교 및 대학 협회가 미국 최초의 인증 기관이었다. 이 협회는 본래 1885년 그 지역 내 중등학교 관리자들과 대학 수장들 사이의 대화를 위해 설립되었다가 결국 그 지역의 대학과 고등교육 기관 인증 협회로 발전했다(Brittingham, 2009). 다른 지역 협회들이 뒤를 이었고, 각각 그 지역의 고등교육 기관 인증 책임을 지게 되었다. 오늘날 미국에는 여섯 개의 지역 인증 기관이 있으며 각각의 지역에서 유사한 활동을 추구하고 있다.[2] 그 협회들은 종종 K-12 학교 인증에도 관여하지만, 주로 고등교육 기관의 인증에 초점을 맞춘다. 마지막으로, 기관 전체를 검토하기보다는 특정 분야에서 프로그램을 검토하는 인증 협회들이 많이 있다. 예를 들어, 미국 변호사 시험 협회(American Bar Association)는 법학전문대학원을 인증하고, 미국 의과대학 협회(Association of American Medical Colleges)는 의과 대학을 인증하며, 전국 교사교육 인증 협의회(National Council for Accreditation of Teacher Education, NCATE)는 최근에 경쟁자로 부각하고 있는 교사교육 인증 협의회(Teacher Education Accreditation Council, TEAC)와 함께 교사 교육 프로그램을 인증한다.

여섯 개의 지역 협회에 의한 고등교육 기관의 인증은 1950년대부터 유사한 계획과 접근법, 즉 임무기반 접근법의 뒤를 잇고 있다. 임무기반 접근법을 택함으로써 인증자들은 기관이 정한 사명을 추구하고 성취하는 정도에 초점을 둔다. 각 협회 또한 고등교육을 위해 평가에서 사용하는 기준을 가지고 있음에도 불구하고, 임무에 기초한 접근법이 평가에 있어 협회들의 철학을 반영한다. Barbara Brittingham은 기관의 개선을 돕기 위해 미국에서의 임무기반 접근법과 인증 과정을 "특이하게 미래에 초점이 맞춰진" 것으로 묘사한다(2009, p. 18).

인증 과정. 인증의 첫 번째 단계에서 기관은 인증 단체의 기준에 어떻게 맞출 것인가뿐만 아니라 기관의 임무 및 그 임무를 향한 진행과정을 설명하는 자체 분석 보고서를 준비한

---

2) 미국에 있는 주요 지역 인증 협회들은 중부 대학 및 학교 협회, 뉴잉글랜드 학교 및 대학 협회, 북중부 학교 및 대학 협회, 북서부 인증 학교 협회, 남부 대학 및 학교 협회, 서부 학교 및 대학 협회 등이다. 예를 들어 종교 기구와 같은 다른 인증 기관이 존재하지만, 이러한 지역 인증 기관들이 미국의 주요 인증 단체로 간주된다.

다. 두 번째 주요 단계가 전문가중심 접근법의 핵심이다. 지역 내 다른 기관의 동료들, 교수진, 관리자로 이루어진 팀이 보고서를 받고 현장방문을 한다. 그들은 현장방문 기간에 교수진, 관리자들, 스태프, 학생들을 인터뷰하고, 기관의 입학에 관한 기록, 교과 교육과정, 학생의 만족도와 성과를 검토하며, 시설과 교실을 관찰하는 일 등을 한다. 보고서 검토와 현장방문 기간의 경험을 바탕으로 하여, 대체로 서너 명의 전문가로 구성된 팀은 그 기관에 대한 그들의 관점, 그 기관의 인증 상태를 고려한 권장사항, 개선을 위한 제안을 포함하는 보고서를 작성한다. 그 후에 인증 협회의 상설 위원회가 현장방문 보고서를 검토하고 결론을 수정할 수도 있다. 그 다음에 위원회는 그 기관에 최종 결과를 제공한다.

이 과정은 여러 측면에서 전문가중심적이다. (a) 그 협회는 고등교육을 위한 기준, 다른 기관들의 상태와 지위, 인증과 검토 실무에 관한 전문지식을 가지고 있다. (b) 현장방문 팀을 구성하는 교수진과 관리자들은 자신들이 속한 대학의 관리에 참여한 전문지식이 있고, 현장방문 검토진으로 일하기 위해 협회로부터 일정한 훈련을 받는다. 따라서 현장방문팀과 협회의 전문지식으로 인해 관련된 사람들이 협회의 기준과 보고서 검토 결과를 이용할 수 있고, 현장방문 팀은 기관의 질에 대해 최종 판단을 내릴 수 있다. 이 과정은 지역의 인증 기구들뿐 아니라 고등교육의 개별 분야 프로그램, 그리고 교육구, 사립학교, 차터스쿨, 중등학교, 직업학교, 종교학교를 포함한 다른 교육기관을 인증하는 기구들도 따라 하는 일반적인 과정이다.

인증 논란: 정치화된 인증. 그럼 여기에서 논란거리가 될 수 있는 것이 무엇인가? 이 시스템을 옹호하는 저자가 주목한 것처럼, "대학의 질을 평가함에 있어 현장에서 일하는 사람들보다 더 적합한 이가 누구인가라고 물을 수 있다"(O' Brien. 2009, p. 2). O' Brien은 인증 조직과 기관 사이의 관계와 평가에는 반대되는 것이 없어야 한다고 주장하면서, "평가자들은 흰 장갑을 끼고 나타나는 검열관이 아니다"라고 말한다(O' Brien. 2009, p. 2). 그러나 논란의 역사는 2차 세계 대전 이후에 제대 군인들이 대학에 다닐 수 있게 하는 재정 지원을 위해 의회가 통과시킨 「제대군인원호법(GI Bill)」으로 거슬러 올라간다. 정부는 재정 지원이 고등교육 활동에 가치 있게 쓰이기를 원했지만, 대학의 질을 평가하는 사업에 직접 가담하려고 하지는 않았다. 그래서 정부는 학생들이 재정 지원을 받고 다닐 수 있는 기관들을 결정하기 위해서 이미 대학들을 점검하고 있던 독립적인 지역 인증 협회에 의존하기로 결정했다. 고등교육 비용이 증가하고 점점 더 많은 학생들이 대학에 다니면서, 오늘날 미국의 학자금 대출은 큰 사업이 되었다. 정부는 보조해줄 만한 고등교육 기관을 구별해내는 일을 지역 인증 협회에 여전히 의존하지만, 학자금 대출과 다른 형태의 보조

에 많은 돈이 분배되면서 그 과정들에 대해 정부의 이해관계가 커지고 있다. 게다가 많은 학생들이 질과 재정적인 보조를 이유로 인증받지 않은 기관에는 다니려 하지 않으므로 기관들 스스로도 그 과정에 대해 이해관계를 지닌다.

당초 1965년에 통과된 「고등교육법(High Education Act)」을 통해서 미국 정부는 학생 융자부터 접근까지 많은 영역에서 고등교육에 영향을 미친다. 최근 미국 교육부의 많은 사람들이 실적 낮은 학교들을 제대로 솎아낼 정도로 인증이 엄격하지 않다는 근심을 하기 시작했다. 이 시스템의 지지자들조차 현재 미국의 지역 인증은 다른 나라의 고등교육에 대한 정부 평가와 비교하면 "가볍게 건드리는" 정도라고 한다(Brittingham, 2009, p. 18).

미국 교육부는 2005년, 고등교육미래위원회(Commission on the Future of Higher Education)에 고등교육의 네 가지 필수적인 이슈를 연구하도록 지정했으며, 그 중 하나가 책무성이다. 그 보고서를 위해 준비된 논문 중 하나인 '인증 개혁의 필요서'에서 Robert Dickeson은 미국의 현재 인증 시스템을 이렇게 불렀다. "조각나있고 난해하며 논리적이기보다는 역사적이며 유용함을 다한 활동, 과정, 구조의 조각보 이불이다. 중요한 것은 미래를 위해 요구되는 기대를 충족하지 못한다는 것이다."(2006, p. 1). 그는 다음과 같은 결론을 내렸다. "현재 실행되고 있는 것과 같은 인증에 대해 진지하게 분석한다면 누구든 공공의 목적보다는 기관의 목적이 지배적이라는 결론에 도달하게 된다."(Dickeson, 2006. p. 3). 그는 국회에서 고등교육 기관 인증을 위한 국립 인증 재단(National Accreditation Foundation)을 설립할 것을 권고했다. 당시 교육부 장관이던 Margaret Spellings의 이름을 따 스펠링스 위원회(Spellings Commission)라 불린 그 위원회의 최종 보고서는 현재의 인증 과정에 대해 굉장히 비판적이었다(미 교육부, 2006, http://www.gov/about/bdscomm/list/hiedfuture/reports/final-report.pdf). 그 보고서는 고등교육 공동체 내부에 많은 논란과 토론을 불러왔으며, 파이 베타 카파(Phi Beta Kappa)와 미국대학협회(Association of American Colleges and Universities)와 같은 조직들에서는 그 보고서에 대해 지지와 우려의 성명을 발표하기도 하였다. 결국 고등교육법의 2008년 최종 개정안은 이러한 권고들 중 일부를 무시하기로 했지만, 위원회가 제기한 우려들은 지속될 것이고(O'Brien, 2009) 우리의 목적을 위해 오늘날의 평가, 특히 전문가중심 평가에 대해 제기된 정치적 우려를 일부 반영할 것이다.

지역 인증 협회들은 고등교육 기관 평가에 있어 자신들의 목적을 일차적으로 이 기관들의 개선을 돕는 형성적인(formative) 것으로 이해한다. 그 협회들은 이러한 목표를 기관, 기관의 학생들, 공공에 봉사하는 가장 좋은 방법으로 여긴다. 대학의 개선을 도와 정해진 임무를 훌륭하게 완수하는 데 도움을 줌으로써, 그 인증 기관들은 학생들이 더 나은 교육을 받도록 돕고 있다고 믿는다. 반면, 미 교육부가 강조하는 것은 총괄적(summative) 이다. 세계에서 미국의 고등교육의 지위를 유지하는 것과 21세기 경제를 위해 교육받고 숙련된 대학원생을 공급하는 것과 관련된다. 교육부와 다른 비평가들은 인증의 목표를, 부모와 학생들 그리고 다른 소비자들에게 그들이 다니고 싶은 기관과 수업료를 지불하고 싶은 기관을 결정하는 데 도움을 주는 정보를 제공하는 것으로 이해한다. 다시 말하면, 인증은 이 소비자들이 어떤 기관을 선택할지에 대한 총괄적 결정을 내리는 데에 도움을 주어야 한다. 게다가 인증은 어떤 기관들이 존속되어야 하는지에 대한 총괄적 결정을 하는 데에도 도움을 주어야 한다. 한 비평가는 다음과 같이 말한다. 제대군인원호법이 통과된 지 60년 후에 "단지 몇몇의 학교만 문을 닫았고 그것은 대체로 재정적인 이유 때문이다. … 그러는 동안 인증위원들의 감시하에도 고등교육의 질은 미끄러지고 있다."(Neal, 2008, p. 26). 그 결과 비평가들이 인증의 일차적인 목적을 총괄평가로 이해할 때 인증 협회들은 형성평가(formative evaluation)에 가장 유용한 절차를 개발해왔다.

성과에 대한 점진적 강조. 의견 불일치의 또 다른 영역은 인증에서 고려되어야 하는 요인들과 관련이 있다. 오늘날 교육 및 전 세계적인 평가 대부분에서의 주안점은 성과와 영향에 맞춰져있다(2장 참조). 스펠링스 위원회 보고서는 다음과 같이 이야기한다.

> 정책입안자가 내린 결정부터 학생과 가족들이 내린 결정에 이르기까지 고등교육에 대한 결정 중 지나치게 많은 부분이 성과보다는 명성과 순위에 지나치게 의존하며, 이 명성과 순위는 성과보다는 대부분 재정 자원과 같은 투입에서 파생된다. 우리가 국가적 요구를 충족시키고 기관의 수행력을 향상시키고자 한다면, 실제 수행과 평생학습 능력에 대해 더 좋은 자료가 절대적으로 필요하다(미 교육부, 2006, p. 14).

주(州) 기준의 성취 정도에 거의 전적으로 초점을 맞춤으로써 학생들의 학습을 측정하는 것으로 K-12 교육이 이동한 것처럼, 스펠링스 위원회는 고등교육 기관의 평가가 학생의 성과 측정에 더 많은 비중을 두기를 원한다.[3] 지역의 인증 협회들은 학생들의 성과 측정치와 함께 전문 프로그램 인증을 목적으로 자격시험의 통과나 직업 배치와 관련된 근거를 제공할 것을 기관들에게 요구하기 시작했다. 그럼에도 불구하고 지역의 인증 과정은

---

3) K-12 교육과 고등교육 간 기준의 차이는 고등교육의 기준이 K-12 기준처럼 주 차원에서 발전된 것이 아니라 국가적인 기준일 것이라는 점이다.

투입과 절차 변수의 중요성 또한 강조한다. 교수진의 질, 도서관 장서, 정보기술 용량, 강의실 공간과 시설, 학생 입학 과정과 결정, 그리고 기관의 학문적 환경을 만들어내는 다른 요소들 등의 요인이 투입 변수에 포함된다. 기준에 명확히 표현되고 자기보고서에서 검토되었으며 현장방문팀이 검토한 절차 변수에 포함되는 것들은 다음과 같다. 즉, 교육과정과 강의 요구물 및 교육의 질, 개인지도와 조언 및 다른 메커니즘을 통한 학생 지원, 교수와 학생 간 상호작용, 인턴십, 그리고 학습 과정의 다른 요소 등이다. 지역의 인증 협회는 졸업률과 중퇴율, 졸업까지 소요되는 시간, 졸업생의 지식과 기술, 직업 배치를 포함한 다양한 성과들도 고려한다. 인증 협회는 고등교육 기관의 질에 대해 타당한 판단을 내리고 개선을 위한 조언을 제공하기 위해 고등교육의 전체 과정을 점검해야 한다고 주장한다. 오직 학생의 성과만 조사한다고 해서 더 나은 성과를 얻기 위해 기관이나 투입과 절차를 어떻게 변화시킬 것인가에 대해 유용한 추천을 할 수 있을 만큼 충분한 정보가 인증 과정 전문가에게 제공되지는 않는다(Murray, 2009).

인증의 중립성, 투명성과 목적. 현재의 접근법에 대한 또 다른 비판들은 검토위원들의 중립성과 객관성, 그리고 절차의 투명성과 관련되어 있다. 평가는 독립적인 판단에 기반을 둔 것으로 예상된다. 그러한 독립성은 질에 대해 더욱 객관적이며 따라서 더 타당한 판단을 내리기 위한 것이다. 일반적으로 전문가중심 평가자는 자신들이 판단하고 있는 기관 또는 제품들과 밀접하게 연관되어서는 안 된다. 예를 들어 우리는 어느 전문가 상품의 생산자와 금전적 관계를 맺고 있다는 것을 알게 될 때 그 전문가의 상품 보증에 의구심을 갖는다. 예를 들어 약을 개발한 제약 회사의 재정 지원으로 의학 연구가 이루어졌을 때, 약의 효능에 대한 의학 연구의 객관성 관련 논의를 고려해보자. 그러나 인증 과정은 지역 내 고등교육 기관의 교수진과 관리자들을 동료 검토자로 활용한다. 인증 기구들은 그 기관이 처한 환경에서 무엇을 어떻게 성취할 수 있는지 이 전문가들이 알기 때문에 이들이 판단을 내리고 기관에 필요한 조언들을 하기에 가장 적절한 위치에 있다고 주장한다. 그들 자신이 그러한 곳에서 일해 왔다는 것이다. 그러나 비평가들이 걱정하는 바는 평가받는 기관과 전문가들 간 친밀함이나 기관이나 부서 간 경쟁이 편향된 판단을 이끌어내는 심각한 이해관계의 상충을 나타낸다는 것이다. Flexner의 의과대학 평가처럼 무딘 판단은 적어도 문서로 작성된 보고서에서는 빛을 보지 못할 것이다.

객관성에 대한 근심은 과정의 투명성 결여로 인해 더욱 커진다. 미 교육부는 자료와 보고서가 더 많이 공개되기를 원하는데, 그것은 부모, 학생, 일반인이 그것들을 이용할 수 있고 비전문가들도 쉽게 이해할 수 있는 내용들이 그 안에 포함되어 있도록 하려는 의도이다. 예를 들어, 스펠링스 위원회는 대학 졸업생들의 지식과 기술에 관한 자료와 다양한 대학을 위한 성과 측정치를 나타내는 표의 사용을 옹호했다. 이 표들은 일반인들이 기관의 질을 판단하는 데와 다른 대학들이 벤치마크로 사용하는 데에 사용할 수 있을 것이다 (미 교육부, 2006). 인증 위원들은 자체 연구 보고서와 인증 보고서에 포함된 빽빽한 설명에 의존한다. 현재 시스템의 옹호자들은 시스템이 은밀함에 심각하게 의존한다는 것에 동의하면서도 이 은밀함이 시스템의 성공 이유 중 하나라고 주장한다. 그것 때문에 "기관들이 자신의 자체 연구에서 솔직할 수 있고, 팀들이 자신의 사정(assessments)에 정직할 수 있다."(O' Brien, 2009, p. 2). 보고서가 공개되었다면 자체 보고서를 작성한 사람들은 실제 문제를 논하려 하지 않았을 것이고, 인증팀들은 대중에 맞춰 자신들의 표현을 편집할 것이다. 어느 누구도 문제에 대한 학습이나 변화를 위한 권고를 조장하지 않을 것이다.

따라서 인증은 변화하며 논란이 되고 있다. 근래의 많은 평가들처럼 미국에서 대학의 인증은 질적 방법과 양적 방법의 혼합을 더 많이 사용하고 성과에 더 많은 초점을 두는 방향으로 변하고 있다. 논란의 대상이 되는 것들은 이러한 전문가중심 평가의 목적, 이 평가가 봉사하는 이해당사자들, 우선권을 받아야 하는 측정치들, 질의 판단에 대한 중립성과 객관성, 과정의 투명성, 다른 이해관계자들의 평가 결과 활용 등이다. 수년 동안 경쟁이 없었던 지역 인증 협회들은 연방 정부뿐만 아니라 「U.S. News and World Report」가 배포한 것과 같은 대중적 대학 평가에 의해서도 심각한 도전을 받고 있다. 그 결과 인증 협회는 적응하고 변화하고 있다. 그러나 그 모든 문제들이 있어도 인증 협회는 전문가중심 평가 접근법을 사용하는 공식적인 검토 시스템의 유용한 사례로 남아 있다.

다른 공식 검토 시스템. 특히 교육 분야에서 다양한 사례의 다른 공식 검토 시스템이 있다. 오랜 시간 동안 전국 교사교육 인증 협의회(NCATE)가 교사교육 프로그램을 인증하는 주요 기구였다. 2000년, 이 기구는 프로그램 졸업생들의 지식과 기술, 자격시험 점수, 졸업생들이 자신의 지식과 기술을 교실에 전달할 수 있다는 증거를 점검함으로써 그러한 프로그램들의 성과에 더욱 초점을 두기 시작했다. 교사교육 인증 협의회(TEAC)가 전국 교사교육 인증 협의회의 경쟁자로 등장했지만 유사하게 결과에 초점을 맞추고 있다(Gitomar, 2007; Murray, 2009).

일부 주들은 자기 주의 교육구를 점검하고 인증하는 시스템을 개발하기 시작하였다. 예를 들어 콜로라도 교육부는 1999년에 교육구를 인증하기 시작했고 2008년에는 절차를 상당 부분 개선했다. 초점은 학생들의 성과와 성장에 맞춰져 있지만, "안전한 시민 학습 환경", 예산 및 재정 관리 관련 기준도 포함하고 있다. 검토 위원들은 우수한 수준의 인증로부터 수습과 인증 불가에 이르는 여섯 개의 서로 다른 등급 중 하나를 한 구역에 부여함으로써 절차를 마무리한다. 다른 공식 검토 시스템처럼, 교육구를 위한 콜로라도의 인증 과정은 공표된 기준, 검토를 위해 명시된 일정(낮은 등급의 교육구는 매년, 높은 인증 단계에 있는 교육구는 2~3년), 외부 전문가 팀의 현장 방문, 결과의 영향을 받는 교육구의 상태 등을 포함한다(http://www.cde.state.co.us/index_accredit.htm).

비공식 검토 시스템

많은 전문 검토 시스템이 구조와 절차상 가이드라인 세트를 가지고 있으며 다수의 검토위원을 활용한다. 그러나 일부는 공표된 기준이나 명시된 공식 검토 시스템 검토 일정이 결여되어 있다.

대학원생의 석박사 학위 논문이나 캡스톤 프로젝트를 위한 관리위원회는 대체로 학생이 선택한 분야의 전문가들로 구성되며, 전문가중심 평가 내부 비공식 시스템의 한 사례이다. 역량을 그렇게 전문적으로 검토하는 것에 대한 규제를 위해 대학 그리고/또는 교수진 정책 내부의 구조가 존재한다. 그러나 관리위원회의 위원들이 각 학생의 수행을 평가하는 기준을 결정한다. Fitzpatrick과 Stevens(2009)는 공공행정 분야에서 석사 프로그램을 마치기 위해 수행한 캡스톤 프로젝트에서 학생의 수행을 평가하기 위한 채점기준표의 개발과 사용을 설명했다. 그러나 대체로 그러한 기준은 존재하지 않는다. 대신 관리위원회에 있는 다수의 전문가들이 대개 자신들의 기준은 명백하게 논하지 않은 채로 학생들의 수행에 대해 판단을 내린다. 그리고 물론 학생의 지위는 그 결과에 영향을 받는다.

비록 학술지마다 절차가 다르기는 하지만, 전문 학술지에 투고된 원고의 동료 검토 시스템도 비공식 검토 시스템의 예로 간주될 수 있을 것이다. 많은 저널들이 원고의 내용에 대한 전문지식에 따라 선발된 다수의 검토위원들을 활용하는 것은 분명하다. 인증을 위한 현장방문 위원들이나 논문위원회의 위원들과 달리, 검토위원들은 검토 결과를 논의하여 의견의 일치를 보고자 하며 팀으로는 행동하지 않는다. 그 대신 편집자나 부편집자 형태의 구조가 존재하는데, 이들은 검토위원을 선정하고 검토 기간을 정하며 각 검토위원의 논평에 기초하여 원고에 대한 최종 판단을 내린다. 검토위원들에게는 검토할 기간이 정해져 있지만, 대학원생의 논문 최종심처럼 일정은 원고 수령에 따라 정해진다. 비록 전부는 아니겠지만 많은 학술지들이 검토위원들에게 일반적 기준을 제공한다. 물론 원고에 대한 결정은 게재 가든 수정 후 게재 가든 게재 불가든 검토 과정의 영향을 받는다.

임시 패널 검토

이전에 논의한 지속적 공식 또는 비공식 검토 시스템과 달리, 전문가 패널에 의한 전문적 검토는 대부분 상황에 따라 불규칙하게 일어난다. 대체로 이러한 검토는 평가를 위해 규정된 구조와 관련이 없고 미리 정해놓은 기준도 없다. 그러한 검토는 대체 평가 정보에 대한 특정한 시간 제한적 요구 때문에 발생하는 단발성 평가이다. 물론 특정 대리인은 시간이 지나면서 총괄적으로는 규정된 검토 시스템처럼 보이지 않으면서 유사한 기능을 수행하는 임시 패널 검토에 업무를 위탁할 수 있다.

기준 개발을 위한 패널. 임시 검토 패널의 흔한 사례로는 주(州) 또는 교육구를 위한 교육 기준을 개발하거나 수정하기 위해 미국의 각 주에서 조직된 패널들, 제안서를 심사하고 기금을 위한 제안을 해줄 기금 대리인, 그리고 특정 사안들을 다루도록 임명된 블루리본 패널 등이 있다. 이러한 임시 패널 검토는 정해진 일정은 없지만 특정 사안에 대해 전문가들로부터의 조언을 위해 대리인이나 기구들이 조직화한다. 따라서 50개 주 모두는 과목별 및 학년별로 학생들이 배울 것에 대한 각 주의 기대를 반영하는 기준을 세웠다.[4] 주 전체에 걸쳐 기준에는 상당한 차이가 있지만 각 주의 기준을 처음 개발한 것은 전문가 패널이었다. 이 전문가들은 일반적으로는 교사, 교육행정가, 정책입안자와 내용 전문가들로 구성된다. 위원회는 기준이 정해질 주제에 대한 지식과 대상 모집단에 대한 지식을 지닌 전문가를 포함하려는 의도로 구성된다. 다양한 피험자들을 수행에 기초해 집단으로 나누는 점수, 즉 분할점수를 찾아내는 전문가 집단의 관련 업무를 위해 복잡한 방법들이 개발되었다(Kane, 1995). 공립 교육구에서 전문가 패널에 의한 분할점수 설정 과정에 대한 사례 연구는 Girard와 Impara(2005)를 참조하라.

기금 대리인 검토 패널. 미국에서는 대부분의 연방정부 기관들이 기금을 지원받을 연구 분야의 전문가 패널인 기금 패널에게 제안서를 읽고 논의하며 제안을 하도록 한다. 대체로 기금 대리인은 검토위원들을 위한 기준을 개발하고, 종종 팀 구성원들은 워싱턴 DC나 다른 지역에서 만나 각자 생각한 바를 논의하고 합의점에 도달하려고 한다. 그러나 기금의 기준은 분야에 따라 또 무엇을 강조하는지에 따라 다양하다. 그럼에도 불구하고 전문가중심 평가 모델에서도 전문가들은 어떤 것에 대한 판단을 내리기 위해 한 곳에 모인다. 어떤 기금 제공 기구들은 서로 다른 영역의 전문지식을 지닌 구성원들로 위원회를 구성한

---

4) 이러한 행동들은 어느 정도 보통 「낙오아동방지법(No Child Left Behind)」으로 알려진 연방법에 대한 반응이지만, 많은 주는 그 법 이전에 기준을 개발했다.

다. 따라서 교육 분야의 제안서를 검토하는 위원회들은 교육행정가나 정책입안자, 교사, 연구자들을 혼합하여 구성할 수 있다. 마찬가지로 공동체 개발이나 행동을 위한 제안서를 검토하는 위원회에는 특정 공동체와 그 공동체의 요구에 대한 전문가로 봉사하는 공동체 구성원뿐만 아니라 현장의 연구 전문가들도 포함될 수 있다.

블루리본 패널. 블루리본 패널들은 일반적으로 고위 정부 공무원에 의해 임명되며, 기금이 아니라 특수한 사안을 정부가 어떻게 다루어야 하는지 조언하는 것을 목적으로 한다. 이번 장의 앞부분에서 논의된 고등교육미래위원회(Commission on the Future of Higher Education)는 정부가 미국 고등교육의 장기적 지위에 관심을 갖고 그 분야 전문가들로부터 조언을 필요로 했던 2005년에 미 교육부에 의해 지명되었다. 그 패널의 구성원들은 연구 분야에서의 현장 경험과 전문지식 때문에 지명된다. 일반적으로 그들에게 주어지는 임무는 특정 상황을 검토하고 관찰한 바를 문서로 남기며 어떤 행동을 취할지 권고하는 것이다. 그 패널의 투명성을 감안할 때, 패널에서 찾아낸 것이 믿을 만한 것으로 여겨지려면 패널 구성원들의 전문성을 인정받는 것이 중요하다. 경제 발전과 환경 정책으로부터 학교 관리에 이르기까지 많은 곳에서 평가 전략으로 종종 임시 검토 패널들을 사용하는 지역 수준에서는, 패널 구성원들의 명성이 비록 전국적이지 않고 지역 수준에 머무를지라도, 그들의 전문지식이 중요한 문제가 된다. 전문가들로 이루어진 즉석 패널들의 권고가 중대한 영향을 미칠 수 있지만 무시될 수도 있는데, 그것은 흔히 그들의 조언을 따라야 할 책임을 지는 공식화된 단체가 없기 때문이다.

임시 개인 검토

전문가중심 평가의 또 다른 형태는 어떤 실체에 대한 개인의 전문적인 검토이며, 그 개인은 실체의 가치를 판단하고 때로는 변화나 개선을 위한 권고를 할 수 있다는 전문성으로 인해 선발된다. 교육, 사회, 상업 프로그램이나 활동에 대한 개인적 검토를 수행할 자문위원을 고용하는 것은 많은 조직에서 흔한 일이다.

교육적 감식안과 비판

앞에서 우리는 전문가들이 반드시 평가자가 되는 것은 아닌 전문가중심 접근법의 활용에 대해 논의하였다. 그들은 다른 것, 즉 자신들이 판단하는 내용면에서 전문가들이다. 게다가 이러한 활용은 전문가중심 접근법의 사례들이지만 전문적 평가 공동체와는 독립적으로 형성되어 존재한다. 다시 말해 우리는 전문가중심 평가 접근법의 사례로 이러한 절차들을 연구할 수 있지만, 평가 공동체에 속하는 사람들은 우리가 논의하게 될 다른 접근법의 사례처럼 이러한 행동을 확립하거나 수행하는 데에 대체로는 관여하지 않는다. 이미 언급한 것처럼 우리는 중요한 문제에 대한 판단을 내리기 위해 공식적인 프로그램 평가가 시작되기 전에 수세기 동안 사용되어온 가장 오래된 접근법에 초점을 맞추어 접근법 관련 논의를 시작하였다.

그러나 전문가중심 접근법 역시 평가 이론에 관한 논의 중 일부가 되어 왔다. 평가의 초창기에 Elliot Eisner는 평가란 무엇이어야 하는지에 대한 논의에 있어 주요 인물이었다. 그리고 그의 저서들은 전문가중심 접근법에 이론적 기반을 제공하고 그것을 다시 평가 문헌과 연결한다(Eisner, 1976, 1985, 1991a, 1991b, 2004). Alkin과 Christie(2004)는 평가의 기원과 이론을 묘사하는 그들의 평가 나무 그림에서 가치 분야의 기저에 Eisner를 Michael Scriven과 나란히 놓는다. 이는 그들이 평가에서 가치, 즉 평가받는 대상의 가치나 장점을 결정하는 것을 강조했기 때문이다. Eisner는 평가에 대한 자신의 접근법 서술을 예술에서 시작했다. 그의 관점은 1970년대에 사회과학 방법과 프로그램 목표를 강조하던 것과 유용한 대비를 이뤘다. 우리는 그의 평가 접근법의 기반인 감식안과 비평의 개념에 대해 간략하게 논의할 것이다. 평가받는 대상의 핵심 구성 성분을 확인하고 판단하는 데 있어 전문성이 요구되기 때문에 이 개념들은 전문가중심 접근법의 범주에 들어간다.

연극 비평가, 예술 비평가, 문학 비평가의 역할은 잘 알려져 있고 많은 사람들이 보기에도 유용하다. 비평가들에게 결점이 없는 것은 아니다. 그들의 관점에 우리가 동의하지 않을 수 있지만 그들의 검토는 판단의 대상에 대해 직접적이고 효율적으로 전문지식을 활용하는 좋은 예가 된다. 우리가 그들의 판단에 계속해서 동의하지 않는다 할지라도, 그들의 비평으로 인해 우리는 평가 대상에 대해 다양한 방식으로 생각해볼 수 있다. 그것이 문서로 작성된 검토나 비평의 하나의 목적, 즉 우리가 비전문가로서 고려하지 않았을 대상의 요소들에 대해서 생각하도록 유도하는 것이다. Eisner(1991a)는 예술 비평가들처럼 전문가들도 숙달된 영역에서 프로그램의 질을 평가하는 데 영향을 미치기 위해 자신들의 전문지식을 가져올 것을 제안한다. Eisner는 과학의 패러다임이 아니라 오히려 예술적 패러다임을 제안하는데, 그는 이 예술적 패러다임을 보다 전통적인 탐구 방법에 대한 중요한 질적, 인간적, 비과학적 보완으로 여긴다. 그는 우리가 평가받는 사물을 다양한 관점에서 볼 필요가 있으며, 양적, 환원적 방법에 주안점을 두게 되면 전체의 다양하고 중요한 특질을 전달하지 못한다고 주장한다. 그는 자신의 관심 분야인 교육 평가에서 수(numbers)가 수행하는 역할이 있지만 또한 우리가 보는 것을 제한하기도 한다고 말한다.

우리가 뽑아서 사용하는 어떤 형태의 표상이 지니는 제약과 여유를 인식하고 있어야 한다. 보는 방식이 보지 않는 방식이기도 한 것처럼 묘사하는 방식도 묘사하지 않는 방식이 된다. 우리가 무언가를 알아채기 위해 사용하는 도구는 우리가 알게 되는 것이 무엇인지에 막대한 영향을 미친다. 우리가 교실, 교사, 또는 학생에 대해 충분하고 완전하면서 관대하고 복잡한 그림을 원한다면, 우리는 그러한 현상을 지각하는 접근법에 덧붙여 그러한 특징을 생생하게 만들어줄 표현 양식을 필요로 한다. (Eisner, 2004, p. 200)

Eisner 접근법의 핵심 요소는 감식안(connoisseurship)과 비평이다(Eisner, 1975, 1991b). 감식안은 감상의 기법으로서 관찰되는 것에 대한 애호나 선호가 아니라 알아채는 능력, "특정한 질적 표현에서 미묘하지만 의미 있는 차이를 인식하는" 능력이다(Eisner, 2004, p. 200). 감식가(connoisseur)는 대상의 중요한 특성에 대한 지식, 그리고 그 특성들을 잘 관찰하여 알아채고 그 특성들 간 관계를 연구하는 능력을 발전시켜 왔다. Eisner의 관점에서 볼 때, 감식가는 실재하는 어떤 것을 관찰할 때 존재하는 복잡성들을 자각하고 그러한 복잡성을 감상할 수 있게 하는 정제된 지각 능력을 지니고 있다. 감식가의 지각적 예민함은, 광범위한 사전 경험, 교육, 그리고 그 경험에 대한 반추를 통해 얻어진 무엇을 찾을 것인가에 대한 지식(선행 조직자들 또는 비평 지침들)에 기인한다.

Eisner(1975)는 와인 시음의 비유를 사용하여, 바디(body), 색, 얼얼한 맛, 방향(bouquet), 풍미 등과 같은 특성들을 구별하여 와인의 전반적인 질을 판단하는 기술을 사용함으로써 와인에 대해 무엇이 의미 있는지 감별해 내려면 얼마나 많은 경험을 가져야 하는지 보여주었다.

정제된 미각과 시음한 다른 와인들에 대한 미각적 기억으로 인해 감식가는 평범한 와인 음주자는 알지 못하는 미묘한 특징을 구분할 수 있고 단순한 애호 이상의 판단을 내릴 수 있게 된다. 감식가는 미각이나 예술뿐만 아니라 삶의 모든 영역에 존재한다. Eisner는 스포츠에서 다른 사람을 관찰할 때 경험이 적은 사람은 놓칠 수 있는 미묘함을 알아챌 수 있는 경기의 감식가로 좋은 코치를 묘사한다. "일류 야구 코치가 자신이 지도하는 팀의 강점과 약점뿐만 아니라 상대편의 강점과 약점을 분석하는 것을 지켜볼 때, 우리는 타오르는 영광 속에 나타난 감식가의 모습을 본다"(2004, p. 198).

그러나 감식안은 지각된 것에 대한 대중적 서술이나 판단을 요구하지 않는다. 대중적 서술은 Eisner의 접근법의 두 번째 부분이다. 마치 와인 감정사가 와인을 물리거나 아니면 만족스럽게 몸을 뒤로 젖히며 마실 만하다거나 또는 그보다 더 낫다고 선언할 때처럼 Eisner는 "비평은 감식안이 인식하는 사건이나 사물의 특징을 드러내는 기술이다"라고 말한다. 또는 대중적 평가와 더욱 흡사한 비평은 와인 비평가가 와인에 대한 감상을 쓰는 것이다. 평가자들은 자신의 감식안으로 인해 평가받는 것의 품질과 의미에 대해 대중적 표현을 할 수 있는 비평가들과 같은 역할을 맡는다. 비평은 부정적인 감정(鑑定)이 아니라, 비평이 아니라면 알아채지 못했거나 인정받지 못했을 품질과 특성을 개인이 인지할 수 있도록 의도된 교육적 과정이다. 비평이 완료되려면 관찰한 것에 대한 설명, 해석, 평가가 요구된다. "비평가는 그들이 마주치는 것들에 대해 특별한 방식으로 말하는 사람들이다. 교육적인 환경에서 비평은 감식안의 대중적 측면이다."(Eisner, 1975, p. 13). 따라서 프로그램 평가는 프로그램 비평이 된다. 평가자는 도구이고, 예술 비평이나 와인 시음과 유사하게 자료 수집, 분석, 판단은 대체로 평가자의 생각 속에 숨어있다. 그 결과, 훈련, 경험, 자격 증명 등 평가자의 전문성이 핵심적이다. 평가의 타당도는 평가자의 인식에 달려있기 때문이다. 그러나 다른 비평가가 다른 판단을 내리는 것은 참을 만하며 심지어 바람직하기도 하다. 비평의 목적은 인식을 확장하는 것이지 모든 판단을 단일한 최종적 주장으로 통합하는 것이 아니기 때문이다.

Eisner의 교육적 비평은 비평에서 보여야 하는 네 개의 차원, 즉 묘사, 주제의 개발, 해석, 평가에 초점을 맞춘다. 전문가, 그리고 때로는 상품이나 프로그램의 질을 판단함에 있어 중요한 요인에 대한 세밀한 묘사에 초점이 맞춰진다. 명백하게도 그 접근법이 인과관계를 명확하게 확립함에 있어 가장 직접적인 것은 아닐 것이다. 그러나 그 접근법은 중재의 본질과 그것이 다른 결과를 끌어내는 방식을 우리가 이해하도록 돕는 데 유용할 수 있다. Eisner가 최근 이야기한 것처럼 "교육적 감식안과 교육적 비평은 교육 과정과 효과에 대한 우리의 이해를 진전시키는 데 있어 사회과학의 파트너로서 예술과 인문학이 제공해야 하는 것을 활용하려는 노력을 대표한다. 고부담 시험의 시대에 그것이 우리가 절실히 필요로 하는 관점이다."(Eisner, 2004, p. 202).

전문가중심 접근법의 영향: 활용, 강점, 한계

전문가중심 접근법은 보통 다른 이름들로 불리면서 오늘날 미국과 다른 나라에서 광범위하게 사용된다. 인증의 노력은 변하면서 확장하고 있다. 여러 나라의 정부들은 지속적으로 전문가 위원회를 지명하여 문제들을 연구하고 권고안을 만들고 있다. 정부가 논쟁적인 사안을 다룰 필요가 있을 때 그러한 위원회들은 종종 시민들의 분노로부터 정부 지도자들을 보호하는 데 일조하기도 한다. 예를 들어, 너무 많은 군사기지들이 존재한다는 사실에도 불구하고 미국의 군사기지 폐쇄가 논란이 되어왔다. 의회와 대통령은 주요 기지 폐쇄의 권고안에 대한 "객관적이고, 정파를 따지지 않는, 독립적인 검토"를 제공할 전문가

위원회를 임명하는 것에 도움을 청해 왔다(홈페이지 http://www.brac.gov). 그 과정은 최초의 위원회가 임명된 1988년부터 가장 최근으로는 2005년까지 다섯 번째 이용되었다. 많은 블루리본 패널들처럼, 위원회는 그 사안과 관련된 다양한 분야의 전문가를 포함하고 있다. 위원회는 현장을 방문하고 대중들과 다른 전문가들로부터 조언을 구하며 정보를 검토해서 대통령에게 권고안을 제출한다. 의회가 45일 안에 제안서를 거절하지 않는다면 그 권고안은 효력을 발휘한다. 이 위원회는 군사기지 배치에 관한 효율과 유효성을 향상시킬 중요한 행동을 취할 수 있었다.

　집단적으로 평가에 대한 전문가중심 접근법은 평가 과정에서 전문가의 판단, 경험, 그리고 인간의 지혜가 갖는 중심적 역할을 강조해왔고, 프로그램에 대한 판단을 할 때 누구의 표준이 어느 정도의 투명성으로 사용되어야 하는지와 같은 중요한 문제들에 관심을 집중해왔다. 역으로 이 접근법에 대해 비판하는 사람들은 그 접근법이 평가자로 하여금 개인적 편향을 반영하는 것에 지나지 않는 판단을 내리도록 허락할 것이라는 점을 제기한다. 또 다른 사람들은 당연한 것으로 받아들여지는 전문가들의 전문지식이 잠재적 약점이라고 한다. 전문가중심 평가를 사용하거나 계약할 때 전문가 팀에게 요구되는 다양한 영역의 전문성을 주의 깊게 고려해야 한다. 그 팀에 오직 내용 전문가, 즉 판단되는 주제에 대한 다양한 요소를 아는 사람들만을 포함하고 있고 평가 과정 그 자체의 전문가가 부족한 경우가 너무 흔하다. 계약 기구에 의해서든 전문가 팀에 의해서든 기준에 대한 명확한 표현은 요청받은 판단을 하는 데 사용되는 준거와 방법들을 투명하게 하기 위해서도 중요하다. 물론 Elliot Eisner의 주장처럼 전문가들은 그 기준들 너머를 보면서 제품의 품질에 중요하다고 여기는 차원들을 묘사, 이해, 판단하는 감식안을 사용해야 한다. 그러나 분명하게 표현된 기준은 전체 전문가들에 걸쳐 일관성을 도입하고 의견충돌이 발생했을 때 전문가들 사이에서 유용한 논의를 촉진하는 데 도움을 준다.

　Eisner의 글은 평가 판단의 본질, 그리고 평가받는 프로그램이나 제품의 중요한 요소를 인지하는 데 도움을 줌에 있어 경험과 감식안이 할 수 있는 역할에 대해 평가자들이 더 많이 생각할 수 있도록 영향을 미쳤다. 그러나 Eisner는 평가 현장에서는 활동적이지 않았고 그 접근법은 대부분 그의 직속 제자들이 이따금 사용하였다. 오늘날 우리는 여전히 평가 실무에서 그의 영향력 때문에 그의 글을 계속 연구하고 있다. Donmoyer(2005)는 평가자들이 평가에 대한 다른 접근법들과 각각의 암시에 대해서 고려하도록 유도한 것이 Eisner의 기여라고 한다. Eisner는 또한 양적 방법이 현장을 지배했을 때 질적 방법을 위한 중요한 근거를 제공했다. 그의 작업은 우리가 사물에서 알아채는 것을 고려하도록 유도하는 데에 유용했다. 감식가는 특정한 사물의 중요 요소들을 알고, 그 요소들로 학식 있는 의견을 형성하는 방법을 배운다. 또한 감식안-비평 접근법 역시 비판하는 사람들이 있다. Eisner의 최초의 제안에 뒤이어 House(1980)는 예술 비평의 유사성이 적어도 평가의 한 측면에는 적용될 수 없다고 경고하면서 강한 의구심을 표명했다.

> 독자들이 무시하기로 결정할 수도 있는 논쟁적인 관점들을 예술 비평가가 진척시키는 것은 특이하지 않다. 사실 독자는 자신이 동의하는 비평가의 글만을 읽을 수도 있다. 그러나 프로그램에 대한 대중의 평가는 그렇게 쉽게 기각할 수 없다. 비평가든, 비평가의 원칙이든, 비판이든 약간의 정당화가 필요하다. 공공 프로그램의 평가에서 공정성과 정의가 더욱 엄밀하게 요구된다(p. 237).

그러나 보다 최근에는 Stake와 Schwandt가 품질 측정뿐만 아니라 경험되는 품질 전달의 중요성을 강조한다. Eisner의 감식안에 대한 인식을 연상시키는 그들은 다음을 관찰한다. "관찰 기술, 관점의 폭, 그리고 편향 통제의 조합에서 생겨나는 평가자의 실무 지식을 인식할 수 있을 만큼 좋은 기준이 우리에게는 없다."(2006, p. 409). 그들은 "감식가와 최고의 블루리본 패널들과 함께, 다양한 기준들에 걸쳐 가치를 합성하는 최고의 예는 공정하면서 정보를 지닌 개인들의 개인적이고 실질적인 판단에 의존하는 사례들이다"라고 결론을 내린다(2006, p. 409).

소비자중심 평가 접근법

전문가중심 접근법과 마찬가지로 소비자중심(consumer-oriented) 평가는 수세기에 걸쳐 개인이 무엇을 구입하거나 거래할 것인가에 대한 결정을 내리는 데에 존재해왔다. 이 접근법들은 다른 방식에서도 비슷하다. 그 접근법들의 근본 목적은 어떤 것의 질을 판단하고, 상품, 프로그램 또는 정책의 가치, 장점 또는 진가를 정하는 것이다. 모든 평가가 장점 또는 진가를 발굴하는 것과 관련이 있지만, 가치화(valuing)는 이 두 접근법의 핵심 구성요소이다.[5] 두 접근법의 주요한 독자는 대중이다. 다른 장들에서 논의하게 될 접근법들과

---

5) 다른 평가 접근법들은 이해당사자의 개입이나 조직적 변화와 방법론, 그리고 중심 구성요소로서 인과관계의 확립이나 자세한 설명의 제공과 같은 다양한 유형의 활용에 초점을 맞춘다. 역시 이러한 평가들도 궁극적으로는 장점이나 진가에 대한 판단을 내릴 수 있다. 그러나 그러한 판단, 프로그램이나 제품의 가치화가 평가적 접근에서 전문가중심 평가 또는 소비자중심 평가만큼 중심에 놓이지는 않는다 (Alkin[2004], Shadish 등[1991]을 참조할 것).

달리, 이 접근법에 의지하는 평가는 판단을 내리기 위해 유용한 정보를 제공할 평가자를 고용한 다른 독자, 즉 재단, 관리자, 정책입안자, 또는 시민단체 등이 없다. 대신 소비자중심 접근법과 전문가중심 접근법의 독자는 구매자나 흥미를 느끼는 대중들로 폭이 더 넓어졌으나 평가자에게 직접적으로 알려져 있지는 않다. 그러므로 평가자는 연구에서 결정을 내리는 주요한 사람, 때로는 유일한 사람이 되는데, 그 이유는 그들에게는 봉사해야 하는 중요하고 직접적인 독자가 달리 없기 때문이다. 그러나 소비자중심 접근법과 전문가중심 접근법은 방법론에서 극적으로 다르다. 전문가중심 접근법은 전문가들의 판단과 모형으로서의 예술에 의존한다. 반면 소비자중심 평가는 보다 투명한 양적 방식에 의존하는데, 일반적으로 한 평가자 즉 사물을 판단하는 전문지식은 지녔지만 전문가중심 또는 감식인 평가의 특정 내용 전문지식은 지니지 않은 사람의 판단을 통해서 이루어진다.

독자가 알게 될 소비자중심 평가의 유명한 사례들에는 대학의 순위를 매기는 「Consumer Reports」와 「U.S. News and World Report」가 포함되지만 사례들은 세계 도처에 존재한다. 「Which?」는 영국의 잡지이자 웹 사이트로 미국의 「Consumer Reports」와 그 웹 사이트의 스폰서인 소비자 조합(Consumer's Union)의 사명과 유사한 사명을 지닌다. 두 기구는 모두 소비자 옹호와 같은 활동을 하면서 다양한 상품의 유효성에 대한 정보를 소비자에게 제공하기 위해 제품 실험도 한다.

소비자중심 평가 접근법의 개발자

소비자중심 평가가 교육 평가에서 처음으로 중요해진 때는 제품 개발을 위해 연방정부의 재정이 유입되면서 새로운 교육 상품이 시장에 넘치게 된 1960년대 중후반이다. Michael Scriven은 전문 평가자들이 소비자중심 평가나 제품 평가에 대해서 더욱 주의 깊게 생각하도록 이끈 것으로 가장 잘 알려진 평가자이다(1974b, 1991c). Scriven은 물론 평가에서 여러모로 유명하며, 소비자중심 또는 제품지향 평가는 그의 공헌 중 하나일 뿐이다. 그의 가장 중요한 공헌 중에는 평가자들이 평가에서 가치화의 의미와 중요성을 자각하게 만든 것이 포함된다(Shadish et al., 1991; Alkin, 2004). 그는 가치화의 본질과 평가에서 가치를 이끌어내는 과정을 설명하기 위해 자기 글에서 제품 평가의 예를 종종 이용한다. 수년 동안 그는 「Consumer Reports」가 제품 평가에서 "거의 흠잡을 데 없는 패러다임"이라고 여겼다. 그러나 그는 「Consumer Reports」가 방법론에 대해 논의하고 이를 개선하는 데 주저하는 것을 보고 실망을 표현했으며, 「PC Maganize」과 「Software Digest」가 방법론적으로 보다 건전한 절차를 개발한 것으로 인식했다(Scriven, 1991a, p. 281).

그러나 상품의 가치를 결정하는 Scriven의 접근법은 Eisner의 감식가 접근법과 매우 다르다. 사실 Eisner의 접근법에 대한 Scriven의 비판적 관점은 그 자신이 무엇을 우선시하는지 보여준다. 그는 다음과 같이 이야기한다. 감식안 모형을 사용하는 평가는 "가치 있는 관점을 발생시킬 수 있지만 타당도라는 요건을 상당 부분 포기한다. 특히 그것은 관계없는 전문지식이라는 오류에 취약하다. 감식가는 기껏해야 초보자를 장점으로 제대로 안내하지 못하는 것이고, 유행이라는 추가 흔들리는 대로 영향을 받기도 하기 때문이다."(Scriven, 1991a, p. 92). 그래서 Eisner의 모형이 감식가가 유지하는 알아채는 능력에 머무는 반면, Scriven의 제품 평가 방법은 제품의 내용에 대한 전문지식이 아니라 제품의 핵심 구성요소를 실험하고 판단하는 평가자의 전문지식과 관계가 있다. 더 나아가 Eisner가 믿는 것은 다음과 같다. 그는 제품의 해석과 평가를 강조하지만 그의 접근법에 부가된 가치는 간과하기 쉬운 핵심 요소들을 다른 사람들이 인식하고 경험하도록 도와주는 서술에 있다는 것이다. Scriven의 관심은 "이 제품은 얼마나 좋은가?"라는 질문에 답하는 것이다. 그렇게 하기 위해서 그는 명쾌하고 비판적인 기준에서 그 제품의 성능과 경쟁제품의 성능을 판단할 수 있게 하는 정보를 수집하고 그 접근법에서 주관성을 없애는 작업을 한다. 그래서 그는 자신이 좋아하는 소비자중심 잡지 두 개에서 사용하는 절차가 "'순수한 시험' 접근법, 즉 특정한 경우에 주관적 판단의 양을 최소화하는 접근법을 나타낸다"라고 이야기한다(Scriven, 1991a, p. 281).

품질을 분별하는 평가자의 중요성에 대한 논의에서 Stake와 Schwandt(2006)는 Eisner와 Scriven의 접근법 간 차이점을 어느 정도 밝혀준다. 그들은 품질을 개념화하는 두 가지 접근법을 확인한다. 즉 측정된 것으로서의 품질과 경험된 것으로서의 품질이 있다는 것이다. 경험된 것으로서의 품질은 실질적인 지식과 개인의 경험에서 나오는데, 그것은 많은 사람들이 품질을 결정하는 수단이기 때문에 의미 있다고 그들은 주장한다. Eisner의 감식안 모형은 감식가의 눈과 경험을 통해 그러한 품질에 더해 쌓아나가는 평가의 예로 보일 것이다. 그와는 반대로 측정된 것으로서의 품질은 Scriven의 평가 논리와 그의 제품 평가 방법에서 설명된다. 이것들은 다음을 포함한다. 제품을 평가함에 있어 고려해야 할 중요한 준거, 준거에 대한 기준 확립, 기준을 대비한 준거 대비 제품과 그 경쟁 제품의 수행 점검 및 측정, 그리고 핵심 제품의 품질 결정을 위해 결과 종합하기 등이다. 품질에 대한 두 관점 모두 역할이 있다. 우리는 Eisner의 접근법에 대해 논의했다. 이제 제품의 질을 판단함에 있어 Scriven의 모형을 더 설명해보자.

소비자중심 접근법의 적용

제품을 판단함에 있어 핵심 단계는 사용할 기준을 결정하는 것이다. 소비자중심 모형에서

이 기준들은 분명하고 아마도 소비자가 가치를 부여하는 것들일 것이다. 비록 Scriven이 기준을 확인하기 위해 요구 사정을 수행해야 할 가능성에 대해서 쓰고 있지만, 그의 요구 평가는 소비자들이 무엇을 좋아할지 결정하기 위한 정식 소비자 설문은 아니다. 대신 그의 요구 평가는 그가 "제품 평가의 경우 요구 사정을 종종 대신하는 것"이라고 적고 있는 "기능적 분석"에 초점을 맞춘다(Scriven, 1983, p. 235). Scriven이 기능적 분석이라는 말로 의미한 바는 제품에 친숙해지는 것과 어떤 특징이 품질에 중요한지 고려하는 것이다.

> 평가되는 것의 본질을 이해하게 되면 … 우리는 종종 평가되는 것의 종류에 대한 좋은 예와 나쁜 예가 되기 위해 무엇을 필요로 하는지를 더 완전히 이해할 것이다. 시계가 무엇인지를 이해함으로써 자동적으로 시계가 지닌 장점, 즉 시간 지키기, 정확성, 가독성, 견고함 등의 특징이 무엇인지 자동적으로 이해할 수 있을 것이다(1980, pp. 90-91).

따라서 그의 준거들은 제품에 대한 사전의 확장된 경험에 의해서가 아니라 평가받는 제품을 연구함으로써 확인된다. 기준들은 그 다음에 발전되는 것으로 측정과 평가 과정에서 사용될 준거의 단계들이다. 기준은 종종 평가의 대상을 그 경쟁제품과 비교할 때 만들어지거나 인식된다. 평가의 목적은 품질에 대한 정보를 소비자에게 주기 위해서 한 제품을 다른 제품과 구별하는 것이기 때문에, 준거에 대한 경쟁제품의 성능이 비슷할 때 기준들도 상대적으로 가까워질 것이다. 반면, 경쟁제품들이 매우 다를 때는 기준도 상당히 멀리 떨어질 것이다. 물론 기준은 경쟁제품과는 다른 요인들, 즉 안전 이슈, 규정 요건, 공통의 벤치마크를 제공하는 효율성 요인과 같은 것들의 영향을 받을 수 있다.

제품 평가에서 Scriven의 작업이 이 과정을 묘사하는 것에 초점을 둔 부분적인 이유는 제품 평가에서 다른 사람들이 사용할 준거들의 점검 목록을 개발할 때 준거를 찾아내는 것이 어렵다는 것이다. 1974년에 출판된 그의 제품 점검 목록은 교육 제품을 평가할 때 사용하도록 권하는 준거의 잠재적 범위를 반영한다(Scriven, 1974b). 오늘날에도 여전히 유용한 이 제품 점검 목록은 연방정부가 의뢰한 검토의 결과로, 연방정부의 후원을 받은 연구개발센터와 지역의 교육 연구소가 개발한 교육 제품에 초점을 맞추고 있다. 이 점검 목록은 90개 이상의 교육 제품 점검에 사용되었고 검토 중에도 많은 수정이 이루어졌다. Scriven은 이 점검 목록에 있는 항목들이 희망 목록이 아닌 필요 목록임을 강조했다. 그 목록에는 다음의 것들이 포함되었다.

1. **필요:** 영향을 받는 수, 사회적 의미, 대체제의 부재, 배가되는 효과들, 필요의 근거
2. **시장:** 보급 계획, 규모, 잠재적 시장의 중요성
3. **수행—참 현장 실험:** 전형적 사용자가 전형적 도움을 받아 전형적 환경의 전형적

시간 틀 안에서 사용하는 최종 버전에 대한 효과의 근거

4. **수행─참 소비자**: 학생, 교사, 교장, 교육구의 스태프, 주와 연방 공무원, 의회, 납세자 등 적절한 소비자 모두에 대해 진행된 검사

5. **수행─비판적 비교**: 무처치 집단, 현존 경쟁자, 계획된 경쟁자, 만들어진 경쟁자, 가상의 경쟁자 등 중요한 경쟁자에 대해 제공된 비교 자료

6. **수행─장기간**: 제품 사용 일주일에서 한 달 경과 후, 한 달에서 일 년 경과 후, 일 년에서 수년 경과 후, 핵심적 경력 단계에 걸쳐 등 적절한 시기에 보고된 효과의 근거

7. **수행─부작용**: 제품 사용 중, 사용 직후, 장기간 사용 동안의 의도하지 않은 결과에 대한 독립적 연구나 탐색의 근거

8. **수행─과정**: 제품 설명, 인과관계에 대한 주장, 제품 사용의 도덕성을 입증하기 위해 제공된 제품 사용의 근거

9. **수행─인과관계**: 무작위 실험 연구 또는 옹호할 만한 유사 실험 연구, 사후 연구, 상관도 연구를 통해 제공된 제품 효율성의 근거

10. **수행─통계적 유의미성**: 적절한 분석 기법, 유의 수준, 해석을 활용하는 제품 효과의 통계적 근거

11. **수행─교육적 유의미성**: 아이템 분석과 시험의 원점수, 부작용, 장기 효과, 비교 이익, 교육적으로 건전한 사용에 기초한 판단, 독립적 판단, 전문가 판단 등을 통해 증명된 교육적 유의미성

12. **비용 대비 효과**: 비용에 대한 전문가의 판단, 독립적 판단, 경쟁 제품 비용과의 비교를 포함해 만들어진 포괄적인 비용 분석

13. **확장된 지원**: 시판 후의 자료 수집과 개선, 재직 중 훈련, 보조물 갱신, 그리고 새로운 사용과 사용자 자료에 대한 연구 등을 위해 만들어진 계획

이 준거들은 필요부터 결과와 비용에 이르기까지의 영역을 다루고 있어 포괄적이다. 또한 Scriven은 프로그램 평가를 평가하기 위한 지침으로 사용할 점검 목록, 즉 Key Evaluation Checklist(KEC)를 개발했다(Scriven, 1991c, 2007) 이 목록은 다음의 링크에서 찾을 수 있다(http://www.wmich.edu/evalctr/checklists/kec_feb07.pdf).

소비자중심 접근법의 또 다른 적용

다양한 단계에서 제품을 평가하고자 하는 조직과 산업체 또한 제품 평가를 이용한다. 애플과 같은 성공적인 첨단 기술 회사들도 아이폰과 애플 스토어에 대한 소비자들의 반응

을 관찰하고 연구했으며 자신들의 제품에 변화를 주기 위해 이 자료들을 사용했다. 따라서 이 회사들은 자신들의 제품을 개선하려는 형성적 목적을 위해 소비자중심 평가를 사용했다. Amazon.com은 자신의 전자책 킨들(Kindle)에 유사한 과정을 거쳤다. 산업체에서 일하며 많은 제품 평가를 수행한 평가자인 Jonathan Morrell은 최근 오늘날 업계에서 사용하는 제품 평가에 대해 설명했다. Scriven은 소비자들의 총괄적 구매 결정을 위한 제품 평가에 초점을 맞추었지만 Morrell은 업계의 대부분 제품 평가들이 애플과 Amazon.com의 사례처럼 본질적으로 형성적이라고 이야기한다. 평가는 제품의 수명 주기 내내 초기 디자인과 생산 과정으로부터 마케팅과 유통에 이르기까지 이루어진다. 평가의 이해당사자에는 조직의 관리자와 소비자들뿐만 아니라 생산 과정에 연관된 다른 사람들도 포함된다. Morrell은 비행기의 이해관계자로서 조종사들의 사례를 제시한다. 인간 요인 관련 이슈에 대한 조종사들의 의견은 비행기 조종 시에 조종사들이 최적의 수행을 할 수 있도록 하는 데 있어 중요하다(Morrell, 2005).

소비자중심 접근법의 영향: 활용, 강점, 한계

앞서 언급한 것처럼 평가를 위한 소비자중심 접근법은 정부 기관과 독립적 소비자 옹호 단체들이 수백 가지 제품에 대한 정보를 활용할 수 있도록 만드는 데에 광범위하게 사용되어 왔다. 오늘날 교육에서 가장 잘 알려진 사례들 중 하나는 미 교육부의 교육 과학 협회(Institute for Education Sciences, IES)가 2002년에 시작한 What Works Clearing-house(WWC)이다(http://les.ed.gov/ncee/wwc 참조). WWC는 교육 프로그램과 교육 제품의 성과에 대한 소비자중심 평가 정보의 원천이다. 여기에서 살펴본 소비자중심 접근법과 마찬가지로 그 의도는 소비자, 즉 교사, 학교 심리상담가, 교육행정가들이 어떤 교육 제품을 사용할 것인지 선택할 수 있도록 도와주는 것이다.

그러나 WWC는 보다 종합적인 Scriven의 평가 과정과는 극적으로 다른데, 그 이유는 프로그램의 성공을 결정하는 준거가 프로그램의 결과에 국한되고 기준이 그 결과들에서의 연구 신뢰와 관련되기 때문이다. WWC의 사명은 "프로그램의 효과성에 대한 근거의 강도를 평가하는 것"이다.[6] IES가 제품이나 프로그램 그리고 결과 사이의 인과관계를 확

---

6) 소비자중심 접근법과 전문가중심 접근법의 역설적 조화 속에서 WWC의 검토 절차와 보고서가 "과학적으로 타당한지" 그리고 "중요한 교육적 성과에서 의미 있는 효과에 대한 근거의 강도에 대한 정확한 정보를 제공하는지"를 결정하기 위해 2008년 블루리본 패널이 소집되었다. 웹사이트 http://les.ed.gov/director/board/pdf/panelreport/pdf를 참조하라. 그 패널은 자신들의 책임이 사명을 검토하는 것이 아니라 정보가 타당한지를 결정하는 것이었다고 하면서 제공된 정보가 타당하다는 결론을 내렸다.

립하는 데 탁월한 것으로 여기는 무선 통제 실험(randomized control trials, RCTs)이나 회귀 불연속(regression discontinuity) 설계를 사용하여 연구된 제품들이 가장 높은 등급을 받는다. 유사 실험 설계를 사용한 연구들은 조건부로 승인될 수도 있다. Scriven의 점검 목록과 저술은 성공적인 수행에 핵심적인 제품이나 프로그램의 요소들을 반영하기 위해 몇 가지 다른 준거들을 사용할 것을 주장했다. 상당수 Scriven의 준거들이 결과들이나 수행(앞에서 열거한 교육 제품 판단을 위한 그의 준거들 참조)과 관계있음에도 불구하고 그의 과정은 결과나 수행과 관계된 여러 준거들뿐만 아니라 요구, 부작용, 과정, 사용자들에 대한 지지, 비용을 포함하여 제품에 대한 종합적인 감정을 강조했다. WWC의 기준들은 프로그램이나 제품과 목표한 결과 사이에서 선호된 설계를 통해서 연구가 원인적 효과를 정하는 정도에 관심을 갖는다. 준거의 범위를 좁히는 것과 이 준거들을 평가하는 기준에 대해 우리가 한탄함에도 불구하고, WWC의 노력은 잠재적 사용자가 결과를 얻을 때 효과성을 고려하고 교육 프로그램이나 제품에 대해 비교할 만한 정보를 얻을 수 있게 하기 위해 중앙의 위치를 제공하도록 유도한다. 교육자들은 성취를 높이도록 많은 압력을 받고 있고 제품은 마케팅 과정에서 오도할 수도 있다. 그러나 소비자에게 프로그램이나 제품의 성공을 설명한 것에 대해 알려주려는 WWC의 노력은 투명성이나 사용자 수의 측면에서 오늘날 교육에서의 소비자중심 접근법을 가장 성공적으로 적용한 것이다. 소비자들은 관심 분야별로 유아 교육, 초급 읽기, 중학 수학, 낙제 방지, 영어 학습과 같은 주제로 웹 사이트를 찾아볼 수 있다. 많은 제품들이 제품과 결과 사이의 인과관계에 대해 연구 근거가 충분하지 않은 것으로 판단된다. 이 제품들에 대해서 제공된 유일한 정보는 "적격 기준에 부합하는 연구들이 없다"는 지적이다. 그러나 적격 기준을 충족하는 연구를 수행한 제품들에 대한 보고서는 프로그램이나 제품에 대한 간단한 설명, 그에 대해 수행된 연구, 의도한 결과를 얻을 때의 효과성에 대한 최종 판단 등을 제공한다.

소비자중심 접근법과 전문가중심 접근법 사이의 중첩되는 부분을 설명한 소비자중심 접근법의 또 다른 눈에 띄는 사례는 Buros Institute of Mental Measurement의 검사 리뷰이다. 그 기관은 1938년에 설립되어 그 후로 교육과 심리 검사에 대해 신뢰받는 검토를 수행해왔다. 현재 이 기관은 두 개의 시리즈를 출간하고 있다. 하나는 지금 17번째 판인 『측정 연감(Mental Measurement Yearbooks)』이고 다른 하나는 '온라인 실험 리뷰(Test Reviews Online)'이다(http://www.unl.edu/buros 참조). 이 기관은 "상업적으로 출판된 검사의 질을 감시하고 … 검사를 적절히 선택하고 사용하고 실행하도록 장려하는 데에 헌신"한다는 점에서 소비자중심이다(http://www.unl.edu/buros/bimm/html/catalog.html, 첫 번째 문단). 그 기관은 교육과 심리학에서 사용되는 검사의 질에 대한 정보를 소비자들에게 제공하기 위해 설계되었다. 각각의 검사 리뷰는 검사에 대한 간단한 설명을 제공하며, 신뢰도 및 타당도 정보, 해설, 요약, 참고문헌 등을 포함하여 검사의 개발과 기술적 특징을 논의한다. 그러나 그 리뷰들은 전문가중심 접근법의 요소들을 포함하고 있다. 왜냐하면 그 리뷰는 심리측정 분야 전문가들이 수행했고, 비록 그 리뷰들이 미리 정한 포맷을 사용했지만 각 검사 및 그 경쟁자들을 리뷰함에 있어 준거와 기준들이 Scriven의 접근에서만큼 명백하게 확인되지 않기 때문이다. 그 기관은 미국교육학회(American Educational Research Association, AERA), 미국심리학회(American Psychological Association, APA), 그리고 전국 교육측정 협의회(National Council on Measurement in Education, NCME)가 합동으로 개발한 『The Standards for Educational and Psychological Testing』(1999)을 검토자들이 사용하도록 권한다. 그러나 질에 대한 정보를 제공함에 있어 기관의 일차적인 준거는 전문 검토자의 선발에 있다.

소비자중심 평가 접근법이 제품을 검토하는 잡지와 웹 사이트에서 지속적으로 사용됨에도 불구하고 그 접근법은 전문 평가자들의 문헌에서 지속적으로 광범위하게 논의되지는 않는다. 그러나 감식안과 비평에 대한 Eisner의 저서뿐만 아니라 1970년대 제품 평가에 대한 Scriven의 저서들은 초기 단계에 평가가 프로그램, 정책, 제품의 가치화에서 맡은 역할을 고려하는 데 영향을 미칠 때와 또 그렇게 하기 위해 전통적 사회과학 연구 방법 외의 방법을 고려할 때 중요했다. 각각의 접근법은 오늘날 평가 실무에 영향을 미쳤다.

주요 개념과 이론

1. 전문가중심 평가 접근법의 품질 증명은 평가받는 프로그램의 분야에서 전문적인 판단에 직접적으로 의존한다.

2. 전문가중심 평가의 변형된 유형에는 공식 및 비공식 검토 시스템, 임시 패널 또는 개인 검토가 포함된다. 이 평가는 현존하는 구조 또는 기구 아래 수용될 것인지, 프로그램이나 제품을 평가하는 데 사용되는 기준이 출판되어 있는지, 미리 정해놓은 검토 일정을 사용하는지, 고용하는 전문가가 한 명인지 아니면 여러 명인지, 프로그램의 지위에 직접적으로 영향을 미치는지 등에 따라 달라진다.

3. K-12 학교까지 확장된 고등교육 인증 시스템은 미국에서 전문가중심 접근법의 두드러진 사례이며 현재 논의와 변화의 과정에 있다. 평가의 목적, 결과, 과정, 조언 등 수집하거나 검토한 자료의 본질, 전문 평가자의 독립성이나 중립성, 과정의 투명성 등에 대한 미국 내 지역 인증 협회와 연방정부 사이의 차이는 전문가중심 평가와 다른 평가들에서 발생할 수 있는 논란과 정치적 이슈 중 많은 부분을 설명한다.

4. Elliot Eisner의 교육 감식안 및 비평 모형은 프로그램이나 제품에 대한 완전한 모습을 제공하기 위해, 제품이나 프로그램의 비판적인 관점을 알아챌 때, 그리고 특히 관찰과 서술의 질적 방법과 같이 전통적인 사회과학 측정법 외의 방법을 사용할 때 평가자가 전문가나 감식가의 기술을 더 잘 알아낼 수 있도록 한다.

5. 소비자중심 평가 접근법은 내용 전문가나 제품의 감식가에게 의존하지 않고 평가 전문가들에게 의존한다는 점에서 전문가중심 접근법과 다르다. 이 접근법은 또한 평가 논리와 양적 방법에 보다 중심적인 기반을 둔다.

6. 그러한 접근법에 대해 광범위한 저술 활동을 한 Michael Scriven은 제품이나 프로그램을 판단하기 위한 중요 준거들을 확인하고, 그 준거들을 판단하기 위한 기준을 개발하며, 정보나 자료를 모으고, 소비자가 그 제품을 대체물과 비교하여 최종 판단을 내릴 수 있도록 정보를 종합하는 것 등을 핵심 단계로 본다.

7. 전문가중심 접근법과 소비자중심 접근법 모두 평가자들이 자신의 작업에서 가치화의 중요성을 자각하도록 했다. 가치화는 평가의 중요 업무가 프로그램, 제품, 정책의 가치에 대한 판단을 하는 것이라는 점을 평가자들이 인식할 수 있도록 도와주었다. 이 접근법들은 판단을 하는 데에 있어 상당히 다른 방법을 옹호한다. 따라서 각 접근법은 질적 방법과 자료를 수집하는 잠재적 방법으로 준거, 기준 및 점검 목록을 고려하도록 하는 데에 독립적으로 기여했다.

8. 두 접근법 모두 공공기관, 비영리 기관, 개인 기관, 산업계에서 공통적으로 계속 사용되고 있으나 전문 평가에 대한 최근의 저술 주제는 아니다. 그 주제에 대한 평가 문헌이 없는 것은 불행한 일이다. 우리는 오늘날 흔히 사용되는 이 접근법들을 평가적 사고방식으로 적용할 수 있도록 평가자들이 이 접근법들에 주의를 기울여주기를 희망한다.

토의 문제

1. 전문가중심 접근법과 소비자중심 접근법은 어떻게 다르고 어떻게 유사한가?

2. 전문가중심 접근법의 강점이라고 생각하는 것은 무엇인가? 약점은 무엇인가?

3. 만약 전문가 팀이 당신의 학교나 조직을 검토 중이라면, 당신은 그 팀에서 어떤 종류의 전문가들을 원하는가? 당신 조직의 질을 판단함에 있어 그들이 어떤 준거를 사용하기를 원하는가?

4. 3번 질문과 관련하여, 당신 조직에 대한 내용 전문가, 평가 이론 및 무언가를 판단하는 방법을 잘 아는 사람 중 누가 더 나은 판단을 내릴 것이라고 믿는가? 당신이 선택한 답의 정당성을 설명하라.

5. 감식가의 개념을 논하라. 당신이 어떤 것의 감식가인가? 그것에 대한 당신의 경험은 어떻게 당신이 중요 요인을 알아내고 초보자보다 더 나은 판단을 내릴 수 있도록 도와주는가?

6. 소비자중심 평가에서 준거와 기준의 차이는 무엇인가?

7. 제품 평가의 준거를 어떻게 정해야 하는가? 결과에 전적으로 또는 일차적으로 집중해야 하는가? 조언의 질(스태프, 시설, 예산), 과정(프로그램의 수행), 결과 간에 어떻게 균형을 맞출 수 있는가?

적용 연습

1. 어떤 외부 전문가들이 당신의 프로그램 또는 조직을 검토하는가?

   a. 당신이 인증된 조직에서 일한다면 인증에 사용된 기준들을 검토하라. 당신은 그 기준들이 프로그램이나 조직의 실제 품질 문제에 영향을 미친다고 느끼는가? 당신이라면 어떤 기준을 추가할 것인가?

   b. 평가 팀의 전문지식 영역은 무엇인가? 그들은 내용 전문가, 관리 전문가, 재정 전문가, 평가 전문가 또는 다른 분야의 전문가인가? 당신은 다른 사람들을 추가할 것인

가? 다른 사람들은 당신의 조직을 판단하는 데 있어 자신들의 독립성과 객관성을 어떻게 판단할 것인가?

    c. 가능하다면 인증에 참여한 사람들을 인터뷰하고 인증의 목적(강조하는 바가 형성적인지, 총괄적인지 아니면 다른 무엇인지)에 대해, 그리고 인증이 어떻게 사용되어 왔는지에 대해 더 학습하라.

2. 당신의 고등학교에 외부 인증 팀이 방문할 예정이다. 그들이 어떤 이슈에 주의를 기울여야 한다고 생각하는가? 짧은 방문 기간 동안 무엇을 놓칠 것이라고 생각하는가? 어떤 정보를 수집해야 한다고 생각하는가? 그들은 방문 기간 동안 무엇을 해야 하는가? 당신은 그 인증 팀이 당신의 학교에 어떤 변화를 줄 수 있다고 생각하는가? 그렇게 생각하는 이유 또는 그렇게 생각하지 않는 이유는 무엇인가?

3. 식당, 영화 또는 당신이 참여하거나 관람한 연극에 대한 리뷰를 읽어라. 당신의 의견과 전문가의 의견이 어떻게 다른가? 비평가의 의견은 당신의 의견에 어떤 영향을 미치는가? 제품에 대한 그 전문가의 전문지식(감식안) 또는 그 전문지식을 전달하는 능력(비평)은 그 제품에 대한 당신의 생각이 달라지도록 유도하는가?

4. What Works Clearinghouse의 웹페이지(http://les.ed.gov./ncee/wwc)에서 당신이 흥미를 갖는 교육 제품에 대한 평가를 보라. 전문가중심 접근법과 소비자중심 접근법으로 그들의 정보 전달 방식을 비판하라. 어떤 정보가 도움이 되는가? 당신이 결정을 내리는 데 다른 정보가 도움을 줄 것 같은가? 그렇다면 그것은 무엇인가? 그 정보는 당신이 가지고 있는 다른 준거나 기준과 관련이 있는가? 그 정보는 이 장에서 다룬 접근법들에 어떻게 부합하는가?

5. 당신이 흥미를 느끼는 제품이나 프로그램을 What Works Clearinghouse가 검토하지 않아서 당신은 그 제품에 대해 더 많이 알기 위해서 출판사나 개발자에게 연락을 하려고 한다. 어떤 준거가 당신에게 중요한가? 그 준거들을 판단하는 데 어떤 기준을 사용할 것인가? 당신은 그 회사의 대표자에게 무엇을 물어볼 것인가?

6. 「Consumer Reports」나 그와 유사한 잡지, 또는 제품을 리뷰하는 온라인 출판물의 최근호를 점검하고 특정 상품에 대한 그들의 리뷰를 비판하라. 당신은 제품을 판단하기 위해 그들이 선택한 준거에 동의하는가? 어떤 준거는 배제하고 다른 준거를 포함할 것인가? 그 준거에 따라 각 제품을 판단하기 위해 그들이 사용한 기준은 명백한가? 적절한가? 그들의 자료 수집 과정, 즉 각 제품들이 그 준거에 따라 어떻게 작동하는지를 결정하는 데 사용하는 그들의 수단을 당신은 어떻게 판단할 것인가? 전문가 또는 아마도 소비자중심 평가의 감식가로서 당신은 그들의 평가를 어떻게 판단할 것인가? 당신은

그들의 절차를 어떻게 개선할 것인가?

사례 연구

이번 장에서 우리는 『Evaluation in Action』의 7장에 나오는 조지아 주 학교 성적표 개발에 대한 Gary Henry와의 인터뷰를 추천한다. 우리의 인터뷰에는 전문가중심 접근법이나 소비자중심 접근법을 명백하게 사용한 평가가 포함되어 있지 않지만, 이 인터뷰는 소비자, 학부모, 그리고 조지아 주 시민들이 사용할 학교 성적표의 개발에 대해 설명하고 있다. Henry 박사의 작업 중 일부는 조지아 주 시민들의 설문 조사 및 평가 자문위원회로부터의 조언과 연구를 이용하여 성적표에 사용될 복수의 준거들을 확인하고 개발하는 것과 관련이 있다. 그는 인터뷰에서 준거들을 확인하는 과정 및 접근과 사용이 용이한 방식으로 정보의 틀을 갖춰 그것을 널리 퍼트리는 수단에 대해 논의한다. 출처는 다음과 같다: Fitzpatrick, J. L., & Henry, G. (2000). The Georgia Council for School Performance and its performance monitoring system: A dialogue with Gary Henry. *American Journal of Evaluation, 21*, 105-117.

추천 도서

Eisner, E. W. (1991a). Taking a second look: Educational connoisseurship revisited. In M. W. McLaughlin and D. C. Philips (Eds.), *Evaluation and education: At quarter century, Ninetieth Yearbook of the National Society for the Study of Education, Part II.* Chicago: University of Chicago Press.

Eisner, E. W. (1991b). *The enlightened eye: Quaitative inquiry and the enhancement of educational practice.* New York: Macmillan.

Floden, R. E. (1980). Flexner, accreditation, and evaluation. *Educational Evaluation and Policy Analysis, 20*, 35-46.

O'Brien, P. M. (Ed.). *Accreditation: Assuring and enhancing quality.* New Directions in Higher Education, No. 145, pp. 1-6. San Francisco: Jossey-Bass.

Scriven, M. (1991). *Evaluation thesaurus* (4th ed.). Newbury Park, CA: Sage.

Scriven, M. (2007). *Key evaluation checklist.* http://www.wmich.edu/evalctr/checklists/kec_feb07.pdf

U.S. Department of Education. (2006). *A test of leadership: Charting the future of U.S. higher education.* Washington, DC. http://www.ed.gov/about/bdscomm/list/hiedfuture/reports/final-report.pdf

6

프로그램중심 평가 접근법

핵심 질문

1. 프로그램중심 평가 접근법의 주요 개념은 무엇이고, 이 접근법은 평가에 어떤 영향을 주는가? 이 접근법은 오늘날 어떻게 활용되고 있는가?
2. 논리적 모형과 프로그램 이론은 평가에서 어떻게 활용되는가?
3. 이론기반 평가는 목표중심 평가와 어떻게 다른가? 이론기반 평가의 주요 개념은 무엇인가?
4. 주요 프로그램중심 평가 접근법의 강점과 한계점은 무엇인가?
5. '탈목표 평가'란 무엇인가? 이것은 평가의 시행에 대해 무엇을 가르쳐 주는가?

오늘날 평가에 접근하는 많은 방법들은 평가되는 프로그램의 핵심적 특징에 대해 더 잘 이해하는 것에 평가의 초점을 두고 있다. 이 특징들은 평가자가 초점을 맞추어야 할 질문들을 결정하도록 돕는다. 가장 주목을 끄는 프로그램중심 접근법은 목표중심 접근법과 논리적 모형 또는 프로그램 이론을 사용하는 접근법이다. 사실상, 이론기반 평가는 평가 영역에서 가장 급진적으로 성장한 접근법 중 하나이다(Weiss, 1995; Donaldson, 2007). 많은 정부지원 기관과 재단은 프로그램을 계획하고 평가하고 연구하기 위해 논리적 모형, 즉 다양한 프로그램 이론을 필요로 한다. 논리적 모형과 프로그램 이론은 모두 평가자가 프로그램의 의도된 효과 이면의 이론적 기제와 논리적 근거에 대해 더 잘 이해할 수 있도록 돕기 위하여 발전되었다. 이 방법은 단지 프로그램의 산출 결과에만 초점을 두는 전통적인 목표중심 평가를 뛰어넘는 더 나은 개선을 가져올 수 있다.

　이 장에서는 오늘날까지 가장 빈번히 사용되어 온 기본적인 프로그램중심 평가 접근법, 즉 목표중심 평가를 다룰 것이다. 그러고 나서 오늘날 평가자가 평가에 대한 중요한 선택을 하도록 돕기 위해 이론기반 접근법과 그 사촌격인 논리적 모형이 사용되고 있음을 설명할 것이다.

목표중심 평가 접근법

목표중심 평가 접근법의 독특한 특징은 어떤 활동의 목적을 명료화한다는 것이고, 이 목적 또는 목표의 성취 정도에 평가의 초점을 둔다는 것이다. 여러 사례에서 볼 수 있듯이, 프로그램들은 이미 목표를 명료화하고 있다. 그리고 어떤 경우에는 평가자가 프로그램 목표(때때로 목적 혹은 기준이라 불림)를 명료화하기 위해 평가 이해관계자와 함께 작업을 하기도 한다. 목표중심 평가에서 평가자의 주요 역할은 프로그램의 목표들이 성취되었는지, 또한 얼마나 잘 성취되었는지를 결정하는 것이다. 교육 분야에서의 목표들은 한 시간의 수업, 교육 프로그램, 또는 1년 동안 학생이 성취한 지식에 관심을 둘 것이다. 공중보건 프로그램에서의 목표들은 예방 노력, 지역사회의 보건 개입 또는 환자 교육의 효과에 관심을 둘 것이다. 환경 프로그램에서의 목표들은 공기 오염의 감소와 같은 수량적 성과나 에너지 활용에 대한 시민의 신념과 행동 같은 측정이 좀 더 어려운 결과들을 포함할 것이다. 목표중심 평가로부터 얻어진 정보는 프로그램을 계속해서 재정적으로 지원할 것인지 아니면 재정적 지원을 변화시킬 것인지, 그 프로그램을 중지할지 아니면 다른 방법을 고려해볼지를 결정하는 데 활용할 수 있다.

1930년대 목표중심 접근법이 시작된 이후로, 많은 사람들이 평가에의 목표중심 접근법의 발전과 강화에 기여해왔다. 그러나 교육목표에 초점을 둔 개념화와 대중화에 가장 많은 기여를 한 학자는 Ralph W. Tyler(1942, 1950)이다.

Tyler의 평가 접근법

Tyler는 평가와 교육 모두에 지대한 영향을 주었다. 그의 작업은 최초로 교육 프로그램 평가를 법적으로 요구한, 1965년의 「초중등교육법(Elementary and Secondary Education Act, ESEA)」의 제정에 영향을 끼쳤다. 또한 국가학업진보평가(National Assessment of Educational Progress, NAEP)를 시작한 위원회(현재 미국은 각 주의 성취기준이 다르기 때문에 단지 50개 주 전체의 학업성취도를 검사하기 위해 남아 있을 뿐임)의 의장을 맡았다. 1920년대와 1930년대에, Tyler는 교사 및 학교 측과 긴밀하게 작업하면서 교육과 평가에 대한 그의 관점을 형성하였다. Tyler의 글과 활동은 여러 차례에 걸쳐 사정(assessment)의 의미를 개선하였고, 오늘날 다중적 의미를 지닌 평가 개념을 형성하는 기반이 되었다. 그는 목표란 교사가 학생들이 학습하기를 원하는 바를 정의하는 것이라고 보았다. 학생들이 반드시 할 수 있어야 하는 것을 기준으로 목표들을 진술함으로써, Tyler는 교사가 이 목표들을 성취하는 교육과정과 수업을 더 효과적으로 계획할 수 있다고 믿었다. 그러나 이후의 행동적 목표가 보여주는 모습과는 달리, Tyler는 목표가 원칙에 관한 것이어야 하며 단순히 명세적인 행위만은 아니라고 믿었다. 그는 프로그램 평가자로서 평가와 교육이 상호 협력적으로 이루어질 수 있도록 교사들과 긴밀하게 협력하며 작업하였다 (Goodlad, 1979; Madaus, 2004; Madaus & Stufflebeam, 1989).

Tyler는 평가를 프로그램의 목표들이 실제로 성취되고 있는 정도를 결정하는 과정이라고 생각했다. 그의 평가 접근은 다음 단계를 따른다.

1. 일반적 목적 또는 목표 설정하기
2. 목적과 목표 범주화하기
3. 행동적 용어로 목표 정의하기
4. 목표의 성취가 가시화될 수 있는 상황 찾기
5. 평가 기법을 개발 혹은 선택하기
6. 성취 자료 수집하기
7. 성취 자료를 행동적으로 진술된 목표와 비교하기

성취와 목표 간의 불일치는 결함을 바로잡기 위한 개선을 이끌어내게 되며, 이를 통해 평가 순환주기는 다시 반복되는 것이다.

Tyler의 이론적 근거는 논리적이었으며, 과학적으로 수용 가능하고 평가자에 의해 쉽게 적용 가능한 것이었으므로(Tyler가 강조한 행동의 사전-사후 검사 평가는 대부분의 평가자들이 받았던 방법론 훈련과 매우 유사하였음), 후속되는 평가이론들에 지대한 영향을 주었다. Tyler는 서로 다른 유형의 평가도구를 여러 개 사용해야 하고 프로그램의 많은 요소들을 고려해야 함을 주장했다. 그러나 1960년대와 1970년대 Tyler의 작업으로부터 발전된 그리고 오늘날 계속 활용되고 있는 목표중심 접근법은 기본적으로 관습적인 방식, 프로그램 목표의 설정, 방법(전형적으로 검사)의 명료화, 사전에 진술한 목표를 참조한 자료 분석, 프로그램의 성공 여부 결정에 초점을 두고 있다.

오늘날 전문적인 평가자는 관습적인 목표중심 접근법에 대해 좋게 생각하지 않는다. 그러나 대부분의 재정적 지원을 받는 평가들은 최근의 평가 접근법들과 연결되지 못한 채, 이 전통적인 접근법을 활용하는 평가를 시행하고 있다. 그것의 장점과 한계점은 이 장의 결론에서 논의할 것이다.

Provus의 불일치 평가 모형

Tyler와 흐름을 같이하는 또 다른 접근은 Malcolm Provus가 피츠버그 공립학교에서 평가 연구 과제를 시행하면서 개발했던 접근법이다(Provus, 1971, 1973). Provus는 평가를 "프로그램 운영의 감시" 그리고 "프로그램 개발 관리에 있어 운영 도우미" 역할을 하도록 되어 있는 계속적 정보 관리 과정으로 설명하고 있다(Provus, 1973, p. 186). 비록 Provus의 접근법이 경영중심 평가 접근법이라 할지라도, 그 주요 특징은 Tyler의 전통에 뿌리를 둔다. Provus는 평가를 (1) 성취기준(목표를 대치하는 용어)[1]에 동의하기, (2) 어떤 양상에 대한 프로그램 성과와 성과를 위한 기준들 간에 불일치가 존재하는지를 파악하기, (3) 그리고 프로그램의 개선, 유지 또는 종결을 결정하기 위하여 불일치에 대한 정보를 활용하는 과정으로 본다. 그래서 그는 자신의 접근법을 불일치 평가 모형(Discrepancy Evaluation Model, DEM)이라 부른다.

　Provus는 한 프로그램이 개발되는 과정에 네 단계가 있다고 보았으며, 여기에 다섯 번째인 선택적(optional) 단계를 추가하여 다섯 단계를 정했다.

　1. 정의
　2. 실시
　3. 과정(중간 산출)
　4. 최종 산출
　5. 비용-효과 분석(선택적 단계)

　정의 혹은 설계 단계에서는 목적과 과정 또는 활동들을 정의하고 이러한 활동 수행과 목적 달성을 위해 필요한 자원들과 참여자를 서술하는 데 초점을 둔다. Provus는 프로그램이 투입(선행조건), 과정, 산출(성과)을 포함하는 역동적인 시스템이 되도록 설계해야 한다고 하였다. 성취기준 또는 기대치가 각 단계별로 정해진다. 이 성취기준들은 이후의 모든 평가 작업이 기반을 두게 되는 목표들이다. 설계 단계에서 평가자가 시행해야 할 일

---

1) 비록 성취기준(standard)과 목표(objective)가 동의어는 아니지만, Provus에 의해 상호 호환 가능한 것으로 사용되어 왔다. Stake(1970) 또한 "기준은 목표의 다른 형태이다: 이들은 평가되어야 하는 특정 프로그램에 대해 전혀 알고 있지 못하는, 하지만 여러 분야에서 프로그램과 관련된 충고를 할 수 있는 외부의 권위자(outside authority figures)"라고 진술했다(p. 185).

은 설계를 명세화하는 것이며 이것은 특정 준거들(이론적, 구조적 안정성)의 충족 여부를 확인하는 것이다.

실시 단계에서 프로그램 설계 또는 정의는 프로그램 운영을 비교하고 판단할 표준으로써 활용된다. 평가자는 프로그램 혹은 활동의 기대되는 수행과 실제 수행 간의 불일치를 찾기 위해 일련의 일치도 평가를 시행한다. 프로그램이 설계했던 것처럼 실시되었는지를 확인하기 위한 것이다. 몇 개의 다른 프로그램들을 실시할 때와 마찬가지로 하나의 동일한 프로그램을 실시할 때도 상당한 편차를 보이기 때문에 이 확인 과정이 중요하다. 뒤에 진술하는 프로그램 명세화의 실천 정도는 직접적인 관찰을 통해 가장 잘 파악할 수 있다. Provus는, 만약 이 단계에서 불일치가 발견되었다면, 다음과 같은 해결방법을 고려할 수 있다고 제안했다. (a) 실제 실시되고 있는 것이 더 타당하게 보인다면 프로그램이 실제로 실시되는 방식을 따라 프로그램의 정의를 변화시키는 방법, (b) 프로그램 정의를 더 잘 따르기 위해 프로그램의 실시를 변화시키는 방법(더 많은 자원 또는 훈련을 제공함으로써), (c) 프로그램의 실시가 프로그램 목적 달성에 무익한 것으로 나타났다면 프로그램 실행을 중지시키는 방법이 있다.

과정(중간 산출) 단계에서, 평가자는 참여자들의 행동이 기대한 것처럼 변화되었는지를 판단하기 위하여 참여자의 발전과 관련된 자료를 모으는 데 초점을 둔다. Provus는 참여자들이 성취한 이와 같은 성공을 '과정적 목표(enabling objectives)'라는 용어로 명명하였다. 만약 특정 과정적 목표가 성취되지 못했다면, 이 목표들을 수정하거나 재정의해야 한다. 또한 평가 자료가 타당했는지에 대해서도 의문을 제기해야 한다. 만약 평가자가 과정적 목표가 성취되지 않은 것을 발견했을 경우, 불일치가 제거될 수 없다면 프로그램을 중지시키는 것을 선택할 수도 있다.

최종 산출 단계에서 평가의 목적은 프로그램을 위한 최종 목표들이 성취되었는지를 판단하는 것이다. Provus는 즉시적 산출 또는 최종 목표와 장기적 산출 또는 궁극적 목표를 구별한다. 그는 평가자가 전통적으로 프로그램 종결 시의 성취를 강조하는 것을 넘어서서, 모든 프로그램 평가의 한 부분인 궁극적 목표에 기반을 둔 추적연구(follow-up studies)를 수행할 것을 제안한다.

Provus는 또한 비용-효과 분석이라 불리는, 그리고 결과를 비교 가능한 유사한 프로그램의 비용 분석과 비교하는, 선택적인 다섯 번째 단계를 제안한다. 최근에 대민 서비스를 위한 재원이 점점 부족해지면서 비용-효과 분석은 모든 프로그램 평가의 한 부분이 되고 있다.

불일치 평가 모형은 대규모 공립학교 체제에서의 프로그램 개발을 촉진할 목적으로 설계되었고, 나중에 연방 기관에 의한 지방정부 단위 평가에 적용되었다. 대규모 시스템에 가장 잘 적용되는 복합적인 접근법으로서, 프로그램 개발이 진술된 목표들의 달성을 향해 나아가고 있는지를 판단해야 하는 관리자를 돕기 위해 불일치를 명료화하는 것에 초점을 둔다. 이 접근법은 확인된 불일치가 모두 제거될 때까지 다음 단계의 활동을 진행하지 않음으로써 효과적인 프로그램을 개발할 수 있다는 장점이 있다. Provus는 불일치가 발견될 때는 언제나 프로그램 직원들과 평가자들이 협력하여 문제를 해결할 것을 제안했다. 이 문제해결 과정은 다음과 같은 질문에 답하는 것이다: (1) 왜 불일치가 발생했는가? (2) 이를 바로잡기 위해 취할 수 있는 행동들은 무엇인가? (3) 그 중 최상의 바람직한 행동은 무엇인가? 이 과정은 대개 바람직한 행동 또는 프로그램 중지 여부에 대해 합리적이고 타당한 의사결정을 하기 위해 필요한 부가적 정보를 모으고 준거를 개발하는 것을 포함한다. 이 독특한 문제해결 과정은 전통적인 목표중심 평가 접근법에 새로 첨가된 단계이다.

불일치 평가 모형은 평가의 초기 접근법 중 하나이지만, 아직까지도 그 요소들이 많은 평가에서 발견되고 있다. 예를 들면, 권한부여 평가의 창안자인 David Fetterman을 대상으로 한 Fitzpatrick의 인터뷰에 따르면, 스탠포드 교사교육 프로그램(STEP)에 대한 평가에서 Fetterman은 프로그램 영역을 명세화하기 위해 불일치 모형을 사용했다(Fitzpatrick & Fetterman, 2000). 불일치 평가 모형이 30년 후의 평가 연구에까지 계속해서 영향을 끼치고 있다는 사실은 그만큼 이 접근법이 평가자에게 유용하다는 것을 반증한다.

목표 설정 및 분석 도식: 평가 큐브

Hammond(1973)가 개발한 개념에 기반하여 웨스턴 미시간 대학의 평가센터에서는 지역사회 기반 청소년 프로그램의 목적을 분석하기 위하여 3차원의 틀(framework)을 개발했다. 이 접근법은 모든 목표중심 프로그램의 관련 차원들을 포함하도록 쉽게 수정될 수 있다. 큐브의 3차원은 다음과 같다.

차원 1. 청소년(의뢰인)의 요구: Stufflebeam(1977)에 의해 개발되고 Nowakowski 등 (1985)에 의해 확장된 범주이다.
- 지적
- 신체적/오락적
- 직업교육적
- 사회적
- 도덕적

- 미적/문화적
- 정서적

차원 2. 청소년의 연령(이 차원은 의뢰인과 관련된 어떤 특성이든 될 수 있다): 출생
　　전부터 청년이 될 때까지로 나뉜다.

- 출생 전
- 0~3세
- 4~세
- 7~9세
- 10~12세
- 13~15세
- 16~19세
- 20~24세
- 24세 초과

차원 3. 청소년 서비스 자원

- 주택
- 사회복지 서비스
- 보건 서비스
- 경제적/사업적
- 공공 사업
- 법
- 교육
- 종교기관

　3차원의 모든 범주에서, 지역사회 기반 청소년 프로그램을 계획하는 담당자들이 적절한 목표들을 선택하여 설정할 수 있다. 지역사회 기반 프로그램의 관계자들은 대부분 모든 칸(cell)에 관심을 두지는 않지만, 세 차원의 각각에 포함된 범주들은 중요한 영역 또는 목표의 범주들이 간과되지 않도록 해주는 좋은 체크리스트 역할을 할 것이다. 분명 큐브의 활용은 지역사회 기반 프로그램뿐 아니라 다른 형태의 프로그램에도 잘 적용될 수 있을 것이다.

논리적 모형과 이론기반 평가 접근법

논리적 모형

목표중심 평가에 대한 비판 중 하나는 목표중심 평가는 우리에게 프로그램이 목표를 어떻게 성취했는지에 대해서는 전혀 말해주지 못한다는 것이다. 이것은 프로그램이 목표 성취에 실패했을 때는 특히 중요한 문제가 된다. 왜냐하면 이 문제를 어떻게 해결해야 할지에 대해 평가가 전혀 충고를 해줄 수 없기 때문이다. 논리적 모형은 목표중심 평가의 확장으로서 개발되었고, 프로그램과 그 목표들 간의 단계들을 채우도록 설계되었다. 전형적으로, 논리적 모형은 프로그램 설계자 또는 평가자가 프로그램 투입, 활동, 산출 그리고 성과(장기 목표 또는 프로그램의 목적을 반영하는 산출물들 또는 단기 목표(즉시적 목표)를 반영하는 성과들도 함께)를 명세화하도록 한다. 모형은 전형적으로 다이어그램 형식으로 표현되어 프로그램의 논리를 설명한다.

전형적인 논리적 모형은 다음과 같은 것을 포함한다.

투입－연간 예산, 근무시설, 장비, 프로그램 운영에 필요한 재료

실행－주별 과업, 교육과정, 워크숍, 협의회, 신규 채용, 임상 서비스, 뉴스레터, 직원 훈련, 프로그램의 모든 핵심 구성요소

산출－각 주별 참여자 또는 의뢰인의 수, 학급 모임의 수, 각 참여자에게 봉사한 시간, 뉴스레터의 수와 다른 즉시적 프로그램 산출물들

즉시적, 중간적, 장기적, 궁극적 성과－참여자의 변화 발전을 위한 종단적인 목적

논리적 모형은 오늘날 프로그램의 계획과 평가에서 광범위하게 활용되고 있다. 이는 평가분야에서 프로그램과 그 목표들 간의 '암흑상자'를 채우는 역할을 해왔다. 평가자는 프로그램 종사자들의 가정들, 즉 자신들의 프로그램이 그 목적을 어떻게 성취할 것인가 그리고 현재 평가해야 할 주요 요소가 무엇인가에 대한 가정을 명료화하도록 돕기 위해, 그리고 일반적으로 내부적 평가 능력 또는 평가에 필요한 사고양식을 갖추기 위해 논리적 모형을 사용한다. (조직의 능력을 추출하기 위해 협력 확장에 논리적 모형을 사용하는 예시는 Tylor-Powell과 Boyd[2008]을 참고하라. 또한 Knowlton과 Phillips[2009]는 논리적 모형 구축에 대한 지침을 제공한다.) 미국 공동 모금회(The United Way of America)는 논리 모형 기반 접근법을 통해 평가에 논리적 모형을 적용한 조직 중 하나이다(United Way, 1996). 켈로그 재단(W. K. Kellogg Foundation)과 캐시 재단(Annie E. Casey Foundation) 같은 재단들 또한 프로그램 계획과 평가 개선을 위해 논리적 모형을 사용하여 조직을 훈련해왔다.

이론기반 또는 이론중심 모형

Carol Weiss는 Suchman(1967)의 초기 저술에 기초하여 1972년 저술한 책『고전적 프로그램 평가』에서, 프로그램의 실패 이유에 대해 프로그램의 이론에 기반을 두고 평가해야 한다고 최초로 언급했다(Weiss, 1997; Worthen, 1996a). 그녀는 이론기반 평가를 오랫동안 설득력 있게 지지했다(Weiss, 1995, 1997; Weiss & Mark, 2006). 1980년대와 1990년에는 Huey Chen, Peter Rossi, Leonard Bickman이 이론기반 평가 접근법에 대해 서술했다(Bickman, 1987, 1990; Chen & Rossi, 1980, 1983; Chen, 1990). Stewart Donaldson(2007)은 이론기반 평가 접근법을 실행하고 이에 관해 글을 쓴 최근의 평가자이다.[2] Edward Suchman(1967)은 프로그램이 그 목적을 성취하는 데 실패할 수 있는 두 가지 이유에 대해 설명했다: (a) 프로그램이 계획된 것처럼 실행되지 않고, 이에 따라 제대로 검증되지도 않는다(실천적 실패), (b) 프로그램이 계획된 것처럼 실행되었지만 결과들은 프로그램 이론이 틀린 것임을 알려준다(이론적 실패).

Suchman과 Weiss는 평가에서는 프로그램이 그 목적을 성취했는지 실패했는지를 검사하고, 실패가 실천적 실패인지 아니면 이론적 실패인지를 아는 것이 중요하다고 하였다. 이 정보가 있어야만 평가자가 프로그램에 대한 타당한 결론을 내릴 수 있고 의사결정자를 위한 유용한 제언을 할 수 있기 때문이다. 실행적 실패와 이론적 실패를 구별하기 위해, 평가자는 단순하게 성과를 측정하는 것뿐 아니라 다음 두 가지를 알아야 한다: (a) 프로그램 이론의 본질은 무엇인가? (b) 어떻게 프로그램이 실행되었는가? 평가자는 이 두 가지 정보를 가지고 프로그램 실행이 이론에 일치했는지 여부를 결정할 수 있다. 이것이 프로그램 이론의 시작이고 평가 실천에서 프로그램 이론이 중요한 이유이다.

Chen과 Bickman의 이론기반 평가 접근법은 이와 같은 이유 때문에 발생하기도 했지만, 또한 사회과학 연구 지식에 더 직접적으로 기여하고자 하는 이들의 요구로부터 발생하기도 하였다. 예를 들어, Chen은 평가자들이 종종 프로그램의 이론이나 토대를 고려하는 데 실패하게 되고 방법론에만 초점을 맞추는 오류를 범한다고 주장한다. 1980년대 후

---

2) Donaldson은 'theory-driven'이라는 용어를 사용했지만, 'theory-oriented', 'theory-based'라는 용어도 사용했다. 그리고 심지어는 'program logic'과 'logic modeling'을 매우 연관된 또는 때때로 상호 교환되는 것으로 사용했다. 이 책에서는 우리가 논의하고 있는 저자에 의해 사용되었던 단어를 사용하되, 'theory-driven'과 'theory-based'를 상호 교환 가능한 용어로 사용한다.

반과 1990년대 이론기반 평가 접근이 처음 등장했을 때, 이론기반 평가에 대해 저술한 학자들 대다수에게 있어 이론은 평가를 사회과학 연구 이론에 연결시키는 것을 의미했다. 예를 들어, Chen(1990)은 프로그램과 관련된 사회과학 이론을 명료화하기 위해 사회과학 연구 문헌을 검색하도록 그리고 이 이론들을 평가 계획에 사용하도록 평가자를 고무시켰다. 따라서 평가 결과는 프로그램에 대한 의사결정뿐 아니라 사회과학 지식과 이론에도 공헌했다(Bickman, 1987). 이론기반 평가는 과학 기반 관점으로부터 발생했기 때문에, 1990년대 이루어진 질적 방법론과 양적 방법론에 대한 논쟁과정에서 종종 양적 접근법으로 여겨졌다. 그러나 오늘날 이론기반 평가는 프로그램에 대한 더 나은 이해를 얻기 위해 노력하는 평가자들에 의해 활용된다(Rogers, 2000, 2001 참조). 이들은 이렇게 얻은 이해, 즉 프로그램 이론을 평가 질문들을 더 잘 결정하기 위해, 측정하고자 하는 개념이 무엇이며 그들을 언제 측정할 것인가에 대한 선택을 돕기 위해, 결과에 대한 해석을 개선하기 위해, 활용도를 증진시키기 위해 평가 이해관계자들에게 더 나은 피드백을 제공하기 위해 활용한다.

그렇다면 프로그램 이론이란 무엇인가? 평가자가 이론기반 평가 접근법을 사용한다는 것은 무엇을 의미하는가? Bickman은 프로그램 이론을 "프로그램이 어떻게 수행되어야 하는지에 대한 가능한 합리적 모형의 구조"(Bickman, 1987, p. 5)로 정의했다. 최근, Donaldson은 프로그램 이론을 "프로그램 구성요소들이 성과와 프로그램 운영에 필요한 조건에 영향을 미치는 과정"(2007, p. 22)으로 정의한다. 이 두 가지의 정의에서 그리고 다른 정의들에서도 프로그램 이론은 프로그램의 논리라고 설명되고 있다. 그렇다면 프로그램 이론은 논리적 모형과는 다른 것인가? 사실상, 매우 유사하다. 프로그램 투입, 실행, 산출, 성과의 구체화가 왜 프로그램이 성과를 달성하려 하는지를 설명하는 데 충분한 경우에는 논리적 모형이 곧 프로그램 이론처럼 보일 수도 있다. 논리적 모형은 종종 프로그램 이론을 개발하기 위한 도구로써 활용되기도 한다. 달리 말하면, 프로그램 이론은 논리적 모형처럼 보이지만, 동일한 것은 아니다. 우리의 경험에 의하면, 논리적 모형의 강조점은 투입, 실행, 산출, 성과의 단계에 있기 때문에, 논리적 모형을 개발하는 사람은 항상은 아니지만 대체로 이 각각의 범주 내의 모든 구성요소들을 열거하는 데 초점을 두게 되며, 이로 인해 프로그램 성공 이면에 있는 이론적 근거와 논리를 설명하는 데는 실패할 가능성이 높다. 반대로, 프로그램 이론은 투입, 실행, 산출, 성과 같은 사전에 명세화 된 범주들을 포함하지는 않지만, 이론적 논리를 자세하게 드러내려고 노력할 것이다. Bickman(1987)은 프로그램 이론이 학생 또는 의뢰인이 가지고 있다고 가정할 수 있는 문제와 프로그램 실행 간의 관계를 명확하게 해주어야 한다고 했다. 더욱이, 프로그램 이론은 프로그램을 시작하기 전에 의뢰인 또는 프로그램에서 의뢰인에 대해 가지고 있는 가정들을 설명하는 것에서부터 평가가 시작되는 반면, 논리적 모형은 전형적으로 한 단계 위, 즉 프로그램 투입과 함께 평가가 시작된다. 또 다른 단순한 차이는 논리적 모형에 대해 저술한 기관과 학자들이 프로그램 이론과 이론기반 평가에 대해 저술한 기관이나 학자들과 다르다는 것이다.

평가에서 프로그램 이론의 활용. 이론기반 평가 접근법의 주요 요소는 프로그램이 희망하는 성과를 왜 달성해야 하는지에 대한 이론을 개발하는 것이다. 이론기반 평가가 다른 접근법과 구별되는 점이 바로 이 단계이다. Chen(1990)은 프로그램을 개발하는 두 모형, 즉 (a) 평가자가 프로그램 성공을 위한 이론적 논리 또는 근본 가정들을 발견하기 위하여 전형적으로 프로그램의 핵심 인물인 이해관계자들과 함께 작업하는 이해관계자 접근법, 그리고 (b) 평가자가 모형 개발을 위해 프로그램과 관련된 지식과 사회과학 이론이나 연구와 관련된 지식을 활용하는 사회과학적 접근법을 구별한다.

　Bickman과 Chen 두 사람 모두 이해관계자만을 토대로 프로그램 이론을 개발하는 것은 문제가 될 수 있다고 주장했다. 평가 이해관계자들은 프로그램 이론을 잘 알지 못한다. Bickman이 진술한 것처럼, 그들의 이론은 "막연한 개념 또는 직감"이거나 "프로그램이 왜 수행되어야 하는지에 대한 단순한 가정 그 이상이 전혀 아니다"(1987, p. 6)라고 할 수 있는데, 그들은 사회과학 이론 또는 연구에 잘 훈련되어 있지 못하기 때문이다. 또는 그들은 정책적 지원 또는 재정적 지원을 받기 위해 또는 주요 집단을 소외시키는 것을 피하기 위해 고의적으로 프로그램 이론에 대해 신경을 안 쓰거나 무시할 수도 있기 때문이다. Weiss는 최근 프로그램의 질을 개선하는 것은 평가자에게 중요한 도전 중의 하나라고 주장했다. 그녀는 프로그램 관리자 또는 정책입안자들이 양질의 프로그램 이론을 개발하는 것이 가능할 수도 있고 불가능할 수도 있다고 했다. Weiss는 프로그램 이론들은 프로그램 활동과 목적들 간의 인과관계를 명료화해야 한다고 진술했다. 만약 그렇지 않다면, 그 이론은 단순히 프로그램 실행 과정을 설명하는 모형일 뿐이라는 것이다. 그리고 Bickman처럼, 그녀는 프로그램 이론을 명료화하기 위해 프로그램 이해관계자, 설계자, 실행자를 지나치게 신뢰하고 의지해서는 안 된다고 하였다. 그녀는 "이 이론들의 대부분은 입문적이고 단순하고 부분적이고 심지어 명백하게 틀리다고" 비판했고(Weiss, 1997, p. 78), 제대로 된 프로그램 이론을 확립하기 위해서는 평가자가 평가 이해관계자들의 의견과 사회과학 연구를 결합해야 한다고 하였다.

　프로그램 이론을 개발하는 과정은 핵심 이해관계자의 투입, 관련된 사회과학 연구로부터의 이론들, 평가자의 지식과 전문적 자질의 조화에 달려있다. Donaldson(2007)은 이론기반 평가에 관한 저서에서, 몇몇 대규모 프로젝트에서 이론기반 평가를 사용했던 자신의 경험에 토대를 두고 초기의 저자들보다 더 정확하게 이론 개발 단계를 설명하고 있다. 그의 단계는 이러한 균형감각을 보여주고 있다.

1. **주요 이해관계자들 관여시키기.** 평가자는 프로그램, 의도된 장기적 성과, 그리고 이 성과들을 성취하기 위해 사용되는 프로그램의 과정에 대한 프로그램 관계자들의 관점을 알아보기 위해 가능한 한 많은 집단과 대화한다.

2. **프로그램 이론의 첫 번째 밑그림 개발하기.** 이 단계는 평가자에 의해 또는 평가 팀에 의해 이루어진다.

3. **논의와 반응을 이끌어내고 추가 의견 구하기.**

4. **논리적 개연성 여부 체크하기.** 이제 평가자는 프로그램 이론의 각 연계고리의 논리성을 검증하기 위해 관련되는 기존의 연구 및 평가 보고서를 살펴본다. 이 연구가 프로그램 이론의 구성요소 간 논리적 연계를 제안해 주는가? 프로그램의 실행이 의도된 성과를 이끌 수 있겠는가?

5. **발견된 사실을 주요 이해관계자와 공유하고, 필요한 경우 프로그램 이론을 수정하기.** Donaldson은 논리적 개연성 여부의 점검 결과, 프로그램에 심각한 변화를 요구할 수도 있고 이해관계자가 성취되어야 할 성과에 대해 지나치게 낙관적이었다는 것을 발견할 수도 있다고 하였다. 평가자는 발견 결과를 이해관계자에게 설명하고, 모형이 어떻게 실행될지 그리고 무엇이 성취될 수 있는지를 정확하게 그려낼 수 있도록 이해관계자들과 함께 프로그램 이론을 수정하거나 프로그램 자체를 수정해야 한다.

6. **모형을 명세화하기 위해 흐름도 확인하기.** 단계 4에서 검토한 프로그램 이론을 '더 상세한 깊이 있는 수준'으로 검토한다. Donaldson은 이 단계는 일반적으로 평가자의 관심이 주요한 연계고리와 성과 달성에 필요한 시간이나 과정 등 상세한 사항에 맞춰지는 단계라고 지적하였다. 이 단계의 목적은 평가 팀이 프로그램에 대한 정확하고 깊은 이해를 갖고 프로그램에서 의도한 과정들에 대해 확신하는 것이다. 예를 들어, 이와 같은 이해는 평가자들이 수집할 자료의 유형 및 수집 시기에 영향을 줄 수 있다.

7. **프로그램 이론 마무리하기.** 평가 이해관계자들이 모형이 프로그램 연구를 위한 토

대로서의 역할을 할 수 있는지에 대해 마지막 의견을 낼 수 있는 단계이다. Donaldson은 일부 이해관계자들처럼 상당히 간결한 모형을 선호하지만 더 자세한 모형을 선호하는 사람들도 있다고 진술했다(Donaldson, 2007, pp. 33-39).

이러한 이론 개발 과정은 평가에 대한 모든 의사결정에 선행한다. 사실상, Donaldson은 이해관계자들은 종종 성급하게 평가에 대해 생각하게 되며, 평가에 대한 논의 과정에서 벌써 프로그램 이론의 함축적 의미에 대해 생각하기 시작한다고 지적했다. 그렇지만 평가 질문들 또는 질문에 답하기 위해 활용할 방법들을 명세화하기 전에, 프로그램 이론을 충실히 개발하는 것이 중요하다. 프로그램 이론의 주요 원칙은 평가가 어떻게 실행될 것인가(예를 들면, 특정 연결관계를 어떻게 검증할 것인가에 대해 걱정하는 것)에 의해 영향을 받지 않아야 한다. 대신에 프로그램이 행하고자 하는 것과 이를 행하는 방법에 대한 정확한 그림을 그릴 수 있어야 한다.

이론중심 평가의 두 번째 단계는 모든 다른 평가의 단계와 유사하다. 평가자는 이해관계자와 함께 핵심 평가 질문들을 명세화하고 어떤 방법을 활용하여 이에 답할지를 계획한다. 이론기반 평가 접근법의 지지자들이 대체로 양적 연구 영역의 연구자들이기 때문에 이 접근법을 양적 접근이라고 여기지만, 이 접근법은 특정 평가방법이나 설계를 처방하거나 배척하지는 않는다. 종종 프로그램 모형, 즉 인과관계를 검증할 것을 강조하기는 한다. 프로그램 이론에서 명세화된 과정과 구조들은 무엇을 측정할지 그리고 언제 측정할지를 안내해준다(Lipsey, 1993). Donaldson이 지적한 것처럼, 답해야 할 평가 질문의 선정은 프로그램의 단계(장기적인 성과를 확인할 수 있을 만큼 충분히 성숙한지 미성숙한지)와 이해관계자가 이해하길 희망하는 것이 무엇인지에 따라 크게 달라진다. 프로그램 이론을 개발하는 것은 평가자가 프로그램 자체와 프로그램의 가정들에 대해 더 많이 학습하고 이해하도록 돕는다. 그리고 평가자가 평가하는 동안 계속해서 사용할 중요한 정보들을 제공해준다. 여기에는 각 단계에서 연구되어야 할 것이 무엇인지 정하기, 관심사 명세화하기, 결과 해석하기, 제언 만들기 등이 포함된다.

이론기반 평가를 위한 전형적인 모형은 프로그램 이론의 핵심요소들이 계획대로 실행되는지를 첫 번째 연구 과제로 삼는다. 만약 프로그램이 계획대로 실행되고 있다면, 평가자는 프로그램 성과에 대한 연구로 넘어가게 되며, 이를 통해 프로그램 이론에 대해 점검할 수 있다. 만약 프로그램이 계획대로 실행되지 않는다면, 적어도 이 상황에서 이론이 작동하지 않았다는 것을 의미한다. 그리고 평가자는 수행을 모형과 맞도록 변화시키거나 모형을 포기하거나 다른 모형을 시도하도록 제언할 것이다. 이 경우 대부분의 평가자는 프로그램의 성과를 측정하려고 하지 않을 것이다. 만약 성과를 측정하고 성공적인 것으로 나타난다면 프로그램이 프로그램 이론과 어떻게 달리 실행되었는지를 논증하려고 할 것이다. 그러면 이 수정된 프로그램 실행은 미래를 위한 표준 모형 또는 프로그램 이론이 되는 것이다.

이론기반 또는 이론중심 접근법은 목표중심 접근법의 단점을 보완했다. 이론기반 또는 이론중심 접근법은 평가자에게 암흑상자 내부를 볼 수 있는 방법과 학생 또는 의뢰인이 프로그램을 시작했을 때와 프로그램을 종결했을 때 그 사이에 어떤 일이 일어났는지에 대해 더 잘 이해할 수 있도록 도와준다. 이와 같은 정보로 인해, 이론기반 평가자들은 프로그램 성공과 실패를 더 잘 검증하고 논리적 근거를 알 수 있게 되는 것이다.

프로그램중심 평가 접근법의 활용

1930년대 이후, 목표중심 접근법은 미국뿐 아니라 전 세계의 평가에 대한 생각과 개발을 지배해왔다(Madaus & Stufflebeam, 1989). 프로그램의 성공과 실패를 결정하기 위하여 그리고 프로그램의 개선, 유지 또는 중지를 결정하기 위한 근거를 얻기 위하여 목표를 활용하는 평가법은 매력적인 모형인 것으로 판명되었다.

교육 영역에서는 이와 같은 접근이 교육목표 분류법(Bloom, Hastings, & Masia, 1971)의 개발, 1960년대와 1970년대의 준거참조 평가 운동, 그리고 오늘날의 성취기준 기반 운동에 영향을 미쳤다. 우리가 2장에서 평가의 최근 경향에 대해 진술한 것처럼, 오늘날 평가의 초점은 학교에서 교육성과를 측정함에 있어 성취기준의 형태를 지니도록 하는 데 있다. 2001년 의회를 통과된 법률인 「낙오학생방지법(No Child Left Behind, NCLB)」은 모든 주에서 성취기준에 의해 성취 정도를 측정할 수 있도록 매년 시행되는 학습과 테스트를 위한 엄격한 내용 표준을 개발할 것을 요구했다. 평가에 대한 이런 목표중심 방법이 지금은 K-12 교육을 지배하고 있다. 연간 측정 목표(annual measurable objectives, AMOs)가 성취기준을 향한 진보를 측정하는 수단으로써 활용되고 있다.

또한 목표중심 전통은 Robert McNamara와 랜드 연구소(Rand Corporation)가 설계, 프로그래밍, 예산 시스템(PPBS)을 미 국방부의 목표에 의한 관리(Management by Objectives, MBO)에 적용한 1960년대부터 성과 모니터링(Affholter, 1994), 그리고 정부 성과와 결과법(Government Performance and Results Act, GPRA)(National Performance Review; 1993)에 적용한 1990년대까지 정부의 운영 관리에 영향을 주었다. 오늘날 사업평가측정

기법(Program Assessment Rating Tool, PART)은 정부 성과와 결과법(GPRA)으로 대치되었고(Office of Management and Budget, 2004), 성과 모니터링은 많은 정부 관리 체제의 대들보가 되었다. Dahler-Larson(2006)은 평가의 최근 경향에 대해 말하면서, 목표중심 또는 목적 중심 평가 접근법의 최근 형태가 성과 모니터링이라고 하였다. 그는 깊이 있는 목표중심 평가가 성과 지표에 대한 모니터링으로 대치되었음을 관찰했다. 성과 모니터링 시스템은 결과를 향한 진보를 모니터하고자 하는 관리자에 의해 활용되고 있다. 성과 모니터링 시스템은 산출, 생산성, 효율성, 서비스의 질, 고객 만족도 또는 성과를 모두 다룰지 모르지만, 결국은 프로그램의 결과에 초점을 둔다(Positer, 2004). 반면, 논리적 모형은 모니터해야 할 시스템 내의 주요 요소들을 명세화하기 위해서도 활용되지만, 절충이 필요한 평가 방법의 각 요소들을 지속적인 방식으로 모니터하기 위해서도 사용된다. 성과 모니터링 시스템을 위한 자료는 양적이고 비용 효과적인 경향이 있다. 따라서 장기적인 성과 그리고 특히 복합적으로 나타나는 성과를 성과 모니터링 시스템에서는 측정해내기 힘들다.

비록 목표중심 접근법이 철저한 평가를 원하는 많은 정부 기관들에 의해 인기를 얻으며 지속적으로 활용된다고 할지라도, 이론기반 평가 접근법은 종종 전문적인 평가자, 특히 과학적인 성향이 강한 평가자에 의해 선택되는 접근법이다. 많은 정부 재정 지원 기관은, 특히 미국의 연방 차원에서는 프로그램 이론 또는 논리적 모형을 분명히 제공할 수 있는 프로그램을 필요로 했다. 부가하면, 아스펜 연구소(Aspen Institute) 같은 기관은 지역사회에 영향을 주기 위해 설계된 포괄적 지역사회 사업(comprehensive community initiatives)을 하면서, 복잡한 프로그램 이론을 명료화하는 것을 돕기 위해 그리고 실천된 이론을 평가하기 위해 이론기반 평가를 실행했다(Weiss, 1995).

프로그램중심 평가 접근법의 강점과 한계점

목표중심 평가의 최대의 강점과 매력은 아마도 단순성에 있을 것이다. 쉽게 이해할 수 있고 따라서 실행하기도 쉽다. 프로그램 관리자가 일반적으로 업무와 관련 있다고 동의하는 정보를 산출한다. 이 접근법은 프로그램 관리자가 그들의 의도에 대해 숙고하도록 만들고 의도하는 성과를 명료화하도록 만든다. 서비스를 제공받는 공동체와 함께 타당한 목표에 대해 논의하는 것은 안면 타당도(face validity)를 지닌 목표를 가지고 평가할 수 있게 되는 것을 의미한다. 무엇보다 프로그램의 설계자가 무엇을 성취할 것인지를 분명하게 결정하고 책임질 수 있게 되며, 보다 합리적인 활동을 할 수 있게 된다.

　이 접근법은 많은 추종자들에게 유용한 것처럼 보이지만, 많은 결점을 가지고 있는 것도 사실이다. 그 중 하나는 목표와 그 측정에만 지나치게 몰두한다는 점이다. 목표에의 초점은 평가자가 프로그램의 다른 성과, 즉 유익할 수도 있고 유해할 수도 있는 다른 성과를 무시하도록 하는 원인이 되며, 평가가 종료되었다 하더라도 실제로는 미완성인 프로그램 평가일지도 모른다. 평가자는 눈을 가린 말처럼 목표를 향해서만 달려 갈 것이다. 평가자는 단지 명시된 목적만을 바라보고 나아가기에 오른쪽에는 절벽으로 떨어지는 가파른 길, 왼쪽으로는 너무도 멋진 길이 있다는 것을 무시할지도 모른다. 또한 목표중심 접근은 프로그램이 운영되는 상황과 이 상황이 프로그램의 성공과 실패에 미치는 영향에 대한 이해를 얻고자 하지 않는다. 마지막으로 이 접근법을 활용하는 평가자는 목표 자체가 가치 있는 목표인가를 고려해야 하는 자신의 역할에 무감각할지도 모른다. 사실, 이 목표들이 프로그램과 의뢰인을 위해 중요한 것인가? 평가의 윤리적 원칙은, 안내 원칙 E(Guiding Principle E)에서 볼 수 있듯이, 평가자가 "평가되어야 하는 것이 무엇이든 직접적인 운영과 성과뿐 아니라 그 광범위한 가정, 함축적 의미 그리고 잠재적 측면의 효과"까지도 고려하도록 요구한다(American Evaluation Association, 1995, p. 25). 목표중심 접근법은 그 철학적, 실천적 어려움에 대해 부분적으로만 알고 있는 초보 평가자들에게는 매혹될 정도로 매우 쉽게 느껴진다. 그러나 평가되어야 할 목표를 결정하는 것과 어떻게 그 각각의 성공과 실패를 해석할 것인가에 따라 접근법의 선택이 달라져야 할 것이다.

　오늘날의 성취기준 중심 평가 환경에서, 평가자는 성취기준의 달성 정도를 측정하기 위하여 주(state)에서 요구하는 검사를 넘어설 권한을 갖고 있지 않다. 그러나 성취기준에 관한 평가는 이해관계자들이 성공을 위해서라면 관심을 두어야 할 요인인 성취기준들이 자신들의 학생에게 적절한지, 수준이 어떠한지, 언제 도달되는지를 숙고하도록 도와야 한다. 검사항목들이 특정 학교 또는 특정 학군의 목표를 충분히 반영하지 못한다면, 대안적 측정에 의한 결과를 학부모들과 지역사회 지도자에게 제공할 수도 있다. 이와 같은 평가는 다양한 지역사회별로 적합한 교육의 성취기준과 목적에 대한 논의를 불러일으킬 수 있다.

　논리적 모형 또는 프로그램 이론을 활용하는 평가는 프로그램에 대해 더 많이 탐구하고 평가할 대상, 평가방법을 적절하게 선택해야 목표중심 접근에 대한 어떤 비난도 확실하게 잠재울 수 있을 것이다. 평가자는 이해관계자가 프로그램에 대해 더 잘 이해할 수 있게 하기 위하여 그들과 대화하고 모임에 참여시켜야 한다. 이와 같은 활동은 평가자가 이해관계자의 프로그램과 평가를 대하는 가치와 관심을 더 잘 파악하게 해줄 수 있다. 평가자와 이해관계자의 대화는 프로그램을 이해하고 프로그램 뒤의 합리적 근거를 명확하게 표현하는 것을 가능하게 하는데, 이것이 바로 논리적 모형과 이론기반 평가의 강점이다. 이 접근법을 활용하는 평가자들은 평가 질문과 평가자료 수집의 시기, 그리고 사용해야 할 적합한 방법들을 찾아 명세화하기 위해 노력한다. 어떤 이론기반 평가자들은 프로그램 이론의 전체를 모두 평가해야 한다고 맹목적으로 생각하지만, 전체에 관심을 두는 것이 이론기반 평가법의 핵심은 아니다. 시작부터 종료까지의 프로그램 전체를 이해한 후, 프로그램의 발달 단계와 이해관계자의 정보 요구에 따라서 적당한 연결관계(links) 또는 프로그램 설계에서 제공된 평가해야 할 요소를 선택하는 것이 이론기반 평가법의 핵심이다. 물론, 이론기반 평가자는 대체로 이론에 초점을 두기 때문에 비의도적인 프로그램 활동, 연결관계, 산출, 또는 성과에는 무심할지도 모른다. 게다가 이론 전체를 검증하고자 하는 그들의 희망은 이해관계자가 요구하는 가치 또는 정보를 무시하도록 만들지도 모른다. (디트로이트에서 실행되었던 그러나 지금은 캘리포니아에서 사용되고 있는 실직자 훈련 프로그램에서, 프로그램 이론에 기반을 두고 평가하는 일의 압박감에 대한 Donaldson의 설명은 Fitzpatrick과 Donaldson[2002]을 참고하라.)

또한 이론기반 접근법은 프로그램 실행과 상황의 복잡성을 지나치게 단순화한다고 비난을 받는다(Pawson, 2003). 프로그램 실행이 매우 복잡한 것은 사실이며, 프로그램 이론이 확실히 이 복잡성을 단순화시키는 것도 사실이다. 그러나 이론과 모형의 목적은 바로 실제적 프로그램 실행의 혼란성과 복잡성을 감소시키고, 프로그램 성공을 위한 핵심 가정 또는 필수적인 요소를 명료화하여 간결한 모형을 만드는 것이다. 이 과정에서 모형은 평가자가 최고로 중요한 요소 혹은 연결관계를 명료화하도록 돕는 것이다. 그럼에도 불구하고, 이런 환원주의는 거의 실제 프로그램의 복잡성을 나타내는 데 실패하며, 복잡성을 설명하는 것이 평가의 중요한 역할임을 간과한다. 과도한 단순화는 종종 시민들과 정책결정자가 프로그램 또는 학교들이 진술된 목적을 성취하는 것이 얼마나 어렵고 비용이 많이 드는 일인지를 이해하는 데 실패하도록 만들기도 한다. Dahler-Larson은 "한편에는 상대적으로 단순하게 표현된 인과관계 모형을, 그리고 다른 한편에는 복잡한 평가 상황을 위치시키고, 이들 간에 다리를 놓을" 필요가 있음을 주장했다(2006, p. 152). 그는 이론기반 평가자가 "평가의 목적에 따라 다양한 방식을 통해 많은 결실을 내도록 다양하게 표현될 수 있는 프로그램 이론들"을 개발해야 한다고 주장했다(2006, p. 152).

우리는 Scriven의 탈목표 평가(goal-free evaluation)에 대해 설명하면서 이 유형의 평가 접근법의 한계에 대한 논의를 마치고자 한다. 목표중심 접근법의 한계에 대한 우려는 지금은 널리 알려진 Scriven(1972)의 탈목표 평가 개발로 이어졌으며, 오늘날에는 평가자들이 특정 프로그램 요소에 초점을 두는 것이 편견임을 깨닫도록 하기 위해 여전히 논의되고 있다. 비록 Scriven의 탈목표 평가 접근법이 목표중심 접근법에 의도적으로 반대하고 있을지라도, 이 장에서 다루어지는 것이 합리적이라고 생각된다.

탈목표 평가

탈목표 평가(goal-free evaluation)의 이론적 근거는 다음과 같이 정리할 수 있다. 첫째, 목적을 당연한 것으로 받아들여서는 안 된다는 것이다. 그는 목적은 일반적으로 미사여구에 불과하며, 프로젝트의 실제 목표들 또는 의도하는 변화는 좀처럼 드러나지 않는다고 주장한다. 더구나 중요한 프로그램의 성과를 살펴보면, 프로그램 목적 또는 목표 목록에 포함되어 있지 않은 경우가 많다. Scriven(1972)은 탈목표 평가의 가장 중요한 기능은 프로그램 목적을 아는 데서 발생하는 편견을 감소시키는 것이고, 나아가 프로그램을 전체로서 판단하는 객관성을 높이는 것이라고 본다. 목표중심 평가에서 평가자는 프로그램의 목적이 눈가리개처럼 작동하고 이 때문에 목적에 직접 관련되지는 않지만 중요한 성과를 놓치게 된다.

예를 들어, 한 평가자가 학교 중퇴자의 사회복귀 프로그램 목적이 (1) 직업 훈련 프로그램에 학교 중퇴자 참여시키기, (2) 생산적 직업 교육시키기, (3) 안정적 직업 찾아주기라고 설명을 들었다고 가정하자. 평가자는 얼마나 많은 이탈자가 프로그램에 신규로 참여하였고 얼마나 많은 사람들이 직업을 찾고 유지하는가를 측정하기 위해 자신의 시간을 모두 소비할 것이다. 이것들은 물론 값진 목적이고 이들 기준에 의해서라면 프로그램이 성공적일 수도 있다. 그러나 학교 중퇴자들이 직업 훈련 프로그램에 참여한 이후, 고용 훈련을 받고 있는 사람들(학교 중퇴자가 아닌 참여자)의 범죄율이 세 배 증가한 사실은 무엇을 의미하는가? 사실상, 잠재적 교육과정이 작용하여 큰 문제가 된 것으로 보인다. 이 부정적 측면의 영향은 눈가리개를 쓰고 일하고 있는 목표중심 평가자에 의해서보다는 대체로 탈목표 평가자에 의해 더 잘 발견된다.

다음은 탈목표 평가의 주요 특성이다.

- 평가자는 의도적으로 프로그램의 목적을 알게 되는 것을 피한다.
- 사전에 결정된 목적은 평가 연구의 초점을 편협하게 만들지 않게 한다.

- 탈목표 평가는 의도된 프로그램 성과보다는 실제 성과에 초점을 둔다.
- 탈목표 평가는 프로그램 관리자 및 종사자와 최소한만 접촉한다.
- 탈목표 평가는 예기치 않은 부작용을 발견할 가능성을 증가시킨다.

목표중심 평가들과 탈목표 평가는 상호 배타적이지 않다. 사실상, 이 모형들은 서로를 보완한다. 불가피하게 내부의 직원 평가자는 목표중심 평가를 행하게 된다. 내부 직원은 프로그램의 목적을 알게 되는 것을 피하기 어렵고 이미 알고 있는 목적을 무시하고자 하는 것은 현명하지 못하기 때문이다. 프로그램 관리자는 프로그램이 목적을 얼마나 잘 성취하고 있는가를 분명히 알아야 하기에 내부 평가자는 그 정보를 관리자에게 제공해주기 위해서 목표중심 평가를 사용한다. 동시에, 프로그램이 마땅히 해야 하는 것을 얼마나 잘 수행하고 있는가뿐만 아니라 의도적이든 비의도적이든 모든 성과 영역에 기초해서 프로그램을 판단하는 것도 매우 중요하다. 이것은 프로그램의 목표에 대해 전혀 알지 못하는 외부 탈목표 평가자의 과제이다. 이와 같이 목표중심 평가와 탈목표 평가는 서로 함께할 때 더 좋은 결과를 얻을 수 있을 것이다. 그리고 진술된 목표가 중요한 성과를 모두 포함하지는 못하므로, 모든 중요한 프로그램의 평가 자원이 프로그램에 대한 목표중심 평가를 위해서만 활용되고 탈목표 평가를 위해서 활용되지 못한다는 것은 불행한 일이 아닐 수 없다.

주요 개념과 이론

1. 목표중심 평가 접근법은 평가의 접근법들 중 초창기 접근법의 하나이지만, 오늘날까지 일반적으로 사용되고 있다. 이 접근법의 현재 모습은 교육계에서 활용되고 있는 성취기준 기반 검사와 책무성(accountability), 그리고 정부 프로그램에서 다수 사용되고 있는 성과 모니터링 시스템이라 할 수 있다.

2. 목표중심 평가 접근법은 프로그램의 목표를 설정하고 목표가 성취된 정도를 확인하기 위해 자료를 수집하는 것에 초점을 둔다. 초창기 이론가인 Ralph Tyler와 Malcolm Provus는 다른 양상의 목표중심 평가를 주장했다.

3. 논리적 모형은 프로그램 투입, 과정, 산출과 성과를 연관시키기 위해, 그리고 프로그램 또는 평가활동들에 대한 의사결정의 토대를 얻기 위해 오늘날도 종종 프로그램 관계자와 평가자에 의해 활용되고 있다.

4. 이론기반 또는 이론중심 평가 접근법은 프로그램 이론을 개발하기 위해 프로그램에 관련된 사회과학 이론과 연구, 그리고 왜 프로그램이 수행되어야 하는지에 대한 이해 관계자의 가정을 활용한다. 이 프로그램 이론들은 평가 질문을 선택하는 일, 그리고 무엇을 연구하고 언제 자료를 수집할 것인가를 결정하는 일의 토대가 된다. 이론기반 평가는 오늘날 평가에서 자주 사용되는 접근법이다.

5. 탈목표 평가 접근법은 원래 목적 또는 목표중심 평가가 프로그램의 실제 성과보다는 의도된 성과에 초점을 둠으로써 놓쳐버리곤 하는 프로그램의 예기치 않은 주변적 영향을 명세화하기 위해 제안되었다.

토의 문제

1. 목표중심 평가 접근법을 사용하는 중요한 이유는 무엇인가? 이 접근법으로 평가할 때 유용하다고 생각하는 프로그램 또는 정책의 이름을 쓰고, 그렇게 생각하는 이론적 근거를 정당화하라.

2. Provus의 불일치 모형은 평가가 무엇을 해야 하는가에 대한 당신의 생각에 무엇을 어떻게 보충해 주었는가? 프로그램 또는 정책이 이 접근법으로 유용하게 평가될 수 있다고 생각하는가?

3. 이론기반 접근의 장점과 단점을 무엇이라고 보는가?

4. 당신의 조직에서 평가를 위해 사용할 수 있는 한정된 양의 재원을 가지고 있다. 그러

나 당신이 원하는 방법을 활용하여 평가를 수행할 수 있는 자유가 주어져 있다. 그 재원을 성과 모니터링 시스템에 활용할 것인가? 아니면 매년 두세 개의 특정 프로그램 또는 문제들에만 초점을 둔 깊이 있는 평가 연구를 위해 활용할 것인가?

5. 모든 프로그램중심 접근법은 평가자가 프로그램의 어떤 주요 특성에만 관심을 갖게 한다는 공통적인 장점이 있다. 또한 평가자가 이 요소들에 과도하게 집중하게 만들기 때문에 다른 프로그램의 효과(효과가 긍정적이든 부정적이든)에 대해서는 무시하도록 만든다는 약점도 공존한다. 당신은 강점이 약점을 넘어설 정도로 가치 있다고 생각하는가? 그렇다면, 당신은 특정 프로그램의 특성들(논리적 모형 또는 프로그램 이론에서 명료화된 목표 또는 요소들)에 초점을 둘 것인가, 아니면 탈목표 평가의 형식(의도된 목적에 대한 지식이 전혀 없이 프로그램을 평가하는 형식)을 시도할 것인가? 당신의 선택을 정당화하라.

적용 연습

1. Chery Brown은 주정부의 사회복지부서의 프로그램 관리자이다. 그녀는 아동 학대와 아동 방임의 발생 비율을 감소시키고자 하는 목적을 지닌 부모 프로그램의 실행 책임을 맡고 있다. 프로그램을 평가하기 위하여, 그녀는 성과(학대와 방임이 보고되는 사례 수) 측정을 하기로 결정했다. 이 프로그램을 위한 평가를 설계하기 위하여, 당신이 방금 학습한 Tyler의 평가 접근법, Provus의 불일치 평가 모형, 논리적 모형, 탈목표 평가를 활용하라. 이 중 단지 하나의 측정법에 의해 평가를 한다면 어떤 위험이 있는가? 또한 장점은 무엇인가?

2. Jane Jackson은 백인과 소수 인종 학생 간에 존재하는 작문에서의 성취 차이를 감소시키라는 심각한 압박을 받고 있는 그린론(Greenlawn) 중학교 영어교사진 중 책임교사이다. 학년 말에, Jackson과 동료 영어교사들은 다음 해에 실시할 프로그램을 살펴보고 작문에서의 성취 차이를 감소시키기 위해서 도움이 될 만한 자료가 무엇인가에 대해 고민하는 회의를 하였다. 이 장에서 배운 다양한 접근법을 활용하여 Jackson 선생님께 평가에 대해 조언을 하라. 그들은 당신이 배운 접근법 중 어떤 요소를 활용해야 하는가? Jackson은 평가를 어떻게 조직할 수 있는가? 특히 목표중심 접근법, 불일치 접근법, 평가 큐브, 논리적 모형, 또는 프로그램 이론이 그들을 어떻게 도울 수 있는가?

3. 오늘날 많은 교육청과 정부기관은 직원들에게 성과기반 급여를 주는 방안을 고려하고 있다. 당신은 성과기반 급여 프로그램에 대한 평가를 토의하기 위해 한 교육청과의 회

의를 준비하고 있다. 당신은 이 프로그램의 핵심 가정에 대해 더 잘 알아내기 위해 이론기반 접근법을 활용할지 고민하고 있다. 프로그램을 평가하는 데 이 접근법을 활용하는 것의 장점과 단점은 무엇이라 생각하는가? 급우들과 함께 이 프로그램을 위한 가능한 이론을 개발하라.

사례 연구

『Evaluation in Action』에는 이론기반 평가를 활용한 세 개의 사례가 있고, 각 사례가 어떻게 프로그램 이론을 개발했는지에 대해 진술되어 있다: 4장(Len Bickman), 9장(Stewart Donaldson), 12장(Katrina Bledsoe).

4장에서 Bickman은 모형대로 실행되었는지를 확실히 하기 위해 프로그램 성과를 측정하기 전에 프로그램 실행을 어떻게 평가했는지를 설명했다. 그리고 우리가 종종 무시한다고 생각하는 것, 즉 실행의 질을 어떻게 평가했는지 진술했다. 출처는 다음과 같다: Fitzpatrick, J. L. & Bickman, L. (2002). Evaluation of the Ft. Bragg and Stark County systems of care for children and adolescents: A dialogue with Len Bickman. *American Journal Evaluation, 23*, 67-80.

9장에서 Donaldson은 몇 개의 사례에서 평가를 위해 어떻게 프로그램 이론을 활용했는지를 논의했는데, 그 중 한 사례에서는 반대에 직면하기도 했다고 진술하고 있다. 출처는 다음과 같다: Fitzpatrick, J. L. & Donaldson, S. I. (2002). Evaluation of the Work and Health Initiative: A dialogue with Stewart Donaldson. *American Journal of Evaluation, 23*, 347-365.

12장에서 Bledsoe는 그녀의 동료 및 종사자들과 함께 수행한 작은 프로그램 작업을 설명하면서, 프로그램을 개발하는 과정과 이 과정이 어떻게 영향을 줄 수 있는지를 논의했다. 출처는 다음과 같다: Fitzpatrick, J. L. & Bledsoe, K. (2007). Evalualtion of the Fun with Books Program: A dialogue with Katrina Bledsoe. *American Journal of Evaluation, 28*, 522-535.

추천 도서

Donaldson, S. I. (2007). *Program theory-driven evaluation science: Strategies and applications.* New York: Lawrence Erlbaum Associates.
Frechtling, J. A. (2007). *Logic modeling methods in program evaluation.* San Francisco:

Jossey-Bass.

Tyler, R. W. (1991). General statement on program evaluation. In M. W. McLaughlin & D. C. Phillips (Eds.) *Evaluation and education: At quarter century.* Ninetieth yearbook of the National Society for the Study of Education. Part II. Chicago: University of Chicago Press.

United Way of America. (1996). *Measuring program outcomes.* Alexandria, VA: United Way of America.

Weiss, C. H., & Mark, M. M. (2006). The oral history of evaluation Part IV: The professional evolution of Carol Weiss. *American Journal of Evaluation, 27*(4), 475-483.

7

의사결정중심 평가 접근법

핵심 질문

1. 의사결정중심 평가 접근법은 왜 나타났는가?
2. 프로그램의 개발 단계는 무엇이며, 의사결정중심 평가는 각 단계별로 어떤 도움을 줄 수 있는가?
3. 인간적 요인은 무엇인가? 활용 중심 평가의 또 다른 핵심 요인은 무엇인가?
4. 성과 모니터링이란 무엇인가? 그것은 평가와 얼마나 유사한가? 또는 어떤 점에서 다른가?
5. 의사결정중심 평가 접근법의 주요 강점과 한계점은 무엇인가? 개별적인 접근으로서의 주요 강점과 한계점은 무엇인가?

의사결정중심 평가 접근법(decision-oriented evaluation approach)은 평가가 1970년대에 부딪힌 문제들, 바로 평가 결과가 무시되고 거의 영향을 미치지 못한다는 문제를 해결하기 위해 설계되었다. 이 접근법은 의사결정자에게 도움을 주는 방법이다. 그들의 이론적 근거는 평가 관련 정보가 의사결정의 필수적인 부분이고, 평가자는 관리자, 운영자, 정책결정자, 위원회, 프로그램 종사자 그리고 좋은 평가 정보를 필요로 하는 모든 사람들의 의사결정을 돕는 데 가장 효과적인 사람이라는 것이다. 여기서 소개될 주요 의사결정중심 접근법 또는 방법들은 세 가지이다. 하나는 의사결정중심 평가(CIPP)인데, 이 모형은 프로그램 개발의 각 단계를 시스템 이론으로 접근하며 각 단계별로 필요한 정보가 있다고 본다. 둘째는 활용중심 평가(UFE)이다. 이 접근법은 필요한 정보를 명료화하고 평가를 수행하기 위해서 가장 중요한 것은 그 평가 결과를 주로 활용할 활용자와 긴밀하게 작업해야 한다고 본다. 셋째는 성과 모니터링이다. 이 방법은 진정한 의미의 평가라고 할 수는 없지만 관리자에게 의사결정을 위한 정보를 제공할 수 있는 방법으로, 많은 저명한 평가자들의 지지를 받아온 방법이다. CIPP와 UFE는 다소 다르다. CIPP는 체제적이고 단계 지향적인 반면, UFE는 인간 지향적이다. 그러나 학교, 비영리단체, 정부의 의사결정을 개선하고자 하는 확고한 목적을 지니고 있다는 점에서는 공통된다. 이 세 가지 방법 각각은 평가를 개선하는 데 도움이 될 요소들을 갖고 있다.

의사결정중심 평가 접근법의 개발자들과 그들의 공헌

많은 학자들이 의사결정중심 접근법의 발전에 공헌했다. 교육계에서는 Daniel Stufflebeam이 의사결정에 초점을 둔 접근법의 개발을 이끌었다. 1960년대 중반, Stufflebeam(1968)은 사용 가능한 평가 접근법이 부족하다고 생각했다. Stufflebeam은 행정적 연구와 교육적 의사결정을 체계화하고 확장하고자 프로그램 목표보다는 프로그램 관리자의 의사결정에 관심을 두고 평가에 대한 접근을 시도했다. 이와 같은 시도는 Stufflebeam을 활용에 초점을 둔 최초의 평가이론가 중의 한 사람으로 만들었다. Stufflebeam과 다른 이론가들(예를 들면, Alkin, 1969)에 의해 제안된 접근법에서, 평가자는 프로그램의 각 단계별로 관리자가 의사결정을 해야 하는 사항을 명세화하고, 특정 준거(criteria)에 기초를 두고 공정한 판단을 할 수 있도록 대안 각각의 강점과 약점에 대한 충분한 정보를 모은다. 따라서 평가의 성공은 평가자와 의사결정자 간 팀워크의 질에 의존하게 된다.

Michael Patton은 활용 중심 접근법을 통해 평가의 초점을 의사결정과 활용에 둔 또 다른 학자이다. 1978년 그는 UFE에 대한 첫 번째 책을 출간했다. Patton은 평가자의 첫 번째 과업은 핵심 활용자(key user), 즉 대부분의 경우 평가에 관심을 가지고 그 결과로 의사결정을 내릴 수 있는 권력과 이해관계를 가진 관리자를 찾는 것이라고 주장했다.

의사결정중심 접근법

CIPP 평가 모형

Stufflebeam(1971, 2004b, 2005)은 관리자가 좋은 의사결정을 하도록 돕는 구조화된 접근법인 의사결정중심 평가 접근법을 지지해온 학자이다. 그는 "의사결정을 안내하고 책무성을 지원하며, 효과적인 실천을 보급하고 관련된 현상에 대한 이해를 증진시키기 위하여 어떤 대상의 장점, 가치, 고결성, 유의미성에 대한 서술적이고 판단적인 정보를 선정, 획득, 보고, 활용하는 과정"(Stufflebeam, 2005, p. 61)으로 평가를 정의한다. 이 정의는 그가 처음으로 CIPP를 개발했을 때인 1973년의 정의를 확장한 것이지만 본질적으로는 유사하다. 그때는 평가를 더 간단명료하게 "대안에 대한 의사결정을 위한 유용한 정보를 선정하고 획득하고 제공하는 과정"으로 정의했었다(Stufflebeam, 1973b, p. 129). 새로운 정의는 1973년 당시 평가에서 중요시 여겼던 장점과 가치를 판단하는 것의 중요성을 강조했다. 그러나 2005년의 정의는 또한 오늘날의 평가에서 현재 강조되는 책무성, 보급, 이해를 강조한다. 그렇지만 CIPP 모형의 본질은 동일하며, 오늘날 미국과 전 세계의 교육평가 영역에서 광범위하게 활용되고 있다. 그는 네 가지의 서로 다른 유형의 의사결정에 직면한 관리자 또는 행정가들을 위하여 다음과 같은 평가 틀을 개발했다.

1. 계획 의사결정을 위한 **상황평가(context evaluation)**: 프로그램이 충족해야 할 요구가 무엇인지 살펴보고, 이미 존재하는 프로그램들은 어떤 것이 있는지 알아보는 것이 프로그램의 목표를 정의하는 데 도움을 준다. 상황평가는 명칭에서 보여주는 것처럼, 프로그램의 상황(아직까지는 계획되지 않은)을 연구하는 데 관심을 둔다. 학생 또는 의뢰인의 요구와 문제는 무엇인가? 이 요구를 충족시키려면 조직은 어떤 조건을 갖추어야 하는가? 프로그램의 목적과 의도된 성과는 무엇이어야 하는가?

2. 구조화 의사결정을 위한 **투입평가(input evaluation)**: 요구를 정의하고 조직적 이점과 잠재적 중재를 고려한 후에, 투입평가를 활용하는 것은 관리자가 실행과 문제 해결을 위한 특정 전략을 선정하고 이를 어떻게 실행할 것인가에 대한 의사결정을 하도록 돕는다.

3. 실행 의사결정을 위한 **과정평가(process evaluation)**: 프로그램이 시작되고 난 후의 중요한 의사결정은 프로그램의 실행을 어떻게 수정할 것인가에 있다. 핵심 평가질문은 다음과 같다: 프로그램은 계획처럼 실행되고 있는가? 어떤 변화가 일어났는가? 장애요인이 프로그램의 성공을 위협하는가? 수정이 필요한가? 이 질문들에 대한 답을 찾으면서, 프로그램 실행의 절차들이 점검되고 수정되고 정련될 수 있다.

4. 재순환 의사결정을 위한 **산출평가(product ebaluation)**: 어떤 결과가 나왔는가? 요구는 얼마나 감소했는가? 프로그램의 과정이 전부 실행된 후에 무엇을 해야 하는가? 수정되어야 하는가? 확충되어야 하는가? 중지되어야 하는가? 이 질문들은 프로그램 성과를 판단하기 위해 중요한 질문들이다.

Stufflebeam의 평가 모형으로 잘 알려진, 평가의 네 가지 유형인 상황(context), 투입(input), 과정(process), 산출(product)의 머리글자가 CIPP이다. Stufflebeam (1973a)은 평가자들이 각 평가 유형을 설계하기 위한 논리적 구조로써, 다음과 같은 일반적 단계를 따르도록 제안했다.

A. **평가의 초점 정립**

    1. 의사결정의 주요 수준들을 명료화한다. 예를 들어, 지역, 주, 국가 수준 또는 학급, 학교, 학군 수준 중 어디에서 의사결정이 이루어질지 확인한다.

    2. 의사결정의 각 수준별로 의사결정 상황을 예측하고 각 수준을 주제, 주안점, 중요성, 적절한 시기, 대안들의 구성과 관련시켜 설명한다.

    3. 대안들의 판단에 사용할 측정법과 표준을 위한 변인들을 세분화함으로써 각 의사결정 상황을 위한 준거를 결정한다.

    4. 평가자가 운용해야만 하는 방침을 결정한다.

B. **정보의 수집**

    1. 수집해야 할 정보 출처를 구체화한다.

    2. 필요한 정보를 수집하기 위한 도구와 방법을 구체화한다.

    3. 사용할 표집 절차를 구체화한다.

    4. 정보 수집을 위한 조건과 일정을 구체화한다.

C. **정보의 조직**

    1. 수집해야 할 정보의 형식을 제시한다.

    2. 분석방법을 선정한다.

D. **정보의 분석**

    1. 사용할 분석 절차를 선택한다.

    2. 분석 실시 방법을 선정한다.

E. **정보의 보고**

    1. 평가 보고를 위한 대상(audience)을 결정한다.

    2. 보고대상에게 정보를 제공할 방법을 상세화한다.

    3. 평가 보고를 위한 형식 그리고/또는 보고 기간을 명세화한다.

    4. 정보 보고 일정을 정한다.

F. **평가의 관리**

    1. 평가 일정을 정리한다.

2. 평가에 필요한 직원과 필요 자원을 정하고 계획한다.

3. 평가 실행에 필수적인 방침을 충족시키기 위한 방법을 명세화한다.

4. 타당한, 확실한, 신뢰할 수 있는, 시의적절한, 침투력 있는(관련된 모든 이해관계자에게 도달하는) 정보를 제공하기 위한 평가 설계의 잠재성을 평가한다.

5. 평가 설계의 정기적인 수정·보완을 위한 방법과 일정을 명세화한다.

6. 전체적인 평가 프로그램을 위한 예산을 제공한다(p. 144).

CIPP 접근법의 발전. CIPP 모형은 초기 평가 모형의 힘을 그대로 지니고 있다. 즉 의사결정에 초점 두기, 장점과 가치의 판단, 프로그램의 네 단계, 평가 질문들을 고려하는 데 있어 상황의 중요성 고려하기, 평가 기준과 활용에 대한 강조 등 평가 모형의 원칙들이 그대로 남아있다. 이 모형의 초점은 전통적으로 프로그램 개선에 있다. Stufflebeam은 Egon Guba를 지지하면서 "평가의 가장 중요한 목적은 입증하는(prove) 데 있지 않고 개선하는(improve) 데 있다"고 진술했다(2004b, p. 262). 그는 개선을 강조하는 것이 목적의 달성을 증명하는 것을 배제시키는 것이 아니며, 주된 목적이 개선임을 강조하고자 하는 것이라고 하였다. Stufflebeam은 질적이고 양적인 방법이 모두 관심을 가지는 변인을 측정하기에 가장 타당한 방법이라면, 두 방법을 복합적으로 활용할 것을 강조하였다.

그럼에도 불구하고, 2004년 Stufflebeam이 주장한 것처럼, "CIPP 모형은 계속 진보 중에 있다"(2004b, p. 245). CIPP 모형이 몇 년에 걸쳐 많은 다양한 상황에서 적용됨에 따라 이 접근법은 평가의 실천과 학습의 변화에 많은 영향을 주었다. 비록 최초의 CIPP 모형이 주된 이해관계자로서의 관리자에게 매우 많은 초점을 두었지만, 오늘날의 CIPP 모형은 의사결정에 관심을 두고 있는 많은 이해관계자를 포함시켜야 한다고 제언하고 있다. 여전히 평가에서 평가자가 굳건한 위치를 차지하고 있지만, Stufflebeam은 "평가자는 평가와 관련된 이해관계자 집단을 모두 찾아내야 하며, 평가 질문을 정의하고 평가준거를 명료화하며, 필요한 정보에 기여하고 정당한 결론에 도달하기 위하여 이해관계자들과 의사소통하고 의견을 합치시키는 과정에 참여해야 한다"고 지적했다(2005, p. 62). 유사하게, Stufflebeam은 오늘날은 평가가 정책적 환경 속에서 이루어지며, 가치가 중요한 역할을 한다는 것을 인정하는 경향임을 강조한다. 그는 "나의 평가 경력이 많아질수록 평가의 정치적 본질에 점점 더 민감해졌다. 평가자는 자신의 정직성, 타당성과 신뢰성을 위하여 정기적으로 자신의 평가를 통제할 힘을 찾고 얻고 유지해야만 한다"고 진술했다(2004b, pp. 261-262).

Stufflebeam은 "사회, 집단 또는 개인이 가지고 있는 이념(ideals)"을 포함한 가치에 기초해야 하며, 프로그램을 위한 판단 또는 의사결정을 위해 "특정 평가적 준거를 이끌어내고 타당화하기 위한 토대를 제공하고" 아울러 "평가 도구 및 절차를 선정하거나 개발하고 기존의 정보를 사정하기 위한 토대를 제공"해야 한다고 진술했다(Stufflebeam, 2004b, p. 250).

Stufflebeam의 접근법에는 다른 접근법과는 다른 요소들이 첨가되어 있다. 그는 실천적인 면을 강조하며, 의사결정의 개선을 통해 실천적으로 프로그램을 개선하는 것을 중시한다. 평가 협정사항을 조율하는 방법, 검토와 투입을 위한 이해관계자 패널의 활용, 전문적 성취기준들의 개발[1], 평가의 평가인 메타평가들을 포함하는 실천적 도구들을 개발했고 지지했다. 그는 웨스턴 미시간 대학교에 평가센터를 설립하였으며, 그 웹 사이트는 그의 평가 접근법과 과업 수행에 도움이 되는 많은 도구들과 체크리스트, 예컨대 예산 세우기와 계획하기, 협정사항 의논하기 등의 정보를 포함하고 있다(http://www.wmich.edu/evalctr/checklists/checklistmenu.htm 참조).

CIPP의 주요 공헌. Alkin과 Christie는 평가이론을 비교하면서 나무(tree) 모형을 활용하여 설명하였는데, 세 가지 주요 가지인 활용, 방법, 가치화 측면에서 평가이론들을 비교하였다. 그들은 Stufflebeam을 '활용' 가지의 뿌리에 위치시키고 "Stufflebeam의 CIPP 모형은 가장 잘 알려진 [활용] 이론의 하나"라고 진술했다(2004, p. 44). 특히 CIPP 모형은 합리적이고 질서정연한 시스템 접근법에 익숙한 많은 평가자와 프로그램 관리자에게 호소력 있게 다가가는 것으로 입증되었다. 아마도 이 모형의 가장 큰 강점은 평가에 초점을 둔다는 점일 것이다. 경험 있는 평가자들은 단순히 넓은 범위를 뒤덮는 그물(net)을 던져서 방대한 양의 정보를 수집하는 것은 나중에 수집한 정보의 많은 부분이 쓸모없이 버려져야 한다는 것을 의미함을 알고 있다. 왜냐하면 그 정보가 핵심 쟁점 또는 평가 질문들과 직접적으로 관련되어 있지 않기 때문이다. 평가자는 우선적으로 수집해야 할 정보가 무엇인지를 결정해야 한다. 평가자가 정보를 필요로 하는 관리자들이 미처 의사결정하지 못한 문제에 초점을 맞추어 수집해야 할 자료를 결정한다면, 수집해야 할 자료의 범위를 줄일 수 있을 뿐 아니라 평가가 뚜렷한 초점을 갖는 데도 도움을 줄 것이다. 이 평가 접근법은 정보의 유용성 또한 중요함을 강조한다. 의사결정과 평가를 연결시키는 것은 평가의 핵심적

---

1) Stufflebeam은 수년 동안 교육평가기준합동위원회(Joint Committee on Standards for Educational Evaluation)의 회장을 역임하면서, 3장에서 논의했던 프로그램 평가 성취기준을 개발했다. 이 성취기준은 미국뿐 아니라 전 세계에서 평가의 질을 판단하고 평가자가 성취기준의 우선순위를 결정하는 것을 돕는 지침으로서 활용되고 있다.

인 목적을 강조하는 것이다. 또한 관리자가 해야 할 의사결정에 평가의 초점을 두는 것은 평가자로 하여금 의사결정자가 전혀 관심 없어 하는 무익한 쟁점과 주제를 추구하지 않도록 해준다.

CIPP는 평가자와 프로그램 관리자들에게 활동 또는 프로그램이 실행될 때까지 기다릴 필요가 없이 평가할 수 있음을 보여주었다. 사실, 평가는 프로그램을 위한 아이디어가 처음으로 논의되기 시작하는 그 순간부터 시작될 수 있다. 놓쳐버린 기회들과 힘든 자원 투자로 인해, 평가는 일반적으로 프로그램 개발 완성 시점에는 아주 적은 효과만을 얻는다. 그렇지만 성과와 영향에 강조점을 두는 오늘날에는 계획 단계에서 평가의 역할이 점점 더 축소되고 있다. 그럼에도 불구하고, 특히 평가의 목적이 형성평가일 때는 상황과 투입, 과정과 관련된 쟁점을 검토하는 것은 관련 문제들이 커지기 전에 문제를 찾아낼 수 있도록 해주며, 성과 달성을 위한 해결방법을 제안할 수 있도록 돕는다. 예를 들어, 과정평가는 교사 또는 다른 프로그램 실행자가 원래의 활동들이 효과적이지 않거나 실행 불가능하기 때문에 의도된 활동으로부터 벗어나 새로운 활동을 실행하고 있다는 것 등을 포함하여 프로그램 실행 방법을 명료화하도록 도울 수 있다. 이와 같은 새로운 방법들을 발견하는 것, 새로운 방법들에 따라 프로그램 모형을 수정하는 것, 그 방법을 다른 사람들에게 훈련시키는 것은 프로그램을 성공으로 이끄는 데 도움을 줄 것이다.

CIPP에서 사용된 프로그램 단계들은 평가가 프로그램의 단계에 초점을 두어야 한다는 것과 각 단계에서 발생하는 평가 질문이 다르다는 것을 강조하기는 하지만, 이 접근법의 또 다른 강점은 관리자와 평가자들이 평가를 프로젝트 기반보다는 순환적인 것으로 생각하도록 북돋아 준다는 것이다. 성과 모니터링처럼, 각 단계에서의 평가 프로그램은 "프로그램이 지속적으로 그들의 서비스를 개선하도록, 의사결정자에게로 정보가 지속적으로 흘러가도록"(CIPP 접근법 분석: Alkin & Christie, 2004, p. 44) 만들 수 있다.

그럼에도 불구하고, 우리가 앞의 의사결정 접근법에 대한 소개에서 이미 논의했던 것처럼, CIPP를 비판하는 학자도 없지 않다. CIPP의 최근 모형이 많은 이해관계자의 참여를 고무한다 할지라도 원칙적으로는 관심이 관리자에게 집중된다는 것이다. 의사결정에 확실한 관심을 두지 않는 여타의 이해관계자들은 평가의 목적, 자료 수집의 방법, 결과의 해석을 결정하는 데 있어 배제된다는 것이다.

UCLA 평가 모형

Alkin(1969)은 UCLA에 있는 평가연구센터의 센터장을 역임하면서, CIPP 모형과 거의 유사한 평가 모형을 개발하였다. Alkin은 평가를 "여러 대안들 중에서 선택을 하는 데 유용한 개괄적 자료를 의사결정자에게 보고하기 위하여 의사결정의 관심 분야를 규명하고 타당한 정보를 선정하고 정보를 수집하고 분석하는 과정"(p. 2)이라고 정의했다. Alkin의 모형은 다음 다섯 유형을 포함한다.

1. 시스템 상태에 대한 정보를 제공하기 위한 **시스템 사정**(CIPP 평가에서의 상황평가와 유사)
2. 구체적인 교육 요구를 충족시키는 데 효과적으로 보이는 특정 프로그램의 선정을 지원하기 위한 **프로그램 설계**(투입평가와 유사)
3. 프로그램이 의도된 방식으로 타당한 대상에게 도입되었는지에 대한 정보를 제공하기 위한 **프로그램 실행**
4. 프로그램이 어떻게 작동하는지, 중간 목표가 성취되는지, 그리고 의도하지 않은 성과가 나타나는지에 대한 정보를 제공하기 위한 **프로그램 개선**(과정평가와 유사)
5. 프로그램의 가치를 보증하고 다른 곳에서 그 프로그램을 활용할 수 있는 가능성에 대한 정보 제공을 위한 **프로그램 보증**(산출평가와 유사)

Alkin(1999)이 지적했던 것처럼, 그의 평가 모형은 평가에 대한 네 가지 가정을 하였다.

1. 평가는 정보를 수집하는 과정이다.
2. 평가에서 수집된 정보는 주로 대안적 활동들에 대한 의사결정을 위해 활용된다.
3. 평가 정보는 의사결정자가 효과적으로 사용할 수 있는 형태, 혼란스럽게 하거나 잘못 이끌기보다는 도움이 되도록 설계된 형태로 제시되어야 한다.
4. 다른 유형의 의사결정은 다른 유형의 평가 절차를 필요로 한다(p. 94).

활용중심 평가

활용중심 평가(utilization-focused evaluation, UFE)는 두 개의 가정에 기초를 두고 있는 것으로 잘 알려진 접근법이다. (a) 평가의 근본적인 목적은 의사결정을 하는 것이고, (b) 만약 평가자가 한 명 또는 그 이상의 이해관계자(평가에 관심을 두고 평가 결과를 활용할 지위에 있는 사람)를 명료화한다면 활용은 성공적으로 이루어질 것이다. Patton은 후자를 "인간적 요인(personal factor)"이라고 불렀고, 그것을 "평가와 그 결과에 대해 개인적으로 관심을 가진 개인 또는 집단의 존재"(2008a, p. 66)라고 정의했다. 인간적 요인은 UFE의 핵심 요소이다. Patton은 1970년대 중반에 수행한 평가의 활용에 대한 연구에서, 인간적 요인이 평가 활용의 중요한 요소임을 확인했다. 이 연구에서 Patton은 평가의 활용에 기여하는 요인들을 찾기 위해, 20개의 정부 보건 프로그램 평가의 평가자와 사용자들을 인터뷰했다. Patton과 그의 동료들은 문헌연구를 통해 11개의 잠재적 요인, 즉 방법론적 쟁점, 정책적 요소, 평가 결과의 발견(긍정적, 부정적, 예측 밖의) 등의 요인을 찾아냈다. 그들은 활용에 가장 큰 영향을 주는 단 한 개의 요소가 무엇일까 질문했고, 정책적 고려와 함께 평가와 그 결과에 관심을 두는 개인 또는 집단(Patton이 지금은 인간적 요인이라 부름)이라는 두 개의 요소가 항상 부각되는 것을 발견했다. Patton의 UFE 접근법은 평가자가 이 개인들을 확인하고 평가 활용을 위해 그들과 긴밀하게 협력하는 것을 돕기 위해 시작된 접근법이다.

Patton은 UFE를 "의사결정을 위한 그리고 평가의 초점을 의도된 활용자에 의한 의도된 활용에 두기 위한 과정"(1994, p. 317)이라고 정의한다. 유사하게, 그의 가장 최근 저서인 『활용중심 평가(Utilization-Focused Evaluation)』에서, 그는 UFE를 "특정의 의도된 활용을 하도록 특정의 의도된 활용자들과 함께하는 평가"(2008a, p. 37)라고 정의했다. 그의 의사결정에 대한 강조는 평가에 대한 그의 정의에서 다시 확인할 수 있다.

> 프로그램 평가는 시간, 장소, 가치와 정책들에 대한 상황적 범주 내에서 의사결정을 돕고 선택할 수 있는 대안들을 명확히 하고 개선사항을 명료화하는 데 강조점을 두고, 프로그램과 정책에 대한 정보를 제공한다. (2008a, p. 40)

비록 Patton이 UFE를 참여 접근법의 한 유형으로 보았을지라도, 핵심 이해관계자 개인 또는 집단과 함께 작업하는 데 초점을 두기 때문에, 그는 대체로 UFE를 의사결정중심 접근법으로 분류하는 데 동의한다(Patton, 1994). 우리는 UFE가 의도된 활용, 즉 전형적으로 의사결정에 초점을 두기 때문에 이 장에서 다루고 있다. Patton은 의도된 활용을 위하여 본래 의도된 이해관계자를 집중적으로 평가에 참여시키고자 한다. 왜냐하면, Patton은 Cousins와 Earl(1992, 1995), 그리고 Greene(1988)과 다른 학자들처럼, 이해관계자의 참여가 평가에 대한 그들의 주인의식과 지식을 증진시키고 궁극적으로는 그 결과의 활용을 증가시킬 것이라 믿기 때문이다.

UFE의 첫 단계는 의도된 활용자 또는 활용자들, 즉 연구와 그 결과에 대해 관심을 두는 사람들을 찾는 것이다. 물론 이 단계는 인간적 요인을 갖추는 데 있어 핵심이다. Patton은 오늘날은 네트워크와 협력에 더욱 초점을 두기 때문에, 평가를 위해 바람직한 이해관계자를 명료화하는 심도 있는 이해관계자 분석이 이전보다 더 중요해졌다고 강조한다. 그는 이해관계자를 명료화하는 데 있어 두 가지 중요한 요소를 고려해야 한다고 제안한다. 즉, (a) 연구에 대한 관심, (b) 조직 내의 권력 그리고/또는 평가되어야 할 프로그램 또는 정책에서의 권력(Eden & Ackerman, 1998)이 그것이다. 물론, 이상적인 이해관계자는 두 가지 요소 모두가 높은 사람이겠지만, 관심은 있지만 권력을 지니지 못한 이해관계자가 권력은 지녔지만 관심이 전혀 없거나 조금밖에 없는 이해관계자보다 훨씬 더 유용할 수 있다. 후자는 중요한 회의에 불참할지도 모르고 메시지에 답장을 하지 않거나 의미 있는 피드백을 주지 않을 것이며, 나아가 연구의 전반적인 질이나 연구가 조직 내의 다른 구성원으로부터 받는 신뢰에 피해를 줄지도 모르기 때문이다.

이들 주요 활용자가 평가에 대한 자신들의 요구에 대해 생각하는 것을 돕기 위하여, Patton은 활용자들이 "설계 단계에서 평가의 활용에 대하여 더 의도적이고 더 예견적이 되도록"(2008a, p. 146) 요구한다고 했다. 또한 Patton은 이 의도된 활용자들에게 물어봐야 할 질문들, 활용자들의 의사결정에 영향을 줄 수 있는 가능성, 그리고 가장 큰 영향력을 가질 수 있는 자료 또는 증거의 유형을 고려하도록 도울 수 있는 질문을 제안했다.

UFE의 나머지 단계들은 이 이해관계자들을 연구의 실행에 참가시키는 것과 관련된다. 여기에는 연구의 초점을 주게 될 관심사에 대한 그들의 질문을 명료화하는 것, 획득한 정보를 어떻게 활용할 것인지 고려하는 것, 자신들의 가치를 반영하고 자신들에게 유용한 신뢰로운 결과를 산출하는 방법론에 대한 이해를 확실하게 하고 적절하게 반영하여 선택하도록 설계 및 자료 수집 단계에 참여시키는 것이 포함된다. UFE의 마지막 단계에서, 주요 이해관계자는 결과를 해석하는 데 그리고 판단, 제언, 보급에 대한 의사결정을 하는 데 참여한다. 이 단계에서는 평가자와 의도된 핵심 활용자들 간의 상호작용이 인간적 요인을 확보하는 데 매우 중요하다. 평가자는 주요 활용자들의 요구를 충족시키기 위해 인간적 관계를 맺고 그들의 평가에 대한 관심을 유지시킨다.

이 단계들은 Cousins과 Earl(1992, 1995)의 단계처럼, 실용적인 참여적 평가 접근법(participatory evaluation appraches, PPE)의 단계와 유사하다. UFE 모형에서의 차이점은 초기 단계에서 이해관계자를 선정한다는 점과 이 단계에서의 초점을 의도된 특정 활용에 둔다는 점이다. Cousins과 Earl은 활용을 증가시킬 수 있도록 이해관계자를 선정할지라도, '활용(use)'이라는 용어를 과정 활용(평가의 과정에 참여함으로써 학습하는 것), 개념적 활용(미래에 활용될 수 있는 지식 획득), 그리고 조직적 학습을 포함하는 더 광범위한 것으로 생각한다. 유사하게, Fetterman의 권한부여 평가(empowerment evaluation)는 자기결정 그리고 최근에는 평가 시스템의 확립을 통한 상시적인 조직학습(organizational learning)을 주된 활용으로 한다. 그러나 Patton의 UFE는 평가의 초점을 도구적 또는 직접적 활용에 두므로, Stufflebeam의 CIPP 모형과 더 유사하다고 볼 수 있다. 다만, CIPP가 프로그램의 단계와 그 단계에서 발생하는 의사결정에 초점을 두는 반면, Patton은 의사결정자와 그들이 내리고자 하는 의사결정을 파악하기 위해 활용자들과 대화하는 데 초점을 둔다는 점에서는 차이가 있다. Patton이 인간적 접근과 관계성을 강조한다는 점에서도 CIPP 접근과 다소 차이가 있다.

Patton은 UFE의 아킬레스건은 프로그램 인적 구성이 바뀌거나 평가의 주요 의도된 활용자가 교체되는 것이라고 진술했다. 예방 전략으로 그는 1명 이상의 주요 활용자, 이상적으로는 주요 활용자로 구성된 태스크 포스팀을 갖춤으로써, 주요 활용자가 교체된다면 신속한 재배치를 가능하게 하라고 제안했다(Patton, 2008a).

이 접근법에 대한 또 다른 비판은 Patton의 개인 또는 소집단에 의한 수단적 활용 강조 그리고 어떻게 의사결정이 일어나는지에 대한 그의 관점에 관한 것이다. Carol Weiss와 Michael Patton은 이 문제에 대해 1980년대에 격렬하게 토론했다. Weiss는 Patton이 몇몇 소수의 주요한 활용자에만 관심을 두고 상황과 의사결정에 변화가 없으리라고 보아 의사결정을 과도하게 단순화시켰다고 생각했다. Weiss가 평가를 시작했던 1960년대와 1970년대로 돌아가보면, 당시의 통례적 전통은 최고 지위에 있는 의사결정자 한 명이 있고, "만약 평가자가 자신의 자료와 결론을 그 사람에게 가져갈 수 있다면 A에서 B로 전환하기 위해 그를 납득시킬 수 있으며, 항상 '그 사람'이 중심이 된다"고 보는 것이었다고 지적한다. 그러나 이것은 조직이 실제로 움직이는 방식은 아니라고 주장한다.

그것은 전혀 정돈되지 않은 매우 오락가락하고 들락거리고 여기저기에 퍼져 있는 형태의 과정이고 모든 유형의 무관계성이 과정 내에 얽혀 있다. 이는 복잡하게 뒤섞인 과제이고 확실하게 '의사결정자를 찾아 말해주는' 것이 아니다. (Weiss & Mark, 2006, p. 480)

활용에 대한 연구에서 그것이 복잡한 것임을 밝혔으며, 이것이 Patton의 접근법이 가치 있는 이유이지만, Alkin은 평가 활용에 관한 연구를 검토한 후에 다음과 같이 진술했다.

아마도 연구자들이 찾은 가장 영향력 있는 평가 요소는 평가자일 것이다. (중략) 평가자의 전문성과 신뢰성보다 더 중요한 것은 인성이나 스타일 같은 평가자의 인간적 특성일 것이다. 활용자들과 분위기를 형성하고 평가에 그들을 참여시키는 능력이 활용에 있어 중요한 요인이다. (2005, p. 455)

Weiss와 Patton의 관점 간의 또 다른 차이는 평가의 상황이다. Weiss의 작업은 원래 국회의원과 정부 각료와 같이 많은 다양한 쟁점을 다루고 있고 특정 평가에 참여하거나 관심을 갖기에는 너무나 바쁜 정부 고위직 인사들과 함께하는 것이었다. 반면, Patton의 작업은 평가되고 있는 실제 프로그램에 더 가깝다고 할 수 있다. Alkin(2005)은 활용에 있어 상황은 중요한 요소이며, 두 개의 다른 상황이 이해관계자의 참여와 결과의 활용을 어떻게 다르게 이끌어 내는지를 보여줄 수 있다고 지적한다.

평가 가능성 사정과 성과 모니터링

Joseph Wholey는 Michael Patton과 Daniel Stufflebeam과 마찬가지로 오랫동안 평가 분야를 지배해왔다. 그러나 Stufflebeam의 작업은 주로 교육과 관련된다. Patton의 작업은 학교와 사회복지에서의 개별 프로그램에 관한 것이다. Wholey의 영향과 작업은 중앙정부와 함께한 것으로 1970년대에 미국 보건교육복지부(U. S. Department of Health, Education, and Welfare, HEW)와 함께 시작되었다. 그의 초점은 정부 정책 결정에 있었다. 그러나 Patton과 Stufflebeam처럼, 그의 목적은 평가를 통해 의사결정을 개선하는 것이었다. 더욱이 그는 몇 년에 걸쳐 평가의 활용성(utility)을 개선하기 위한 몇 가지 방법들을 개발했다. 우리는 여기서 그의 주요 노력들을 간단하게 살펴볼 것이다.

평가 가능성 사정(evaluability assessment)은 프로그램들이 평가할 준비가 되지 않았는 데 평가를 실행함으로 인해 생기는 손실을 예방하기 위해 Wholey에 의해 개발되었다. 프로그램 설계를 돕기 위해 상황 단계와 투입 단계에서부터 평가할 것을 주장하는 Stufflebeam과 달리, Wholey의 초점은 전통적으로 프로그램의 성과에 있다(Wholey, 2004a, 2004b). 사실, 그가 함께한 의사결정자들은 정부 정책입안자들로 프로그램을 직접 운영하지 않았고, 따라서 프로그램 개선을 위한 형성적 의사결정을 내리지도 않았다. 대신에 프로그램 재원 조달, 착수, 유지와 관련된 총괄적 의사결정에 관심을 두었다(M. Smith, 2005). 중앙정부 수준의 Wholey의 작업은 평가되고 있는 프로그램과 관련이 깊은 정책결정자, 관리자와 함께 작업하도록 설계된 CIPP나 UFE 접근법과는 완전 대비되는 것이었다. HEW와 함께한 초기의 연구에서, 그와 그의 동료들은 많은 평가들이 활용되지 않았다는 것에 관심을 두었다. 그 이유 중의 하나가 프로그램을 실행하는 사람들이 충분히 생각해볼 기회, 자신들의 일을 분명하게 정의하고 시험하며 평가로부터 요구하는 정보가 무엇인지 고민할 기회가 없었기 때문이라고 보았다. 따라서 그는 프로그램이 평가를 위한 준비가 되었을 때 평가를 시행해야 활용 가능성이 커진다고 주장하면서, 이를 돕기 위해 평가 가능성 사정을 제안했다. 평가를 위한 준비가 되어 있는지 결정하기 위해서 평가 가능성 사정은 다음 사항을 포함하도록 설계되어야 한다.

1. 프로그램 목적이 명확하게 정의되었는가?

2. 프로그램 활동들은 의도된 목적의 성취를 가능하게 하는가?

3. 프로그램 관리자들은 프로그램 개선에 관심이 있는가?

그러고 나서 평가자는 프로그램 관리자와 함께 협력하여 이 준거들이 만족되는지를 결정하기 위해 프로그램을 관찰하고 관련 문서들을 읽고, 인터뷰하고 여타 평가 활동을 수행한다.

평가 가능성 사정은 Wholey가 HEW를 떠난 후에 쇠퇴했지만(Rog, 1985; M. Smith, 2005), 이것이 매우 다른 상황에서 활용되는 또 다른 의사결정중심 접근법을 설명하기 때문에, 이 접근법을 이 장에서 소개하는 것이다. Smith(1989)는 후에 평가 가능성 사정을 개발하여 미국 농림부에서 성공적으로 실행했다. 그러나 오늘날에는 그 방법들이 이론기반 평가와 참여 접근법에 의해 적용되었던 것이라고 진술한다(Smith, 2005). 따라서 평가 가능성 사정은 프로그램 이론(과정 중 단계 1과 2)을 이해하는 것의 중요성과 의사결정자의 요구 이해(단계 3)를 파악하는 것의 중요성을 위한 토대가 되었다. 우리는 11장에서 가치 있는 도구로서의 평가 가능성 사정을 살펴볼 것이고 이를 어떻게 실행하는지를 설명할 것이다.

Wholey는 1960년대 이후 평가에 대한 작업을 활발하게 지속했고, 오늘날 그의 초점은 형성평가에 집중되어 있다. HEW에서의 총괄평가에 대한 초기의 실패에 대해 숙고하면서, 그는 2004년 "정책 의사결정은 너무나 많은 여러 투입 요인들에 의해 영향을 받으므로, 정책들은 프로그램을 통해 실행되고 프로그램은 계속 유지되는 경향이 있다. 나는 특히, 프로그램의 성과를 개선하는 평가의 활용에 관심이 있다"고 진술했다(2004a, pp. 267-268). 그가 진술한 첫 번째 문장은 연방 수준에서의 총괄평가가 프로그램을 존속할 것인지에 대한 의사결정에 거의 영향을 주지 못한다는 것을 인정하고 있음을 보여주고 있다. 너무나 많은 서로 다른 요소들이 프로그램의 실행에 관여한다. 따라서 오늘날 그는 Stufflebeam과 Patton의 초점처럼 형성평가에 초점을 두고 있다.

Wholey는 최근 평가 관련 작업에서 조직의 의사결정을 개선하기 위한 방법으로서의 성과 모니터링 시스템(performance monitoring system)에 관심을 두었다. 성과 모니터링 시스템은 프로그램 산출 또는 결과에 대한 자료를 정기적으로 수집한다. 다른 평가 연구들과는 달리 성과 모니터링은 지속성을 가진다. 성과 모니터링은 특정 프로그램 또는 프로젝트에 기반을 두지 않으며, 의사결정을 하고 조직의 성과를 개선하기 위해 그것을 활용하고자 하는 관리자를 위해 성과 자료를 수집, 유지, 해석하는 시스템이다. Wholey는 성과 모니터링과 평가를 "서로를 보강하는 것"으로 본다(2004a, p. 268). 성과 모니터링 시스템은 관리자가 자료 활용에 익숙해지도록 만들어준다. 그러면 그들은 특정 프로그램에 대한 평가 연구들을 더 잘 받아들이게 된다. 사실, 관리자가 성과 모니터링 시스템으로부터 기대에 어긋난 자료를 제공받고 고민한다면, 바로 이때 평가가 시작될 수 있을 것이다. "왜 우리 목적이 달성되지 않았는가"라고 질문할 것이기 때문이다.

그러나 성과 모니터링 시스템은 완전하지 않다. 성과 모니터링 시스템은 자료들이 관리자 또는 프로그램 종사자에게 의미 있는 것인가에 관심을 두고 고민하기보다는 성과지표[2]에 더 관심을 둔다. Wholey가 "성과 모니터링은 프로그램 관리자, 스태프, 다른 주요 이해관계자들과 함께, 성과지표를 개발하고 검증하고 수정할 때 그리고 결과 중심 관리 시스템 내에서 활용할 때 특히 유용하다"고 진술했다(2004a, p. 268). 성과 모니터링 또한 더 나은 프로그램 운영 관리로 이끌어주는 의사결정중심 접근법을 의도하기 때문에, 이 장에서 Wholey의 작업과 그의 성과 모니터링에 대한 지지를 소개한 것이다. 성과 모니터링은 오늘날 학교 및 조직들에서 흔한 형태의 자료 활용이기 때문에, 우리는 독자가 그 근원에 대한 이해를 얻고 그것이 평가 접근법의 범주에 어떻게 자리매김하는지를 고민하길 바란다. 비록 평가가 원래는 주기적인, 그리고 프로젝트에 기반을 둔 활동으로 성장하였을지라도, 많은 평가자들은 평가가 조직에서 학습을 성취해가는 상시적 과정(ongoing process)이 되어야 된다고 말해왔다(Preskill & Torres, 1998; Torres & Preskill, 2001; Owen & Lambert, 1998). 성과 모니터링은 적절하게 실행된다면, 이 상시적 과정의 한 도구가 될 수 있을 것이다(Poisiter, 2004; Wholey, 1999a, 1999b, 2001, 2003).

의사결정중심 평가 접근법의 활용

여기에 설명된 동시대의 접근법들, 즉 CIPP 모형, UFE 모형과 성과 모니터링은 미국 및 캐나다를 비롯하여 전 세계에서 광범위하게 활용되어 왔다. CIPP 모형은 단위교육청, 지방정부, 중앙정부기관에서 광범위하게 활용되어 왔다. CIPP의 단계에 따라 학교 프로그램을 평가하도록 하는 지침서가 Sanders와 Sullins(2005)에 의해서 출판되기도 하였다. UFE 또한 지속적으로 대중적 인기를 끈 모형이다. Patton의 책은 2008년 네 번째 개정판

---

2) 교육청과 지방정부별 교육부의 자료 시스템은 성과 모니터링 시스템으로 볼 수 있지만, 종종 자료가 중앙정부 또는 지방정부의 의무이행 사항으로 수집되므로 내부적 의사결정을 위해 중요한 조력을 한다고 볼 수는 없다.

이 출간될 정도이다. 마지막으로, 우리가 이 책의 서문에서 설명한 것처럼, 성과 모니터링은 많은 정부기관과 학교에서 의무적으로 실행해야 하는 것이었다. 그러나 개선을 위한 성과 모니터링의 활용은 수집된 자료가 특정 프로그램에 적합하지 않은 경우가 종종 있기 때문에 타당하지 않은 경우도 있었다. 사실 성과 모니터링은 프로그램 개선을 위해서보다는 의무이기 때문에 주로 책무성의 일환으로 실행되고 있다. 그러나 자료 기반 의사결정은 많은 단위교육청과 기관에서 활용되었다.

의사결정중심 평가 접근법의 강점과 한계점

의사결정중심 접근법은 평가에 대한 가장 오래된 접근법 중 하나이지만, 아직까지도 자주 활용되는 접근법이다. 사람들은 아직까지도 이 접근법에 대해 저술하고 있고 개별적 평가 또는 평가 시스템을 설계하기 위한 지침으로서 이 접근법을 활용하고 있다. 다양한 방법, 예컨대 프로그램의 단계들과 각 단계별로 요구되는 잠재적 정보를 명료화하는 것, 인간적 요인을 파악하고 설명하는 것, 상시적인 정보의 필요성을 고려하는 것 등이 오랫동안 활용되고 있는 것은 바로 의사결정중심 평가법의 성공을 보여주는 증거이다. Stufflebeam, Patton과 Wholey가 개발한 이 접근법들은 사람들, 전형적으로는 관리자 또는 정책결정자들이 의사결정을 잘 할 수 있도록 도울 수 있는 정보를 제공하는 데 성공적이었다. 바로 이것이 그들이 이 접근법을 개발했던 의도이다.

역으로 의사결정중심 접근법에 대한 비판 중 하나는 초점을 의사결정에 두기 때문에 발생한다. 비록 Stufflebeam이 많은 평가 이해관계자들을 평가에 관련시키면서 CIPP 접근법을 확장시켰지만, 비판자들은 이 접근법들이 여전히 권력을 적게 지닌 이해관계자들을 무시하는 경향이 있다고 주장한다(House & Howe, 1999). 사회적 공정과 평등은 의사결정중심 모형에서 직접 관심을 가지는 가치는 아니다. 오히려 의사결정중심 모형을 지지하는 사람들은 그들의 접근법이 프로그램을 개선함으로써 이해관계자들에게 도움이 된다고 주장할 것이다. 그럼에도 불구하고, 관리자와 그들이 필요로 하는 정보에 초점을 맞추는 것은 평가자가 원하는 정보, 즉 수집해야 할 자료의 유형을 제한할 수 있고 결과의 보급을 한정시킬 수 있다. 만약 충분한 주의를 기울이지 않는다면, 평가자는 관리자와 프로그램 수립을 위해 '고용된 대행인(hired gun)'에 불과할 수도 있다. 그러나 Stufflebeam은 CIPP 모형이 합동위원회(Joint Committee)의 「기준(Standards)」에 토대를 두며, 평가 이해관계자가 광범위하게 참여하는 것을 강조한다고 주장한다. CIPP와 UFE 두 모형은 비록 원칙적으로는 핵심 이해관계자의 의사결정에 초점을 두고 평가자가 주로 평가의 의무를 지지만, 평가에 대한 의사결정을 보완하기 위하여 종종 자문 집단을 활용하거나 다른 이해관계자들로부터 정보를 구하기도 한다.

이 접근법의 잠재적 약점은 평가자가 초기에 주요 보고대상(audience)으로 정한 의사결정자의 관심과 질문과는 동떨어지거나 유의미하고 중요한 질문들 또는 쟁점들에 답하지 못한다는 사실이다. 부가해서 리더십이 부족한 경우, 평가를 위해 이 접근법을 활용한다면 어떤 이득도 얻을 수 없다는 것이다.

마지막으로, 이 평가 접근법들은 중요한 의사결정과 그에 필요한 정보가 사전에 분명하게 확인될 수 있고, 평가가 실행되는 동안 그 의사결정, 프로그램, 평가 상황은 당연히 불변일 것임을 가정한다. 의사결정 과정의 질서정연함과 예측 가능성에 대한 이 가정들은 항상 충족되지 않을 수 있는 가정이다. 평가자는 빈번히 재사정을 준비해야만 하고 변화에 적응해야 한다. Patton이 개발평가(developmental evaluation)에 관한 새로운 작업에서 진술한 것처럼, 조직 환경은 항상 역동적이다(Patton, 2009).

주요 개념과 이론

1. 평가에서 의사결정중심 접근이 등장한 주요 동인은 1970년대에 활용되었던 평가들의 실패에 있다. 이 모형은 직접적으로 활용을 증가시키기 위해 의사결정, 전형적으로 관리자와 정책결정자의 의사결정에 초점을 두어 개발되었다.

2. Stufflebeam의 CIPP 모형은 프로그램의 네 단계(상황, 투입, 과정, 산출)를 설명하고, 관리자와 의사결정자들이 각 단계에서 직면하는 의사결정의 유형을 다룬다. 단계들과 제안된 의사결정 유형을 활용하면서 평가자는 평가를 개발할 때 의사결정자의 관심, 요구되는 정보, 효과성 준거를 정하기 위해서 프로그램 관리자들 또는 평가 이해관계자들로 구성된 운영위원회와 함께 작업한다.

3. Michael Patton의 UFE 접근법은 평가에 관심을 두고 의사결정과 변화를 주도할 힘을 지닌 인간적 요인을 활용함으로써 의사결정을 개선하는 평가를 수행하는 데 초점을 둔 모형이다. UFE는 이런 의도된 활용자들을 명료화하고 그들과 밀착해서 평가를 계획하고 실행한다. 평가자는 의도된 활용자와 인간적 관계를 형성하며, 그럼으로써 그들의 의사결정을 이해하고 평가를 그들의 의사결정과 가치, 이해 방식에 가장 잘 맞게 설계할 수 있다.

4. Joseph Wholey의 평가 가능성 사정은 평가가 그 시기에 유용할 것인지 여부를 결정함으로써 평가를 실행할지를 결정하는 의사결정에 영향을 주려고 설계되었다. 이는 오늘날 이론기반 접근법과 참여적 접근법에 영향을 주었다. 그는 관리자에게 상시적인 산출과 성과 정보를 제공하는, 그리고 자료 기반 의사결정을 촉진시키는 성과 모니터링 시스템을 지지한다.

토의 문제

1. 당신이 의사결정중심 접근법에서 가장 매력적이라고 생각하는 것은 무엇인가? 의사결정을 개선하기 위해 당신의 조직에 가장 유용한 것은 무엇인가? 또한 당신은 다른 접근법의 요소들 중에서 유용한 요소가 있다고 생각하는가? 이들을 통합할 수 있는가?

2. 의사결정 접근법은 평가 결과의 활용과 프로그램에서 활용의 영향력을 개선하려는 의사결정에 초점을 둔다. 그러나 단점은 다른 집단들을 무시한다는 것, 의사결정과 직접 관련이 없는 평가 관심사는 간과된다는 것, 그리고 의사결정자, 의사결정, 심지어 상황조차도 변할 수 있다는 것이다. 의사결정에 초점을 두는 것이 단점을 상쇄할 만큼

가치가 있다고 생각하는가?

3. 거의 모든 조직은 어떤 형태가 되었든 성과 모니터링을 행한다. 그것이 유용하다고 생각하는가? 또는 성과 모니터링을 통해 자료를 수집하고 유지하는 데 사용하는 자원을 선별된 프로그램 또는 정책들에 대한 개별적 평가 연구에 사용해야 한다고 생각하는가?

4. 이 장에서 의사결정 접근법의 개발자들은 자신들의 일차적 의도가 형성평가 또는 프로그램 개선임을 강조했지만, 또한 총괄평가를 위해 활용될 수도 있다. 왜 또는 어떤 상황일 때, 이 방법들이 형성적 의사결정을 위해 더 좋은가? 또 어떤 상황일 때 이 방법은 총괄평가를 위해 활용될 수 있는가?

적용 연습

1. 지금까지 읽은 의사결정중심 접근법을 활용하여, 당신이 일하는 곳 또는 당신이 친숙한 곳의 프로그램에 필요한 의사결정을 한두 개 찾아보라. 의사결정자는 누구인가? 당신은 그들이 의사결정을 위해 필요로 하는 정보가 무엇이라고 생각하는가? 의사결정자들은 자신들의 의사결정을 위해 어떤 정보를 필요로 하는가? 무엇이 그들의 의사결정에 영향을 줄 것인가? 당신은 평가가 그들의 의사결정을 도울 수 있다고 생각하는가? CIPP 모형을 사용할 때, 각각의 의사결정에 가장 타당한 평가방법은 무엇인가?

2. 프로그램에 대한 의사결정이 전형적으로 당신의 조직에서 어떻게 이루어지는지 묘사해보라. 의사결정중심 접근법이 당신의 조직에서 활용될 수 있겠는가? 왜인가? 또는 왜 아닌가?

3. 공립 초등학교에서의 백인과 소수 인종 학생 간의 성취 차이를 감소시키는 프로그램에 재정 지원이 필요함을 입증하는 데 성공했다. 2011년 7월 1일부터 2014년 6월 30일까지 3년 동안 사용할 재원으로 백만 달러를 지원받았다. 2011년 3월 15일에, 교육감이 초등교육 담당 부교육감을 비롯하여 제안된 프로그램에 참여할 초등학교 교장 30명이 참석하는 회의를 소집했다. 이 회의에서 2011년 9월 30일까지 이 학교들에서 실시하는 기존의 읽기와 수학 프로그램에 대한 평가를 통해 요구사항을 명세화하라고 결정하였다. 그리고 나서 요구사항을 해결하기 위한 대안적 전략들이 탐색될 것이고, 그 중 성취 차이를 감소시킬 수 있는 한 프로그램이 선택될 것이다. 또한 다음 사항들을 책임지고 행할 평가 팀을 설치하기로 결정했다.

a. 참여 학교들의 읽기와 수학 프로그램의 평가 실행

b. 30개 학교의 요구를 충족시킬 수 있는 대안적인 프로그램들의 평가

c. 2012년부터 시행될 프로그램의 지속적 모니터링

d. (연구기간 중 매년 6월 30일에) 교육부에 연차 보고할 정보의 수집

　　당신이 방금 학습한 의사결정중심 평가 접근법을 활용하여, (지금이 2011년 3월이라고 가정하고) 어떻게 진행해야 할지를 평가 팀 구성원들에게 제안해보라. 당신이 할 수 있는 한 자세한 계획을 수립하라.

4. 당신의 조직 또는 대학에서 실행되고 있는 평가를 명세화하고 다음 질문에 답하라. 누가 처음에 평가를 시작했는가(예를 들어, 중앙정부의 의무적 요구, 관리자)? 평가가 특정 접근법을 사용했는가? 평가자들 외에 누가 평가에 관여했고 어떻게 관여했는가? 관리자는 어떤 역할을 수행했는가? 평가의 목적은 무엇이었는가? 평가에서 다룬 평가 질문들은 무엇인가? 어떤 형태의 자료가 수집되었는가? 주요 이해관계자와 그 외 이해관계자들은 그 결과를 어떻게 받아들였는가? 결과에 대해 어떤 반응 행동을 보였는가? 관리자의 평가에 대한 수용 수준은 어떠했는가? 평가 결과들은 활용되었는가? 어떻게 활용되었는가? 다음으로 만약 의사결정 접근법이 선택되어 적용되었다면, 관리자가 평가에 대해 더 수용적이었을지 덜 수용적이었을지, 평가 결과를 어떻게 다르게 활용했을지 생각해보라. 당신의 답변을 가지고 토의를 진행하라.

5. 당신의 조직이나 학교에서 직면한 주요 문제(예컨대, 학생 교육, 효과적 서비스 제공, 신입 직원 훈련 등)를 한 가지 생각해보라.

a. CIPP 모형을 참고한다면 당신은 문제해결을 위해 어떤 단계를 고려할 것인가? 당신이 생각한 단계를 통해 필요한 잠재적인 정보를 명세화하는 데 도움이 되는가? 그렇다면, 평가가 겨냥해야 할 질문들은 무엇인가?

b. 이제 동일한 문제에 UFE 접근법을 적용해보라. 최초의 의도된 주요 활용자는 누구인가? 그들이 숙고해야 할 의사결정은 무엇인가? 그들이 현재 가지고 있지는 않지만 의사결정을 위해서 필요한 정보는 무엇인가? 평가자는 어떻게 그들과 함께 작업할 수 있는가?

c. 당신의 성과 모니터링 시스템 또는 당신이 정기적으로 수집한 모든 자료는 문제해결에 유용한 정보를 제공하는가? 만약 문제가 지속된다면, 정기적인 자료 수집 시스템에 무엇을 첨가할 것인가?

사례 연구

우리는 이 장에서 의사결정에 관심을 둔 두 개의 인터뷰, 즉 『Evaluation in Action』의 2장 (James Riccio)과 5장(David Fetterman)을 제안한다.

2장에서 Riccio의 주요 보고대상은 복지 프로그램에 대한 의사결정을 하는, 그리고 프로그램의 존속 여부를 결정하기 위해 평가계약을 체결한 캘리포니아 주의회였다. 보고대상인 주의회는 멀리 떨어져 있었지만, Riccio는 주의회의 영향과 함께 어떻게 협력할 것인지에 대해 토의했다. 주의회의 요구는 평가의 본질을 형성했다. 출처는 다음과 같다: Fitzpatrick, J. L. & Riccio, J. A. (1997). A dialogue about an award-winning evaluation of GAIN: A welfare-to-work program. *Evaluation Practice, 18,* 241-252.

5장에서 권한부여 평가(empowerment evaluation)의 개발자인 Fetterman은 스탠포드 대학의 새로운 교육학장인 자신의 의뢰인이 의사결정을 위한 정보를 필요로 했기 때문에, 권한부여 접근법보다는 의사결정 접근법을 활용하기로 선택했다. 선택에 대한 그의 설명은 유용한 읽기자료가 될 것이다. 출처는 다음과 같다: Fitzpatrick, J. L., & Fetterman, D. (2000). The evaluation of the Stanford Teacher Education Program (STEP): A dialogue with David Fetterman. *American Journal of Evaluation, 20,* 240-259.

추천 도서

Patton, M. Q. (2008). *Utilization-focused evaluation* (4th ed.). Thousand Oaks, CA: Sage.

Sanders, J. R. & Sullins, C. (2005). *Evaluating school programs: An educator's guide* (3rd ed.). Thousand Oaks, CA: Corwin.

Stufflebeam, D. L. (2000). The CIPP model for evaluation. In D. L. Stufflebeam, G. F. Madaus, & T. Kelleghan (Eds.), *Evaluation models: Viewpoints on educational and human services evaluation* (2nd ed.), pp. 274-317. Boston: Kluwer.

Stufflebeam, D. L. (2004). The 21st-century CIPP model: Origins, development, and use. In M. Alkin (Ed.), *Evaluation roots: Tracing theorists' views and influences.* Thousand Oaks, CA: Sage.

Wholey, J. S. (2001). Managing for results: Roles for evaluators in a new management era. *American Journal of Evaluation, 22*(4), 343-347.

Wholey, J. S. (2003). Improving performance and accountability: Responding to emerging management challenges. In S. J. Donaldson & M. Scriven (Eds.), *Evaluating social programs and problems* (pp. 43-61). Mahwah, NJ: Lawrence Erlbaum.

8

참여자중심 평가 접근법

핵심 질문

1. 참여자중심 접근법의 주축이 되어온 핵심적 평가이론가들은 누구이며 각기 어떤 기여를 하였는가? 이들의 이론화 작업에 영향을 준 것은 무엇인가?
2. 지금 존재하는 참여자중심 접근법들은 다양하고 서로 차이가 나는데 어떤 측면에서 구분 될 수 있는가?
3. 접근방식에 있어 실용적 참여 평가는 변혁적 참여 평가와 어떻게 다른가?
4. 실용적 참여 평가, 권한부여 평가, 개발평가, 숙의민주주의 평가 접근법을 비교해보라. 목 적과 방법에서 어떤 차이가 있는가? 각 방법을 어떤 평가 상황에서 활용하겠는가?
5. 참여적 평가 접근법들은 실제로 어떻게 사용되는가?
6. 참여자중심 평가 접근법의 주요 강점과 한계점은 무엇인가?

오늘날 참여자중심(participant-oriented) 평가 접근법에는 상당수의 서로 다른 평가모형 이 포함되어 있는데 공통점은 모두 이해관계자, 즉 프로그램에 어떤 식으로든 관여하거나 '이해관계'를 가진 사람들을 평가 과정에 포함시킨다는 것이다. 평가모형마다 다른 목적 을 위해 이해관계자들을 참여시킨다. 즉 이해관계자들이 평가를 더 잘 이해하고 주인의식 을 가지게 하여 평가결과를 더 적극적으로 활용하게 하는 것, 이해관계자에게 힘을 실어 주는 것, 조직의 평가 역량을 개발하는 것, 조직학습을 증진시키고 데이터에 기초한 의사 결정을 하도록 돕는 것 등 주로 목적하는 바가 각기 다르다.

참여자중심 평가 접근법들이 이해관계자들을 관여시키는 방식은 상당히 차이가 난다. 어떤 접근법들에서는 주로 평가의 시작과 끝 단계에 참여시켜 처음에는 평가문제를 결정하는 데 도움을 얻고 후반부에는 결과를 해석하고 권고안을 만드는 데 도움을 얻는 방식으로 활용한다. 평가과정 전반에 걸쳐 적극적으로 이해관계자들을 활용하는 접근법들도 있는데 여기에서는 이해관계자들이 주된 의사결정자 역할을 하고 평가자는 필요에 따른 전문 컨설턴트 역할을 하기도 한다. 이 장에서는 먼저 초기의 참여자중심 접근법들이 어떻게 생성되었는지, 그리고 현재의 평가 접근법에도 지속적으로 영향을 주는 특징은 무엇인지 기술할 것이다. 이어서 오늘날의 참여적 접근법들을 소개하며 그 목적, 원리, 방법을 설명하고자 한다. 마지막으로 각각의 장단점과 함께 어떻게 활용될 수 있는지 논할 것이다.

참여적 접근법의 발전과정

미국에서 처음으로 국회와 정부기관이 평가를 의무화한 이래로 평가 초반기에는 대부분의 평가자들은 프로그램의 목적 및 목표 달성여부를 결정하고 정부의 정책입안자에게 정보를 제공하기 위해서 전통적인 사회과학 연구방법에 의존하였다. 그러나 1967년에 이르러서 몇몇 평가이론가는 기계적이고 무감각한 평가방법들이 교육 분야를 지배하는 현상에 대해 의문을 제기하기 시작하였다. 이 이론가들은 평가자가 목표로부터 시작하여 이를 분류하고 정교한 평가시스템을 고안하며 기술적으로 옹호할 수 있는 객관적 도구를 개발하여 길디긴 기술보고서를 써내는 데 지나치게 매몰됨으로써 자신이 평가하고 있는 프로그램에서 진정 무슨 일이 일어나고 있는가에 대해서는 정작 관심을 두지 못한다고 우려하였다. 전통적인 평가 접근법에 대한 비판자들은 규모가 큰 평가에서 대부분의 평가자가 평가대상 프로그램 실시장소(들)에 단 한 차례도 실제로 가보지 않는다고 지적하였다. 각기 제기했던 비판들이 조금씩 모이며 점점 확대되어 교육 및 사회과학의 평가관련 문헌에 쇄도하게 되었다. 평가현장의 실천가들 역시 점차 평가자가 자신의 수치, 그림, 차트, 표를 통해 나타내고자 의도했던 현상을 진정으로 이해하고 있는지에 대한 의문을 공식적으로 제기하기 시작하였다. 교육 및 인적 자원 서비스 학계에서 점점 더 많은 이들이 프로그램 실시의 일상적 현실이 갖는 복잡성, 그리고 서비스를 제공하는 사람들의 각기 다른 관점이 보여주는 인간적 요소가 대부분의 평가에 빠져있다고 주장하게 되었다.

　이와 같은 비판의 결과로 평가에 대한 새로운 접근법이 나타났는데, 바로 프로그램 활동 및 환경에 대한 경험, 그리고 프로그램 참여자, 종사자, 관리자의 평가 참여를 강조하는 것이다. 이렇듯 일반적으로 다양한 이해관계자들이 평가대상 프로그램에 대하여 갖고 있는 모든(혹은 최대한 많은) 우려, 쟁점, 영향에 대하여 관찰하고 확인하는 것을 목적으로 하는 접근방식이 1970년대 초기 이후로 급속하게 성장하였다.

여타 평가 접근법들의 결점에 대한 대응 차원에서 이루어졌던 이러한 접근법은 현재보다 구체적이고 다양한 접근법들을 포함하고 있지만, 대체로 구성주의 패러다임을 지향하는 것으로 함께 범주화할 수 있다. 즉 지식과 진리에 대한 관점들이 다양하다는 사실, 그러므로 프로그램 자체와 프로그램 평가에 대한 관점도 다양하다는 사실(4장 참조)을 인지하는 것이다. 참여자중심 평가 접근법의 발전 및 활용에 기여해온 사람들은 대부분 자연주의적(naturalistic) 연구방법을 선호하는데 이에 대해서는 이 장의 뒷부분에서 다룰 것이다. 나아가 이 접근법을 옹호하는 이들이 프로그램 참여자, 관리자, 종사자, 여타 주요 이해관계자들을 참여시키는 것을 좋은 평가의 핵심 원칙이라고 여기기 때문에, 이 접근법을 '참여자중심' 접근법이라고 부른다.

참여자중심 평가 접근법의 개발자들과 그들의 공헌

Robert Stake와 반응적 접근법

Robert Stake(1967)는 교육 분야에 참여자중심 평가를 도입한 최초의 평가이론가였다. 「교육평가의 종합실상(The Countenance of Educational Evaluation)」이라는 논문을 통해 참여자의 판단을 파악하고 반영하는 것을 강조함으로써 이후 평가자들의 사고를 획기적으로 변화시켰다. 이후 발달시킨 반응적 평가(Stake, 1973, 1975a, 1975b)와 더불어서 참여자중심 접근법의 발전을 이끌어가는 개념 및 원칙을 제시하는 역할을 하였다. Stake의 초기 저술들을 보면 편협하고 지나치게 객관주의적이고 기계적인 평가 개념이 프로그램 평가 분야를 지배하던 현상에 대하여 점점 더 깊은 우려를 하였음을 알 수 있다. 이어서 Guba(1969)의 「교육평가의 실패」에 대한 논의는 합리주의적 평가 접근법에 대한 대안을 탐색하고자 하는 노력을 더욱 가속화시키는 역할을 하였다.

종합실상 평가. Stake가 전통적인 평가에서 처음으로 벗어난 것은 '종합실상 평가체계(Countenance Framework)'(1967)의 개발에서부터였다. 그는 평가의 두 가지 기본행위는 기술(description)과 판단(judgment)으로, 이 두 가지가 바로 평가의 온전한 모습, 즉 종합실상이라고 보았다. 평가란 평가받는 프로그램이나 대상에 대하여 자세히 기술하고 이에 따라서 그 장점 혹은 가치에 대하여 판단해야 한다. Stake는 평가자의 자료 수집 및 해석을 돕기 위한 평가체계를 제공하였던 것이다.

평가자는 가장 먼저 프로그램의 이론적 근거를 찾아야 하는데 여기에는 프로그램이 충족하려고 의도했던 요구, 그리고 프로그램 개발 시 중점을 두었던 특징이 포함된다. 이 어서 평가의 기술 부분에서는 먼저 프로그램의 선행조건(투입, 자원, 기존 상황), 실행(프로그램 활동 및 과정), 그리고 결과 측면에서 프로그램이 의도하는 바가 무엇인지를 정하는 데 초점을 둔다. 평가자는 각각의 측면을 관찰하여 프로그램을 정밀하게 기술하고, 프로그램의 의도와 실제 프로그램에서의 실행에 대한 관찰결과를 비교한다. 판단 단계에서 평가자는 명확한 기준(준거, 기대, 유사한 프로그램의 수행)을 찾거나 개발하여 프로그램의 선행조건, 실행, 결과에 대한 판단을 내리며 최종적으로 그 각각에 대한 판단을 기록한다. 평가자는 기술 측면에서 의도와 관찰 간의 일치 정도를 분석하며 또한 실행과 선행조건이 결과에, 선행조건이 실행에 어떤 영향을 주는지(일치도)를 파악한다. 그리고 프로그램 기술 자료에 기준을 적용하여 판단을 내린다.

따라서 종합실상 체계는 평가자가 완전한 평가에 필요한 데이터를 꼼꼼하게 생각해볼 수 있는 개념적 틀을 제공한다. 몇 년이 흐른 후 종합실상 평가에 관한 자신의 논문을 재검토하고서 Stake(1991)는 평가를 기술하는 과정을 충분히 강조하지 못했음을 지적하며 차후에 반응적 평가 접근법에서 이 단점을 보완하였다. 사실 이 시기의 프로그램 평가 분야에서 신선하게 여겨졌던 부분은 바로 평가대상에 대한 자세한 기술을 강조하는 것이었다. Stake는 평가자가 결과를 살펴보기 이전에 자신이 평가하고 있는 프로그램의 구체적 세부사항들을 깊이 있고 철저하게 이해할 것을 요구하였던 것이다. 평가자가 프로그램의 선행조건과 과정을 이해할 때 의도했던 결과를 성취했는지 아닌지를 제대로 해석할 수 있을 것이다.

반응적 평가. 1973년에 소개되었던 Stake의 반응적 평가는 더 급진적이었다고 할 수 있다. 반응적 평가는 그 당시에 이루어지던 프로그램 평가의 전반적 경향에 대한 진심어린 우려에서 나온 것이었다. 정기간행물 『New Directions for Evaluation』의 2001년 발행본에서는 반응적 평가의 내용, 영향력, 현재의 적용 및 변형에 대해 다루었는데 Greene과 Abma는 서문에 다음과 같이 적었다.

> Stake는 그 당시 막 싹트기 시작했던 평가 분야에 새로운 비전을 제시하였으며 교육 및 사회 프로그램 평가의 근거를 마련하였다. 이 새로운 비전에서 평가는 완전히 탈바꿈하게 되는데, 프로그램의 '평균적인' 혜택과 효과가 무엇인가를 묻는 먼 곳의 정책입안자들의 질문에 대답하기 위해 정교한 분석기법을 적용하기보다는 현장 종사자들이 자신의 실천행위가 갖는 의미와 질적 수준에 대한 평가에 참여하도록 하는 것이었다. 이 개혁적

인 아이디어는 평가가 현재의 다원적인 모습으로 바뀌는 데 큰 기여를 하였으며 반응적 평가의 다양한 주요원리는 여전히 적용되고 있다(2001, p. 1).

초기 이론에도 이러한 생각의 씨앗이 담겨 있기는 했지만 초기의 종합실상 모형에 비하여 Stake의 이후 반응적 평가에 관한 이론들(1973, 1975b, 1978, 1980)은 덜 형식적이면서 더 다원적이고 과정중심이라 할 수 있다. 무엇보다 융통성, 구체적인 평가 상황에 대한 반응성, 자연스러움이라는 특징을 가진 반응적 평가는 기존의 평가 접근법들과 확연히 다르다. Stake는 "반응적 평가는 무엇인가를 평가할 때 사람들이 자연적으로 하는 것이다. 바로 관찰하고 반응하는 것이다."(1973, p. 1)라고 하며 자신이 새로운 평가 접근법을 제안하는 것이 아니라고 하였다. Stake는 반응적 평가를 평가자의 이러한 자연스러운 행위를 더 향상시키고 집중시키는 방안으로 보았다. Stake는 예정평가[1]에서처럼 프로그램에 대하여 온전하게 이해하기도 전에 미리 예정된 계획과 선입관에 의존하며 프로그램의 공식적 계획이나 목표에 제한된 눈길을 주기보다는 프로그램의 진정한 현실, 그리고 참여자의 반응이나 우려와 쟁점에 반응하는 것이 중요하다고 강조하였다.

Stake는 반응적 평가를 다음과 같이 정의하였다.

> 교육평가에서 프로그램의 의도보다 실제 이루어지는 활동에 더 관심을 쏟는다면, 평가에 관심을 가진 청중이 원하는 정보 요구에 반응한다면, 평가의 성공이나 실패를 보고하는 데 있어서 서로 다른 가치관을 다룬다면 반응적 평가라 할 것이다. (1975a, p. 14)

오늘날의 참여적 접근법들의 선구자 역할을 한 반응적 평가는 기존 평가 접근법과 다음과 같은 여러 측면에서 차이가 난다.

(a) 융통성 있고 변화 가능한 평가방법 및 접근방식, 평가가 진행되는 과정에서 새로이 얻은 사실을 반영한 수정, 반복적이고 개방적인 모형의 사용이 특징이다.

(b) 다원적인 실재와 다원주의의 가치를 인정한다. 프로그램은 각기 다른 사람들이 여러 다양한 방식으로 바라보기에 평가자는 이렇듯 다양한 그림을 그려낼 책임을 가진다.

(c) 일반적 이론을 검증하거나 다른 상황에 일반화하기보다는 지역적(local) 지식, 지역적 이론, 개별 프로그램의 구체성, 미묘한 뉘앙스를 민감하게 전달하는 것이 중

---

1) '예정'평가란 미리 정해놓은 절차에 의존하여 이루어지는 평가를 의미한다. 즉 예정된 계획대로 따르면서 미리 결정된 쟁점이나 사전에 정의해둔 문제를 넘어서거나 벗어나지 않으려는 평가이다.

요하다.

(d) 사례연구와 질적 방법은 한 사례의 특수성을 이해하는 데 있어서 본질적이며 사람들이 사물을 이해하는 자연스러운 방식에 상응하는 방법으로 중요하고 필수적이다.

(e) 평가가 총체적으로 될 수 있도록 노력해야 한다. 즉 프로그램을 축소시키거나 단순화시키지 않고 그 복합성을 온전하게 전해야 한다.

(f) 평가 보고서는 프로그램 묘사와 이해를 강조하며 내러티브 형태로 정보를 풍부하게 제공하는 자연스러운 방식을 따라야 한다.

(g) 평가자가 판단을 내리지만, 평가자의 판단은 평가 정보를 제공받을 사람들과 다를 수 있다. 따라서 평가자의 역할은 학습자이자 교사이다. 즉 다른 이들이 고유한 판단을 내릴 수 있도록 돕는 촉진자의 역할을 한다.

이 평가모형의 반응성과 융통성은 Stake(1975b)가 반응적 평가에서 반복적으로 순환되는 주요 평가활동을 설명하기 위해 구조화했던 시계 개념(그림 8.1 참조)에 잘 반영되어 있다. 평가자들은 전형적으로 12시 방향에서 평가를 시작하여 시계방향으로 이동하지만 Stake는 어떤 평가활동이든 다른 그 어떤 평가활동 다음에도 올 수 있으며 평가자는 프로그램 이해에 도움이 된다면 언제든 시계 반대 방향이나 건너편으로 진행할 수도 있

의뢰인, 프로그램 종사자,
청중과 협의하기

공식적 보고서
구성하기

프로그램 범위
확인하기

청중이 활용할 만한 것을
걸러내어 적절하게 변환하기

프로그램 활동
검토하기

타당화하기, 확증하기,
반증 시도하기

목적 및 우려사항
파악하기

주요한 주제 파악하기, 프로그램
기술하기, 사례연구 준비하기

쟁점 및 문제점
개념화하기

선행조건, 교류활동,
성취결과 관찰하기

쟁점을 바탕으로
평가자료 요구 확인하기

관찰자, 판정자, 그리고
필요한 경우 도구 선정하기

그림 8.1 반응적 평가의 주요 평가활동

출처: R. E. Stake (1975b), 「프로그램 평가: 반응적 평가를 중심으로」, Kalamazoo, MI: Western Michigan University Evaluation Center. 허락하에 사용함.

음을 강조했다. 더 나아가 많은 평가활동이 동시적으로 이루어질 수 있으며 어떤 활동들은 평가가 실시되는 동안 여러 차례 이루어질 수도 있다.

Stake(1975b)는 몇몇 평가에서 평가자들이 사용한 시간 비율을 분석하였는데 이는 반응적 평가와 예정평가 접근법의 차이점을 잘 비교해준다.

	예정평가(%)	반응적 평가(%)
쟁점 및 목표 확인	10	10
도구 준비	30	15
프로그램 관찰	5	30
검사 실시	10	—
판단 수집	—	15
의뢰인 등의 요구 파악	—	5
공식적 평가자료 처리	25	5
비공식적 보고서 작성	—	10
공식적 보고서 작성	20	10

이러한 비교에서 드러나는 전통적인 사회과학 기반 평가와 반응적 평가의 결정적인 차이점은 예정평가에서는 평가자가 도구를 선별 또는 개발하고 데이터를 분석하는 데 보내는 시간이 훨씬 더 많다는 것이다. 사실 Stake는 이것이 예정평가자들의 두 가지 주요 활동이라고 요약한 바 있다. 이와 대조적으로 반응적 평가자의 주요 활동은 프로그램을 관찰하고 실제로 프로그램에서 어떤 일이 이루어지고 있는지를 자세하게 파악하는 것이다. 또한 반응적 평가자는 예정평가자에 비하여 프로그램에 대한 다른 이들의 판단을 수렴하고 의뢰인의 요구를 파악하며 비공식적 보고서를 준비하는 데 더 많은 시간을 보낼 것이다.

Stake는 반응적 평가자의 역할을 다음과 같이 잘 묘사하고 있다.

반응적 평가에서 평가자는 물론 다음과 같은 다양한 일을 수행한다. 관찰 및 협의 계획을 수립한다. 다양한 사람들이 프로그램을 관찰하도록 준비한다. 이들의 도움으로 간단한 내러티브, 설명적 기술, 결과물 전시, 그래프 등을 준비한다. 청중에게 어떤 것이 가치 있는지를 찾아낸다. 관점이 서로 다른 여러 사람들로부터 가치에 관련된 의견을 수집한다. 권한을 갖고 있는 책임자로부터 자신이 알아낸 다양한 평가결과의 중요성에 대한 의견을 구한다. 평가 보고서를 읽는 사람들로부터 평가결과의 적절성에 대한 의견을 얻는다. 이러한 일 대부분을 비공식적이고 반복적으로 하며 행한 바와 반응에 대해 세밀하게 기록해둔다. 자신의 청중들이 쉽게 접근할 수 있는 매체를 선택하여 소통의 기회를 늘리고 더 충실하게 전달한다. 최종 보고서를 문서형태로 작성할 수도 있고 그렇지 않을 수도 있는데 이는 평가자와 의뢰인의 사전 협의사항에 따라 이루어진다. (1975b, p. 11)

역할 및 논평. 이렇듯 더 융통성 있게 프로그램의 상황이나 이해관계자의 요구에 따라 적합하게 수정되는 Stake의 반응적 평가모형은 프로그램 평가 분야에 완전히 새로운 접근법을 도입하는 것이었다. 이는 깊이 있는 묘사와 개별 프로그램의 지역적/구체적 쟁점 이해에 강조점을 두는 것이었다. Will Shadish는 프로그램 평가의 기초에 관한 저명한 저서(Shadish, Cook, & Leviton, 1991)에서 Stake의 업적을 개관하면서 Stake가 사례연구법을 옹호한 것이 철학적 혹은 패러다임 선호(Shadish & Miller, 2003)에서 나온 것이 아님을 깨달았다. Shadish는 그 이유가 "보다 정치적이며 지역 수준에서 사람들에게 통제권을 주고 권한을 부여하는 측면"(2003, p. 268)에 있다고 지적하였다. Stake 스스로도 Shadish가 관찰한 바에 동의하였는데, 즉 Tineke Abma와의 인터뷰에서 "저는 대중의 의견 대변자이자 지역주의자입니다. 중앙정부의 권한집중이나 통제에 대해 우려합니다. (중략) 저는 정부의 선, 삶의 선, 교육제도의 선이란 상황에 따라 상당히 다를 수 있다고 생각하는 상황주의자입니다."(Abma & Stake, 2001, pp. 10-11)라고 말한 바 있다. 오늘날의 참여적 접근법들은 지역성의 강조라는 전통을 유지하고 있지만 소외되어 온 이해관계자들에게 권한을 부여해주는 데 더 큰 관심을 가지며 정치적 측면을 더 공공연하게 강조한다. 이러한 접근법들에 대해서는 이 장의 후반부에서 논할 것이다. 여기에서는 Stake의 반응적 평가모형과 사례연구에 대한 강조가 그 당시로서는 프로그램 평가에서 새로운 시도였으며 지금까지도 평가의 발전에 영향을 미치고 있다는 것을 언급하는 것으로 충분하리라 생각된다.

Shadish, Cook과 Leviton(1991)은 Stake가 지역성의 중시, 반정부적 접근, 반(anti)일반화 접근이라는 점에서 초창기 평가이론가들 가운데 "진정 독보적"이라고 평가했지만 그의 접근방식과 업적에 대해 비판자가 없는 것은 아니다. 비판자들은 지역의 관계자들이 평가대상인 프로그램을 개발했으며 이에 따라서 상당한 이해관계를 가지기에 프로그램을 극적이고 대폭적인 방식으로(자신들이 종전에 거부했거나 고려하지 않았던 방식으로) 변화시키는 데 평가 정보를 활용할 것이라는 Stake의 가정에 의문을 제기한다.

또 다른 비판은 평가자의 주된 역할에 관한 것이다. 반응적 접근법은 특히 프로그램의 의사결정 과정에서 제대로 목소리를 내지 못해왔던 소외된 이해관계 집단들을 적극적으로 포함시키는 것을 지지하지 않는다는 측면에서 이 장에서 기술하는 일부 참여적 접근법들과 차이가 난다. 이 장에서 다룰 숙의민주주의 평가 접근법을 제안한 House(2001)는 반응적 평가는 사회정의나 이해관계 집단 간의 불평등을 제대로 다루지 않기 때문에 오늘날의 관점으로는 참여적 평가라 할 수 없다고 지적하고 있다. 반응적 평가에서는 평가를 수행하는 데 이해관계자들을 포함시키지 않으며, 평가자가 확고하게 평가 전반을 통제한다. 물론 반응적 평가자가 다양한 이해관계자들의 관점을 알아보고자 하며 프로그램의 복합성과 다원적 관점을 그려내고자 한다는 측면에서는 참여적 평가이다. 이 접근법은 그 당시에 보편적이던 결과중심 접근법들과 차별화된다. 그러나 오늘날의 상당수 참여 모형들처럼 의사결정이나 평가라는 행위에 이해관계자를 포함시키지는 않는다는 측면에서는 참여적이지 않다. 이 측면을 명료하게 하고자 최근 Stake는 다음과 같이 말하였다.

> 나로서는 그들[이해관계자들]에게 얼마나 의존하는지와 상관없이 프로그램 평가에서 통제의 소재는 프로그램 외부에[즉 평가자에게] 머물러야 한다고 생각한다. 평가문제를 함께 정해야 한다는 데 동의하지 않는다. 반응적이라는 것이 자동적으로 이해관계자에게 평가 설계의 권한을 넘겨주는 것을 의미하는 것은 아니다. 상황, 문제, 가치를 제대로 이해하고 평가전문가의 역량과 학문적 전문성을 활용하여 평가연구를 수행하는 것을 의미한다. 내 생각은 평가연구란 평가자에게 귀속되어야 한다는 것이다. (Abma & Stake, 2001, p. 9)

종합하건대 Stake의 종합실상 모형 및 반응적 접근법은 평가 분야를 극적으로 변화시켰으며 오늘날의 참여자중심 모형으로의 문을 열었다고 평가할 수 있다. 독자들이 알게 되겠지만 이러한 모형들은 중요한 측면에서 반응적 접근법과 차이가 나는데 이해관계자들을 평가에 참여시키는 방식, 그리고 사회정의나 체제변화라는 목적 측면에서 다르다. 그렇다면 역사적 의미에서 Stake가 이러한 평가모형의 선조라 할 수 있을 것인가? 기존 모형들을 근본적으로 뒤집었으며 완전히 다른 방법들을 도입하였기 때문에 그렇다고 할 수 있다. 다양한 이해관계자들의 관점을 파악하고 이러한 관점에 정당성을 부여해주는 것은 분명 새로운 것이었다. 지역성과 구체성을 강조하여 선행조건과 과정을 알고자 하였으며 이를 위해 질적 방법을 사용한 것도 엄청난 변화로, 평가자들이 점차적으로 이해관계자 참여 방법과 평가의 목적을 고려하도록 이끌었다고 볼 수 있다.

Egon Guba와 Ynonna Lincoln의 자연주의적 평가 및 제4세대 평가

1980년대에 Egon Guba와 Ynonna Lincoln은 평가에 지대한 영향을 미친 두 권의 저서, 바로 『자연주의적 연구(Naturalistic Inquiry)』(1985)와 『제4세대 평가(Fourth-Generation

Evaluation)』(1989)를 출간하였다. Stake와 마찬가지로 이들의 원래 의도는 평가가 전통적인 양적 자료 수집 방법을 강조하던 데서 벗어나 면담, 관찰, 사례연구 등의 질적, 자연주의적 방법을 고려하도록 하는 것이었다. 그러나 이들이 자연주의적 평가를 개발하면서 강조한 것은 Stake에 비해 훨씬 더 철학적, 인식론적인 특성을 갖고 있다. Guba, 그리고 이후에 함께한 Lincoln은 평가의 구성주의적 패러다임을 대중화하였다. 이들은 다원적 실재(multiple realities)를 강조하였으며 평가자가 다양한 이해관계자의 관점과 의견을 수렴함으로써 이러한 실재를 구성해야 할 필요성에 초점을 맞추었다.

　　Guba와 Lincoln은 평가자들이 구성주의 패러다임과 평가에의 적용에 대하여 철학적으로 사고하도록 하는 데 지대한 영향을 미쳤다. 이들은 자연주의 혹은 구성주의 평가의 질적 수준을 판단하는 새로운 준거를 개발하였는데 일부는 유사하지만 전통적인 과학준거인 내적 타당도, 외적 타당도, 신뢰도, 객관성에 대한 대안으로 평가받는다. 이들이 제시한 준거에는 신빙성(credibility), 전이성(transferability), 신뢰성(dependability), 확증성(confirmability)이 포함되었다. 또한 새로운 준거로 다양한 유형의 진솔성(authenticity)을 제안하였는데 이는 실증주의나 후기실증주의 패러다임과 확연히 다른 것으로, 독특하게 구성주의 패러다임에 기초한 기준을 연구 및 평가의 질적 수준 판단에 도입하는 것이다. 연구의 진솔성이란 공평성(연구대상과 관련된 다양한 관점과 가치체계를 골고루 나타내는 정도)과 함께 이해관계자들이 주요 쟁점을 더 잘 인식하도록 해주고 다른 이해관계자의 관점을 알려주고 행동으로 옮길 수 있도록 돕는 정도를 의미한다. 이들이 저술활동을 통해 자세하게 풀어낸 이러한 아이디어들은 평가자들로 하여금 평가가 잘 실시되었는지를 판단하는 대안적 방법을 고려하게 했을 뿐만 아니라 이해관계자 간의 대화와 실천 촉진 등을 포함하여 자신이 하는 일의 목적을 더 폭넓게 생각하게 해주었다.

자연주의적 평가. Guba와 Lincoln의 자연주의적 평가란 무엇인가? Guba와 Lincoln에 따르면 평가의 주된 역할은 구성원들의 가치를 반영하는 다양한 관점들을 고려하는 방식으로 정보요구에 부응하는 것이다. 평가에 자연주의적 접근법을 적용함으로써 평가자는 프로그램 활동을 상황 속에서, 즉 제한하거나 조작하거나 통제하지 않고 자연스럽게 이루어지는 그대로를 연구하게 된다. 자연주의적 평가방법은 평가자에게 학습자의 역할을, 그리고 평가대상자에게 평가자를 가르치는 정보제공자의 역할을 부여한다. 주된 관점은 정보제공자의 관점이다. 왜냐하면 평가자는 이들의 관점을 배우고 이들이 자신의 세계를 기술하는 데 사용하는 개념을 학습하며 그 개념에 대한 이들의 정의를 사용하고 이들의 일상이론(folk theory)에 근거한 설명을 익혀서 그 세계를 다시 해석해 냄으로써 평가자와 다른 이들이 이해할 수 있도록 하기 때문이다.

자연주의적 접근법과 그 혜택에 대하여 가장 잘 설명한 사람은 평가자가 아닌 작가 Elspeth Huxley일 것 같다. 『티카의 불꽃 나무들(The flame tress of Thika)』에서 다음과 같이 명석하게 지적하였다.

> 무엇인가에 대해 알아낼 수 있는 가장 좋은 방법은 질문을 전혀 하지 않는 것이다. 질문을 쏟아내는 것은 총을 쏘는 것과 같다. '탕' 하면 모든 것이 도망쳐서 숨을 곳을 찾게 된다. 반면 조용하게 앉아서 안 보는 척하고 있으면 모든 작은 사실들이 다가와 당신의 발주변을 두드릴 것이며, 그러면 가장 알기 힘든 자욱한 곳까지 상황이 펼쳐지면서 숨은 의도들이 살금살금 나와 스스로를 드러낼 것이다. 당신이 큰 인내심을 가지고 있다면 총을 가진 자보다 훨씬 더 많은 것을 보고 이해하게 될 것이다. (1982, p. 272)

자연주의적 평가자는 Huxley처럼 프로그램과 그 속에서 이루어지는 행위, 참여자와 관리자를 자연스러운 환경 속에서 관찰하며 관찰, 기록물, 면담, 비강제적 방법 등을 통해 프로그램을 이해하고 기술하게 된다.

이해관계자의 참여. Guba와 Lincoln의 평가 접근법은 또한 평가자들로 하여금 참여적인 접근법들을 더 적극적으로 고려해 보도록 마음을 움직였다. Stake와 마찬가지로 Guba와 Lincoln은 이해관계자들이 바라보는 다원적인 현실을 평가에 반영해야 한다고 생각했지만, Stake의 반응적 평가보다 더 적극적인 역할을 이해관계자들에게 주어야 한다고 주장하였다. 이들은 평가자의 역할이란 다양한 이해관계자의 관점과 가치를 파악한 후, 중재자로서 이해관계자들과 협력하면서 프로그램에 관하여 서로 알려주고 다음 실천 단계를 정하는 것이라고 보았다. 자신들의 저서 『제4세대 평가』에서 언급했던 평가의 처음 세 세대에서처럼 평가자는 더 이상 단순히 측정, 기술, 혹은 판단하는 데 그치는 것이 아니라는 것이다. 즉 제4세대 평가는 다양한 관점을 가진 이해관계자들이 합의에 이를 수 있도록, 그리고 다음 단계나 우선순위를 결정할 수 있도록 협상하게끔 돕는 중재 역할을 포함하였다. Greene은 "협상으로서의 평가를 강조함으로써 Guba와 Lincoln은 가치중립성이나 가치다원성을 주장하던 대부분의 기존 평가이론과 대조적으로 평가가 가치를 의식하며 해방시키는 실제라고 자리매김하였다."(2008, p. 323)라고 적은 바 있다.

2004년, Lincoln과 Guba는 1980년대 자신들의 저술활동 이후로 평가가 얼마나 많이 바뀌었는지에 주목하면서 "우리가 모형, 일련의 실제 및 담론, 혹은 이론적 관점으로서의 평가에 대하여 더 확장하여 기술했던 이후로 프로그램 평가의 세계는 훨씬 더 복잡하고 훨씬 더 정교해졌다(또한 더 많은 사람들이 관계하고 있다)."(2004, p. 226)라고 하였다. 자신들의 이론이 오늘날의 참여적 평가 접근법들이나 저서 일부에 어떤 영향을 주었는지도 목격하였다. Stake의 반응적 평가는 평가자들에게 질적 접근법과 이해관계자의 관점 이해의 중요성에 대하여 소개하였다. Guba와 Lincoln의 자연주의적 평가와 제4세대 평가는 자연주의적 연구에 대한 인식론적 기초를 제공했을 뿐만 아니라 Stake와 달리 이해관계자에게 더 적극적인 역할을 부여하는 동시에 평가자에게는 덜 중립적인 역할을 주어, 평가자가 이해관계자들을 위해 행동하도록 하였다. 이는 현대의 참여적 평가모형 상당수에 반영되어 있다.

독자들에게 참여적 평가의 창시자들에 대하여 간략하게나마 소개하였기에 이제 오늘날 떠오르고 있는 참여적 접근법들을 소개하고자 한다. 현재의 접근법들은 Stake의 모형과 Guba와 Lincoln의 모형에서 관찰되는 유사점과 차이점을 그대로 반복하고 있다.

참여적 평가의 현재: 두 가지 큰 흐름과 다양한 접근법

오늘날의 참여적 평가 접근법의 대부분은 1970년대와 1980년대의 Stake, 그리고 Guba와 Lincoln의 저서 및 활동으로부터 진화해왔다. 사실상 매우 다양한 접근법들이 존재하여 여기서 모두 제시하기란 불가능하다. 대신에 수많은 모형을 범주화할 수 있는 방법을 설명하고 이어서 더 잘 알려진 모형들을 중심으로 현재의 참여적 접근법들 간의 차이점과 공통점을 이해할 수 있도록 기술하고자 한다.

그 전에 먼저 오늘날 사용되는 방식으로 참여적 평가를 정의하고자 한다. 『평가 전문 사전(Encyclopedia of Evaluation)』에서 Jean King은 참여적 평가를 "평가연구를 계획하고 실행하는 데 관련된 의사결정이나 여타 활동에 프로그램 종사자나 참여자를 참여시키는 모든 평가 접근법을 아우르는 용어"(2005, p. 291)라고 정의하였다. Cousins와 Earl은 참여적 평가의 이론적 기초 및 실제와 관련된 주요 저서에서 참여적 평가를 "훈련된 실천 중심 의사결정자, 프로그램 운영을 책임지는 조직구성원, 또는 프로그램에 중요한 이해관계를 가진 사람들 간의 협력관계를 포함하는 응용사회과학 연구"(1992, p. 399)라고 정의하였다. 이러한 정의들은 상당히 광범위하여, Cullen(2009)을 비롯한 여러 이론가들(Cousins & Whitmore, 1998; O' Sullivan & D' Agostino, 2002)은 이 용어의 의미가 명확하지 않고 협력적 평가(collaborative evaluation)[2] 등의 용어와 혼동된다고 지적하였다. 국제개발 분야의 평가실제를 연구한 Cullen은 여러 나라의 평가자들을 설문조사하고 면담한 결과 이 용어가 다양한 의미로 받아들여지고 있음을 발견하였다. King 역시 이러한 문제점을 인정하였지만 참여적 접근법은 다음과 같은 네 가지 특징으로 차별화된다고 주장하였다.

1. 평가 계획 및 실시에 있어서 참여자는 직접적, 능동적, 지속적으로 관여한다. 이해관계자에 기초하거나 수혜자 중심이며 "평가 과정을 민주화하는 방법의 하나"이다.
2. 참여자가 주인의식을 가지게 되어 평가결과를 활용할 가능성을 증가시킨다.
3. 전문평가자는 기술적 지원을 제공하며 "파트너, 촉진자, 코치, 즉 교사 혹은 컨설턴트"의 역할을 한다.
4. 한 개인 혹은 기관의 평가 능력, 평가과정 지식, 실제 평가기술이 증가하게 된다. (King, 2005, p. 291)

더 나아가, King은 참여적 평가에 대하여 흔히 잘못 이해하고 있는 두 가지를 지적하였다. 즉 (a) 단순히 프로그램 종사자나 참여자를 대상으로 평가 자료를 수집하는 것을 포함하여 이들을 참여시키기만 하면 참여적 평가가 된다는 믿음과 (b) 질적 방법을 사용하는 평가는 모두 참여적 평가라는 생각이 팽배하다는 것이다. 이러한 혼동은 부분적으로는 Stake나 Guba와 Lincoln이 질적 방법과 참여적 접근법을 함께 사용했던 데 기인한다. 사실 참여적 접근법을 선호하는 평가자들은 질적 자료의 이점을 잘 인식하고 있다. 그러나 질적 자료를 수집할지 양적 자료를 수집할지 또는 다양한 유형의 자료를 혼합할지는 방법론적인 결정이다. 평가에 대한 접근 자체에 대한 결정, 즉 평가의 계획과 실행을 안내해주는 원칙은 아니라는 것이다. King은 질적 자료를 수집하는 평가자들이 종종 자료 수집을 위한 면담이나 관찰 과정에서 이해관계자와 상호작용한다고 하였다. 그러나 다음과 같이 강조한다.

참여적 평가를 규정하는 것은 이러한 직접적 대면은 아니다. (중략) 어떤 평가가 참여적인지 아닌지를 결정하는 것은 그들[평가자와 이해관계자] 간의 관계가 가지는 속성이다. 평가자가 사용하는 자료 수집 방법이나 현장에서 보내는 시간에 관계없이 평가에 관

---

2) Cousins와 Whitmore(1998)를 비롯한 일부 평가자들은 참여적 평가를 포함하는 포괄적 용어로 협력적 평가라는 용어를 사용하고 한다. 반면 Rodriguez-Campos(2005)는 협력적 평가가 상이한 접근법이라고 제안하며 이에 관한 책을 저술한 바 있다. Cullen(2009)은 이 접근법이 실용적 참여 평가와 겹치는 부분이 있다고 주장한다. 이러한 관점 차이는 접근법들의 다양성을 반영하는 것이다. 각 이론가별로 크든 작든 고유한 생각을 더하고 있으며 평가자들은 이러한 다양성을 유용하게 활용할 수 있을 것이다.

련된 의사결정을 완전히 통제한다면 이는 참여적 평가가 아니다. (2005, p. 292)

참여적 접근법의 범주

참여적 접근법이 큰 호응을 얻게 됨에 따라 Bradley Cousins를 필두로 한 평가자들은 이 접근법들 간의 차이를 구분할 수 있는 특징 혹은 차원을 찾기 시작하였다. Cousins, Dono-hue 및 Bloom(1996)은 참여적 접근법들이 차이를 보이는 세 차원을 제시하였다.

1. **평가 혹은 기술적 의사결정 과정에 대한 통제권:** 평가자가 유일한 혹은 주된 통제권을 가지는가? 아니면 연속선의 다른 극단에서 이해관계자들이 평가실시에 대한 주된 통제권을 가지고 평가자는 기술적 조언을 제공하는가?
2. **이해관계자 선정:** 참여과정에 포함되는 이해관계자들은 얼마나 광범위하고 다양한가? 평가 재정지원자와 같은 주된 사용자나 일부 선택된 수혜자나 관리자만이 포함되는가? 아니면 모든 정당한 이해관계 집단을 모두 포함하여 참여시키는가?
3. **참여의 깊이:** 어떤 방식으로 이해관계자들이 평가에 참여하는가? 모든 국면에 참여하는가, 아니면 일부 기술이 필요 없는 쟁점에 대한 투입으로 참여가 제한되어 있는가?

이어서 Cousins와 Whitmore(1998)는 이러한 차원을 사용하여 평가 및 실행연구[3]에 대한 열 가지 참여적 접근법을 분석하고 범주화하였으며 이는 널리 인용되고 있다. 이들이 개관한 접근법에는 잘 알려진 참여적 평가 접근법들도 포함되어 있는데, 자신들의 실용적 참여 평가(Cousins & Earl, 1992, 1995), Mark와 Shotland의 관계자기반 평가(1985), Patton의 개발평가(1994, 2010), Fetterman의 권한부여 평가(1994, 1996, 2001a, 2005)를 비롯하여 몇 가지 실행연구 유형이 있었다. 이들은 각 접근법을 세 차원, 즉 평가에 대한 통제권, 참여할 이해관계자의 선정, 이들이 참여한 깊이 측면에서 분석하였다. Cousins와 Whitmore는 문헌에서 논의되는 참여적 혹은 협력적 평가에 대한 오늘날의 접근법들을 비교하고 대조하도록 도와주는 각 차원별로 다양성이 있음을 발견하였다. 우리는 이들의 분석을 활용하여 독자들이 오늘날의 참여적 평가의 유형 및 특징을 익히도록 돕고자 한다.

---

3) 실행연구는 평가보다 앞서 참여자 혹은 이해관계자가 연구를 수행하는 것을 강조하였다. 사실상 대부분의 실행연구의 목적은 현장전문가들이 자신의 실제를 향상시키도록 스스로 연구를 수행할 수 있는 모형과 도구를 제공하는 것이다.

첫째, Cousins와 Whitmore는 현대의 참여적 접근법을 크게 두 가지 유형으로 좁힐 수 있다고 하였다. 바로 실용적 참여 평가(Practical Participatory Evaluation, P-PE)와 변혁적 참여 평가(Transformative Participatory Evaluation, T-PE)로 좁혀진다는 것이다. 이 두 가지 흐름은 서로 다른 역사, 목적, 방법을 갖고 있다. 실용적 참여 평가는 그 이름에서 풍기듯이 평가되는 프로그램과 기관에 제한되는 실용적인 이유로 사용된다. 구체적으로 이러한 참여적 접근법들은 결과의 유용성을 높이기 위해 평가에 이해관계자들을 참여시킨다. 이들은 "P-PE의 핵심 전제는 이해관계자의 평가참여가 평가의 적절성, 주인의식, 궁극적으로 활용을 증진시킨다."(1998, p. 6)라고 적고 있다. P-PE가 주로 미국 및 캐나다에서 발전한 반면 T-PE는 중남미, 인도, 아프리카와 같은 개발도상국에서 먼저 나왔으며, P-PE와는 달리 공동체 및 국제 개발, 성인교육 분야에서 부각되었다(Fals-Borda & Anisur-Rahman, 1991; Freire, 1982; Hall, 1982). 변혁적 평가의 목적은 사실상 실행연구나 평가에의 참여를 통해 변혁하는 것, 상대적으로 힘없는 이해관계자에게 힘을 실어주는 것이다. 이러한 참여는 자신에 대한 지식과 기능을 비롯하여 자신의 프로그램과 지역성에 관련된 권력구조에 대한 이해를 가능하게 해준다. 변혁적 평가는 특정 프로그램의 평가에 관계하는 동시에 사회변화를 불러일으키고자 하는 의도를 갖고 있다. 즉 평가대상 프로그램보다 더 광범위한 목적을 가지며 명백하게 정치적이다. 이러한 접근법들은 대부분 실행연구에서 발전한 것으로 권력구조를 변화시키는 것, 억압받는 사람들, 특히 개발도상국의 시골지역에 거주하는 이들에게 권한을 부여하는 것, 가난을 줄이는 것을 목적으로 한다. 오늘날 변혁적 평가 접근법은 미국의 대학관련 연구에서도 찾아볼 수 있다(Mertens, 1999, 2001, 2008).

변혁적 평가는 목적뿐만 아니라 방법에서도 P-PE와 구분된다. 변혁 목적을 달성하기 위해 변혁적 평가자는 평가에 대한 통제를 이해관계자들, 특히 힘없는 이들의 손에 넘겨주고 컨설턴트의 역할을 한다. 이러한 이해관계자들이 평가의 방향을 정하고 주도함으로써 참여를 통해 더 큰 지식, 기술, 권력을 얻게 될 것이다. 그러나 연구 및 평가에 익숙하지 않은 집단에게 책임을 넘기는 것은 결과의 타당도에 대한 우려를 자아낼 수 있다. 변혁적 평가의 옹호자들은 책임의 이양과 여기서 획득되는 기술이 연구의 타당도보다 더 중요한 성과라고 주장하지만 이들 역시 지역 상황을 가장 잘 아는 이해관계자들을 참여시킴으로써 평가의 타당도를 높일 수 있다고 주장한다.

참여적 접근법들 간 차이점
여기서는 독자들이 오늘날의 참여적 접근법들을 구분할 수 있도록 돕고자 한다. 따라서

표 8.1 Cousins와 Whitmore의 열 가지 유형 및 접근법의 특징에 대한 체계적 탐구 요약

차원	각 범주에 속하는 유형 및 접근법의 수		
평가과정에 대한 통제권	평가자 1	협력관계 5	이해관계자 4
이해관계자 선정	제한적 4	0	다수/모두 6
참여의 깊이	자문 2	중간수준 1	깊이 있는 참여 7

Cousins와 Whitmore의 열 가지 모형분석으로 돌아가 그들의 세 차원, 즉 평가의 통제권, 참여할 이해관계자 선정, 참여의 깊이를 활용하고자 한다. 표 8.1에 이들이 개관했던 열 가지 접근법에 대해 알아낸 점을 요약하였다. 평가에 대한 통제권에서는 절반의 접근법들이 평가자와 이해관계자 간의 균형을 추구하였다. 여기에는 Cousins와 Earl의 실용적 참여 평가와 Patton의 개발평가가 포함된다. 단지 하나의 접근법, 즉 Mark와 Shotland의 관계자기반 평가만이 전통적으로 평가자가 의사결정을 통제한다. 이 접근법은 Stake의 반응적 평가와 가장 유사하며 사실상 평가자들을 연구해보면 이 접근법의 변형이 미국과 캐나다(Cousins, Donohue, & Bloom, 1996)에서, 그리고 국제적 개발평가(Cullen, 2009)에서 가장 일반적으로 사용되는 참여적 평가이다. 반면 네 접근법은 연속성의 다른 편 끝에 위치하는데, 이 접근법들에서는 이해관계자들이 평가에 관련된 의사결정을 지배한다. 이 중 하나가 T-PE라는 사실은 놀랍지 않은데, 주로 개발도상국에서 사용된다. David Fetterman의 권한부여 평가는 이해관계자에게 권한 통제를 넘기는 유일한 다른 평가 접근법이며, 나머지 둘은 평가 접근법이라기보다는 실행연구 접근법(해방적 실행연구로 Carr & Kemmis[1992]와 McTaggart[1991]) 혹은 협력적 연구(Heron, 1981; Reason, 1994)이다.

분석된 열 가지 접근법들은 이해관계자 선정이라는 연속선상의 위치에서도 다양하다. 세 개의 잘 알려진 평가 접근법인 Cousins와 Earl의 실용적 참여 평가, Fetterman의 권한부여 평가, Patton의 개발평가와 하나의 실행연구 접근법으로 Argyris와 Schöen의 참여적 실행연구는 이해관계자의 참여를 관리자나 정책입안자에 제한시킨다. 또는 Cousins와 Whitmore가 말한 것처럼 "평가결과나 권고사항으로 무엇인가를 할 수 있는 영향력을 가진 잠재적 이용자들과 협력하여"(1998, p. 11) 작업한다. 반면 여섯 가지 접근법들은 다양한 여러 집단을 포함하여 광범위한 이해관계자 참여를 선호한다. 여기에는 빈번하게 활용

되는 관계자기반 평가와 당연히 T-PE가 포함된다. 마지막으로 대부분의 접근법들은 참여하는 이해관계 집단이 단순히 평가문제를 선정하고 결과를 해석하는 것을 넘어서서 깊이 있게 참여하기를 추구한다. 단 하나, 관계자기반 평가는 평가목적과 문제를 찾고 마지막 단계에서 결과를 해석하고 권고사항을 파악하는 것을 돕는 것으로 참여를 제한시킨다. 대부분의 접근법들은 다양한 방식으로 평가의 모든 단계에 이해관계자들을 참여시킨다.

요약하면 Cousins와 Whitmore의 참여적 접근법에 대한 개관을 통해 이러한 접근법들이 평가를 관리하는 방법에 대하여 평가자들에게 조언해주는 바가 상당히 다르다는 사실을 알게 된다. Mark와 Shotland의 관계자기반 평가와 같은 일부 접근법은 평가의 통제권을 평가자의 손에 그대로 남겨둔다. 그렇지만 일정 범위(종종 폭넓은 범위)의 이해관계자들을 참여시켜 다루어야 할 평가문제나 결과 해석 및 권고사항 도출 방법을 고려하게 한다는 측면에서는 참여적이다. Cousins와 Earl의 P-PE, Patton의 개발평가, 참여적 실행연구로 대표되는 접근법들은 평가자와 이해관계자의 통제권이 균형을 맞추도록 한다. 이들은 이해관계자로 관리자와 정책입안자를 주로 포함시키지만 이러한 이해관계자의 참여는 심도 있게 이루어지도록 한다. 보다 변혁적인 접근법들은 연구의 통제권을 다양한 이해관계 집단들에게 넘겨주며 이들은 상당한 깊이의 참여를 하게 된다.

이 모든 접근법들은 이해관계자를 포함하는데, 모형들이 다양하므로 독자들이 참여적 접근법을 추구할 때 선택할 수 있는 대안이나 고려할 쟁점이 더 많아진다. 참여적 평가를 실시하는 데 하나의 정해진 틀은 없다. 그보다는 독자들이 자신이 평가하는 프로그램의 맥락에서 가장 효과적으로 기능할 접근법이나 참여 차원을 선택할 수 있으며 또 그러해야 한다. 변혁적 평가는 개발도상국가, 그리고 프로그램 참여자들이 종종 억압되고 소외되며 심각한 가난 속에서 살고 있는 국가에서 생겨났다. 이러한 상황에서 사회정의가 평가의 주된 고려사항이었으며 지금도 그러하다.[4] Cousins와 Earl은 참여를 적극적으로 추구하고 책임을 공유하지만 평가의 목적이 형성적일 때, 즉 프로그램 향상을 위한 의사결정을 내리고자 할 때는 참여를 관리자, 종사자, 또는 정책입안자에 제한시키는 것이 가장 적절할 수 있다고 주장한다. 그러한 경우 의사결정을 내릴 수 있는 이해관계자를 참여시키는 것이 그들의 정보요구를 충족시키고 신뢰를 얻고 평가의 유용성과 실제 활용도를 높이기 위해 중요하다. 이와 대조적으로 관계자기반 평가에서는 평가자가 통제권을 가지지만 평가의 시작 및 종결 시점의 관심사에 대해 다양하고 많은 이해관계자들의 의견을

---

4) 사회정의에 대한 우려는 선진국에도 마찬가지로 존재한다. 태풍 카타리나에 대한 정부의 대응은 이 문제에 대한 미국 시민의 인식을 고양시킨 바 있다.

얻고자 하는데, 이는 프로그램을 지속시킬지의 여부를 결정하는 것과 같은 총괄평가에 가장 적합할 수 있다. 그렇듯 중요하고 정치적인 결정에는 평가의 초점이나 결과의 해석에 관하여 다양하고 많은 집단들의 생각을 포함시켜야만 한다. 그렇지만 대부분의 총괄평가를 둘러싼 고도의 정치적 상황 속에서 방법론적 선택과 결과에 대한 의문이 제기되지 않도록 평가자가 기술적 측면에 대한 결정을 통제하는 것이 유용하다. 표 8.2는 참여적 평가 접근법들의 목록과 함께 각 접근법이 어떤 상황에서 가장 효과적인지를 보여준다.

표 8.2 참여적 평가 접근법과 상황: 무엇을 언제 사용할 것인가

접근법	주요 요소	적합한 상황
실용적 참여 평가(P-PE) (Cousins와 Earl)	통제의 균형; 이해관계자-관리자, 종사자, 정책입안자; 상당한 참여	형성적 의사결정
개발평가(Patton)	통제의 균형; 이해관계자-팀구성원, 정책입안 자, 관리자; 각 팀 구성원의 참여	개발 활동; 변화하는 환경
변혁적 참여 평가(T-PE)	이해관계자의 통제; 많은 수의 이해관계자; 상당한 참여	참여자가 억압받음; 사회정의가 관심사임; 참여자 권한부여가 목적임
관계자기반 평가 (Stake; Mark & Shotland)	평가자의 통제; 많은 수의 이해관계자; 제한된 참여	총괄적 의사결정; 기술적 전문성과 타당도가 중요; 문제 및 결과에 대한 의견이 연구의 활용도를 높이도록 도움
권한부여 평가 (Fetterman & Wandersman)	이해관계자의 통제; 이해관계자-관리자, 종사자; 상당한 참여	권한부여와 종사자의 역량 구축의 필요성; 자체점검 및 프로그램 향상을 위한 내부 기제 구축의 필요성
숙의민주주의 평가 (House & Howe)*	평가자의 통제; 많은 수의 이해관계자; 제한된 참여	이해관계자들 간의 대화가 필요; 참여자 간의 권력차이로 인해 평가자의 중재가 요구됨

* House와 Howe의 숙의민주주의 평가 접근법은 Cousins와 Whitmore의 분석 이후에 나타난 것이다. 따라서 House와 Howe의 저술에 기초하고 Cousins와 Whitmore의 차원을 활용하여 이 책의 저자들이 평가한 것이다.

참여적 접근법의 예

실용적 참여 평가(P–PE)

Bradley Cousins는 참여적 평가에 대한 저술활동에서 주도적인 역할을 해왔는데, 다양한 접근법을 연구하고 평가실제 및 활용에 대한 실증적 자료를 수집하고 성인교육, 조직학 습, 지식구축, 평가이론 및 실제 등의 다양한 연관분야의 연구결과를 검토하였다. 문헌 및 선행연구에 근거한 Cousins와 Earl의 P-PE 접근법에 대한 글은 "처방은 가볍게, 정당화는 비교적 무겁게"(1992, p. 397) 다루고 있다고 하였다. 자신의 P-PE를 포함하여 Fetterman 의 권한부여 평가, Patton의 개발평가 같은 협력적 접근법들이 프로그램 준거를 설정하는 방법을 기술하면서 이 주제를 보다 최근에 다시 다루었는데(Cousins & Shulha, 2008), P-PE에서의 기준 설정은 주된 이해관계자와 협력하면서 상황에 맞게 발현되는 접근법을 취해야 한다고 강조한다. 다른 말로 Cousins가 주지하고 있으며 강조까지 하듯이 상황에 맞추어 조정해야 하기에 P-PE를 상세하게 기술하기는 힘들다.

Cousins와 Earl(1992)은 처음 평가의 의사결정중심 목적에 초점을 맞추고 다양한 분야 에서의 활용에 관하여 수년간 이루어진 연구에 기초한 P-PE를 활용도를 높이는 방법으로 설명하였다. 이들의 최초 논문은 평가자-현장종사자 연계와 평가활용 간의 관계에 대하여 25개의 평가연구를 개관하고 분석한 것이다. 이러한 평가연구들이나 조직학습에 관련된 연구 및 이론(Argyris & Schöen, 1978; Senge, 1990)에 기초하여, Cousins와 Earl은 다음 과 같은 연구결과를 바탕으로 P-PE 접근법을 개발하였다.

- 평가결과의 활용은 평가자와 주요 이해관계자, 즉 결과에 가장 큰 관심을 가지며 이를 활용할 수 있는 위치에 있는 이해관계자들 간의 소통, 접촉, 협력을 통해 증가 된다.

- 지속적으로 유용한 정보를 제공하기 위해서는 평가자가 특정 연구의 활용에 초점 을 덜 맞추는 대신 조직과 그 맥락에 대한 학습에 초점을 맞추어야 한다(Weiss & Bucuvalas, 1980).

- 지식 혹은 정보는 "사회적으로 구성된다." 즉 지식은 실재에 대한 정확한 내용이 아니라 실재에 대한 각자의 이미지나 해석에 기초한다는 의미이다(Bandura, 1977, 1986).

- 개인과 마찬가지로 조직에서도 고용인들 간에, 그리고 조직문화 내에서 실재에 대 한 각자의 고유한 관점을 펼치는데 이는 조직의 공유된 이미지와 정신모형에 기초

하는 것이다(Argyris & Schöen, 1978; Senge, 1990).

- 평가자는 조직 내부인들과의 연결고리를 만들고 그 이미지와 문화를 알아보기 위해 조직 내에서 시간을 보내고 주된 이해관계자들을 평가의 협력자로 강도 높게 참여시킴으로써 평가결과가 활용될 확률을 높인다. 더 중요한 사실은 평가에 참여하는 주된 이해관계자들이 계속적으로 평가활동 또는 평가적 사고양식을 유지할 수 있다는 것이다.

- 이러한 주요 참여자들을 참여시킴으로써, 즉 핵심 가정에 의문을 제기하고 자료나 정보를 수집하여 무엇이 효과적인지를 결정함으로써 이미지와 관점, 심지어 이러한 이미지와 관점을 구축하는 방식을 변화시켜 조직학습을 증진시킨다.

Cousins와 Earl(1992, 1995)의 P-PE 접근법에서는 평가자가 주요 이해관계자, 프로그램 관리자와 종사자들과 밀접하게 협력하여 평가를 함께 실행한다. 이 접근법은 주요 조직인사에게 평가의 기술을 훈련시키고 이들은 평가자와 협력하여 활동하는 것을 포함한다. 이러한 형태의 조직 역량 구축은 조직학습을 직접적으로 증진시키며 핵심 조직구성원들이 현재 지속되는 프로젝트나 새로운 프로젝트에서 평가를 조정할 수 있도록 준비시킨다. 그렇다면 평가자는 기술적인 문제나 앞으로의 평가활동에 관련된 과제에서 컨설턴트의 역할로 옮겨갈 것이다. 이들은 P-PE 접근법이 프로그램 실행에 도움이 되는 정보를 주고 향상시키는 형성평가에 가장 적합하다고 본다.

전통적인 관계자기반 평가와의 차이점. Cousins와 Earl은 전통적인 관계자기반 평가와 자신들의 실용적 참여 평가를 다음과 같이 대비시켰다.

1. 전통적인 관계자기반 평가에서는 평가자가 평가에 관련된 의사결정을 통제한다. P-PE에서는 평가자가 주요 이해관계자들과 협력관계에서 작업하며 평가에 대한 의사결정권을 공유한다. 이런 방식으로 주요 이해관계자는 평가에 관한 기술과 주인의식을 얻게 되고 평가자는 평가할 프로그램, 그 쟁점과 이해관계, 조직문화에 대하여 더 많이 알게 된다. 조정자(coordinator)로서의 평가자는 기술적 지원, 훈련, 질적 수준을 책임지며, 평가의 실시에 대해서는 공동으로 책임진다.

2. 전통적인 관계자기반 평가에서는 평가자가 모든 관점과 의견을 반영하기 위해 많은 이해관계 집단의 대표자들과 작업한다. P-PE의 경우 평가자는 더 제한된 이해관계 집단, 즉 프로그램을 변화시킬 수 있는 사람들과 함께한다. 이 집단을 Alkin(1991)이 처음 "주요 이해관계자(primary stakeholders)"라고 불렀는데, Alkin은 평가에 관심이 없거나

활용할 수 있는 권한이 없는 많은 이해관계자들보다는 평가에 관심을 갖고 있으며 결과로 무엇인가를 할 수 있는 권한을 가진 사람들과 작업하는 것을 선호한다고 지적하였다. 평가자의 역할을 다양한 이해관계자들의 다원적 실재를 묘사하는 것으로 보았던 Stake와는 달리 Cousins와 Earl, Alkin은 평가를 활용할 잠재력을 가진 이해관계자를 선정한다.

3. 전통적인 관계자기반 평가에서는 많은 이해관계자들이 상대적으로 제한된 영향을 평가에 주는데, 대체로 평가목적을 비롯하여 다루게 될 평가문제를 정하고 프로그램에 대한 관점을 제시한다. P-PE에서는 이보다 적은 수의 주요 참여자들이 평가의 모든 단계에 깊이 있게 참여한다. 이렇듯 심층적인 참여는 이들의 주인의식과 평가에 대한 이해를 고양시킬 뿐만 아니라 이후에 평가적 사고양식이나 방법을 사용할 수 있는 능력을 높이기 위한 것이다. 일부 단계에서만 이해관계자가 부분적으로 참여하는 것은 이러한 목적을 달성하지 못할 것이다.

P-PE는 평가의 활용도를 높이기 위해 고안된 것이다. 따라서 주목적은 T-PE처럼 정치적인 것이 아니라 실용적인 것이다. Cousins와 Earl의 접근법은 참여자에게 힘을 실어주거나 권력분배 구조를 변하게 하기 위한 것이 아니다. 조직학습과 변화를 장려하고자 한다. 즉시적인 목적은 실용적인 것, 즉 해당 평가의 유용성과 실제 활용성을 증가시키는 것이지만 장기적 목적은 역량구축(기존 직원이나 관리자에게 평가기술을 제공하는 것), 그리고 프로그램 계획 및 향상에 평가 정보를 활용하는 조직문화 조성에 있다. Cousins와 Earl은 이 접근법이 총괄평가에는 그다지 유용하지 않음을 인정한다. 객관성에 대한 상당한 우려가 예상되며, 주요 이해관계자들(프로그램을 책임지는 사람)에게 평가참여자 역할을 제공하는 것이 그러한 상황에서는 문제시될 것이다. 또한 총괄평가에서는 더 정치적인 의사결정을 내리기 위하여 많은 수의 이해관계자들을 참여시키는 것이 종종 필수적이다.

개발평가

Michael Patton은 활용중심 평가(utilization-focused evaluation, UFE)로 잘 알려져 있으며 현재 저서(Patton, 2008a)가 4판에 이르렀다. 그는 최근에는 개발평가(developmental evaluation)에 대해 저술하고 있는데, 이를 활용중심 평가의 한 유형 혹은 선택지로 보고 있다. 개발평가가 다른 모형들과 상당히 다르기는 하지만 참여라는 구심점이 있기에 여기서 다루고자 한다. 이 접근법은 조직, 참여, 평가에 대한 우리의 경험이 변화함에 따라, 그리고 조직의 본질이 변화함에 따라 참여적 접근법들이나 심지어 평가자의 역할에 대한 정의가 어떻게 발달하고 변화하는지를 잘 보여준다.

평가자의 새로운 역할. Cousins와 Whitmore는 형성평가의 활용도를 높이고 장기적으로 조직의 학습기능을 높이기 위해 이해관계자들을 참여시켰다. 개발평가의 경우 Patton은 평가자를 프로그램의 계획 및 실시 또는 조직의 다른 개발 활동 속으로 옮긴다. 이해관계자들이 평가 팀의 일원인 것이 아니다. 오히려 개발평가자가 프로그램 팀의 일원이 되는 것이다. 평가자는 다른 팀 구성원들에게 평가기술을 가르치지 않는다. 오히려 다른 구성원들이 각기 고유한 전문성을 가지고 오듯이 평가자는 평가기술을 가지고 오는 것이다. 마지막으로 개발평가는 특정한 것을 평가하지 않는다. 평가적 사고양식과 기법을 사용하여 끊임없는, 지속적이고 변화하는 개발 과정 및 조직 성장을 지원한다. 개발문제에 대해 여러 조직체와 작업하면서 Patton은 이러한 환경이 전통적 프로그램 평가의 실시환경과 다르다고 보고 이를 강조하였다. 개발환경의 특징은 환경의 복합성, 혼돈, 역동성, 비선형적 속성을 갖고 있다(Patton, 2009, 2010). 따라서 새로운 접근법과 새로운 평가자 역할이 요구된다고 주장한다.

이것은 평가를 완전히 뒤집는 것이다. 개발평가는 완전히 새로운 유형의 참여적 접근법이다. 팀은 이해관계자와 평가자로 이루어지는 것이 아니다. 조직을 계획하고 안내하는 데 필요한 다양한 전문성을 가진 사람들로 이루어져 있다. Patton은 "개발평가는 [평가]모형이 아니다. 공동의 목적, 즉 개발에 기초한 관계이다"(1994, p. 313)라고 적고 있다. 또한 "직접 지속적인 프로그램 개발에 관여하고 있는 의뢰인과의 장기 협력관계"(1994, p. 312)로 묘사한다. 그렇다면 개발이란 무엇인가? 쟁점을 살펴보고 해결책을 모색하는 조직 혹은 집단의 지속적인 활동이라 할 수 있을 것이다. Patton은 미네소타 주 시골지역에서 공동체 리더십을 다루고 있는 집단, 세인트폴 공립학교들과 협력하여 해당 교육청 관할지역에 다문화교육을 만들고 지원하려는 집단, 혹은 대도시 빈민지역의 지역보건을 향상시키려는 20년 프로젝트에 참여하고 있는 집단 등을 예로 들었다. 개발 프로젝트는 분명한 목적이 없다는 점에서 전통적인 평가와 차이가 나는데, 목적이 개발을 제한시킬 수 있는 것으로 여기는 것이다. 또한 규정되어 있는 시간적 틀이 없다는 점에서도 다르다. 평가자는 외부 재정지원자에게 특정 시점에 평가 보고서를 제공하기 위해 일하는 것이 아니다. 오히려 알고 있는 지식, 참여자 요구, 공동체 상황 등에서의 변화에 대해 팀의 일원으로서 끊임없이 고민한다. 평가자가 기여하는 바가 무엇인가? Patton은 경험 많은 평가자들은 실천 과정에서 평가 전문성 그 이상의 것을 가지고 있다고 주장한다. 즉 프로그램 개발의 논리에 관련된 기술을 가지고 오는 것이다. "우리는 효과성 패턴에 대해 상당히 많이 알고 있다. (중략) 이러한 지식은 우리를 설계 과정에서 가치 있는 협력자로 만든다."
(Patton, 2005b, p. 16)라고 하였다. 평가자는 평가논리와 연구방법 지식을 사용하여 평가 관련 질문을 제기하고 의사결정 과정의 데이터와 논리를 활용하여 지원하는 팀 구성원의 역할을 한다.

개발평가에서 평가자는 프로그램 개발팀의 명백한 일원이다. 따라서 평가자는 총괄적 의사결정에서 중요한 외재적, 독립적 역할을 잃게 된다. 그러나 개발평가는 총괄적 의사결정이나 형성적 의사결정을 목적으로 하지 않는다. 개발을 위한 것이다. 개발평가가 조직개발(Organizational Development, OD)과 유사함을 인정하고 Patton은 평가자가 자신의 기술을 공유해야 한다고 주장한다. "평가이론가들은 조언을 주는 의사결정을 내리는 것을 평가의 선을 넘는 행위로 경계하는데, 그럴 경우 프로그램 설계 및 향상에서 평가자가 발휘할 수 있는 가치 있는 역할을 과소평가하게 되는 것이다"(Patton, 2005b, p. 16). (또한 조직과 프로그램 향상에 더 큰 영향을 줄 수 있으려면 평가자가 총괄평가에 집중하기보다는 프로그램 개발에서 더 큰 역할을 해야 한다고 주장하는 Reichardt[1994]를 참조하기 바란다.[5])

권한부여 평가

앞에서 다룬 오늘날의 참여적 접근법 중 두 가지는 Cousins와 Whitmore의 실용적 범주에 포함된다. 우리가 기술할 다음의 두 접근법, 즉 권한부여(empowerment) 평가와 민주적(democratic) 평가는 변혁적 범주에 속하는 것으로 정치적 목적이나 근거를 갖고 있다. 권한부여 평가의 정치적 목적은 이해관계자들에게 힘을 실어주어 이들이 평가에서 자기결정을 할 수 있도록 돕는 것이다. David Fetterman이 1993년 미국평가학회(AEA)의 회장직 수락 연설에서 처음으로 권한부여 평가를 소개하였다(Fetterman, 1994). 그 이후로 동료 Abraham Wandersman과 함께 이 접근법에 대한 세 권의 책을 출간하여 다양한 도구와 예시와 함께 이 접근법의 장점과 이론적 토대에 대한 설명을 제공하고 있다(Fetterman, 2001a; Fetterman, Kaftarian, & Wandersman, 1996; Fetterman & Wandersman, 2005). Fetterman에 따르면 권한부여 평가는 P-PE와는 달리 공공연하게 정치적인 목적에서 나온 것, 즉 이해관계자가 자기결정을 통해 힘을 갖게 하는 것이다. 따라서 변혁적 범주에 속

---

5) Patton의 개발평가에 관한 책이 이 책을 개정하고 있는 현재 동시에 저술되고 있다. 우리에게 첫 장을 보여주기는 하였으나 여기서는 기존 저술 내용을 중심으로 제시하였다. 이 접근법에 관심 있는 독자들은 이 장 마지막 부분의 '추천 도서'에 인용된 Patton의 새 저서를 읽어볼 것을 권장한다.

한다고 볼 수 있다. 그렇지만 Cousins와 Whitmore(1998)를 비롯하여 Fetterman과 Wandersman 자신들(2007)도 이 접근법의 목적과 토대가 어느 정도로 변혁적인가에 대한 의문을 제기하였다. Cousins와 Whitmore는 열 가지 협력적 접근법을 분석하면서 권한부여 평가는 "수수께끼"같이 이해하기 힘들며 다른 변혁적 평가와는 실제 측면에서 구분된다고 하였는데, 권한부여 평가는 대부분의 변혁적 접근법들에 비하여 평가자들이 더 밀접하게 제한된 이해관계자들(일반적으로 프로그램 종사자와 관리자)과 함께 작업하는 경향이 있기 때문이다. 2007년 Fetterman과 Wandersman은 권한부여 접근법이 상황과 목적에 따라서 활용을 촉진하고 프로그램을 향상시키도록 돕는 실용적인 것일 수도 있고 이해관계자들에게 권한을 부여하는 변혁적인 것일 수도 있다고 하였다.

권한부여 평가의 정의. Fetterman의 권한부여 평가의 최초 정의는 권한부여라는 목적에 초점을 맞추고 있었다. "권한부여 평가는 평가 개념과 기법을 활용하여 자기결정을 촉진하는 것이다. 사람들이 스스로를 도울 수 있도록 돕는 데 초점이 있다."(1994, p. 1)라고 하였다. 2001년의 저서는 본질적으로는 이 정의를 유지하였지만 다소 수정하여 평가결과의 사용과 프로그램 개선 목적을 가진다고 첨가하였다. 즉 권한부여 평가는 "평가 개념, 기법, 결과를 사용하여 개선과 자기결정을 촉진하는 것"(2001a, p. 3)이라고 적고 있다. Fetterman과 Wandersman이 내린 2005년의 정의에서는 조직학습이라는 더 실용적인 목적을 강조하고 있는데 이에 따라 권한부여 평가를 "(1) 이해관계자들에게 자신들의 프로그램의 계획, 실행, 자체평가를 평가하도록 하는 도구를 제공하고 (2) 평가를 프로그램/조직의 계획 및 경영의 일부로 통합시킴으로써 프로그램 성공 확률을 증가시키는 목적을 가진 접근법"(2005, p. 28)이라고 정의내렸다. Fetterman과 Wandersman(2007)에 따르면 가장 최근의 정의는 권한부여 평가의 광범위한 실천을 기반으로 종전의 정의를 다듬은 것이다. 이는 자기결정과 권한부여 혹은 변혁이라는 하나의 강조점을 두던 데서 벗어나서 프로그램 개선을 위한 지침으로서 조직 내의 역량구축과 평가시스템 마련을 강조하는 흐름을 반영하는 것이기도 하다.

전통적 관계자기반 평가와의 차이점. 표 8.2에서 지적한 전통적인 관계자기반 참여 평가와의 차이와 같이 권한부여 평가는 전통적 이해관계자 평가와 세 차원 모두에서 차이가 난다.

　1. 평가자가 평가에 관련된 결정을 통제하기보다는 선정된 이해관계 집단이 권한을 부여받아 통제력을 가진다. 평가자는 코치 혹은 안내자의 역할을 하는데 이해관계자가 평

가자를 위압할 가능성도 있다.

2. 일반적으로 권한부여 평가에서는 전통적 이해관계자 평가와는 달리 모든 이해관계 집단들이 평가에 참여하는 것이 아니다. 권한을 부여받은 집단들만 선정된 참여자가 되는 것이다. 권한부여 평가는 조직수행의 자체점검을 위한 시스템을 구축하는 것이기 때문에 이러한 집단들(자체)에 프로그램 수혜자가 포함될 수는 있지만 관리자와 프로그램 운영 직원들로 구성되는 경우가 대부분이다.

3. 전통적인 이해관계자 평가와는 다르고 P-PE와는 유사하게 더 적은 수의 이해관계 자들이 선정되는데, 평가자와 이해관계자의 역할이 균형을 이루는 Cousins와 Earl의 P-PE 에 비하여 이해관계자들이 더 집중적으로 평가를 실시한다. 모든 단계에서 평가자의 안내 를 받아서 이해관계자들이 의사결정을 내린다. 권한부여 평가는 이해관계자들이 이러한 과제를 수행하도록 지원할 수 있는 도구를 제공해 주는데, 앞으로의 프로그램 수행과 비 교할 수 있는 기저선을 설정하기 위한 '기초평가(taking stock)'에서부터 미래 계획을 위 한 전략수립(성취결과 도출전략)에 관련된 도구까지를 포함한다.

그렇다면 권한부여 평가란 무엇인가? 최초의 프레젠테이션에서 Fetterman(1994)은 권 한부여 평가자의 몇 가지 다른 역할을 제시한 바 있다. 여기에는 다음이 포함되었다.

1. 교육: "평가자는 사람들이 자신의 평가를 수행하고 더 자립적으로 되도록 가르친 다."(p. 3)
2. 촉진: "평가자는 다른 사람들이 자신의 평가를 수행할 수 있도록 돕는 코치 혹은 촉 진자의 역할을 할 수 있다."(p. 4)
3. 권익옹호: "평가자는 더 나아가 직접적인 권익옹호자의 역할을 하여 이해집단들의 권한이 평가를 통해 높아지도록 도울 수 있다."(p. 7)

그러나 핵심은 이해관계자들이 주도한다는 것이다. 평가자는 촉진을 할 따름이다. Fetterman은 다음과 같은 비유를 통해 평가자의 역할을 묘사한다.

권한부여 평가는 한 공동체의 잠재에너지를 활동에너지로 변형시키도록 돕는다. 그렇지 만 그들[이해관계자들]이 그 에너지의 근원이다. 야구장에 서서 주자를 홈으로 불러들이 는 것은 야구방망이가 아니라 선수이다. 권한부여 평가자처럼, 야구방망이는 에너지를 변형시키는 데 사용되는 도구일 따름이다. (2007, p. 182)

권한부여 평가의 방법론. Fetterman과 Wanderman은 야구방망이처럼 이해관계자들의 평가 실시를 도울 수 있는 구체적인 도구를 개발하였다. 여기에는 3단계 접근법과 10단계 성취결과도출전략(Getting To Outcomes, GTO)이 포함된다. 3단계 접근법은 권한부여 평가의 기본 단계들을 잘 보여준다.

1. 평가할 프로그램의 미션 혹은 목적을 확정한다.
2. 목적에 비추어 프로그램의 현재 상태를 기초평가한다. 이 단계는 프로그램 발전 정도를 평가하기 위하여 이후 비교에 활용될 기저선이 된다.
3. 구체화된 목적을 달성하기 위한 미래 계획을 한다. 이 계획은 집단의 중재를 나타내며 이후 평가된다(Fetterman & Wanderman, 2007, p. 187).

두 번째의 기초평가 단계에서 프로그램 변화를 실행한 후 이해관계자들은 새로운 현재의 상태를 기존의 기저선과 비교하여 프로그램의 성공 여부를 판단하게 된다. Fetterman과 Wanderman이 말한 것처럼 핵심은 "이해관계자 집단들이 자신의 목적을 달성하고 원하는 성취결과에 도달하고 있는가?"(2007, p. 187) 하는 것이다.

다음의 10단계 접근법은 이해관계자들이 프로그램과 활동(괄호 속에 제시됨)을 향상시키기 위해 고려해야 할 질문들, 이들이 그 답을 찾아야만 하는 질문들을 활용하여 더 자세한 중재를 펼친다.

1. 당신이 속한 조직, 학교, 공동체, 또는 지방정부에 있어서 요구와 자원은 무엇인가? (요구 사정; 자원사정)
2. 학교/공동체/지방정보의 목적, 대상 집단, 바람직한 성취결과(목표)는 무엇인가? (목표설정)
3. 어떻게 이 분야의 과학적 지식과 최선의 실제를 통합하여 중재할 것인가? (과학 및 최선의 실제)
4. 이미 제공되고 있는 다른 프로그램들과 어떻게 맞추어야 할 것인가? (협력; 문화적 능력)
5. 이러한 중재 프로그램이 높은 수준의 질을 갖추도록 자리 잡게 하려면 어떤 역량이 필요한가? (역량구축)
6. 이 중재 프로그램을 어떻게 실행해야 할 것인가? (계획)
7. 실행의 질적 수준은 어떻게 평가할 것인가? (과정평가)
8. 중재 프로그램이 얼마나 효과적이었는가? (영향평가 및 결과평가)

9. 지속적인 질 향상 전략을 어떻게 통합할 것인가? (총체적 질 관리; 지속적 질 향상)

10. 중재 프로그램(혹은 구성요소)이 성공적이라면 어떻게 이를 유지할 것인가? (지속 가능성과 제도화) (Wandersman, Imm, Chiman, & Kaftarian[2000]의 수정. Fetterman & Wandersman[2007] p. 188)

이러한 질문들은 권한부여 평가가 다양한 상황에서 사용되며 점점 발전됨에 따라 이해관계자들, 전형적으로 프로그램 관리자와 종사자들이 목적을 달성할 수 있는 새로운 프로그램을 계획하거나 기존 프로그램을 향상시키도록 돕는 데 점점 더 초점을 맞추고 있음을 잘 보여준다. 이러한 질문에 대답함으로써 프로그램 종사자 및 관리자를 실행과 경영으로 이끌어 권한을 부여하게 된다. (Wandersman 외[2000]는 처음의 6개는 계획질문으로, 나머지 4개는 평가질문으로 부름.) 참여적 혹은 변혁적 평가의 다른 방법들과는 달리, 권한부여 평가는 조직을 개선하기 위한 하나의 전체 시스템, 중재가 되었다. Fetterman과 Wandersman은 실세계에서의 권한부여 평가 적용 예를 많이 제시하였다. 예컨대 스탠포드 의과대학의 평가인증 활동, 캘리포니아 주의 18개 인디언 부족들의 인디언 디지털 마을 계획, 아칸서스 시골지역의 재정부족 학교들의 성취도 점수 상승을 위한 권한부여 평가의 활용이 포함된다(Fetterman & Wandersman, 2005; Fetterman & Wandersman, 2007).

권한부여 평가에 대한 논란. 그렇지만 권한부여 평가는 다른 평가 접근법들에 비해 더 많은 논란과 비판에 직면하고 있다. 비판 중 일부를 요약하고자 하는데 어떤 비판은 광범위하고 어떤 것은 구체적이다. 먼저 개념적 모호성에 대한 비판을 받아 왔다. 어떤 이는 다른 유형의 참여적 혹은 협력적 평가들과 구분되지 않으며, 권한부여 평가의 예들이 그 원칙에서 심각하게 벗어나는 경우가 빈번하다고 비판하였다(Patton, 1997b; Patton, 2005a; Cousins, 2005; Miller & Campbell, 2006). Fetterman과 Wandersman(2005)의 사례들을 요약하는 장(章)을 써달라는 부탁을 받고 Cousins(2005)는 자신의 참여적 평가 분석차원을 사용하여 사례들을 분석하였는데 제시한 사례들 간에 매우 큰 차이가 있음을 발견하였으며 이는 권한부여 평가의 핵심 차원인 이해관계자 통제에서조차도 여실히 드러났다.

Miller와 Campbell(2006)은 권한부여 평가를 사용하였다고 주장하는 논문 47편을 종합적으로 연구하였다. Cullen(2009)이 참여적 평가의 혼재된 정의와 적용을 발견했었던 것과 마찬가지로 Miller와 Campbell은 권한부여 평가의 실행에 있어 서로 다른 경향이 다수 있음을 발견하였다. 구체적으로 이러한 평가에서 평가자가 취하는 세 가지 상당히 상이한 역할을 지적하였다.

(a) 소크라테스적인 코치 역할이다. 이해관계자들과의 질의 및 응답 시간을 중시한다. (사례의 32%로 권한부여 평가의 원칙에 가장 충실함)

(b) 이해관계자들이 실행할 수 있도록 평가자가 고안한 일련의 단계를 거치도록 하는 구조화된 안내자 역할이다. 이 유형은 평가실시에 있어 이해관계자들에게 일련의 권한부여 틀을 활용하도록 교육시키는 것을 포함하곤 한다. (사례의 36%)

(c) 더 전통적인 참여적 평가로 평가자가 이해관계자의 의견은 구하지만 평가연구는 스스로 방향을 정하고 수행한다. (사례의 30%)

참여적 평가를 더 광범위하게 연구하는 Cullen과 마찬가지로, Miller와 Campbell은 권한부여 평가가 상당히 광범위하고 다양하게 실천되고 있으며, 대부분의 경우 자기결정과 권한부여라는 핵심원칙을 잘 반영하지 못하고 있다고 결론지었다. 이들은 다음과 같이 기술하였다.

> 이러한 자료에서 드러나는 사실은 많은 프로젝트들이 권한부여 평가라고 명명(그리고 재명명)될지라도 이러한 평가들이 권한부여 평가실제를 지탱해야 하는 핵심원칙을 담고 있지 않은 경우가 매우 빈번하다는 것이다.
> 권한부여 평가실제의 형태에 상관없이 공동체의 지식을 활용해야 한다는 핵심원칙은 대부분 지켜지지만 민주주의와 사회정의라는 원칙, 증거기반 실제를 활용한다는 원칙은 특히 드물게 관찰된다. (Miller & Campbell, 2006, p. 314)

또 다른 비판자들은 Fetterman의 권익옹호 강조에 대해 우려를 표한다. Stufflebeam은 "비록 '사람들이 스스로를 돕도록 돕는 것'에 대한 그의 신념이 가치 있는 목적을 담고 있을지라도 이는 평가의 근본 목적은 아니다. 평가자와 모든 시민이 마땅히 해야 할 가치 있는 역할임은 분명하지만 그것이 평가는 아니다."(1994, p. 323)라고 지적하면서 평가는 대상의 장점이나 가치를 조사하고 판단하는 것이지 다른 이들이 그렇게 할 수 있도록 권한을 부여하는 것이 아님을 상기시켜 준다. 보다 구체적으로 다음과 같이 기술하고 있다.

> Fetterman 박사가 옹호하는 접근법은 권한부여를 위한 자체평가라는 명목하에 준거 선정, 자료 수집, 보고서 작성/수정 및 보급 등 모든 것을 평가의뢰인/이해관계 집단에게 위임한다. 평가의뢰인/이해관계 집단은 듣고 싶은 이야기를 말해주고 구성원들이나 다른 사람들에게 그 이야기를 전하는 데 평가자의 도움을 얻으면서 외부 전문가가 평가를 실시했거나 승인했다는 잘못된 환상을 심어줄 수 있으며 평가분야의 기준에 비춘 메타평가를 받지 않아도 되는 자격증을 받은 것처럼 여겨질 수 있다. (Stufflebeam,

1994, p. 324)

Stufflebeam의 언급 이후로 평가와 권한부여 평가 모두의 목적이 다소 넓어지기는 하였지만 편견이 작용할 가능성은 여전히 비판자들이 지적하는 문제로 남아있다. 비판자들이 편향되어 있다고 지적하는 요소 중 하나는 이 접근법을 선전하는 방식에 있다. Fetterman이 부끄럼 없이 평가자들에게 권한부여 평가에 대한 "소문을 퍼뜨리라"고 한 것을 두고 비판자들은 가치와 옹호에 지나치게 관여하고 이성적 논리에 대한 관심이 적다고 지적한다. 미국평가학회(AEA)의 회장을 역임했었던 Lee Sechrest(1997)와 Nick Smith(2007)는 권한부여 평가의 가장 큰 문제점을 지적하였는데 바로 이 접근법의 옹호자인 Fetterman 등의 지나친 적극성에 관한 것이다.[6] 권한부여 접근법에 대한 옹호, 지극히 피상적인 사례, 사례 제시에서의 과장된 진술(Patton[2005a] 참조)로 인해 권한부여 평가는 다른 접근법들보다 더 많은 비판을 받는데, 다른 접근법들은 대부분 사례는 더 적게 제시하되 더 구체적인 내용과 자기비판을 포함하고 있다.[7] Smith(2004, 2007)는 정치적인 세계에서는 줄기세포에서 보건정책이나 기후변화에 이르기까지 모든 것에 대한 이데올로기적 주장이 너무 많기 때문에 프로그램과 정책의 장점 및 가치를 판단하는 평가자의 신뢰도를 유지하려면 이데올로기가 아니라 이성에 근거를 둔 평가가 필요하다고 지적한다. Patton은 Fetterman과 Wandersman이 자신들의 성공사례를 제시하는 데에서 편견문제가 있다고 지적한다(Patton, 2005a). 증거가 모호할 때가 많으며 특정 사례에서 평가의 역할과 프로그램 성공에 기여한 다른 요소들을 혼동하는 경우가 잦다고 지적하는 것이다. 이와 마찬가지로 Cousins는 Fetterman과 Wandersman의 저서(2005)에 제시된 사례들을 분석하면서 평가사례라기보다는 "반성적 내러티브 혹은 에세이"에 가깝다고 아쉬움을 표하며 권한부여 평가가 실제로 구체화되는 방식과 효과에 대해 알 수 있도록 보다 명확하게 사례가 제시될 것을 요구하였다(2005, p. 203).

편견에 관한 두 번째 우려사항은 이해관계자들이 자신들의 프로그램을 평가할 때 당

---

6) Smith는 권한부여 평가옹호자들만 특정 이데올로기에 갇혀 있는 것은 아니며 무선화통제연구(RCT)를 옹호하는 이들도 마찬가지라고 지적한다.

7) 영향력 있는 평가이론가들의 권한부여 접근법에 대한 열띤 논쟁을 보려면 「American Journal of Evaluation」(2005)의 26권 3호를 찾아보기 바란다. 먼저 Fetterman과 Wandersman의 최근 저서인 『권한부여 평가 원칙의 실제(Empowerment Evaluation Principles in Practice)』에 대한 서평 두 편이 있는데 Michael Scriven과 Michael Patton이 각각 기고한 것이다. 이어서 David Fetterman과 Abraham Wandersman이 두 서평 각각에 대한 자신들의 입장을 적은 글들이 있으며 마지막으로 Fetterman과 Wandersman의 응답에 대하여 Scriven과 Patton이 각각 다시 답변한 글이 있다.

연히 가져올 수 있는 편견에 관한 것이다.[8] Fetterman(2007)은 이해관계자들이 성공을 바라며 개선하기를 원하기 때문에 자신들의 활동에 상당히 비판적으로 접근하는 것을 목격했다고 말하지만 많은 평가자들은 그렇지 않은 경우를 경험해왔다. 종종 이해관계자들은 재정지원자에게 성공증거를 제시하는 데 가장 관심을 가지며 평가를 통해 성공이 드러나기를 원한다(예컨대 Fitzpatrick과 Bledsoe[2007] 참조). 평가를 실시하는 이해관계자들의 잠재적 편견문제에 있어서, 만약 평가자가 이해관계자들로 하여금 자신들의 행위를 객관적으로 바라보고 또한 조직문화가 의문제기와 증거자료 기반 의사결정을 중시하게 한다면 권한부여 평가가 이해관계자들을 도와서 프로그램을 개선할 수 있을지도 모른다. 그러나 오늘날의 재정 및 성과평가 환경 속에서 관리자와 종사자들로 하여금 자신들의 행위를 공명정대한 눈으로 바라보고 그에 따라 결과를 보고하도록 교육시키는 것은 상당히 어려운 과제일 수 있다.

요약. 결론적으로 권한부여 평가는 이 분야에 실천상의 변화도 가져왔지만 논쟁과 토론도 불러일으켰다. 우리는 이 접근법이 프로그램 참여자들의 권한과 자기결정을 강조하던 데서 프로그램 종사자들의 역량구축을 강조하며 종사자들이 평가방법을 활용하도록 권한을 부여함으로써 프로그램 개선으로 이끄는 방향으로 변모하였다고 본다. 후자라면 권한부여 평가에 대한 논란은 적어진다. 그리고 이해관계자의 참여를 강조하고 조직의 내재적 평가 능력을 구축하고 평가를 조직 속에 포함시키는 평가자의 역할을 강조하는 다른 평가 접근법들과 더 유사해진다. 이는 저자 중 한 명인 James Sanders가 2001년 미국평가학회장이었을 때 강조하던 주제였다. (회장수락 연설을 보려면 Sanders[2002] 참조) 권한부여 평가는 시간이 흐르면서 변하였다. 자기결정에 대한 강조는 최근 저서들에서 퇴색한 것으로 보이며 경영을 잘 하기 위한 방법으로 평가 능력을 구축하고 평가를 시스템화하는 것을 더 강조하게 되었다. 「American Journal of Evaluation」의 21세기 평가에 관한 호에서 Fetterman은 다음의 관점을 강조한다.

평가의 미래는 비판적이면서 협력적인 관계라는 특징을 가질 것이다. 평가는 협력이 될 것이다. 시민들은 자신들의 민주주의 역량의 한 부분으로 평가에 관한 기초지식을 가지고 임하게 될 것이다. 재정지원자, 프로그램 종사자, 참여자들은 자신들의 수행에서 중

8) 이러한 우려는 권한부여 평가에만 해당하는 것은 아니며 많은 참여적 모형에 해당한다. 이해관계자들이 평가에서 가지는 권한이 더 클수록 의도되었든 아니든 분석에 편견이 들어갈 수 있다는 우려는 더 커진다.

요한 측면을 점검하고 평가하는 역량을 가져야 할 것이다. 여전히 평가자 혹은 비판적인 친구(critical friends)를 필요로 하겠지만 현재 평가가 이루어지는 것과는 다른 방식, 훨씬 더 높은 수준을 요구할 것이다. 의사결정에 도움을 주기 위해 평가자료를 정기적으로 활용할 것이다. 평가는 프로그램 기획 및 경영의 일부로 제도화될 것이다. (Fetterman, 2001b, p. 381)

민주적 평가 접근법

미국과 영국에서 가장 잘 알려진 두 가지 변혁적, 참여적 평가 접근법은 민주주의라는 가치에 토대하고 있다. 먼저 가치에 대하여 한 가지 짚어두고자 하는데 과학철학자들이 수십 년 동안 인정해온 바와 같이 과학은 가치로부터 자유롭지 않다. 과학실제 연구들은 세계관, 개인적 관점, 과학적 연구 간의 상호작용을 보여준다(Godfrey-Smith, 2003; Kuhn, 1962). 마찬가지로 평가 방법이나 실제도 가치를 배제하지 못한다. 평가자들이 자신의 가치, 그리고 이러한 가치가 자신의 평가에 줄 수 있는 영향에 대해 더 잘 인식하도록 돕는 교육을 받고 있지만 평가는 다른 연구 분야들과 마찬가지로 가치로부터 벗어나지 못한다. 예컨대 우리의 가치 중 일부는 객관적인 방식으로 정보나 자료를 수집, 분석, 해석하고자 하는 시도에 관련된다. 많은 평가자들이 객관성과 중립성을 가치 있게 여긴다. 그렇지만 Ross Conner라는 널리 알려진 평가자는 최근 인터뷰에서 자신의 인생 경험이 자료 해석에 영향을 준다는 것을 알기에 "객관적"이라는 단어에 조심스럽게 인용부호를 쓰곤 한다고 말한 바 있다(Christie & Conner, 2005, p. 371). 한 평가자가 평가연구의 목적은 무엇이어야 할지, 어떤 자료를 수집할지, 어떻게 분석하고 해석할지에 대한 의사결정은 다른 나라나 대륙에서 온 평가자, 즉 무엇이 중요하고 타당한지에 대한 세계관과 교육이 다른 평가자와 차이가 날 것이다. Stake는 실재에 대한 다원적 관점이 있음을 인지하고 이렇듯 다원적인 관점을 반영하고자 하는 의도로 자신의 접근법을 개발하였었다. MacDonald(1974, 1976), House(1980), House와 Howe(1999)는 자신들의 평가 접근법을 민주주의와 관련된 가치 위에 세우기로 선택하였다. 민주주의 가치 중 하나가 평등이기에 이들의 접근법은 서로 다른 방식이기는 하지만 많은 이해관계자들을 참여시키고 평가 재정지원자가 아닌 이해관계자들에게 역할을 부여하고 있다. 이들의 접근법은 또한 사회정의와 권한부여에 기초하고 있다.

민주적 평가. MacDonald의 민주적 평가는 1970년대 사회와 시민에 대한 평가자의 역할에 대한 우려사항을 잘 다루고 있다는 점에서 역사적이라 할 수 있다. MacDonald는 세 가지 유형의 평가를 구분했는데, 즉 정부기관을 위해 일하는 관료적 평가자, 정부기관의 외부에 있으며 평가활동이나 결과물 소유에 있어 더 독립적이지만 여전히 정부기관에 고용되어 있는 독자적 평가자, 정부기관을 위해 봉사하지 않고 대중의 알 권리를 위해 평가를 하는 MacDonald의 민주적 평가자로 나뉜다. 영국의 교육 프로그램 평가에 대하여 이렇게 쓰고 있다.

> 민주적 평가는 교육 프로그램의 특징에 대하여 전체 공동체에게 정보를 제공하는 서비스이다. (중략) 민주적 평가자는 가치 다원주의를 인정하고 쟁점형성에서 폭넓은 범위의 권익을 추구한다. 기본적으로 정보에 밝은 시민에 가치를 두며 평가자는 서로에 대한 지식을 원하는 집단들 간의 정보교환 중개인 역할을 하는 것이다. (MacDonald, 1974, p. 45)

MacDonald의 핵심원리 일부는 전형적으로 평가를 수주하는 정책입안자들의 이익을 넘어서는 다양한 이익을 도모함으로써 평가를 확장하는 것이었다. 평가자가 평가연구를 주로 통제하기는 하지만 평가의 목적에 있어서 자신이나 평가후원자의 목적을 강요하기보다는 다른 이해관계자들로부터 의견을 구한다. 대중의 알 권리를 충족시키기 위하여 MacDonald는 일반대중이 이해할 수 있는 방식으로 결과를 제시해야 한다고 일찍이 주장했던 사람의 하나이기도 하다.[9] 더구나 평가에서 수집된 자료의 소유권에도 관심을 두었는데 그들로부터 자료를 수집했다면 그들도 해당하는 부분의 자료에 대한 소유권을 가진다고 생각했다. 예를 들어 면담했던 사람들이 했던 말을 인용하기 위해 허락과 피드백을 구했다. MacDonald의 접근법이 오늘날에는 활발하게 사용되고 있지 않지만 민주적 가치의 도입과 함께 평가 자료의 소유권, 더 넓은 평가청중의 고려와 같은 쟁점 측면에서 중요성을 가진다.

숙의민주주의 평가. 보다 최근에 House와 Howe(1999, 2000)는 숙의민주주의(deliberative democratic) 평가 접근법을 제안하였다. House가 이미 수년간 평가자는 사회정의 구현에 있어서의 역할을 고려할 필요가 있다고 주장해 오기는 했지만(House, 1980, 1993), 철학 및 교육 전문가인 Kenneth Howe와 협력함으로써 처음으로 평가 접근법으로 발전시킬 수 있었다. 이들은 자신들의 제안 중 상당 부분을 이미 실현하고 있는 다른 참여적 접근법들도 있지만 새로운 틀을 제시하게 된 이유가 민주주의 원리와 평가실제에 대한 함의

---

9) 프로그램 참여자와 대중이 쉽게 구할 수 있고 이해할 수 있는 방식으로 결과를 제시하는 것은 이제는 미국평가학회의 안내 원칙에 포함되어 있지만 1970년대에는 새로운 개념이었다.

를 강조하기 위함이라고 하였다.

MacDonald처럼 이들의 이론적 틀도 민주적 가치 위에 세워진 것이지만 평가라는 분야가 MacDonald의 민주적 평가 접근법 이후 25년간 많이 변하고 성장했으며, 자료의 소유권이나 대중을 평가의뢰인으로 생각해야 하는 것의 중요성은 이들의 관심사가 아니었다. 이들의 관심사는 사회정의와 평등이었다. 민주적 가치에 기초하여 House와 Howe는 평가에 많은 이해관계자들을 참여시키고자 하였다. 1999년에 이는 더 이상 새롭지는 않았다. 상당수의 참여적 평가 모형이 이미 존재하였다. 새로운 것은 모든 이해관계자 집단들이 평등한 권력이나 동일한 경험을 갖고 있지 않다는 사실을 인지하는 것이었다. 힘없는 집단들, 특히 사회복지 프로그램 참여자들은 다른 이해관계자들(정책입안자, 관리자, 프로그램 종사자)이 가진 경험이나 전문성을 갖고 있지 않다. 프로그램을 직접 실시하는 사람들이나 관리자의 경우에는 다양한 이유로 인하여 자신들의 요구나 우려사항을 말로 표현하기를 꺼려할 수 있다. House와 Howe는 "적절한 숙의란 그저 이해관계자 모두를 위한 것일 수는 없다. 그런 경우에는 힘 있는 이해관계자들이 이기게 되어 있다."(1999, p. 94)라고 지적한다. 따라서 이들은 평가과정이 온전하게 민주적이려면 평가자는 전통적으로 힘이 없는 집단들이 이 과정에 참여할 수 있도록 노력해야 한다고 주장한다.

숙의민주주의 원리. 이러한 목적을 달성하기 위해 숙의민주주의 평가는 세 가지 원리에 기초한다.

- 모든 정당하고 적절한 이해관계의 포함
- 각 이해관계자 집단의 진정한 이익을 결정하기 위한 대화의 활용
- 이해관계자들이 여러 대안들의 장점을 논하고 평가자가 결론을 도출하는 데 지침이 되는 신중한 심의의 활용

다른 참여적 모형들(그림 8.1 참조)과는 달리, 숙의민주주의 모형에서 강조하는 것은 모두 정당한 이해관계자들을 포함하는 것이다. House와 Howe는 "민주주의에서 가장 기본적인 전제는 정당하고 적절한 이해관계를 가진 사람들을 그러한 이해관계에 영향을 줄수 있는 의사결정에 포함시켜야만 한다는 것이다."(1999, p. 5)라고 적고 있다. 이러한 이해관계자 집단들은 다른 모형들에서만큼 깊이 참여하지는 않는다. 예를 들어 전문기술이 필요한 과제를 수행하지는 않는다. 숙의민주주의 접근법의 목적은 모든 이해관계 집단들을 포함시키는 것이지 이들에게 권한을 부여하거나 평가 능력을 구축하는 것이 아니다. 따라서 평가자가 모든 정당한 이해관계자들의 진정한 이익과 요구에 대해 알고 그 정보

를 숙의적인 방식으로 활용하여 평가결론을 도출할 수 있게 하는 것이다. House는 적극적인 이해관계자 참여에 반대하지는 않지만 모든 이해집단을 활발하게 참여시키기는 일반적으로 불가능하다고 지적한다. 따라서 활발하게 참여하는 이들은 권력, 자원, 참여할 시간을 가진 사람들일 가능성이 크다. House는 "적절한 상황하에서라면 이해관계자들이 활발하게 참여하는 것을 선호하지만 일부 이해관계자를 활발하게 참여시켜서 다른 이들에게 손해를 입히는 것을 원하지 않는다."(2003, p. 54)라고 쓰고 있다. 사회적 형평성과 평등이라는 민주적 원리는 깊이 있는 참여를 희생시키더라도 모두를 포함시키는 것을 우선시함으로써 확보된다.

대화(dialogue)의 활용. 숙의민주주의 접근법은 소통방법, 즉 관점과 의견을 공유하는 수단으로 대화를 강조한다. Ryan과 DeStefano(2000b)를 비롯한 여러 평가자들(Karlsson, 1998; Preskill & Torres, 1998; Schwandt, 1999)도 평가실제에서 대화가 갖는 중요한 역할에 대해 저술한 바 있다. 평가자들은 이해관계자와 빈번하게 진정한 숙고가 이루어지는 대화에 참여해야 한다. 이러한 대화는 수많은 다양한 형태로 이루어질 수 있는데 간단한 대화에서 공동 탐구, 설명, 토론 등의 형태까지 다양하다. 평가의 초기단계에서 대화는 이해관계자들이 자신의 이해관계를 인지하거나 표현하는 데 가지는 어려움, 혹은 평가자가 이들의 이해관계를 인지하거나 이해하는 데 가지는 어려움을 극복하는 데 필요하다. House와 Howe는 이러한 어려움을 지적한 극소수의 평가자에 속한다. "개인과 집단이 스스로에게 맡겨졌을 때 언제나 자신의 이해관계를 결정할 수 있는 것은 아니다. 대중매체나 이해집단의 '급회전하는' 증거에 오도될 수도 있고, 정보를 획득할 기회를 가지거나 실행하지 못할 수도 있다."(1999, p. 99)라는 사실을 잘 알고 있었던 것이다. 따라서 평가자나 다른 이해관계자들과 대화를 함으로써 자신의 진정한 이해관계를 더 잘 알 수 있다. (대화의 본질과 유형에 대한 더 심도 있는 논의는 Ryan과 DeStefano[2000a]를 참조하기 바란다.)

그렇다면 대화와 숙의가 겹칠 수는 있지만 숙의가 마지막 단계가 된다. House와 Howe는 숙의란 "평가의 방법론적 규준이라 할 수 있는 주요 부분, 즉 이성적 논리, 증거와 타당한 논쟁 법칙에 기초한 근본적으로 인지적인 과정"(1999, p. 101)이라고 강조한다. 평가자는 이해관계자들이 추론과 증거를 활용하여 결론에 도달할 수 있도록 도움으로써 숙의과정을 안내하는 중요한 역할을 한다. 따라서 또 다른 비판적 방식을 가진 숙의민주주의 평가는 평가자가 대화와 숙의를 이끌고 결론을 도출하는 데 결정적 역할을 한다는 점에서 다른 참여적 모형들과 차이가 난다. 평가자는 이해관계자들과 중요한 결정을 공유하지 않는다. 의사결정을 통제한다는 차원에서 숙의민주주의 평가자는 오히려 반응적 평가의 Stake 또는 관계자기반 평가 접근법을 사용하는 평가자와 유사하다. 평가자는 숙의과정을 이끌며 이해관계자의 편견이나 다른 원인으로 인한 편견을 통제한다. 숙의과정은 이해관계자들이 합의에 이르도록 하려는 의도가 아니라 평가에 도움이 되는 정보를 제공하는 것, 평가자가 다양한 이해관계자 집단의 반응과 관점을 알아서 장점이나 가치에 대한 적절한 결론을 내릴 수 있도록 돕는 것을 목적으로 한다. 이 접근법에서 평가자가 가지는 독립적 역할을 관찰한 Stufflebeam은 다음과 같이 인정하고 있다.

> 옹호 입장을 취하는 다른 접근법들과 비교해 우월하게 가지는 주된 장점은 숙의민주주의 평가자가 부정확하거나 비윤리적이라고 생각되는 의견을 배제할 권리를 명백하게 유지한다는 점이다. 평가자는 모든 이해관계자들의 관점에 열려 있으며 신중하게 고려하지만 프로그램에 대해서는 충분한 근거가 있는 판단을 내린다. 근거 있는 최종 평가의 책임을 이해관계자의 과반투표에 떠넘기지 않는다. 이해관계자들의 일부는 분명 충돌되는 이해관계를 가지고 있으며 충분한 정보를 갖고 있지 못하다. 최종 판단을 내리는 데 있어서 평가자가 마무리를 책임진다. (2001b, p. 76)

그렇지만 이 평가모형에 대한 비판자들은 그 반대 측면에 대해 우려한다. 어떤 이들은 민주주의의 촉진이 과연 평가의 주된 목적이 되어야 하는가(Stake, 2000b), 또는 평가자의 가치와 목적이 지배적일 수 있는지 혹은 반드시 그리해야 하는가(Kushner, 2000; Arens & Schwandt, 2000)에 의문을 품는다. 물론 변혁적 평가는 이보다 더 나아가 정치적 변화를 불러일으키고자 할 것이다. House와 Howe는 미국에서 광범위하게 수용되고 있는 민주주의라는 가치를 고수하고자 한다.

House와 Howe는 숙의민주주의 평가의 원칙들은 「New Directions for Evaluation」(Ryan & DeStefano, 2000a)의 한 호에 실린 여러 평가들에서 나타나고 논의되기도 했지만, 자신들의 접근법이 이상적인 것으로 개별 평가연구에서는 충실하게 실현될 가능성이 없다고 지적한다. 자신들의 접근법을 평가실시 지침으로 보기보다는 평가실제에 관한 중간수준의 이론으로 간주한다. 그렇지만 "좋은 실제는 절충적이며 온전하게 이론으로부터 나오지는 않더라도 이론으로부터 도움을 받는다."(House & Howe, 1999, p. 112)라고 말한다. 우리들로 하여금 숙의민주주의 평가가 대표하는 통합과 민주적 원칙에 대하여, 권리를 박탈당한 집단들의 참여를 방해하는 권력 차이, 그리고 이러한 이해관계자들이 자신의 진정한 요구를 인지하고 표현할 수 있도록 돕는 평가자의 역할에 대하여 생각해 보도록 환기시킨다. 마지막으로 숙의, 즉 시간을 갖고 심사숙고하며 이성을 사용하여 신중하게 모든 증거들을 검토하고 다른 사람들의 의견을 구하는 것을 강조하는 것은 평가자들이 다급하게 이루어지는 평가의 마지막 단계에서 종종 간과하기 쉬운 부분이다. 마지막 단계에서 숙의 시간을 계획하도록 상기시켜 주는 것이 이들의 평가모형에서 중요한 또 다른 특징이다.

또한 House와 Howe는 우리들에게 평가가 다음과 같이 될 수 있다고 고취시킨다.

> 만약 개별 평가자의 개별 평가실시를 넘어서서 바라본다면 평가가 영향력 있는 사회제도, 민주적인 사회를 실현하는 데 지극히 중요한 부분임을 알 수 있다. 대중매체들의 주장과 역주장의 홍수 속에서, 홍보와 광고 한가운데서, 우리 사회에서 특정 이해관계를 대표하는 많은 사람들 속에서 평가는 한 발 떨어져서 이러한 주장들의 정확성과 정직성을 신뢰할 수 있게 판단해주는 제도가 될 수 있을 것이다. 그렇지만 평가는 실제에 대한 지침을 제공하고 이 제도를 검증할 수 있는 명백한 민주적 원칙을 필요로 한다. (2000, p. 4)

되돌아보기

이렇게 참여적 평가 접근법들의 다원성을 살펴보았다. 일찍이 Stake가 이해관계자들의 다원적 관점에 주의를 기울이고 반응하던 데서 출발하여 오늘날 활용을 증가시키거나 참여자, 조직, 사회를 변형시키고자 하는 참여적 모형들로 확장되었다. 이러한 접근법들은 평가자가 가지는 통제의 정도, 참여하는 이해관계자의 범위, 평가의 여러 단계에서 이루어지는 참여의 깊이 측면에서 서로 다르다. 또한 이해관계자들 사이에 경험하는 정책 동의나 마찰, 원하는 수준과 특성의 참여를 실현할 수 있는 가능성, 활용이나 이해관계자 변화 측면의 궁극적 성과 측면에서도 다양성을 보인다. 그렇지만 각 접근법은 현장의 평가자가 자신이 실시하는 개별 평가의 상황을 고려하여 선택할 수 있는 흥미로운 아이디어와 대안을 제공한다. 각 접근법에 대한 우리의 간략한 요약을 토대로 하여 이러한 접근법들에 대하여 직접 더 많이 읽어보고 자신이 평가하는 프로그램의 맥락에 가장 적절한 요소를 생각해 보기를 기대한다. 어떤 경우든 참여적 평가는 계속 존재할 것이다. 이제 평가자들은 자신이 응용연구자들과 다르다는 사실, 그리고 더 타당하고 유용한 평가를 실행하기 위해서는 평가하는 프로젝트에 관련된 이해관계자들에 대하여 알고 그들로부터 배워야 한다는 사실을 잘 알고 있기 때문이다.

참여자중심 평가 접근법의 활용

이 책의 제2부는 평가이론이나 접근법에 대한 것이다. 앞부분에서는 현재의 참여적 접근법들을 기술하고 비교하였다. 우리는 오늘날의 참여적 접근법이 실제에서 어떻게 사용되고 있는지에도 관심을 갖고 있다. 몇몇 학자들이 이 문제에 대하여 다루어왔다. 그 결과에 따르면 많은 수의 평가자들이 평가에 이해관계자들을 참여시키고 있으며 자신의 평가 중 최소한 일부는 참여적 평가라고 생각하고 있는 것으로 보인다. 그렇지만 이론적 접근법들이 제안하는 것만큼 광범위하게 이해관계자 참여를 활용하는 평가자는 거의 없다.

이해관계자 참여에 관한 연구

Christie의 연구(2003)는 평가 이론이나 평가자들에 있어 이해관계자 참여가 구심점을 가진다는 것을 잘 보여준다. 이 연구의 초점이 참여적 평가에만 제한된 것은 아니었지만 그 결과를 여기서 소개하는 것이 적절할 것이다. Christie는 먼저 여덟 명의 저명한 평가이론가들을 선정하여 설문지를 통해 평가에 대한 이들의 관점을 조사하였는데, 평가이론이나 접근법에서의 주된 차이점에도 불구하고 여덟 명 모두가 이해관계자들을 평가에 참여시킨다는 사실을 밝혔다. 정도 차이는 있었지만 여덟 명 모두가 이 차원에서는 긍정적인 방향에 있었다.[10] 그렇지만 Christie가 캘리포니아 주에서 Healthy Start 프로그램 평가를 실시하고 있는 현장의 평자가들을 대상으로 설문조사한 결과, 이론가들만큼 이해관계자 참여에 관심을 두고 있지 않다는 사실을 발견하였다. 외부 평가자의 상당수(63%)는 이해관계자들을 활용하였지만 내부 평가자들은 이보다 적게 활용하였다(43%). 그렇지만 내부 평가자들은 일반적으로 전임 평가자가 아니며 조직의 다른 업무들도 맡고 있었다.

10년 이상의 간격을 두고 이루어진 두 연구에서는 현장 평가자들의 참여적 또는 협력적 접근법의 활용에 대한 자료를 보다 광범위하게 수집하였다. Cousins, Donohue와 Bloom(1996)은 미국과 캐나다의 평가자 564명을 설문조사한 결과, 62%가 최근 평가에서 협력적 접근법을 사용하고 있음을 밝혔다. 그렇지만 이들의 평가실제에 대한 기술을 보면 전통적인 관계자기반 평가 접근법과 유사하였다. 특히 평가자가 여전히 평가연구를 통제

---

10) 전반적으로 이 집단은 평가 접근법들의 광범위한 스펙트럼을 대표한다고 할 수 있다. 여덟 명의 평가이론가 중 네 명, 즉 House, Cousins, Patton, Fetterman은 참여적 접근법이라 할 수 있다. 나머지 네 명(Stufflebeam, Boruch, Eisner, Chen)의 접근법은 이해관계자의 참여를 강조하지는 않는다. 따라서 모두가 이해관계자 참여 측면에서 긍정적인 방향에 있었다는 사실은 의미가 있으며 이 분야의 시작 이래로 평가지도자들 사이에서는 최소한 평가이론 및 실제에 참여를 포함시키고 있다는 사실을 제안한다.

하였으며 가장 빈번하게 이해관계자 활용이 이루어지는 것은 평가의 범위 설정(72%)과 결과 해석(51%)이었다. 전문적 기술이 요구되는 과제에 이해관계자를 참여시킨 경우는 거의 없었으며 이는 여전히 평가자의 고유영역으로 남아있었다.

상당수의 이론가들이 변혁적 참여 평가를 옹호하는 분야인 국제개발 프로그램에서의 참여적 평가를 연구한 Cullen은 "참여적 평가 접근법은 문헌상에서 제안하는 것만큼 개발평가에서 널리 활용되고 있지 않다."(2009, p. 79)라고 결론지었다. 평가 보고서, 55개국의 평가자 166명을 대상으로 한 설문조사, 15명의 평가자를 대상으로 한 면담 자료 등을 수집한 결과, Cullen은 설문대상자의 72%가 최근 평가에서 참여적 접근법을 사용했다고 하였다. 그렇지만 이들의 참여적 평가에 대한 정의나 행동은 상당한 차이를 보였는데, 단순히 이해관계자의 의견을 구하거나 이들을 자료출처로 활용하는 평가에서부터 이해관계자 권한부여나 역량구축을 강조하는 평가까지 다양하였다. Cousins 등(1996)의 연구 대상이었던 평가자들과 유사하게 설문이나 면담을 받은 평가자들은 자신들이 평가 통제권을 갖고 있었으며 이해관계자는 자료를 수집하고 결과를 보급하는 데 참여시키는 반면 평가 설계나 자료 분석에는 참여시키지 않는 경우가 대부분이었다. Cullen은 설문대상자 중 상당수가 프로그램 종사자(82%)와 프로그램 수혜자(77%)를 포함시키고 있다고 보고했다고 하였다. 그렇지만 여기에는 이들을 자료 수집의 대상자로 참여시켰던 것이 포함되어 있었다. 설문조사 및 면담에 대한 논평을 통해 이 평가자들은 프로그램 또는 조직의 재정지원자가 참여과정을 지배하는 정도에 대한 우려를 표하였다. 최소한 이 국제개발 평가들에서는 권력구조를 변화시키고 억압된 수혜자들에게 힘을 실어주는 데 초점을 두는 변혁적 평가 접근법은 거의 찾아볼 수 없었다. 또 다른 결과는 이러한 국제개발 평가자들은 이해관계 집단 간에 갈등이 거의 없고 평가의 초점이 형성적인 데 있을 때 참여적 접근법이 가장 유용하며 실행가능성도 가장 높다고 보고 있음을 제안하였다.

이러한 연구들은 현장 평가자의 상당수가(이 세 연구에서는 62%에서 72%까지가) 이해관계자를 참여시키지만 대개 다소 전통적인 방식으로 이루어지고 있음을 보여준다. 참여적 접근법은 이론기반 평가와 함께 오늘날 평가이론의 주류를 이루고 있지만 실제 세계에서는 이론과 다른 것으로 보인다. Christie는 프로그램의 다른 책무들도 갖고 있어 평가에 강한 책임감을 가지지도, 심도 있는 교육을 받지도 않은 내부 평가자들은 대부분 이해관계자 참여를 고려하지 않지만, 자신의 연구에서 외부 평가자들의 실제는 다른 연구 분야와 유사하였음을 밝혔다. Cousins 등과 Cullen은 전문평가협회에 소속되어 있는 현장 평가자들을 대상으로 설문을 실시하였는데 즉 스스로를 평가자로 인식하고 있으며 이 분야에서 훈련을 잘 받은 이들을 대상으로 하였다. 이러한 평가자들은 이해관계자를 자주 참여시키며 참여적 접근법을 활용한다고 주장하는데 참여적 평가에 대한 이들의 정의는 놀랍도록 상이했으며 평가실제를 살펴보면 더 새로운 접근법들보다는 전통적인 관계자기반 참여 접근법과 흡사하게 이루어지고 있었다.

현대적 평가 접근법들이 실제로 활발하게 사용되려면 아마 더 많은 시간이 필요할 것이다. 시간이 흐름에 따라 조직이나 프로그램의 상황, 평가의 목적에 적합한 경우 일부 개념을 수정하는 것도 가능해질 것이다. 이론가들이 제안하는 이론이나 접근법들은 이론가가 기술하는 방식 그대로 실천하라는 의도를 갖고 있기보다는 평가자나 다른 이용자들로 하여금 평가 능력을 구축하거나 활용을 촉진하는 데 개념이나 유용성을 고려하게끔 해주고자 하는 것이다.

개발자에 의한 접근법 활용

한편 참여적 접근법의 개발자들 중 상당수는 저서나 논문에서 자신이나 다른 평가자들이 이 접근법을 사용했던 예시를 제시하고 있다. 예컨대 Weaver와 Cousins(2004)는 P-PE를 적용한 두 사례를 심도 있게 논한 바 있다. 이들은 사례를 기술하고 종전에 Cousins가 참여적 접근법들을 구분하기 위해 사용했던 차원들 측면에서 각 사례를 평정하였다. 또한 참여적 접근법 분석을 위해 새로운 두 차원을 첨가하였다. 하나는 참여하는 이해관계자들 간의 권력 관계(중립적 혹은 갈등적), 그리고 다른 하나는 평가실행에 대한 관리 가능성(관리 가능 혹은 불가능)이다. 참여적 평가가 일반적 평가보다 훨씬 더 시간이 많이 소요되고 비용이 높으며 특히 많은 수의 이해관계자나 의견차가 큰 이해관계자들을 참여시킬 때 특히 그러하다는 공통된 우려를 다루었다. Patton은 개발평가에 대한 저서에서 자신이 조직체에서 이 접근법을 활용하여 어떻게 작업하는지를 보여준 바 있다(1997c, 2005b, 2010). 또한 앞에서 언급했던 Fetterman과 Wandersman의 가장 최근 편저(2005)에는 참여 저자들이 다양한 상황에서 권한부여 평가를 어떻게 활용했는지를 보고하는 장들이 포함되어 있다. Jean Kin과의 인터뷰를 보면 자신이 평가자로서 이해관계자들의 의사결정을 돕는 촉진자 역할을 했던 역량구축을 지향하는 참여적 접근법을 묘사하고 있다. (Fitzpatrick과 King[2009]을 참조하기 바란다.) 마지막으로「New Directions for Evaluation」중 숙의민주주의 평가를 주제로 다룬 호에는 저명한 평가자들이 제시하는 사례가 네 개 장에 담겨있는데 평가에서 사회통합의 촉진(Greene, 2000), 대화의 사용(Ryan & Johnson, 2000; Torres, Padilla Stone, Butkus, Hook, Casey, & Arens, 2000), 사회통합, 대화 및 숙의의 조화(MacNeil, 2000)를 시도하고 있는 예들을 보여준다. Greene은 논쟁이 많았던 고등학교 과학 프로그램의 평가에서 토론을 통해 사회통합을 이루고자 시도했을 때

맞닥뜨렸던 문제들을 솔직하게 논하고 있다. Torres 등은 자신들과 평가대상 프로그램의 코디네이터들이 평가에 대해 더 많이 이해하고 배우기 위해 어떻게 대화와 숙의를 활용했는지를 논하고 있다. Ryan과 Johnson은 강의 평가와 학습에 대하여 교수, 학생, 학장과 대화를 나누는데 종종 개별 집단별로 실시한다. MacNeil은 감금형 정신병원에서 많은 집단들 간의 대화를 활용하는 참여적 평가를 실시했던 예를 기술한다. 대화를 위한 포럼을 마련하고 체계화하는 데 있어서의 성공과 실패 경험을 토대로 유용하면서 솔직한 충고를 제공해준다.

참여자중심 평가 접근법의 강점과 한계점

이 장에서 기술한 현대의 참여적 모형들은 비록 실제에서는 덜 그러하지만 프로그램 평가 이론에서는 건재하고 왕성하다. 접근법들이 매우 상이하기에 하나로 묶어서 장단점을 요약하기란 힘들다. 각 모형을 소개하면서 제한점들은 이미 일부 논하였다. 여기에서는 전반적 경향을 요약하고자 한다.

참여적 접근법의 강점

참여적 접근법들은 평가자들로 하여금 평가를 실시하는 과정에서 이해관계자들을 참여시키는 것의 잠재적 가치에 대해 인식하도록 해왔다. 즉 이해관계자들을 단지 평가자료 출처로 보거나 설문조사 혹은 포커스 그룹을 도와주는 역할에 제한시키지 않고 평가의 타당도와 활용도를 높이는 측면에 초점을 맞추게 하였다. 어떻게? 이해관계자들을 측정할 다양한 구인이나 현상의 의미에 대해 생각해보고 이를 개념화하며 측정방법이나 정보 수집 방법에 대하여 고려하는 데 참여시킴으로써 더 타당한 평가 자료를 이끌어낼 수 있다. 왜? Stake가 이미 오래전에 인지했던 바와 같이 다양한 이해관계자들은 평가자가 가지지 못한 지식과 관점을 가지고 있기 때문이다. 이들은 프로그램과 그 맥락에 대해 잘 알고 있다. 평가자가 특정 학교에서 "위기에 처한" 학생의 의미를 이해하는 데 있어 교사, 상담자, 학부모, 학생 모두가 소중할 수 있다. 평가자는 이들과 대화를 나눔으로써 이 개념에 대한 이해를 높이며 궁극적으로는 평가를 위해 더 나은, 더 타당한 측정도구를 선정하거나 개발할 수 있게 된다. 마찬가지로 이런 식으로 평가에 이해관계자를 참여시킴으로써 이들로부터 평가에 대한 신뢰를 얻을 수 있으며 이해관계자들이 평가를 이해하고 어떻게 활용할지를 생각하는 데 도움을 줄 수 있다.

협력으로서의 평가. 평가자는 한 프로그램의 장점이나 가치를 분석하고 프로그램 개선이나 추후 활동을 위한 권고사항을 제시할 수 있는 전문성을 갖고 있다. 정책입안자들은 현재 고려하고 있는 다른 프로그램들, 의사결정에 드는 비용과 시간 측면에서의 제한점, 의사결정에 영향을 줄 수 있는 정치적 혹은 여타 요인들에 대하여 잘 알고 있다. 프로그램 관리자와 종사자들은 프로그램의 세부사항, 그리고 학습자나 수혜자들이 토로하는 어려움이나 성공 사례에 대해 잘 알고 있다. 이전에 시도해봤던 방법들, 그리고 그 실패 이유에 대해서도 잘 알고 있다. 이들은 현재 프로그램이 갖고 있는 논리모형, 그리고 선정이유, 프로그램 중 효과적이라고 생각하는 요소에 대해서 알고 있다. 이러한 프로그램의 수혜자 유형이나 문제유형에 비추어 적절하게 작업하는 데 전문성을 갖고 있다. 마지막으로 프로그램 수혜자들은 당연히 자기 삶에 대해, 자신이 분투하고 있는 문제와 찾아낸 해결책에 대해, 그리고 프로그램이나 정책에 대하여 어떻게 생각하고 반응하는지에 대해 속속들이 알고 있다. 많은 평가에서 이러한 협력관계를 얻기 위해 이해관계자들로 구성된 자문 집단을 활용하여 프로그램, 수혜자, 평가에 대한 정보를 나눈다. 참여적 평가, 특히 실용적 접근법들은 이러한 노력을 확장하거나 수정하여 이해관계자들로부터 더 많은 것을 알아내고 또한 이들로 하여금 평가에 대해 더 많이 알게 하는 것이다.

실용적 참여방법은 이해관계자들이 평가를 이해하기 시작하고 평가에 관련된 의사결정을 내리고 마지막에는 평가결과에 대하여 열정적으로 반응하게 함으로써 평가결과를 더 적극적으로 활용하도록 하는 것을 목적으로 한다. (프로그램 관리자들이 평가자가 자신들을 평가에 참여시키자 감동하여 신뢰와 관심을 보이며 예상했던 것과 달리 평가결과를 적극적으로 활용했던 예에 대해서는 Fitzpatrick과 Bledsoe[2007]과의 인터뷰를 참조하기 바란다.) 일부 이론가들은 이해관계자들이 더 많이 참여했을 때 더 많은 평가 활용이 이루어졌음을 보여주는 연구결과들을 보고하고 있다(Cullen, 2009; Greene, 1988; Leviton & Hughes, 1981; Patton, 1986; Weiss & Bucuvalas, 1980b). 반면 다른 이들(Henry & Mark, 2003)은 그 증거가 제한적이라고 주장하고 있다. 이 분야에서 참여 유형과 활용 유형의 연관성을 알아보기 위한 연구가 더 이루어질 필요가 있다. 이에 대해 한 마디 하면 실용적 참여 평가나 권한부여 평가에서와 같이, 형성평가에서 프로그램 개선에 관심을 가진 이들, 즉 소수의 관리자와 종사자들이 깊이 있게 참여하게 했을 때가 가장 성공적인 것으로 보인다(이는 Cousins와 Earl 역시 명시적으로 인정하고 있는 바이다). 프로그램 관리자와 종사자들은 다른 교실, 학생, 비슷한 학교 등으로 시범 프로그램을 확장할지의 여부 등과 같이 프로그램 확장에 대해서는 의사결정을 내릴 수 있지만 프로그램의 지속여부에 대한 총괄적 결정을 내릴 위치에 있지는 않다. 그러나 조직에서 높은 위치에 있는 정책입안자, 재정관련 의사결정을 내리는 중앙관리자나 학교운영위원들은 총괄적 의사결정을 종종 내리곤 한다. 그렇지만 이들은 프로그램 평가에 긴밀하게 참여할 수 있는 시간이 없을 가능성이 많은데, 프로그램에 소요되는 비용이 매우 많거나 논란이 있을 경우에는 대표를 보낼 수 있으며 이러한 대표의 참여는 결과 활용도에 영향을 줄 것이다. 이해관계자 참여는 형성적 방식으로 정보를 사용할 관리자나 프로그램 종사자가 평가에서 의도하는 주된 활용자일 경우에 활용의 증가로 이어질 가능성이 가장 크다. 이러한 경우 이러한 이해관계자들의 깊은 참여는 프로그램의 역량구축이나 조직학습이라는 장점을 더할 수 있으며 조직에서 일하는 이들이 보다 데이터에 기반한 의사결정을 내리는 방향으로 나아가도록 도울 것이다.

9장에서 조직학습과 역량구축에 대하여 더 논의할 것이다. 이러한 개념은 일부 참여적 접근법에서 의도하는 성과이기는 하지만 여기에서 우리가 논하고 있는 참여적 접근법 자체는 아니다.

참여적 접근법의 한계점

참여적 접근법들의 단점은 무엇인가? 여러 가지가 있을 수 있으며 평가자는 프로그램, 조직, 참여할 가능성이 있는 이해관계자들의 특성을 고려하여 각각의 새로운 환경에서 참여적 접근법이 가질 장점과 단점의 균형을 맞추어야 할 것이다. 단점은 (a) 성공적인 참여 평가를 실시할 수 있는 실행 가능성, 혹은 관리 가능성, (b) 과정에 참여하지 않은 사람들에게 평가결과가 가질 신빙성이라는 두 가지 넓은 범주로 묶인다. 언급했던 바와 같이 실행 가능성에 있어서, Weaver와 Cousins(2004)는 이해관계자 참여가 쉬운 일이 아니기 때문에 다양한 협력적 접근법들을 판단할 때 고려해야 할 차원으로 관리 가능성을 첨가했다. 55개국의 국제개발 상황에서 참여적 평가 접근법들을 사용했던 166명의 평가자들을 대상으로 한 Cullen의 설문조사에서 큰 혜택도 있지만(93%가 참여를 통해 더 유용한 정보를 얻었다고 보고함) 참여적 평가를 실시하는 데 시간(69%)과 비용(58%)이 더 든다는 점이 단점이라고 상당수의 평가자들이 보고하였다. 숙의민주주의 접근법은 관념적 측면에서 개발되었지만 어떤 이들은 그 실행 가능성을 탐색해 보았다. 이들은 가장 불리한 입장에 있는 이해관계자들의 참여를 얻는 데 특히 어려움을 겪었다. (새로운 고등학교 과학 프로그램의 평가라는 중요하면서 정치적인 요소를 가진 평가에서 의결권이 없는 집단, 권한이 적은 집단들을 참여시키는 데 실패했던 경험을 논하고 있는 Greene[2000]을 참조하기 바란다.)

실행 가능성에 관한 또 다른 우려는 평가자의 기술에 관한 것이다. 평가자들은 연구방법에 대한 교육은 잘되어 있다. 그러한 교육의 일부가 이해관계자들이나 팀들과 협력하여 평가질문을 찾거나 결과를 보급하는 것과 관련되어 있기는 하지만 대부분의 평가자들은 정치적 관점이 다를 수 있는 집단들을 대상으로 중재할 만큼 충분한 교육을 받지도, 필요한 기술을 갖고 있지도 못하다. (예를 들어 자신의 학교에서 한 프로그램을 평가하면서 Fetterman이 직면했던 개인적 문제들을 참조하기 바란다. 동료 교수들과 학장은 예기치 못했던 비판과 문제들을 크게 부각시켰었다. [Fitzpatrick & Fetterman, 2000]) 미국평가학회의 회장연설에서 Laura Leviton은 분석기술이나 혼자서 작업하는 데 능한 평가자들에게 평가를 잘 모르는 이해관계자들을 포함하여 다른 사람들과 협력하는 '대인관계 기술'을 개발시킬 필요성이 있다고 하였다. 평가자가 활용할 수 있는 소통기술이나 갈등해결에 관한 연구는 많이 있지만 평가분야의 전문적 저서나 학술지는 분석적 측면에 초점을 맞추고 있는 경향이 있다. 이해관계자 참여가 시간이나 자원을 많이 필요로 할 뿐만 아니라 이해관계자들을 위한 중재자, 조정자, 컨설턴트의 역할을 하려면 우수한 경청기술이나 중재기술이 요구된다.

참여적 평가에 대한 또 다른 주된 우려는 평가에 참여하지 않은 사람들에게 평가결과가 가지는 신빙성이다. 이해관계자 중 특히 프로그램을 실행 혹은 관리하는 이들이 평가에 비중 있게 참여하는 경우 다른 사람들은 이러한 이해관계자들이 과연 자신의 프로그램에 대하여 객관적일 수 있을지 의심하게 된다. 편견이 작용할 수도 있다. 심지어 평가자가 이해관계자들을 잘 알게 됨에 따라 이들에 의해 이용되는 상황으로 인한 편견도 발생할 수 있다. Scriven(1973)이 탈목표 평가를 개발했던 데는 평가자와 프로그램 관련자 간의 접촉을 최소화하고 개인적 관계로 인해 발생할 수 있는 편견을 줄이는 것도 한몫했었다. (Fitzpatrick과 Bickman[2002]를 참조하기 바란다. Bickman 또한 평가의 신빙성과 적법성을 높이기 위해 프로그램 관계자들과의 접촉을 피하고자 하는 바람을 표현했었다. 그의 의뢰인은 평가에 드는 비용을 지원하는 기관이었다.) 다른 이들은 이해관계자들이 자신들의 프로그램을 평가하는 데 비중 있게 참여하게 될 경우 과연 편견으로부터 자유로울 수 있을지에 대하여 우려한다. 자신의 일을 객관적으로 판단하기란 어렵다. 그렇기 때문에 재정지원자나 조직 그 자체에서 중요하거나 논쟁거리가 있거나 비용이 높은 프로그램을 평가할 때는 외부 평가자를 고용하는 것이다. 이들은 외부 평가자가 가져오는 새로운 시각과 주인의식의 결여로 인하여 편견이 적은, 최소한 프로그램 자체에 관한 편견이 적은 평가를 수행할 수 있다고 본다. (앞에서 언급한 바와 같이 평가자는 자신의 경험과 관점을 가지고 오기에 또 다른 편견의 원천이 된다.)

마지막으로 중요한 우려사항은 이해관계자들이 일부 접근법들이 요구하는 과제를 수행할 수 있는 능력에 관한 것이다. Peter Dahler-Larsen(2006)은 평가의 '주류화'(조직에서 평가하는 방법을 스스로 알고 싶어하도록 만듦)에 관하여 이러한 우려를 표한 바 있다. 여러 측면에서 이는 좋은 일이다. 우리는 조직이 자신들의 수행을 향상시키기를 원하지 않는가? 평가적 사고방식이 이들의 수행 향상을 도울 것이라고 생각하지 않는가? 그렇지만 권한부여 평가(이론)나 변혁적 참여 접근법과 같은 일부 참여적 접근법들은 이해관계자들에게 평가의 책임을 전가하며 평가자 자신은 기술 측면만 다루는 컨설턴트로 역할을 제한하고 있다. Dahler-Larsen은 평가자가 평가에 능숙해지려면 수년간의 훈련과 다양하고 많은 상황에서의 실제경험이 필요하다고 지적한다. 그는 "일반 사람들도 방법론에 대한 간단한 소개와 기초훈련만으로 좋은 평가자가 될 수 있다는 기대"(Dahler-Larsen, 2006, p. 145)에 대하여 안타까워한다. 평가자 스스로 다른 영역에 전문성을 가진 사람들(평가 팀의 다른 구성원이나 외부 평가자)을 불러들이기도 하지만 이러한 접근법들에서는 평가자의 도움을 약간만 받으면 이해관계자들이 모든 것을 다 할 수 있다고 가정하는 것이다. "능력 격차를 좁히는 방법이란 그저 상황을 최대한 활용하는 것, '과정이 진행되는 대로 두는 것', 약간의 '역량구축'을 하는 것, 그리고는 때로는 정당한 논리도 없이 간절하게 평가가 '다음에는 더 나을 것'이라고 바라기조차 하는 것이다."(Dahler-Larsen, 2006, p. 145)라는 비판을 받는다.

프로그램 수혜자들의 실천주의(activism)를 장려하고 촉진하는 만큼 참여자중심 접근법들은 우리가 살펴본 다른 프로그램 평가 접근법들보다 정치적 요소가 더 많다. 그렇지만 우리가 3장에서 밝힌 바와 같이 정치적 측면은 평가의 일부이며 좋은 평가자라면 평가가 정부와 사회의 향상을 돕기 위한 정보를 제공한다는 점을 인지하고 이러한 참여 요소를 끌어안아야 한다. 오늘날 많은 시민들은 통치에 있어 적극적인 역할을 하기를 원한다. 시민들은 범죄예방 프로그램에 참여하며 자신들의 환경과 지역사회 공동체를 향상시키는 프로그램 개발에 참여한다. 에이즈 환자, 노숙자, 만성 정신질환자, 저소득층 공공주택 거주자를 위한 프로그램들은 정치화된 풍토에서 나온 것이기도 하다. 이러한 프로그램들은 종종 전국 혹은 지역 수준의 매스미디어로부터도 많은 관심을 받는다. 오늘날의 참여문화 속에서 우리가 살펴본 참여적 평가 접근법들은 이해관계자들, 특히 힘없는 이들에게 힘을 실어주고 교육시키며 정보에 기초한 선택을 하고 의사결정에 참여하도록 해주는 수단이 된다.

주요 개념과 이론

1. 참여자중심 평가 접근법에서는 평가자가 프로그램 이해관계자들, 즉 정책입안자, 프로그램 재정후원자, 관리자, 종사자, 수혜자, 여타 프로그램에 이해관계를 가진 사람들을 평가의 계획 및 실행에 참여시킨다.

2. Robert Stake의 종합실상 평가모형과 반응적 평가, 그리고 Guba와 Lincoln의 제4세대 평가와 자연주의적 접근법은 1970년대와 1980년대에 그 당시의 주된 평가방법이었던 양적이고 미리 정해진 방식의, 인과성을 중시하는 사회과학 방법론에 대항하여 나타났다. Stake, Guba와 Lincoln은 이해관계자의 요구에 더 잘 반응할 수 있는 방법과 접근법을 원하였으며 이는 인과성 확립을 중심으로 하는 것은 아니었다. 또한 프로그램의 변화나 평가자의 지식 변화를 반영하여 평가에서 더 융통성 있고 변화에 적응할 수 있고, 평가 청중들에게 프로그램에 대하여 깊이 있는 설명과 이해를 더 잘 제공할 수 있는 방법과 접근법을 원하였다. 이들은 프로그램의 다원적 실재, 그리고 다양한 이해관계 집단이 바라보는 이러한 다원적 실재를 평가자가 그려내야 할 필요성을 피력하였다.

3. 오늘날의 참여적 평가 접근법들은 각기 다른 주목적을 가진 두 가지 유형으로 크게 나뉜다. 실용적 참여 접근법들의 경우 참여가 이해관계자와 잠재적 사용자들에게 주인의식을 심어주고 이해를 높임으로써 평가활용 가능성을 높인다는 사실에 기초하여 평가결과의 활용 증가를 위하여 이해관계자들을 참여시킨다. 변혁적 참여 접근법들은 정치적 이유로 이해관계자를 참여시키는데 이해관계자들에게 평가 및 자기결정의 도구, 지역공동체나 사회의 권력구조에 대한 통찰력, 이러한 권력구조를 변화시킬 수 있는 도구를 제공함으로써 이해관계자들에게 권한을 부여하고자 한다.

4. 각각의 참여적 접근법은 (a) 평가자 혹은 이해관계자들이 가진 평가에 관한 주된 의사결정 통제권, (b) 평가에 참여할 이해관계자의 선정 혹은 참여하는 이해관계자의 범위, (c) 이해관계자 참여의 깊이라는 세 가지 주요 차원에서 범주화할 수 있다. 보다 최근에는 두 가지 차원이 더 첨가되었는데 바로 (d) 이해관계자들 간의 권력관계(갈등 혹은 중립), (e) 평가의 관리 가능성, 즉 이해관계자 참여를 바람직한 방식으로 실행하는 것의 쉬움 혹은 어려움이 첨가되었다.

5. 널리 알려진 실용적 참여 접근법으로는 관계자기반 평가(Mark & Shotland, 1985), 실용적 참여 평가(P-PE)(Cousins & Earl, 1992), 개발평가(Patton, 1994, 2010)가 포함된다. 관계자기반 접근법에서는 평가자가 통제권을 갖고 있지만 평가목적, 초점, 최종

해석 및 보급과 관련된 주요 쟁점에 대하여 폭넓게 다양한 이해관계자들로부터 의견을 구한다. 실용적 참여 평가와 개발평가는 평가자와 평가나 개발 활동에 심도 있게 참여하는 주요 이해관계자(흔히 프로그램 관리자나 종사자) 간의 의사결정 공유 혹은 파트너십을 활용한다.

6. 널리 알려진 변혁적 접근법으로는 권한부여 평가와 숙의민주주의 평가가 있다. 이러한 접근법들은 참여 차원에서 극적인 차이를 보이지만 정치적 목적을 다루고 있다는 점에서 변혁적이다. 권한부여 평가(Fetterman, 1994, 1996, 2001a)는 참여하는 이해관계자에게 힘을 실어주려는 의도를 갖고 있다. 주된 의사결정 권한을 이해관계자들(흔히 프로그램 관리자와 종사자)에게 부여하고 평가에 깊게 참여시킴으로써 미래에 평가를 수행할 기술을 제공하고 이에 따라 자기결정권을 가질 수 있도록 한다. 숙의민주주의 평가(House & Howe, 1999)는 사회평등과 형평성이라는 민주주의 가치에 기초하며 이해관계자들 간의 전형적인 권력 불균형에 주목하며 각 이해집단, 특히 의견 개진이 가장 힘든 이들이 참여할 수 있도록 한다. 평가에 관한 의사결정은 여전히 평가자의 통제하에 있지만 모든 정당한 이해관계 집단들이 대화와 숙의 과정에 참여하여 평가자로 하여금 이해관계자들의 다양하고 현실적인 요구와 관점을 알 수 있도록 한다. 권한부여 평가는 여러 다양한 상황에서 실천되고 보고되어 왔다. 숙의민주주의 평가는 이보다는 평가자의 실천에 도움을 주는 이상적인 모형 역할을 하고 있다.

7. 참여적 접근법의 활용에 관한 연구에 따르면 실제적으로 평가자들은 이해관계자들을 참여시키지만(Cousins, Donohue, & Bloom, 1996; Cullen, 2009; Fetterman & Wandersman, 2005; Miller & Campbell, 2006), 참여적 평가의 정의에서는 서로 상당한 차이를 보이며 일반적으로 특정 모형을 그대로 따르는 경우는 거의 없다고 한다. 많은 이론가들은 지역 맥락에 맞추어 모형을 수정할 것을 권장한다.

8. 참여적 접근법의 장점으로는 이해관계자들의 평가에 대한 이해와 활용을 높이며 평가자의 프로그램 및 조직 이해를 향상시키며 이를 통해 더 타당하고 유용한 정보를 제공하는 것이 포함된다. 이해관계자 참여는 조직학습을 이끌 수도 있다. 조직 구성원들이 평가에 대하여 더 잘 알게 됨에 따라 미래에 문제를 해결하기 위해 평가를 활용하거나 평가적 사고양식과 자료 사용이 가능해질 것이다. 약점으로는 편견, 그리고 이에 따라 외부 청중에게 평가결과가 덜 인정받는 결과, 이해관계자 참여에 드는 상당한 시간과 비용, 평가를 수행하는 이들이 필요한 기술을 결여했을 경우 잠재적으로 미약한 평가결과, 평가 기술과 전문성이 어떤 이해관계자든 쉽고 빠르게 습득할 수 있다고 가정하는 것 등이 있다.

토의 문제

1. 참여자중심 평가 접근법들이 언제 특히 적합할 것인가? 자신의 경험을 토대로 몇 가지 예를 들어보라.

2. 여러 다양한 이해관계 집단을 포함함으로써 평가가 안게 될 수 있는 위험에는 어떤 것이 있는가?

3. 참여자중심 평가와 목표중심 평가를 비교하고 대조해보라. 이 두 접근법 간의 주요한 차이점은 무엇인가? 유사한 점은 무엇인가?

4. 한 프로그램에 대한 다원적 관점이란 무엇을 뜻하는가? 왜 다양한 집단들은 서로 다른 관점을 가지는가? 평가는 하나의 진정한 프로그램을 기술하기만 하면 되는 것이 아닌가?

5. 관리자가 프로그램에 대한 다양한 관점을 아는 것이 유용한가? 왜 그런가? 이러한 정보로 관리자(또는 다른 이해관계자들)가 무엇을 할 수 있는가?

6. 어떤 참여자중심 접근법이 가장 마음에 드는가? 왜 그러한가? 그 장단점은 무엇이라고 보는가?

7. 당신이 속한 조직의 특정 프로그램을 평가하는 데 가장 유용한 참여적 접근법은 무엇인가? 이 접근법이 왜 유용한가? 이 접근법을 사용하는 데 위험요소는 무엇인가?

8. 당신이 실시하는 평가에 공통된 이해관계자들은 누구인가? 한 평가에 참여하는 이들의 관심사와 역량을 논하라. (교육청 관계자와 학부모들이 적극적으로 많이 참여했던 평가의 예시는 Fitzpatrick과 King[2009] 참조 바람.)

적용 연습

1. 당신이 관련되어 있는 프로그램 중 참여자중심 평가의 도움을 얻을 수 있는 프로그램을 하나 생각해보라. 평가에서 이 접근법을 사용하는 목적은 무엇이겠는가? 어떤 접근법을 선택할 것이며 그 이유는 무엇인가? 이해관계자를 어떻게 선정할 것이며 이들과 어떻게 의사결정권을 공유하거나 공유하지 않을 것인지, 어떤 방식으로 참여시킬 것인지를 고려해보라. 접근법의 원리나 단계를 따를 영역, 그리고 거기서 벗어나서 적용한 영역을 논하라.

2. 당신이 존 F. 케네디 고등학교의 학생활동 관리자로 새로 임명받아 학교의 학생활동 프로그램에 대한 평가를 실시하겠다고 결정했다고 가정해보자. 프로그램에 대한 가장

최신 정보는 매년 초반에 출간되는 교직원 핸드북에 포함되어 있다. 다음과 같이 기술되어 있다. "존 F. 케네디 고등학교는 2,500명의 학생들에게 광범위한 활동을 제공한다. 이러한 활동에는 동아리, 교내 및 학교대표 스포츠, 밴드, 합창단, 오케스트라, 적십자 등의 다양한 봉사 프로그램이 포함된다. 동아리는 학생들과 학생부장교사가 지명한 지도교사로 구성된다. 동아리 모임은 월요일에서 목요일까지 저녁시간에 학교 식당, 강당, 실내체육관 등에서 열린다. 학교대표 스포츠 활동은 체육교사들의 지도를 받는다. 교내 스포츠 활동은 특별활동 부서별로 조직되며 학생부장교사가 지명하는 교사가 지도한다. 밴드, 합창단, 오케스트라는 음악교사들의 지도를 받는다. 봉사 프로그램은 학생들이 조직하되 지도해 주고자 하는 교사를 찾아야 한다." 이러한 설명만으로는 프로그램에 대해 충분하게 이해할 수가 없어서 프로그램의 수정이나 재구조화를 시작하기 전에 현재 프로그램에 대한 평가를 실시하기로 결정했다. 참여자중심 평가자로서 당신은 평가를 어떻게 계획하고 실행할 것인가?

3. 반응적 평가, 실용적 참여 접근법, 권한부여 평가 접근법 간의 유사점과 차이점을 기술하라.

4. Weaver와 Cousins(2004)가 논한 참여적 평가의 두 가지 예, 그리고 Fetterman과 Wandersman(2005)의 권한부여 평가 실시를 기술한 두 챕터를 읽어보고 이 평가들에서 평가자와 이해관계자들의 행동을 대조해보라. 어떻게 유사한가? 어떻게 다른가? 이러한 행동과 역할은 의도했던 접근법에 근접하였는가, 그렇지 못했는가?

5. a. 직접 실시했던 평가에서 참여자중심 접근법으로 가장 적절하게 대답할 수 있는 평가문제 두 개를 찾아보라. 참여자중심 접근법으로 다루기에 부적합한 질문이나 쟁점 두 가지를 찾아보라. 왜 처음의 질문들은 참여자중심 접근법에 적합한 반면 두 번째 질문들은 그렇지 않다고 생각하는가? b. 참여자중심 접근법으로 다루는 것이 적합하다고 생각했던 질문들 중 하나를 선택하라. 평가에 어떤 이해집단들을 참여시키겠는가? 어떻게 참여시킬 것인가? 어떤 단계에서? 사례연구 접근법을 취할 것인가? 당신의 자료 수집 방법은 보다 객관적인 접근법에서 사용되는 자료 수집 방법과 어떻게 다른가?

6. 다음 프로그램을 평가하는 데 참여적 접근법을 사용해보라: 한 병원에서 50세 이상 남성을 대상으로 전립선암에 걸렸을 가능성이 있는 사람들을 선별해내는 야심찬 프로그램을 시작하였다. 처음에는 게시판, 라디오, 신문광고를 통해 지역의 유명 인사들이 자신의 경험을 이야기하며 선별과정을 홍보하도록 하는 집중광고 프로그램을 시도하였다. 이 병원에서 당신을 고용하여 참여자중심 접근법을 사용하도록 자신들의 노력

을 평가해 달라고 한다. 당신이라면 어떻게 하겠는가? 어떤 이해관계자들을 포함시키 겠는가? 어떻게 포함시키겠는가?

사례 연구

이 장의 참여적 요소 활용을 보여주는 인터뷰 두 개를 읽어볼 것을 추천하는데 바로 『Evaluation in Action』[11]의 9장(Jean King)과 11장(Ross Conner)이다.

9장에서 Jean King은 평가 능력구축(evaluation capacity building, ECB)을 위한 참여 적 접근법 활용 경험을 논하는데, 자신의 역할이 주로 촉진자인 반면 다른 이해관계자들 (주로 교사와 학부모들)이 정치적 논쟁요소가 많은 그 지역의 특수교육 프로그램 평가에 대한 중요한 의사결정을 내리는 경우였다. 이 글은 이 책에서만 찾아볼 수 있다.

11장에서 Ross Conner는 콜로라도 주의 다양한 공동체의 재정지원자와 시민들과 협 력했던 경험을 기술하고 있는데, 자신이 평가자를 포함한 여러 가지 역할을 하여 이들이 프로그램을 구축하고 평가하는 것을 도왔다고 한다. 이 장은 원래의 인터뷰에서 확장된 것인데, 인터뷰의 일부는 다음 문헌에서도 찾아볼 수 있다: Christie, C., & Conner, R. F. (2005). A conversation with Ross Conner: The Colorado Trust Community-Based Collab-orative Evaluation. *American Journal of Evaluation, 26*, 369-377.

추천 도서

Cousins, J. B., & Earl, L. M. (Eds.). (1995). *Participatory evaluation in education: Studies in evaluation use and organizational learning*. Bristol, PA: Falmer Press.

Cousins, J. B., & Whitmore, E. (1998). Framing participatory evaluation. In E. Whitmore (Ed.), *Understanding and practicing participatory evaluation*. New Directions for Evaluation, No. 80, 5-23. San Francisco: Jossey-Bass.

Fetterman, D. M. (1994). Empowerment evaluation. *Evaluation Practice, 15,* 1-15.

Fetterman, D. M., & Wandersman, A. (Eds.). (2005). *Empowerment evaluation principles in practice*. Thousand Oaks, CA: Sage.

Fitzpatrick, J. L., & King, J. A. (2009). Evaluation of the special educaton program at the Anoka-Hennepin School District: An interview with Jean A. King. In J. Fitzpatrick, C. Christie, & M. M. Mark (Eds.), *Evaluation in action* (pp. 183-210). Thousand Oaks, CA: Sage.

---

11) 역주: 2009년에 출판된 책으로 유명한 전문 평가자들을 대상으로 프로그램 평가에 대한 관점과 사례를 살펴본 인터뷰 모음집이다.

Greene, J. C., & Abma, T. A. (Eds.). (2001). *Responsive evaluation.* New Directions for Evaluation, No. 92. San Francisco, CA: Jossey-Bass.

Patton, M. Q. (1994). Developmental evaluation. *Evaluation Practice, 15,* 311-320.

Patton, M. Q. (2010). *Developmental evaluation: Applying complexity concepts to enhance innovation and use.* New York: Guilford.

Ryan, K. E., & DeStefano, L. (Eds.). (2000). *Evaluation as a democratic process: Promoting inclusion, dialogue, and deliberation.* New Directions for Evaluation, No. 85. San Francisco, CA: Jossey-Bass.

9

최근 고려사항: 문화적 역량과 능력 구축

핵심 질문

1. 평가에서 문화적 역량의 의미와 평가하고자 하는 프로그램의 맥락에서 문화적 역량을 갖는다는 것의 중요성은 무엇인가?
2. 평가가 조직에 미치는 효과는 무엇인가?
3. 우리가 평가 또는 평가 역량 구축을 주류화시키려는 의도는 무엇이며, 그것은 바람직한 것인가?
4. 평가 역량 구축은 어떻게 하는가?

앞의 장들에서 살펴보았던 다른 접근에 대한 논의와 비교로 넘어가기 전에 오늘날 평가 실행에서 특정한 평가 접근법을 넘어서 전 평가에 영향을 미치는 두 가지 요소에 대해 논의하고자 한다. 첫 번째 요소는 오늘날 평가자들이 평가하는 프로그램에 대한 문화적 능력을 고려하고 수립할 필요성에 대한 인식이고, 그 두 번째는 평가 역량 구축 또는 평가를 주류화[1]함으로써 프로그램과 조직에 영향을 미치는 우리의 역할이다. 우리가 어떤 접근방법을 사용하고 있든지, 평가는 조직의 환경과 우리 생활에 크게 영향을 미치는 여러 문화적 배경 아래 시행되어야 한다. 그래서 3장과 4장에서 어떻게 평가를 하는지 조명하기 전에 문화적 능력과 역량 구축에 대해서 살펴보았다. 만약 이러한 요소들을 무시한 채 평가를 진행한다면 타당성, 효험과 영향력은 감소할 것이다. 사실상, 평가 역량 구축을 위한 문화적 역량과 기술은 평가를 어떻게 해야 하는가(the how-to)의 일부분이다.

---

1) 역주: 평가가 조직이나 기관에서 일반적인 경향이 되는 것을 의미함.

평가 실행에서의 문화와 맥락의 역할과 문화적 역량 개발

문화적 역량의 필요성에 대한 관심 증가

Karen Kirkhart는 1994년에 미국평가학회에서 행한 연설에서 "다문화 영향력(multicultural influences)은 우리의 일을 만들고 우리의 일에 의해 만들어진다"라고 말했다. 그녀가 소개한 다문화 타당성(multicultural validity)이라는 용어는 "타당성의 핵심 차원에서 개념화되어야 하고 동일한 관점에서 다루어져야 하며, 일상화되어야 하고, 다른 것들과 같이 면밀히 검토되어야 한다. 즉, 평가, 이론, 방법론, 실행, 그리고 메타평가에 있어서 가시적인 관점의 대상이 되어야 한다."라고 말했다(Kirthart, 1995, p. 1). 그 이후부터 몇몇의 비판도 있었지만 평가자들은 평가를 할 때 문화의 영향을 고려하기 시작하였고, 타당성과 유용성을 위해서 평가자들은 문화의 필요성을 알아야 할 중요성을 느끼기 시작하였다.

다문화 영향력에 관심을 가져야 한다는 그녀의 주장에 따라 다양한 토론과 저술들이 있어왔다. 그러나 Kirkhart가 주장한 것과 같이 다문화를 이해하는 것은 '긴 여정(a journey)'이었다. 그러나 몇몇의 중요한 일들은 진행되어 왔다. 2004년 미국평가학회에서 발간한 『안내 원칙(Guiding Principles)』의 개정판은 평가자들에게 있어야 하는 능력 중 하나로 문화적 역량을 제시했다.

명성, 정확한 이해, 다양성의 존중을 보장받기 위해서 평가자들은 평가팀 일원들이 문화적 역량을 제시하는 것을 보장해야 한다. 문화적 역량은 문화적 가정이나 가설, 참여자 및 이해당사자들이 지니고 있는 문화적 세계관에 대해 인식하고 문화적으로 다른 집단들과 작업함에 있어서 적합한 평가 전략과 기술을 활용하는 평가자에 반영되어야 한다. 다양성은 인종, 민족, 성별, 종교, 사회경제적 배경, 또는 기타 요인들이라는 점에서 평가 맥락과 관련이 있다(www.eval.org/publications/GuidingPrinciples.asp 참조).

최근 교육평가기준합동위원회(Join Committee on Standards for Educational Evaluation)는 문화적 역량을 강조하는 새로운 기준들을 마련하여 승인했다.

- **U1 평가자 신뢰성**(evaluator credibility): 평가자들은 프로그램의 배경을 알고, 평가를 진행할 때 진실성을 가져야 한다.
- **U4 가치의 명시성**(explicit values): 문화적 가치를 평가의 목적, 과정, 판단 아래 기초하여 분류하고 세부화해야 한다.

- F3 **상황적 실용성**(cultural viability): 문화와 정치적 관심과 요구를 균형 있게 받아들이고, 인식, 감시를 한다.
- P2 **공적 합의**(formal agreements): 문화적 맥락을 고려한다.
- A1 **결론 및 의사결정의 정당성**(justified conclusions and decisions): 평가결과들은 문화와 상황 속에서 정당화된다(이러한 각 기준의 전문은 부록 A 참조).

『기준(Standards)』 수정판의 전반적인 문화적 역량에 대한 강조는 평가자로 하여금 다양한 평가 국면에서 맥락과 문화의 중요성을 인식하도록 하였다.

문화적 역량에 대한 강조와 그 영향에 대한 증거들 또한 아주 많다. 미국과학재단 (National Science Foundation)은 평가에 있어서의 문화적 역량에 대한 지침서를 제작하였으며(Frierson, Hood, Hughes, 2002; Frenchtling, 2002), 또한 문화적 역량에 대한 토론과 저서들도 발간되고 있다(Botcheva, Shih, and Huffman[2009]과 Thopmson-Robinsn, Hopson, and SenGupta[2004] 참조).

이번 장에서는 독자들에게 문화적 역량이 무엇이고, 왜 평가에서 중요하고, 문화적 역량이 평가에 미치는 장점과 단점에 대해서 논의하고자 한다. SenGupta, Hopson과 Thompson-Robinson(2004)은 문화적 역량을 다음과 같이 정의하였다.

> 평가가 이루어지는 문화적 맥락을 적극적으로 인식하고 이해하도록 체계적으로 반응하는 탐구이다. 그리고 그것은 평가 활동에 인식론을 형성하고 설명하며, 문화적이고 맥락적으로 적절한 방법론을 채택하고, 결과의 활용과 결과를 도출하는 데 있어서 이해관계자 친화적인 해석 수단을 사용한다(2004, p. 13).

미국평가학회의 안내 원칙과 SenGupta 등이 내리는 정의에서 공통적으로 강조하고 있는 것은 평가자들은 평가하는 프로그램의 문화나 배경에 대해 충분히 이해하고 해박한 지식을 가져야 하는 의무를 지녀야 한다는 것이다. 그러나 우리는 우리들의 문화적 규범도 인지하고 있지 못하다. 물고기가 물속에서 헤엄치고 있다는 사실을 모르는 것과 마찬가지로 우리들도 우리가 아는 것이 전부라고 믿고 최선이라고 믿고 있다는 것이다. 미국평가학회의 안내 원칙에서 지적하듯이 우리는 문화적 규범과 가치에 대해 인식하고 우리 삶에 어떠한 영향을 미치는지 알아야 한다. 물론, 우리 각각은 다르다. 그러나 우리는 자기인식을 통해 평가 대상에 관한 문화적 규범, 가치, 행동을 배울 수 있다.

문화적 역량의 중요성

최소한 미국에서 평가자들은 성별을 제외하고는 다른 집단보다 다양한 배경을 보여주지 못하고 있다. 2007년 미국평가학회의 회원 2,637명 중 67%는 여성이고 73%는 백인이었다[2](http://www.eval.org/Scan/aea08.scan.report.pdf). 미국은 복합적 문화를 지닌 다문화 국가가 되었지만 평가자들은 그 다양성을 대표하지 않는다. 그러나 우리는 종종 우리와 완전히 다른 문화, 경험, 관점, 견해, 행동 양식 등을 지닌 많은 사람들이 몸담고 있는 학교, 정부, 비영리 단체를 평가한다. 몇몇 경우에, 그러한 프로그램을 제공받는 이해관계자 역시 이민자로서 미국과 그 문화에 낯선 이민자이기도 하다. 마지막으로, 우리 중 많은 사람들이 우리도 잘 모르는 다른 나라의 평가를 수행하기도 한다. 그래서 많은 평가자들은 프로그램을 연구하고, 프로그램 속에서 학생이나 고객들의 데이터를 수집하기도 하고, 그 데이터를 분석하며, 그들 대부분이 향유하는 문화에 우리가 익숙하지 않음에도 불구하고 프로그램의 변화를 유도한다. 이러한 친숙함의 결여는 적절한 평가 방향을 제시하는 능력, 그들의 데이터를 수집하는 방법과 다양성을 개념화하는 능력, 결과를 분석하여 그것을 이해하고 활용할 수 있는 방법을 전달하는 능력에 영향을 미친다. Stafford Hood가 지적했듯이 "평가자들이 그들의 생활경험과 다른 문화적 뉘앙스를 이해하고, 보고, 듣는 것은 어렵다. 그러나 그러한 것이 불가능한 것만은 아니다."(2005, p. 97). Robert Stake(1975b)는 평가자들은 다른 사람들이 프로그램을 이해할 수 있도록 정확하고 완전한 설명을 하고 맥락에 반응할 수 있도록 할 필요가 있다고 주장한 초기 학자 중 한 사람이다. Hood는 우리가 연구하는 프로그램과 맥락에 나타난 문화에 대한 존중과 더 나은 이해 없이는 그렇게 할 수 없다는 것을 깨닫도록 해주었다.

평가자들은 전형적으로 프로그램 참여자들과 같은 문화를 공유하지 않기 때문에, 문화적 역량을 지니는 것은 여러 가지 이유로 중요하다.

- 평가자들로 하여금 이해관계자들이 관심 있는 이슈들을 확인하고 그들의 평가 목적을 받아들이도록 하기 위하여
- 다양한 관점에서 프로그램의 성공에 관한 믿을 수 있는 근거가 무엇인가를 탐색하기 위하여
- 집단의 신념, 관점, 기준에 가장 잘 들어맞는 타당한 데이터와 정보를 수집하기 위

---

2) 연구는 어떤 특정한 인종이나 민족에 치우치지 않으며, 미국 인구를 골고루 반영하였다. 즉, 8%의 외국인, 7%의 흑인 또는 아프리카계 미국인, 5%의 아시아인, 또 다른 5%는 라틴계, 2%는 미국계 인디언 혹은 알래스카인이었다.

하여

- 타당한 결과를 얻는 데 필요한 데이터를 분석하고 해석하기 위하여
- 평가와 그 방식에 관해 회의적이고 잘 알지 못하는 이해관계자들에게 평가의 합법성을 제고시키기 위하여
- 각각의 이해관계자 집단의 기준과 가치에 부응하고 이해가능한 방식으로 결과를 전달하기 위하여
- 결과의 활용과 효용성을 증대시키기 위하여
- 평가와 그것이 수행되는 방식을 통하여 민주주의 가치와 사회적 평등을 향상시킬 기회를 인식하고 힘의 불균형과 불평등의 문제점을 주지시키기 위하여

독자들이 보듯이, 문화적 역량은 평가에 있어 좋은 첨가물(extra)은 아니다. 그것은 사회와 프로그램의 차이를 만들어내는 효과적인 평가를 개발하고 완성시키는 데 중요하다. 또 다른 문화적으로 역량 있는 평가자가 수행할 실질적 역할은 프로그램 계획이다. 우리가 지적했듯이 많은 접근법들(CIPP, 개발평가, 변혁적 평가)은 평가자들로 하여금 평가하기 위하여 프로그램의 마지막 국면까지 기다리지 말고, 계획 단계에서 평가 데이터를 수집하여 효과적인 프로그램이 되도록 이끌어 내도록 한다. 왜냐하면 그것들이 지역단체의 문화에 더 즉각적으로 반응하기 때문이다(Mertens[1999] 참조).

우리는 어떻게 문화적 역량을 얻을 수 있는가? 지적하였듯이 그것은 긴 여정에 해당된다. 평가를 위해 한 사람의 문화적 역량을 향상시키는 것은 새로운 통계술을 익히게 하는 것처럼 쉬운 일이 아니다. 왜냐하면 모든 평가자나 모든 상황에 딱 들어맞는 분명한 규칙이나 단계가 없기 때문이다. 그러나 문헌에서 발췌한 몇 가지 유용한 방법을 제시하면 다음과 같다.

- 당신의 고유의 문화가 어떻게 당신의 신념, 가치, 행동에 영향을 미치는지 인지하라. 그것은 당신이 자란 곳, 인종, 가족의 종교적 관습, 평가자로서 당신의 실습과 훈련으로 생긴 습관과 신념 등이다.
- "가치, 가정, 그리고 문화적 맥락에의 자아 관찰을 지속적으로 실행하라."(SenGupta et al., 2004, p.13)
- 특히, 처음으로 이해관계자와 대면하거나 프로그램을 대할 때, 조용히 관찰하고, 존중의 형식으로 반응함으로써 배울 기회를 가져라.
- 당신의 원래의 문화에서 점점 다른 문화가 되어감에 따라 최우선인 것을 포함시켜라(Madison, 2007). 다른 문화를 대표하는 이해관계자들의 참여를 유도하라. 그들

과 관계를 발전시키며 더 배워라.

- 당신의 평가팀에 그 문화를 대표할 수 있는 사람을 한 사람 이상 참여시켜라. 그 사람은 의사소통과 이해를 위해 중요한 역할을 해야 한다.

- 평가 전문가 일원으로서 다른 문화와 인종을 대표하는 평가자를 채용하라(Hood, 2001, 2005).

반응적 평가(responsive evaluation)의 유용한 예시와 문화적으로 다른 집단과의 대화 및 지역 공동체와 그들의 견해를 학습하기 위해서는 Wadsworth(2001)를 참고하라.

조직에서의 평가의 역할: 평가 능력 구축과 평가 주류화

Michael Patton은 평가가 조직에 미치는 영향을 최초로 인지하였다. 그는 과정 활용 (process use)라는 개념을 사용하여 그 효과를 설명하였다. 과정 활용이란 "생각이나 행동에 있어 개인의 변화, 프로그램 혹은 조직의 변화이다. 그것들은 평가 과정 속에서 발생하는 학습 결과로서 평가에 관련된 것들 사이에서 발생한다"고 말한다(Patton, 1997c, p. 90). 평가자들은 그들의 평가 작업이 그 자체로 결과에 영향을 미칠 뿐 아니라, 조직의 고용인들 사이에서 평가에 대한 사고방식과 평가에 대한 지식에도 영향을 미친다는 것을 인지하기 시작했다. 이러한 학습은 조직 그 자체에도 영향을 미치게 된다. 평가에 대한 참여적 접근은 그러한 학습을 증가시켰고 최소한 더 많은 고용인들을 참여시켰다. 때로는 그러한 조직의 변화가 평가의 주요한 목적이기도 하다(예를 들어, 몇몇 변혁적 접근의 경우에 해당된다).

평가자들이 조직에 있어 평가의 역할을 생각하도록 한 관련 요소는 조직에 대한 요구의 증가와 평가의 대중화이다(Dahler-Larsen[2006] 참조). 평가에 대한 요구는, 특히 책무성에 대한 요구는, 지난 십 여 년간 증가해왔다. 그러한 요구에 따라 고용인들은 평가 실시와 평가 데이터 수집과 보고에 대한 책임이 증가하였다(조직에서 평가를 담당하지 않는 직원에 대한 평가에 대해서는 Christie와 Barela[2008], Datta[2006], Hendricks 등[2008] 참조).

평가가 조직 그 자체와 의사결정 방식에 있어 프로그램 전반에 미친 영향에 대한 인식, 또 프로그램 관리자 및 평가 담당자의 관여가 증가하면서 조직에 대한 평가의 영향에 대해 좀 더 사고하고 논의하게 되었다. 그 논의의 두 가지 사항은 조직에서 평가가 일반적인 것이 되도록 하는 평가 주류화(Sanders, 2002; Barnette & Sanders, 2003)와 조직의 평가 능력 구축이다.

평가 주류화

2장에서 논의했듯, 평가 주류화는 Sanders가 2001년 미국평가학회에서 발전시킨 개념이다. 그는 그것을 다음과 같이 설명한다.

> 조직의 일상적 활동을 통합적으로 평가 내리는 과정. 평가가 주류가 된다면, 조직의 업무 윤리에 있어 일상적인 부분이 된다는 것. 그것은 조직의 모든 수준에서 문화와 직무 책임성의 일부이다.

Paul Duignan은 뉴질랜드에서 그와 그의 동료들이 평가에 있어 리더로서 조직에서 평가를 주류화하고 평가 능력을 구축해왔던 활동에 대해서 논의하였다. 그가 지적했듯이 뉴질랜드와 같은 작은 나라에서는 평가자와 다른 전문가들도 '다방면의 전문가'가 되기를 강요받는다. 그는 "평가를 일반적이 되도록 주류에 편입시키기 위한 가장 효과적인 전략은 아마도 그것을 시도하고 내버려두는 것이다"라고 주장한다(2003, pp. 12-13). 그는 평가를 내버려 둔다는 것을 평가가 "다방면의 전문가"들이 지녀야 할 기술 중의 하나가 되는 것이라고 보았다. 그곳에서 평가자들은 다른 사람들이 평가 기술을 얻고, 조직이 평가능력을 구축할 수 있도록 돕는다. 평가에 대한 우리의 논의와 관련하여, Duignan은 평가를 주류화하고 조직의 일상적인 의사결정을 가장 효과적이게 하는 특징을 다음과 같이 제시하였다. 좋은 접근법이란 다음과 같다.

1. 평가를 알기 쉽게 설명하기
2. 평가가 프로그램의 생존 주기에 따라서 적절하게 실시될 수 있고 결과 평가에 한정되지 않도록 평가 용어를 사용하기
3. 내부, 외부 평가자들에 대해 하나의 역할을 허용하기
4. 이상적이고 대규모이며 비용이 비싼 외부평가 설계가 아닌 평가가 곤란한 실생활 프로그램에 대한 방법론을 제시하기
5. 누구에게도 평가에 대한 메타접근을 할 수 있는 특권을 부여하지 않기(예를 들어, 탈목표, 권한부여)(Duignan, 2003, p. 15)

이와 비슷하게 Wandersman 등(2003)은 사우스 캐롤라이나에서 주 전체에 준비된 프로그램에서 평가를 주류화하기 위해 사용했던 시스템을 설명한다. 그들은 그 주의 모든

도시에 걸쳐 프로그램을 적용했고, 평가의 특권을 방지하기 위해 'Getting To Outcomes (GTO)'를 참고했으며 그것을 학교에 적용했다. 그 결과는 프로그램이 책무성의 요구를 충족시키게 했을 뿐 아니라, 프로그램 기획과 향상에 대한 내부 의사결정에 활용되도록 평가를 주류화하였다. 이러한 방법으로 Wandersman, Duignan 등은 평가자들이 평가가 조직에 어떠한 영향을 미치고, 어떻게 일상적인 의사결정 과정에서 영향을 미칠 수 있는 가를 입증했다.

평가 능력 구축

다른 학자들은 평가 능력 구축(Evaluation Capacity Building, ECB)에 초점을 맞추어 다음 과 같이 평가와 조직에 대해 쓰고 있다.

> 우수한 프로그램 평가와 그 적절한 활용이 하나 또는 그 이상의 조직과 프로그램 내에서 또
> 는 그것들 간에 일상적이고 계속적인 실행을 하도록 하거나 지속시키는 과정과 실천들에
> 대한 맥락 의존적이고 의도적인 행동 체계(Stockdill, Baizerman, & Compton, 2002, p. 8)

Stockdill과 그녀의 공동 저자는 평가 능력 구축이 전통적인 평가 방식이 아니어서 다 수의 평가자들이 그것에 관여하지 않을 것이라고 했다. 그러나 그들은 평가자들이 평가 능력을 구축함으로써 적합한 역할을 할 수 있게 된다고 했다. 조직에 있어서 평가는 두 가지 형태로 나타날 수 있다.

(a) 평가되고 있는 프로그램 또는 정책에 대한 정보를 주로 제공하는 전통적 프로젝트 기반 평가 연구
(b) 조직 안에서 평가와 그 활용에 도움이 되는 환경을 유지하도록 하는 평가자와 구 성원 조직 안에서 이루어지는 계속적인 평가 능력 구축

평가 능력 구축은 전통적인 평가보다 훨씬 더 맥락 기반적이다. 왜냐하면 평가 능력 구축을 위한 평가자들은 반드시 조직의 역사, 구조, 문화, 맥락을 고려한 이슈들과 그것에 대한 의사결정 방식뿐만 아니라 평가되어야 할 프로그램 맥락과 상황을 고려해야 하기 때문이다.

세계은행(Mackay, 2002), 미국암협회(Compto, Glover-Kudon, Smith, & Avery, 2002), 미국질병관리예방센터(Milstein, Chapel, Wetterhall, & Cotton, 2002) 등 많은 조직들은 그들의 평가 활동을 조직 변화와 역량 구축을 위해 성공적으로 정착시켰다(평가 능력 구 축에 대해서는 미네소타 학군에서 평가 능력 구축 활동을 기술한 Jean King[2002] 참조).

핵심은 평가자와 내부 평가자, 평가 관리자 또는 다른 조직 직원들이 평가 연구를 수행하는 것과는 다른 평가를 실시함으로써 평가에 대한 조직 역량, 수용과 활용 등에 대한 새로운 역할을 이끌어내는 것이다. 평가능력계발단체(ECDP)는 능력 개발의 좋은 예이며 유용한 정보 자원이다. 더 자세한 정보는 www.ecdg.net을 참고하라.

능력 개발과 평가 주류화에 대해서는 계속적으로 저술되고 있다. Preskill과 Boyle(2008)은 평가 능력 구축에 대한 촉매제 역할을 한 많은 사례들을 보여주었다. Laura Leviton이 개최한 미국평가학회의 2000년 학회 주제였던 "평가 능력 구축", Jim Sanders가 개최한 2001년 학술 주제였던 "평가의 주요 흐름"과 평가에 있어 이해관계자와 참여자의 증가가 그 예들이다. 2006년 미국평가학회는 조직 학습과 평가 능력 구축이라는 새로운 주제 관심 집단(topical interest group)을 형성하여 주제에 대한 관심을 이끌기도 했다. 게다가 평가 능력 구축의 노력은 평가자들 사이에서도 비교적 쉽게 찾을 수 있다. 2007년 미국평가학회 회원의 54%가 평가 능력 구축을 수용한 것으로도 알 수 있다(American Evaluaton Association, 2008).

Preskill과 Boyle(2008)은 평가 능력 구축의 종합적 모형을 개발하여 이해하기 쉽도록 도왔다(그림 9.1). 왼쪽의 원은 평가 능력 구축이 시작되어 이행될 때를 나타낸다. 평가 능력 구축의 목표가 바깥쪽 원에 반영되는데, 늘어나는 지식, 기술, 조직 고용인들 간의 평가에 대한 태도 등이 그것이다. 평가 능력 구축이 조직에서 추구하는 것들은 다음 원에 있는 요소들에 영향을 받는데, 동기, 가정, 평가에 대한 기대, 평가 능력 구축, 성취 가능한 것 등이다. 마지막으로 열 개의 평가 능력 구축 전략이 가장 안쪽 원에 나열되어 있는데, 인턴십, 출판물, 공학, 회의, 연구, 실행 공동체, 훈련, 평가에의 참여, 기술 지원, 코칭 등이 그것이다. 각각의 전략들은 평가 능력을 구축하기 위해 설계되고, 시행되고, 평가된다(원 안에 전략들을 연결하는 화살표들을 보라). 이 원에서 보이는 요소들은 조직에서 평가 능력 구축 활동을 지속적인 평가 실행으로 이어줌으로써 학습으로 연결시킨다(중간 화살표). 다시 말해, 오른쪽 원은 주요한 평가와 조직의 사고와 활동에 영향을 줄 수 있는 평가 능력을 성공적으로 구축한 것으로 보일 수 있다. 보다 이상적이라는 점을 인정하지만, 그 영향은 더 큰 원에 둘러싸여 있는 각각의 원의 지속적 평가 실습에 묘사된다. 다시 말해, 지속적인 평가 활동을 하는 조직은 평가를 학습하고 공유한다는 믿음을 가지며, 평가에 전념하고, 평가를 위한 전략적 계획 등을 지닌다. 다음으로, 양쪽의 원은 조직의 학습 능력과, 리더십, 문화, 시스템과 구조, 의사소통 등을 통하여 상호 영향을 준다(양쪽 원 사이의 타원을 보라). 궁극적으로, 이러한 조직적 평가 능력 구축 활동의 결과는 다른 조직과 개인에게 영향을 미친다(아래쪽의 화살표를 보라). 이 모형은 복잡하고 종합적이긴

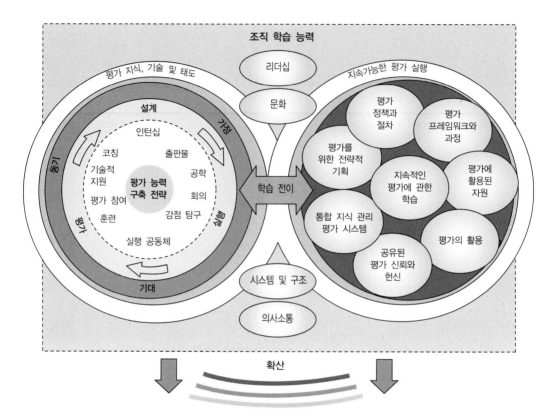

그림 9.1 평가 능력 구축의 종합적 모형

출처: From Preskill, H., & Boyle, S. (2008). A multidisciplinary model of evaluation capacity building. *Americal Journal of Evaluation*, *29*(4). 445. Republished with permission from Sage Publications.

하지만, 우리로 하여금 조직에서 평가 능력 구축의 각각의 요소를 실행해 보게끔 한다. Preskill과 Boyle은 평가 능력 구축을 평가의 미래라고 보면서, 각각의 특징들을 면밀히 검토하였다.

그들은 평가가 조직 안에 있는 전문가에 의해서 수행되는 구체적인 프로젝트에서 개인의 학습을 도움으로써 그들의 생각과 지식 기술, 행동을 변화시키는 방향으로 전환되고 있다고 예측했다. 앞서 논의한 바와 같이 그러한 변화는 이미 많은 조직에서 일어나고 있다. Prsskill과 Boyle은 "우리는 평가 능력 구축이 평가 전문화의 다음 단계로의 혁명을 나타내며, 그래서 상상했던 형태로 변화할 잠재력을 가지고 있다고 믿는다."고 기술했다 (Preskill & Boyle, 2008, p. 457).

그러나 평가 능력 구축과 평가 주류화 활동은 아직 초기단계에 있다. 우리는 독자들이 이러한 개념과 이슈들을 자각하고 좀 더 읽어보길 바란다. Sanders의 평가 주류화 개념들이 평가 능력 구축 초기에 제시되었던 정의와 중첩된 것과 같은 많은 정의들이 제시되고 있다. 주제에 대한 관심과 접근법과 개념의 다양성은 국립과학재단에서 지원하고 있는 유타대학교 협력단에 의해 수행되고 있는 평가 능력 구축에 대한 두뇌집단(think tank)에 의해서 설명되고 있다. Compton과 Baizerman은 회의에 참가한 후, "평가 능력 구축의 어떤 개념이나 정의도 똑같지 않다."고 말했다(2007, p. 118). 그들은 이러한 다양성이 사안을 발전시킴에 있어 실용을 추구하는 분야의 자연스러운 단계이며, 게다가 이러한 다른 흐름을 통제하거나 통합하려고 시도하는 것은 평가 능력 구축의 발전에 있어서도 시기상조임을 주장한다. 대신에 미국평가학회의 결과에서 보이듯, 평가 능력 구축은 다양한 환경과 방식으로 실행되고 있다. 이러한 내용, 모형, 실행 등으로 우리의 핵심이 설명된다. 평가자는 그들의 영향이 프로그램뿐 아니라 조직에도 미칠 수 있다는 것을 생각하기 시작했으며, 따라서 많은 경우 그들의 실행을 능력 구축과 평가 주류화를 장려하는 데 적용하고 있다. 이 책의 많은 독자들은 전문적 평가자가 되려고 하는 대신에, 평가를 실용적으로 사용하기를 원하는 조직의 결정권자나 관리자가 될 수 있다. 그러므로 우리는 이러한 평가 능력 구축에 대한 논의와 주류화를 포함하여 독자들로 하여금 그들의 역할에 충실하고 조직 내부와 그 문화 속에서 다른 변화를 꾀하는 데 평가를 활용하기를 권장한다.

평가 주류화와 역량 구축의 한계

평가 주류화와 평가 능력 구축에 비판이 없는 것은 아니다. Dahler-Larsen(2006)이 경고하듯, 평가자들은 그들의 기술을 쉽게 습득할 수 없다. 전문 평가자들은 기술을 얻는 데 수년이 걸리고, 그것을 다른 사람들에게, 다른 훈련으로 똑같은 깊이로 쉽게 얻을 수 있다고 말하는 것은 오해를 불러올 수 있다. "평가 주류화"라는 Sanders의 주제에 대하여 2001년에 개최한 미국평가학회에서, Anderson과 Schwandt는 "사회 기구의 주요한 기술이자 이데올로기로 평가 능력 구축을 실행하는 것은 사회적으로 용인될 수 있는 것인가?"라고 의문을 제기했다(2001, p. 1). 그들은 그러한 평가에 있어 비판적 목소리와 그 이슈에 관한 다른 이해관계자들의 필요성을 강조했다. 평가를 조직의 핵심적이고 일상적인 구성요소로 삼는 것은 조직에서 근본적 변화를 일으킬 것이고 사회에도 시사점을 제공할 것이다. 그러한 변화는 무엇을 의미하는가? 평가가 단순한 모니터링으로 축소되는가(Patton, 2001)? 그것이 단지 비전문가에 의해서만 달성될 수 있다는 쪽으로? 만약 그렇다면, 어떤 정보와 가치들을 잃게 되는가? 평가자들은 이해관계자들의 관점을 충분히 다 포함시켜야 할 윤리적 책임을 지니고 있다. 그것은 사회의 공동 선을 위해서, 체계적 조사를 위해 엄격한 방식을 사용하고 그러한 방법에 능숙하기 위해서, 평가팀이 문화적으로 경쟁력이 있다는 것을 확신시키기 위해서, 『기준(Standards)』과 AEA의 『안내 원칙(Guiding

Principles)』에서 구체화한(American Evaluation Association, 2004; Joint Committee, 1994, 2010) 다른 중요한 목적을 달성하기 위해서도 그러하다. 조직의 변화에 대한 우리의 강조는 평가에 다른 요소들을 포함하고자 하고, 그들의 역량을 강화하며, 평가에 있어 통제를 줄이고자 하는, 이러한 윤리적 이론과 기준을 유지하는 권한을 줄이는 우리의 역할을 변화시킬 것인가? 물론, 이런 질문들은 지금은 답을 얻을 수 없다. 그러나 평가자로서, 우리는 평가 능력 구축과 평가 주류화의 강점과 한계에 대해 논의하고 그것을 인식해야 할 것이다.

우리는 평가 능력 구축과 평가 주류화를 조직 행동과 결정력을 향상시키는 목적으로 본다. 평가에서 평가와 관련 없는 사람들의 참여를 통하여 사고와 의사결정 형태를 변화시키기 위한 과정의 활용은 평가자에게 좋은 영향을 미칠 수 있다. 우리는 그러한 효과를 지지한다. 그러나 우리는 신중하게 쓰일 것을 추구하고, 종종 그렇게 되기도 한다. 아이러니하게도, 유용한 사용은 평가 능력 구축과 그 과정을 통하여 증대될 수 있다. 즉, 참가를 통하여 평가에 관해 배운 이해관계자들은 결정을 통하여 평가로부터 나온 결정을 지지할 가능성이 좀 더 높은 것이다. (이제, 우리는 가정을 테스트할 필요가 있다.) 우리는 Dahler-Larsen과 기타 의견들을 공유하였다. 모두가 평가자가 되거나 전문 평가자의 기술을 습득진 않는다. 다행히도, 많은 이들이 그것을 원하지 않을 것이다. 그들은 그들 고유의 전문성이 있다. 그러나 그들이 이러한 접근법을 조금 더 학습하는 것은 조직의 변화를 돕고 고객과 사회에 더 나은 서비스를 제공할 것이다.

주요 개념과 이론

1. 평가는 각기 다른 문화에서 이루어지며, 때로는 평가자들에게 완전히 새로운 문화에 서 이루어진다. 평가의 활용과 타당성을 제고하기 위하여, 그리고 윤리적인 이유로, 평가자들은 평가의 틀을 만드는 데 문화적으로 능숙해야 한다.

2. 평가와 평가에 대한 요구가 급증함에 따라, 평가자들과 그 외의 참여자들은 평가를 주 류화하고 조직 역량을 구축하는 데 평가를 활용하고 실시해야 하는 역할을 해야 한다. 이러한 노력이 오늘날 평가의 성장을 위한 주요 동력이다.

토의 문제

1. 당신이 누리는 문화는 무엇인가? 특징을 나열하라. 그 문화에서는 한 번도 대학 과정 을 밟아보지 않은 사람을 어떻게 보는가? 당신과 똑같이 보는가? 만약 그 사람이 평가 자라면, 그러한 다른 인식이 평가의 수행에 어떤 영향을 미치겠는가?

2. 평가를 주류화하는 것은 가능하며 또 필요하다고 보는가?

적용 연습

1. Fitzpatrick이 Katrina Bledsoe와 인터뷰한 내용과 Trenton에 게재된 재미있는 책읽기 프로그램에 대한 평가를 읽어보라(*American Journal of Evaluation, 28*(4), 522-535 참 조). 그 속에서 그녀는 문화적 경쟁력과 이 프로그램에서 그녀의 평가를 구축하기 위 한 노력을 이야기 한다. 첫째, 프로그램 속에서 그녀가 문화적 경쟁력을 얻기 위해 취 한 방식을 논의하고 비판하라. 그리고 당신은 당신의 경험과 완전히 다른 문화를 제공 받는 곳에 있는 사람들에게 시행된 프로그램을 평가하기 위해 어떻게 문화적 경쟁력 을 얻을 것인지 논의하라. 당신은 Bledsoe의 활동을 어떻게 세울 것인가? 그 외에 무 엇을 할 수 있는가?

2. Jean King이 학교에서 평가 능력 구축을 시도한 내용을 담은 장과 Bobby Milstein이 질병통제센터에서 평가 능력 구축을 실행한 장을 읽어라. 그 방법들을 비교, 대조하 라. 당신은 무엇을 선호하며 그 이유는 무엇인가? 당신의 조직에서는 무엇이 가장 적 절할 것인가?

사례 연구

이번 장에서 논의된 『Evaluation in Action』에서 다룬 세 개의 인터뷰, 8장(Jean King), 12
장(Katrina Bledsoe), 13장(Allan Wallis and Victor Dukay)을 읽어보기 바란다.

8장에서 Jean King은 일 년 여에 걸친 특정 평가 영역에 있어, 학교 영역에서 일시적
평가자로서의 역할을 어떻게 수행하였는지를 설명한다. King 교수는 능력 개발에 있어
평가 업무에 초점을 맞추고 자신의 역할에서 교수로서의 경험을 쌓기 위해 안식년을 가
졌다. 그 점에서 이 장은 이 책에서 다룰 가치가 있다.

12장에서 Katrina Bledsoe는 캘리포니아 출신의 아프리카계 미국인으로서, 뉴저지의
트렌튼이라는 아프리카계 미국인이 거주하는 꽤나 다른 미국 지역사회에서 그녀가 문화
적 역량을 구축한 방법을 기술한다. 그녀는 또한 프로그램 직원들, 지원자들, 참가자들의
문화적 차이점이 프로그램의 목적을 바라보는 다른 관점을 불러일으키게 된 방식에 대해
서도 언급한다. 출처는 다음과 같다: Fitzpatrick, J. L., & Bledsoe, K. (2007). Evaluation
of the Fun with Books Program: A dialogue with Katrina Bledsoe. *American Journal of
Evaluation, 28,* 522-535.

13장에서 Allan Wallis와 Victor Dukay는 아프리카의 시골지역에서 시행한 평가에 대
해 논의한다. 에이즈로 부모를 잃은 고아들에 대한 평가는 탄자니아의 연구자들과 고아들
이 속해 있는 문화와 탄자니아 지방에 대해 좀 더 알기 원하는 일반인들도 포함시켰다.
그 점에서 이 장은 이 책에서 다룰 가치가 있다.

추천 도서

Barnette, J. J., & Sanders, J. R. (Eds.). (2003). The mainstreamingn of evaluation. *New
    Directions for Evaluation,* No. 99. San francisco: Jossey-Bass.
Compton, D. W., Braizerman, M., & Stockdill, S. H. (Eds.). (2002). The art, craft, and sci-
    ence of evaluation capacity building. *New Directions for evaluation,* No. 93. San
    Francisco: Jossey-Bass.
Fitzpatrick, J. L. (2008). Exemplars' choices: What do these cases tell us about practice?
    In J. Fitzpatrick, C. Christie, & M. M. Mark (Eds.), *Evaluation in action: Interviews
    with expert evaluators,* pp. 355-392. Thousand Oaks, CA:Sage.
Hood, S. L. (2001). Nobody knows my name: In praise of African American evaluators
    who were responsive. In J. C. Greene and T. A. Abma (Eds.), Responsive evaluation.
    New Direction for Evaluation, No. 92. San Francisco: Jossey-Bass.
Thompson-Robinson, M., Hopson, R., & SenGupta, tence in evaluation: Principles and
    practices. *New Directioons for Evaluation,* No. 102. San Francisco, CA: Jossey-Bass.

10

평가 접근법의 비교분석

핵심 질문

1. 평가 접근법을 선택할 때 염두에 두어야 할 유의점은 무엇인가?
2. 모든 접근법을 무시하고 오직 한 접근법만을 모든 평가에 사용한다면, 놓치게 되는 것은 무엇인가? 동일한 평가 접근법을 항상 사용하는 경우 어떤 문제점이 있는가?
3. 각 평가 접근법은 평가 개념의 이론화에 어떤 기여를 했는가?

평가 접근법의 요약 및 비교분석

4장에서 평가 접근법들을 유형별로 나눌 수 있는 다양한 방법을 소개하였다. 우리 자신의 구분방법도 포함시켰는데, 여러 접근법들을 네 가지 범주, 즉 (1) 전체적인 질적 수준을 판단하는 접근법(전문가중심 및 소비자중심), (2) 프로그램의 특징에 중점을 두는 접근법, (3) 의사결정중심 접근법, (4) 참여자중심 접근법으로 나누었다. 이 모두는 프로그램 평가의 계획 및 실시 방법을 제시하고 있는 현재의 주요 학파를 대표한다. 5장부터 8장까지는 이러한 오늘날의 프로그램 평가 접근법들이 가진 이론적·개념적 토대를 요약하여 제시하였다. 이쯤에서 이러한 개념적 구분이 얼마나 유용한지 질문해보는 것이 필요할 것이다. 답은 "사실상 매우 유용하다"인데, 이에 대해서 곧 논하겠지만 먼저 몇 가지 유의점을 짚고 넘어가고자 한다.

대안적 평가 접근법에 대한 유의점

평가 접근법의 구분과 실제에서의 혼합

신생학문 분야에는 이론이 개발되어 보급, 실천되면서 수정되고 정교화해지고 또다시 새로운 접근법들의 도전을 받게 되기 때문에 개념적 혼돈이 발생하기 마련이다. 탄탄하게 축적된 지식토대가 실천적인 지침을 제공할 수 있을 때까지는 어떤 새로운 분야에서든 선도자들의 훈련, 경험, 관점을 따르게 된다. 어떤 이들은 이렇게 하는 것이 부적절하다고 주장하겠지만 어떤 새로운 분야나 학문이든 처음부터 성숙한 상태로 탄생하지는 못하기에 불가피한 것이다. 그러나 선도자들의 이론이 어떤 방향으로 어느 정도 그 분야를 이끌어 왔는가를 점검해보는 것도 필요할 것이다.

지금 우리는 이 책의 초판을 발간할 때에 비하여 평가라는 학문분야에 대하여 더 많이 알게 되었고 또 실천해왔다. 평가에 대한 연구에 따르면 거의 대부분의 평가자들이 혼합방법, 즉 질적 방법과 양적 방법 모두를 활용하고 있으며, 어떤 식으로든 다양한 이해관계자들을 평가에 참여시키며 결과 활용을 증가시킬 방안을 고려하고 있다(Christie, 2003; Fitzpatrick, 2004). 평가 접근법의 창안자들마다 자신의 접근법이 장점을 가진다고 믿는 것은 당연하지만 자신의 방법이 유일하게 옳다고 주장할 사람은 거의 없을 것이다. 접근법들은 시간이 흐르고 지식이 쌓이면서 변화되었다. 의사결정중심 접근법들은 경영자들을 넘어서 더 다양한 이해관계자들을 고려하게 되었고 권한부여 평가는 조직학습을 비롯하여 직원 및 경영자에게 권한을 부여하는 시스템을 강조하게 되었다.

평가 접근법에 대하여 다양한 용어를 사용하기에 혼동을 줄 수 있다. 저명한 평가자 중 상당수는 '모형'과 '접근법'을 같은 의미로 사용한다. 일부는 평가 '이론'이라고 부른다(Alkin & Christie, 2004; Chelimsky, 1998; Christie, 2003). 저자들은 과거에는 '접근법'이라는 용어가 성격상 가장 적합하다고 주장했는데, 이론이라고 하기에는 너무 좁고 모형이라고 보기에는 충분히 검증되지 않았기 때문이었다. 그러나 우리도 평가 현장에서의 다른 생각들을 받아들이고자 한다. 여기서는 단지 독자들에게 이러한 용어, 즉 접근법, 모형, 이론이 평가 분야에서 혼용되고 있음을 짚어주고자 한다. 이 모든 용어들은 평가에 대한 생각과 실천에 지침이 되는 관점 또는 체제를 뜻한다.

평가 접근법, 모형, 혹은 이론을 둘러싼 논쟁이 줄어들고 의견차도 감소하였는데, 우리는 그 이유가 평가 실제에 큰 영향을 주고 있는 두 가지, 즉 (a) 좋은 평가 연구의 준거(유용성, 실현 가능성, 적절성, 정확성과 책무성)를 설정한 교육평가기준합동위원회의

『프로그램 평가 기준』, (b) 체계적 탐구, 유능성, 무결성/정직성, 사람에 대한 존중, 일반 및 공공 복지에 대한 책임이라는 범주하에 평가자에게 기대하는 윤리적 행동을 기술한 미국평가학회의 안내 원칙의 개발 및 보급 때문이라고 본다(이러한 『기준(Standards)』 및 『안내 원칙(Guiding Principles)』에 대해서는 3장, 각각에 대한 내용 목록은 부록 A 참조). 이러한 문서나 이에 관한 토론, 평가자 교육에서의 활용, 새로운 개정을 통해 평가, 평가자, 이해관계자, 기타 사용자의 역할과 공공성에 대한 공감대와 합의점이 커지고 있다.

특정 평가 접근법 고수의 위험

> 그렇게 해서 피리 부는 사나이는
>> 처음으로 미소를 살짝 띠며 거리로 나섰는데,
> 자신의 조용한 피리 속에
>> 그동안 어떤 마술이 잠들어 있는지를 알고 있는 것처럼…
>>> ─Robert Browning, "하멜른의 피리 부는 사나이"

이 책에서 기술한 모든 평가 접근법마다 추종자들이 있어 해당 접근법이 다른 방법들에 비하여 더 좋은 평가를 가능하게 한다고 믿고 있다. 이는 정당하다고 생각한다. 언제 어디서 자신이 선호하는 접근법이 적용 가능하며 또 언제 어디서 문제나 상황에 가장 적합한 방법이 아닌지를 알고서 현명하게 특정 논리를 따르는 평가자들은 문제 될 것이 없다.

문제가 되는 것은 모든 평가 접근법 중 자신이 따르는 접근법만이 모든 상황에서 올바르다고 확신하는 경솔한 추종자들의 존재이다. CIPP를 추종하는 평가자, 이론기반 평가를 철통같이 고수하는 평가자, 반응적 평가를 신조로 삼는 평가자가 있다. 많은 평가자들은 제안된 전략과 전술이 환경에 맞는지, 원하는 성과를 얻을지를 확실하게 먼저 알아보지도 않은 채 하나의 평가 접근법을 선택하고 전투에 나선다. 프로그램은 말할 나위도 없이 쟁점이 모호한데도 내재적 형성평가에 결과중심 접근법을 사용해야 한다고 주장하는 것은 기병대를 늪지대로 몰아넣는 것만큼이나 어리석은 일이다.

평가자들은 자신이 선호하는 접근법에 억지로 맞추어 평가 독자의 이해관계와 요구를 왜곡하기보다는 다양한 평가 접근법들에 대해 충분한 지식을 갖고 프로그램, 상황, 이해관계자에게 적절한 것을 선택할 수 있는 발견적 도구로 활용하는 것이 바람직하다. 다른 모형을 적절하게 활용한 예로 Fetterman과의 인터뷰를 참조할 것을 제안하는데, 주된 의사결정자의 요구와 상황에 맞추어 특정한 평가에서 자신의 권한부여 접근법으로부터 벗어났던 예를 보여주고 있다(Fitzpatrick & Fetterman, 2000).

다원주의를 포기한 하나의 공통 모형으로의 평가 접근법 통합 요구의 부적합함

평가 분야를 처음 접하는 이들은 접근법이 너무 다양해서 좌절감을 느낄 수 있다. 재정지원자나 관리 감독자의 평가 요구에 부적합하거나 지나치게 추상적으로 여겨질 수도 있다. 어떤 이들은 하나의 간단한 평가 접근법을 개발해야 한다고 주장하기도 한다.

언뜻 보기에는 통합에 대한 이러한 요구들은 목적 달성만 중시하는 상당수의 평가자와 평가 의뢰인들이 "학문적 토론은 건너뛰고 프로그램 평가를 어떻게 해야 할지만 우리에게 말해 달라!"라고 요구하는 데 부합하기 때문에 호소력을 가질 수도 있다. 어떤 프로그램 평가교재들은 실제로 그렇게 하고 있는데, 이는 독자들로 하여금 평가가 단지 자료를 수집하고 분석하는 문제라고 보는 그릇된 생각을 하게끔 한다. 이미 우리는 평가란 서로 다른 관심사와 관점을 갖고 속으로는 평가가 자신의 편을 들어주기를 기대하는 이해관계자들과 고도로 정치적인 환경 속에서 이루어진다는 사실을 잘 알고 있다. 더 나아가, 만약 다양한 접근법들이 존재하지 않는다면 오늘날의 환경 속에서 평가자들은 항상 성과에 대한 자료를 수집하고 무선 통제 실험(randomized control trials)을 하거나 평가재원을 제공하는 이들이 원하는 대로 혹은 조직을 지배하는 규정대로만 따라야 한다고 생각하게 될 것이다. 평가 접근법들은 우리로 하여금 중요한 선택을 해야 하며 이러한 선택이 경솔하게 이루어진다면 평가에 드는 노력과 시간이 헛될 수 있다는 사실을 인식하도록 돕는다. 달리 표현하자면, 이해관계자를 비롯한 여러 사람들과 함께 평가의 목적과 의도된 혹은 잠재적 활용에 대하여 시간을 들여 심사숙고하지 않는다면, 프로그램에 대해 목표나 기준 그 이상에 대해 알고자 하지 않는다면, 다른 이해관계자들에게 귀 기울이고 이들을 포함시킬지, 포함시킨다면 어떻게 참여시킬지 고려하지 않는다면, 원하는 대로 평가를 할 수는 있지만 그 누구에게도 도움이 되지 않는 결과를 낳을 것이다. 접근법들이 다양하게 존재하며 차이점이 있기에 우리는 정당하고 공평하며 타당한 평가를 하기 위해서 내려야 할 많고 중요한 선택들, 단순한 기술적 측면을 넘어서는 선택들을 의식하게 되며, 이를 통해 프로그램을 향상시킬 수 있게 되는 것이다.

기존 접근법들을 종합하여 단일한 접근법을 만드는 것의 또 다른 문제점은 앞 장들에서 기술했던 평가 접근법들이 크게 차이가 나는 철학적 가정에 기초한다는 사실이다. 일부 가정들은 양립 가능하여 만족스럽게 결합될 수 있지만 모든 가정들을 통합하는 것은 철학적으로 불가능한데, 어떤 접근법에서 핵심이 되는 측면이 다른 접근법의 핵심요소와 직접적으로 양립 불가능할 수 있기 때문이다. 예를 들어 변혁적 참여 접근법은 의사결정 접근법과 상당히 다른 목적과 원칙에 기초한다. 하나는 사회를 변혁시키거나 최소한 권력구조를 흔들고자 하는 것이다. 다른 하나는 전형적으로 권력을 가진 이들이 의사결정을 내릴 수 있도록 정보를 제공하고자 하는 목적을 갖고 있다. 이 둘의 결합은 불가능하다. 마찬가지로 목적을 정의하는 데 초점을 맞추는 것은 프로그램의 성과나 이론에 초점을 맞추는 것 또는 전문가의 감식으로 찾아내는 특질에 초점을 맞추는 것과는 완전히 상이하다.

현재로서는 하나의 옴니버스 모형을 구축하려는 시도는 너무 이르게 문을 닫아버려 평가 분야에서 이루어져야 할 확장과 정교화가 이루어지지 못하게 할 수 있다. 평가 역량 구축에 대하여 상이한 해석이 다수 있는 것과 마찬가지로, 우리의 평가에 대한 개념들은 아직까지 충분하게 시도되지 못했으며 경험적 토대가 여전히 미약하기 때문에 어떤 개념을 보존하고 어떤 개념을 버릴 것인지 알 수 없다. 하나로 통일되지만 빈약하게 메마른 평가 개념을 만들어내기보다는 모순적이고 뒤섞인 아이디어들의 혼돈 상태를 참아내고 이들을 최대한 잘 활용해야 할 것이다. 탐구 및 과학적 연구 수행에 대하여 폭넓은 저술 활동을 하고 있는 Kaplan은 "위험은 모형들을 갖고 작업하는 것이 아니라 너무 적은 모형들, 너무도 서로 유사한 모형들을 갖고 작업하며, 무엇보다도 다른 무엇인가로 작업해 보려는 노력을 경시하는 데 도사리고 있다."(Kaplan, 1964, p. 293)라고 말한 바 있다. 통합할 수 있다는 이유만으로 반드시 통합해야만 하는 것은 아니다. Kaplan의 표현대로 통합은 우리 생각에 성급한 종결을 강요하며 따라서 다음 측면에서 제한적이다.

아직 탐색되지 않은 개념화의 가능성 인식을 제한한다. 우리는 내용 그 자체에 온 마음을 쏟는 것이 더 나을 때에도 모형만 만지작거리며 헛수고를 하고 있다. (중략) 하나의 모형으로 통합시킨다고 자동적으로 그러한 지식이 과학적 입지를 갖게 되는 것은 아니다. 우리 생각은 일반적으로 느리게 성장하며 강제로 이루어질 수 없다. (중략) 어떤 방향이 더 가망성 있는지조차도 알지 못하는 이때 우리의 사고가 따라가야 할 선을 그어버리는 종결은 너무 성급하다. (p. 279)

마지막 우려는 상황적 맥락이 가지는 엄청난 다양성과 관련된다. 다양한 국가, 다양한 정치제도, 다양한 이해관계자(재정 지원자, 시민, 학부모, 의뢰인, 학생 등)의 기대 속에서 평가가 이루어진다. 평가 맥락이 이렇듯 다르기 때문에 모든 상황에 적절할 수 있는 어떤 하나의 모형을 생각해내기란 힘들다. 모두의 불완전성으로 인해 다양한 이론적 틀을 가지는 것이 더 유리한데, 풍부한 관점을 제공할 수 있으며 특히 우리가 제안하는 바와 같이 평가 접근법들을 절충하여 활용한다면(철학적 상보성이 허용되는 경우) 발견적 도구 역할을 할 수 있을 것이다.

평가 접근법 선택의 실증적 기반 미비

다양한 평가 접근법을 가지고 있는 것이 더 유용하다는 우리의 생각을 받아들인다면 논리적으로 이어지는 질문은 주어진 상황에서 어떤 접근법이 최선일지를 어떻게 알 수 있느냐 하는 것이다. 이 질문은 한 가지 단순한 사실로 인하여 대답하기가 극도로 힘들다. 바로 선택을 위한 지침이 될 만한 연구가 거의 없다는 것이다. 평가 실제에 대한 연구가 증가하고는 있으나(Cousins, Donohue, & Bloom, 1996; Cullen, 2009; Christie, 2003; Fitzpatrick, 2004 참조 바람), 평가자가 하나의 접근법을 선택하는 것은 다른 이들이 어떻게 하고 있는지를 보여주는 데는 도움이 될 수 있겠지만 그것이 꼭 최선의 접근법이라는 것은 아니다. 오늘날의 연구에서는 이론가들을 포함한 많은 이들이 의사결정자와 이해관계자의 요구, 프로그램, 상황에 적절하게 접근법들을 취사선택하여 절충적으로 적용하고 있음을 보여준다.

따라서 선택은 가능한 접근법과 방법들에 대한 지식, 어떤 접근법이 실행할 평가에 가장 잘 맞을 것인가에 대한 논리적 추론에 기초하여 이루어진다. 이 책의 여러 장에 제시해둔 인터뷰 및 사례를 찾아 읽어봄으로써 저명한 평가자들이 구체적인 맥락 속에서 어떤 선택을 하고 그 선택에 대하여 어떻게 생각하는지를 더 자세히 알아보기 바란다. 평가는 예술이자 실천이다. 접근법의 선택은 실증적 연구 결과에 기초할 수 없는데 연구에서는 평가자가 직면하는 각각의 지역성이 가진 특성을 모두 다 포함시킬 수 없기 때문이다. 그보다는 평가자가 시간을 들여서 제반 환경을 탐색하고 어떤 접근법이 최상일지 신중하게 고려해야 할 것이다. 이 책의 다음 절에서 프로그램, 상황, 이해관계자에 대하여 더 많이 알게 되고 적절한 선택을 하게 되는 평가 계획 단계에 활용할 수 있는 방법들을 소개할 것이다.

대안적 평가 접근법의 역할

연구에서 밝혀진 바와 같이 많은 평가실천가들이 하나의 접근법을 따르지 않으며 이론가들도 다양한 접근법의 요소를 사용하여 '혼합'한다면, 접근법은 과연 가치 있는 것인가? 우리는 사실상 상당한 가치가 있다고 본다. 평가자가 Scriven(1972)의 탈목표 평가 방법을 사용하는 일은 없을지라도 이 개념을 통해 목적을 넘어서 의도하지 않았던 부수효과(좋은 것과 나쁜 것 모두)를 살펴보게 되며, 목적에 대하여 알고 있는 것이 경주마의 곁눈 가리개(blinders)처럼 스스로를 제한시켜서 다른 결과나 영향을 알아채지 못하게 할 수 있음을 인식하도록 해준다. 평가자로 수년간 일하면서도 Stufflebeam(1971)의 CIPP 평가 모형을 단 한 차례도 사용하지 않을 수 있지만 많은 평가자들이 그의 프로그램 단계 개념과 각 단계에서 있을 수 있는 다양한 정보 요구에 활용해왔다. 더 나아가 CIPP 평가 모형은 프로그램이 시작되기도 전에 평가가 의사결정에 대한 정보를 효과적으로 제공할 수 있음을 인식하게 해주었다. 이와 유사하게 앞 장들에서 제시한 대부분의 평가 접근법은 중요한 방식으로 평가 실제에 영향을 주고 있다.

우리가 실시했었던 평가를 돌아봐도 거의 모든 평가 연구에서 동료들의 아이디어를 이러한 방식으로 활용했었다. 이 책의 이전 판들에서 한 저자는 다음과 같이 언급하였다.

> 평가 실시에 대해 나 스스로 선호하는 방식을 개발해 오기는 하였지만 내가 하는 일의 75% 정도는 다른 이들의 아이디어들에서 추출하여 적용시킨 것이다. 평가 문헌을 반복적으로 접하는 모든 이들은 많은 것을 '피부로' 흡수하고서 그 출처를 의식하지 못한 채 다시 적용하고 있다. 그 누구도 어떤 평가 '모형'을 엄격하게 고수하면서 평가를 실시하지는 않지만 평가 실시에 있어서 대부분 동료들의 아이디어로부터 큰 영향을 받아 스스로의 선호하는 바와 행동이 형성되게 된다. (Worthen, 1977, p. 12)

평가 실시 방법에 대한 대안적 개념(수반하는 범주들, 고려해야 할 목록, 다양한 방법에 대한 기술, 주의해야 할 점)은 때로는 눈에 띄지 않을 정도로, 때로는 직접적으로 프로그램 평가에 영향을 주는데 어떤 방식으로든 중요한 영향을 미친다. 어떤 평가 설계에서는 기존 평가 접근법을 그대로 채택하거나 약간 조정하여 사용한다. 그렇지만 대부분의 평가자들은 평가를 실시하면서 어떤 모형을 엄격하게 고수하지는 않는다(심지어 의도적으로 관심을 기울이지 않는다). 그보다는 여러 문헌을 접하면서 내면화했던 철학, 계획, 절차를 무의식적으로 활용한다. 따라서 대안적 접근법들의 가치는 우리로 하여금 생각하도록 돕는 역할, 새로운 아이디어와 기법을 제시하고 유발시키는 역할, 우리가 고려하거나 기억하거나 걱정해야 하는 일들을 제시해주는 정신적 체크리스트 역할에 있다. 이러한 발견도구적 가치는 상당히 큰 반면, 규범적 가치는 훨씬 적은 것으로 보인다.

대안적 평가 접근법의 특징 비교분석

5장부터 8장까지 새로운 개념들이 매우 많이 제시되어 독자들이 모두 소화해내기 힘들 수 있다. 표 10.1은 네 가지 접근법의 특징, 강점, 한계를 비교분석한 것으로 도움이 될 것이다. 각 접근법에 대하여 선택적으로 다음에 초점을 맞추었다.

1. 주창자: 해당 접근법을 개념화한 사람들
2. 평가의 목적: 특정 접근법을 주창하는 이론가들이 제안한 평가의 의도적 초점 혹은 문헌들로부터 추론해볼 수 있는 목적
3. 두드러진 특징: 각 접근법과 연계된 주요 요인 혹은 개념
4. 혜택: 각 접근법과 관련된 장점과 평가에의 활용도(당신에게 해줄 수 있는 것)
5. 한계점: 각 접근법의 사용과 관련된 위험요소(당신에게 일어날 수 있는 일)

표 10.1 대안적 평가 접근법 비교분석

	전문가중심	소비자중심
주창자	Eisner 평가인증단체	Scriven 소비자연합
평가 초점	질에 대한 전문적 판단 제공	소비결정을 돕기 위한 제품 질 판단
두드러진 특징	개인의 지식과 경험에 기초한 판단, 합의된 기준의 사용, 팀/현장 방문	제품분석을 위한 준거 체크리스트 활용, 제품 검사, 소비자대상 정보제공
활용	비평, 자체평가, 평가인증, 블루 리본 패널	소비자보고서, 제품개발, 보급용 제품 선정
평가에의 기여	학문적 탐구 형태로서의 주관적 비평, 외부확인과 자체평가의 결합, 평가기준	체크리스트를 활용한 준거 명시화, 형성적-총괄적 목적, 편견 통제
강점	많은 영역에의 적용가능성, 효율성(실시하기 쉬움, 타이밍)	소비자 정보요구 강조, 체크리스트 개발, 제품개발자에 대한 영향력, 비용-효과성 및 유용성에 대한 관심
한계점	신뢰도, 반복가능성, 개인적 편견에의 취약성, 결론지지 근거자료의 결핍, 이해충돌 가능성	후원자나 재정지원자의 부족, 논쟁이나 교차검증 불가능

표 10.1 대안적 평가 접근법 비교분석(계속)

	프로그램중심	의사결정중심
주창자	Tyler Provus Weiss Chen Bickman Donaldson	Stufflebeam Alkin Provus Patton Wholey
평가 초점	프로그램 목표나 프로그램 이론의 주요 요소가 전달 혹은 성취되는 정도의 파악	의사결정을 돕는 데 유용한 정보의 제공
두드러진 특징	프로그램의 주요요소와 그 작동기제의 확인 및 기술 강조, 프로그램 이론 개발을 위해 프로그램 관계자들과의 대화 활용, 개발자의 이론 및 관련 연구에 기초, 더 양적이며 인과관계 중심적일 수 있음	이성적 의사결정에의 기여, 프로그램 개발의 모든 단계에서의 평가, 활용도를 높이기 위한 관리자와의 협력
지금까지의 활용	프로그램 계획 및 개발, 지식 축적, 프로그램 성과 및 연계요소 평가	프로그램 개발, 조직경영 체제, 프로그램 계획, 책무성
평가에의 기여	프로그램 활동과 결과 간의 연계 및 프로그램 이론 고려, 아이디어와 평가방법 출처로서 연구문헌의 활용	평가와 의사결정의 연계, 필요한 의사결정 및 의사결정이 이루어지는 상황을 파악하기 위한 관리자와의 긴밀한 협력, 정보시스템을 통하여 지속적인 정보 제공
강점	프로그램 고안자와 연구문헌 연계 촉진, 프로그램 성과의 설명 지원, 블랙박스(성과기제에 대한 무관심) 지양, 프로그램 성과기제의 설명 강조	종합성, 경영자나 평가결과 사용자의 정보요구에의 민감성, 평가에 대한 체제적 접근, 프로그램 개발 과정 전반에서의 평가 활용
한계점	지나치게 연구 중심적인 반면 이해관계자에 대한 관심 부족, 성과에 대한 지나친 강조	의사결정에 있어서 질서, 이성, 예측가능성에 대한 낙관적 가정, 관리자나 리더의 관심사에 초점을 맞춤

표 10.1 대안적 평가 접근법 비교분석(계속)

	참여자중심
주창자	Stake Guba와 Lincoln Fetterman Cousins와 Earl House와 Howe
평가 초점	많은 이해관계자의 평가 참여 혹은 소수의 깊이 있는 참여, 프로그램 활동의 복합성을 이해하고 그려냄, 이해관계자에의 권한부여, 사회정의의 추구
두드러진 특징	다원적 실재의 반영, 이해관계자의 집중적 참여와 상황의 이해, 보다 많은 질적 방법의 사용, 형성평가와 조직학습에 더 초점을 맞춤
활용	소규모의 평가, 과정 활용 및 조직학습에의 초점, 국제적으로 사용되는 변혁적 평가
평가에의 기여	상황에 부응하는 평가 설계, 이해관계자의 활용(평가결과의 사용, 평가자의 이해도, 민주주의 및 대화의 촉진), 프로그램의 세부사항이 갖는 중요성에 주목, 상황을 이해하고 관심을 기울임
강점	다원적임, 기술 및 판단에 초점을 둠, 이해 및 활용을 강조함, 조직 및 개인학습을 포함하여 다양한 활용 유형을 인지하고 추구함, 프로그램의 세부사항에 초점을 맞춤
한계점	인력 및 비용이 상당히 많이 들 수 있음, 평가에 대한 지식이 부족한 이해관계자들이 평가를 부적절하게 이끌 가능성, 낮은 일반화 가능성, 낮은 반복가능성이 있음

대안적 평가 접근법의 절충적 활용

앞에서 제시한 비교분석은 각 접근법의 강점, 한계점, 주된 활용에 대한 핵심정보를 제공하는 데 목적이 있다. 표 10.1에서 제시한 내용은 어떤 하나의 접근법이 가장 좋다는 의미가 아니다. 우리의 의도는 각 접근법이 모두 유용할 수 있다는 것이다. 물론 어떤 접근법(혹은 여러 접근법들로부터의 개념 조합)이 당면한 평가에 가장 적절할 것인지를 결정하는 것은 쉽지 않은 도전과제이다.

저자 중 한 명이 대학원 평가세미나에서 한 학생의 질문에 대답하고자 했던 경험을 제시하는 것이 이 부분에서 도움이 될 듯하다.

몇 주에 걸쳐서 다양한 이론가의 평가 접근법들을 살펴보고 각각을 평가에 어떻게 적용할지를 알아보고 있었는데 한 학생이 "교수님은 보통 어떤 접근법을 쓰시는가요?"라고 물었다. 나는 하나의 가장 좋은 접근법이 있다고 생각하지 않으며 각각이 장점을 가진다고 했다. 그리고 나는 당면한 상황에 가장 적절한 접근법이라면 그 어떤 것이든 그냥 사용한다고 했다.

그 학생은 "어떤 것이 가장 적절한지는 어떻게 아나요?"라고 다시 물었다. 나는 평가의 목적이나 요구되는 의사결정의 유형, 접근법의 제한점 등을 살펴본다고 말하고, 상당 부분이 경험에 좌우되는데 처음에는 어려운 것 같지만 평가를 몇 차례 해보면 모두 알게 될 것이라고 결론을 지었다.

그러자 그 학생은 "교수님께서 한 접근법을 선택하여 사용하셨던 예들과 함께 왜 그 접근법을 고르셨는지 말씀해주신다면 도움이 될 것 같습니다."라고 하였다.

그 제안이 상당히 유용할 것으로 여겨져서 나는 내 머릿속에 저장되어 있던 평가파일 속의 평가 접근법 중 하나를 사용했던 최상의 예를 찾기 시작하였다. 생각이 잘 나지 않아서 다음에는 잘했든 못했든 이러한 접근법 중 하나를 사용했던 예를 찾으려고 하였다. 어떤 접근법이든 하나를 정말 완전하게 사용하지 않았었기에 나는 떠올렸던 평가를 하나씩 계속 지워나가게 되었다. CIPP 평가가 있었지만 상황평가나 투입평가를 할 만큼 충분히 일찍 평가요청을 받는 일이 거의 없기 때문에 불완전하게 중간부터 이루어졌었다. 참여자를 다양하게 참여시키는 방식의 반응적 평가를 부분적으로 적용한 평가가 있었다. 모두가 접근법 사용의 예로는 불완전하였기에 나는 더 순수한 적용 예를 제시하려고 고군분투하였다.

마침내 관리자 교육 프로그램 평가에서 Stake의 '종합실상' 평가체계를 그대로 사용했던 것을 기억해냈다. 이 평가는 학생들에게 경험을 쌓아주기 위한 수업프로젝트에서 나온 것으로, 두 명의 학생들과 함께 실시했었다. 그러자 다른 평가들도 떠올라서 곧 의도된 방식대로 몇몇 평가체제를 사용했던 예들을 제시해줄 수 있었다. 그런데 이 때 그 모든 예들은 학생들과 함께 실시했던, 따라서 의도적으로 평가모형의 특징을 준수하여 보여주고자 했던 수업프로젝트에서 나왔다는 흥미로운 사실을 깨닫게 되었다. 평가전체를 이끄는 하나의 접근법을 의식적으로 선정했었던 나 자신의 '단독' 평가연구는 단 하나도 떠오르지 않았다. 그보다는 수년간 나는 적절하게 여겨지는 대로 여러 평가이론 틀의 일부를 조합하여 각 평가를 새로이 설계해왔음을 깨달았다. 일부 모형의 특정 요소들을 자주 활용하는 반면 어떤 것은 거의 혹은 전혀 활용하지 않기도 하였다. 나의 평가활동에서 진정 온전하게 사용하지 않았기에 존경하는 학자들과 동료들에게 충실하지 못했다고 느끼기도 했지만, 이러한 깨달음을 공유하는 것이 가치 있을 것으로 여겨졌다. 학생들은 처음에는 이러한 나의 절충주의 고백에 다소 당황하였지만 다양한 출처, 체제, 양식에서 최선의 것들을 자유롭게 선택할 수 있다는 점에서 절충주의에 뚜렷한 장점이 있다고 지적해주자 안심하는 것으로 보였다. 이 아이디어로 다시 생기를 얻은 나는 각 접근법별로 최상의 특징을 골라서 엮음으로써 더 강한 전체 접근법을 엮어낼 수 있다고 주장하였다. 이는 양립불가해 보이는 두 가지를 동시에 가능하게 해준다.

수업의 나머지 시간 동안에는 왜 각 평가에서 다양한 요소를 혼합할 필요가 있는지, 통합과 취사선택이 어떻게 다른지, 절충적 접근법이 왜 유용할 수 있는지에 대하여 이야기를 나누었다. (Worthen, 1997, pp. 2-5)

본서의 저자들은 모두, 각 평가에 적절한 것으로 여겨지는 다양한 평가 접근법을 부분적으로 활용하여 구체적 상황에 맞는 평가 접근법들로부터 개념을 선정하고 결합해온 절충주의자임을 스스로 고백한다. 극히 드물게만 평가의 특정 모형을 고수하였다. 전통적인 기존 접근법들의 부분들을 잘라서 꿰매고 필요하면 수작업으로 엮는 것이 선반에서 기존 접근법을 꺼내 쓰는 것보다 더 적합하다고 확신한다. 이렇듯 재봉하는 것이 더 효과적이다.

분명 절충주의도 제한점을 가진다. 무엇보다 학문적 체계성을 갖추지 못한 학문이라는 조롱을 받아왔다. '절충 모형'을 개발했다고 제안하는 것은 모순어법이 될 것이다. 충분한 지식을 갖추지 못한 사람은 절충주의라는 이름으로 터무니없는 실수를 저지를 수 있다. 예컨대 탈목표 평가를 실시하면서 첫 단계로 프로그램의 목표를 평가한다거나 반응적 평가를 한다면서 미리 예정된 설계를 펼치는 실수를 할 수 있다. 물과 기름같이 철학적으로 양립불가한 평가를 혼합하는 것만 피한다면 앞 장들에서 제시된 이론의 절충적 활용은 불리한 점보다는 이로운 점이 훨씬 더 많다. 절충주의가 서로 다른 대안적 접근법들을 결합하는 것을 의미하든, 이러한 접근법들에 내재된 방법이나 기법을 선택적으로 결합하는 것을 의미하든 말이다.

그렇지만 절충주의는 다른 영역에 비해 교육 분야에서 더 일반적이다. 이는 부분적으로는 교육이 서로 다른 접근법이 개발되어온 주된 학문이기 때문일 것이다. 사회학, 범죄학, 정신건강 등의 여타 분야에서 평가 접근법의 절충을 고려하지 않은 것은 과오라 할 것이다. 절충적인 방법을 고려하지 못함으로써 이러한 분야들의 평가자는 청중, 목적, 활용 등과 같은 평가의 중요한 요소들을 충분하게 고려하는 데 실패하곤 한다. 이러한 분야들에서의 평가는 여전히 평가라기보다는 응용연구에 더 가까우며 형성적이기보다는 총괄적인 기능을 해오고 있다. 평가의 잠재력은 대부분 활용할 수 있는 방법의 폭, 그리고 이러한 접근법들을 선택적으로 결합할 수 있는 가능성에 있다고 할 것이다. 더 이상 편협하고 엄격하게 하나의 접근법을 고수하기보다 다양성을 포용하는 더 성숙되고 발전된 평가를 해야 할 것이다. 물론 쉽지 않다는 것은 잘 알고 있지만, 매우 중요한 도전과제이다.

평가 접근법들로부터의 실제적 시사점 도출

지금까지 제시한 모든 평가 접근법은 현장의 평가자들에게 기여하는 바가 있다. 문제를 생성하거나 쟁점을 발견하는 데 활용될 수도 있을 것이다. 관련문헌에는 유용한 개념적, 방법론적, 정치적, 의사소통적, 행정적 지침이 많이 포함되어 있다. 마지막으로 이러한 접근법들은 평가자가 실제로 활용하거나 수정하여 적용할 수 있는 강력한 도구가 된다.

이 책의 후반부에서는 평가를 계획하고 수행하는 데 도움이 되는 실제적 지침을 살펴볼 것이다. 이러한 지침의 상당 부분은 특정한 평가 접근법의 일부로 개발되어 온 것이다. 그렇지만 다행히 일반화가 가능하여 언제 어디서든 필요에 따라 활용할 수 있다. 숙련된 목수가 좋은 집을 짓는 데 단 하나의 연장만 사용하지 않는 것과 마찬가지로 숙련된 평가자는 좋은 평가를 계획하고 실행하는 데 있어 하나의 접근법에만 의존하지 않아야 한다.

이 책의 다음 부분에서는 평가실천자, 이론가, 방법론자 등이 만들어온 도구의 실제적 활용에 대하여 살펴볼 것이다. 그렇지만 잠깐 멈추고 먼저 이 장에서 학습한 것을 적용해 보기를 바란다.

주요 개념과 이론

1. 평가 접근법들이 서로 다른 것은 자연스러운 일이며 하나로 합치거나 통합해서는 안 된다. 이러한 접근법들이 보여주는 차이점은 평가의 서로 다른 목적과 맥락을 그대로 보여주는 것이며 평가자가 실제 평가 장면에서 선택할 바를 적극적으로 고려하도록 해준다.

2. 평가자는 프로그램의 발전 단계, 이해관계자의 요구, 조직문화 등 평가가 수행되는 맥락을 기초로 하여 주어진 상황에서 적용할 접근법을 결정한다.

3. 일반적으로 평가자는 하나의 특정한 접근법을 고수하지 않고 절충적인 접근방식으로 몇 가지 접근법을 함께 사용하는 것을 선호한다.

토의 문제

1. 다양한 평가 접근법에 대해 배우는 것이 왜 중요한가?

2. 당신의 학교나 조직을 평가하는 데 적합한 평가 접근법을 어떻게 선택하겠는가? 어떤 요인들이 중요하게 다루어질 것인가? 어떤 접근법을 선택할 것인가, 아니면 여러 접근법들을 부분적으로 채택할 것인가? 후자라면 어떤 것들을 활용할 것인가?

3. 다른 접근법들에 비하여 특별히 좋아하거나 더 편하게 느끼는 평가 접근법이 있는가? 왜 그러한가?

4. 서로 다른 평가 접근법들을 하나로 통합하려는 시도를 해야 할 것인가? 그 장단점은 무엇인가?

적용 연습

1. 관심 있는 학술지에서 다섯 편의 평가 연구를 찾아보라. 실제 내부 평가 보고서 다섯 편을 수집할 수 있다면 더 좋을 것이다. 여러분이 속해있는 복지기관, 혹은 학교나 대학, 시, 군, 구, 혹은 중앙정부나 비영리기관으로부터 구할 수 있을 것이다. 보고서를 읽고 나서 사용된 접근법이 무엇인지 토론해보라. 절충적인가, 아니면 하나의 모형을 지배적으로 따르는가? 평가자가 목적, 청중, 자료 수집 방법, 결과 제시 방법을 찾는 데 각 접근법의 어떤 요소가 가장 유용한 것으로 보이는가? 5장부터 8장까지 논의된 네 평가 접근법 각각에 대하여 여러분이 각 접근법을 사용한다면 평가를 어떻게 다르

게 수행할지 논하라. 이 프로그램을 평가하는 데 특히 도움이 되는 접근법들의 조합이 있는가?

2. 다음은 여러 평가 목적을 열거한 것이다. 각 예에서 어떤 접근법을 사용하겠는가? 왜 그러한가? 각 상황에서 선택한 접근법을 사용할 때의 장단점은 무엇이겠는가?

   a. 복지프로그램 대상자들이 안정된 정규직을 얻을 수 있도록 고안된 '고용 복지 프로그램'을 계속할지의 여부를 결정하는 것

   b. 대학생들을 대상으로 한 원격학습 교육 프로그램의 실시에 대해 기술하는 것

   c. 중학생 대상 학교폭력 예방 프로그램을 향상시키기 위한 권고안을 마련하는 것

   d. 학년말에 초등학교 1학년의 읽기 수준이 적절한지를 결정하는 것

3. 한 초등학교에서 부모들이 교실에 와서 돕도록 하는 자원봉사 프로그램을 시작하였다. 이 프로그램의 목적은 교사에게 도움을 주는 것만이 아니라 부모들이 학교 및 자녀교육에 더 많이 참여하게 하는 것이다. 교장은 교실에서의 자원봉사를 통해 부모들이 자녀교육에 더 많이 참여하게 함으로써 학년수준에 못 미치는 성취도를 보이는 학생들의 학업성취를 향상시키기를 바란다. 프로그램중심, 의사결정중심, 참여자중심 접근법을 적용할 경우를 비교해보라.

사례 연구

이 종합적인 장에서는 하나의 사례를 제시하기보다는 지금까지 읽었던 사례 연구들을 다시 볼 것을 제안한다. 각 사례 연구별로 어떤 접근법 혹은 접근법들을 사용하고 있는지 찾아보라. 하나의 접근법에 충실한지, 다양한 접근법들을 활용하는지 생각해보라.

추천 도서

Christie, C. A. (2003). What guides evaluation? A study of how evaluation practice maps onto evaluation theory. In C. A. Christie (Ed.), *The practice-theory relationship in evaluation.* New Directions for Evaluation, No. 97, 7-36. San Francisco: Jossey-Bass.

Fitzpatrick, J. L. (2008). Exemplars' choices: What do these cases tell us about practice? In J. Fitzpatrick, C. Christie, & M. M. Mark (Eds.), *Evaluation in action: Interviews with expert evaluators,* pp. 355-392. Thousand Oaks, CA: Sage.

Stufflebeam, D. L. (2001). Evaluation models. *New Directions for Evaluation,* No. 89. San Francisco, CA: Jossey-Bass.

Stufflebeam. D. L., & Shinkfield, A. J. (2007). *Evaluation theory, models, and applications.* Somerset, NJ: John Wiley.

Part III

평가 계획을 위한 실질적인 안내 지침

제1부에서 우리는 청중들에게 평가, 평가의 역사, 그리고 평가를 둘러싸고 있는 평가를 정의하는 것과 관련된 몇 가지 중요한 정치적이고 윤리적인 쟁점사항들을 소개하였다. 제2부에서 우리는 평가에 대한 대안적인 개념들로 이끄는 요인들을 살펴보았고, 오늘날 가장 영향력이 있는 네 가지 일반적인 평가 접근법의 강점과 한계점, 그리고 주요 특징들을 정리하였으며, 절충적인 조합을 포함하여 그러한 접근법들을 어떻게 하면 사려 깊게 사용할 수 있는지를 논의하였다.

이제 이 책의 핵심적인 부분인 실질적인 안내 지침에 도달하였다. 평가자들이 어떠한 평가 접근법 또는 그러한 평가 접근법을 조합하여 사용함에 상관없이 제3부에서는 평가자들에게 도움이 될 수 있는 안내 지침을 제공할 것이다. 제3부에서 평가를 위한 활동들을 분명히 하고 집중하며, 계획하는 데 있어 안내 지침을 제시하고, 제4부에서 평가를 수행하고 활용하기 위한 안내 지침을 제시할 것이다.

11장에서 프로그램 평가가 시작되는 이유들, 평가 시점(향상이 일반적이지만, 정답은 아닌)을 결정함에 있어 고려해야 할 사항들, 누가 평가를 수행해야 할지를 어떻게 결정할 것인지를 살펴봄으로써 제3부를 시작할 것이다. 12장에서는 무엇이 평가되는지를 정확하게 기술함의 중요성뿐만 아니라, 평가가 발생하는 배경과 상황에 대한 평가자의 이해가 갖는 중요성을 논의할 것이다. 평가 계획에 있어 두 가지 중요한 단계인 평가 질문과 준거의 확인 및 선택, 그리고 정보 수집, 분석 및 해석의 계획이 13장과 14장에서 상세하게 다루어질 것이다. 14장에서는 또한 평가 연구의 관리 계획 개발과 관련된 몇 가지 안내 지침이 포함됨으로써 평가에 있어 합의 확립이 갖는 중요성이 강조될 것이다.

11장부터 14장에서 초점을 두는 것은 단언컨대 실용성에 있다. 여타의 자료들이 계속해서 인용되고 언급될 것임에도 불구하고, 이 장들은 다뤄진 내용들의 학술적인 검토에 있지 않다. 학술적인 검토가 포함된다면, 각각의 장들은 개별적으로 하나의 교과서가 되었을 것이다. 우리의 의도는 평가자 그리고 평가 결과의 사용자들에게 (1) 평가를 어떻게 진행하는지를 알게 하고, (2) 여타의 교재들에 제시된 많은 (특히 기술적인) 주제들을 보다 상세하게 다루도록 충분한 정보를 제공하는 데에만 있다. 경험과 추후 연구들을 통해 나머지 사항들이 학습되어야만 할 것이다.

11

평가 요구와 책임 명확히 하기

핵심 질문

1. 잠재적인 고객으로부터 전화를 받아 평가를 수행해 달라는 요청을 받았다고 가정해보자. 당신이 물을 첫 번째 질문은 무엇인가?
2. 평가 요청을 거절하는 경우가 있는가? 그렇다면, 어떤 조건에서인가?
3. 평가가능성에 대한 사정은 평가가 생산적일지 여부를 결정함에 있어 어떤 도움을 줄 수 있는가?
4. 외부 평가자에 의해 수행되는 평가의 장점과 단점은 무엇인가? 내부 평가자의 경우는?
5. 외부 평가자를 선정할 때 어떤 준거를 사용할 것인가?

앞선 장들에서 우리는 프로그램의 개선에 평가가 보증하는 것에 대해 논의하였다. 평가한다는 것은 항상 적절하므로 모든 프로그램의 모든 측면은 평가되어야만 한다는 인상이 잠재적인 평가 또는 평가 전망을 통해 형성되어야 할 것이다.

하지만 그렇지 않은 경우도 있다. 모든 것을 평가해야 한다는 유혹은 이상적이어서 실제 현실을 무시한 것일 수 있다. 이 장에서 우리는 평가자가 제안된 평가가 어디에서 출발하였고 그 연구의 적합성 여부를 어떻게 판단할 것인지에 대해 논의할 것이다.

논의를 명확히 하기 위해 평가 연구에 영향을 미치거나 영향을 받을 수 있는 집단 또는 개인, 즉 후원자, 고객, 이해관계자, 청중을 구분할 필요가 있다.

평가에 있어 후원자는 평가를 요구하거나 평가 수행에 필요한 재정적인 자원을 제공하거나, 또는 둘 모두에 해당하는 기관 또는 개인을 뜻한다. 후원자들은 평가자를 실제로 선택할 수도 하지 않을 수도 있고, 연구에 관여할 수도 관여하지 않을 수도 있지만, 그들은 일반적으로 평가 목적을 정의하고, 평가가 구명해야 할 특정한 영역과 자료가 수집되는 방법을 구체화할 수 있다. 다른 경우 후원자는 그러한 권한을 고객에게 위임할 수 있다. 후원자는 재정 지원 기관 또는 해당 프로그램을 전달하는 조직의 활동을 감독하거나 규제하는 연방 또는 주 부서일 수 있다.

고객은 평가를 요구한 특정한 기관 또는 개인이다. 따라서 고객은 평가를 수행할 내부 또는 외부 평가자를 찾고, 일반적으로 평가가 진행되는 동안 평가자들과 자주 만난다. 일부 경우 후원자와 고객은 동일할 수 있지만, 항상 그런 것은 아니다. 예를 들면 비영리 기관에 의해 운영되는 가정 폭력 치료 프로그램에 대한 평가에서 기관(고객)은 연구를 요구하고 계획을 마련한다. 하지만, 평가에 대한 요구와 재정 지원은 모두 그 프로그램에 대한 재정을 지원하는, 즉 후원자인 재단에서 비롯될 수 있다. 이와는 달리, 만약 평가되고자 하는 프로그램이 학군으로부터 재정 지원을 받는 고등학교를 위한 중도탈락 예방 프로그램이라면 후원자와 고객은 동일하다. 평가를 요구하는 인사는 중등 프로그램을 감독하는 중앙 관리자이다.

1장에서 논의한 것처럼, 이해관계자들은 많은 집단으로 구성되지만, 평가되는 프로그램 또는 평가 결과와 이해관계가 있는 누군가가 본질적으로 포함된다. 후원자들과 고객들은 모두 이해관계자들이다. 하지만 프로그램 관리자와 직원, 프로그램 참가자와 그들의 가족, 기타 프로그램과 관련된 기관들, 프로그램과 관계된 이익집단들, 선출직 공무원들, 그리고 사회 전반도 이해관계자들이다. 평가를 계획할 때에는 모든 잠재적인 이해관계자들을 고려함이 좋다. 각 집단은 프로그램에 대한 다른 그림 그리고 프로그램과 평가에 대한 다른 기대를 가지고 있을 수 있다.

청중에는 평가에 관심을 가지고 있고 그 결과를 받게 되는 개인들, 집단들, 기관들이 포함된다. 후원자들과 고객들은 일반적으로 주된 청중들이고, 때로는 유일한 청중들이다. 그렇지만 일반적으로 평가의 청중들에는 모두는 아니지만 많은 이해관계자들이 포함된다. 청중들은 이해관계자들 이상으로 확장될 수도 있다. 다른 지역에서 유사한 프로그램들에 재정 지원을 하거나 운영하는 또는 유사한 모집단을 위해 효과적인 프로그램들을 찾고 있는 사람들 또는 기관들이 포함될 수 있다.

평가 개시 이유 이해하기

무엇이 평가를 유발하는지를 이해하는 것은 중요하다. 실제로 평가 목적을 결정하고 이해함은 평가의 과정 속에서 평가 후원자 또는 고객이 지녀야 할 아마도 가장 중요한 과업이라고 할 수 있다. 만약 몇 가지 문제가 평가 결정을 유발하거나, 일부 이해관계자 또는 후원자가 평가를 요청하였다면, 평가자는 그것에 대해 알고 있어야만 한다. 오늘날 많은 경우 평가는 재정을 지원한 프로그램들과 관련하여 위원회 또는 대중에게 책무를 다할 필요가 있는 자금원의 요구에 따라 이루어진다. 아마도 평가에 대한 결정은 무엇인가를 알고자 하는 누군가의 요구에 의해 유발된다. 누구의 요구일까? 정책입안가, 관리자, 이해관계자, 또는 기관이 알고자 하는 무엇인가? 그들은 그 결과들을 어떻게 사용할 것인가? 평가자의 첫 번째 질문은 이러한 이유들을 확인하는 것으로 시작되어야만 한다.

때로는 평가 고객이 이러한 질문들에 대해 직접적이고 분명하게 답할 수 있다. 하지만 불행하게도 늘 그런 것은 아니다. 오늘날 평가가 유행이 되면서, 평가라는 것이 좋은 일이라거나 프로그램의 책무성이 강조되기 때문이라기보다는 몇 가지 분명한 이유들 때문에 평가가 흔히 착수되거나 요구된다. 물론 고객이 평가가 무엇을 달성해야 하는지에 대해 분명한 생각이 없을 때 평가자의 과업은 보다 어려워진다. 고객들 또는 후원자들이 평가 절차에 대해 잘 모르거나, 평가의 목적들 그리고 평가가 답할 수 있는 여러 질문들 또는 평가가 구명할 수 있는 여러 쟁점사항들에 대해 깊이 생각하지 않는 경우는 드물지 않다. 하지만 더 안 좋은 것은 모든 평가가 자동적으로 성과 또는 영향을 구명한다고 생각하여 프로그램의 단계, 그들 또는 다른 이들이 직면하고 있는 의사결정, 또는 여타 이해관계자들의 정보 요구와 상관없이 모든 평가가 같은 쟁점사항을 구명한다고 고객들 또는 후원자들이 주장할 수도 있다는 것이다.

흔히 평가 목적들은 평가자가 관련된 자료를 주의 깊게 읽고, 평가 대상을 관찰하고, 유의미한 대화를 통해 이해관계자들의 열망과 기대를 조사할 때까지는 분명하지 않다.

이러한 조사를 함에 있어 목적들과 가능한 방향들을 분명히 할 필요가 있다. 후원자들 또는 고객들은 그들이 무엇을 얻고자 하는지를 이미 분명히 하였을 때, 평가자는 후원자들 또는 고객들의 동기를 이해함이 매우 중요하다. 평가를 요청한 인사들, 기타 이해관계자들과 함께 다음과 같은 질문들을 탐색함으로써 그러한 동기들을 이해할 수 있다.

1. **목적.** 왜 평가가 요구되었는가? 평가의 목적은 무엇인가? 평가는 어떠한 질문들에 답할 것인가?

2. **이용자들과 이용.** 평가 결과는 무엇에 이용될 것인가? 누구에 의해서? 평가 결과가 통보되어야 할 여타의 인사들은 누구인가?

3. **프로그램.** 무엇이 평가될 것인가? 무엇이 포함되는가? 무엇이 제외되는가? 언제 그리고 어디에서 운영되는가? 프로그램의 고객은 누구인가? 프로그램의 목적과 목표는 무엇인가? 프로그램이 구명하고자 하는 문제 또는 쟁점사항은 무엇인가? 프로그램은 왜 시작되었는가? 프로그램을 계획할 때 관여한 인사는 누구인가? 무엇이 이러한 전략 또는 개입의 선택을 유발하였는가? 프로그램을 관리하고 있는 이는 누구인가? 누가 운영하는가? 그들이 지니고 있는 기술은 무엇이고, 어떤 훈련을 받았는가? 이전에 평가된 적이 있는가? 이전 평가와 관련하여 어떤 자료가 존재하는가?

4. **프로그램 논리 또는 이론.** 필수적인 프로그램 활동들은 무엇인가? 이러한 활동들은 어떻게 의도된 목적과 목표로 이끄는가? 프로그램 이론 또는 논리 모형은 무엇인가? 프로그램의 결과로서 여러 이해관계자들은 무엇이 발생함을 목격하였는가?

5. **자원과 시간.** 평가를 위해 얼마만큼의 시간과 돈을 사용할 수 있는가? 평가를 도울 수 있는 인사는 누구인가? 평가 기간은 어떻게 되는가? 최종 정보가 요구되는 시점은 언제인가? 중간보고서에 대한 요구사항이 있는가?

6. **관련된 상황적 쟁점사항.** 평가를 둘러싸고 있는 정치적 분위기와 상황은 무엇인가? 가장 깊게 관여된 이해관계자들은 누구인가? 긍정적인 평가로부터 혜택을 받을 수 있는 개인들 또는 집단들은 누구인가? 부정적인 평가로부터 혜택을 받는 이는 누구인가? 의미있고 공정한 평가를 방해하는 어떤 정치적 요인들과 영향력이 있는가?

앞서 제시된 질문들은 예이므로 평가자들은 일부를 뺄 수도 있고, 다른 것들을 첨가할 수도 있다. 주의 깊은 질문, 경청, 대화를 통해 평가자는 평가의 목적을 이해하고 프로그램이 운영되는 상황에 대해 보다 이해함이 중요하다. 모든 목적들이 동등하게 타당하지는 않다. 평가를 시작하는 고객의 이유들을 면밀히 경청하고, 여타 이해관계자들과의 대화를 통해 그들의 정보 요구와 연구에 대한 기대를 결정함으로써 평가자는 평가가 적절한 목표를 향하고 있고 유용함을 확실히 하는 데 도움을 줄 수 있는 많은 것들을 이해할 수 있다.

또한 이 단계에서 평가자는 보다 생산적인 여타의 평가 이유를 제안함으로써 주도적인 역할을 수행할 수 있다(Fitzpatrick, 1989). 이 전략은 이해관계자들이 평가를 경험하지 않았거나 그들의 요구가 분명하지 않을 때 특히 유용하다. 후원자와의 대화를 통해 보다 융통성이 드러나고, 프로그램을 개선함에 있어 고객들에게 보다 유용한 길이 열리게 되었을 때 때로 고객들은 후원자의 지침을 따라야만 한다고 생각한다. 사실 평가를 통해 제공될 수 있는 여타의 매우 중요한 정보 요구가 있을 때 일부 고객들 또는 후원자들은 평가가 단지 목적들이 달성되었는지 여부를 측정하고, 프로그램 산출, 성과, 또는 영향을 기술해야 한다고 생각할 수 있다. (예를 들면 초기 단계의 프로그램들은 흔히 프로그램 내에서 무엇이 발생하고 있는지, 프로그램 활동들이 계획대로 운영되고 있는지, 그리고 변경이 필요한지를 기술함으로써 흔히 얻는 바가 있다.) 다른 고객들은 평가자의 역할을 "설문조사 돕기" 또는 "검사 점수 분석하기"로 인식하여 자료 수집에 매진하기를 원할 수도 있다. 이러한 고객들은 계획 단계의 중요성과 그들이 평가에 초점을 둠으로써 무엇을 알고자 하는지를 결정하는 데 있어 평가자가 도움을 줄 수 있음을 잘 알지 못한다. 이 단계는 평가에 있어 필수적인 중요한 양방향 커뮤니케이션 과정으로 시작된다. 여기에서 평가자는 주의 깊은 질문, 관찰, 경청을 통해 프로그램에 대해 최대한 이해하고, 동시에 평가가 할 수 있는 것에 대해 후원자, 고객, 또는 기타 이해관계자들을 교육한다.

평가에 있어 초기 시대에 Cronbach는 고객이 평가 방향을 결정함을 돕는 평가자의 교육적 역할의 중요성을 강조하였다. 다른 사람들은 오늘날 그 역할을 강조한다(Fitzpatrick & Bickman, 2002; Schwandt, 2008). Cronbach와 동료들은 "사건들에 적합한 거울을 지니고 있는 평가자는 교육자이다. ⋯ 만약 고객들로부터의 간단하고 한쪽 측면의 질문들에 대해 최선의 해답들을 단순히 제공하기만 한다면 평가자는 너무 적은 것을 해결하는 것이다. 고객이 궁극적으로 보다 생산적인 이해를 할 수 있도록 이끌 수 있는 방법들을 무시하고 있는 것이다"라고 기술하였다(1980, pp. 160-161). 그러므로 연구 목적을 정확하게 결정하기 위해서는 평가를 진행하기 전에 평가자는 프로그램, 이해관계자들, 의사결정 과정, 조직의 문화를 이해하는 데 충분한 시간을 사용해야만 한다.

평가의 직접적 정보적인 사용

무엇이 평가되든지 그 가치에 대한 이해를 증진시키는 데 평가의 의도가 있다. 그러나 이 책의 첫 부분에서 언급하였듯이 평가는 다양하게 이용된다. 정책입안가, 프로그램 관리자, 프로그램 스태프에 의해 평가가 정보를 제공하는 목적으로 사용되는 몇 가지 예를 제시하면 다음과 같다.

1. 프로그램을 시작하기 위한 충분한 요구가 존재하는지 여부를 결정하고 대상 청중 기술하기
2. 잠재적인 프로그램 모형과 어떤 목표를 달성하기 위해 수행되어야 하는 활동들을 확인하여 프로그램 계획 돕기
3. 프로그램이 어떻게 운영되고 있는지를 기술하고, 프로그램 모형에 있어 변화가 일

어났는지 여부 확인하기

4. 프로그램의 어떤 목적과 목표가 기대 수준으로 달성되었는지 여부 조사하기

5. 프로그램의 전반적인 가치와 경쟁 프로그램과 비교하여 상대적인 가치와 비용 판단하기

이러한 다섯 가지의 사용 예 각각은 전체 프로그램 또는 프로그램의 하나 이상의 작은 구성요소를 대상으로 할 수 있다. 처음 두 가지 사용 예는 흔히 계획과 요구분석의 한 부분이다(Altschuld, 2009; Witkin & Altschuld, 1995). 이러한 과업들은 일반적으로 프로그램의 초기 단계에서 발생하지만, 프로그램 변경이 고려되는 경우에는 어떤 단계에서도 발생할 수 있다. 세 번째 사용 예는 모니터링 또는 과정평가로 흔히 기술된다. 네 번째는 성과 또는 영향 연구로 특징지을 수 있다. 마지막 사용 예는 비용-효과 또는 비용-편익 연구를 수행함으로써 달성된다. 각각이 프로그램의 가치에 대한 이해도를 증진시킨다는 측면에서 중요한 정보적인 사용에 도움이 되기 때문에 이러한 모든 연구들은 평가가 정당하게 사용되도록 하는 데 기여한다.

평가의 비정보적인 사용

앞 절에서 제시된 직접적 정보적인 사용에 더하여 평가는 또한 비정보적으로 중요하게 사용된다. Cronbach와 동료들(1980)은 평가를 하나의 체제에 포함시킴은 큰 차이를 가져올 수 있다고 주장하며 이를 처음 언급하였다. 그들은 "교육 메커니즘의 가시성이 행동을 변화시킨다"(p. 159)고 결론내리면서, 유사한 예로 명확하게 표시된 순찰차로 고속도로를 순찰하는 경찰관에 의해 운전자의 최고 속도 준수가 어떻게 영향을 받는지를 언급하였다. 그들은 또한 평가가 존재함으로써 이해관계자들로 하여금 그 체제가 그들의 피드백에 반응을 보임을 확신하게 하는 데 도움을 준다고 주장하였다.

2부에 제시된 접근법들이 나타내는 것과 같이, 평가는 많은 다른 영향을 미친다. 한가지 중요하게 사용되는 것은 다른 사람들을 교육하는 평가의 역할이다. 단순히 평가되는 프로그램에 대한 것이 아니라, 의사결정을 위한 대안적인 방법들에 대한 것이다. Smith(1989)는 평가가능성 사정(프로그램이 평가에 대해 준비되었는지 여부를 결정하는 방법)의 가장 중요한 이점 가운데 하나는 프로그램을 개발하고 계획함에 있어 프로그램 스태프의 기술들을 향상시키는 것이라고 기술하였다. 평가가 수반되지 않았다고 하더라도, 프로그램 모형을 개발하기 위해 일련의 광범위한 구조화된 토론에 참여함으로써 프로그램 스태프는 그들이 개발하는 다음 프로그램에 사용될 수 있는 기술들을 획득한다. 이

러한 유형의 변화는 조직학습을 나타내는데, 여기에서 평가는 조직, 관리자들, 스태프의 의사결정에 영향을 미친다(Preskill & Torres, 2000).

평가는 또한 평가에 있어 이해관계자들이 적극적이 되도록 권한을 위임하고, 그들이 이해관계를 가지고 있는 프로그램에 대해 학습하고 질문하는 기술을 획득하도록 도움으로써 이해관계자들을 교육할 수 있다. Fetterman의 권한부여 평가 접근, Cousins와 Earl의 실천적 참여 평가 접근, Patton의 활용중심 평가는 모두 평가자들로 하여금 이해관계자들과 밀접하게 일하도록 하여 평가와 자료기반 의사결정에 있어 이해관계자들의 기술을 증진시킨다.

다른 사람들(House & Howe, 1999)은 영향력이 작은 이해관계자들이 사회 공의와 평등을 획득하도록 돕는 데 평가가 유용할 수 있다고 주장하였다. 그들은 평가자들이 흔히 보다 영향력이 있는 이해관계자들, 예를 들면 정책입안가, 학교 운영위원회, 입법가들에게 정보를 제공한다고 주장하였다. 왜냐하면 그들이 일반적으로 평가를 위임하는 자원을 지니고 있기 때문이다. House와 Howe에 의해 제안된 숙의민주주의적 접근의 비정보적인 사용은 평가를 통해 나타나는 질문들과 논의사항들에 대해 보다 영향력이 작은 이해관계자들을 포함함으로써 사회 평등을 개선하는 데 도움이 된다.

하지만, Weiss(1972)는 그녀의 감동적인 논문에서 평가는 또한 거의 알려지지 않은 여러 가지 기대되지 않은 비정보적인 목적으로 사용된다고 주장하였다. 다음은 그녀가 인용한 좀 더 숨겨진, 부정한, 그리고 공공연하게 정치적으로 사용되는 몇 가지 예이다.

연기. 의사결정자는 결정을 미루는 방법들을 찾고 있을 수 있다. 위원회를 지명하여 보고서를 기다리는 일반적인 방법을 사용하는 대신, 그는 좀 더 오랜 시간이 걸리는 평가 연구를 의뢰할 수 있다.

책임 회피. 관리자들은 평가자의 조언을 구하기 전에 이미 어떤 결정이 이루어질 것인지를 미리 알지만, 합법적인 장식 속에 감추기를 원하는 경우가 있다.

홍보. 관리자는 그가 매우 성공적인 프로그램을 가지고 있고, 그것을 가시화하는 방법을 찾고 있다고 믿는다. 물론 프로그램 관리자의 동기는 비뚤어지거나 이기적일 필요는 없다. 흔히 경비를 지불하는 사람들에게 프로그램을 정당화하는 요구가 있어서, 그가 믿고 있는 개념과 프로젝트에 대한 지지를 찾고자 한다.

교부금 요구 충족. 많은 연방 교부금은 평가를 요구한다. 프로젝트의 운영자들은 평가를 무시하는 경향이 있어서, 평가가 그들에게 실제로 어떤 유용함이 있는 것이 아니라, 재정 지원 조직을 달래기 위해 설계된 관례의 하나로 평가를 주로 인식한다.

그러므로 평가는 때로는 비합리적으로 또는 적어도 비정보적인 이유 때문에 수행되는 합리적인 사업이다(pp. 11-12).

하지만 Worthen(1995)의 보다 최근의 연구에서는 이러한 비정보적인 사용은 주 또는 지역 수준보다 연방 또는 국가 수준의 평가에서 보다 일반적이라고 주장한다. 108개 평가를 분석하여 Worthen은 주와 지역 수준 프로그램의 2/3 이상이 정보적 목적이었던 반면, 연방 수준의 경우 단지 15%만이 이러한 목적에 부합하였음을 발견하였다. 이러한 결과가 단지 한 연구소(Western Institute for Research and Evaluation, WIRE)에서 수행된 표본 연구에 기초한 것이고, 표본으로 선정된 국가 수준 프로그램의 수가 상대적으로 적었음에도 불구하고, 그 결과는 여타의 평가로부터 우리가 축적한 경험들과 상당히 일치한다. 보다 낮은 수준보다 전국적인 프로그램에서 정치적인 풍조가 보다 강력한 영향을 미칠 수 있다고 누군가 가정한다면, 이러한 결과는 3장에서 논의된 것처럼 정치적 힘이 평가에 가지는 영향에 기인한다고 할 수도 있다.

평가 연구가 부적절한 상황

Weiss에 의해 인용된 예를 제외하고, 앞서 제시된 예들은 모두 평가 연구가 적절히 사용되는 예를 나타낸다. 하지만 평가가 항상 적절하게 사용되는 것은 아니다. Smith(1998)는 평가 계약이 감소하는 몇 가지 이유들을 개괄적으로 나타내었다. 그러한 이유들은 크게 두 가지로 구분되는데 (1) 평가가 평가 분야에 손해를 끼치거나, (2) 사회 공리를 지지하지 못하는 경우이다. 이러한 문제들은 평가의 궁극적인 질에 의문이 제기되거나, 주된 고객들이 평가가 무엇을 할 수 있는지에 대해 오해하거나, 자원들이 적합하지 않거나, 또는 윤리적인 원칙들이 위배되었을 때 발생할 가능성이 높다. Smith의 유형에 기초하여 평가가 기껏해야 의심스러운 가치를 지니고 있는 몇 가지 상황을 개괄적으로 제시할 것이다.

평가가 사소한 정보를 생산할 수 있다

누군가에게는 이단적으로 들릴 수도 있지만, 때때로 한 프로그램은 공식적인 평가 비용을 보증할 수 있는 충분한 영향이 결여되어 있기도 하다. 일부 프로그램들은 향후 지속될 가능성이 없이 한 차례 실시되기도 한다. 일부는 몇몇 사람들을 대상으로 저렴한 비용으로 제공되기 때문에 비공식적인 평가 이상의 요구가 발생하지 않을 것 같다. 평가가능성 사정 또는 여타의 평가 계획 활동은 프로그램의 이론 또는 모형이 기대되는 영향을 달성하기에 부적절함을 나타낼지도 모른다. 달리 말하면 프로그램 활동들이 프로그램 목적과의 관련성이 불충분하거나, 기간 또는 강도로 인해 기대된 성과를 달성하기에는 매우 약하다. 요구조사 또는 형성평가는 평가에서의 강조점이 형성적이라면 프로그램의 개선을 위해 사용될 수 있다. 그러나 총괄 또는 성과평가는 실패를 입증할 필요가 없다면 아마도 비용만큼의 가치가 없을 것이다. 프로그램이 그것의 효과성에 대한 공식적인 평가를 입증하기에 충분한 영향이 있는지는 상식적으로 판단해야만 한다.

평가 결과가 사용되지 않을 수 있다

평가에 대한 공언된 요구가 단지 모든 프로그램은 평가되어야만 한다는 불합리를 전제로 하는 경우가 매우 흔하다. 그 결과를 사용하고자 하는 누군가에 의한 약속이 없다면 평가의 가치는 모호하다. 평가 자원(재정적인 그리고 인적)과 중요한 의사결정에 정보를 제공할 평가 정보에 대한 요구가 부족하다면 현 시점에서 그것은 의문의 여지가 있는 투자인 듯하다.

때로는 결정되어야 할 중요한 결정들 또는 선택들이 있지만, 이러한 결정들 또는 선택들은 평가 자료와 관련되지 않은 이유들로 인해 결정될 수도 있다. 예를 들면 평가 연구가 어떤 문제들을 밝히느냐에 상관없이 관리자들이 한 프로그램을 중단하거나 과감히 변화시킴을 내키지 않게 하는 충분한 정치적 호소나 공공의 지지가 있을 수 있다. DARE로 보다 잘 알려진 약물 남용 저항 교육은 차후 약물 사용의 효과를 발견하기 위한 반복적이고 면밀한 평가의 실패에도 불구하고, 광범위한 대중의 지지를 받았다(Lyman, Milich, Zimmerman, Novak, Logan, & Martin, 1999; Rosenbaum & Hanson, 1998; St. Pierre & Kaltreider, 2004). 이 경우 평가는 의미 있는 역할을 할 수 없다. 평가자들은 의미 없는 관례적인 평가 또는 형식적인 행동을 피해야만 한다. 여기에서 평가는 실제로는 개인적인 또는 정치적인 이유들 때문에 만들어진 결정을 단지 정당화하는 것처럼 보인다.

물론 그런 모호한(그리고, 누군가 바라는, 드문) 동기들이 항상 분명한 것은 아니다. 평가가 완결된 이후에 평가자가 접하게 되는 가장 실망스러운 상황 가운데 하나는 고객 또는 후원자가 예상된 견해와 모순되는 정보를 수용하지 않으려는 것이다. 만약 평가자가 평가 과정에서 그러한 결론이 피할 수 없음을 알게 되었다면, 초기부터 속임수 평가를 잘라내는 방법을 찾는 것이 최선이다.

평가가 유용하고 타당한 정보를 산출할 수 없다

중요하고 임박한 의사결정임에도 불구하고, 때로는 평가 연구가 어떤 관련된 정보를 생성할 가능성이 낮은 경우가 있다. 예를 들면 학교 중도탈락 예방 프로그램을 지속할 것인지 여부에 대한 의사결정을 생각해보자. 중도탈락률, 졸업률 등에 대한 프로그램의 효과와 관련된 정보가 이와 관련될 것이다. 하지만 학교운영위원회가 그러한 결정을 내리기 불과 한 달 전에 프로그램이 시작되었다면 어떻겠는가? 해당 기간 동안 프로그램의 효과성에 대한 신뢰할 수 있는 정보(예측적인 정보라도)를 획득할 가능성은 얼마 안 되기 때문에 학교운영위원회로 하여금 결정을 연기하도록 하는 데 에너지를 쏟음이 보다 현명할 것이다. 이와 유사하게 평가자가 통제할 수 없는 다양한 제약 사항들(예를 들면, 불충분한 자원들, 행정적인 협동 또는 지원의 부족, 알맞은 평가 자료를 수집하기에는 제한된 시간, 불가능한 평가 과업, 그리고 평가에 있어 꼭 필요한 자료에 대한 접근 불가)이 평가자로 하여금 유용한 정보를 제공하지 못하게 할 수 있다. 선의의 하지만 순진한 고객들은 결과적으로 낭비된 노력과 실망을 안겨줄 "실행 불가능한" 평가를 요구할 수도 있다. 평가자는 시작부터 평가가 실패할 운명에 처해졌을 때를 인지할 필요가 있다. 불합리한 제한요소가 전문적으로 신뢰할 수 있는 평가를 방해한다면, 평가자는 이를 거절해야만 한다. 부당한 평가보다 더 나쁜 것은 없다. 빈약한 평가 자료는 행정가들을 잘못된 생각에 빠뜨려 그들이 가지고 있는 잘못된 정보가 실제로는 그들의 노력을 나타낸다고 생각할 수 있다.

평가 유형이 시기적으로 평가 단계에 부합하지 않다

테스트 단계에 있는 프로그램들은 잘 수행된 형성평가에 의해 대체로 늘 이익을 얻는다(이후에 제시된 이유들을 제외한다면). 하지만 총괄평가가 항상 적합하다고 쉽게 결론짓기는 어렵다. 너무 서두른 총괄평가들은 평가를 잘못 사용하는 가장 방심할 수 없는 것 가운데 하나로, Campbell(1984)에 의해 표현된 다음과 같은 우려를 유발할 수 있다.

> 다른 유형의 실수는 즉각적인 평가, 즉 프로그램의 결함을 제거하기 훨씬 이전의 평가, 프로그램 운영자들이 모방할 가치가 있는 무엇인가가 프로그램에 포함되어 있다고 믿기 훨씬 이전의 평가와 관련된다.
>
> 결함을 제거하고 일 년 정도 후에 프로그램 운영자들 중 누군가가 그들이 대단한 무엇, 즉 다른 사람들이 빌려갈 가치가 있는 프로그램을 가지고 있다고 느낄 때, 우리는 진지한 관점에서 프로그램 평가를 걱정할 것이다. 우리의 슬로건은 "자랑할 만한 프로그램들만을 평가하라!"일 것이다. (우리의 현존하는 관념과의 차이를 생각하라. 현존하는 관념에서 의회 내의 정책입안가들과 행정부가 새로운 프로그램을 설계하고, 결함을 제거하지 않고 즉각 전국적으로 실시하고 평가하도록 지시한다.)(pp.35-37)

오늘날 성과와 프로그램의 영향을 평가하도록 하는 정치적인 압력은 시기상조인 총괄평가에 이르게 한다. 잠재적으로 성공적인 모형들을 지니고 있는 프로그램들은 이러한 프로그램들을 좋게 조정함으로써 결과적으로 성공적일 수 있음에도 너무 빠른 총괄적인 판단으로 인해 철회될 수 있다. 프로그램을 개발하고 초기 시행하는 단계에서 좀 더 주의 깊은 요구분석과 형성평가에 돈이 쓰인다면 총괄평가에 준비된 프로그램으로 이끌 수 있다. Tharp와 Gallimore(1979)는 평가에 대한 보다 효과적인 접근법을 설명하고 있다. 그들의 접근에서는 의사결정을 위해 평가를 사용함에 있어 장기간 전념할 필요가 있고, 프로그램의 단계와 프로그램 개발자의 정보에 대한 현재의 요구에 부합하는 평가 질문들을 개발할 필요가 있다. 그 과정은 반복적이다. 한 연구의 결과들은 변경과 개선에 사용되고, 다음 연구에서 이러한 변경이 성공적이었는지 여부를 조사한다.

평가의 적절성이 의심된다

여러 이유로 인해 평가가 수행된다. 훌륭한 이유도 있고 그렇지 않은 이유도 있다. 연구를 시작하는 이유들이 훌륭하고 적절함을 평가자가 분별할 수 있을 때 평가가 성공할 확률이 높아진다. 그러나 평가자는 전문적인 원칙에 적용되지 않거나 위배되는 것을 포함하여 덜 훌륭해 보이는 이유들을 인식할 수 있어야만 한다. 이해관계의 충돌, 연구 참가자들에 대한 위험 등에 의해 평가의 적절성이 위협받는다면 평가를 진행함은 현명하지 않을 것이다.

정당성은 평가의 질을 판단함에 있어 교육평가기준합동위원회(JCSEE, 2010)에 의해 확인된 다섯 영역 가운데 하나이다. 정확성, 실현 가능성, 유용성, 평가 책무성 등과 함께 이 영역을 확인함은 전문 평가자들이 정당성을 아주 중요하게 여김을 의미한다. 공동 위원회가 적절성 아래 제시한 표준들은 평가가 관련된 이들의 권리를 보호할 것임을 확실히 하기 위해 설계되었다. 그들은 프로그램 수취인(학생, 고객, 환자, 일반 대중), 스태프, 관리자, 또는 기타 이해관계자들일 수 있다. 정당성을 지니고 수행되는 평가는 자료가 수집되는 사람들의 권리와 존엄성을 존중하여 조직들로 하여금 그들의 모든 고객들이 요구를 구명함을 돕도록 작동한다. (평가의 윤리적 측면에 대해서는 3장, 기준과 안내 원칙의 전체 리스트는 부록 A 참조)

평가가 적합한 시점 결정하기: 평가가능성 사정

7장에서 언급하였듯이 Joseph Wholey는 평가에 대한 의사결정중심 접근법의 개발자들 가운데 한 사람이다. 그 장에서 우리는 그의 방법들 가운데 몇 가지를 설명하였다. 여기에서 우리는 평가가능성 사정을 어떻게 사용하는지에 대해 구체적으로 논의할 것이다. 1970년대 초반 미국 보건, 교육, 복지부(현재의 보건사회복지부)의 Wholey와 동료들은 1960년대 프로그램 평가의 확산이 결과적으로 의사결정을 위한 프로그램 평가의 사용 증가로 귀결되지 못하였음을 발견하였다(Buchanan & Wholey, 1972). 사실 평가에 대한 많은 잠재적인 이용자들은 평가가 유용한 정보를 제공하는 데 자주 실패하였다고 믿기 때문에 평가 연구들에 대해 만족스럽지 않았다.

Wholey와 동료들은 이 상황을 구제하기 위한 하나의 도구로 평가가능성 사정을 개발하였다. 그들은 이것을 평가자들과 이해관계자들 사이의 의사소통을 촉진해서, 프로그램이 평가 가능한지 여부를 결정하고, 평가 연구 자체에 초점을 두기 위한 도구로 보았다.

평가가능성 사정의 개발자들은 많은 평가들이 "설득술과 현실" 간의 불일치 때문에 실패하였다고 믿었다(Nay & Kay, 1982, p. 225). Nay와 Kay가 지적하였듯이, 다른 직급의 정책입안가들과 프로그램 관리자들은 프로그램에 대해 다른 설득술 모형을 갖는다. 높은 직급의 정책입안가들의 모형들은 문제의 해결과 재정 지원 획득을 주장하는 그들의 역할을 반영하여 매우 일반적일 수 있다. 프로그램 운영에 보다 가까운 관리자들의 설득술 모형은 보다 구체적이고 현실에 보다 가깝게 된다. 하지만 이러한 모형들조차도 현실에 부합하지 않을 수 있다. 많은 정책입안가들과 프로그램 관리자들은 그들의 특별한 모형이 대중의 소비에 필요하다고 인식하기 때문에 그들의 설득술 모형에 계속해서 매달릴 수 있다. 어떤 경우에는 가지각색의 설득술 모형들 그리고 설득술 모형들과 현실 사이의 차이가 프로그램 평가를 어렵게 한다. 평가자는 프로그램의 어떤 "현실"을 사정해야 하는지 자신이 없다.

프로그램의 평가가능성에 대한 다른 일반적인 장애물에는 불분명한 또는 비현실적인 목적과 목표, 이러한 목적과 목표에 프로그램 활동을 연결시키지 못한 실패, 그리고 평가 정보에 기초하여 프로그램을 변경시킬 수 없거나 그럴 의지가 없는 프로그램 관리자들이 포함된다(Horst, Nay, Scanlon, & Wholey, 1974). 보다 최근의 연구에서 Wholey 등이 논의한 다른 문제들에는 (1) 목적, 목표, 그리고 이러한 목표들을 측정하기 위한 수행 준거에 대한 평가자들과 프로그램 관리자들 간의 합의 실패, (2) 프로그램 성과에 대한 자료 획득의 불능, (3) 평가 자체의 특정한 목적 그리고 사용과 관련된 문제들이 포함된다

(Wholey, 1983, 1986; Wholey, Hatry, & Newcomer, 2004). Wholey와 동료들은 이러한 문제들을 개선할 수 있는 방법을 개발하기를 원하였다.

평가가능성 사정은 프로그램이 의미 있는 평가에 필요하다고 여겨지는 다음의 네 가지 준거를 충족하도록 돕기 위해 고안되었다.

1. 프로그램 목적과 우선적인 정보 요구가 잘 정의되었다. 이것은 수행 준거에 대한 동의를 포함한다.
2. 프로그램 목표들은 그럴듯하다. 즉 프로그램의 논리 모형 또는 이론, 향후 대상 청중들의 특성들, 프로그램 운영자들의 지식과 기술, 자원이 제공되면 목표들이 달성될 수 있는 가능성이 있다.
3. 관련된 성과 자료가 합리적인 비용으로 획득될 수 있다.
4. 평가의 향후 사용자들이 정보를 어떻게 사용할 것인지에 동의하였다(Wholey, 2004b, p. 34).

평가가능성 사정은 처음에는 총괄평가에 대한 전구체로 개발되었다. 만약 평가가능성 사정을 통해 프로그램이 준거를 충족시키지 않음이 밝혀진다면, 총괄평가는 진행되지 않는다. 하지만 이 방법들은 체계적이지 않았고 사용도도 감소하였다. M. Smith(1989; 2005)가 그 뒤 평가가능성 사정을 보다 개발하여, 1980년대에 프로그램 계획을 개선시키기 위해 미국 농무성에서 사용하였다. 비록 오늘날 이것이 흔히 사용되지는 않지만, 독자적으로 또는 프로그램 논리 모형 또는 이론을 개발하거나 이해관계자들과 잠재적인 사용자들의 관계를 개발하는 데 결합되어 사용됨으로써 많은 유형의 평가 연구에 대한 평가 요구를 분명히 하는 데 효과적인 방법이라고 할 수 있다.

프로그램의 평가 가능 여부는 어떻게 결정되는가?

프로그램이 평가 가능한가의 여부를 결정하는 주된 단계는 다음과 같다.

1. 의도된 프로그램 모형 또는 이론을 명확히 하라.
2. 프로그램 모형에 부합하는지 그리고 아마도 프로그램 목적과 목표를 달성할 수 있을지 여부를 결정하기 위해 실행되고 있는 프로그램을 조사하라.
3. 이해관계자들의 정보 요구에 부합하는지 그리고 실행할 수 있는지의 정도를 결정하기 위해 다른 평가 접근들을 탐색하라.
4. 평가 우선순위와 연구를 향후 어떻게 사용할지에 동의하라.

이러한 단계들은 평가자 혼자에 의해서가 아니라 연구 결과를 향후 이용하게 될 이들과 공동으로 달성된다. 프로그램 모형 또는 이론을 분명히 하고, 평가에 대한 그들의 정보 요구와 기대를 정의하기 위해 실무 집단이 확립된다. 평가자의 역할은 이러한 논의를 촉진하고, 프로그램과 이해관계자들에 대해 듣고 이해하는 데 있다. Wholey(1994)는 "평가자들은 프로그램 설계를 가정하지 않는다. 대신 그들은 관련 문서와 프로그램 내부 또는 주위의 핵심 관계자들로부터 프로그램 설계를 추출한다"고 기술하였다(p. 20). 만약 평가자들이 그들의 프로그램 모형을 개발하고 이해관계자들이 동의한다고 단순히 가정한다면, 평가는 이해관계자들의 관점들을 이해하는 데 필요한 대화의 기회와 중요한 단계를 실제로는 놓칠 수 있다.

이러한 과업들을 달성하기 위해 사용되는 방법들은 무엇인가? 실무 집단을 도울 뿐만 아니라 평가자는 이해관계자들과의 개인적인 인터뷰를 수행하고, 현존하는 프로그램 문서들(제안서, 보고서, 브로슈어 등)을 분석하며, 프로그램의 실행을 관찰할 수 있다. 인터뷰와 프로그램 문서들은 프로그램 모형 또는 이론에 대한 합의를 달성하기 위해 평가자가 실무 집단과의 초기 논의를 촉진하는 데 도움이 된다.

프로그램 모형 또는 이론은 프로그램의 목적과 목표 그리고 이것들을 프로그램 활동들과 연결하는 원칙들의 윤곽을 그릴 수 있어야 한다. 일반적으로 모형은 플로차트의 형식을 취해 프로그램 활동들과 가정들을 프로그램 목적 및 목표와 연결 짓는다. 의사소통 촉진을 위해 대안적인 모형들이 개발될 수도 있다. 평가자가 연구를 수행하도록 충분히 상세한 특정 모형에 대해 이해관계자들이 합의했을 때 토론이 종료된다. (이 단계는 프로그램 논리 모형 또는 이론을 개발함과 매우 유사하다. 12장 참조)

이후 현장 방문과 프로그램 문서들(분기별 보고서, 자원 배분, 기타 평가 연구들)에 대한 추가적인 연구가 평가자들이 (1) 프로그램이 모형에 따라 실행되고 있는지 여부와 (2) 프로그램 실행을 통해 기대된 목적들이 달성될 가능성이 있는지 여부를 결정하는 데 도움을 줄 수 있다. 이러한 영역에서 문제들이 발생한다면, 평가자는 실무 집단으로 돌아가서 그들로 하여금 프로그램 현실에 맞도록 모형을 수정할지 또는 프로그램을 변경하여 프로그램 실행이 현재의 모형에 일치하도록 할지 여부를 결정하도록 도와야만 한다. 이후 실무 집단은 평가가 진행되어야만 하는지 그리고 언제 진행될 것인지를 구명할 수 있다. 프로그램에서 큰 변화가 시작되어야만 할 때에는 프로그램이 안정적이 될 때까지 어떠한 성과 또는 총괄평가도 연기되어야만 한다.

대신 만약 프로그램이 부드럽게 실행될 것 같고, 프로그램 활동들이 의도된 성과를 달성할 가능성이 있을 것 같다면, 실무 집단은 다양한 평가 질문들을 조사하는 데 전념할 수 있다. 평가자는 또한 평가가 무엇을 달성할 수 있고, 비용은 어떠하며, 얼마의 기간 동안 이루어질 것인지에 대한 안내를 제공하기 위한 논의를 촉진시킬 것이다. 이때까지 평가자는 또한 인터뷰를 통해 다양한 이해관계자들의 요구가 무엇인지를 알고 있어야만 한다. 그리고 대안적인 평가 계획들이 개발될 수 있는데, 평가가 답할 질문들, 수집될 자료들, 필요한 시간과 자원들, 잠재적인 성과와 활용 방안들이 구체화되어야 한다. 실무 집단은 이후 계획을 선택할 필요가 있다.

어떤 단계에서도 실무 집단 그리고/또는 평가자는 이번에는 평가가 부적절하다거나 매우 다른 평가가 필요하다고 결론지을 수 있다. 평가는 다음과 같은 이유들 때문에 연기될 수도 있다.

- 프로그램 모형에 대해 주요 이해관계자들 사이에 의견 일치가 이루어질 수 없다.
- 프로그램 활동들이 프로그램 모형과 아주 다르다.
- 프로그램 활동을 통해 모형의 진술된 목적 또는 목표들이 적절히 달성될 수 없다.
- 주요 이해관계자들이 평가의 방향과 사용에 대한 의견 일치를 이룰 수 없다.
- 주어진 유효한 자료와 자원들로는 기대된 평가 계획이 실현될 가능성이 없다.
- 평가의 향후 활용 계획이 매우 애매하다.

이러한 조건들의 무엇이라도 그 시점에서 의도된 평가가 부적절하다는 결론으로 이끌 수 있다. 하지만 그 과정이 다른 유형의 평가로 이끌 수도 있다. 특히, 프로그램 모형에 대한 합의 결여와 프로그램 실행 실패로 인해 애초에 의도된 성과 연구가 부적절할지라도, 실무 집단 그리고/또는 평가자는 요구분석 또는 모니터링 연구가 이 시점에서는 유용할 것이라고 결론지을 수도 있다. 요구분석 연구는 프로그램 모형을 개선하는 데 사용될 수 있고, 모니터링 연구는 프로그램을 실행함에 있어 제안된 변화가 발생하였는지 여부를 결정할 수 있다. 그러므로 평가가 적합한 시점을 결정하는 과정은 상대적으로 단순하게 "지속"할 것인지 또는 "취소"할 것인지로 귀착할 수도 있고, 평가 초점의 변경으로 결론 날 수도 있다. 어떠한 경우든 이러한 계획 노력을 통해 평가자는 조직 효과성에서 차이를 만드는 평가를 수행하는 주된 단계를 만든다.

평가 실시 시점 결정을 위한 단계별 체크리스트

그림 11.1에 제시된 체크리스트는 평가자들이 언제 평가를 시작할지를 결정하는 데 도움을 주어야만 한다. 하지만 평가를 진행하는 결정이 내려졌을 때, 평가자는 여전히 평가에 집중하는 데 유용한 논의된 방법들 가운데 일부를 채택할 수 있다.

그림 11.1 평가 수행 시점 결정을 위한 체크리스트

		각 문항에서 하나를 체크하시오.	
		그렇다	그렇지 않다
1단계	평가에 대한 계약상의 요구가 있는가? (그렇다면 평가를 시작하라. 그렇지 않다면 2단계로 가라.)		
2단계	평가 대상이 공식적인 평가를 정당화할 수 있는 충분한 영향 또는 중요성을 갖는가? (그렇다면 3단계로 가라. 그렇지 않다면 공식적인 평가가 불필요하므로, 이 체크리스트를 더 사용할 필요가 없다.)		
3단계	프로그램을 위한 모형에 대해 이해관계자들 간에 충분한 합의가 있는가? (그렇다면 4단계로 가라. 그렇지 않다면 요구분석 연구를 고려하라.)		
4단계	프로그램이 시작되었다면, 프로그램 활동들이 프로그램 모형에 부합하는가? 목표가 달성될 가능성이 있는가? (그렇다면 5단계로 가라. 그렇지 않다면 프로그램 수정을 연구하기 위해 요구분석 또는 모니터링 평가를 고려하라.)		
5단계	현존하는 인적 그리고 재정적 자원과 유효한 자료로 제안된 평가가 실현 가능한가? (그렇다면 6단계로 가라. 그렇지 않다면 계속 진행하기 전에 추가적인 자원을 찾거나 당신의 계획의 범위를 수정하라.)		
6단계	평가의 향후 사용에 대해 주요 이해관계자들이 동의하는가? (그렇다면 7단계로 가라. 그렇지 않다면 중단하거나 정보를 효과적으로 사용할 수 있는 이해관계자들에게 초점을 두라.)		
7단계	이해관계자들이 정보를 생산적으로 사용할 수 있는 위치에 있는가? (그렇다면 8단계로 가라. 그렇지 않다면 중단하거나 정보를 사용하여 의사결정을 하거나 행동을 취할 수 있는 여타 이해관계자들에게 초점을 두라.)		
8단계	당신의 주요 이해관계자들의 의사결정이 오로지 다른 것에 기초하여 이루어지고 평가 자료로부터는 영향을 받지 않는가? (그렇다면 평가가 불필요하므로 중단하라. 그렇지 않다면 9단계로 가라.)		
9단계	평가가 신뢰할 수 있는 정보를 제공하는가? (그렇다면 10단계로 가라. 그렇지 않다면 중단하라.)		
10단계	평가가 수용할 수 있는 적절성 표준에 부합하는가? (그렇다면 요약으로 가라. 그렇지 않다면 다른 자료 수집 방법을 고려하거나 중단하라.)		

요약: 위의 1~10단계에 기초할 때, 평가가 수행되어야만 하는가?

내부 또는 외부 평가자 사용하기

앞 절에서 언제 평가를 실시할지를 논의하였다. 우리는 이제 누가 평가를 수행할 것인지를 고찰한다. 첫 번째 결정사항은 외부 또는 내부 평가자를 사용할 것인지일 것이다. 내려져야 할 결정이 총괄적일 때(프로그램을 지속할지, 확장할지 또는 축소할지 여부), 내부 평가자보다 외부 평가자(제3의 평가자, 독립적인 평가자, 평가 컨설턴트, 또는 평가 계약자 등으로도 명명됨)가 선호될 수 있다. 하지만 평가가 하나의 분야로 성장하면서, 우리는 상대적으로 소수의 평가들이 전적으로 총괄적임을 깨닫게 되었다. 대부분의 평가들은 형성적인 의사결정 및 총괄적인 의사결정과 관련되므로, 내부와 외부 평가자들은 분명한 차이를 나타낼 수 있다. 성과 모니터링과 평가 능력 구축의 성장으로 인해 내부 평가자들은 많은 조직들에서 아주 일반적인 상시 인력이 되었다.

외부 평가의 이점

평가를 수행함에 있어 외부 대리기관 또는 개인을 사용하는 이점들은 다음과 같이 요약될 수 있다.

1. 외부 평가자는 내부 평가자보다 계획 및 실행에 관여한 인사와 프로그램으로부터의 거리가 멀기 때문에 외부 평가가 보다 공정하고 객관적으로 보일 수 있다.

2. 특히 프로그램에 대한 주목도가 높고 쟁점사항이 많을 경우 외부 청중들은 외부 평가를 보다 신뢰할 수 있다.

3. 외부 평가는 기관으로 하여금 기관의 직원이 지니고 있는 것 이상으로 평가 전문성을 이용하게 할 수 있다. 많은 학교, 기타 공공 비영리 조직들이 평가를 수행하기에 충분한 인원의 평가 전문가들을 고용하는 것은 쉽지 않지만, 외부 평가자들을 통해 필요한 전문 기술을 획득할 수 있다. 게다가 외부 평가자들은 내부 평가자들과는 달리 지속적으로 임금을 지불할 필요가 없기 때문에 보다 융통성 있게 스태프를 구성할 수 있다. 그러므로 여러 개별적인 외부 평가자들이 지니고 있는 특정한 기술이 단계에 맞게 사용되고, 요구되는 특수한 서비스에 대해서만 임금을 지급하면 된다.

4. 외부 평가자들은 새로운 외부 시각을 지니고 있다. 내부 평가자와는 달리 외부 평가자들은 나무와 숲 모두를 보다 잘 볼 수 있고, 내부 인사들은 용인하거나 주목하지 않은, 정당화되지 않은 가정들을 발견할지도 모른다. 물론 외부 평가자들은 다른 유사한 프로그

램들에 대한 그들의 경험에 기초하여 자신들만의 특정한 사고방식을 지니고 있을 수 있기 때문에 외부 평가자의 시각이 중요하다면 이를 잘 알고 채용함에 신중을 기해야 한다.

5. 프로그램과 관련된 인사들은 기밀유지를 부주의하게 위반할 수도 있다는 두려움으로 간혹 현지 평가자들보다 외부인들에게 민감한 정보를 밝히고자 할 수 있다. 왜냐하면 그들은 지속적으로 현장에 있었고, 따라서 프로그램과 관련된 여타 사람들과 지속적으로 접촉하여 왔기 때문이다.

6. 평판이 좋지 않은 정보를 제시하거나, 프로그램 변화를 주장하거나, 발견된 사항을 널리 노출함에 있어 내부 평가자들보다는 외부 평가자들이 보다 편안함을 느낄 수 있다. 특히 그들의 추후 임금과 승진이 조직 내 인사들에 의존하지 않기 때문에 외부 평가자들은 그 상황이 가치 있고 중요한 요소가 허락하는 한 솔직하고 정직할 수 있다. 내부 평가자들은 향후 이해관계에 의해 방해받을 수 있다. (하지만 외부 평가자들에 대한 이러한 인지된 장점은 과장된 것일 수 있다. 외부 평가자들은 종신 고용은 아니라고 하더라도 그 조직과 좀 더 오래 일하고, 좋은 관계에 흔히 관심을 지니고 있다.)

이 리스트는 일회성 평가를 위해 고용된 이상적인 외부 평가자에 기초한 것이다. 하지만 사실 외부 평가자들은 한 조직과 반복적인 거래를 하기 때문에 이러한 장점들을 일부 잃고 내부 평가자와 좀 더 비슷한 입장에 있게 된다.

내부 평가의 이점

내부 평가자들 또한 조직 내에서의 그들의 위치와 특성에서 매우 다르다. 일부 내부 평가자들은 분리된 평가 단위에 고용되어, 평가에만 전임하는 책무를 가져 평가 영역에서 포괄적이고 깊이 있는 훈련을 받을 수도 있다(대규모 도시 학군의 전임 내부 평가자인 Eric Barela를 인터뷰한 Christie 사례에 대해서는 Christie와 Barela[2009] 참조). 작은 조직들에서 내부 평가들은 주된 책무와 훈련이 다른 영역들인 관리자들 또는 스태프에 의해 행해진다. 분명한 것은 평가 전문성이 많은 내부 인사가 평가 전문성이 아닌 다른 영역에서의 전문성이 많은 인사들에 비해 선호된다는 점이다. 그럼에도 불구하고 내부 전문가들의 두 유형은 모두 다음과 같은 이점을 지닌다.

1. 내부 평가자들은 프로그램의 모형과 역사에 대해 더 많이 알고 있다. 이러한 이점으로 인해 내부 평가자들은 요구분석과 연구 모니터링 또는 형성적인 목적을 위한 즉각적인 산출물 또는 성과에 대한 평가에 있어 아주 유용하다.

2. 내부 평가자들은 다양한 이해관계자들 그리고 그들의 관심사, 염려사항, 영향에 대해 더 잘 알고 있다. 이러한 지식이 평가의 활용도를 증가시키는 데 도움이 될 수 있다. 게다가 만약 평가자가 관리자, 스태프와 긍정적인 관계를 형성하고 있다면, 이러한 관계는 평가에 대한 근심을 제거하고 신뢰를 쌓는 데 도움이 될 수 있다.

3. 내부 평가자들은 조직의 역사와 고객들, 재정 지원자들, 기타 이해관계자들, 조직이 작동하는 환경, 의사결정에 관계된 일반적인 역학 관계에 대해 알고 있다. 그러므로 그들은 평가 연구를 생산적으로 사용하고, 그 활용도를 극대화하기 위해 연구 시간을 정하고 그 결과를 제시하는 인사들을 보다 쉽고 정확하게 확인할 수 있다.

4. 내부 평가자들은 평가 후에도 조직 내에 남아 결과의 활용을 지속적으로 주창할 수 있다.

5. 내부 평가자들은 이미 조직에 고용되고, 조직과 프로그램에 관심을 두고 있기 때문에, 과거 그 조직과 일해본 경험이 없다면 조직 내 역학 관계를 이해하기 위해 시간을 필요로 하는 외부 평가자를 찾고, 선택하고, 고용하는 것보다 빨리 평가를 시작될 수 있다.

6. 내부 평가자들은 잘 알려진 사람들이다. 그들의 장점과 단점은 조직에 알려져 있고, 고려되고 있는 프로젝트와 관련하여 분석될 수 있다(Love, 1991; Sonnichsen, 1999).

내부 평가자들에 대한 정의는 대규모 조직들과 정부 조직에서는 보다 불분명해졌다. 미국 회계감사원(GAO) 소속 평가자들은 그들이 연방 프로그램을 평가하는 연방 공무원임에도 불구하고, 그들이 의회의 요구에 의해 행정 지부 프로그램을 평가할 때 아마도 외부 평가자들로 간주될 것이다. 주 평가 조직 또는 주 감사국 소속 직원들은 그들이 주에 의해 고용되었기 때문에 내부 평가자로 간주될까? 논쟁이 될 만한 프로그램 또는 정책에 대한 연구의 독립성에 대해 일부 시민들이 관심을 지니고 있을 수 있음에도 불구하고, 그렇지 않다. 평가자가 평가받고자 하는 프로그램을 관리하고 있는 주 조직 내의 평가 단위 구성원인 경우는 어떠할까? 이러한 경우 평가자는 내부 평가자로 간주될 가능성이 크다. 특히 조직이 작을 때는 더더욱 그러하다.

내부 평가자의 대표적인 예는 프로그램 계획자들, 제공자들과 함께 매일 일하는 작은 조직의 종업원이다. 중간 규모의 비영리 조직들과 지방 정부의 많은 부서들이 이러한 내부 평가자들을 포함하고 있는 조직들의 예이다. 반대로 외부 평가자의 대표적인 예는 독립적인 컨설턴트 또는 계약에 의해 평가 기능을 수행하는 조직의 종업원이다. 많은 평가자들은 이 두 극단 사이의 어디엔가에 위치한다. 그럼에도 불구하고 내부와 외부 평가자들 사이의 차이점은, 총괄평가와 형성평가 간의 차이처럼, 우리가 연구를 수행하도록 선택할 수 있는 다양한 평가자들의 강점들과 약점들을 확인하는 데 도움이 된다. 우리는 또한 우리가 염려하고 있는 사항들을 개선하는 데 있어 내부 평가자들로부터 외부 평가자들까지의 연속체를 사용할 수 있다. 예를 들면 내부 평가자의 불공정성 또는 편견에 관한 우려는 조직도상에서 프로그램으로부터 상대적으로 먼 내부 평가자를 선정함으로써 일부 제거될 수 있다. 하지만 이 거리가 불공정성을 개선하는 한편 프로그램과 이해관계자들에 대해 잘 알 수 있다는 내부 평가자의 일반적인 장점을 떨어뜨림에 주의하라.

전임 FBI 기획평가국장인 Sonnichsen(1999)은 영향을 극대화하기 위해 내부 평가 조직을 어떻게 확립하고 조직하는지를 기술하였다. 그는 내부 평가자들이 "향상된 성과라는 관점에서 긍정적인 결과를 가져올 수 있도록 조직의 쟁점사항과 문제점들을 체계적이고 비판적으로 리뷰하고 생각하는 조직적인 관례를 형성하는" 잠재력을 지니고 있다고 보았다(Sonnichsen, 1999, p. 2). 그는 내부 평가자들이 조직에 큰 영향을 미치도록 하는 다섯 가지 전제 조건을 제안하였다: 최고경영층의 지원, 유능한 평가자들의 유용성, 내부 리뷰에 대한 조직문화, 신뢰할 만한 자료 시스템, 조직 자료와 인사에 대한 평가자들의 제한되지 않은 접근. 그가 주장한 성공적인 내부 평가자는 조직 내에서의 의사결정 과정 개선을 우선시한다(내부 평가에 대한 추가적인 사항은 Love[1991] 참조).

내부 평가자들에 대한 최근의 다른 모형은 평가 능력 구축(evaluation capacity building, ECB)에 초점을 두고 있다. 이 역할에서 평가자는 개별적인 평가 연구 수행보다는 조직 내에서 평가 연구와 이것의 활용에 도움이 되는 환경을 만들고 유지하는 데 보다 관심을 두고 있다.

내부 평가와 외부 평가 조합의 이점

내부와 외부 평가는 너무 멀어서 흔히 상호 배타적이라고 간주된다. 그러나 그럴 필요가 없다. 두 접근방법을 조합함으로써 앞서 기술된 각각의 단점들을 보완할 수 있다. 프로그램과 이해관계자들에 대해 잘 알지 못하는 외부 평가자가 필요한 상황 정보를 제공할 수 있는 내부 평가자와 협력하여 일한다면 문제가 적어진다. 내부 평가자가 필요한 자료를 수집하고 평가 계획과 결과에 대해 중요한 내부 청중들과 적극적으로 의사소통한다면 교통비가 크게 감소될 수 있다. 결국 외부 평가자가 가버린 후에 내부 평가자는 평가 결과 활용의 옹호자로 남을 것이다.

외부 평가자는 조직 내부에서는 평상시에 요구되지 않는 특별한 지식과 기술들을 제공할 뿐만 아니라 공정성과 신용성을 증가시키는 데 사용될 수 있다. 외부 평가자는 평가 설계, 도구 개발 또는 선택, 자료로부터 결론 도출 등과 같이 우연히 편견이 발생할 수 있는 주요 과업들에 도움이 될 수 있다. 외부 평가자는 민감한 결과를 이해관계자들에게 제시하고 해석할 수 있다.

외부 평가자들은 또한 내부 평가 연구를 "감사"하여 방법적으로 견고하고 편견이 없음을 명확히 하는 데 사용될 수 있다(Chen, 1994; Sonnichsen, 1999). 이러한 파트너십으로 평가 전체가 외부에 의해 수행되지 않고서도 외부 평가의 장점들을 얻게 된다. 게다가 결과적으로 발생하는 팀워크를 통해 내부 평가자들은 향후 사용될 수 있는 새로운 평가 방법들을 학습할 수 있다.

외부 평가자 사용 여부 결정을 위한 단계별 체크리스트

평가를 수행함에 있어 외부 기관 또는 개인을 사용할지 여부를 결정하기 위한 체크리스트를 제안하면 그림 11.2와 같다.

그림 11.2 외부 평가자 사용 여부 결정을 위한 체크리스트

		각 문항에서 하나를 체크하시오.	
		그렇다	그렇지 않다
1단계	외부 평가자에 의해 평가가 수행되어야 한다는 계약상의 요구가 있는가? (그렇다면 외부 평가자를 찾기 시작하라. 그렇지 않다면 2단계로 가라.)	_____	_____
2단계	외부 평가자를 사용할 수 있는 재정 자원이 있는가? (그렇다면 3단계로 가라. 그렇지 않다면 이 체크리스트를 사용하지 말고, 내부 평가를 수행하라.)	_____	_____
3단계	평가 과업을 수행할 수 있는 내부 평가자들의 전문성 이상으로 특별한 지식과 기술이 요구되는가? (그렇다면 외부 평가자를 찾기 시작하라. 그렇지 않다면 4단계로 가라.)	_____	_____
4단계	평가가 총괄적인 목적을 위해 주요하거나 매우 정치화된 목적을 측정하는 데 관심을 두고 있는가? (그렇다면 외부 평가자를 찾기 시작하라. 그렇지 않다면 5단계로 가라.)	_____	_____
5단계	평가 연구에 있어 외부 시각이 특히 중요한가? (그렇다면 외부 평가자를 찾기 시작하라. 그렇지 않다면 요약으로 가라.)	_____	_____

요약: 위의 1~5단계에 기초할 때, 이 평가가 외부 평가자에 의해 수행되어야만 하는가?

평가자 고용하기

종신 고용된 내부 종업원이든 외부 컨설턴트든 평가자를 고용한다는 것은 단순하지도, 사소하지도 않다. 능력이 없는 이에게 맡기는 것보다 나쁜 평가를 보증하는 더 좋은 방법은 없다. 이해관계자들과의 관계는 둔감하거나 감수성이 둔한 평가자에 의해 돌이킬 수 없을 정도로 손상될 수 있다. 허위 정보나 사실과 다른 정보는 쉽게 생성되어 확산되지만 지우기는 어렵다. 그러므로 평가자들을 고용함에 있어 매우 주의해야 한다. 평가자 고용과 관련하여 제안된 몇 가지 준거들을 요약하기 전에, 유능한 평가자들이 무엇을 할 수 있는지를 개괄적으로 생각해볼 필요가 있다.

평가자들에게 필요한 역량

평가자들에게 요구되는 과업들과 그러한 과업들을 잘 수행하는 데 요구되는 보다 구체적인 역량들(지식, 기술, 감수성)을 확인하기 위해 여러 개념적인 그리고/또는 실증적인 노력들이 있어 왔다(예를 들면 Covert, 1992; King et al., 2001; Mertens, 1994; Stevahn, King Ghere, & Minnema, 2005; Worthen, 1975).

위안이 되는 점은 다양한 리스트에 중복되는 부분이 많다는 것이다. 주요 역량들에 관해 전문 평가자들 사이에 상당한 차이가 있다면 걱정되겠지만, 그러한 경우는 없다. 사실 King 외(2001)는 역량들에 대한 전문 평가자들의 합의에 대한 연구에서 실질적인 합의점을 발견하였다.

역량 리스트에서 중복되지 않는 일부 영역은 (1) 출판 일시가 다르다는 점(평가에 있어 새로운 쟁점사항과 요구는 흔히 발견된다), (2) 기술된 내용의 상세 정도가 다르다는 점, (3) 평가 철학 또는 저자들의 배경이 다르다는 점 등에 기인한다고 생각한다. 예를 들면 King 외(2001)는 의견 일치가 이루어지지 않은 영역들은 일반적으로 그들의 연구에 참여한 평가자들의 상황과 역할이 다름을 발견하였고, 따라서 다른 유형의 평가 행위를 반영할 수 있다. 예를 들면 이해관계자들과 밀접하게 일하는 평가자들에게는 갈등 해소 능력이 보다 중요하게 인식되었다.

가장 최근에 King 외(2001)와 Stevahn 외(2005)는 전문가 공동체 내에서 연구, 발표, 토론과 심사숙고의 방법을 사용하여 프로그램 평가자들을 위한 일련의 능력들을 개발하였는데, 이러한 능력들은 평가자 교육 및 훈련을 계획하거나, 평가자를 선별 또는 고용하거나, 평가자들 스스로의 반성적 사고에 사용될 수 있다. 다른 환경에서 일하는 31명의 전문 평가자들과 협력하여 역량 리스트를 개발하기 위해 그들이 사용한 초기 과정은 다중속성 일치도달(multi-attribute consensus reaching, MACR)이었다. 이후 그들은 이 역량들을 전문가 협회에서 발표하고, 100명 이상의 전문 평가자들로부터 의견을 수렴하였다. 향후 학습하고자 하는 평가 신참자들에게 이 리스트를 제시하면 그림 11.3과 같다. 이 리스트에는 우리가 이 장에서 논의한 많은 요인들, 예를 들면 평가를 시작하기 전에 고객들과 협상하기, 프로그램의 평가가능성과 이론 결정하기, 평가에 있어 조직 상황과 정치적 고려사항 조사하기, 관련된 이해관계자들의 관심사항 확인하기 등이 포함되어 있음에 주목하라.

그림 11.3 프로그램 평가자들을 위한 주요 역량 분류

1. 전문적 실천

   1.1   전문적인 프로그램 평가 기준들을 적용한다.
   1.2   윤리적으로 행동하고, 평가를 수행함에 있어 성실하고 정직하려고 노력한다.
   1.3   잠재적 고객들에게 개별적 평가 접근들과 기술들을 전달한다.
   1.4   고객들, 응답자들, 프로그램 참가자들, 그리고 기타 이해관계자들을 존중한다.
   1.5   평가 실행에 있어 일반 복리와 공공복리를 고려한다.
   1.6   평가의 지식 기반에 기여한다.

2. 체계적 조사

   2.1   평가의 지식 기반(용어, 개념, 이론, 가정)을 이해한다.
   2.2   양적 방법에 대해 정통하다.
   2.3   질적 방법에 대해 정통하다.
   2.4   혼합 방법에 대해 정통하다.
   2.5   문헌고찰을 수행한다.
   2.6   프로그램 이론을 구체화한다.
   2.7   평가 질문들의 틀을 만든다.
   2.8   평가 설계를 개발한다.
   2.9   자료원을 확인한다.
   2.10 자료를 수집한다.
   2.11 자료의 신뢰도를 평가한다.
   2.12 자료의 타당도를 평가한다.
   2.13 자료를 분석한다.
   2.14 자료를 해석한다.
   2.15 판단을 한다.
   2.16 제안사항을 개발한다.
   2.17 평가를 통해 의사결정을 위한 논리적 근거를 제공한다.
   2.18 평가 절차와 결과를 보고한다.
   2.19 평가의 강점과 제한점을 기록한다.
   2.20 메타평가를 수행한다.

그림 11.3 프로그램 평가자들을 위한 주요 역량 분류(계속)

3. 상황적 분석

3.1 프로그램을 기술한다.

3.2 프로그램 평가가능성을 결정한다.

3.3 관련된 이해관계자들의 관심사항을 확인한다.

3.4 의도된 사용자들의 정보 요구를 제공한다.

3.5 갈등을 구명한다.

3.6 평가와 관련된 조직 상황을 조사한다.

3.7 평가와 관련된 정치적 고려사항을 분석한다.

3.8 평가 사용에 있어서의 쟁점사항에 주의한다.

3.9 조직 변화에 있어서의 쟁점사항에 주의한다.

3.10 평가 사이트와 고객의 고유성을 존중한다.

3.11 다른 사람들의 의견에 수용적인 자세를 가진다.

3.12 필요할 경우 연구를 수정한다.

4. 프로젝트 관리

4.1 제안서 요청에 대응한다.

4.2 평가가 시작되기 전에 고객들과 협상한다.

4.3 공식적인 계약서를 작성한다.

4.4 평가 과정에 걸쳐 고객들과 의사소통한다.

4.5 평가 예산을 작성한다.

4.6 정보 요구에 대한 비용 근거를 마련한다.

4.7 정보, 전문지식, 인사, 조사도구와 같은 평가에 필요한 자원들을 확인한다.

4.8 적절한 테크놀로지를 사용한다.

4.9 평가 수행과 관련된 인사들을 감독한다.

4.10 평가 수행과 관련된 인사들을 훈련시킨다.

4.11 분열을 초래하지 않는 방식으로 평가를 수행한다.

4.12 일정에 맞게 결과를 제시한다.

5. 반성적 실천

5.1 평가자로서 자신을 인식한다(지식, 기술, 성향).

5.2 개인적인 평가 실천에 대해 반성한다(발전시켜야 할 역량과 영역).

5.3 평가에 있어 전문적인 개발을 추구한다.

5.4 관련된 내용 영역들에 있어 전문적인 개발을 추구한다.

5.5 평가 실천을 증진시키기 위해 전문적인 관계를 형성한다.

6. 대인관계 역량

6.1 문서 의사소통 기술을 사용한다.

6.2 구두 의사소통 기술을 사용한다.

6.3 협상 기술을 사용한다.

그림 11.3 프로그램 평가자들을 위한 주요 역량 분류(계속)

6.4 갈등 해결 기술을 사용한다.
6.5 건설적인 대인관계 상호작용을 촉진한다(팀워크, 집단 소통, 프로세싱).
6.6 이문화 이해 역량을 나타낸다.

출처: Stevahn, L., King, J. A., Ghere, G., & Minnema, J. (2005). Establishing essential competencies for program evaluators. *American Journal of Evaluation, 26*(1), 43–59의 49–51쪽.

우리는 이제 평가자 고용하기라는 주제로 바꿀 것이다. 하지만 이 역량들은 평가자를 고용하는 관리자 또는 인사에게 방법적인 기술들은 성공적인 평가자가 되는 데 단지 하나의 요소임을 상기시키는 데 유용할 것이다. 대인관계 기술, 의사소통 기술, 관리기술도 또한 조사되어야만 한다. 예를 들면 많은 성공적인 방법론자들이 연구 방법에 익숙하지 않은 청중들에게 복잡한 결과를 전달하는 데 어려움을 겪고, 다양한 이해관계자들과 성공적으로 일하는 데 필요한 듣기, 이해하기, 갈등 해결 등 대인관계 기술이 부족할 수 있다.

가능한 평가자 고용 접근법

평가자가 이러한 역량들을 지니고 있음을 기관이 결정할 때 사용할 수 있는 도구는 무엇인가? 어떤 인사 과정과 마찬가지로 선발 방법들은 그 직무에 요구되는 지식 및 기술들과 일치해야만 한다. 지원자가 필요한 방법적인 전문성과 문서작성 기술을 지니고 있는지를 판단함에 있어 이력서 그리고/또는 과거 평가 보고서가 유용할 수 있다. 가능하다면 다양한 이해관계자들의 대표들에 의해 수행되는 인터뷰가 지원자의 구두 의사소통 기술 그리고 다양한 고객들과 일하는 능력을 평가하는 데 사용될 수 있다. 인터뷰는 특히 복잡한 쟁점사항을 분명하게 설명하고(과거 작업을 설명함에 있어) 듣고 학습하는 평가자의 능력을 결정함에 있어 성공적일 수 있다. 인터뷰 동안 지원자의 질문과 의견은 프로그램과 평가에 대한 지원자의 관심, 다양한 이해관계자들에 대한 감수성, 전반적인 구두 의사소통 기술이라는 측면에서 판단될 수 있다. 마지막으로 평가자를 사용해본 여타의 사람들과 이야기하는 것은 평가를 민감하고 윤리적으로 관리하는 지원자의 기술을 발견하는 데 매우 귀중할 수 있다. 이러한 추천은 또한 공유할 의사가 있는 과거 고객들을 위해 만들어진 보고서 표본과 마찬가지로 개인적인 스타일과 평가에 대한 전문적인 지향점에 대해 유용한 정보를 제공할 수 있다.

그림 11.4 평가자 선정에 있어 고려해야 할 질문 체크리스트

		평가자 자질 (각 문항별로 하나 체크)		
		그렇다	아니다	모르겠다
질문 1.	평가자는 연구에서 요구되는 방법과 기술들을 사용할 수 있는 능력을 지니고 있는가? (교육 및 훈련, 과거 경험, 철학적 지향점을 고려하라.)			
질문 2.	평가자는 연구에 적합한 초점을 명확히 표현함을 도울 수 있는 능력을 지니고 있는가? (의사소통 기술, 이해관계자 집단들과 일하는 능력, 내용 전문성을 고려하라.)			
질문 3.	평가자는 연구를 수행할 수 있는 관리 기술을 지니고 있는가? (교육 및 훈련, 과거 경험을 고려하라.)			
질문 4.	평가자는 적절한 윤리적 표준을 유지할 것인가? (교육, 훈련을 고려하라. 추천인과 대화하라.)			
질문 5.	평가자는 기대된 이해관계자들에게 결과가 사용될 방식으로 결과를 의사소통하는 데 관심이 있고, 의사소통할 수 있는가? (이전 평가 서류를 조사하라. 추천인과 대화하라.)			

요약: 위의 질문 1~5에 기초할 때 잠재적인 평가자는 어느 정도의 자질을 갖추고 있고 평가를 수행하기에 만족스러운가?

평가자 선정에 있어 고려해야 할 질문 체크리스트

그림 11.4는 평가자를 선정할 때 고려할 수 있는 준거 체크리스트로 구안되었다. 이 체크리스트는 그림 11.3에 제시된 역량들에 기반을 둔 것으로 이 리스트를 완료하게 되면 각 질문과 관련된 역량들에 대한 결론에 도달하도록 하는 목적을 지니고 있다.

다른 평가 접근법에서는 평가 요구와 책임을 어떻게 분명히 하는가

5장부터 8장에 걸쳐 고찰된 다른 모형들의 제안자들은 평가 요구를 분명히 함에 있어 어떻게 접근할 것인가? 각 장에 기술된 모형들의 제안자 대부분은 이 장에서 제시된 방법들에 반대하지 않을 것이다. Scriven의 탈목표 평가를 제외한 모든 평가는 요구를 분명히 하

기 위해 계획 단계 동안 적어도 이해관계자들과의 인터뷰와 기존 문서에 대한 고찰을 실시할 것이다.

프로그램중심 모형에 찬성하는 평가자는 이 단계 동안 목적들 또는 프로그램 이론 또는 논리 모형을 구체화하는 데 주로 초점을 둘 것이다. 현대의 평가자들은 보다 이론에 기반을 둘 것이다. 이처럼 그들은 계획 단계 동안 고객, 이해관계자들과 일함으로써 프로그램에 대한 그들의 규준적 이론들을 학습하거나 개발하는 데 보다 시간을 쓰고, 평가에서 탐색되거나 사용될 수 있는 이론들과 연구 결과들을 확인하기 위해 관련된 연구 문헌을 고찰할 것이다.

반대로 의사결정중심 평가자들은 결정되어야 할 의사결정과 그러한 의사결정을 내리는 관리자들의 정보 요구에 보다 초점을 둘 것이다. 의사결정이 프로그램 이론들 또는 목표들에 관심을 둔다면 평가자들은 그것들에 초점을 둘 것이다. 하지만 의사결정이 다른 쟁점사항들에 관심을 둔다면 평가자들은 즉시 변경할 것이다. 의사결정중심 평가자는 누가 평가에 관심이 있고, 과거 누가 평가를 활용하였는지를 아는 데 관심이 있어서 잠재적인 주요 사용자들을 확인할 것이다. 평가자는 또한 프로그램의 단계와 아마도 정보 요구를 고려할 것이다. 의사결정중심 접근에 반하여 소비자중심 평가자는 산출물에 대한 기능 분석을 수행하고, 그것의 장점 또는 가치를 판단하는 데 사용할 수 있는 준거를 확인함으로써 요구를 분명히 할 것이다. 이와 유사하게, 전문가중심 평가자는 프로그램 분야(예를 들면 의학, 교육학, 또는 환경적 표준들)에서의 확립된 관심 영역에 기초하여 평가를 제한할 수도 있다. 평가자는 프로그램 영역에 있어 자신의 개인적 전문성에 기초하여 준거를 정의하도록 고용되었다고 생각할 수 있기 때문에 실제 이해관계자들의 요구에는 초점을 덜 둘 수도 있다.

참여자중심 평가자는 평가 요구를 분명히 함에 있어 다른 모형들의 지지자들보다 더 많은 이해관계자들을 참여시키거나 특정한 집단의 이해관계자들(일반적으로 프로그램 관리자들과 스태프)에 초점을 두어 프로그램 및 평가에 대한 그들의 인식과 기대를 이해하고, 평가 자체에 그들을 참여시키기 시작할 수 있다. 참여자중심 평가가 많은 다양한 이해관계자들을 참여시킨다면, 평가자는 가치, 인식, 그리고 이러한 집단들의 권한 차이를 조사하기 시작해야만 한다. 평가가능성 사정에서 Wholey에 의해 제안된 것처럼, 다양한 실무 집단과의 모임들은 보다 신랄할 것이고, 평가 목적 그리고 아마도 사용될 절차에 대한 의견일치를 달성하기가 보다 어려울 것이다. 게다가 관리자들 또는 정책입안가들과 여타 이해관계자들 간의 차이가 너무 클 경우 강력한 갈등 해소 기술을 지닌 외부 평가자가 보다 적합할 것이다. 왜냐하면 이러한 외부 평가자는 관리 도구로 인식될 가능성이 적기 때문이다. 하지만 이러한 실무 집단들은 경영진 회의에서는 제기되지 못한 쟁점사항들을 확인하는 데 성공적일 수 있어 관리자들과 여타 이해관계자들 간의 의사소통을 증진시킬 수 있다. 하나의 대안으로 참여자중심 평가자는 모든 이해관계자들의 실무 집단을 통한 의견일치를 달성하지 않고, 다양한 이해관계자 집단들과의 인터뷰, 프로그램 문서들에 대한 고찰, 프로그램 관찰을 통해 평가 요구를 분명히 할 수도 있다. 구성주의자 경향을 지니고 있는 참여자중심 평가자는 반드시 의견일치를 이루어내지 않고 다양한 시각들 또는 복합적 현실을 찾을 수 있다.

모든 접근법은 내부 또는 외부 평가자들에 의해 수행될 수 있다. 하지만 내부 평가자들은 보다 의사결정중심적일 수 있다. 그들의 주된 목적은 관리자들의 의사결정을 돕는 데 있다. 관리자들의 지속적인 영향력 때문에 그들은 어떤 개별적인 프로그램보다는 조직의 개선에 보다 초점을 둔다. 그들의 주된 이해관계자가 소비자일 가능성이 낮기 때문에 소비자 지향 또는 전문가중심 접근을 취할 가능성은 낮다. 그들은 특정 프로그램에 대한 내용 전문성이 아니라 평가 전문성 때문에 고용되었다. 이와는 반대로 외부 평가자들은 일반적으로 특정 프로그램 또는 정책을 평가하기 위해 고용된다. 그들은 평가 전문성 또는 그들이 평가하고자 하는 특정 프로그램에 대한 내용 전문성으로 인해 소비자, 관리자, 또는 어떤 이해관계자 집단에 의해 고용된다. 이러한 상황 내에서 특정한 평가 환경과 이해관계자들의 요구가 주어진다면 이론에 기반을 둔 참여적 접근의 요소들은 내부 또는 외부 평가자들에 의해 변경될 것이다.

주요 개념과 이론

1. 평가는 후원자, 고객, 청중 또는 이해관계자들에 의해 사용될 수 있다. 각각의 집단은 평가에 대한 요구, 관심, 정보 요청 사항이 있다. 평가자는 각 집단을 확인하고, 평가 계획에 있어 그들의 관심사를 적절히 통합해야만 한다.

2. 평가 목적을 결정하고 이해함은 평가가 시작되기 전에 완결되어야 하는 아마도 가장 중요한 활동이다.

3. 평가는 다양하게 사용될 수 있다. 해당 정보를 직접적으로 사용하거나, 의사결정을 하는 대안적인 방법들에 대해 사용자들을 교육시키거나, 이해관계자들 간의 대화를 촉진시키거나, 프로그램 쟁점사항 또는 이해관계자 견해들에 대한 이해를 높이는 데 사용될 수 있다.

4. 고객이 평가를 광고 목적으로 책임을 피하거나 또는 의사결정을 미루는 데 사용하거나, 자원이 부적절하거나, 사소하거나 타당하지 않은 정보를 생산하거나, 평가로 인해 비윤리적인 관행이 양산되거나, 청중들이 현혹되거나 한다면 평가를 수행하는 것은 부적절할 것이다.

5. 평가가능성 사정은 평가를 진행시킴이 효과적인지 여부를 결정하는 데 사용될 수 있다. 이것에는 프로그램 관리자들과 함께 목적, 프로그램 모형들 또는 이론들이 분명하게 표현되고 실현 가능한지 그리고 확인된 청중들이 정보를 사용할지 여부를 결정하는 것이 포함된다.

6. 내부 또는 외부 평가자들이 평가를 수행할 수 있다. 내부 평가자들은 조직, 조직의 역사, 의사결정 유형을 더 잘 알 수 있어서 추후의 사용을 장려할 수 있을 것이다. 외부 평가자들은 보다 객관적이고 특정 프로젝트에 필요한 전문화된 기술을 지닐 수 있다.

토의 문제

1. 평가 요구를 분명히 하는 것이 왜 중요한가? 이것이 우리에게 의미하는 바는 무엇인가?

2. 후원자들, 고객들, 청중들, 기타 이해관계자 집단의 일반적인 정보 요구는 어떻게 다를 수 있는가?

3. 평가가능성 사정이 평가자를 어떻게 도울 수 있다고 생각하는가? 그 결과는 누가 사용할 것인가?

4. 그림 11.3에 제시된 역량들 가운데 새롭거나 놀라운 것은 무엇인가? 가장 중요하다고 생각하는 것은 무엇인가? 이 리스트에 어떤 역량을 추가하겠는가?

5. 어떤 상황에서 내부 평가자의 사용을 선호할 것인가? 내부 평가자가 구명하기를 선호하는 프로그램 또는 쟁점사항의 이름을 들어보자. 외부 평가자의 경우는 어떠한가? 각각은 어떠한 우려사항을 지니고 있는가?

적용 연습

1. 당신이 평가를 수행한다고 하면 어떤 질문을 하고 싶은가?

2. 당신이 알고 있는 프로그램을 생각해보라. 평가가능성에 대한 Wholey의 준거에 부합하는가? 그렇지 않다면, 어떤 변화가 일어나야 하는가? 이러한 변화를 달성하도록 돕기 위해 평가자로서 당신이 취할 수 있는 단계가 있는가?

3. 2전 질문에서 확인한 프로그램과 정보에 대한 예상 요구를 고려할 때, 이 평가를 위해 내부 평가자와 외부 평가자 가운데 누가 더 적합할까? 당신의 선택을 정당화하라.

4. 당신이 생각하고 있는 프로그램을 평가하는 데 가장 중요한 역량은 무엇인가? 이 평가를 수행할 인사(내부 또는 외부)를 어떻게 고용할 것인가?

관련 평가 기준

부록 A에 제시된 목록 가운데 이 장의 내용과 관련이 있는 평가 기준들은 다음과 같다.

U1 − 평가자 신뢰성	P1 − 반응성 및 통합성
U2 − 이해관계자에 대한 관심	P6 − 이해관계의 충돌
U3 − 평가목적에 대한 협의	E1 − 평가 기록화
U4 − 가치의 명시성	A2 − 정보의 타당성
F3 − 상황적 실용성	A3 − 정보의 신뢰성

사례 연구

이 장을 위해 내부 평가자와 외부 평가자의 서론 다른 역할 협상에 대해 설명하는 세 인터뷰를 읽기를 권한다. 『Evaluation in Action』의 3장은 외부 평가자인 Len Bickman과의 인터뷰이고, 5장은 절반 정도 내부 역할을 수행한 David Fetterman과의 인터뷰를 제시하고 있다. 세 번째 인터뷰는 내부 평가자인 Eric Barela와의 인터뷰로 『Evaluation in Action』이 출판된 이후에 수행되었기 때문에 「American Journal of Evaluation」에서만 확인할 수 있다.

3장에서 Len Bickman은 평가 후원자 중 한 명과의 의결 불일치와 연구의 타당도를 유지하기 위해 일부 주요 평가 의사결정에 있어 소유권에 대한 그의 강력한 주장을 논의한다. 출처는 다음과 같다: Fitzpatrick, J. L., & Bickman, L. (2002). Evaluation of the Ft. Bragg and Stark County systems of care for children and adolescents: A dialogue with Len Bickman. *American Journal of Evaluation, 23*(1), 67-80.

5장에서 David Fetterman은 그가 해당 프로그램과 직접적으로 연결되어 있지 않음에도 불구하고, 그가 소속한 교육대학 내 한 프로그램을 평가함에 있어 동료 교수와 직면한 몇 가지 문제들을 솔직하게 논의하고 있다. 출처는 다음과 같다: Fitzpatrick, J. L., & Fetterman, D. (2000). The evaluation of the Stanford Teacher Education Program (STEP): A dialogue with David Fetterman. *American Journal of Evaluation, 21*(1), 240-259.

우리가 추천한 세 번째 인터뷰는 대규모 도시 학군의 내부 평가자인 Eric Barela와의 것이다. Fetterman과 같은 내부 평가자로서 그의 인터뷰는 공식적인 내부 평가 사무소가 프로젝트를 수행하는 개별 내부 평가자들과 달리 어떻게 보호받는가를 나타내었다. 출처는 다음과 같다: Christie, C. A., & Barela, E. (2009). Internal evaluation in a large urban school district: A Title I best practices study. *American Journal of Evaluation, 29*(4), 531-546.

추천 도서

Joint Committee on Standards for Educational Evaluation. (2010). *The program evaluation standards* (3rd. ed.). Thousand Oaks, CA: Sage.

Smith, M. F. (1989). *Evaluability assessment: A practical approach*. Boston: Kluwer Academic.

Smith, N. (1998). Professional reasons for declining and evaluation contract. *American Journal of Evaluation, 19*, 177-190.

Sonnichsen, R. C. (1999). *High impact internal evaluation*. Thousand Oaks, CA: Sage.

Stevahn, L., King, J. A., Ghere, G., & Minnema, J. (2005). Establishing essential competencies for program evaluators. *American Journal of Evaluation, 26*(1), 43-59.

Wholey, J. S. (2004). Evaluability assessment. In J. S. Wholey, H. P. Hatry, & K. E. Newcomer (Eds.), *Handbook of practical program evaluation* (2nd ed.). San Francisco: Jossey-Bass.

12

범위 설정과 평가 맥락 분석하기

핵심 질문

1. 평가에서 잠재적 이해관계자들과 독자는 누구인가? 이해관계자들은 언제 어떻게 평가에 참여해야 하는가?
2. 평가의 목적을 서술하는 것은 왜 중요한가?
3. 논리 모형과 프로그램 이론은 어떤 기능을 제공하는가? 프로그램 이론을 개발하기 위해 평가자는 어떤 단계를 취하는가?
4. 평가를 위한 잠재적 자원들에 대한 지식이 이 단계에서 계획을 세우는 데 어떤 도움을 주는가?
5. 평가가 이루어질 정치적 맥락을 분석할 때 평가자는 무엇을 고려해야 하는가? 정치적 고려는 연구 수행에 어떤 영향을 미치는가?

앞 장에서 우리는 평가를 수행할지 여부를 결정하는 것, 내부 평가자를 활용할지 아니면 외부 평가자를 활용할지 결정하는 것, 누구를 고용할지 고려하는 것 등을 다루었다. 이번 장에서 우리는 관심을 네 가지 다른 고려사항들로 돌린다. 이 고려사항들은 평가 이해관계자와 독자 확인하기, 평가를 받는 것에 대한 범위 설정하기, 논리 모형과 프로그램 이론을 개발함으로써 프로그램에 대해 더 배우기, 이용 가능한 자원과 정치적 맥락 분석하기 등이다.

평가를 위해 이해관계자와 목표 독자 확인하기

평가를 계획하는 단계에서 평가자가 다양한 모든 이해관계자들과 독자를 확인하는 것은 필수적이다. 계획 단계에서 이해관계자들을 포함시키는 것은 평가자가 적절한 관심사를 확실히 다룰 수 있도록 도와주고, 평가자가 잠재적 사용자를 확인하는 데도 도움을 준다. 더 나아가 초기 단계에서 이해관계자들을 포함시키는 것은 프로그램에 대한 그들의 걱정을 줄이도록 도와주며, 다른 집단들이 프로그램을 어떻게 인식하는지를 평가자가 배울 수 있도록 한다. 직접적인 이해관계자를 넘어 독자를 인식하는 것 역시 평가자가 결과를 나중에 확산시킬 것을 고려하는 데 도움을 줄 수도 있다. 이 절에서 우리는 이 집단들의 확인과 개입에 대해 논의한다.

평가에 개입될 이해관계자와 미래 독자 확인하기

대개 평가자가 처음으로 만나는 사람들인 후원인과 의뢰인이 일반적으로 그 연구의 기본적인 독자를 대표하기는 하지만 고려해야 할 중요한 다른 이해관계자와 독자가 거의 항상 존재함을 평가자는 초기에 깨달아야 한다. 실제로 평가의 후원인은 형성평가에서 평가받는 프로그램의 관리자나 스태프와 같은 다른 이해관계자들에게 정보를 제공하기 위해 종종 연구 자금을 지원한다.

평가자는 프로그램과 평가에 대한 집단의 인식과 관심사를 배우기 위해서 각 이해관계자 집단 또는 그 대표자와 자신을 동일시하며 의사소통을 해야 한다. 분명히 일부 이해관계자들은 프로그램이나 평가를 보다 즉각적으로 사용하는 것에 더 관심을 갖기 때문에 그들의 조언에 가중치를 두는 것이 필요할 것이다. 그러나 거의 모든 평가에서 최종 평가 계획은 몇몇 다른 이해관계자 집단들의 정보 요구를 다루는 질문을 포함하게 될 것이다. 그렇다면 우리는 적법한 독자를 모두 어떻게 확인할 것인가?

평가 의뢰인 그리고/또는 후원인과 함께 일하는 평가자는 이해관계자를 폭넓게 정의할 것인지 아니면 좁게 결정할 것인지 합리적인 균형을 유지해야 한다. 「월 스트리트 저널」이나 「런던 타임스」에 뉴스가 실릴 것을 보장할 만큼 이목을 끄는 평가는 거의 없다. 그러나 그보다 흔히 저지르는 실수는 범위를 너무 좁게 잡는 것이다. 일하는 사람들을 전면에서 대표하는 프로그램 관리자와 스태프는 대체로 대부분의 평가에 어느 정도 개입한다. 공동체의 구성원과 영향력 있는 다른 집단의 대표자들은 점점 더 평가의 이해관계자들 또는 독자들로 여겨진다. 그러나 여전히 삐걱거리는 바퀴에 답하려는, 즉 목소리 크고, 귀에 거슬리거나 힘 있는 사람들을 평가 연구의 대상으로 삼으려는 애석한 경향이 있다.

취학연령의 아이 없이 오늘날 학교가 제대로 기능하지 못한다고 생각하는 경향이 있는 사람들은 어떠한가? 고등학생들과 그들의 학부모는 어떠한가? 평가의 숙의민주주의 모형에서 House와 Howe(1999)는 "내부와 외부의 사람들의 견해를 혼합하고 주변부에 있고 소외된 사람들의 목소리를 전달하는"(p. xix) 책임이 평가자에게 있다고 주장한다. 비록 그들은 자신들의 접근이 이상적인 것이라고 인정하기는 하지만, 그 요점은 평가자가 "민주적인 대화"를 초래하거나 종종 견해를 교환하지 않는 집단들 사이에서 평가의 목적에 대한 합리적인 논의를 촉진시키는 데 있어 강력한 역할을 할 수 있다는 것이다.

이해관계자들의 수와 다양성을 증가시키면 평가의 복잡성과 비용이 증가할 수 있다. 그러나 정치적, 현실적, 윤리적 이유 때문에 평가자는 어떤 구성요소들을 무시할 수 없다. 따라서 독자가 누구이고 그들이 어떻게 관여하며 대접받아야 하는지에 대한 질문이 중요하다.

Greene(2005)은 이해관계자들을 다음과 같이 네 집단으로 나눈다.

(a) 다른 정책입안자들, 자금 제공자들, 자문 위원단을 포함하여 프로그램에 대한 결정권을 갖는 사람들

(b) 프로그램 개발자들, 프로그램을 시행하는 조직의 행정가들, 프로그램 관리자들, 직접적으로 서비스를 제공하는 스태프를 포함하여 프로그램에 대해 직접적으로 책임을 지는 사람들.

(c) 프로그램의 예정된 수혜자들과 그들의 가족 및 공동체

(d) 자금 융자 기회 상실과 같이 그 프로그램에 의해 불이익을 받는 사람들

Scriven(2007)은 정치적 지지자들과 반대자들, 선출된 공무원들, 공동체의 지도자들, 일반 대중을 포함하여 다른 사람들을 이 목록에 추가한다. 우리는 Greene의 범주와 Scriven의 제안을 채택하여 그림 12.1에 보이는 점검 목록을 개발했다.

어떤 하나의 평가가 그림 12.1에 열거된 모든 이해관계자들 및 부가적인 독자들을 모두 다룰 것이라고 생각하지는 않지만, 이 집단들 각각의 이해관계는 계획을 세우는 단계에서 고려되어야 한다. 잊혀졌지만 유용한 새로운 관점을 제공하고 평가를 다른 방식으로 사용하거나 다른 독자들에게 퍼뜨릴 수 있는 집단 또는 이해관계자를 확인하기 위해, 평가자는 이 범주들을 의뢰인과 함께 검토할 수 있다.

포함될 이해관계자들이 결정되자마자 의뢰인과 다른 사람들을 평가자가 만나서 평가받는 프로그램과 평가 그 자체에 대한 자신들의 인식을 논의할 수 있도록 각 집단의 대표자를 평가자에게 추천할 수 있다. 각 집단은 프로그램의 목적이 무엇이라고 인식하는가?

그들은 그것이 얼마나 잘 작동한다고 생각하는가? 그들은 그것에 대해서 어떤 우려를 가지고 있는가? 그들은 그것에 대해서 무엇을 알고 싶어하는가? 그들은 평가에 대해서 무엇을 들었는가? 그들은 평가의 취지에 동의하는가? 그들은 평가를 통해서 무엇을 배우고자 하는가? 그들은 평가에 대해 어떤 우려를 하는가? 평가자는 프로그램에 대해 다양한 의견을 가진 이해관계자들과 만나려고 해야 하는데, 이는 광범위한 이해관계자를 포함할 뿐만 아니라 프로그램에 대해 보다 완전한 그림을 얻기 위한 것이기도 하다.

포함되어야 할 모든 이해관계자 대표들과 만난 이후에 평가자는 평가에서 각 집단의 중요성과 역할에 대해서 가능하면 의뢰인과 함께 결정을 내릴 수 있다. 대부분의 평가에서 피드백을 제공하거나 많은 평가 업무에 도움을 주려는 목적으로 이해관계자들을 지속적 자문위원단으로 효과적으로 활용할 수 있다. 그들 중 일부는 자료 수집과 결과 해석에 참여할 수 있으며, 다른 사람들은 보다 간헐적으로 업무를 간단히 보고받을 수도 있다. 여전히 다른 이해관계자 집단은 집중할 것이 주어졌을 때 연구에 대해 거의 또는 전혀 관심이 없을 것이다.

그림 12.1의 점검 목록은 이해관계자들이 연구에 개입된 후의 목적에 대해 광범위하게 생각할 수 있도록 돕기 위한 것이다. 적절한 집단이나 개인이 확인되면 그 목록은 평가가 진행되면서 주기적으로 검토되어야 한다. 인사이동이나 연구 또는 프로그램의 정치적 맥락 변화로 인해 이해관계자들이 바뀔 수 있기 때문이다.

자료 수집 계획이 진행되고 자료가 수집되며 분석됨에 따라서, 각 이해관계자 집단이 필요로 하고 사용할 정보가 무엇인지와 이해관계자들을 넘어서는 독자들의 흥미를 고려하는 것이 중요하다. 모든 집단이 동일한 정보에 흥미를 갖지는 않는다. 프로그램 전달자와 관리자는 일반 대중이나 정책입안자들보다 더 세부적인 사항에 관심을 가질 것이다. 일반적으로 다른 흥미와 요구는 평가 보고서가 특정한 대중에 맞추어질 것을 요구한다. 이에 대해서는 17장에서 더 논의할 것이다.

다양한 이해관계자를 확인하고 참여시키는 것의 중요성

다양한 이해관계자들의 관점이 연구에 초점과 방향을 제공한다. 평가자가 처음부터 목표로 삼은 사용자들에게로 명확하게 방향을 정하지 않는다면 결과도 거의 영향을 미치지 못할 것이다. 평가의 결과를 누가 어떻게 사용할 것인지를 논하는 것은 연구의 목적을 명확히 하기 위해 필수적이다.

11장에서 언급한 것처럼, 때로는 대부분의 평가자들이 아마도 부주의로 인해 평가 업무를 잘못 맡게 되고 어느 시점에서는 평가의 기초가 되는 목적이 자신들이 예상한 것과

그림 12.1 잠재적 이해관계자들과 독자의 점검 목록

평가 독자 점검 목록					
평가받는 조직			(해당되는 모든 칸에 체크하시오)		
평가 결과를 필요로 하는 개인, 집단 또는 기관들	정책 만들기	조작적 결정 내리기	평가에 조언하기	반응 하기	단지 흥미로만
프로그램 개발자					
프로그램 자금 제공자					
지역의 요구를 확인한 개인/기관					
지역 단위에서 프로그램의 전달에 찬성한 이사회/기관					
지역 자금 제공자					
자원(시설, 보급품, 현물 기부)의 다른 공급자들					
프로그램을 전달하는 기관의 최고 관리자					
프로그램 관리자					
프로그램 전달자					
평가의 후원자					
프로그램의 직접적인 의뢰인					
프로그램의 간접적인 수혜자(학부모, 어린이, 배우자, 고용주)					
프로그램의 잠재적인 사용자					
이 의뢰인 집단을 위해 다른 프로그램을 관리하는 기관					
프로그램에서 제외된 집단					
프로그램이나 평가의 부정적인 부작용을 인지한 집단					
프로그램 사용의 결과로 권력을 잃은 집단					
프로그램의 결과로 기회를 잃게 되어 고통받는 집단					
대중/공동체의 구성원					
기타					

전혀 달랐다는 것을 발견한다. 평가자가 오직 한 사람의 이해관계자와 이야기할 때 그러한 오해는 더욱 쉽게 일어난다. 다수의 이해관계자들과의 대화가 평가 이면의 이유들 또한 명확하게 한다.

무엇을 평가해야 하는지 서술하기: 경계 설정

경계 설정은 평가가 무엇에 대한 것인지를 명확히 할 때 필요한 근본적인 단계이다. 프로그램에 대한 서술은 범위 설정을 도울 때 필수적이다. 빈약하거나 불완전한 서술은 때로는 실제로 전혀 존재하지 않았던 실체에 대한 틀린 판단으로 귀결될 수 있다. 예를 들어 팀 교습의 개념은 여러 평가에서 결과가 빈약해서 팀 교습은 효과가 없다는 일반적 인상으로 귀결되었다. 그러나 종종 "팀 교습"으로 분류된 프로그램이 스태프 구성원들에게 계획을 세우거나 직접 교습에서 함께 작업할 실제 기회를 제공하지 않았다는 것이 보다 정밀한 검토에서 드러났다. 프로그램 이론과 실행 중인 프로그램에 대해 더 잘 기술했다면 이러한 오해를 사전에 차단했을 것임은 명백하다. 우리는 정확하게 묘사할 수 있는 것만 적절하게 평가할 수 있다.

좋은 서술의 중요성은 평가받는 것의 복잡성과 범위에 비례하여 커진다. 흔히 평가자들은 "우리의 공원과 휴양(Parks and Recreation) 프로그램"처럼 모호한 실체를 평가하도록 도와달라는 요청을 받는다. 그것은 모든 계절에 걸쳐 모든 프로그램을 포함하는가, 오직 여름 휴양 프로그램만 포함하는가, 아니면 수영 프로그램만 포함하는가? 그러한 평가는 시간제 여름 종업원의 훈련, 공원의 공적인 사용, 공원의 유지, 또는 이상의 모든 것에 초점을 맞출 것인가? 공원과 휴양 프로그램의 목적이 공동체의 요구에 부합하는지, 선출직 공무원들이 결정한 정책들을 프로그램 관리자가 정확하고 효과적으로 시행하고 있는지, 또는 둘 다인지를 결정하는 평가인가? 그러한 질문에 답함으로써 평가를 이해할 수 있게 만드는 경계가 정해진다.

프로그램 서술은 프로그램의 비판적 요소들을 설명하는 것이다. 그러한 서술은 전형적으로 프로그램의 목표와 목적, 핵심적인 구성요소들과 활동, 목표 독자에 대한 설명, 논리 모형이나 프로그램 이론 또는 둘 다를 포함한다. 또한 프로그램 설명은 프로그램을 전달하는 스태프의 특징이나 기대, 행정적 준비, 물리적 준비상태 및 다른 맥락적 자원 요소들을 포함할 수 있다. 많은 서술들은 프로그램의 역사에서 광범위하고 묘사적인 주요 요소들과 다양한 단계에서 선택의 이유들에 대한 정보를 제공한다. 다른 서술들은 더 간략하지만 여전히 현재 프로그램의 본질에 대한 그림을 전달한다. 왜 그 프로그램이 의도하는 영향을 미칠 것이며 평가 질문을 확인하는 기초로 사용될 것이라고 예상되는지, 그 이유에 대한 이해를 평가자에게 충분히 상세하게 제공하는 것이 프로그램 서술에서 핵심적인 요소이다. 그러나 일부 서술은 너무나 미시적으로 세분화되어 있고 매우 하찮은 것들로 가득 차있어 평가자가 프로그램 활동과 결과 간 연관성과 핵심적 요소들을 확인하기 어렵다. 모든 이해관계자들이 합의한 정확한 최종 설명은 점검받게 될 실체에 대한 일부 합의로 평가가 진행되게 함으로써 관계된 모든 당사자들에게 프로그램에 대해 공통으로 이해할 수 있게 한다.

평가 대상을 특징 지을 때 고려해야 할 요인

평가자는 다음과 같은 일련의 질문에 답함으로써 평가 대상과 연구 자체의 범위를 정할 수 있다.

- 그 프로그램은 어떤 문제를 바로잡기 위해서 고안되었는가? 그 프로그램은 어떤 요구에 봉사하기 위해 존재하는가? 그 프로그램은 왜 시작되었는가? 그 프로그램의 역사는 무엇인가? 그것의 목적은 무엇인가? 그 프로그램은 누구에게 도움을 주기 위한 것인가?
- 그 프로그램은 무엇으로 구성되는가? 그 주요 구성요소와 활동들, 기본 구조와 행정상/관리상 설계는 어떠한가? 그것은 어떻게 기능하는가? 그 프로그램의 활동과 희망하는 결과와 의뢰인들의 특성을 연결시키는 연구에는 어떤 것이 있는가?
- 그 프로그램의 환경과 지리학적, 인구학적, 정치적 일반화 수준을 의미하는 맥락은 무엇인가?
- 직간접적 참여자들, 프로그램 전달자들, 관리자와 행정가, 정책입안자들 중에서 누가 그 프로그램에 참여하는가? 그 밖의 이해관계자들은 누구인가?
- 언제 어떠한 조건하에서 그 프로그램이 실행될 것인가? 실행에는 얼마나 걸릴 것으로 예정되어 있는가? 그 프로그램은 얼마나 자주 사용될 것인가?
- 예를 들어 계약 협상, 예산 결정, 행정상의 변화, 선거 등 평가를 왜곡하는 방식으로 프로그램에 영향을 미칠 수 있는 맥락상의 독특한 사건이나 환경이 존재하는가?
- 그 프로그램을 사용하는 데 어떤 자원들(사람, 물자들, 시간)이 소모되는가?
- 그 프로그램은 전에 평가를 받았는가? 만약 그렇다면 결과는 어떠했는가? 그 결과는 어떻게 사용되었는가?

● 그 프로그램과 관련하여 주요 이해관계자들은 어떤 중요한 결정에 직면하고 있는 가? 결정은 언제까지 이루어져야 하는가?

평가자들 역시 평가받는 프로그램에서 무엇이 포함되지 않는지 분명히 하기 위해 노력해야 한다.

프로그램 설명을 위해 프로그램 이론과 논리 모형 사용하기

우리는 6장에서 이론주도형 평가와 그것의 역사, 원칙, 실행에 관한 토대와 몇 가지 이슈들에 대해 논의했다. 여기에서 우리의 초점은 프로그램과 그 주요 구성요소들을 위한 이론적 근거를 이해하고 평가를 이끄는 데 도움이 되도록 논리 모형 또는 프로그램 이론을 어떻게 사용해야 하는지 설명하는 데 있다.

1990년대 초 이래로 프로그램 이론들과 논리 모형들의 사용이 대단히 증가했다 (Rogers, 2007). 그 증가의 일부는 비영리 조직과 자금원이 평가와 프로그램 계획의 기초로 프로그램 이론을 요구하도록 유도한 Carol Weiss와 아스펜 연구소(Aspen Institute, 1995) 및 Carol Weiss와 다른 사람들(Weiss, 1997)의 작업에 자극을 받았다. 이론기반 평가 모형들은 출판되어 의미 있는 논의의 대상이 되었다(Bickman, 1987, 1990; Chen, 1990). "작은 이론들"과 평가 방법론에서 그것들의 활용에 대한 Mark Lipsey(1993)의 논문 또한 뚜렷한 영향을 남겼다. 동시에, 미 연방정부는 「정부의 수행과 결과에 대한 법 (Government Performance and Results Act, GPRA)」을 통해서 연방 기구들과 연방 기금을 받는 기관에 결과 보고를 요구하기 시작했다. 이러한 작업의 본질이 논리 모형의 성장을 자극했다. Taylor Powell과 Boyd(2008)가 쓴 것처럼, 새로운 GPRA 투입-산출-성과 모형과 전문용어에 대해 기관에서 사람들을 훈련을 시킨 것이 강력한 자극이 되어 그들의 기구와 다른 기구들이 계획 수립과 평가를 위해 논리 모형들을 사용하는 데 강력한 동력이 되었다.

물론 이러한 노력들 중 상당수는 자발적인 것이 아니었고 다른 나라에서 선행되었던 것들이다. 1970년대에 호주의 주와 연방정부 그리고 많은 국제개발기구들이 논리 모형이나 그 형태를 필요로 하기 시작했다(Rogers, 2007). 1990년대 중반에 GPRA, United Way, 그리고 미국의 많은 주에서 논리 모형 사용을 명령하기 시작하였다. 오늘날 많은 조직에서 논리 모형이나 프로그램 이론들이 프로그램 개발의 일반적인 측면이지만 분명히 전부가 그런 것은 아니다. 물론 프로그램이 논리 모형이나 프로그램 이론을 가지고 있다면 평가자는 그에 대해 배우고, 그와 관련된 문서를 읽고, 프로그램에 대해 더 배우기 위해 다른 사람들과 이야기하며, 평가 계획 요구를 충족하도록 그것을 개선해야 할지 결정할 수 있다. 만약 논리 모형이나 프로그램 이론이 없다면 평가자가 프로그램을 설명하고 불확실한 영역이나 평가를 위한 정보의 필요성을 확인하기 위해 이러한 방법들을 사용하고자 할 수도 있다.

많은 사람들이 "논리 모형"과 "프로그램 이론"이라는 용어가 상호교환적으로 사용되고 실제로 동일할 수도 있다고 말한다(McLaughlin & Jordan, 2004; Weiss, 1997). 그러나 6장에서 본 것처럼 논리 모형이 프로그램 활동의 연결고리를 더 잘 반영하는 것 같다. 반면 프로그램 이론은 프로그램이 작동해야 하는 이유를 설명하는 데 도움을 주어야 하고, 반면에 프로그램 이론은 프로그램이 작동하는 이유를 설명하는 데 도움을 준다. 두 용어 모두 평가자가 프로그램을 설명하고 평가를 위해 경계를 설정하기 시작하도록 도울 수 있다.

그러나 평가자들은 자신들 모형의 목적에 대해 분명해야 한다. Weiss(1997)는 두 가지 유형의 프로그램 이론, 즉 이행 이론(implementation theory)과 프로그램 이론(programmatic theory) 사이의 윤곽을 그린다. 이행 이론은 논리 모형처럼 프로그램 투입, 활동, 산출, 결과의 설명 또는 플로차트로 그 성격을 규정한다. 다른 말들이나 다른 유형의 산출과 결과들은, 예를 들어 단기 결과, 중기 결과, 장기 결과와 같이 그런 식으로 이름을 붙일 수 있다. 그럼에도 불구하고 그 이론은 연속적인 것 중 하나이며, 결과를 얻어야 하는 이유에 대해서 어떤 단서를 제공할 수도 있고 하지 않을 수도 있다. 물론 이행 이론은 평가가 프로그램 과정을 설명하는 데에 초점을 맞춘다면 유용할 수도 있다. 그러나 그렇다 하더라도 평가자는 어떤 것이 설명해야 할 중요한 과정인지 선택해야 하며, 그것은 전형적으로 결과와 밀접하게 연결된 것들이다. Weiss가 강조하는 것처럼 이행 이론은 프로그램의 원인 메커니즘을 이해하는 데 유용하지 않다. 그런데 이 단계에서 평가자는 그 프로그램의 원인 메커니즘을 이해하고자 한다. 그 이유가 궁금한가? 평가자가 여전히 맥락에 대해서 학습하면서 프로그램과 그 이론적 근거를 이해하고자 노력하고 있기 때문이다. 그러한 이해는 나중에 평가자가 무엇이 측정해야 할 중요한 것인지, 언제 그것을 측정해야 하는지, 그것을 어떻게 측정해야 하는지와 같은 중요한 결정을 내리게 될 때 도움이 될 것이다(Levitorn, 2001; Lipsey, 1993; Weiss, 1997).

논리 모형 세우기. 여기에서 논리 모형과 프로그램 이론에 관한 몇 가지 충고와 자원들을 제공해 보도록 하자. 위스콘신 대학교 공개 강좌 프로그램 개발 및 평가 사무소(University of Wisconsin Extension Program Development and Evaluation Office)가 논리 모형의 훈련 모듈과 사례들을 포함하는 유명한 웹 사이트를 만들었다(http://www.uwex.edu/ces/pdande/evaluation/evallogicmodel.html). 그림 12.2와 12.3에서 우리는 그들이 작업한 사례 두 가지를 소개한다. 그림 12.2는 조직에서 평가 능력 구축을 위한 논리 모형이다 (Taylor-Powell & Boyd, 2008). 우리가 이 사례를 이용하는 것은 9장에서 평가 능력 구축, 즉 ECB에 대해 읽은 모든 독자들이 그것의 개념과 주의(主義)에 익숙하기 때문이다. 독자은 ECB 변화 이론(Theory of Change)을 위한 Taylor-Powell과 Boyd의 논리 모형이 간결하고 직선적인 방법으로 과정을 설명하는 데 얼마나 유용한지를 볼 수 있다. 그 모형은 ECB가 처음에는 개인, 다음에는 평가받는 프로그램과 그 프로그램으로 작업하는 팀, 그 다음에 전체 조직과 궁극적으로는 사회에서 어떻게 변화를 끌어내는지 강조한다. 게다가 논리 모형은 그러한 변화들에 대한 지표들을 제시하는데, 그 지표들은 ECB의 발전이나 성공을 측정하기 위해서 평가자가 선택한 것일 것이다.

그림 12.3은 십대들의 흡연을 줄이거나 방지하기 위한 보다 복잡한 논리 모형을 제시

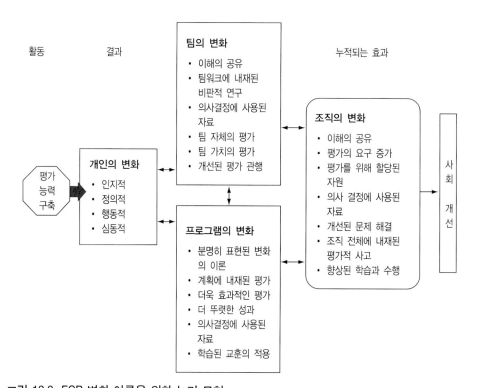

그림 12.2 ECB 변화 이론을 위한 논리 모형

출처: Taylor-Powell, E., & Boyd, H. H. (2008). Evaluation capacity building in complex organizations, in M. T. Braverman, M. Engle, M. E. Arnold, & R. A. Rennekamp (Eds.), Program evaluation in a complex organization system: Lessons from cooperative extension. *New Directions for Evaluation*, No. 120, 67. 이 자료의 사용은 John Wiley & Sons, Inc.의 허락을 받았음.

한다. 이 논리 모형은 평가자가 이해관계자들 사이에서 경계에 대한 대화를 유도하기 위해서 사용할 수 있다. 대화를 위한 질문은 어느 영역에서 가장 많은 정보를 요구하는가, 어느 영역에 가장 많은 신경을 쓰는가 등이다. 그러나 이론이나 이러한 논리 모형 이면의 이론들은 더욱더 명확해져야 할 것이다. 예를 들어 프로그램 이론은 사회 규범의 개념 및 그 규범들이 어떻게 그리고 왜 십대들의 흡연을 줄일 것인지를 둘러싸고 개발될 수 있다 (모형의 가장 오른쪽 끝 칸 참조). 그러한 프로그램 이론이 이해관계자가 변화의 메커니즘을 분명히 표현하는 데 도움을 줄 것이다. 이때 필요한 질문은 담배를 피우는 십대, 그들의 친구와 가족의 사회 규범은 무엇인가? 이 규범의 어떤 요소가, 예를 들어 건강에 대한 믿음, 비용, 흡연의 매력 중 무엇이 가장 큰 변화 가능성을 갖는가?(웹 사이트에는 그 프로그램의 일부분들을 위한 하위 논리 모형이 제시되어 있고, 서사적 설명이 포함된다. http://www.uwex.edu/ces/pdande/evaluation/pdf/YouthLMswithanrr.pdf 참조)

프로그램 이론 세우기. 이러한 논리 모형들이 평가자에게 프로그램과 구성요소들, 시퀀스를 서술하기 시작할 수 있는 방법 하나를 제공한다. 그러나 만약 평가자가 그 프로그램의 원인 메커니즘을 완벽하게 이해하고자 한다면 프로그램 이론은 종종 논리 이론으로부터 개발되어야 한다. 이 주안점은 평가가능성 사정(evaluability assessment)에서 Wholey의 기준들 중 하나를 연상시킨다. 프로그램 활동과 왜 그 프로그램이 의도된 결과를 보여야 하는지를 나타내는 성과 사이에 명백한 연계가 있어야 하며, 그 연계는 그럴듯해 보여야 한다.

즉, 평가자들이 프로그램을 관찰하고, 연구 논문을 검토하고, 프로그램을 받는 사람들의 특성을 고려하며, 자격과 그 프로그램을 전달하는 사람들에게 유용한 자원 및 그 사람들의 행동을 볼 때, 그 프로그램이 평가할 만하다고 고려된다면 평가자들은 프로그램의 목적이나 성과를 달성하는 것이 가능하다는 결론을 내려야 한다. 어떤 논리 모형들은 그 연계 또는 우리가 프로그램 이론이라고 부르는 것을 분명하게 구분하는 데 실패한다. Weiss(1997)는 평가에서 프로그램 이론을 사용할 때 진정한 과제는 인과관계의 명시와 이론의 질 개선을 수반한다고 경고한다.

이론이 원인 메커니즘을 분명히 하는 데 어떻게 사용될 수 있는지 설명하기 위해서 우리는 오래전에 Peter Rossi(1971)가 최초로 간략히 제안한 비교적 간단한 이론을 기반으로 하여 발전시켜 나갈 것이다. 그의 모형은 평가자 또는 프로그램 개발자가 세 단계, 즉 원인 가설(causal hypothesis), 중재 가설(intervention hypothesis), 행동 가설(action hypothesis)의 단계들을 분명히 해야 한다고 제안했다.

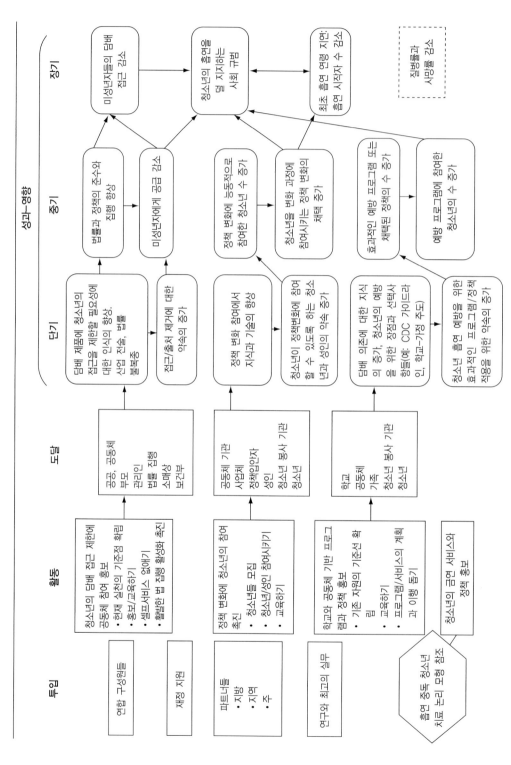

그림 12.3 지배적 논리 모형: 청소년 흡연 감소와 예방

출처: Taylor-Powell, E., Hrabik, L., & Leahy, J. (2005). Documenting outcomes of tobacco control programs (The Overarching Logic Model on Reducing and Preventing Youth Tobacco Use). 출처: http://www.uwex.edu/ces/pdande/evaluation/pdf/tobaccomanual. Madison, WI: University of Wisconsin Cooperative Extension.

1. 원인 가설은 풀어야 하거나 프로그램에 의해 축소되어야 할 문제(A)를 의도된 원인(B)에 연결시킨다. 예를 들면, 우리 학교에서 충분하지 못한 수의 4학년 학생들이 주의 기준 시험(A)에 통과하지 못한다. 왜냐하면 그 아이들은 핵심 요소와 요구되는 수학적 절차(B)를 찾아내기 위해 말로 풀어쓴 문제를 어떻게 진단하는지 알지 못하기 때문이다. 모형이 도입되더라도 그들은 문제에 능숙해지기 위해 충분한 시간 동안 연습을 하지 않고 다른 여러 유형의 문제들(B)에 그것을 능숙하게 사용하지 못한다.

2. 중재 가설은 프로그램 행동들(C)을 의도된 원인(B)에 연결한다. 그리하여 우리 학교의 4학년 학생들에게 그 모형은 9월에 도입될 것이고 그러면 그들은 새로운 수학 내용과 연초에 배운 수학을 다루는, 말로 풀어쓴 문제들에 대해서 일주일에 두 번씩 그것을 사용할 것이다(C). 결과적으로 그들은 주 기준 시험이 행해질 4월까지 많은 다른 유형의 문제들에 그 모형을 적용하는 것에 능숙해질 것이다(B).

3. 최종적으로 행동 가설은, 프로그램 행동들(C)을 원래 문제의 축소와 연결한다(A). 그러므로 행동 가설은 다음과 같이 될 수 있다. 4학년 동안 내내 누적하여 그리고 주마다 말로 풀어쓴 문제 전략을 사용함으로써(C) 우리 학교에서 예전보다 더 많은 4학년 학생들이 4학년 수학에 대한 주 기준 시험에서 "유능한" 또는 그 이상 수준의 점수를 얻는 결과가 나오게 될 것이다.

두 번째 사례:

1. 우리 고등학교를 졸업한 학생들은 우리가 원하는 정도까지 고등교육에 진학하지 못한다(A). 그 이유는 그들이 대학에 다녀본 다른 사람들(부모, 친구들)을 모르고, 그런 환경에 익숙하지 않으며, 고립되어 성공하지 못할 것이라고 생각하기 때문이다(B).

2. 고등학교 상급생들이 그들이 고등학생일 때 인근의 지역초급대학에서 수업료를 내지 않고 대학 강좌를 수강할 수 있도록 하는 우리 프로그램(C)은 학생들이 환경에 대해서 알게 되고, 거기에 자신들과 같은 다른 학생들이 있으며 자신들도 그 내용을 배울 수 있다는 것을 인식할 수 있게 도와줄 것이다(B).

3. 우리의 고학년 대학 수강 프로그램(C)은 고등교육에 진학하는 우리 졸업생들의 수를 증가시킬 것이다(A).

단순하긴 하지만 프로그램 활동이 원래 문제의 축소로 귀결될 수 있는 이유를 프로그램 이론의 이 모형들이 확인한 것에 유의하라. 그렇게 이 모형들은 프로그램 이론을 논의하고 분명하게 하는 유용한 도구이다. 논의를 통해서 이 모형들은 더욱 복잡해질 수 있다. 어떤 프로그램들은 자기 이론들을 설명하기 위해 여러 개의 중재 모형을 갖게 될 것이다. 다른 것들은 한두 개의 주요 원인에 계속해서 초점을 맞출 수 있다.

평가자는 문제, 원인, 프로그램 활동과 그들 사이의 연계를 명시하는 영향 모형을 개발하기 위해 이해관계자들과 협력할 수 있다. 초기의 영향 모형은 이해관계자들과 프로그램 개발자의 지각과 경험에 기초해서 주로 규범적일 것이다. 그러나 이제 우리는 더 좋은 프로그램 이론의 개발이라는 Weiss의 두 번째 경고에 주의를 기울여야 한다. 그녀는 다음과 같이 쓰고 있다.

> 평가자들은 현재 자신들이 프로그램 계획자들과 프로그램 실천가들로부터 끌어낼 수 있는 가정, 또는 자신들이 펼친 논리적 추론에 만족하고 있다. 이 이론들 중 다수가 초보적이고 단순하며, 불공평하고 심지어 완전히 틀렸다. 평가자들은 보다 타당한 정보의 실마리를 위해서 사회심리학, 경제학, 조직 연구를 포함하는 사회과학에 주목할 필요가 있으며, 그들 스스로가 이론 전개에 더욱 조예가 깊어져야 한다. 더 나은 이론들은 평가자들에게 연구를 위한 근간으로서 중요하다. 더 나은 이론들은 프로그램 설계자에게 훨씬 더 핵심적이어서 사회적 중재를 통해 21세기에 우리가 희망하는 종류의 사회를 얻게 될 가능성이 더 커지게 된다(1997, p. 78).

Weiss가 제안한 것처럼, 프로그램을 위한 원인 메커니즘을 분명히 표현하는 프로그램 이론이나 논리 모형을 발전시키기 위해 프로그램 스태프와 함께 일하는 것이 평가자가 하는 일의 전부는 아니다. 개발자, 관리자 또는 프로그램과 연관된 스태프의 인과 가정들이 실은 연구를 지지하는지 아니면 일부 가정들이 의심스러운지 판단하기 위해 평가자는 문헌 조사도 수행할 것이다. 어떤 경우에는 이해관계자들이 그들의 규범적 모형을 뒷받침하는 연구를 사전에 알아냈을 수도 있다. 또 다른 경우에는 프로그램 모형의 가정들을 뒷받침하거나 그것에 도전하는 연구를 찾기 위해 평가자가 문헌 검토를 할 수도 있다. 현존하는 연구가 현존하는 모형에 대해서 질문을 불러일으킨다면, 평가자는 그 모형을 수정하기 위해 프로그램 인력 및 다른 이해관계자들과 함께 작업해야 한다. 프로그램 이론을 개선하고 그것에 관한 합의를 이루기 위한 이러한 행동들은, 평가 계획 과정의 일부분이지만 평가가 시작되기도 전에 프로그램에 즉각적인 이점들을 제공할 수 있다.

최종 프로그램 모형이나 논리 모형은 차후의 평가를 위한 틀을 제공한다. 따라서 원인 가설은 다음과 같은 요구 사정(needs assessment) 질문을 위한 토대를 놓을 수 있다. 주

기준 시험에서 자격을 갖추는 데 실패한 우리 4학년 학생들의 비율은 얼마나 되는가? 우리 점수는 다른 유사한 학교와 비교하면 어떠한가? 우리 수학 교육과정은 그 학교들과 비교하면 어떠한가? 우리 학생들은 어떤 문항 유형이나 수학 기준에 실패하는 경향이 있는가? 실패한 이 학생들의 특성(전입생, 다른 기준에 대한 점수, 학교에서의 수행)은 어떠한가? 중재 가설이 형성 연구에서 감시하거나 서술해야 할 프로그램의 주요 구성요소들을 확인하는 데 도움을 줄 수 있다. 각 수업에서 매 주 말로 풀어쓰는 문제 풀이 전략에 얼마나 많은 시간을 소요하는가? 교사와 학생들은 그 시간 동안 증명하기, 실습하기, 피드백주기 중 무엇을 하는가? 문제 해법 모형이 처음 소개되었을 때 그 모형을 숙달할 수 있는학생의 비율은 어느 정도인가? 새로운 수학 절차에 그 모형을 사용할 때 숙달할 수 있는학생 비율은 어느 정도인가? 행동 가설은 문제와 프로그램 사이에 최종 연계를 만든다. 그것은 많은 블랙박스 연구들이 제시하는 질문의 예를 제시한다. 즉 그 프로그램이 목적을 달성했는가? 그러나 중요한 원인 가설과 중재 가설이 없다면 평가자는 그 행동 가설이 실패한 이유 또는 확인된 이유를 이해하지 못할 것이다.

프로그램 설명과 프로그램 이론 개발 방법

프로그램 설명, 모형 또는 이론 개발은 다양한 방법으로 할 수 있다. 필요한 정보를 수집하는 네 개의 기초 단계는 (1) 그 프로그램에 관한 정보가 있는 보고서를 읽는 것, (2) 그 프로그램에 익숙한 다양한 개인과 대화하는 것, (3) 실행 중인 프로그램을 관찰하는 것, (4) 프로그램과 그 이론의 핵심 요소에 대한 연구를 확인하는 것이다. 이들 각각을 여기에서 간략하게 논의한다.

기술 문서. 대부분의 프로그램은 기금 에이전시, 계획 서류, 보고서, 관련 회의 기록, 서신, 출판물, 기타 등등의 제안서에 설명되어 있다. 어떤 실체를 정확하게 서술할 정도로 충분히 이해하는 데 있어서 시간을 내서 그러한 보고서를 찾아 정독하는 것은 중요한 단계이다.

인터뷰. 작성된 문서는 도움이 되기는 하지만 평가의 대상을 설명하기에 완벽하거나 적절한 기초를 제공할 수는 없다. 프로그램이 서류에 기재된 계획에서부터 현장에서 실제로 이행되기까지 의도적이든 그렇지 않든 변경되는 것은 비교적 흔하다. 평가자는 프로그램 계획이나 전달에 관여한 사람들, 프로그램의 수혜자들, 프로그램이 운영되는 것을 관찰하였을 사람들과 자세한 대화를 나눠야 한다. 다양한 관점을 가진 이해관계자들도 인터뷰해야 한다. 예를 들어 가정 폭력 가해자 프로그램을 위한 처치 프로그램을 평가할 때, 평가자는 그 프로그램이 다음과 같은 사람들에게 어떻게 작동하고 어떻게 작동할 것으로 예상되는지 학습하라는 조언을 받게 될 것이다. 그 사람들은 치료사와 프로그램 전달의 책임이 있는 행정가뿐만 아니라 프로그램의 자금 지원을 책임지는 국무부, 프로그램 참여자와 그 가족들, 프로그램을 소개해주는 판사 등이다. 합의점에 도달할 수 있는 모형을 개발하고 독자들의 다양한 관점을 이해하기 위해 관련된 모든 독자의 대표자들과 인터뷰하는 것은 중요하다.

관찰. 실행 중인 프로그램을 관찰함으로써 많은 것을 배울 수 있다. 프로그램을 개인적으로 관찰하는 것에 덧붙여, 평가자는 전문가들에게 프로그램 교육과정 또는 관찰할 내용에 대해 질문하고 싶을 수 있다. 종종 관찰을 통해 평가자가 인터뷰나 문서를 읽는 것으로는 발견할 수 없는, 프로그램이 작동하고 있는 방식과 프로그램이 작동하도록 예정된 방식 사이의 다양성이 드러날 것이다. 사실 이 단계에서 글로 된 문서, 인터뷰, 관찰 사이의 차이가 많은 것을 배우게 하는 토대를 제공할 수 있다. 평가자는 차이에 주목하며 이러한 차이가 어떻게 나타났는지 배우려고 해야 한다. 예를 들어 글로 된 문서와 인터뷰를 통해 얻은 정보와 다른 방식으로 프로그램이 전달되고 있음을 관찰을 통해 알게 될 때, 첫 번째 유용한 단계는 변화의 근거를 알기 위해서 전달자와 이야기하는 것이다. 만약 적절했다면 사전에 인터뷰를 했던 관리자 또는 정책입안자들이 이러한 차이를 확인해줄 수 있다.

연구. 평가자는 여러 사안, 즉 봉사받는 학생이나 의뢰인들, 다른 유사한 프로그램이나 중재안들, 프로그램 이론의 중심으로 나타나는 구인들에 대한 연구에 숙달되는 시간을 가져야 한다. 앞에서 주목한 것처럼 평가자는 연구가 프로그램 이론에서 만들어진 가정들을 확인하는지 아니면 그 가정의 실현 가능성에 의문을 제기하는지 찾아보아야 한다(의뢰인과 함께한 Bledsoe의 작업과 프로그램 이론 개발을 위한 그녀의 연구 활용에 대한 인터뷰는 Fitzpatrick과 Bledsoe[2007] 참조).

설명과 이론 마무리하기. 프로그램 이론을 개발하면서 평가자가 반드시 확실히 해야 할 것은 프로그램 이론과 프로그램을 설명하는 다른 요소들이 프로그램 및 그 가정들을 정확히 특징짓는다는 데에 이해관계자들이 동의하는 것이다.

이러한 동의에 대한 확인은, 평가가능성 사정에서처럼 프로그램을 설명하는 작업에 관여한 작업 집단이나 자문 집단과의 지속적인 회의를 통해, 다른 독자들에 대한 공식적 설명의 배부를 통해, 또는 다양한 이해관계자들과의 독립적인 회의를 통해 달성할 수 있을 것이다.

그러나 이 단계의 목적에는 무엇을 평가해야 하는지 정확하게 밝힘으로써 평가를 위한 경계 설정도 있음을 환기하라. 평가의 맥락을 완전히 이해하기 위해서, 설명은 평가가 다루게 될 것보다 더 넓은 부분의 프로그램을 다루었을 수 있다. 지금이 이해관계자들로부터 어떤 요소들이 그들에게 더 흥미 있는지, 그 요소들에 대해 무엇을 알고자 하는지 배우는 시간이고 그들이 그 요소들에 대해서 알고 싶어하는 것이 무엇인지를 더 배우는 시간이다. 평가자들은 그들이 생각하기에 연구해야 하는 영역들을 밝히는 데 적극적인 역할도 할 수 있는데, 그것은 아마도 연구와 실천가의 이론 차이, 프로그램 이론과 실행 중인 프로그램 관찰 사이의 차이, 또는 프로그램 이론의 모호함이나 알 수 없는 내용 때문일 것이다.

우리는 평가자들이 이해관계자들과 함께 또는 혼자 작업하기 위하여, 논리 모형과 프로그램 이론을 이용하여 프로그램을 설명하기 위하여 논리 모형과 프로그램 이론의 세 원천 및 지식을 이용할 수 있다고 믿는다. 그러나 어떤 사람들은 더 명확한 방법을 요구했다. Leeuw는 "프로그램 이론을 개발하기 위한 우리의 재구성 방법론이 모호하다면 근원적인 이론의 '본질(nature)'이 무엇인지 우리가 어떻게 알겠는가?"라고 한다(2003, p. 6). 그는 프로그램 이론을 "재구성"하거나 만들어내기 위해서 사용하는 세 가지 다른 방법론을 확인하고 논의하며, 각각의 사용에 대한 사례를 제공한다. 한 방법은 정책 과학 방법(policy-scientific method)으로 문헌과 연구에 상당히 의존한다. 두 번째는 전략적 사정 접근(strategic assessment approach)으로 집단과 함께 확립한 대화와 합의를 사용한다. 세 번째는 유도 방법론(elicitation methodology)으로 프로그램에 대한 개인의 정신 모형을 기반으로 한다. 프로그램 이론이 어떻게 확립되고 개선되는지에 대한 더 많은 논의에 관심이 있는 독자들에게는 그의 논문이 유용하다.

다른 인식에 대처하기

앞선 논의는 대체로 프로그램 그 자체와 평가의 경계 둘 모두에 대한 합의가 존재함을 가정한다. 그러나 항상 그런 것은 아니다.

적합한 사례로서 Vroom, Colombo, Nahan(1994)이 관리자, 스태프, 후원인들 사이에서 목표에 대한 지각과 프로그램 우선권에서 인식의 차이가 어떻게 문제 있는 평가로 귀결되는지를 설명한다. 실직자의 구직을 위해 케이블 기술을 사용하는 혁신적인 프로그램에서, 이해관계자들은 그 기술에 부여한 우선권과 프로그램의 직접적인 서비스 구성요소에서 차이를 보였다. 후원자는 실직자들에게 미친 직접적인 영향 측정에 관심이 있었으나 대리인의 스태프 구성원들은 새롭고 세련된 케이블 기술 이행에 관심이 있었다. 다른 조직적인 문제들도 평가 실패에 기여했지만, 저자들은 이해관계자들과 보다 광범위하게 논의와 회의를 진행했다면 관점의 차이를 명백히 하고 평가에 도움을 주었을 수 있다고 믿는다.

마찬가지로 Donaldson은 어떤 프로그램 모형을 복제하려는 욕구와 캘리포니아의 실직자 사이의 갈등을 서술한다. 그 프로그램 모형은 미시간의 실직 노동자들이 캘리포니아의 새롭고 다른 환경에 자리 잡도록 할 때와 노동 시장의 긴급 사태에 그 모형을 적용할 때 성공한 적이 있다(Fitzpatrick & Donaldson, 2002). Fetterman은 그의 평가에 영향을 미친 스탠포드 교사교육 프로그램에서 다른 목적, 관점, 교수진의 우선권에 대해 설명한다(Fitzpatrick & Fetterman, 2000).

평가받을 프로그램이나 정책의 본질에 대한 의견이 일치하지 않을 때, 평가자들은 두 가지 길 중 하나를 택할 수 있다. 차이가 비교적 사소하고 이해관계자들의 가치나 위치를 반영한다면, 평가자들은 이러한 상이한 인식으로부터 배우되 합의를 위해 밀어붙이지는 않기로 할 수 있다. 평가자들이 각 집단의 지각 또는 해석에 대해 주의 깊게 알고자 하는 기회를 택한다면, 상이한 인식들이 평가자들에게 이해관계자들과 프로그램 각각에 대해 더 많이 배울 수 있는 기회를 제공할 수 있다. 그 이후에 무엇이든 각 집단이 원하는 의미를 프로그램에 부여하고 그 의미에 맞는 결과에 초점을 맞춰 따라갈 수 있도록 함으로써, 평가자들은 다수 독자의 정보 요구를 다룰 수 있다. 게다가 그들은 독자가 자신들의 특정한 관점 너머를 보도록 도와줌으로써 독자를 교육시킬 수 있다.

그러나 지각의 차이가 주요한 사안이고 연구의 주요 독자 사이에서 발생한다면, 평가자들은 평가를 이행하기 전에 일종의 합의 서술을 완성하려는 시도를 해야 한다. 그들은 프로그램 설명, 논리 모형, 또는 이론과 평가의 경계에 대한 합의에 도달하기 위해서 의견이 다른 독자로 구성된 작업 집단을 구성하고자 할 수도 있다. 합의점에 도달할 수 없다면 평가자는 더 이상의 평가는 연기되어야 한다는 결론을 내릴 수도 있다(평가가능성 사정에 대한 논의는 7장 참조).

때로는 서술이 정확하다는 공식적 동의를 의뢰인으로부터 얻는 것이 평가자들에게 중요하다. 그러한 동의는 평가자가 평가받을 프로그램을 제대로 이해했는지의 여부에 대해 이해관계자들과 평가자 간에 훗날 충돌이 벌어지는 것을 피하는 데 도움을 줄 수 있다.

프로그램 변화에 따른 프로그램 재설명

프로그램이 시작할 때뿐만 아니라 펼쳐질 때 프로그램의 실제 특성을 묘사하는 것이 중요하다. 평가자가 기억해야 할 주요 지점은 평가받고 있는 프로그램이 평가 기간 동안 수

시로 변한다는 것이다. House(1993)가 쓴 것처럼 프로그램은 "고정된 기계"가 아니다. 프로그램의 본질은 변하고 이 변화는 많은 요소들에 의해 야기된다(McClintock, 1987). 그 변화들은 유용한 정밀함과 변형을 제시하는 피드백에 대한 프로그램 관리자의 민감한 반응에 부분적으로 기인할 수도 있다. 종종 교육과정이든, 훈련 프로그램이든, 서비스의 규정이든, 또는 새로운 정책 기관이든 프로그램의 설계자가 마음속에 그렸던 바로 그 방식으로 사용자들이 프로그램을 이행하지는 않는다. 어떤 적응은 이론적으로 정당화할 수도 있고, 어떤 것들은 순진함이나 오해에서 비롯될 수도 있으며, 또 어떤 것들은 원래의 개념으로부터 불쾌한 무엇인가를 삭제하기로 결정한 사용자들의 편에서 일부러 저항하면서 생겨난 것일 수도 있다. 여하튼 평가의 마지막에는 평가자가 실제로 평가된 것을 서술해야 하고 그것은 처음에 계획된 것과 매우 다를 수도 있다.

Guba와 Lincoln(1981)은 평가 대상에게서 왜 변화가 발생할 수 있었는지를 훌륭하게 설명해낸다.

이행된 평가 대상이 의도했던 실체와 상당히 비슷할 것이라고 가정하는 평가자는 순진하거나 무능한 것이다. 따라서 사용하고 있는 평가 대상에 대한, 실제 존재하는 환경에 대한, 실제로 획득한 조건에 대한 현장 관찰이 절대적으로 중요하다.

> 실체, 환경, 조건의 다양성은 여러 이유에서 발생할 수 있다. 어떤 경우에는 상황 속에 있는 행위자들의 주저 또는 저항이 원치 않은 변화들을 발생시킨다. 평가 대상이 지역 환경에 맞도록 적응시켜야 할 수도 있다. 시간이라는 단순한 통로가 다양한 역사적 요소들의 작동을 통해서 자신들의 기여가 변하게 한다. 무엇보다도 행위자가 진지하게 받아들이고 의미 있는 정보를 만들어낸다면 평가자 자신의 지속적인 활동은 지속적으로 변하는 일체의 환경에 기여할 것이다(p. 344).

평가 대상에 대한 표본 설명

이 절의 요점에 대한 설명을 돕기 위해서 우리는 저자 중 한 사람이 평가한 프로그램에 대한 논의를 포함한다(Fitzpatrick, 1988). 서술될 프로그램은 음주 운전(driving under the influence, DUI)으로 기소된 사람들을 위한 처치 프로그램이다. 설명은 361쪽 "평가 대상을 특징 지을 때 고려해야 할 요인"에 나열된 첫 두 항목에 따라 체계화된다. 프로그램 서술이나 모형은 다양한 많은 방법으로 체계화될 수 있다. 다음 설명은 각 요인에 대해 배울 수 있는 것을 설명하기 위해서 설계되었다.

첫 번째 질문군. 프로그램이 어떤 문제를 수정하기 위해서 고안되었는가? 프로그램은 어떤 요구에 부응하기 위해서 존재하는가? 프로그램이 시작된 이유는 무엇인가? 프로그램의 목표는 무엇인가? 프로그램은 누구를 위해 봉사할 예정인가?

이 특별한 처치 프로그램은 범죄자들을 위해 고안되었다. 그들은 다수의 음주 운전자 체포, 체포 시의 혈중 알코올 수준, 알코올 중독 측정 점수, 체포 시 사고가 있었는지의 여부를 포함하는 수많은 상이한 준거들 때문에 음주 문제자 또는 초기 음주 문제자로 간주된다. 그 프로그램은 음주 운전에서 비롯된 사망과 사고를 줄이기 위해서 존재한다. 이러한 유형의 많은 프로그램들과 마찬가지로 이 프로그램은 이 사안에 대한 대중의 주의 그리고 어떤 범죄자들이 문제를 억제하는 데 일종의 비용대비 효율이 높은 처치가 필요할 수 있다는 인식에서 시작되었다. 이 프로그램의 목표는 범죄자들이 그들이 음주 문제가 있다는 것을 인식하고 더 나아가 치료를 추구하도록 돕는 것이다. 그 프로그램을 설계한 사람들은 그 프로그램을 위한 자원이 문제가 있는 음주자들의 음주를 멈추게 하는 데 충분치 않다는 것을 인식하고 있다. 그러므로 다음의 프로그램 이론은 보다 즉각적인 내재적 목표를 지니고 있다. 그 프로그램의 이론이나 모형은 다음과 같다. (a) 문제가 있는 음주자가 알코올의 영향하에서 운전하는 것은 그들이 알코올과 관련된 문제를 가지고 있고 문제가 어느 정도인지 자각하지 못하기 때문이다. (b) 이 범죄자들이 음주에 관한 정보에 노출되고 자신들의 음주에 관한 집단 토의에 참석한다면 그들은 자신의 알코올 문제를 인식하게 될 것이다. (c) 치료 프로그램은 광범위한 치료를 받을 수 있는 곳으로 그들을 위탁할 것이다. (d) 확장된 치료를 받음으로 해서 범죄자들은 알코올 소비를 줄이게 될 것이고 그로 인해 음주 운전 빈도도 줄어들 것이다. 목표를 이루기 위한 이차적인 경쟁 모형은 참가자들이 음주를 했을 때 대안의 이동 수단을 사용하고 운전을 피하도록 하는 것이다(다음 절 참조).

두 번째 질문군. 프로그램은 무엇으로 구성되는가? 프로그램의 주요 구성요소와 활동은 무엇인가? 프로그램의 기본 구조와 행정상/관리상 설계는 어떠한가? 프로그램은 어떻게 기능하는가? 프로그램의 활동과 의뢰인의 특성을 원하는 성과와 연계하기 위해 어떤 연구가 존재하는가?

처치 프로그램에서 사용된 교육과정과 방법은 프로그램에 자금을 지원하고 프로그램을 집행한 주 기관에 의해 개발되고, 윤곽을 드러냈으며, 치료 장소에 전파되었다. 그 프로그램은 8번에서 12번까지의 수업으로 이루어지고 시간은 20시간부터 30시간까지이다.

그 내용은 강의, 영화, 집단 토론, 운동의 조합으로 구성되어 있다. 치료를 위한 안내서는 각각의 수업에 해당하는 내용에 대해 무척 구체적이다. 그러나 처치 전달자들, 즉 알코올 남용 구역에 있는 독립적인 전문직 종사자들과의 인터뷰는 그들이 집단의 요구에 대한 인식에 따라 내용을 종종 바꾼다는 것을 나타낸다. 몇몇 프로그램들에 대한 관찰은 경험한 활동들이 기대했던 것보다 더 제한적일 수 있음을 제안했다. 처치가 기반을 두고 있는 이론이 요구하는 것은 그들이 자신의 알코올 문제를 인식하도록 하는 목표를 이루기 위해 교훈적인 접근보다는 오히려 경험적인 방법에 더 중점을 두어야 한다는 것이다. 문제 음주자로 분류되는 준거를 충족하는 범법자들은 자신들의 집과 가장 가까운 장소에서 프로그램을 완수하도록 판사에게 선고받는다(범법자들은 처벌의 일부로 운전면허증을 잃었다). 그들은 프로그램 완수에 실패한다면 복역을 선고받는다.

프로그램 이해관계자들 서술하기. 프로그램 서술의 또 다른 중요한 구성요소는 이해관계자들의 특성이다.

이 프로그램의 저명한 이해관계자에는 (초기에 연구를 후원한) 판사들, 음주 운전 반대 어머니들(MADD, 판사들이 연구를 후원하도록 로비를 벌였던), 프로그램 전달자들, 그리고 프로그램을 감독하는 주의 부서가 포함된다. 다른 이해관계자에는 의뢰인들, 그 가족들, 체포가 이루어진 교통사고의 희생자들과 그 가족들, 보험회사, 알코올 치료 센터, 그리고 일반 대중이 포함된다. 판사들은 어떤 종류의 범죄자들이 치료를 성공적으로 완수할 가능성이 가장 낮은지를 앎으로 해서 판결을 개선하는 데에 관심이 있다. MADD는 프로그램이 목표를 달성하는 정도에 관심이 있다. 프로그램 전달자는 이 프로그램과 다른 프로그램들 모두를 통해서 음주 범죄자들을 치료하는 데에 전문지식을 갖춘 사람들이다. 그들은 알코올 남용을 끝내는 것에 가장 큰 관심을 둔다. 주의 재정을 지원하는 곳은 알코올 남용이 문제의 일부분이며 해결책이 제시되어야 한다는 것에 동의할 뿐만 아니라 대안적인 운송 수단도 옹호한다. 연구는, 운전의 빈도를 줄이는 처치(면허를 박탈하고 보험료를 올리는)가 음주 남용 그 자체를 다루는 치료보다 음주 운전으로 인한 사망자를 줄이는 데 더 효과적이라는 것을 보여준다. 그러나 이 현장의 전문가들 대부분이 교통 분야 출신이 아닌 오히려 알코올 치료 분야 출신이어서 알코올 중독 치료 접근에 지배적인 초점이 맞춰지는 경향이 있다.

이 분야에서 많은 연구들이 국가적으로 행해지고, 프로그램의 감시를 책임지는 주의 부서가 현장으로부터 일부 정례적인 자료를 수집한다. 그러나 이 주 프로그램에 대해서는 체계적인 연구가 수행된 적이 거의 없다. 현재의 자료 수집이 초점을 맞추고 있는 것은 출석과 프로그램 전후에 실시된 태도 측정치다. 어떤 감시 연구나 추후 성과 연구도 진행된 적이 없다.

앞선 서술은 평가자가 계획 단계에서 평가 대상의 특성을 규정하는 데 있어 주목해야 할 중요한 일부의 요소들을 설명하기 위해 고안된 것이다. 프로그램을 서술하기 위해 평가자가 이용한 것들은 인쇄된 자료(주(州)의 설명서와 제안서들, 지역 현장 자료들), 인터뷰들(판사들, MADD, 전달자들, 주의 행정가들), 프로그램 관찰, 처치 프로그램과 음주운전으로 기소된 사람들을 위한 해법에 대한 문헌 검토 등이다. 첫 두 질문에 대한 대답으로부터 얻은 정보를 가지고, 모형이 프로그램으로 발전될 수 있었다. 그 모형은 이 사례에서 설명된 것처럼 순서도나 서술적 방식으로 묘사될 수 있다. 그 모형을 지지하고 약화시키는 것을 모두 하는 경험적 연구를 설명해야 한다. 프로그램 현장 방문이 이 모형에 생기를 부여하고 프로그램 활동이 모형에 상응하는지 여부를 결정함에 있어 평가자를 도울 수 있다. 그래서 이 서술은 평가의 초점을 계획하는 데 있어 독자들과 추가로 의사소통을 하는 기반을 제공할 수 있다.

평가에 전념할 수 있는 자원과 능력 분석하기

프로그램 관리자와 전달자들은 매우 자주, 그리고 의뢰인들 자신은 이따금 평가에 투입된 자원을 프로그램 그 자체에서 빼내간 자원으로 본다. 그들은 그 돈을 사용할 수 있다면 더 많은 학생을 가르치고, 더 많은 환자를 치료하고, 더 많은 의뢰인에게 봉사하며, 더 많은 공원을 만들 수 있을 것이라고 믿는다. 그러나 공공 분야와 비영리 분야에 종사하는 다른 사람들은 평가가 그들에게 굉장히 유용할 수 있다는 것을 인식하게 되었다. 평가는 프로그램 관리자와 전달자들이 의뢰인들의 요구에 더 적절히 부합하도록 프로그램을 조정하는 데 도움을 줄 수 있다. Hodgkinson, Hurst, Levine(1975)이 처음으로 무비용 평가라는 신조를 도입했는데, 그것은 평가가 "별도로 추가된 것(added-on-extra)"이 아니라, "프로젝트를 위한 비용 절감 그리고/또는 효율성 향상의 결과"를 확인하는 수단이며 이는 민간 기업들이 제품과 배송 유형에 연구를 이용하는 것과 마찬가지라는 것을 주장하기 위해서였다(p. 189). 평가자들은 그들의 목적이 생산성과 제품의 질을 향상하기 위한 것임을 인식해야 한다. 그 목적 달성을 위해서는 더 좋은 제품을 만들어 내거나 비용이 덜 들게 하는 프로그램 개선을 위한 형성적(formative) 권고사항을 이용할 수도 있고, 성공적이고 비용대비 효율이 높은 프로그램들을 유지하거나 확장하고, 아니면 성공적이지 못한 프로그램들을 제거하는 것으로 귀결되는 총괄적(summative) 권고사항을 이용할 수도 있다.

평가에 필요한 재원 분석하기

의뢰인이 무비용평가라는 신조로 마음을 바꾸었을 때조차도, 어떤 재원을 평가에 전적으로 투입할 것인가를 결정하는 것은 어렵다. Cronbach와 동료들(1980)이 주목한 것처럼, "지출의 적절한 수준을 결정하는 것은 … 평가 계획에서 가장 미묘한 측면 중 하나이다." (p. 265). 14장에서 우리는 평가를 관리하고 예산을 개발하는 것에 대해 특정한 제안을 할 것이다. 여기에서 우리는 계획 수립의 초기 단계 동안 평가자가 고려해야 하는 몇 가지 이슈들을 강조함으로써 평가의 범위가 현존하는 자원과 능력에 비해 너무 방대해지지 않도록 할 것이다.

이상적으로는, 평가를 위해 사용하게 될 자원에 대한 결정은 평가자와의 협의를 통해서 이루어져야 하며, 평가 비용에 대한 평가자의 자세한 지식이 큰 도움이 될 수 있을 것이다. 불행하게도 평가가 내부 평가 인사에 의해 수행될 때에는 협력이 이루어지기 매우 쉽겠지만, 평가자와 의뢰인 사이에는 그러한 협력 계획을 조성할 정도로 친밀한 관계가 형성되지 않을 수도 있다. 외부 평가자들이 고용된 여러 상황에서, 처음에는 의뢰인이 연구를 위한 예산의 한계 범위를 정하기 위해 독립적으로 진행할 수 있다. 때로는 평가자가 얼마나 많은 돈이 평가에 사용될 수 있는지에 대한 정보를 받는다. 그러나 종종 이것은 명확하지 않다. 그러한 경우에 우리는 의뢰인이 선택할 수 있도록 평가자가 비용과 범위가 다른 두세 가지 다른 수준의 평가를 제안할 것을 권한다. 예를 들면 "쉐보레"와 "캐딜락" 평가라고 부를 수 있을 것이다. 내부 평가자들은 예산 편성 단계에서 결정자들과 보다 많은 대화를 할 수 있지만 다른 대안들을 반영하기 위해 몇 개의 예산안을 개발할 수도 있다. 평가를 처음 접한 의뢰인들은 종종 평가 설계의 가능성에 대해, 평가가 어떤 정보를 생산할 수 있는지에 대해, 또는 평가 서비스의 비용에 대해 알지 못한다. 균형과 예산 한계에 대한 결정에 직면한 의뢰인은 좋은 결정을 내리기 위해 대안과 그 대안의 결과에 대해 알 필요가 있다. 예산은 평가 계획 수립의 마지막 단계일 수 있다. 반대로 예산의 한계 범위가 초기에 알려져 있으면, 그 한계 범위들은 뒤따라올 계획 결정에 영향을 주며 대체로는 강화하는 방향이 될 것이다.

평가 계획과 예산은 가능한 한 유연해야 한다. 연구하는 동안 환경이 변할 것이고 새로운 정보 요구와 기회들이 펼쳐질 것이다. 돈과 시간이 모두 고정된 계획에 투입된다면,

그 결과 평가자와 의뢰인이 얻은 새로운 통찰을 활용할 기회를 잃게 될 것이다. 의뢰인이나 의사결정권자가 승인한다면 가장 엄격한 계획과 예산에서도 자원이 어떻게 이동하게 될 것인지에 대한 대비를 포함해야 하는데, 그것은 환경 변화를 통해서 새로운 우선권을 취하는 평가 업무를 완수하기 위해서이다.

평가 인력의 활용성과 능력 분석하기

예산은 평가 연구의 설계에 영향을 미치는 하나의 고려사항일 뿐이다. 인력은 또 다르다. 내·외부 평가자들 모두 일차적인 책임은 다른 기능을 수행하는 직원들의 도움을 받을 수 있다. 프로그램 전달자들은 자료를 수집할 수 있다. 행정 보조원들은 서류와 탐색 기록들을 준비하고 회의, 인터뷰 등을 준비할 수 있는데, 이때 평가예산에는 비용이 들지 않는다.[1] 인턴직을 구하거나 논문이나 강의 관련 연구를 위해 일하는 지역 대학의 대학원생들은 평가 예산에 최소한의 비용을 들여 특별한 임무를 맡을 수 있다. 이웃 협회나 다른 공동체 집단으로부터의 자원봉사자들, 부모-교사 협의회, 교회 또는 프로젝트와 관련된 지지자 집단은 종종 비전문적인 평가 임무를 수행할 수 있다. 의뢰인들 자신 또한 도움을 줄 수 있다. 종종 이러한 다양한 집단들에서 자원봉사자들을 찾는 것은 성과가 되며, 자원봉사자들을 참여시킴으로써 비용을 절약하고 이해관계자들 사이에서 평가에 대한 관심을 촉발시킬 수도 있다.

평가 전문가가 아닌 사람들이 평가 임무를 수행하거나 보조할 때는 언제든지 평가자는 오리엔테이션, 훈련, 품질 통제와 같이 무시할 수 없는 고유의 책임에 직면한다. 전문적인 훈련이나 적절한 경험이 결핍된 평가 인력에게는 연구의 본질과 목적 그리고 그들이 수행해야 할 역할에 대한 오리엔테이션이 필요하다. 효과적이면서 적절히 평가 임무를 완수할 때뿐만 아니라 평가팀과 그 팀의 후원 기구를 대표할 때도 그들은 자신들의 책임을 이해해야 한다. 자원봉사자든 아니든 순진하고 준비가 되어있지 않은 평가 스태프는 다른 사람들과 부딪치거나, 연구의 본질 또는 목적을 잘못 전하거나, 익명성이나 비밀 유지 의무를 어기거나, 또는 상황에 부적절한 옷차림만으로도 평가에 큰 재앙을 불러올 수 있다. 자원봉사자 또는 보조자는 맡게 된 임무를 수행하는 데 필요한 기술에 대해 훈련을 받아야 한다. 그들은 반드시 규약을 지켜야 하며, 그렇지 않으면 잘못되거나 부정확한 정보 또는 다른 종류의 오류가 생길 수 있다. 비전문 평가 인력이 임무와 책임을 확실히 이

---

[1] 이것은 그러한 인적 서비스를 위한 비용이 없다고 말하는 것이 아니라, 단지 현재의 실행 예산 안에서 평가 업무에 대해 현장 직원의 도움을 받을 수 있음을 말하는 것일 뿐이다.

해하게 하려면, 특히 초기 단계에서는 감독과 현장 점검이 매우 유용할 수 있다.

적은 비용으로 평가 노력을 확대시키기 위해서 평가 비전문가를 사용하는 것은 편향의 위험을 가져온다. 이러한 자원봉사자들이 자신의 평가 임무를 수행하는 방법에 개인적 고려사항들이 영향을 미쳐서는 안 된다. 선입견이 사람의 인식에 색안경을 씌우기는 쉽다. 평가자는 자신의 편향을 인식하고 조절하는 훈련을 받는데, 심지어 그런 훈련을 받아도 쉬운 일이 아니다. 평가를 처음 하는 사람들은 자신들의 편향이나 자신들이 평가에 미치는 영향에 대해 자각하는 것이 쉽지 않다. 그렇게 원칙 없는 사람들은 거의 없는 것처럼 보이지만 미리 내린 결론에 맞추기 위해서 자료를 바꾸거나 왜곡하는 것도 가능하다. 따라서 연구의 타당도와 신뢰도를 보호하기 위해서, 평가 비전문가인 자원봉사자가 어떤 업무를 수행할지 결정함에 있어서 평가자가 주의해서 판단하는 것이 필수적이다. 자원봉사자들이 비밀정보에 노출되는 임무를 맡는다면, 그들은 비밀의 의미와 자료를 제공한 의뢰인 또는 타인의 명예와 사생활을 유지하는 것의 중요성에 대한 훈련을 주의 깊게 받아야 한다. 성실한 관리, 감시, 회계 감사를 받는다면, 지역 스태프 또는 자원봉사자들은 평가에 가치 있고 비용대비 효율성이 높은 기여를 할 수 있다.

원래 평가에 대한 훈련을 받지 못한 사람들이 프로젝트를 돕도록 함으로써 어떤 평가들은 더 나은 성과를 올리기도 했다. Mueller(1998)는 그녀의 팀이 미네소타 유아기 가정교육(Early Childhood Family Education, ECFE) 프로그램에서 시행한 작업으로 미국평가협회(American Evaluation Association) 상을 수상했다. 그 동력 중 일부는 전체 평가 단계에서의 효율적인 훈련과 프로그램 스태프의 활용이었다. 스태프들이 연구의 각 단계에 맞는 가족들을 확인하고, 고객들을 녹화하고 인터뷰하고, 자료를 분석하고, 보고서를 발전시키는 것에 관여했다. 그녀는 적은 예산을 가지고 비교적 종합적인 평가를 지휘할 수 있었고, 평가 수행을 위해 프로그램 스태프를 훈련시키고 교육시킴으로써 기구 내의 내부 평가 능력 확립이라는 그녀의 목표를 달성할 수 있었다.

적절한 훈련을 받음으로써 고객 모집단의 일부였던 자원봉사자들이, 때로는 훈련은 잘 받았으나 문화적으로 다른 평가자들보다 인터뷰를 통해서 세심하고 질적으로 가치 있는 정보를 수집할 수 있다. 권한부여 평가(empowerment evaluation)는 자신의 프로그램을 평가하기 위해 다른 사람들을 훈련시킨다는 원칙에 기초한다(Conner가 주 전체에 걸친 평가에서 자신이 속한 공동체 주민들을 활용한 것을 설명한 인터뷰는 Christie와 Conner[2005]를 참조하라. 자료 수집에서 프로그램 전달자나 시민들을 활용한 사례를 설명한 다른 인터뷰로는 Wallis, Dukay, Fitzpatrick[2008], Fitzpatrick과 King[2009] 등이 있다).

평가를 위해 기술적인 자원과 다른 자원, 제약 분석하기

파일들, 기록들, 이전의 평가들, 문서들, 또는 평가가 첨부되었을 수도 있는 다른 자료 수집 노력의 결과들을 포함한 기존 자료의 활용도는 중요한 고려사항이다. 평가자가 양산해야 하는 정보가 많을수록 평가 비용도 커진다.

요구되는 지원 재료들과 서비스의 활용도 역시 중요하다. 기존의 평가 프로그램, 컴퓨터 서비스, 판에 박힌 질문들, 또는 다른 정보 서비스들은, 다른 용도로 만들어졌을지라도, 평가에 비용을 거의 들이지 않아도 활용이 가능한 자원이다.

기술의 발전이 유용한 정보를 더 많이 수집하고 비용은 감소시키는 기회를 제공해왔다. 계획을 세우는 단계에서 얼굴을 맞댄 의사소통, 특히 새로운 이해관계자들과의 의사소통은 결코 대체될 수 없다. 그러나 때로는 집단과 개인들 사이의 이메일은 주 또는 전국에 걸쳐 흩어져 있는 각기 다른 지역 출신의 사람들이 참가하는 회의를 대체하거나 보충할 수 있어 의사소통을 증가시키고 시간과 여행 경비를 감소시키는 데 사용될 수 있다. 화상 전화 회담은 비용은 감소시키면서 대면 회의의 역동성을 유지할 수 있다. 기술은 자료 수집 측정, 결과, 또는 보고서의 초안을 공유하는 데 사용될 수 있고 과거에는 포함되지 않았을 수 있는 다양한 이해관계자들로부터의 조언을 구하는 데에도 사용될 수 있다. 설문조사는 온라인상의 목표 독자에게 실행될 수 있고 결과는 자료가 축적됨에 따라서 분석될 수 있다. 프로그램 활동, 이해관계자들, 의뢰인들 또는 다른 적합한 평가 또는 프로그램 관련 정보의 비디오나 사진들은 인터넷에 게재되어 다른 사람들이 보고 평을 할 수 있다. 마지막으로 많은 최종 평가 보고서가 재단 또는 조직의 웹 사이트에 게재되어 그 결과들이 더 많은 독자들에게 전파되고 있다(스탠포드 대학의 교사 훈련 프로그램 평가에서 사용한 Fetterman의 기술에 관한 논의는 Fitzpatrick과 Fetterman[2000] 참조).

시간도 자원으로 반드시 고려되어야 한다. 평가자는 보고서 또는 자료 수집과 분석이 지연되어서 평가를 유용하게 만들 기회를 잃고 싶어하지 않는다. 결과를 내놓을 때를 아는 것은 좋은 계획의 일부분이다. 이상적으로는 평가자가 편안하고 생산적인 속도로 모든 정보 요구를 만족시킬 충분한 시간을 가질 수 있을 것이다. 제한된 시간은 제한된 금액만큼이나 평가자의 효율성을 감소시킬 수 있다.

평가를 위해 정치적 맥락 분석하기

평가는 태생적으로 정치적 과정이다. 어떤 대상의 가치를 판단할 때 다수 구성요소의 다양한 가치 적용을 포함한 모든 행위는 정치적 함의를 지닌다. 자원이 재분배되거나 우선권이 재정립될 때는 언제든지 정치적 과정이 작동한다. 다음의 질문과 관련된 결정의 정치적 본질을 고려하라. 누구의 가치에 대해 주의하는가, 그 가치들은 어떤 가중치를 지니는가, 어떤 변수들이 연구되는가, 정보가 어떻게 그리고 누구에게 보고되는가, 의뢰인과 다른 독자들은 평가 정보를 어떻게 사용하려고 하는가, 누가 평가에 어떤 종류의 지원을 했는가, 잠재적으로 당황스러운 어떤 정보가 감추어졌는가, 평가를 뒤집기 위해서 어떤 행동이 취해질 수 있는가, 그리고 평가자는 어떻게 개인들 또는 집단들에 의해서 선임될 수 있는가? 정치적 과정은 평가하려는 최초의 영감과 함께 작동하기 시작하고 쓰이는 목적과 다루고자 하는 관심사와 요구를 결정하는 데 중심이 된다. 정치적 고려사항들은 계획하는 단계부터 보고서를 작성하고 평가 결과를 활용하는 단계에 이르기까지 평가의 모든 측면에 스며든다.

우리는 3장에서 정치적 요소들을 평가에서 다루는 방식에 대해 논의했다. 그러나 정치적 맥락을 분석하는 것의 중요성에 대해서 말하지 않고 이번 장을 마무리할 수는 없다. 그 정치적 맥락에서 평가가 진행될 것이고 평가를 무용지물로 만들 수도 있는 정치적 낭패를 인식하고 거기에서 벗어날 수도 있다.

평가에 착수하라는 새로운 요청을 받았을 때, 평가자는 다음 질문을 고려할 수 있다.

1. 다른 시나리오하의 평가에서 가장 많은 것을 잃거나 얻게 되는 사람은 누구인가? 그들은 협조하는 데 동의했는가? 그들은 평가의 조직적 결과를 이해하는가?

2. 이러한 환경에서 어떤 개인과 집단이 힘을 갖는가? 그들은 평가를 인가하는 데 동의했는가? 협조하는 데 동의했는가?

3. 평가자는 다른 개인들이나 집단들과 어떻게 관련될 것으로 예상하는가? 공정한 외부인으로서? 옹호자로서? 기관의 상담가로서? 미래 상담가 또는 하도급업자로서? 막역한 친구로서? 촉진자로서? 이것은 평가와 유용한 결과를 윤리적 방식으로 제공하는 평가의 능력에 어떤 함의를 지니는가?

4. 어떤 이해관계자의 협력이 필수적인가? 그들은 완전히 협력하기로 동의했는가? 필요한 자료에 대한 접근을 허용하는 데 동의했는가?

5. 어떤 이해관계자들이 평가의 결과들로부터 이익을 얻는가? 대안적 견해를 차단하도록 허용하지 않고 그들의 관점을 공정하게 들어보기 위해 선택된 단계는 무엇인가?

6. 평가하는 동안 계획, 절차, 진척, 결과에 대해서 누구에게 알려야 하는가?

7. 평가를 위한 공식적인 동의에 포함되어야 하는 안전장치는 무엇인가? (절차 보고서 작성, 편집권, 인간 연구 대상자의 보호, 자료 접근, 메타평가, 이익의 충돌을 해결하는 절차)

이 질문들에 대한 답변이 우리가 곧 다룰 결정, 즉 평가자가 평가 연구에 착수하는 것이 실현 가능하고 생산적인가의 여부를 결정하는 데에 도움을 줄 것이다. 먼저, 이번 장에서 지금까지 논의된 활동과 사안들이, 사용되는 평가 접근법에 의해서 어떤 영향을 받을 것인지를 간략하게 고려하는 데 도움을 줄 것이다.

사용된 평가 접근법에 기인한 변화

참여자중심(participant-oriented) 모형은 평가자들에게 중요한 영향을 미쳐왔다. 오늘날 다른 이해관계자들에 대한 지각과 요구, 평가가 이행되는 맥락을 고려하지 않고 평가를 이행하는 평가자들은 거의 없을 것이다. 그러나 11장에서 본 것처럼 그 모형들은 강조하는 바가 다르다.

오늘날 훈련된 평가자들 사이에서 드물기는 하지만 순수 목표중심(objectives-oriented) 모형 접근법을 사용하는 평가자는 프로그램 목표를 정의하는 데 있어서 각양각색의 독자들을 포함시킬 수 있다. 그러나 목표에 집중한 나머지 프로그램의 적절한 설명과 그 프로그램이 작동하는 정치적 맥락을 이해하지 못할 수 있다. 목표중심 접근법은 상대적으로 선형인 경향이 있고 프로그램, 프로그램이 봉사하는 의뢰인들, 프로그램이 작동하는 맥락에 대한 다양한 관점을 인정하지 못할 수 있다. 그러나 논리 모형의 발전이나 프로그램 이론의 상세화를 통해, 동시대의 프로그램중심 접근법을 사용하는 사람들에 의해 옹호되는 것처럼 그리고 이번 장에서 논의된 것처럼, 그런 문제를 피할 수 있다. 프로그램 이론이나 논리 모형들의 발전은, 특히 다양한 이해관계자들과의 대화로 수행될 때 프로그램 작동과 숨겨진 가정을 설명할 수 있다.

유사하게, 의사결정중심(decision-oriented) 접근법은 주요 의사결정자로서 관리자에게 초점을 맞춘다는 점과 이미 내린 확인된 결정에만 오직 정보가 제공된다는 점 때문에 종종 비판을 받는다. 이 모형을 잘 다루는 사용자들은 확실히 다른 이해관계자들의 관심에 대해 확인하고 배우려고 하는 반면, 이 집단은 부차적인 것으로 여겨질 것이다. 만약 이해관계자들, 예를 들어 의뢰인들, 이익집단들, 선출된 공무원들이 조직의 외부에 있다면 그들은 확실히 주요 독자로 보이지 않을 것이다. 이 접근법을 따르는 평가자는 프로그램에 극적인 영향을 끼칠 만한 결정을 내릴 힘이 결여된 것으로 그들을 보는 경향이 있을 것이다. (분명히, 그러한 평가자들은 기초 단계에서 효과적인 정치적 행동이나 학교위원회 또는 입법부의 힘을 고려하지 못했을 것이다!) 유사하게, 의사결정중심 평가자는 프로그램 자체의 맥락보다 내려야 할 결정을 정의하는 것과 그러한 결정을 위한 맥락에 더 초점을 맞출 수 있다. 오늘날의 성과 모니터링과 기준의 사용이 의사결정중심 모형 안에 속하는 이유는 이 장치들이 내부 관리 의사결정에 사용되기 때문이다. 그러나 종종 내려야 할 의사결정은 명시되지 않는다. 그리고 초기의 목표중심 모형들처럼 기준 또는 희망하는 성과의 수준을 어떻게 달성할 수 있는지에 대해 평가가 아무런 정보도 제공하지 않을 수 있다.

소비자지향 접근법은 필연적으로 소비자의 관점에서 프로그램을 정의할 것이다. 이 경우에 다른 독자들과 프로그램이나 상품에 대한 다른 관점은 무시될 수도 있다. 따라서 국유림에 대한 소비자지향 평가는 이 숲에서 캠핑하는 사람들의 만족에 초점을 맞출 수 있다.

그들은 캠핑 시설에 얼마나 만족하는가? 장소는 아름다운가? 캠핑 부지로의 접근성은? 그러한 초점은 다른 독자들, 즉 목장주들과 땅의 보호를 원하는 비사용자들, 그리고 사용자들과 비사용자들의 미래 세대들을 무시하게 될 것이다. 전문가중심 평가자는 이해관계자들과 그들의 설명, 프로그램의 관점을 확인하고 고려하는 데 가장 협소해지기 쉽다. 그들은 평가에 대한 전문지식보다는 프로그램의 내용에 대한 전문지식 때문에 고용된다. 그러한 지식과 평가의 준거들은 일반적으로 교육, 훈련, 현장 경험, 그리고 종종 "전문가"가 교육받은 직업과 동일한 직업에서 개발된 기준에서 비롯된다. 따라서 프로그램의 이해관계자들과 프로그램을 설명하는 수단들은 프로그램이 대표하는 직업에 의해서 오히려 협소한 환경에 놓이게 된다(예를 들어, 수학 교육과정과 수학자, 병원과 의료 인력, 사법정의와 교도소). 전문가중심 평가자는 다양한 많은 이해관계자들로부터 프로그램과 관련한 정보를 수집할 수 있지만, 이 이해관계자와 독자들의 평가를 위한 정보 요구는 거의 고려하지 않을 것이다. 이 평가자들은 현장 전문가들의 기준을 반영하는 것을 자신들의 역할로 볼 것이다.

확실히 참여자중심 모형이 평가의 계획에서 다양한 많은 이해관계자들과 그들의 관점을 포함시키는 것을 지지함에 있어 가장 열정적이다. 이 모형을 사용하는 평가자들은 다양한 이해관계자들의 다양한 관점을 구할 것이고, 절대적 진실을 반영하는 프로그램에 대한 하나의 관점은 없으며 따라서 프로그램을 설명하는 다른 관점을 많이 추구하고 이 단계에서 평가의 목적을 고려해야 한다고 주장한다. 물론 어떤 참여 접근법들은 오직 소수의 이해관계자들만을 심도 깊게 포함시킨다. 그러한 평가자들은 이 이해관계자들을 확인하고 그들의 역할을 수행할 준비를 시킬 필요가 있을 것이다. 다른 접근법들은 많은 이해관계자들을 포함시키지만 깊이가 얕다. 문제는 프로그램 설명과 평가의 목적을 통합하는 것이다. 이 통합을 누가 할 것인가? 평가자들이 이러한 접근으로 중요한 의사결정자가 될 수도 있다. 그러나 가장 평가자 주도적인 참여 접근법에서조차도 계획 단계에서 이해관계자들의 조언을 많이 얻고자 한다. 의사결정중심 평가자들은 참여자중심 평가자들이 정치적 측면에서 순진하다고 비난할 수 있다. 왜냐하면 평가자들은 그들이 목표로 삼는 관리자들이나 주요 사용자들이 평가의 결과에 기초해서 결정을 하는 데 가장 많은 관심이 많은 사람들이고 그러한 결정을 가장 잘할 수 있는 사람들이라고 확신하기 때문이다. 참여자중심 평가자들은 평가로부터 직접적으로 나오는 결정은 거의 없다고 반박할 수 있다. 많은 독자들을 참가시키고 독자들에게 정보를 제공함으로써 그들의 평가가 결국 차이를 만들어내기 더 쉽다고 그들은 주장할 것이다.

평가 지속 여부 결정하기

11장에서 우리는 평가의 이유를 확인하는 것에 대해 이야기했다. 그러한 이유는 평가가 의미 있을 것인가에 대한 최고의 지표를 제공한다. 이번 장에서 우리는 누가 어떻게 평가 정보를 이용할 것인가를 이해하는 것의 중요성을 논했다. 그리고 우리는 적절한 독자를 확인하는 방법들을 제안했다. 우리는 평가받는 것을 설명하며 범위를 정하는 것과 국가 재정, 사람, 기술 그리고 실행 가능성을 결정하는 다른 자원들을 분석하는 것의 중요성을 강조하고 있다. 우리는 어떤 정치적 영향이 평가 노력을 약화시킬 수 있는지의 여부를 평가자들이 고려하도록 주의시키고 있다.

이 시점에서 평가자가 평가를 지속할 것인지의 여부에 대해 맥락, 프로그램, 이해관계자들, 활용 가능한 자원 관련 정보를 모아서 최종 결정을 내려야 한다. 11장에서 우리는 평가가 적절하지 않을 수 있는 조건들을 검토했다. 이제 평가자는 평가의 경계와 실현 가능성, 이해관계자들의 요구와 관점에 대해서 더 많은 것을 배웠다. 이 정보를 가지고 평가자는 또다시 진행 여부에 대해 고려해야 한다. 불행하게도 우리는 평가를 지속할지의 여부에 대한 최종 결정을 내리기 위해 이 모든 요소들의 균형을 잡을 수 있는 단순한 알고리즘을 제공할 수 없다. 이번 장과 앞 장에서 윤곽이 드러난 요소들, 즉 통찰, 사려 깊음, 상식을 고려할 때의 철저함이 언제 평가를 하는 것에 동의할 것인가에 대해 합리적인 결정을 내리게 하는 핵심 요소가 된다. 평가를 계획할 때 포함해야 할 중요한 모든 요소들을 다루고 있는지 여부를 고려하는 데 유용한 점검 목록을 Daniel Stufflebeam이 개발했다. 그 목록은 http://www.wmich.edu/evalctr/checklists/ plans_operations.pdf에서 볼 수 있다.

우리가 이것을 '예/아니오' 결정으로 설명했음에도 불구하고, 물론 다른 선택사항이 존재한다. 맥락, 프로그램, 활용 가능한 자원에 대해 보다 세부적인 사항을 배움으로써, 평가자들은 평가하기에 유용하고 가장 많이 결실할 수 있는 프로그램의 영역이나 그보다 좁은 범위로 평가를 제한하기 위해 의뢰인이나 후원인과 함께 작업할 수 있다.

주요 개념과 이론

1. 평가 맥락을 분석하는 첫 번째 단계는 다양한 이해관계자들로부터 평가의 요구와 인식을 학습하는 것이다. 계획을 세우는 단계에서 다양한 잠재적인 사용자들을 확인하고, 인터뷰하고, 적절하게 관여시켜라.

2. 경계를 설정하고 평가의 맥락을 이해하는 두 번째 수단으로 논리 모형이나 프로그램 이론을 포함하는 프로그램 설명이 개발되고 있다. 더 폭넓은 서술과 모형 또는 이론은 이해관계자들과의 인터뷰를 통해서 또는 집단적으로 개발될 수 있다. 그러나 확인 또는 논의를 위해서 결과적으로는 사용자와 공유되어야 한다.

3. 논리 모형들은 프로그램의 과정, 즉 투입, 활동, 산출, 결과들을 서술한다. 어떤 논리 모형들은 이행 연구를 이끄는 중요한 도구가 될 수 있고, 추정된 인과 연계, 즉 초기 문제, 프로그램 활동, 목적 사이의 연계에 대해 약간의 아이디어를 줄 수 있다.

4. 프로그램 이론을 이해하는 것이 이 단계에서 필수적이다. 프로그램 이론은 해결되어야 하는 문제들과 프로그램 실행, 프로그램 목적 사이의 연계를 명시한다. 프로그램 이론은 평가 질문들을 위한 기초로서 또한 평가자가 프로그램의 핵심에 익숙해지도록 하기 위해 사용될 수 있다. 프로그램 이론은 이해관계자들, 특히 프로그램이 작동해야 하는 이유에 대한 프로그램 개발자들과 관리자들, 전달자들의 관점을 포함할 수 있지만 궁극적으로는 그 사안에 대한 연구 결과와 이론에 맞게 조정되어야 한다.

5. 프로그램을 완전히 설명하고 논리 모형이나 프로그램 이론을 개발하기 위해 평가자는 기존의 정보, 예를 들어 조직의 보고서, 제안서, 평가 등을 검토해야 하고, 관리자, 스태프, 의뢰인, 다른 주요 이해관계자들을 인터뷰해야 하며, 프로그램과 관련된 영역의 문헌을 검토해야 한다. 그리고 작동 중인 프로그램을 관찰해야 한다.

6. 활용 가능한 재원과 평가와 연결되는 잠재적 비용을 고려하라. 비용을 줄이기 위해 프로그램 스태프 또는 자원봉사자들을 활용될 수 있다.

7. 정치적 맥락이 평가의 접근, 수집된 정보의 본질, 결과의 해석과 사용에 어떻게 영향을 미칠 수 있는지를 고려하라.

토의 문제

1. 평가에서 다양한 모든 이해관계자와 독자를 고려하는 것이 중요한 이유는 무엇인가? 당신은 어떤 집단이 일반적으로 가장 중요하게 여겨진다고 생각하는가? 어떤 집단이

가장 무시되기 쉬운가? 이 집단을 무시하는 것이 어떻게 문제로 귀결되는가?

2. 평가받는 대상의 맥락을 이해하는 것이 중요한 이유는 무엇인가?

3. 프로그램 이론을 이해할 때, 프로그램 관련 사안에 대한 연구가 어떤 역할을 한다고 생각하는가?

4. 평가에서 보조자로 프로그램 스태프를 활용할 때 장점과 위험은 무엇인가? 자원봉사자를 활용할 때는 어떠한가?

5. 평가는 왜 태생적으로 정치적 과정인가?

적용 연습

1. 당신에게 익숙한 프로그램을 생각하라. 그 프로그램에서 이해관계자는 누구인가? 그 평가의 결과를 위한 어떤 추가적인 독자들이 존재하는가? 잠재적 이해관계자들을 확인하기 위해 그림 12.1을 활용하라. 당신은 인터뷰 대상자로 누구를 선택할 것인가? 각자의 관점은 무엇일 것 같은가? 당신은 각 이해관계자 집단의 대표자들이 평가의 자문위원단으로서 봉사하는 것이 바람직하다고 생각하는가? 그렇다면, 당신은 누구를 선택할 것이며 그 이유는 무엇인가? 어떤 이해관계자 집단이나 개인을 제외시킬 것인가? 그 이유는 무엇인가?

2. 1번 문제에서 평가자가 자각할 필요가 있는 중요한 정치적 요소들은 무엇인가?

3. 문헌 검토를 통해서든 아니면 당신의 직장을 통해서든 프로그램을 서술하는 보고서 또는 안내 책자를 찾아라. (당신은 http://www.uwex.edu/ces/pdande/evaluation/evallogicmodelexamples.html에 게재된 논리 모형을 점검하거나 당신의 직장에서 알고 있는 프로그램을 고려할 수 있다.) 그 프로그램의 목적과 목표는 무엇인가? 주요 구성요소와 활동은 무엇인가? 이 목적과 목표들이, 설명된 활동들을 활용하여 명시된 의뢰인들과 함께 이루어질 수 있는 가능성이 있는가? 그렇거나 그렇지 않은 이유는 무엇인가? 프로그램 이론이란 무엇인가? 문헌 검토나 프로그램 서술이 그 모형이 작동하는 이유에 대한 근거를 제공하는가? 그것이 실패할 것 같은 이유는 무엇인가? 그것이 그 모형에 대한 정확한 설명을 제공하는가? 그 모형에 대해 더 많이 알기 위해 당신이 프로그램 스태프에게 묻고자 하는 질문은 무엇인가?

4. 당신이 속한 조직의 교사 이직률 또는 직원 이직률 문제를 생각하라. 이 문제를 위한 영향 모형을 원인 가설, 중재 가설, 행동 가설을 가지고 발전시켜라. (힌트: 이렇게 시작할 수 있다. 직원들이 우리 조직을 떠나는데 … 때문이다.) 첫째, 그 프로그램에 대

한 당신의 지식에 기초해서 그러한 모형을 발전시켜라. 다음으로, 당신 공동체, 학교 또는 기관에서 사람들을 인터뷰하고 그 프로그램의 규범적 이론을 개발하라. 마지막으로, 문헌 조사를 검토하고 당신이 발견한 연구에 기초하여 규범적 모형의 타당성을 밝혀라. 당신은 어떤 대안적인 원인 모형을 발전시킬 것인가?

관련 평가 기준

우리는 이번 장의 내용에 적절한 다음의 평가 기준들을 고려한다. 기준의 전문은 부록 A에 나열되어 있다.

U2-이해관계자에 대한 관심	F3-상황적 실용성
U3-평가목적에 대한 협의	F4-자원 활용성
U4-가치의 명시성	A4-프로그램 및 맥락 보고의 명확성
U5-정보의 적절성	E1-평가 기록화

사례 연구

이번 장에서 우리는 평가의 경계를 정하고 맥락을 분석하는 다양한 방법을 보여주는 세 개의 인터뷰를 추천한다. 『Evaluation in Action』에 수록된 9장(Stewart Donaldson), 10장(Hallie Preskill), 12장(Katrina Bledsoe)이다.

9장에서 Steward Donaldson은 후원자, 의뢰인들, 프로그램 전달자들과 다른 사람들이 포함된 이해관계자들과 그의 대화를, 시간 경과에 따른 네 개의 상이한 프로그램에 초점을 맞추어 기술한다. 유일한 도구는 아니지만, 그의 주요 도구들 중 하나가 프로그램을 위한 이론을 개발하고 활용하는 것이다. 출처는 다음과 같다: Fitzpatrick, J, L., & Donaldson, S. I. (2002). Evaluation of the Work and Health Initiative: A dialogue with Stewart Donaldson. *American Journal of Evaluation, 23*(3), 347-365.

10장에서 Hallie Preskill은 평가 시스템을 확립하는 데 도움을 준 기구에 감식력 있는 연구(Appreciative Inquiry)를 활용한 것에 대해 논한다. 그 장은 Preskill이 어떻게 참여적이고 능력 배양적인 방법으로 평가 시스템에서 자신들이 선호하는 것을 고려하도록 참가자들을 이끄는지 설명한다. 출처는 다음과 같다: Christie, C., & Preskill, H. (2006). Appreciative Inquiry as a method for evaluation: An interview with Hallie Preskill.

American Journal of Evaluation, 27(4), 466-474.

    12장에서 Katrina Bledsoe는 프로그램의 맥락을 학습하고, 그 이론을 개발하며, 문헌 조사를 활용하고, 평가의 초점을 정하기 위해 어떻게 일하는지 서술한다. 출처는 다음과 같다: Fitzpatrick, J. L., & Bledsoe, K. (2007). Evaluation of the Fun with Books Program: A dialogue with Katrina Bledsoe. *American Journal of Evaluation, 28*(4), 522-535.

추천 도서

Donaldson, S. I. (2007). *Program theory-driven evaluation science: Strategies and application*. New York: Lawrence Erlbaum and Associates.

Leeuw, F. K. (2003). Reconstructing program theory: Methods available and problems to be solved. *American Journal of Evaluation, 24*(1), 5-20.

Mueller, M. R. (1998). The evaluation of Minnesota's Early Childhood Family Education of Minnesota's Early Childhood Family Educaton Program: A dialogue. *American Journal of Evaluation, 19*(1), 80-99.

Stufflebeam, D. L. (1999). Evaluation plans and operations checklist. http://www.wmich.edu/evalctr/checklists/plans_operations.pdf

United Way of America. (1996). *Measuring program outcomes: A practical approach*. Alexandria. VA: United Way of America.

Weiss, C. H. (1997). Theory-based evaluation: Past, present, and future, In D. Rog & D. Fournier (Eds.), *Progress and future directions in evaluation: Perspectives on theory, practice, and methods*. New Directions for Evaluation, No. 76. San Francisco: Jossey-Bass.

13

평가 질문들과 준거 확인하고 선택하기

> **핵심 질문**
>
> 1. 평가 질문의 기능은 무엇인가? 준거는? 기준은? 준거와 기준은 언제 필요한가?
> 2. 평가 질문을 얻기 좋은 자료는 무엇인가?
> 3. 평가에서 어떤 질문을 다룰지 결정할 때 평가자는 어떤 역할을 맡아야 하는가? 의뢰인은 어떤 역할을 맡아야 하는가?
> 4. 평가 질문을 확인하고 선별할 때, 어떤 다른 관심사와 활동들이 발산적이고 수렴적인 단계에 개입되는가?
> 5. 기준은 절대적이어야 하는가 아니면 상대적이어야 하는가?

평가는 프로그램 선정, 지속 또는 개선을 고려하는 질문들에 답하기 위해 행해진다. 평가 질문들이 평가의 방향과 기초를 제공한다. 그것들이 없다면 평가는 초점을 잃을 것이고, 평가자는 평가에서 조사될 것이 무엇이며, 어떻게, 왜 조사되는지 설명하는 데 상당한 어려움을 겪게 될 것이다. 이번 장에서는 평가 연구를 위한 토대를 제공하고 그 결과 활용을 최대화하기 위해 어떻게 평가 질문들을 확인하고 특화할 수 있는지에 초점을 맞출 것이다. 주어진 재원 내에서 대답하기에 의미 있고 중요하며 가능한 질문들을 개발하기 위하여 이해관계자들과 함께 작업하며 연구와 평가에 대해 그들이 지닌 지식과 전문지식을 활용하는 것, 그리고 아마도 목표로 삼은 주요 사용자들과 다른 이해관계자들에게 유용한 정보를 제공하는 것이 평가자들의 일차적인 책임이다.

평가를 통해서 답해야 할 질문을 확인하고 정의하는 과정은 중요하다. 그것은 주의 깊은 숙고와 조사를 요구한다. 중요한 질문들이 간과되거나 사소한 질문들이 평가의 자원을 소모시키게 된다면 다음과 같은 결과가 발생할 수 있다.

- 평가를 위한 지출에서 이득이 아예 없거나 거의 없음
- 미래의 노력을 엉뚱한 방향으로 이끄는 근시안적인 평가 초점
- 청중의 중요한 질문들이나 관심사들이 제거됨으로써 호의 또는 신뢰의 상실
- 정당한 이해관계자들의 권리 박탈
- 프로그램에 대한 부당한 결론

계획을 수립하는 단계에서, 평가자들은 준거들 또는 요소들을 확인하기 위해 이해관계자들과 함께 작업할 수 있다. 그리고 그 준거나 요소들은 프로그램의 성공을 판단하는 데와 각 준거에 대한 프로그램의 성공을 확인하기 위해 사용될 기준들을 판단하는 데 사용될 것이다. 준거와 기준의 식별은 총괄평가에서 특히 중요하지만 형성평가에서도 한몫을 한다. 두 평가 모두에서 평가는 일반적으로 프로그램의 질 또는 프로그램의 한 측면에 대한 것이다. 즉 프로그램이 지속되어야 하는지, 확장되어야 하는지, 개선되어야 하는지 아니면 중단되어야 하는지 등에 대한 것이다. 우리는 이번 장에서 준거들을 확인하고 기준을 정하는 것으로 돌아갈 것이지만, 우리는 우선 연구를 이끌어 나가는 평가 질문을 개발하고 확인하는 데 초점을 맞출 것이다.

Cronbach(1982)는 평가를 위해 질문을 확인하고 선별하는 상이한 두 단계에 "발산하는(divergent)"과 "수렴하는(convergent)"이라는 용어를 사용했다. 우리는 이어질 논의에서 이 유용한 용어를 채택할 것이다.

발산 단계에서는 잠재적으로 중요한 질문들과 관심사항들에 대해 가능한 한 포괄적인 목록이 개발된다. 아이템들은 많은 자료에서 비롯하고 제외되는 것은 거의 없다. 평가자가 가능한 한 철저하게 모든 방향을 고려하여 지형을 정하고자 하기 때문이다.

수렴 단계에서는 평가자가 다루어야 할 가장 중요한 질문들을 이 목록으로부터 선택한다. 그래서 준거들과 기준들이 그것들을 요구하는 질문들에 맞춰 명시될 것이다. 우리가 이번 장의 후반부에서 보게 될 것처럼, 평가의 특정한 초점에 대한 우선권 설정과 의사결정 과정은 어렵고 복잡한 업무이다.

평가하는 동안 새로운 사안들, 질문들, 준거들이 나타날 수도 있다. 평가자는 정당하다고 여겨질 때 평가 계획의 수정과 추가를 허용함으로써 유연함을 유지해야 한다. 이제 발산 단계, 그 다음으로 수렴 단계를 비교적 자세히 고려해 보도록 하자.

평가 질문을 위한 유용한 자료 확인하기: 발산 단계

Cronbach(1982)는 평가 계획의 발산 단계를 다음과 같이 요약한다.

첫 번째 단계는 조사의 전망으로 적어도 간단히 즐길 수 있는 질문들에 마음을 여는 것이다. 이 상태는 자료 수집, 합리적 분석 그리고 판단을 요구하는 평가 활동 그 자체로 구성된다. 이 정보와 분석 중 양적인 것은 거의 없다. 자료는 비공식적인 대화, 평상시의 관찰, 현존하는 기록의 검토에서 나온다. 자연적이고 질적인 방법들이 특히 이 작업에 적합한 이유는 참가자와 이해관계가 있는 단체의 인식에 주의를 기울임으로서 그 방법들로 인해 평가자가 아직은 정책 사안들로 표면화되지 않은 희망과 두려움을 확인하도록 할 수 있기 때문이다.

평가자는 프로그램이 채택된다면 프로그램을 운영할 전문가들과 프로그램을 통한 서비스를 제공받게 될 시민들을 포함하여 의사결정 공동체 다양한 부분의 시각을 통해서 프로그램을 보려고 해야 한다(pp. 210, 212-213).

평가가 다루게 될 것에 대한 진정으로 다양한 관점을 평가자들이 얻으려면 그들은 반드시 넓은 그물을 던져서 가능한 한 많은 자료로 학습해야 한다. 자료에는 다음의 것들이 포함된다.

1. 정보 요구, 질문들, 이해관계자들의 관심사
2. 평가 접근법에 의해 제시된 질문들 또는 사안들(이 책의 2부에 명시된 것들)
3. 프로그램의 내용이나 의뢰인에 대한 문헌 조사 내의 이론과 결론들
4. 전문적인 기준, 점검 목록, 가이드라인, 또는 그 밖의 다른 곳에서 전개되거나 사용된 준거들
5. 전문 상담가의 관점과 지식
6. 평가자 자신의 전문적 판단

이 자료들 각각에 대해 다음 절들에서 더욱 상세히 논의될 것이다.

이해관계자들의 질문, 관심사, 정보 요구 확인하기

일반적으로 평가 질문들에 대한 하나의 가장 중요한 근원은 프로그램의 의뢰인들, 후원자들, 참여자들, 영향을 받는 청중들과 같은 이해관계자들이다. 오늘날 대부분의 평가 접근법은 특히 계획을 수립하는 단계 동안 이해관계자들과의 상담의 중요성을 강조한다. 평가

연구 이해관계자들의 질문, 통찰, 인식, 희망, 두려움을 모으는 것의 중요성은 아무리 강조해도 지나치지 않다. 그러한 정보가 평가의 초점을 정하는데 있어서 우선이 되어야 하기 때문이다.

그러한 조언을 얻기 위해서 평가자는 평가되고 있는 것이 무엇이든지 간에 평가에 의해서 영향을 받는 개인과 집단을 확인할 필요가 있다. 12장에 있는 잠재적인 평가의 이해관계자들과 청중들에 관한 점검 목록은 질문의 확인에 참여해야 할 잠재적 이해관계자들을 식별하기 위해 사용할 수 있다. 만약 선택될 접근법이 몇몇 이해관계자들을 굉장히 심도 있게 관련시키는 것을 포함할 것이라면, 평가자들은 그들을 확인할 시간을 당장 갖고 이해관계자들이 몰두하기 시작하도록 해야 한다. Patton(2008a)은 그러한 이해관계자들이, 목표로 삼은 주요 사용자들, 사람들 또는 평가에 흥미를 느끼고 동기를 부여받아 결과들을 사용할 수 있는 사람들이나 개인이어야 한다고 조언한다. 다른 접근법들은 평가자가 이 단계에서 많은 이해관계자들을 관련시킬 것을 요구한다.

평가자가 그림 12.1의 광범위한 목록을 몇 개의 범주로 나누는 것은 유용할 수 있다. 우리는 평가 질문을 위해서 고려해야 할, 이해관계자의 유용한 범주들이 다음의 것들을 포함한다는 것을 알아냈다. (1) 정책입안자들(국회의원, 입법부 직원이나 정부 고위 관료와 공무원과 같은 사람들) (2) 행정가들 또는 관리자들(프로그램이나 평가받을 실체를 지휘하고 관리하는 사람들 또는 프로그램이 귀속되어 있는 기구를 관리하는 사람들) (3) 실무자들 또는 프로그램 전달자들(프로그램을 작동시키거나 그 서비스를 전달하는 사람들) (4) 일차 소비자들(프로그램에 참여하고 그 혜택을 보도록 예정되어 있는 사람들) (5) 이차 소비자들(일차 소비자 또는 프로그램 그 자체가 발생함으로써 영향을 받는 가족 구성원, 시민들, 공동체 집단들). 이 다섯 개의 범주가 대부분의 프로그램과 연계되어 있는 이해관계자들의 유형이다. 몇몇의 분명한 이해관계자들이나 이해관계자 집단이 각각의 범주에서 출현할 수도 있다. 예를 들어, 학교 프로그램을 위한 행정가들과 관리자들은 종종 교감, 교장, 프로그램과 연계를 맺은 중앙 행정의 인사들, 코디네이터 집단 등을 포함하게 될 것이다.

이해관계자들이 확인되면 다음에는 그들이 평가 대상에 대해서 무엇을 알고 싶어하는지 결정하는 인터뷰를 해야 한다. 그들은 어떤 질문이나 관심사를 가지고 있는가? 평가받을 프로그램에 대한 그들의 인식은 어떠한가? 그들은 프로그램이 무엇을 하도록 고안되었으며 프로그램이 그것을 얼마나 잘하리라고 생각하는가? 그들은 프로그램 활동에 대해서 무엇을 아는가? 그들은 특정 요소나 단계에 관심을 가지고 있는가? 그들은 프로그램의 이유나 논리가 무엇이며 그것이 어떻게 작동한다고 생각하는가? 기회가 된다면 그들은 그 프로그램을 어떻게 바꿀 것인가?

이해관계자들이 타당도와 공평함을 얻도록 참여시키는 것의 역동성. 평가는 그 시작부터 참여의 방향으로 점진적으로 움직여왔다. 오늘날 이해관계자들은 여러 이유 때문에 평가에 참여하지만, 주요한 이유들은 사용을 장려하고 연구의 타당도를 강화하는 것이다(Brandon, 1998; Cousins & Whitmore, 1998). 평가의 많은 단계에 잠재적인 사용자들을 가담시키는 것이 결과의 활용을 증가시킬 것이라고 주장함에 있어 참여 평가자들은 설득력이 있었다. 이해관계자들을 계획 수립의 단계에 참여시키는 것은 평가에 대한 그들의 불안을 감소시키고 평가 질문들이 그들의 관심사를 다룬다는 것을 보증할 뿐만 아니라 평가의 목적과 의도에 대한 이해를 향상시킨다.

이해관계자를 참여시키는 것은 연구의 타당성을 증진시키는 것 이상의 장점이 있다(Brandon, 1998, 2005). 평가자들, 특히 외부 평가자들은 그 프로그램이 낯설 수도 있지만 이해관계자들은 그렇지 않다. 그들도 그것을 안다. Huberman과 Cox는 다음과 같이 쓰고 있다. "평가자는 수년 동안 기관이라는 바다를 항해해서 모든 섬, 산호, 수로를 알고 있는 요트 조종사들과 함께 작업하는 초보 선원과 같다."(1990, p. 165). 프로그램을 설명하고, 프로그램의 경계를 정하며, 평가 질문을 확인하고, 자료 수집, 분석, 해석에 대한 권고안을 만드는 데 이해관계자들을 가담시키는 것은 평가의 타당도를 높여준다. 이해관계자들이 프로그램의 전문가이기 때문이다. 이해관계자 집단의 전문지식은 다양할 것이지만, 각 집단은 프로그램에 대해 평가자와는 다르고 종종 평가자보다 더 박식한 특정 관점을 지닌다. 학생이나 고객들은 수혜자로서 프로그램을 친밀하게 경험해왔다. 스태프는 프로그램을 전달하고 종종 프로그램이 전달될 방법을 선택해왔다. 관리자들은 프로그램의 자금과 계획에 도움을 주고 감시를 했으며, 그것을 실행할 사람들을 고용했다. 이해관계자들은 프로그램 전문가이지만 평가자들은 일반적으로 평가의 전문가이다. 그들은 평가가 무엇을 할 수 있는지, 그리고 동일한 중요성으로 무엇을 할 수 없는지 안다. 그래서 두 집단, 이해관계자들과 평가자들 사이의 의사소통이, 평가 연구가 성공적으로 다룰 수 있고 목표로 하는 사용자들에게 의미 있으며 유용할 수 있는 질문들을 확인하기 위해 필요하다.

Nick Smith(1997)는 평가를 개선하려는 목적으로 이해관계자들을 사용하기 위해 다음과 같은 세 개의 폭넓은 절차적 규칙을 발전시켜 왔다.

- 이해관계자들은 지식과 전문성에서 차이가 있다. 전문지식과 경험을 가지고 있는 영역에서 이해관계자들을 활용하라.
- 그 전문지식을 얻어내는 데 사용된 방법들을 주의 깊게 고려하라.

● 확실히 참여가 공평하도록 하라. 특히 힘이 별로 없는 이해관계자들이 안전하고 편안하며 공평한 방식으로 정보와 견해를 제공할 수 있도록 하라.

Brandon(1998), Greene(1987) 그리고 Trochim과 Linton(1986)은 이해관계자들로부터 유용하고 타당한 조언을 얻기 위해 어떤 특정한 방법을 설명한다. 이해관계자들이 알고 있는 것에 대해 물어라. 예를 들어 교사들은 계획된 교육과정에 왜 변화를 주었는지 알지만, 학생들이나 프로그램 참여자는 알지 못한다. 참여자들은 그들이 무엇을 이해했는지와 그들이 프로그램과 교육과정에 대해서 어떻게 느끼는지 알고 있지만, 교사나 프로그램 스태프가 그러한 정보를 위한 최고의 원천은 될 수 없다. 평가자는 반드시 각 집단이 무엇을 아는지 고려하고 그 집단의 관점에 대해 더 많이 배워야 한다. Brandon(1998)은 평가 기준을 설정하는 데 학생들을 위해 적절한 기대에 가장 많은 전문지식을 지닌 집단인 교사들을 가담시키는 탁월한 방법을 설명한다.

이해관계자 집단이 권력에서 차이가 있을 때, 대부분의 모든 평가에서 그런 것처럼, 힘이 거의 없는 이해관계자들의 목소리를 듣기 위해 소규모 집단들, 훈련받은 조력자들, 그리고 다른 방법들을 사용하는 것은 중요할 수 있다. 교육 평가에서, 학교 제도에서 성공 경험이 없는 부모들(예를 들어, 학교에서 힘겨워했던 부모들, 이민자들, 비영어권 국가 출신 학부모들)이 종종 다른 사회 계층의 교사들과 교육 행정가들이 참석해 있는 넓은 집단 속에서 자신들의 관심사를 편안하게 표현할 수 있다고 느끼기는 어렵다. 학생들도 비슷하게 권리를 박탈당한 것처럼 느끼기 쉽다. 그러나 민주적이고 사회적인 목적을 위해서뿐만 아니라 평가 그 자체의 타당도를 향상시키기 위해서라도 이 집단의 시선은 여전히 중요하다. 이 집단들은 평가 질문들과 자료 수집 방법에 대해 의미 있고 다른 관점을 제공할 수 있다. 그러나 그들의 조언을 구하는 방법은 신중하게 고려하고 계획해야 한다.

이해관계자들로부터 평가 질문 끌어내기. 평가에 익숙하지 않은 많은 이해관계자들은 평가가 무엇을 시키는지 표현하는 데 어려움이 있을 수 있는데, 그것은 그들이 평가가 무엇을 할 수 있는지 모르기 때문이다. 따라서 이해관계자들에게 의미 있는 방법으로 평가자가 정보를 수집하는 것이 중요하다. 평가자는 평가에 초점을 맞추기보다 이해관계자들의 전문지식 영역에서 시작할 수 있다. 그 전문지식은 프로그램에 대한 지식과 경험, 관심사 등이다. 평가자는 나중에 이 관심사를 평가 질문으로 전환할 수 있다.

많은 경우에, 주요 이해관계자들과의 관계가 진전됨에 따라서 평가자는 교육적인 역할로 옮겨갈 수도 있다. 그것은 평가가 다룰 수 있었던 다른 질문들에 대해서 이해관계자들이 학습하는 것을 돕기 위한 것이거나, 적절한 연구 결과들이나 평가 접근법을 이해관계자들이 익숙하게 받아들이도록 하기 위한 것이다. 그러나 초기 단계에서는 평가자가 교육보다는 듣는 데 더 많은 시간을 쓰는 것이 중요하다. 이해관계자의 인식과 관심사를 들음으로써 평가자는 프로그램, 프로그램의 환경, 전형적인 의사결정 방법, 이해관계자들의 가치와 스타일에 대해 방대한 양의 정보를 얻게 될 것이다. 왜 그들이 평가 대상의 특정 측면에 관심을 가지는지, 왜 그들이 특정 결과에 가치를 부여하는지, 어떤 다른 방법들이 결과를 얻기에 유용하다고 생각하는지, 또는 특정 질문에 대한 대답으로 그들이 무엇을 할 것인지 묻는 것은 평가자가 이 질문들의 가치를 판단하는 데 도움이 될 수 있다.

이해관계자들로부터 평가의 질문을 끌어내는 유일한 기법은 없지만, 우리는 단순하고 직접적인 접근법이 가장 좋다고 믿는다. 이 질문들을 확인하려고 하기 전에 그 질문들을 더 의미 있는 것으로 만드는 데 도움을 줄 맥락을 확립하는 것이 유용하다. 예를 들어 우리는 다음과 같은 방법으로 시작할 수도 있을 것이다. "알다시피 저는 X 프로그램을 평가하도록 고용되었습니다. 제가 수집하는 정보가 당신 자신과 같은 사람들에게 유용하게 되기를 원합니다. 이 단계에서 저는 프로그램에 대한 당신의 생각과 시각을 배우고 싶습니다. 그리고 평가가 당신을 위해 무엇을 할 수 있는지도 배우고 싶습니다. 프로그램에 대한 당신의 생각(thoughts)들 중 일부는 무엇입니까?" ("생각"은 모호하지만 많은 다른 대답을 유도할 수 있는 중립적인 단어임에 주목하라).

이렇게 다소 일반적인 방식으로 시작하는 것이 유용하다. 이해관계자들이 평가자에게 말하고자 결정한 것은 그들의 개인적인 우선권을 반영한다. 집중적인 초기 질문들은 중요한 정보나 관심사를 잃어버리는 결과를 낳을 수 있다. 우리는 답이 열려 있는 질문으로 시작해서 그들이 처음 말하고자 결정할 것에 진정으로 관심을 갖고 있다. 그러나 평가자들은 이해관계자들이 프로그램에 대해서 무엇을 알고 있는지, 프로그램이 무엇을 성취하기 위해 고안되었다고 생각하는지, 강점이 무엇인지, 그리고 그들의 관심사는 무엇인지 등을 배우기 위해 부가 질문을 이용할 것이다. 은어는 피하면서도 캐묻기를 통해서 평가자는 프로그램의 모형이나 이론에 대한 이해관계자들의 인식을 배울 수도 있을 것이다. 예를 들어, 이론에 기초한 접근법이 적절한 것처럼 보인다면 평가자는 다음과 같은 질문을 할 수 있을 것이다. "당신은 이 프로그램의 참여의 결과로서 학생들이나 의뢰인들에게서 일어나게 될 주요 변화들이 무엇이라고 생각하십니까?" 그리고 나서, "당신은 프로그램 활동이 저 결과들을 어떻게 이끌 것이라고 생각하십니까?" 또는 "당신은 이러한 목표로 이끄는 데 있어 어떤 활동이 가장 중요하다고 생각하십니까?" 등이다.

프로그램에 대한 이해관계자들의 인식을 학습한 다음에, 평가자들은 평가가 어떤 질문에 답하기를 원하는지에 대해 더 많이 배우는 쪽으로 움직인다. 평가의 이해관계자들이 평가를 사용할 것임을 확신시키는 단계로 그보다 더 중요하거나 더 자주 무시된 것은 없다. 평가자들은 다음과 같은 질문으로 시작할 수 있다. "당신은 평가로부터 무엇을 배우게 되기를 희망합니까?" 또는 "이 평가가 답했으면 하고 당신이 프로그램에 대해 원하는 질문에 답하기 위해 내가 정보를 수집할 수 있었다면 그것은 어떤 질문들이었을까? 병 속의 피클처럼 평가 질문들은 첫 번째 질문을 꺼낸 후에 밖으로 나오기가 더 쉽다. 다음과 같은 질문을 이용하는 캐묻기를 통해서 이해관계자들이 자신들 생각에 초점을 맞추는 데 도움을 받을 수도 있다. 그 질문은 "당신이 프로그램을 보다 잘 관리하거나 전달하는 데 가장 도움이 될 것 같은 정보는 무엇입니까? 당신이 지속적으로 지지할 것인지의 여부를 결정하는 데 가장 도움이 될 것 같은 정보는 무엇입니까? 그것에 대한 당신의 참여에 가장 도움이 될 것 같은 정보는 무엇입니까?" 등이다. 또는 형성적 목적을 위해서는 다음과 같은 질문을 할 수 있다. "당신이 작동하리라고 생각했는데 작동하지 않은 프로그램의 구성요소나 활동들은 무엇입니까? 그것들에 대해 당신은 어떤 근심을 가지고 있습니까?" 등이다.

다른 사람들 또는 연구에서 중요하다고 제안한 영역을 이해관계자들이 간과한다면 평가자는 이렇게 물을 수 있을 것이다. "당신은 X(영역)에 흥미가 있습니까?" 'X'는 특정한 프로그램 영역(당신은 학생들이 새로운 수학 접근법에 처음에 어떤 반응을 보이는지 더 많이 알고 싶습니까?)이거나 평가의 단계(교과과정이 계획된 대로 전달되고 있는지 여부에 대한 훌륭한 설명에 관심이 있습니까?)가 될 수 있다. "그 밖에 당신이 알고 싶은 것은 무엇입니까?"라는 질문은 종종 풍부한 답변을 이끌어낸다. 이 시기는 비판적이 되거나 현재로서는 제기된 어떤 질문들에 대답할 수 없을지도 모른다는 것을 지적할 때가 아니다. 이 시기는 가능한 평가 질문들 모두를 만들어낼 때이다. 결국 추구해야 할 질문들에 가중치를 부여하고 선별하는 것은 차후 수렴 단계에서 행해질 것이다. 그러나 평가자들은 인터뷰를 한 모든 이해관계자들이 차후 질문들을 선별할 것이라는 점을 인식할 수 있도록 과정을 간략하게 설명해야 한다.

그림 13.1은 이해관계자들 인터뷰에서 가능한 일련의 질문들을 보여준다. 인터뷰는 프로그램에 대한 이해관계자의 관점을 확인하고자 하는 일반적 질문들로부터 주요 평가 질문들을 확인하는 질문들로 이동한다. 평가자-참여자 상호작용을 이끌어내기 위한 추가적인 특정 절차들은 반응적, 참여적 평가를 지지하는 사람들과 다른 사람들의 글에서 발견될 수 있다(예를 들어, Abma & Stake, 2001; Cousins & Shula, 2008; Greene, 1987, 1988; King, 1998). Patton(2008a)의 활용중심 평가(utilization-focused evaluation, UFE)는 평가자가 이해관계자들의 정보 요구에 대해서 더 배울 수 있도록 하는 부가적 안내를 제공한다. 평가 계획이 주요 인사의 관심에 기초함으로써 평가자는 다른 관점을 지닐 수 있

그림 13.1 이해관계자들과의 인터뷰에서 얻게 될 정보

1. 프로그램에 대한 당신의 일반적인 인식은 무엇입니까? 당신은 그것을 어떻게 생각합니까? (당신은 그것에 대해서 좋게 생각합니까? 나쁘게 생각합니까? 당신은 그것에 대해 어떤 점을 좋아합니까? 당신은 어떤 점을 좋아하지 않습니까? 이유는 무엇입니까?)

2. 당신은 목표(목적, 목표물)나 프로그램의 주도적 철학이 무엇이라고 여깁니까? (당신은 이 목표나 철학에 동의합니까? 당신은 프로그램이 다루는 문제들이 심각하다고 생각합니까? 중요하다고 생각합니까?)

3. 당신은 프로그램을 위한 이론이나 모형이 무엇이라고 생각합니까? (당신은 그것이 왜/어떻게 작동한다고 생각합니까? 그것은 어떻게 작동해야 합니까? 왜 프로그램 실행이 프로그램의 목적 또는 기준에 대한 성공으로 귀결될까요? 어떤 프로그램의 구성요소가 성공을 이끌어내는 데 있어 가장 핵심적입니까?)

4. 당신이 프로그램에 대해서 가지고 있는 근심은 무엇입니까? 프로그램의 결과에 대해서는 어떻습니까? 그것의 작동에 대해서는 어떻습니까? 다른 이슈는 없습니까?

5. 당신은 평가로부터 무엇을 배우고 싶습니까? 이 이슈들이 당신에게 중요한 이유는 무엇입니까?

6. 당신은 이 질문들에 대한 답에서 얻은 정보를 어떻게 사용할 수 있었습니까? (당신은 그것을 결정하고 당신의 이해를 강화하는 데 사용하시겠습니까?)

7. 당신은 질문에 대한 답이 무엇이라고 생각합니까? (당신은 이미 답을 알고 있습니까? 답이 다르다면 관심을 가지시겠습니까?)

8. 이 질문에 흥미를 가질 만한 다른 이해관계자들이 있습니까? 그들은 누구입니까? 그들의 관심사는 무엇입니까?

는 구성원들에게 평가가 유용하고 반응적이라는 점을 보증하는 단계를 취한다. 예를 들어 외부 재단의 자금을 받는 리더십 훈련 프로그램을 생각해보라. 그러한 프로그램 이해관계자들과의 인터뷰는 다음과 같은 질문들을 만들어낼 수 있다.

1. (프로그램 행정가로부터) 우리는 정해진 시간과 예산 범위 내에서 진행하고 있습니까? 우리는 이 프로그램을 위한 기본 기대에 부합하고 있습니까? 프로그램이 계획대로 이행되고 있습니까? 어떤 변화가 왜 일어났습니까? 참여자들은 희망한 수준에서 목표로 했던 리더십 기술을 얻고 있습니까?

2. (프로그램 스태프로부터) 우리는 계획대로 프로그램을 전달하고 있습니까? 어떤 변화가 어떤 이유로 프로그램 모형으로부터 만들어지고 있습니까? 훈련생들은 프로그램에 어떻게 반응하고 있습니까? 어떤 단계들/방법들이 제일 잘 작동합니까? 최악은 어떤 것입니까?

3. (프로그램이 목표로 삼은 참여자들로부터) 참여자의 리더십 기술은 정말 향상되었습니까? 참여자들은 리더십 기술을 자신의 직업에서 사용하고 있습니까? 어떻게 사용합니까? 프로그램의 어떤 부분이 참여자에게 가장 유용합니까?

4. (조직의 최고 관리자로부터) 프로그램이 목적을 달성하고 있다는 어떤 증거가 있습니까? 이 프로그램은 훈련생들의 업무 단위에 원했던 영향을 주고 있습니까? 이 프로그램은 우리의 조직에서 다른 변화를 위한 모형으로 기능할 것 같습니까? 이 프로그램의 작업이 조직을 어떻게 변화시키고 있습니까? 기초 지원이 종료되어도 지속되는 비용은 무엇이 있겠습니까?

5. (재단으로부터) 프로그램은 약속한 것을 이행하고 있습니까? 변화를 목표로 했던 변수들이 실제로 변화했다는 어떤 증거가 있습니까? 이 프로그램의 비용대비 효율은 어떻습니까? 프로그램이 다른 환경에서 확립될 수 있을까요? 기초 자금이 끊어져도 프로그램이 지속되리라는 근거는 무엇입니까?

경험적 학습법으로 평가 접근법 활용하기

이 책의 2부에서 평가에 대한 다양한 접근법들을 분석하면서 우리는 특정한 개념적 틀과 각 접근법 아래에서 발전한 모형들이 평가 질문을 만들어내는 데 중요한 역할을 하고 있음에 주목하였다. 이는 평가 과정에서 하나의 단계이며, 이 단계에서 다른 평가 이론가들이 만든 개념적 작업은 상당한 배당금을 지불한다.

2부에서 요약한 평가 문헌을 검토할 때 평가자는 어떤 질문들로 향하게 된다. 때때로 하나의 틀은 불완전하게 맞춰지고 한쪽으로 제쳐놓아야 하지만, 일반적으로는 다음의 예들이 설명하는 것처럼 각 접근법이 가치 있는 무언가를 제안한다.

프로그램중심 접근법은 우리가 프로그램의 특성을 평가에 대한 유도장치로 사용하도록 부추긴다. 목표중심 접근법은 우리가 목표와 목적의 성취 여부를 측정하도록 이끌지만, 우리가 모든 목표들을 평가하지는 못할 것이다. 어떤 목표들이 이해관계자들의 관심을 가장 많이 사로잡는가? 그 이유는 무엇인가? 다른 것들이 관심을 받지 못하는 이유는 무엇인가? 특정 목적이 달성되었는지를 결정하기 위해서 우리가 사용하게 될 기준은 무엇인가? (성공으로 여기기 위해서는 수행을 얼마나 잘해야 하는가?) 이론에 기초한 접근법들은 프로그램을 위한 이론을 발전시키거나 분명히 표현하도록 하고, 프로그램 이전에 존재했던 문제들을 프로그램 활동 및 그 다음에는 프로그램 결과들과 연결시킴으로써 프로그램에 대해 학습하도록 우리를 장려한다. 평가 질문들은 이 과정에서 출현한 개념들 중 어떤 것들에 기초한 것일 수도 있다. 이 과정에는 프로그램이 다루기 위해서 고안된 문제에 대해서 더 많이 학습하는 것, 핵심적인 프로그램 활동 및 즉각적인 산출과의 연계를 조사하는 것, 또는 즉각적이거나 장기간의 프로그램 결과들을 탐구하거나 기록하는 것이 포함될 수 있다.

의사결정중심(decision-oriented) 접근법은 평가자가 정보 요구와 내려야 할 결정에 초점을 맞추도록 이끈다. Stufflebeam이 발전시킨 바로 그 관리중심(management-oriented) 접근법은 프로그램의 다양한 단계, 즉 맥락(요구), 투입(설계), 과정(이행), 상품(결과) 단계에서 전형적으로 발생하는 질문들을 만들어낸다. 활용에 초점이 맞춰진 평가는 평가자들이 목표로 했던 주요 사용자들을 확인하고 이 단계에서 그들의 정보 요구에 부합하는 평가 질문을 확인하는 데에 그들을 가담시키도록 부추긴다(Patton, 2008a).

참여자중심 접근법은 우리가 모든 이해관계자들을 반드시 고려해야 한다는 것과 각 집단과 개인이 비공식적인 대화를 할 때도 하는 말을 들어야 한다는 것을 우리에게 환기시킨다. 실천적 참여 방식의 접근법과 변혁적 참여 방식의 접근법 간 차이는 우리가 이해관계자 참여를 통해서 무엇을 이루고자 하는지를 고려해야 한다는 점을 환기시킨다. 실천적 참여 방식의 접근법은 종종 몇몇 이해관계자들(관리자들 또는 프로그램 스태프)을 더욱 깊이 가담시킴으로써 활용을 증대하려는 경향이 있다. 변혁적 참여 방식의 접근법은 이해관계자들이 자신의 프로그램을 평가하고 효율적인 결정을 하거나 환경이나 맥락에서 힘의 차이에 대해서 더 학습하게 하고 그 힘의 우위를 변화시킬 힘을 부여하기 위해 고안되었다. 그래서 이 단계에서는 이 두 가지 접근법들이 매우 다른 방향들을 택하게 될 것이다. 대부분의 실천적 접근법에서는 다른 이해관계자들을 고려하거나 인터뷰하기 더 쉬움에도 불구하고 평가자들이 평가 질문을 확인하기 위해 몇몇 이해관계자들과 제휴해서 작업하고 있다. 변혁적 접근법과 평가 능력 구축(evaluation capacity building, ECB)에서는 이해관계자들이 평가 질문을 명시하고 명확히 하는 것을 통해서 배우도록 하기 위해 평가자가 오히려 뒷자리를 택한다.

소비자중심 접근법은 평가에서 어떤 구성요소들이나 특성을 연구할 것인지를 결정하거나 어떤 기준을 적용할 것인지를 결정할 때, 상당한 가치가 있을 수 있는 많은 점검 목록과 준거 집합을 만들어냈다. 전문가중심 접근법은 교육, 정신 건강, 사회 서비스, 사법 정의 그리고 다른 현장에서 동시대의 전문가들이 사용하는 준거와 가치들을 반영하는 기준과 비판들을 만들어냈다.

이러한 상이한 접근법들이 어디에서도 나타나지 않을 수도 있는 질문들을 자극할 정도까지, 이 접근법들은 평가자가 평가에 초점을 맞추는 발산 상태에서 고려해야 하는 중요한 자원이다. 주목했던 것처럼 많은 이해관계자들이 평가가 다룰 수 있는 사안의 다양성에 익숙하지 않다. 평가는 반드시 결과를 측정해야 한다고 가정하면서, 이해관계자들이 때로는 오직 결과에만 초점을 맞추게 될 것이라는 것을 우리는 알고 있다. 이것은 특히 오늘날의 결과 지배적인 문화에서 사실이다. 비록 많은 경우에 그러한 초점이 적절할지라도 프로그램의 단계와 이해관계자들의 요구가 주어졌을 때 종종 다른 관심사들이 더 중요해지기도 한다. Posavac(1994)은 형성평가가 더욱 적절한 전략일 때에도 이해관계자들이 평가에 대한 제한된 이해로 인해 총괄평가를 지지하는 것으로 귀결되었다고 서술한다. 그는 평가자들이 반드시 "의뢰인들에게 진짜 무엇이 필요한지 이해하도록 돕는 데 있어서 능동적인 역할"을 해야 한다고 주장한다(p. 75). 마찬가지로 Fitzpatrick(1989, 1992)이 서술한 것은 결과를 해석하려고 프로그램 활동들을 사용하기 위해 그녀가 프로그램 활동들을 조사하는 것을 이해관계자들이 허락하도록 그녀가 그들에게 어떻게 설명했는지에 대한 것이다. 프로그램을 감독했던 주(州) 공무원들은 작동 중인 프로그램을 거의 본 적이 없음에도 불구하고 프로그램이 계획된 대로 전달되고 있다고 확신했다. 그녀가 제시한 결과는 그들이 프로그램의 성공과 실패를 이해하는 데 도움을 주기도 한 중요하고 놀라운 정보를 제공했다. 평가 모형들은 평가자가 평가를 위해 다른 집중 영역을 고려하도록 도와줄 수 있고, 평가가 조사할 수 있는 무수히 많은 사안들에 대해서 이해관계자들을 교육시킬 수 있다.

프로그램 현장에서 조사와 교육 작업 활용하기

많은 평가자들이 제한된 수의 콘텐츠 영역이나 분야에 작업의 초점을 맞춘다. 어떤 평가자들은 전적으로 교육 현장에서 일한다. 다른 사람들은 정신 건강, 건강 교육, 사법 제도, 사회 서비스, 훈련 또는 비영리 경영과 같은 영역에서 일한다. 어떤 경우에든 평가자는 프로그램 영역에서 이론과 연구 결과에 대한 지식이 있어야 하고 현재의 평가에 그것들이 적절한지 고려해야 한다. 종종 평가자가 프로그램의 분야에서 일을 해본 적이 있더라도, 평가자는 이해관계자들과의 인터뷰에 덧붙여 프로그램의 명시된 분야에서의 문헌 검토를 수행해야 한다. 이는 어떤 중재가 어떤 유형의 학생들 또는 의뢰인들에게 효과가 있는지 알려진 것에 대해서 더 많이 학습하기 위한 것이다.

기존 연구와 이론들이 평가자가 이해관계자들의 프로그램 이론을 발전시키거나 수정하는 데 도움을 줄 수 있고, 평가를 이끄는 질문을 제시할 수도 있다. Chen(1990), Weiss(1995, 1997), 그리고 Donaldson(2007)은 평가를 이끄는 프로그램 모형을 발전시키거나 수정하는 데 사용하기 위해 기존의 이론과 조사를 사용하는 방법을 설명한다. 기존의 조사와 이론은 다음과 같은 목적을 위해 사용될 수 있다. 프로그램이 다루게 되어있는 문제들의 원인 확인하기, 이 문제들을 바로잡기 위해서 성공하거나 실패한 특정 요인들에 대해 더 학습하기, 그리고 특정한 학생들이나 의뢰인들에게 프로그램의 성공을 강화하거나 방해할 수 있는 조건 점검하기 등이다.

연구 문헌은 평가자가 평가받는 프로그램이 성공할 수 있는지 가능성을 고려하는 데 도움을 줄 수 있다. 연구 문헌은 프로그램 평가자가 연구 문헌에서 프로그램 개발자들이나 이해관계자들의 모형인 기존의 규범적인 프로그램 모형과 다른 모형들을 비교하는 데 유용할 수 있다. 이 모형들 사이의 불일치가 평가 질문들을 위한 중요한 영역을 제시할 수 있다. 예를 들어 프로그램의 이해관계자들은 개별 학생들의 흥미와 독서 수준에 맞도록 선택된 책을 더 많이 읽음으로써 학습이 향상될 것이라고 주장할 수 있다. 연구는 학교에서 확인된 특정한 독서 문제들을 위해서 보다 직접적인 교사의 개입이 요구된다는 것을 보여줄 수도 있다. 규범적인 모형과 연구 사이의 그러한 차이점들은 프로그램이 실패할 것임을 자동적으로 증명하는 것이 아니라 평가가 이 차이들과 관련된 질문들을 검토해야 한다는 것을 암시하는 것이다. 유사한 프로그램에 대한 공표된 평가들은 검토되어야 하는 질문들뿐만 아니라 평가 연구를 위해 생산적일 수도 있는 방법, 측정, 설계를 제안할 수 있다.

연구에 대한 익숙함과 상담 역할에 대한 확신이 평가자가 이해관계자들의 접근법이 가지는 잠재적 강점과 약점에 대해 그들에게 교육시키는 데 도움을 줄 수 있다. 예를 들어 교사들을 위한 성과급 프로그램의 열정적 후원자들은 여러 다른 환경에서의 성과급에 대한 뒤섞인 실증적 결과들을 환기할 필요가 있을 수도 있다(Milanowski[2008], Perry, Engbers, Jun[2009] 참조). 학교에서 신체 건강과 건강한 식사 프로그램을 지지하는 사람들은 이웃 이민자들의 문화와 프로그램의 성공에 대한 그들의 영향을 고려해야 한다는 것을 무시했을 수도 있다. 평가자는 그러한 사안을 제기할 책임이 있다.

때때로 위원회들과 대책 위원회들(task forces)은 정부의 수장들에게 흥미 있는 문제들을 연구하기 위해 국가, 지역 또는 지역 정부에 의해서 수립된다. 그러한 보고서들은 자극적인 질문들을 제기하고, 경우에 따라서는 근거가 없는 주장들을 함에도 불구하고 대개 현재의 사회적인 관심사들, 사안들 그리고 그 분야나 지역의 믿음들을 반영한다. 또한 그것들은 정보통인 평가자의 관심을 특정 평가 기간 동안 발생하게 된 사안들로 끄는 데 사용될 수도 있다. 평가가 유익하다고 여겨질 수는 있지만 오늘날 그 분야의 정말 시급한 사안들에 대한 정보가 없다는 결과와 함께, 현재의 중요한 사안들에 대한 질문은 평가자가 제기하지 않는다면 생략될 수도 있다. 확실히 우리는 평가 연구에서 어떤 질문들이 다루어지게 될지를 결정하기 위해서 일시적으로 유행하는 우세한 집단의 접근법을 제안하고 있지는 않다. 그러나 현재의 전문적인 문헌과 다른 미디어에 스며들고 있는 교육적이고 사회적인 사안들의 적절성에 대해 자각하지 않고 고려하지 않는 것은 실로 순진한 것일 수 있다.

전문 기준, 점검 목록, 가이드라인, 그 외 곳에서 개발 및 사용된 준거 활용하기

많은 현장에서 실행을 위한 기준이 개발되어 왔다. 종종 그러한 기준은 질문을 만들어내는 데 도움을 주거나 준거들을 명시하는 데 사용될 수 있다(예를 들어 건강아레나(health arena)에서 예방 프로그램에 대한 평가에 사용된, 예방 연구회(Society for Prevention Research)가 개발한 『근거의 기준(Standards of Evidence)』을 참조하라. http://www.pre-ventionresearach.org/StandardsofEvidencebook.pdf). 기존의 조사와 평가처럼 기준들은 기존의 프로그램에 초점을 맞추었을 때 간과되었을 수 있는 영역을 표시할 수 있다. 기준들은 평가자들이 자신의 도구 모음 속에 가지고 있어야 할 중요한 자원들이다. 누군가가 평가 그 자체의 성공을 평가하고 있다면, 『프로그램 평가 기준(Program Evaluation Standards)』은 분명히 그 평가를 위한 중요한 지침으로 사용될 것이다(우리는 14장에서 메타평가, 즉 평가를 위한 평가를 망라할 것이다). 마찬가지로 인가 협회들도 고등교육 기관과 의료 기관들을 판단하기 위한 기준을 개발한다. 그들의 기준에 대한 검토로 인해 평가자와 이해관계자들이 전에는 무시되었던 평가 질문들을 고려하도록 유도할 수도 있다.

전문 상담가들에게 질문이나 준거를 명시하도록 요청하기

종종 평가자들은 자신들의 내용 전문지식 영역 밖의 프로그램을 평가해 달라는 부탁을 받는다. 예를 들어 어떤 평가자는 자신이 독서 프로그램에 대해서 아는 것이 거의 없음에도 불구하고 학교의 독서 프로그램을 평가해 달라는 요청을 받을 수도 있다. 이해관계자들은 평가자에게 프로그램의 세부사항에 대해 도움을 주어 가치 있는 전문지식을 제공할 수 있다. 그러나 어떤 경우에는 평가자가 자신들이 프로그램 스태프들로부터 얻을 수 있는 것보다 더 중립적이고 폭넓은 시각을 제공하기 위해서 프로그램의 내용에 전문성을 지닌 상담가를 활용하고자 할 수도 있다. 그러한 자문위원들은 현재의 지식과 실천을 반영하는 평가 질문들과 준거들을 제시하는 데 도움이 될 수 있다.

예를 들어 학교 독서 프로그램 평가의 사례에서, 상담가는 다루어야 하는 평가 질문들의 목록을 만들어내는 것만 요청받는 것이 아니라, 앞서 이루어진 독서 프로그램의 평가, 국제독서협회(International Reading Association)와 같은 전문 기구가 설정한 기준을 확인하고 독서 프로그램 평가를 위한 준거와 방법들에 대한 연구도 요구받았을 수 있다. 이데 올로기적인 편향에 대한 걱정이 있다면 평가자는 독립된 자문위원을 한 명 이상 고용할 수 있다.

평가자의 전문적 판단 활용하기

평가자들은 잠재적인 질문과 준거들을 만들어낼 때 자신의 지식과 경험을 간과해서는 안 된다. 경험이 있는 평가자들은 평가의 대상을 세부적으로 서술하는 것과 요구, 프로그램 활동, 결과들을 보는 것에 익숙하다. 아마도 평가자는 다른 환경에서 유사한 평가를 해보 았기 때문에 가장 유용한 것으로 증명된 질문이 무엇인지 경험을 통해서 알고 있을 것이 다. 평가와 프로그램 내용 분야의 전문적인 동료들이 부가적인 질문이나 준거들을 제시할 수 있다.

평가자들은 최소한 부분적으로라도 의심하도록, 즉 그렇게 하지 않으면 고려되지 않 을 수 있는, (사람들이 희망하기에) 통찰력 있는 질문들을 제기하도록 훈련받는다. 이러 한 훈련이 평가 질문들과 기준들을 확인하는 발산의 과정보다 더욱 가치 있는 것은 아니 다. 평가자가 그것들을 제기하지 않았다면 어떤 중요한 질문들이 생략될 수 있기 때문이 다. House와 Howe(1999)가 평가에서 힘없는 이해관계자들에게 발언권을 주는 숙의민주 주의를 옹호하기는 하지만 그들은 자신들의 관점에서 평가자들이 자신들의 전문지식을 이용하기 위한 권한과 책임을 지닌다는 것을 명확히 한다. 틀림없이 평가자들은 다른 이 해관계자들의 가치와 시각을 가져오고 균형을 맞춘다. 그렇지만 평가자들은 평가를 이끄 는 데 주요 역할을 하고 그러므로 그들은 평가 질문의 유형을 파악하는 데 자신들의 전문 지식을 반드시 이용해야 한다. 그 유형의 평가 질문들은 프로그램의 각각 다른 단계에서 특정한 평가 맥락의 제약과 자원 안에서 가장 유용하게 다루어질 수 있다.

권한부여(empowerment) 평가의 맥락에서조차도 평가자들은 그 단계에서 평가자의 역할의 중요성을 인식한다. 권한분여 평가에 대한 서술에서 Schnoes, Murphy-Berman과 Chambers(2000)는 자신들이 사용자에게 권력을 주기 위해 열심히 노력한다는 것을 명확 히 한다. 그러나 궁극적으로 그들은 다음과 같이 쓰고 있다. "특히 타당한 측정 결과들을 구성하고 있는 의뢰인들의 이해와 개념이 평가자의 지지를 받은 기준과 상충한다면, 누구 의 책무성 기준이 프로젝트의 결과들을 규정할 때 우세해야 하는가?"(p. 61). 평가자들은 자신들의 지식과 전문지식 때문에 고용되고, 평가자들이 자신의 지식과 경험에 기초하여 평가 질문을 추가하는 것은 적절할 뿐만 아니라 많은 상황에서 의무적이다.

새로운 프로젝트를 바라보는 경험 있고 통찰력 있는 평가자들은 다음과 같은 질문을 제시하게 될 것이다.

- 프로젝트의 목적들이 정말 중요하게 사용되도록 예정되어 있는가? 프로젝트가 고 안되면서 필요에 대한 근거가 충분한가? 다른 중요한 요구들이 방치되지는 않았는 가?
- 프로젝트의 목표, 목적 설계가 문서로 기록된 요구들과 일치하는가? 프로그램 활 동, 내용, 소재들이 학생 또는 의뢰인들의 요구, 목표, 목적들과 일치하는가?
- 프로젝트의 목표들과 목적을 완수하는 데에 대안적인 전략들이 고려되었는가?
- 프로그램은 공익을 위해 봉사하는가? 프로그램이 민주적인 목표, 공동체의 목표를 위해 봉사하는가?
- 이 프로그램에서 나타날 수도 있는 예상치 못한 부작용은 무엇인가?

평가자들은 스스로에게 다음과 같은 질문들을 할 수 있을 것이다.

- 다른, 유사한 프로젝트의 평가에 기초한 질문 중 어떤 것들이 이 평가에 포함되어 야 하는가?
- 다른, 유사한 프로젝트에 대한 자신의 경험에 기초할 때, 어떤 새로운 생각과 잠재 적인 문제 지점들, 그리고 예상된 결과들 또는 부작용들이 투영될 수 있는가?
- 다른 이해관계자들이 어떤 유형의 근거를 수용하게 되는가? 근거에 대한 그들의 준 거가 현재의 평가 질문들에서 성공적으로 다루어질 수 있는가?
- 프로젝트가 진행됨에 따라 어떤 중요한 요소와 사건들이 점검되고 관찰되어야 하 는가?

복수의 자료로부터 제안 요약하기

발산 과정의 어딘가에서 새로운 질문들이 만들어지지 않고 있을 때 평가자는 수확 체감 의 지점에 도달할 것이다. 각각의 사용 가능한 재원들이 이용된다는 것을 가정하고, 평가 자들은 자신들이 입수해온 것을 조사해야 한다. 대체로 그들이 조사한 것은 잠재적인 준 거들과 함께 수십 개의 잠재적 평가 질문의 긴 목록이다.

정보가 보다 손쉽게 받아들여질 수 있고 훗날 사용될 수 있도록 평가자는 평가 질문들 을 범주화하여 정리하려고 할 것이다. 이때에는 Stufflebeam(1971)의 CIPP 모형, 권한부 여 평가의 10단계 접근법(Wandersman et al., 2000) 또는 Rossi의 프로그램 이론(12장 참 조)과 같은 평가의 틀이나 접근법들이 유용할 것이다. 평가자는 이 틀 중 하나의 명칭을 차용하거나 연구에 맞춰진 새로운 범주들을 만들어낼 것이다. 자료와는 상관없이, 다룰 수 있을 정도의 범주들을 가지는 것이 잠재적 질문들을 조직화하고 그것들을 다른 사람들과 소통할 때 필수적이다. 학교에서 갈등 해결 프로그램에 대한 평가 계획의 발산 단계에서 제기될 수 있는 가능한 질문들의 예가 여기 있다.

요구 사정(Needs Assessment) 또는 맥락

1. 학교에서 학생들 사이에 어떤 종류의 갈등이 발생하는가? 갈등에 가담하기 쉬운 사람은 누구인가(나이, 성별, 성격)? 갈등의 본질은 무엇인가?

2. 프로그램 이전에는 갈등이 어떻게 해결되었는가? 이 전략의 결과로 어떠한 종류의 문제들이 발생했는가?

3. 학생들이 가지고 있는 의사소통 수단 중 갈등 해결의 기반으로 삼을 수 있는 것은 무엇인가? 학습이나 갈등 해결 기술의 사용을 방해하는 문제로 학생들이 가지고 있는 것은 무엇인가?

4. 현재 얼마나 많은 갈등이 발생하는가? 각각의 유형이 얼마나 자주 발생하는가?

5. 현재의 갈등이 학습 환경에 어떤 영향을 미치는가? 학교의 관리에는 어떤 영향을 미치는가? 학생들의 동기와 능력에는 어떤 영향을 미치는가? 좋은 교사들을 유지하는 데는 어떤 영향을 미치는가?

과정 또는 모니터링

1. 갈등 해결 트레이너는 훈련을 제공하기에 충분한 역량이 있는가? 적합한 인력이 훈련을 수행하도록 선발되어 왔는가? 아니면 다른 사람들을 사용해야 하는가?

2. 훈련을 위해 선발된 학생들은 목표 청중을 위한 명시된 준거들에 부합하는가?

3. 전체 훈련 프로그램에 참여하는 학생들의 규모는 어느 정도인가? 훈련에 참여함으로써 학생들이 놓치는 것은 무엇인가(기회비용)?

4. 훈련은 지정된 목표들을 다루는가? 훈련 수준의 강도와 지속기간은 필요한 수준인가?

5. 학생들은 예정되었던 방법으로 훈련에 참여하는가?

6. 훈련은 어디에서 진행되는가? 훈련을 위한 물리적 환경이 학습에 도움을 주는가?

7. 학교의 다른 교사들은 갈등 해결 전략의 사용을 권장하는가? 어떻게 권장하는가? 교사들 자신이 이 전략을 사용하는가? 어떻게 사용하는가? 그들이 사용하는 다른 전략은 무엇인가?

결과들

1. 훈련을 받은 학생들은 원하는 기술을 습득하는가? 그들은 그 기술들이 유용할 것이라고 믿는가?

2. 학생들은 훈련 수료 한 달 후에 이 기술들을 유지하고 있는가?

3. 프로그램 수료 후 한 달간 어느 정도 규모의 학생들이 갈등 해결 전략을 사용하는가? 그 전략을 사용하지 않은 학생들은 왜 사용하지 않았는가? (그들이 갈등에 직면하지 않아서인가, 아니면 갈등에 직면했지만 어떤 다른 전략을 사용했기 때문인가?)

4. 어떤 환경에서 학생들이 그 전략을 가장 많이 사용할 것 같은가? 가장 사용하지 않을 것 같은 환경은 무엇인가?

5. 다른 학생들은 그 학생들이 그 전략을 사용하는 것을 어떻게 지지하거나 방해했는가?

6. 학생들은 그 전략들을 다른 사람들과 논의하고 그들에게 가르쳤는가?

7. 학교에서 갈등의 발생 정도는 감소되었는가? 감소는 그 전략을 사용했기 때문인가?

8. 다른 학생들이 그 전략을 훈련받아야 하는가? 다른 어떤 유형의 학생들이 이익을 받는가?

어떤 한 연구에서 이 모든 질문들을 다룬다는 것은 실현 가능하지도 않고 바람직하지도 않다는 것이 신중한 평가자들과 이해관계자들에게는 분명할 것이다. 실천적인 면을 고려하여 연구는 감당할 수 있는 수준으로 제한되어야 한다. 어떤 질문들은 또 다른 연구를 위해 남겨둘 수 있다. 또 다른 질문들은 중요하지 않은 것으로 버려질 것이다. 그러한 솎아내기가 수렴 단계의 기능이다.

다루어야 할 질문, 준거, 사안 선별하기: 수렴 단계

Cronbach(1982)는 평가 계획의 수렴 단계를 위한 요구를 적절하게 소개한다.

앞 절[발산 단계]에서 마치 평가를 완벽하게 만드는 것이 이상적인 것처럼 말했지만 그것은 불가능하다. 평가에서 체계적으로 다루어질 변수들의 범위가 축소되는 데에는 최소 세 가지 이유가 있다. 첫째, 항상 예산의 한계가 있을 것이다. 둘째, 연구가 점점 복잡해지면서 다루기가 점점 더 어려워진다. 정보의 양이 평가자가 소화하기에 너무나 많아

대부분은 시야에서 벗어난다. 셋째가 아마 가장 중요할 텐데, 청중들이 관심을 기울이는 기간이 제한된다는 것이다. 프로그램에 대해 정통하기를 원하는 사람은 거의 없다. 행정가들, 국회의원들, 그리고 여론 주도층들은 뛰어 돌아다니며 듣는다.

　　발산 단계에서는 어떤 것이 조사할 가치가 있을 것인지 확인한다. 여기에서 조사자는 최대 대역폭을 목표로 한다. 반면, 수렴 단계에서 조사자는 어떤 불완전한 것을 가장 잘 받아들일 수 있는지 결정한다. 그는 가능한 것들의 목록을 선별함으로써 대역폭을 축소시킨다(p. 225).

완전한 발산 계획 단계에서 생성된 모든 질문에 책임 있게 답할 수 있는 평가는 없다. 프로그램의 일정 단계에서 어떤 질문들은 그 단계에 적합하지만 다른 질문들은 그렇지 않다. 마찬가지로 예산, 기간, 맥락으로 인해 다룰 수 있는 질문들이 제한될 것이다. 따라서 문제는 이 질문들을 관리할 수 있는 수준으로 걸러낼 것인지의 여부가 아니라 누가 어떻게 해야 하는가이다.

수렴 단계에 누가 관여해야 하는가?

어떤 평가자들은 중요하고 실질적인 평가 질문 선별이 평가자의 유일한 영역인 것처럼 글을 쓰고 행동한다. 그렇지 않다. 사실 다룰 질문들이나 적용될 평가 준거들을 선별하는 것에 대한 책임을 평가자가 혼자 맡아야 하는 환경은 없다. 이 임무는 이해관계자와의 밀접한 상호작용을 요구한다. 평가의 후원자, 주요 청중들, 그리고 평가의 영향을 받는 개인이나 단체는 모두 목소리를 내야 한다. 종종 이때가 상이한 이해관계자 집단의 대표자들로 구성된 자문단을 설립할 시기이다. 이 자문단은 평가 질문들을 솎아내고, 평가의 남은 과정에서 공명판(sounding board)과 조언자로 봉사할 것이다.

　　실제로 어떤 평가자들은 질문의 최종 선택권을 평가 후원자나 의뢰인에게 넘겨주는 것에 만족한다. 물론 이것은 평가자의 임무를 가볍게 해준다. 그러나 우리가 보기에, 그 쉬운 과정을 선택하는 것은 의뢰인에게 폐를 끼치는 것이다. 평가자의 특별한 훈련과 전문지식을 갖추지 못한 의뢰인은 연구에서 답할 수 없거나 값비싼 많은 질문들을 제기하는 상황에 처하게 될 것이다.

수렴 단계는 어떻게 수행되어야 하는가?

평가자는 평가를 위한 질문을 선별하기 위해 다수의 이해관계자들과 어떻게 함께 작업할 수 있는가? 우선 평가자는 잠재적 평가 질문들의 순위를 정하는 데 사용될 준거를 제안할 수 있다. Cronbach 외(1980)가 다음 준거들을 제안한다.

> 지금까지 우리는 평가자가 폭넓게 살펴볼 것을 권장했다. 그래서 연구의 모든 조사가 동일하게 중요하지는 않다는 것을 우리는 지나가면서 인정했다. 질문 목록의 규모를 어떻게 줄일 것인가가 분명한 다음 화제이다.
>
> … 사전 불확실성, 정보 산출량, 비용, 그리고 레버리지(즉, 정치적 중요성)의 준거가 동시에 고려된다. 이 준거들은 다음과 같이 추가적으로 설명된다. 한 연구가 불확실성을 감소시킬수록 정보 산출량은 더 많아지고 그에 따라 연구도 더 유용해진다.
>
> 레버리지는 정보를 믿는다면 그 정보가 일의 진행 과정을 변화시킬 가능성을 말한다 (pp. 261, 265).

우리는 제기된 평가 질문들 중 어떤 것이 조사되어야 하는지를 결정하기 위해서 다음과 같은 기준들을 제안함에 있어 Cronbach의 생각에 의존한다.

1. 누가 정보를 사용할 것인가? 누가 알고 싶어하는가? 평가 질문이 누락된다면 누가 화를 낼 것인가? 자원을 제한 없이 사용할 수 있다면, 우리는 (사생활 침해의 권리는 제외하고) 민주주의 사회에서 알고자 하는 사람은 평가된 것에 대한 정보를 알 권리가 있다고 주장할 수 있다. 그러나 자원의 제약이 없는 경우는 거의 없고, 그런 경우가 있다 할지라도 평가 정보를 수집함에 있어 신중함이 수확 체감의 지점을 제안한다. 따라서 어떤 핵심 청중도 평가자가 특정 질문을 다루지 못함으로 인해 고통을 받지 않을 것이라면, 그 질문에 낮은 순위를 부여하거나 삭제하는 것이 당연하다. 핵심 청중은 누구인가? 그 청중은 평가의 맥락에 따라 달라질 것이다. 어떤 경우에 의사결정권자들이 핵심 청중이 되는 것은 결정이 임박해 있지만 그들은 정보를 모르고 있기 때문이다. 다른 경우에 사전에 가담하지 않았거나 정보가 없는 이해관계자들(프로그램 참여자들, 참여자의 가족 구성원들, 새로 생겨난 이해집단들)이 핵심 청중이 되는 것은 그들이 사전에 관여하지 않았고 알고자 하는 요구가 있기 때문이다.

2. 질문에 대한 답이 현재의 불확실성을 감소시키거나 지금은 활용하기 어려운 정보를 제공할 것인가? 아니라면 그것을 추구해야 할 이유가 거의 없는 것으로 보인다. 만약 답이 이미 존재한다면 (또는 정보를 사용할 의뢰인 자신이 답을 알고 있다고 생각한다면) 평가는 답이 아직 알려져 있지 않은 다른 질문들로 향해야 한다.

3. 질문에 대한 답이 주요한 정보를 산출할 것인가? 그것이 사건의 추세에 영향을

줄 것인가? 어떤 답변들은 호기심은 충족시키지만 그 이상은 거의 하지 못한다. 우리는 그것들을 "알아두면 좋은" 질문이라고 부른다. 중요한 질문은 프로그램과 의뢰인들과 관련된 실질적 사안에 대한 조치를 알려줄 수 있는 정보를 제공하는 것들이다. 그 질문들은 동기를 지닌 이해관계자들이 문제가 있다고 간주한 영역, 변화를 만들어 내거나 변화에 영향을 미치는 수단 등을 다룰 것이다.

4. 이 질문은 누군가에게 단지 지나가는 정도로 흥미로운 것인가? 아니면 지속된 흥미라는 중요한 차원에 초점을 두는가? 우선권은 지속적인 중요성을 지닌 핵심적인 질문들에 주어져야 한다. 프로그램 이론은 평가가 다룰 수 있는 프로그램의 핵심적 차원들을 확인하는 데 도움을 줄 수 있다.

5. 이 질문이 누락된다면 평가의 범위나 광범위함이 심각하게 제약될 것인가? 그렇다면 그 질문은 가능하다면 유지되어야 한다. 그러나 어떤 경우, 프로그램의 모든 측면을 평가할 때의 광범위함은 어떤 불확실한 영역을 자세히 평가하는 것보다 중요하지는 않다. 평가자와 이해관계자는 평가 질문을 선택할 때 폭 대 깊이라는 이슈를 의식적으로 고려해야 한다.

6. 활용 가능한 재정적 및 인적 자원, 시간, 방법, 기술이 주어졌을 때 이 질문에 답하는 것이 실현 가능한가? 제한적인 자원이 중요한 많은 질문들에 대답할 수 없게 만든다. 불가능한 꿈을 추구함으로써 좌절을 낳는 것보다는 그 질문들을 일찍 지우는 것이 더 낫다.

평가자와 의뢰인이 원래 질문 목록을 관리 가능한 집합으로 좁히는 데 도움을 주기 위해 여기서 살펴본 여섯 개의 준거들을 간단한 행렬로 제시할 수 있다(그림 13.2 참조). 그림 13.2는 오직 일반적인 가이드로 채택되거나 유연하게 사용될 수 있다. 예를 들어, 원래 목록에 존재하는 것만큼 많은 질문 목록으로 행렬을 확장하고, 그 후에 각 질문에 '예' 또는 '아니오'라고 답함으로써 행렬을 완성할 수 있을 것이다. 대안으로는 질문에 숫자 평점을 부과하는 방법이 있는데, 이는 질문에 가중치를 부여하거나 순위를 정하도록 도와주는 이점을 제공한다.

이해관계자들과 함께 작업하기. 행렬이 어떻게 사용되더라도 평가자와 의뢰인(자문단 또는 자문단이 없다면 다른 이해관계자의 대표자들)은 그것을 완성하기 위해 함께 작업해야 한다. 평가자가 실현 가능한 것에 대한 발언권을 가지고 있을 수 있지만, 질문의 상대적

그림 13.2 평가 질문에 순위를 매기거나 선별하기 위한 행렬

평가 질문	1	2	3	4	5	... n
1. 주요 청중에게 흥미가 있을 것인가?						
2. 현재의 불확실성을 감소시킬 것인가?						
3. 중요한 정보를 산출할 것인가?						
4. (잠깐 동안이 아닌) 지속적인 흥미가 있을 것인가?						
5. 연구 범위와 포괄성에 중요한 것인가?						
6. 사건의 진행 과정에 영향을 미칠 것인가?						
7. 다음과 관련해서 답할 수 있는가?						
A. 재정 자원과 인적 자원						
B. 시간						
C. 활용 가능한 방법과 기술						

인 중요성은 의뢰인과 다른 이해관계자들에 의해 결정될 것이다. 완성된 행렬을 검토해보면 답변할 수 없는 질문이 어떤 것인지, 어떤 질문이 중요하지 않은지, 어떤 질문을 추구할 수 있고 추구해야 하는지가 신속히 드러낸다.

어떤 경우에는 평가자가 다음과 같은 일에서 주도적인 역할을 할 수도 있다. 그 일은 질문을 분류하는 것, 같은 방법으로 다루어질 수 있는 것들을 결합하는 것, 질문이 분명해지도록 편집하는 것, 각각의 실현 가능성과 준거들을 고려하는 것, 의뢰인이나 집단이 검토할 목록을 개발하는 것 등이다. 목록은 권장 질문들, 충분한 이익이나 더 많은 자원을 부여하는 잠재적 질문들, 이 지점에서 누락시킬 수 있는 질문들로 조직화할 수 있을 것이다.

아마도 연구 범위의 증가와 감소에 대해 협상하거나 어떤 질문들을 가감하기 위한 근거에 대해 논쟁하면서, 후원자나 의뢰인은 선별된 질문들을 더하거나 빼고자 할 것이다. 이 중요한 협상에서 평가자는 자신들의 전문적 판단이나 대표되지 않은 이해관계자들의 이익을 방어하는 것이 필요하다고 생각할 수도 있다. 이것은 어려울 수 있다. 만약 후원자나 의뢰인이 평가 질문의 선별에 대해 지나치게 많은 통제를 요구한다면 (예를 들어, 답할 수 없는 질문이나 일방적인 답안을 산출하기 쉬운 질문들을 포함할 것을 요구하거나, 어떤 이해관계자 집단의 요구를 무시한다면) 평가자는 반드시 평가가 절충될 수 있는지의 여부를 판단해야 한다. 평가자는 이 기회에 평가가 무엇을 할 수 있는지와 평가 실천에 대한 윤리적 가이드라인을 후원자에게 교육시켜야 하겠지만, 이 지점에서 평가를 끝내는 것이 모든 관계자들에게 최고의 관심사가 될 수도 있다. 역으로 평가자들은 자신들이 선호한 질문들을 고집하고, 후원자나 의뢰인의 합법적인 관심사를 무시하는 것을 삼가야 한다.

대개 평가자와 의뢰인은 어떤 질문이 다루어져야 하는지에 대해서 동의할 수 있다. 기분 좋은 합의(또는 타협)에 이르는 것은 의뢰인이 기꺼이 협력하기로 한 파트너십으로 평가 노력을 향하게 만드는 일종의 협력 관계를 확립하는 데 크게 기여한다. 주인의식의 공유는 다가올 평가 결과들이 결국 사용될 개연성을 크게 강화시킨다.

평가자와 의뢰인이 최종 평가 질문들을 선택한다면, 평가자는 다른 이해관계자에게 평가의 초점과 최종 질문에 대해 알려줄 의무가 있다. 이 대화를 촉진하기 위해서 평가자는 각 질문이 중요한 이유를 나타내는 짧은 설명과 함께 다루어질 질문 목록을 제공할 수 있다. 행렬(그림 13.2)이 사용된다면, 복사본이 제공될 수 있다. 질문 그리고/또는 행렬의 목록은 평가에서 주요 이해관계자들 모두와 공유되어야 한다. 그들은 이 잠정적인 질문 목록이 그들에게 주어지는 이유를 들어야 한다. 그 두 가지 이유는 (1) 평가에 대해서 계속 알 수 있도록 하는 것과 (2) 특히 추가된 질문들이나 삭제된 질문들에 대해 강한 느낌이 있다면, 그들의 반응을 끌어내기 위한 것이다. 최종 목록이 만들어지기 이전에 검토를 위한 충분한 시간이 별도로 확보되어야 한다.

근심스러운 언급에 대해서는 직접적인 대답이 필요하다. 평가자는 질문에 만족하지 않는 모든 이해관계자들과 후원자들과 만나야 한다. 또한 필요하다면 평가를 지속하기 전에 논의를 통해 모두가 만족할 수 있도록 근심사를 해결해야 한다. 평가의 범위를 둘러싼 당연한 사안들에 대해 조급히 결론을 내리도록 밀어붙이는 것은 평가자가 범할 수 있는 최악의 실수 중 하나이다. 해결되지 않은 갈등은 사라지지 않으며, 그것만 아니면 잘 계획된 평가를 무용지물로 만들 수도 있다.

주의사항이 하나 있다. 원치 않는 평가를 폐기하고자 하는 사람들이 사용하는 케케묵었지만 효과적인 계책은 해결 불가능한 반대를 하는 것이다. 기민한 평가자는 편협하거나 대답이 불가능한 질문들을 포함하자고 집요하게 고집하는 것을 알아차려야 한다. 이때에는 갈등의 당사자를 포함하는 이해관계자 자문위원회가 특히 유용할 수 있다. 그 위원회는 다루어져야 할 평가 질문들에 대한 제안을 듣고 만들어내는 임무를 부여받을 수 있다. 다른 이해관계자들과 평가자는 그때 반대를 명확히 하고, 질문을 적절히 수정하며, 합의로 나아가도록 할 수 있다.

평가 준거와 기준 명시하기

여기에서 마지막 단계는 프로그램과 성공의 기준을 판단하는 데 사용될 준거들을 명시하는 것이다. 이 단계는 최종 평가 질문에 대한 합의에 도달한 후에 매우 자연스럽게 도래한다. 어떤 질문들은 바로 그 본질 때문에, 평가자가 그 질문이 요구하는 판단을 내릴 수 있도록 준거와 그 준거를 위한 기준을 명시할 것을 요구한다. 대개의 경우 이것들은 질문에 답하는 것이 성공 또는 실패의 판단을 요구하게 되는 평가 질문이 된다. 준거와 기준들은 그러한 판단을 하는 데 도움을 주어야 한다.

우선, 준거와 기준에 대해서 조금 이야기해 보자. 그것들은 경우에 따라서 헷갈리기 때문이다. 준거란 무언가를 판단하는 데 중요하게 고려되는 요소들이다. Jane Davidson(2005)은 준거를 "보다 가치 있거나 소중한 평가 대상을 가치가 덜 하거나 덜 소중한 것과 구별하는 외형, 품질 또는 차원"으로 정의하고, "준거가 모든 평가에서 중심이다"라고 이야기한다(p. 91). 반면에 기준은 각 준거에서 기대되는 수행의 수준이다. 기준은 준거의 부분집합이다. 참여적 접근법이나 협력적 접근법을 사용하여 어떻게 평가의 기준을 세울 수 있는지 논의하면서, Cousins와 Shula는 Davidson의 관점을 되풀이한다.

> 프로그램 평가는 프로그램의 장점 그리고/또는 가치 그리고/또는 의미에 대한 판단을 요구한다. 그리고 판단은 체계적으로 수집된 자료를 통해 관찰된 것과 어떤 준거 또는 준거들의 집합 간 비교를 요구한다. 프로그램의 질을 평가할 때 질문이 자연적으로 생겨난다. '얼마나 좋아야 충분히 좋은 것인가?' 이 질문은 평가의 중심일 뿐만 아니라 평가를 사회과학 연구와 본질적으로 구분하는 핵심적 특징이라고 우리는 주장하고자 한다. 그 질문에 답하기 위해 프로그램 기준은 반드시 설정되어야 한다(2008, p. 139).

기준을 얻으면 프로그램은 그 준거에 따라 성공적이라고 판단할 수 있다. 예를 하나 들면 명확해질 것이다. 훈련 프로그램의 질을 판단하기 위해 사용할 수 있는 준거들에는 목표로 하는 참여자들의 출석, 프로그램에 대한 참여자의 만족, 그들의 주요 개념 학습, 그 개념을 직업에 적용하기 등이 포함될 수 있을 것이다. 훈련 프로그램에서 출석에 대한 기준은 훈련에 참여하도록 지명된 직원들 중 95%가 프로그램을 완수하는 것이 될 수 있다. 직업에 대한 적용의 기준은 프로그램을 완수한 사람들의 75%가, 다음 달 교사 팀과 교육과정을 계획하는 데 있어 프로그램에서 소개된 세 가지 교육과정 계획 수립 전략 중 최소 한 가지를 사용했다는 것이 될 수 있다. 이 기준에서 숫자는 어떻게 결정되는가? 이해관계자들과의 대화, 평가자의 전문지식, 다른 프로그램과 연구나 평가에서 나온 정보를 통해서이다. 그러나 합의를 이루는 것은 쉬운 일이 아니다. 그 과정을 살펴보도록 하자.

확실히 자료 수집이 시작되기 전 단계에서 평가를 더 진척하기 전에 준거와 기준을 확인하는 것이 최선이다. 평가자들이 프로그램에 대해 더 많이 배우고 이해관계자들이 평가에 대해서 더 많이 학습하면서 새로운 준거가 나타날 수 있다. 그러나 이해관계자들은 발산과 수렴의 단계 동안 평가자 및 다른 이해관계자들과의 대화에서 직간접적으로 준거를 참조하거나 논의했을 것이다. 그래서 지금이 그 준거 중 일부에 대해 명확함을 추구하고 기준을 고려해야 할 시기이다. 평가자나 각기 다른 이해관계자 집단은 자료가 분석될 때까지 기다리는 것보다 지금 수용 가능한 것으로 간주되는 프로그램 수행 수준에 대해 생각해두는 것이 중요하다. 그러한 합의를 이루는 것이 나중의 의견불일치를 방지할 수 있다. 기대되는 수행 수준에 대한 합의가 없다면 프로그램 지지자는 수행을 통해 얻어진 수준이 정확히 원했던 것이라고 주장하고 프로그램 폄훼자는 같은 수준의 수행에 대해 프로그램 성공에는 불충분하다고 주장할 수 있다. 게다가 결과를 얻기 전에 기준에 동의하는 것은 사람들이 프로그램의 성공을 위해 자신들이 바라는 목표를 명확히 하며 현실적이 되도록 돕는 데 매우 유용할 수 있다. 오늘날의 정치 환경에서 프로그램의 목표는 종종 비현실적으로 높거나 너무 모호하고 놀랄 만한 성공률, 즉 졸업률 100%, 지식 능력 100%, 취업 100% 등을 함축하는 말로 둘러싸여 있다. 기대가 낮은 것보다는 높은 것이 더 좋다. 그러나 프로그램 활동 및 때로 "정량"이라 불리는 활동의 빈도와 강도, 프로그램을 전달하는 사람들의 자격과 기술이 주어져 있을 때 완수할 수 있는 것에 대해 현실적인 토론을 함으로써 성공 또는 실패가 어떻게 생겼는지에 대해 모두가 비슷한 이해를 하는 것이 필요하다.

준거는 평가 질문들과 동일한 원천에서 나올 것이다. 다르게 표현하자면 이해관계자들과의 대화와 회의, 문헌 연구를 통해 찾아낸 연구와 평가, 전문적 기준, 전문가들, 그리고 평가자 자신의 판단 모두가 프로그램의 성공이나 그 구성요소 중 하나를 판단하기 위해 사용되어야 하는 요소들을 제시할 수 있다. 예를 들어 훈련 프로그램을 판단하는 준거는 훈련 평가 모형과 문헌(반응, 학습, 행동, 결과)에 잘 알려져 있다(Kirkpatrick, 1983; Kirkpatrick & Kirkpatrick, 2006).

수행 기준에 대한 상세 설명은 불확실성으로 가득한 복잡한 영역일 수 있다. 이해관계자들은 무엇을 기대해야 할지 정말로 모르기 때문에 성공을 나타내는 수치를 명시하는 데 주저할 수 있다. 어떤 경우에는 프로그램이 너무 새롭거나 기준에 대한 상세 설명이 너무 분화되어 현실적이고 타당한 기준들을 만들 수가 없다. 기준을 개발하라는 압력을 받을 때 스태프가 방어적이 되어 확실히 성취할 수 있다고 느끼는 기준들을 개발할 수 있다는 사실에 평가자는 예민해야 한다. 그러한 기준은 프로그램에 대한 다른 사람들의 목표를 반영하지 않을 수 있다. 프로그램 반대자 또는 자원을 지원하는 정책입안자가 달성하기 쉽지 않은 기준을 제안할 수도 있다. 그럼에도 불구하고 많은 경우에 이해관계자들의 기대에 대한 논의는 기준의 개발로 나아가면서 궁극적으로는 매우 유용해질 수 있다.

유사한 프로그램들에서 프로그램들은 수행의 기준에 대해 점검받을 수 있으며, 여기에서 연구 문헌이 굉장히 큰 도움이 될 수 있다. 거의 대부분의 경우에 유사한 변화를 초래하고자 시도해온 프로그램들이 있다. 문헌을 탐색함으로써 비슷한 학생들에게 전달된 다양한 독서 프로그램, 비슷한 의뢰인들에게 전달된 다양한 약물 남용 치료 프로그램, 또는 비슷한 사람들을 위한 다양한 직업 훈련 프로그램을 발견할 수 있다. 그러한 프로그램들이 이룰 수 있었던 많은 변화에 대해 더 많이 배우기 위해 평가자들은 문헌을 검토해야 한다. 토론을 자극하기 위해서 평가자는 이해관계자들에게 문헌에서 성공 사례로 인용된 열 개의 다른 평가 목록과 그 각각에서 성취된 변화의 양(아마도 사전검사로부터 변화의 비율이나 효과크기로 측정된)을 제시할 수 있을 것이다. 어려운 문제들은 즉시 해결되지 않으므로 그러한 자료는 번쩍 정신이 들게 할 것이다. 그러나 그러한 자료는 기준 개발의 경계를 제공한다. 이해관계자들은 자신들의 프로그램, 자원, 의뢰인을 이와 유사하게 보는가? 더 좋게 보는가? 더 나쁘게 보는가? 평가받는 프로그램의 기대치를 반영하기 위해 다른 프로그램들의 성공이나 실패는 어떻게 조정되어야 하는가?

기준은 절대적일 수도 상대적일 수도 있다. 여기에서 각각의 유형이 간단하게 논의될 것이다. 평가자들은 프로그램이 작동하는 정치적, 행정적 맥락에서 자신들의 프로그램에 어떤 유형의 기준이 가장 유용할지 고려하기 위해 우선 이해관계자들과 작업할 수 있다.

절대적 기준

때때로 정책이 절대적 기준의 세부 사항을 요구할 것이다. 오늘날 미국의 「낙오학생방지법(NCLB)」은 학생들의 교육 진행을 평가하기 위해 특정한 기준을 개발할 것을 각 주에 요구한다. 이 기준은 절대적이며 상대적이지 않다. 즉 이 기준들은 다양한 학년 수준에서 학생들에게 기대되는 지식의 양을 반영한다. 일반적으로 다양한 수준이 있다. 교육적 상황에서 종종 발생할 수 있듯이 이 기준이 프로그램의 목표와 겹치면 그 기준들은 평가에서 사용하기에 적합할 것이다(이는 오직 기준이 학생들에게 현실적인 상황에서만 그렇게 될 것이다. 어떤 경우에 주의 기준은 일차적으로 정치적인 목적으로 정해져서 반드시 현실적이거나 그럴듯한 결과를 반영하는 것은 아니다. www.eval.org/hstlinks.htm.htm에서 고부담 시험에 관한 미국교육협회의 성명[2002] 참조). 유사하게 환자 보호를 위한 인가

요건이나 기준은 사용될 수 있는 절대적 기준을 제시할 수 있다.

절대적 기준이 존재하지 않을 때 평가자는 앞서 설명한 것처럼 유사한 프로그램에 대한 연구나 평가 결과를 찾는 문헌 연구를 시작하고, 이해관계자의 논의를 자극하기 위해 그 결과를 활용할 수 있다. 또는 이해관계자들이 준비가 된 것처럼 보인다면, 평가자들은 많은 지식이 있는 이해관계자들로부터 각 기준에 대한 그들의 기대치에 관해 조언을 구할 수 있다. 평가자들은 기대의 범위를 배우면서 주요 이해관계자들이나 자문단과 함께 제안된 기준에 대한 논의를 이끌어나갈 수 있다. 따라서 참석이 성공을 위한 중요한 준거라면 평가자는 다음과 같이 물을 수 있을 것이다. "당신은 어느 정도 비율의 학생들이 프로그램을 완수할 것이라고 기대하십니까? 100퍼센트? 90퍼센트? 75퍼센트?" 또는 "당신은 프로그램의 성과로서 징계 사건의 감소가 얼마나 될 것으로 기대하십니까? 75퍼센트? 50퍼센트? 25퍼센트?" 그러한 질문들은 프로그램 결과를 판단하는 데 매우 유용할 기대치에 대한 솔직한 논의를 촉발할 수 있다. 평가자들은 프로그램 스태프가 목적을 가지고 프로그램의 성공을 보장하기 위해서 기준을 너무 낮게 잡거나 프로그램 반대자가 실패를 보장하기 위해서 기준을 너무 높게 잡는 것을 피해야 한다. 다른 관점을 가진 이해관계자 집단과 함께 작업하는 것이 그러한 상황을 피하는 데 도움을 줄 수 있다.

상대적 기준

어떤 사람들은 연구가 다른 집단들과의 비교를 포함하게 될 때 앞서 논의한 것과 같은 절대적 기준이 불필요하다고 주장한다. 따라서 Light(1983)는 위약 통제 또는 비교 집단을 이용해 얻는 것보다 나은 결과라면 프로그램의 성공을 보여주기에 충분하다고 주장한다. 그러한 상대적 기준은 확실히 의학과 약리학과 같은 분야에서 사용된 기준들이다. 즉 일반적인 기준은 새로운 약이나 절차가 현재 사용 중인 약이나 절차보다 더 좋은 치료율이나 더 낮은 부작용을 나타내는가 여부이다. 절대적 기준은 정해져 있지 않다. Scriven (1980, 1991c, 2007)은 프로그램을 활용 가능한 대안, 다시 말해 학생 또는 의뢰인들이 대신 받아들이게 될 프로그램이나 정책과 비교할 것을 지지한다. 그러한 비교는 정책입안자들과 다른 사람들이 하게 될 현실적 선택을 반영한다. 그러한 경우에는 새로운 프로그램이 대안적인 방법보다 유의미하게 더 좋다는 것이 기준일 수 있다. 다른 상대적 기준은 프로그램 수행을 과거의 수행과 비교하는 것이다. 따라서 역량 구축 평가에서의 세 단계 과정은 우선 프로그램 수행의 기준선 측정을 전개하고 그 후에 그 기준선과의 비교를 통해서 미래의 성공을 판단한다(Fetterman & Wanderman, 2005). 사실 과거 수행과의 비교는 사적 영역(작년 같은 기간과 비교한 현재의 판매)과 경제 정책(지난달 또는 작년 이

맘때와 비교한 현재의 실업률)에서 흔히 이루어진다.

평가 기간 동안 유연성 유지하기: 새로운 질문, 준거, 기준이 나타나도록 허용하기

평가는 중간에 일어나는 사건, 평가 대상의 변화 또는 새로운 발견을 고려하지 않고 처음 질문에 답하는 것만을 계속해서 고집하는 평가자들에 의해 흠이 생길 수 있다. 평가가 진행되는 동안 많은 경우에 새롭거나 개정된 평가 질문이 필요하다. 예를 들면 계획, 인력, 자금의 변화, 프로그램 이행 시 예측하지 못했던 문제들, 작동하지 않는 것으로 드러난 평가 절차들, 막다른 길로 밝혀진 탐구 방향, 새롭게 출현한 중요한 사안들이다. 그러한 변화들은 예견될 수 없기에 Cronbach와 동료들(1980)은 다음을 제안한다.

> 그래서 질문과 절차의 선택은 잠정적이어야 한다. 모든 시간과 돈을 … 초기 계획에 쏟아붓는 예산 계획은 안 된다. 상당히 많은 시간과 돈이 예비로 비축되어야 한다(p. 229).

평가의 맥락이나 대상에 변화가 발생했을 때, 평가자는 그 변화가 평가 질문 목록에 영향을 미치는지 여부를 반드시 물어야 한다. 그것이 어떤 질문을 고려할 가치가 없는 것으로 만드는가? 새로운 질문을 제기하는가? 수정을 요구하는가? 평가 도중에 질문이나 초점을 바꾸는 것이 공정한 것인가? 평가자는 어떠한 변화, 그리고 그 변화가 평가에 미치는 영향을 후원자, 의뢰인 및 다른 이해관계자들과 논의해야 한다. 변경 불가능한 평가에 헌신하는 것보다는 질문들이나 사안들이 발전하도록 하는 것이 8장에서 논의한 Stake(1975b)의 반응적 평가 개념을 충족시키며, 그러한 유연함과 반응성을 오늘날의 참여 접근법들이 옹호한다(Cousins & Shula, 2008).

그러나 경고의 말을 하자면, 평가자는 변화할 수 있지만 중요한 것으로 남아 있는 질문이나 준거들의 진로를 놓치지 말아야 한다. 단지 흥미로운 새 방향을 탐구하기 위해 자원이 중요한 조사로부터 우회해서는 안 된다. 유연함과 우유부단함은 별개의 것이다.

평가 질문, 준거, 기준에 대해 동의가 이루어지면 평가자는 평가 계획을 완성할 수 있다. 계획 수립 과정의 다음 단계는 14장에서 다루어진다.

주요 개념과 이론

1. 평가 질문들은 평가에 초점을 맞춘다. 그 질문들이 평가가 제공할 정보를 명시하고, 자료 수집과 분석, 해석을 위한 선택을 이끈다.

2. 질문 전개의 발산 단계는 많은 이해관계자들 또는 다른 이해관계자들의 조언을 받은 소수의 일차 목표 사용자들과 함께 수행될 수도 있다. 그 단계는 잠재적 평가 질문들과 관심사의 전개로 귀결된다.

3. 질문을 위한 다른 자료에는 평가 접근법, 현장의 기존 기준, 연구 문헌, 내용 전문가, 그리고 평가자 자신의 경험이 포함된다.

4. 수렴 단계에서 최종 평가를 위한 질문들을 골라내는 것이 고려된다. 남아있는 질문들은 중요한 그리고/또는 많은 이해관계자들에게 직접적으로 많이 사용될 잠재력을 지녀야 한다. 질문들은 타당한 답변을 제공하는 비용과 그것의 실현 가능성에 기초해서 더 많이 도태될 수도 있다.

5. 준거는 프로그램의 성공을 고려하는 데 사용될 요소들을 명시한다. 기준은 프로그램이 성공으로 여겨지기 위해 그 준거에 대해 도달해야 하는 수행의 수준을 나타낸다.

6. 준거는 평가 질문을 위한 자료를 사용하면서 확인될 수도 있다.

7. 기준을 정하는 것은 민감하지만 중요한 과정이다. 기준을 확립하는 데에 관련된 대화는 이해관계자들 사이에서 명료성과 합의를 이루는 데 유용할 수 있고 훗날 프로그램에 관한 판단을 도울 때에도 유용할 수 있다. 기준은 상대적이거나 절대적이다.

토의 문제

1. 당신은 발산의 단계에 많은 이해관계자가 관여하는 것이 더 좋다고 생각하는가? 아니면 목표로 삼은 주요 사용자들처럼, 평가를 이용하는 데 전념하는 소수의 사람들을 제외하고는 소수만 관여하는 것이 더 좋다고 생각하는가? 당신의 논리에 대해 논하라.

2. 앞서 논의한 것처럼, 평가자와 이해관계자들은 평가 질문을 확인하고 평가 계획을 발전시킬 때 다른 유형의 전문지식을 가지고 온다. 평가자가 펼쳐놓은 지식을 이해관계자들의 지식과 대조해보라. 특정 이해관계자 집단 및 그들의 전문지식이 평가에 어떻게 사용되는 것이 최선일지 고려하라.

3. 2부에서 논의한 평가 접근법 중 어떤 것이 당신이 생각하기에 평가 질문 개발에 가장 유용한 도움을 주는가?

4. 평가자로서 당신은 의뢰인이나 다른 이해관계자가 편향되거나 답할 수 없는 질문을 단호하게 밀어붙이려 한다면 무엇을 할 것 같은가?

5. 프로그램의 성공을 판단하기 위해 절대적 기준 대 상대적 기준의 사용에 대한 잠재적 장점과 단점을 논하라.

적용 연습

1. 당신과 당신의 조직 또는 고용자에게 의미 있는 평가를 고려해보라(당신이 고용된 사람이 아니거나 그것을 고려할 정도로 프로그램을 충분히 잘 알지 못한다면, 대학원 프로그램을 선택하거나 최근에 널리 알려진 어떤 프로그램, 또는 시나 주 공무원들이 고려하고 있는 정책을 시도해야 할 것이다). 발산 단계에서 평가 질문을 확인하는 것에 대해 당신이 지금 알고 있는 것을 사용해서, 당신이 다루고자 하는 평가 질문 목록을 만들어라. 다른 질문들을 확인하기 위해서 당신은 어떤 단계를 거쳐야 할 것인가?

2. 당신의 조직 그리고 관련된 사안들을 알고 있는 당신은 수렴 단계에서 위의 질문들을 솎아내기 위해 어떤 방법을 사용할 것인가? 그림 13.2의 준거들은 그 목적에 부합하는가? 당신은 준거들을 변경하고자 하는가? 당신은 어떤 질문이 우선권을 가져야 한다고 생각하는가? 그 이유는 무엇인가? 누락되어야 하는 것은 어떤 것인가? 그 이유는 무엇인가?

3. 당신의 질문들 중 어떤 것이 준거와 기준의 덕을 볼 것인가? 만약 평가가 총괄적이라면 질문이 프로그램을 위한 모든 중요한 준거를 전달하는가? 다른 질문이나 준거가 추가되어야 하는가? 지금 각각의 질문들에 적당한 기준을 정하라. 각 기준에 대한 당신의 논리를 개진하라.

4. 당신의 대학원 프로그램 평가에 대해서 두 명의 동료 학생들을 따로 인터뷰하라. 프로그램에 대한 그들의 지식, 장단점에 대한 인식, 관심사 등으로 폭넓게 시작하라. 그 다음에 각각 평가가 다루어야 한다고 생각하는 질문을 논하라. 당신은 인터뷰로부터 무엇을 배웠는가? 과정을 수행하면서는 무엇을 배웠는가? 당신은 어떤 차이들을 발견했는가? 이 차이들은 왜 존재한다고 생각하는가? 다른 이해관계자들(교수진, 학생들의 현재 또는 미래 고용주, 대학 행정가, 자문단)의 답변이 어떻게 다를 것이라고 생각하는가? 가능하다면 그들 중 몇몇을 인터뷰하라.

5. 완료된 평가 연구 보고서의 복사본을 구하라(장의 마지막에 권장하는 각 사례 연구는 평가 보고서 참고문헌을 포함한다. 보고서와 인터뷰를 읽어보라). 다루어진 질문들을

고려해보라. 핵심적인 것이 간과되었는가? 평가는 형성이었나 아니면 총괄이었는가? 요구 사정, 프로그램 활동 감시 또는 결과 검토 중 무엇에 초점이 맞추어졌는가? 준거 그리고/또는 기준은 분명하게 제시되었는가? 아니라면 생략된 것을 받아들일 수 있었는가? 왜 그런가? 또는 왜 그렇지 않은가? 준거와 기준이 언급되었다면 어떠한 근거로 개발되었는가? 당신은 그 준거에 동의하는가? 당신은 다른 것들을 추가했을 것인가? 기준이 적절한 수준에 놓여 있었는가?

관련 평가 기준

우리는 이번 장의 내용에 적절한 다음의 평가 기준들을 고려한다. 이 기준의 전문은 부록 A에 나열되어 있다.

U2−이해관계자에 대한 관심	P1−반응성 및 통합성
U3−평가목적에 대한 협의	P4−명료성과 형평성
U4−가치의 명시성	P6−이해관계의 충돌
U5−정보의 적절성	A1−결론 및 의사결정의 정당성
U6−과정 및 결과의 유의미성	A2−정보의 타당성
U8−결과 및 영향력에 대한 관심	A3−정보의 신뢰성
F2−절차적 실용성	E1−평가 기록화
F3−상황적 실용성	

사례 연구

우리는 이번 장에서 논의된 사안들을 설명하는 두 개의 인터뷰를 추천한다. 『Evaluation in Action』의 2장(James Riccio)과 6장(Debra Rog)이다.

2장에서 Jim Riccio는 초기 복지 개혁 프로그램에 대한 자신의 평가에서 캘리포니아 주 입법부가 흥미를 가진 문제 중 일부에 대해 논의한다. 또한 그는 성공의 구성요소에 관심을 가진 Fitzpatrick의 질문들에 답하면서 자기 자신의 준거과 기준들 중 일부에 대해 논의한다. 출처는 다음과 같다: Fitzpatrick, J. L., & Riccio, J. A. (1997). A dialogue about an award-winning evaluation of GAIN; A welfare-to-work program. *Evaluation Practice*, *18*, 241-252.

6장에서 Debra Rog는 그녀의 유연성을 보여주고, 평가가 그녀와 그녀의 의뢰인들이 홈리스 가족들에 대해 더 많이 배우도록 도와주고 자료 중 일부가 자신들의 기대에 미치지 못하여 어떻게 평가 질문들이 바뀌었는지를 논의한다.

그녀는 또한 프로그램 성공을 판단하기 위한 자신의 준거도 논한다. 출처는 다음과 같다: Fitzpatrick, J. L., & Rog, D. J. (1999). The evaluation of the Homeless Families Program. A dialogue with Debra Rog. *American Journal of Evaluation, 20,* 562-575.

추천 도서

Cousins, J. B., & Shula, L. M. (2008). Complexities in setting program standards in collaborative evaluation. In N. L. Smith & P. R. Brandon (Eds.), *Fundamental issues in evaluation,* pp. 139-158. New York: Guilford Press.

Cronbach, L. J. (1982). *Designing evaluations of educational and social programs.* San Francisco: Jossey-Bass.

Donaldson, S. I. (2007). *Program theory-driven evaluation science: Strategies and application.* New York: Erlbaum Associates.

Patton, M. Q. (2008). *Utilization-focused evaluation* (4th ed.). Thousand Oaks, CA: Sage.

14

평가 계획하기

핵심 질문

1. 평가를 계획할 때 반드시 고려해야 하며, 모든 평가에 공통적인 활동이나 기능은 무엇인가?
2. 평가 계획에서 구체적으로 제시되어야 하는 것은 무엇인가?
3. 계획을 세울 때 평가 의뢰인과 다른 평가 이해관계자들의 역할은 무엇인가?
4. 모든 평가 업무를 완벽하고 적절한 방법으로 완수하기 위해서는 시간, 책임, 자원을 어떻게 조직해야 하는가?
5. 평가 예산을 책정할 때 고려해야 하는 요소들은 무엇인가?
6. 평가자와 평가 의뢰인 간의 계약 또는 협정은 왜 필요한가?
7. 메타평가는 무엇이며, 평가에 어떤 도움을 주는가?

앞의 장에서 여러 번 거론하였듯이, 평가 연구에서 초점을 두어야 하는 것은 무엇이 평가 되어야 하는가, 왜 평가가 제안되었는가, 평가의 재정 지원자, 의뢰인, 다른 이해관계자들 은 평가를 통해 무엇을 알고자 하는가, 그리고 그들이 판단을 위해 사용하고자 하는 기준 이 무엇인가를 이해하는 것이다. 그렇다면 이것이 평가를 계획하는 일인가? 그렇다. 연구 의 초점을 명확히 한다면 평가 계획이 완료되는 것인가? 그것은 아니다. 왜냐하면, 초점 을 맞추는 것은 단지 평가 계획의 한 부분이기 때문이다.

평가의 초점 정하기와 계획 간의 관계를 설명하기 위해서는 Stufflebeam(1968, 1973b; Stufflebeam & Shinkfield, 2007)의 주장을 참고할 필요가 있다. 그는 평가에 대한 첫 번째 초점은 어떤 정보가 필요한가를 결정하는 데 두어져야 한다고 제안한다. 또한 평가 수행 에 있어 공통적인 네 가지 기능, 즉 정보 수집, 조직, 분석, 보고를 제안한다. 평가 설계를 위해서, Stufflebeam은 이 각각의 기능들이 다루어지도록 계획해야 한다고 주장한다. 마지막으로, 그는 평가를 위한 관리 계획을 세우는 일은 평가 설계의 핵심적 일부라고 설명한다. 그의 주장을 종합해보면, 평가 설계의 개발은 다음과 같은 여섯 가지의 활동/기능을 포함하는 구조를 가지고 있음을 알 수 있다(Stufflebeam & Shinkfied, 2007).

1. 평가의 **초점 맞추기**
2. 정보 **수집하기**
3. 정보 **조직하기**
4. 정보 **분석하기**
5. 정보 **보고하기**
6. 평가 **관리하기**

우리는 이미 11장부터 13장까지, 평가의 초점 맞추기(목록의 첫 번째 활동)의 다양한 양상에 대해 다루었다. 제안된 평가의 근원과 상황을 이해하고 연구를 위해 가장 타당한 평가 질문, 준거, 기준을 명료화하고 선택하는 것은 초점 맞추기의 주요 활동이다. 이 장에서는 평가 계획에서 두 번째부터 여섯 번째까지의 활동, 즉 수집, 조직, 분석, 보고와 평가 관리를 어떻게 해야 할 것인지에 대해 논의할 것이다. (이 활동들은 이후 15장부터 17장까지에서 더 자세하게 다루어질 것이다.) 이 주제를 다루기 전에, 두 가지 중요하게 고려해야 할 점이 있다.

1. 평가는 융통성 있게 시행해야 한다. 평가에 포함되는 각 단계들이 순차적이고 선형적이라고 생각해서는 안 된다. 이 책 8장에서 살펴본, Stake(1975b)의 'clock'이 적절한 표현이다. 평가의 기능들은 자료 분석에서 더 나은 자료 수집으로, 또는 보고하기로, 다시 재분석으로 돌아가는 등 앞뒤로 오가면서 더 좋은 평가를 위해 애쓰는 것이다.

2. 평가자는 평가의 목적과 역할에 대해 분명하게 이해해야 한다. 앞의 장들에서, 평가에 대한 서로 다른 접근법들에 대해 살펴보았고, 각 접근법들이 어떻게 서로 다르게 평가하는지를 설명하였다. 그리고 나서 평가자가 연구에 초점을 맞추는 것을 돕기 위해 실천적 지침을 제공했다(특히 12장과 13장에서). 한 평가자가 평가의 역할에 대한 명확하고 확실한 견해 없이 그리고 역할에 가장 잘 들어맞는 평가 연구 유형에 대한 일반적인 아이디어 없이, 우리가 제안했던 것과 같은 활동들을 실행하는 것은 어려울 것이다.

그러나 평가자가 의뢰인이나 평가 이해관계자들과 심도 있는 상호작용을 한 후에도 평가의 목적 또는 초점을 명확하게 정하지 못하는 경우가 종종 있다. 평가자들은 이해관계자들이 프로그램에 대해 요구하는 정보를 이해해야 한다. 그것은 평가가 근본적으로 형성적인지 총괄적인지, 그리고 초점이 요구 사정인지, 프로그램 과정들에 대해 기술하는 것인지, 프로그램의 양적 산출이나 성과인지를 명확히 하는 일이다. 또한 평가자는 프로그램, 그 이론과 의도하는 결과, 프로그램의 단계, 그리고 그것이 실행되는 상황에 대한 좋은 감각을 지녀야 한다. 그 다음 명료화한 평가 질문들에 답을 할 수 있도록 어떻게 평가를 실행할 것인가에 대해 고민해야 한다. 평가자는 수집할 정보, 사용할 방법과 절차 그리고 평가를 어떻게 관리할지 설계해야 한다. 4부에서 자료 수집에 대해 자세하게 논의할 것이다. 이 장에서는 평가자가 평가 이해관계자들과 평가팀에게 평가가 어떻게 실행될지를 알려주기 위해 평가 계획을 세우고 확정하는 데 필요한 중요한 의사결정들에 대해 생각해볼 것이다. 평가 계획은 평가 질문들로부터 시작된다. 그러나 그 후 타당한 설계, 자료 수집 방법, 자료 수집 절차, 그리고 분석과 해석, 정보 보고 방법에 대해 명세화한다. 평가 계획의 관리를 위해서는 평가팀 구성 계획과 평가 관리하기 그리고 비용을 위한 계획이 세워져야 한다. 이 장의 각 절에서 이 쟁점들 각각에 대해 어떤 의사결정이 내려져야 하는지 설명할 것이다.

평가 계획 개발하기

13장에서 우리는 평가 연구를 통해 답해야 할 평가 질문들을 분명히 하고 선택하는 것에 대해 논의했다. 이미 알고 있는 것처럼, 다음 논리적 단계는 각 단계의 답변을 위해 필요한 정보가 무엇인지를 결정하는 일이다. 예를 들어, "중요한 프로그램 활동들은 계획한 대로 실행되는가?"라는 모니터링 질문을 생각해보자. 이 질문에 답하기 위해 평가자는 중요하다고 규정할 수 있는 활동들 그리고 이 활동들이 실행되는 구체적인 방법을 알 필요가 있다. 다시 말해, 어떤 학생들이나 서비스 수혜자에게, 어떤 방법으로, 어느 정도의 강도와 기간으로, 어떤 기능과 훈련을 갖춘 사람이 실행할지 등을 알 필요가 있다.

바로 앞의 예에서는 필요한 정보가 비교적 직접적이고 간단해 보일지도 모르지만 사실 평가 실천에서는 매우 복잡하다. 많은 모니터링 연구들이 틀린 정보를 자세하게 제공하기도 한다. 프로그램 이론과 논리적 모형 그리고 프로그램 개발자 및 관리자들과의 긴밀한 의사소통은 모니터링할 활동들과 설명해야 할 중요한 속성들을 명세화하는 데 필수적이다.

성과 질문과 관련된 다른 예로, "컴퓨터 기반 WANDAH 프로그램은 제퍼슨 고등학교 WANDAH 작문 수업에서 고등학생들의 작문 성취에 어떤 영향을 주나?"가 있을 수 있다. 여기에 답하기 위해서는 먼저 타당한 설계를 선택해야 한다. 이 프로그램은 서술적 (descriptive) 방법을 활용해야 하는 예비 단계인가? 인과관계 속성을 더 잘 나타내기 위해서 총괄적 의사결정을 해야 하는가? 주요 이해관계자들에게 가장 잘 수용될 수 있는 준거의 유형은 무엇인가? 인과관계는 어떻게 설정할 것인가? 물론, 가장 중요한 쟁점은 작문 성과를 어떻게 측정할 것인가 하는 것이다. 작문 성과는 총체적인 성과 또는 분석적인 성과, 혹은 두 가지 모두로 보여줄 수 있다. 학생의 작문 능력에 대한 총체적인 측정은 패널들에 의해 내려지는 판단들, 즉 WANDAH 제공 전후의 학생의 작문 표본에 대한 전체적인 질 판단이 될 수 있다. 분석적 측정은 아마도 WANDAH 활용 전후의 문장 밀도, T-unit의 수, to be 동사의 비율, 평균 문장 길이의 차이 등에 대한 측정을 포함할 것이다. 또한 학생의 글쓰기 성취는 한 개의 원고에서 다른 원고로의 수정이 얼마나 폭넓고 효과적으로 이루어졌는가를 측정할 수도 있다. 이 예는 실제로 일어나지 않은 예이기 때문에 선택을 피할 수 있겠지만, 실제로 평가 연구를 한다면 위의 질문에 가장 잘 그리고 정확하게 답해줄 변인과 측정방법을 결정해야 한다.

평가자는 각각의 평가 질문에 가장 잘 답해줄 정보들이 어떤 것인지를 결정하는 데 있어, 의뢰인과 이해관계자를 반드시 포함시켜야 한다. 그러나 평가자 또한 실제적인 그리고 중요한 역할을 수행해야 한다. 평가자가 과거에 작문 프로그램을 평가하는 데 참여했었고, 학생의 작문 능력을 사정하기 위한 최신의 타당하고 실행 가능한 방법들에 친숙하다면 바람직한 일이다. 만약 그렇지 않다면 작문 프로그램 평가에 관한 선행연구를 검토하고 작문 전문가로부터 자문을 얻는 방법을 활용해볼 수 있다. 방법론자로서의 평가자는 문헌에서 논의되고 있는 방법들을 검토하고, WANDAH 프로그램, 이해관계자들 그리고 주변 환경의 적합성을 고려할 수 있는 전문가이다. 특히 평가자는 평가를 위한 설계, 필요한 자료 또는 정보를 수집하기 위한 자원, 방법, 절차를 고민할 것이다. 이제 이와 같은 의사결정에 대해 간단하게 다루어보자.

평가 설계 선정

설계는 자료 수집을 위한 조직 또는 구조를 명세화하는 것이다. 어떤 설계를 선정하느냐에 따라 일반적으로 자료 수집의 대상과 방법이 결정된다. 따라서 평가자는 어떤 설계 유형이 각 평가 질문에 적합한지에 대해 숙고해야 하고 이해관계자들과 관련된 문제에 대해 토의해야 한다. 이 절에서는 평가 계획을 위해 숙고해야 할 설계의 기본 범주를 개괄적으로 소개할 것이다. 다음 15장에서는 설계의 범주 각각을 자세하게 설명할 것이다.

많은 평가자들이 서술적(descriptive) 또는 인과관계(causal)를 중심으로 설계를 개념화한다. 평가 질문이 인과관계를 다룰 때, 평가자는 인과관계를 수립하기 위한 설계를 사용하려고 할 것이다. 오늘날 미국과 많은 서방 국가에서, 정책결정자들은 프로그램의 성과를 확인하는 데 평가의 초점을 맞추고 있고, 이로 인해 많은 기관에서는 무선 통제 실험(randomized controlled trials, RCTs)을 실시한다(2장의 '성과와 영향 측정에 대한 초점'을 참고). RCTs 또는 실험 설계들은 분명히 인과관계를 수립하기 위한 한 방법이지만, 다른 더 좋은 방법들도 있다. 준실험 설계(quasi-experimental design)는 무선할당이 불가능하거나 적당하지 않을 때 활용할 수 있는 인과관계 수립 설계법이다(Cook & Campbell, 1979; Shadish, Cook, & Campbell, 2002). 경제학자와 정책분석가들은 실제 현장에 포함되어 있는 외재 변인(extraneous variables)을 통제하기 위하여 종종 다중회귀법 또는 다변량 분석법 같은 통계기법을 활용한다(Tabachnick & Fidell, 2001). 사례 분석도 인과관계를 논증하기 위해 활용될 수 있다(Yin, 2009). 이 단계에서 평가자들은 인과관계 논증이 프로그램의 단계로서 얼마만큼 중요하고 타당한지를 고려해야 하며, 실험 설계가 인과관계의 고리를 확인하기 위해 활용할 수 있는 방법인지를 숙고해야 한다. 만약 그렇다면, 타당한 설계를 선택하고 그 의미를 이해관계자들과 논의해야 한다. 평가자들은 조건 그리고/또는 자료가 선호하는 설계에 적합할지도 고려해야 한다.

그러나 더 많은 경우는 서술적인 평가 질문들로, 경향성을 보여주는 것, 과정을 보여주는 것, 상황을 전달하는 것, 또는 프로그램과 과정 또는 절차들을 설명하거나 분석하는 것[1]이다. 시계열 설계(time-series designs)는 "고등학교 졸업률이 감소하고 있는가?" 같은 질문처럼 경향성을 알고자 하는 경우 선택할 수 있다. 횡단 설계(cross-sectional design)는 대규모 집단의 행위 또는 의견을 설명하고자 하는 경우 활용할 수 있다. 예를 들면, 공립학교, 특성화 학교, 차터 스쿨 또는 홈스쿨링 등 학부모의 학교 선택 관련 정책을 결정하고자 하는 교육청 관계자를 위해, "우리 지역에서 부모들은 자녀의 학교를 어떻게 선택하는가?"와 같은 질문을 다룰 때 횡단 설계를 사용할 수 있다. 사례 연구는 성공적인 아동학대 방지 프로그램의 주요 요소를 기술하기 위해 활용할 수 있다. Guba와 Lincoln(1981)은 사례 연구의 발견들이 철저하고 깊이 있음을 의미하기 위해 '심층 기술(thick descrip-

---

1) 성과를 검증하라는 정치적 압력은 때때로 평가 이해관계자들이 진실한 정보 요구를 반영하지 못하도록 만든다. 이해관계자들이 평가자로부터 얻고자 하는 정보를 잘 정돈하고 활용할 수 있도록 돕는 것이 바로 평가자의 의무이다.

tion)' 이란 용어를 만들었다. 이 심층 기술은 평가 이해관계자들에게 프로그램 실천에서 무슨 일이 일어났는지에 관한 정보를 제공하는 데 매우 유용할 수 있다. 서술적 설계(descriptive designs)는 일반적으로 요구 사정과 모니터링 또는 과정 연구에서 활용된다. 이 설계법은 또한 참여자의 최종 성과가 바람직한 수준인지를 결정하기 위해 또는 프로그램의 중요한 단계에서의 성과를 설명하기 위해 설계된 성과 연구에도 유용하다. (Spiegel, Bruning 그리고 Giddings(1999)의 교사들을 위한 평가협의회에 대한 혁신적 평가를 참고하라.) 대부분의 총괄평가는 수혜자들과 프로그램 사이의 연결성을 설명하는 데 실패하는 블랙박스 효과를 피하기 위하여 인과관계 설계와 기술적 설계를 혼합하여 시행한다.

평가자와 이해관계자들은 평가 질문에 관련된 모든 중요한 연구 설계 쟁점들을 명료화하기 위하여 각 질문을 주의 깊게 검토해야 한다. 대부분의 평가들은 다양한 질문을 다루기 위해 몇 개의 설계들을 동시에 활용하거나 혼합 설계한다. 그럼에도 불구하고, 이 단계에서 설계에 대해 숙고하는 것은 매우 중요하다. 평가자와 이해관계자들은 비교집단의 이용 가능성, 무선할당의 적합성, 다양한 자원으로부터 자료를 수집할 시기, 사례의 선택, 측정의 시기, 평가의 실행과 관련된 많은 쟁점들에 대해 협의해야 한다.

이 단계에서 질문의 의도가 명확해지고 자료 수집에서의 제한점과 허용되는 융통성이 논의된다면, 평가자는 활용할 설계를 정확하게 구체화할 수 있을 것이다. 예를 들어, 만약 질문이 단순히 경향성을 검토하는 것, 예컨대 "지난 5년간 첫 학기인 3개월 동안 태교를 받은 임산부의 수가 증가하였는가?", "지난 10년간 지역 대학에서 교육을 받고 있는 고등학교 졸업생 수가 증가하였는가?" 등이라면, 그것은 단순한 시계열 설계를 활용하는 것이 정확하고 타당할 것이다. 그러나 경향성의 원인을 탐구하는 데에도 관심이 있다면, 평가자들은 사례 연구 또는 횡단 설계를 추가로 활용해야 할지를 결정해야 한다. 간혹 평가자가 처음에는 단지 설계가 인과관계인지 또는 서술적인지만을 명료화할지도 모른다. 그러고 나서 필요한 정보들, 즉 사용 가능한 비용과 일정이 결정되었을 때에야 비로소 특정 설계 방법이 필요함을 인식할지도 모른다. 그러나 어떤 설계 방법을 선택할 것인가에 대한 관심과 결정은 계획 과정 이전에 수행되어야 한다.

각 질문에 타당한 설계를 하는 것은 평가자와 이해관계자 간의 의사소통을 강화하고 이해관계자들이 평가 연구가 실제로 어떻게 실행될 것인지를 마음속에 그릴 수 있도록 돕는다. 설계의 세부적인 내용을 알게 함으로써 연구 진행에 필요한 자료 수집과 평가를 제한시키는 문제점들에 대해 이해관계자들의 관심을 불러일으킬 수 있다. 그리고 변화가 필요하다면, 자료를 수집하는 중간 단계에서가 아니라 바로 이 시점에서 변화시킬 수 있어서 좋다.

정보 수집에 적합한 자원의 명료화

각각의 평가 질문은 적어도 하나 이상의 측정변인에 대한 정보 수집을 통해 답을 찾을 수 있다. 평가자와 이해관계자들은 각 측정변인별 정보 수집을 위해 누가 또는 어떤 자원을 다룰지를 숙고해야 한다. 예를 들면, 대학 및 진로선택(고등학교 졸업 후 무엇을 할지)에 대한 고등학교의 상담 프로그램을 평가할 때, "중요한 프로그램 활동들이 계획대로 실행되었는가?" 같은 질문에 답하기 위해 필요한 정보는 진로상담자가 학생과 어떻게 상호작용했는가에 대한 설명을 포함해야 할 것이다. 동일한 예에서, 정보 자원은 일반적으로 이 상호작용에 참여했던 진로상담자들과 학생들을 포함할 것이다. 부차적 자원(보완적이거나 각종 방법으로 상호 점검되어야 하는 정보)은 고등학교 교사들과 행정가들 그리고 프로그램 기록 자료들이 될 것이다.

"컴퓨터 기반 WANDAH 프로그램은 제퍼슨 고등학교 WANDAH 작문 수업에 참여한 고등학생들의 작문에 어떤 영향을 주었는가?"라는 질문에 답하기 위해서는, 정보가 하나의 총체적인 측정(작문의 질에 대한 교사의 전반적인 판단)과 하나의 분석적 측정(to be 동사의 비율)을 필요로 한다고 가정해보자. 두 가지 모두를 위한 정보 자원은 WANDAH 교과목에 참여하는 학생들이고, 만약 비교집단을 활용한다면 WANDAH 교과목에 참여하지 않은 학생들이다. 자원은 교사도 아니고 to be 동사의 수를 세는 채점자도 아니다. 그들은 단지 판단하고 점수화하고 작문 수행과 관련된 정보를 전달할 뿐이며, 이 정보는 확실히 학생들로부터 나온다. 자원은 개인들 또는 질문에 답할 수 있는 기존 정보가 존재하는 소재지이다.

정보 자원으로서 기존의 자료 활용. 평가자는 평가 질문들과 관련된 정보가 이미 활용 가능한 형태로 존재하고 있는지를 확인해야 한다. 어떤 평가 질문에 완전한 또는 부분적인 답변을 제공할 수 있는 기존의 평가 보고서, 상황 보고서 또는 다른 목적을 위해 수집된 자료가 있을 수 있다. 예를 들면, 학교의 기록물은 학생 출석 정보, 징계 사건, 내신성적 등급, 기준화검사 점수, 인구통계학적 정보 등을 포함하고 있을 것이다. 따라서 정보를 새롭게 수집하기에 앞서, 평가자들은 언제나 의뢰인, 프로그램 관리자 및 실행자에게 이미 존재하는 자원들이 있는지를 확인해야 한다. 그렇지만 이 자원들이 타당한지를 판단해야 한다. 해당 조직의 내부 자료가 타당하고 신뢰로운 방법에 의해 수집되고 구조화되었을 수도 있지만 그렇지 않을 수도 있기 때문이다. 예를 들면, 시험점수와 등급 자료는 학생 행동에 대한 정보보다는 대체로 정확하게 조사되어 있을 가능성이 높다.

공적인 문서와 데이터베이스는 또 다른 중요한 기존 정보 자원이다. 이와 같은 자료의 예로는 미국 통계청의 보고서들(정부인구조사, 10년제 인구주택총조사, 월간 현재 인구 통계, 국민 소득과 사회복지 프로그램 참여 조사 등), 미국 노동부와 다른 중앙 부서들에 의해 수집된 통계자료들, 지역 정보(City-County Data Book), 다양한 주정부, 해당 지역, 비영리단체들의 보고서와 데이터베이스를 포함한다. 거의 모든 주정부의 교육담당부서가 입학자 수, 징계사건 등의 학교 성과에 대한 방대한 자료를 지니고 있다. 오늘날 많은 자료가 온라인을 통해 활용 가능하다.

이 자료들은 일반적으로 다른 사람들이 활용할 수 있도록 만들어진 것이다. 따라서 일반적으로 기준화된 방법으로 수집된 정보이며, 대체로 조직 내부의 기존 자료보다 더 타당하고 신뢰로울 수 있다. 그러나 이 자료는 원래의 수집 목적을 위해서는 신뢰롭고 타당할지라도, 우리가 수행하려는 프로그램 평가를 위해서는 타당하지 못하고 신뢰롭지 못할 수도 있으며 적합하지 않을 수도 있다. 평가자는 자료의 수집방법, 변인의 정의, 활용된 표집기법, 평가기간과 모집단 등에 대해 검토해야 하며, 이를 통해 자료가 자신의 프로그램 평가에 적합한지를 판단해야 한다. 모든 자료들이 해당되는 것은 아니지만 대부분의 경우 이와 같은 자료들은 다양한 요소들을 모두 수집하는 경향이 있어 수집범위가 매우 넓을 경우가 많다. Jane Davidson이 최근 주목한 것처럼, 어떤 한 도시의 환경 프로그램은 주변 강의 오염을 성공적으로 감소시킬 수는 있지만, 대양을 표집한 물에서는 오염 감소의 효과를 찾아낼 수 없을 것이다(Davidson, 2010).

여기서 한 가지 경고를 하자면, 자료가 이미 존재하고 있다는 것이 그 자료를 모두 활용해야만 한다는 것을 의미하지는 않는다는 것이다. 활용 가능한 기존 자료에 맞추어 평가의 질문을 비틀어 버리는 평가자를 용인할 수는 없다. 평가자의 이와 같은 의도된 왜곡은 효능성을 증가시킬 수 있다는 이유로 변명될 수 있는 것이 아니기 때문이다. 이와 같은 경우, 평가자는 Michael Patton(1986)이 잘못된 질문에 답하게 되는 "제3유형 오류(Type III error)"라고 명명한 실수에 빠지게 된다.

일반적으로 활용되는 정보 자원. 각 평가 연구에서 제안된 특정 문제에 답하기 위해 정보 자원을 선택할 것이다. 이 정보 자원들은 분명히 관련된 질문들만큼이나 특이할 것이다. 앞에서 논의한 것처럼 기존 자료는 하나의 중요한 정보 자원이다. 그러나 거의 모든 평가에서 새로운 자료의 가장 일반적인 자원은 다음과 같다.

- 프로그램 수혜자(학생, 환자, 의뢰인, 훈련대상자)

- 프로그램 실행자(사회복지사, 심리치료사, 훈련자, 교사, 의사, 간호사)
- 프로그램 수혜자에 대한 정보를 가지고 있는 사람들(부모, 배우자, 동료, 상사)

새로운 자료를 위해 자주 활용되는 기타 자원들은 다음과 같다.

- 프로그램 관리자
- 프로그램에 의해 영향을 받거나 실행에 영향을 줄 수 있는 사람들 또는 집단(일반 대중, 미래 참가자, 프로그램에 포함된 이해집단의 구성원)
- 정책입안자(위원회, 사장단, 선발된 직원과 팀원)
- 프로그램을 계획하거나 재정을 지원한 사람(주의 교육부서 직원, 입법자, 재정지원 담당 직원)
- 프로그램 내용이나 방법론에서의 특별 전문가(다른 프로그램 전문가, 전문대학 또는 대학의 연구자)
- 직접적으로 관찰할 수 있는 프로그램 이벤트 또는 활동

정보 자원에 대한 제한 정책. 평가 계획을 세우는 초기 단계에서, 정보 수집에 영향을 미칠 모든 정책들을 파악하는 것은 매우 중요하다. 학교와 병원 같은 대부분의 조직들은 조직 내에서 시행되는 모든 연구들과 평가 프로젝트를 검토하고 승인해야만 하는, 자체 연구윤리심의기구(Institutional Review Boards, IRBs)를 가지고 있다. IRB 구성원들에게 요청하면 승인 절차에 대한 복사본을 얻을 수 있다. 또한 자료 수집에 영향을 미칠 조직의 모든 정책들에 대한 복사본도 가지고 있을 것이다. 아동이나 청소년으로부터 자료를 수집하기 위해서는 부모나 보호자의 허락을 얻어야 한다. 아동과 청소년들의 참여 의사도 꼭 필요하다. 만약 자료가 성인들로부터 수집되는 경우에도 그들의 동의를 받아야 한다. (3장의 '피험자 보호와 연구윤리위원회의 역할'을 참조.)

조직의 다른 정책들이 평가자의 자원 출처, 방법, 절차를 제한할 수도 있다. 예컨대, 고용 계약이나 조직 방침이 고용인들이 평가에 참여하는 것을 제한시킬지도 모른다. 고용인들의 경우 자신이 맡고 있는 즉시 해결해야 할 일들로 인해 자료 수집 또는 다른 평가 과업에 참여하는 것이 어려울 수도 있다. 거의 모든 조직들은 프로그램 대상자 또는 기존의 파일로부터 자료를 수집하는 것과 관련된 방침을 가지고 있다. 많은 조직에서 설문조사 내용 또는 인터뷰 질문 내용을 미리 보고 승인하겠다고 요구할지도 모른다. 이와 같은 제한은 인사 정보를 활용할 때도 발생한다. 이 정책들은 종종 프로그램 수혜자를 보호하기 위한 것이다. 그렇지만 평가자는 자료 수집이 얼마나 제한되어 있는지를 알기 위해 이

런 정책들에 대해 살펴보아야 한다.

정보 자원 명료화에 의뢰인 참여 유도. 정보 자원을 명료화하는 데 있어서의 의뢰인의 역할은 어떤 정보가 필요한지를 결정하는 데 의뢰인을 참여시키는 것만큼 중요하다. 평가자가 종종 생각하지 못했던 좋은 자원들을 의뢰인들이 경험의 힘에 의해 생각해낼 수도 있다. 또한 의뢰인들은 평가자가 미처 주의를 기울이지 못했던 유용한 자원들을 명료화할 수도 있다. 의뢰인이 "교사 토의 팀 활용에 대한 정보를 어디서 가장 잘 얻을 수 있는지 알고 계시나요?"라고 말하는 것으로 충분할 수 있다. 이와 같은 간단한 협력은 유용한 답변을 얻는 데 도움이 될 뿐 아니라 의뢰인과 평가자가 평가에 대한 주인의식을 공유할 수 있는 좋은 방법이다.

정보 수집을 위한 타당한 방법의 명료화

평가자가 필요한 평가 정보를 어디서 또는 누구로부터 획득할 것인지를 명료화했다면, 다음 단계는 정보 수집을 위한 방법과 도구를 결정하는 것이다. 앞의 사례로 돌아가서, 중요한 토의 프로그램의 실행에 대한 정보는 관찰기록, 일기 또는 프로그램 종사자에 의한 기록, 프로그램 참여자들에 대한 면담 또는 설문조사를 통해 얻을 수 있다. WANDAH 프로그램의 학생 작문 능력에의 영향에 대한 정보는 이미 앞에서 설명한 것처럼, 총체적 측정(주어진 과제에 대한 글쓰기의 총체적인 질에 대한 교사의 판단) 또는 분석적 측정(작문 과제 한 개에 담긴 to be 동사의 비율)에 의해 모을 수 있다.

자료 수집방법과 도구들을 분류하는 무수한 방법이 있다. 비록 총망라하지는 않았지만, 신참 평가자들에게 도움이 될 수 있는 자료 수집 방법들의 분류체계는 다음과 같다.

I. 정보 자원으로 식별된 개인들로부터 직접 자료 수집하기

A. 태도, 의견, 행위, 개인적 특성 또는 과거사에 대한 자기보고서

1. 설문지 또는 질문지(구조화 또는 비구조화된 것; 지면, 컴퓨터, 전화, 대면에 의한 실시)

2. 면담

3. 포커스 집단

4. 평가자가 요청한 개인자료(예, 일기, 기록문서)

B. 개인적 산출물

1. 검사 결과

a. 제공된 질문(에세이, 문장 완성형, 단답형, 문제해결법)

       b. 선택된 응답(선다형, 진위형, 연결형, 배열형)

    2. 실행(시뮬레이션, 역할극, 토론, 모의역량 테스트)

    3. 표집된 결과물(포트폴리오, 피고용인의 작업 결과물)

II. 독립된 관찰자로부터 수집된 자료

  A. 개방형 관찰

  B. 관찰양식(관찰 일정, 평정, 체크리스트)

III. 공학장치에 의해 수집된 자료

  A. 오디오테이프

  B. 비디오테이프

  C. 사진

  D. 기타 장치

    1. 물리적 장치(신체용적지수, 혈압, 공기청정도, 혈중알코올지수, 교통량 또는 스피드)

    2. 수행기능에 대한 그래픽 기록

IV. 불간섭 측정(unobrusive measure)[2]에 의해 수집한 자료

V. 기존의 조직 내 정보, 공식 서류 또는 데이터베이스로부터 수집된 자료

  A. 기록물

    1. 다른 이들이 활용하도록 대리기관들(인구통계정보, 고용부, 교육부)에 의해 수집된 자료

    2. 조직의 공적 기록물(출근정보, 개인 신상정보, 제안서, 연간보고서, 성과 모니터링을 위해 설치된 데이터베이스, 의뢰인 조사 보고서)

  B. 문서

    1. 조직 내 문서(프로그램 실행자 혹은 종사자의 기록 혹은 결과물, 매뉴얼 보고서, 감사자료, 출판물, 회의록)

    2. 개인적 문서(서신 또는 이메일 파일, 노트, 강의계획서 등)

정보 수집 방법의 타당성 검토. 많은 평가자들이 타당성보다는 익숙함 때문에 자료 수집 기법이나 도구들을 선택한다. 평가자들은 익숙한 기법이 적용 가능하다고 느끼지만 새로운 방법도 찾아보아야 한다. 계획 수립 시 실시한 문헌 고찰은 평가자에게 특정 조직 내에서

---

2) 역주: 피험자가 측정평가가 시행되고 있다는 것을 모르는 상태에서 실시되는 측정을 의미한다.

정보 수집을 위해 활용할 수 있는 다른 방법들을 알려준다. 이와 같은 문헌에서 연구를 위해 수집된 정보는 구체적 장면에서 평가하고자 하는 측면과는 다를 수 있다. 그러나 이 문헌들은 평가자가 정보 수집을 위해 새로운 방법을 고려하도록 해주며, 평가관련자들의 요구와 관련되면서 적절한 방법이 이미 존재한다면 시간을 허비하지 않도록 도와준다. 예를 들면 최근 중고등학교 상담자의 새로운 역할과 책임에 관한 훈련에 다년간 참여했던 우리 중 한 명이 문헌 고찰을 통해 교사와 행정가들에게 활용되었던 상담자의 역할에 관한 유용하고 타당한 설문조사의 결과를 발견하는 것이다. 이 설문조사 결과는 평가 대상 학교의 관점과 설문조사를 활용했던 다른 학교들의 관점을 비교하는 데 활용될 수도 있을 것이다.

부가해서 수집된 정보를 관심 변인에 확실하게 부합시키기 위해서, 평가자는 변인 각각에 대해 충분한 정보가 수집되도록 해야 한다. 어떤 현상은 매우 명확하기에 단지 한 가지 측정법만 사용하면 된다(예를 들면, 키, 학급의 학생 수, 소요비용). 그러나 작문 능력 또는 양육 기술 같은 것들은 다중 측정(multiple measures)을 필요로 한다. 왜냐하면, 어떤 측정법도 한 가지 방법만으로 해당 현상을 총체적으로 포착할 수 없기 때문이다. 이러한 경우에는 서로 다른 자원과/또는 서로 다른 방법들을 활용하는 다중 측정이 평가 질문에 완전하게 답하기 위해 필수적이다.

각 평가 질문별로 정보 수집 기법들이 명확히 확정되었다면, 평가자는 기법들의 기술적 건실성, 적용 가능성, 적합성, 유용성을 사정하기 위해 질문 및 정보 수집 기법들을 한 세트로 연결시키면서 다음 사항을 검토해야 한다.

- 수집될 정보가 평가 질문에서 명료화한 변인 또는 현상 전체를 이해할 수 있는 포괄적인 그림을 제공하는가?
- 평가의 목적에 비추어 신뢰롭고 타당한 정보가 수집될 것인가?
- 정보 수집의 절차가 법적이고 윤리적인가?
- 자료 수집이 제공해줄 정보의 양과 종류를 자료 수집 비용과 비교해 보았을 때, 이 비용이 값어치가 있는가? (평가, 조직, 참여자들에게 사용되는 비용을 모두 고려한다.)
- 정보가 불필요한 혼란을 일으키지 않고 수집될 수 있는가?
- 정보 수집 절차가 제한된 평가시간 안에 수행될 수 있는가?

물론, 특정 자료 수집 방법을 담당할 평가자는 해당 방법을 잘 실시할 수 있는 역량을 갖추고 있어야 한다. 그리고 평가자는 연구자보다 더 큰 도구가방을 가지고 있어야 하는 데, 왜냐하면 대부분의 연구자들보다 더 광범위하고 다양한 현상을 검토해야 하기 때문이다. 더욱이 평가자는 빈번하게 자신이 알고 있는 방법들을 다시 점검해야 하고 새로운 기법에 관심을 두고 교육을 받아야 한다. 만약 평가팀이 처음 접하는 방법 또는 측정이 요구된다면 그리고 그 방법이 핵심적이라면, 평가 관리자는 그 방법에 대한 자문위원의 활용이나 새 평가 팀원의 고용을 고려해볼 수 있다. 이와 같은 고려는 우리가 뒤에 논의하게 되는 것처럼, '평가 팀원 구성하기'의 중요한 부분이다.

방법의 명료화에 있어서의 의뢰인의 역할. 일반적으로, 평가자는 활용 가능한 방법들을 배치하는 데 있어 의뢰인 또는 운영위원보다 더 전문가일 것이다. 그러나 방법의 선택에 대해 의뢰인 또는 운영위원에게 피드백을 받는 것은 유용할 수 있다. 이 평가 이해관계자들은 종종 수집해야 할 자료를 소유하고 있는 사람들이 어떻게 반응할지에 대해 신선한 시각과 통찰을 제공하기도 한다. 질문의 표현법, 관찰의 초점, 포커스 집단과 인터뷰에서 공감대를 형성하고 불안을 완화시키는 방법, 또는 물리적 측정의 실현 가능성 등이 이해관계자들과의 토의 내용이 될 수 있다. 마지막으로, 정보 수집 방법들은 평가의 토대를 형성할 것이다. 만약 의뢰인이 유용한 정보를 만들어낼 신뢰로운 방법을 발견하지 못한다면, 평가자와 의뢰인 간에는 더 많은 대화가 필요하다. 평가자는 방법의 타당성에 대해 의뢰인을 교육하고 설득할 것이다. 그러나 그것이 실패한다면, 의뢰인 또는 주요 평가 이해관계자들에게 신뢰로운 증거를 제공해줄 수 있는 다른 방법들을 선택해야 할 것이다. (예를 들어, 왜 인과관계 방법이 정책결정자에게 더 중요한지에 대한 논의를 보고자 한다면, Mark와 Henry[2006]를 참조하라.)

그러나 평가 정보를 수집하는 것은, 앞의 장들에서 논의했던 이유로(예를 들어, 이해의 충돌, 기술적 역량), 의뢰인의 영역이 아니라 평가자의 영역이다. 결국, 평가의 핵심인 평가 정보의 궁극적인 질을 보증해야 하는 것은 평가자이다. 평가자는 자료 수집 절차가 정보의 질을 보증하도록 설계하고 실행하는 책임자인 반면, 의뢰인은 단순히 수집에 참여하는 것이다. 변혁적 접근(transformative approaches)을 위해 또는 자체적 평가 능력 구축을 위해 이 단계에서 평가자들은 이해관계자들에게 더 큰 책임을 지우기도 한다(Fetterman & Wandersman, 2005, 2007; King, 2007; Mertens, 2008). 이와 같이 다른 사람들을 평가 정보 수집에 참여시킨다면 그들이 책임감 있게 자료 수집을 하도록 훈련시키는 것은 평가자의 책임이다.

정보 수집에 적절한 조건 결정: 표집 및 절차

단지 자료 수집을 위한 방법과 도구들을 명료화하는 것으로는 충분하지 않다. 이전에 지적한 것처럼, 평가자는 이와 같은 방법과 도구들이 타당성을 갖추기 위한 조건들을 확실히 해야 한다. 아마도 가장 공통된 관심은 (1) 정보 수집에 표집을 사용할 것인가 (2) 실제로 정보를 어떻게 수집할 것인가 (3) 언제 정보를 수집할 것인가일 것이다. 이 관심들 각각에 대해 몇 가지를 논의해 보고자 한다.

활용될 표집 절차의 명료화. 표집 절차를 숙고할 때 평가자는 먼저 표집을 할 것인지 아니면 집단 전체로부터 자료를 수집할 것인지를 결정해야 한다. 만약 표집을 한다면 사용할 전략을 결정한다. 인구학적 특성을 대표하는 표본을 추출하기 위한 무작위 표집 혹은 특정 집단을 선정하고자 하는 목적에 맞는 표본, 예컨대 중도 탈락한 사람, 최고의 성과를 낸 사람, 최근 학교를 옮긴 학생, 병원에 자주 내원하는 환자 등의 표본을 선택하기 위한 유목적적 표집(purposive sampling)[3]을 할 수 있다.

초보자인 연구자는 자신의 발견을 대규모 모집단에 일반화하고자 무작위 표집방식을 사용하는 반면, 평가자들은 특정 사례에 존재하는 것을 기술하고 판단하는 데 관심을 두기 때문에 표집방법을 사용하지 않는다고 생각한다. 그러나 사실, 기초연구에서도 모집단이 너무 크거나 무작위 표본의 비용이 너무 높아서 무작위 표집은 거의 사용하지 않는다. 무작위 표집방식이 주로 사용되는 경우는 다음 선거에서의 잠재적 투표자와 같이 모집단이 명확하게 정의될 수 있는 여론조사이다. 평가는 구체적 상황을 다루기는 하지만 때로는 무작위 표집을 사용하기도 한다. 대규모 평가에서 표집은 평가자가 프로그램을 모집단에 일반화하도록 도울 수 있으며, 그 자원 활용에서 더 효율적이 되도록 해줄 수 있다.

예를 들어, 만약 평가팀이 매사추세츠주 의료제도가 의료비와 환자 건강에 미치는 영향을 평가해 달라고 요청받는다면, 아마도 매사추세츠주의 모든 주민에게서 정보를 수집하려고 하지는 않을 것이다. 이 경우 정보 수집 비용이 문제가 될 것이며 정당화될 수 없을 것이다. 체계적 표집 절차를 신중하게 활용한다면, 작은 집단에서 선정하고 수집한 자료로도 매사추세츠주 의료제도의 영향에 대해 신뢰도 높은 일반화를 할 수 있을 것이다. 유사하게 중학교 수학 교육과정의 효과를 평가하고자 하는 평가자가 분별이 있다면, 시교육청에서 관할하는 학교의 모든 중학생에게 새로운 시험을 보도록 하지는 않을 것이다

---

3) 역주: 유목적적 표집은 표본을 구성하는 단위를 선출하는 데 무작위 표집이 아니라 주관적 방법에 의해 표본을 추출하는 것을 말한다. 따라서 편의표본이며, 그 사용범위가 제한된다. 전형표본, 할당표본이 유목적적 표집의 예이다.

(평가자는 기존 시험문항들이 교육과정 목표를 반영하고 있다면, 기존의 시험결과들로부터 사용 가능한 자료를 찾고자 할 것이다).

그러나 집단 규모가 매우 작은 평가라면, 전체 모집단으로부터 자료를 수집하는 것이 바람직하다. 이런 상황에서는 모집단의 대표성을 지닌 표본을 얻기 어렵기 때문이다. 예를 들어, 118명이 참여한 고용 교육 프로그램의 평가에서 참여자의 학습 성과를 사정하고자 하는 평가자는 118명의 교육대상자 모두의 학습 성과를 측정하는 것이 바람직하다. 만약 교육기간 동안에 측정이 평가 팀원에 의해 실시된다면 쉽게 측정할 수 있을 것이다.

유목적적 표집은 연구 활동에서 빈번하게 활용되고 있는 것처럼 평가에서도 빈번하게 활용되고 있다. 유목적적 표집은 지원자 또는 자료 수집과정에서 우연히 마주친 사람 같은 엉성한 표본을 추출하는 것을 의미하는 것이 아니다. 유목적적 표집은 목적에 맞는 표본을 모으는 것이다. 앞의 사례에서 평가자와 평가 이해관계자들이 특정 하위 집단의 의견 또는 성취에 관심을 두었다면, 유목적적 표집에 의해 표본을 추출할 수 있다. 이때 선정된 표본은 프로그램 또는 정책에서 의도하는 바람직한 성과를 내지 못한 집단과 가장 좋은 성과를 낸 집단이다. 성과가 적은 집단의 경우 평가자는 그들의 어려움을 더 잘 파악하고 프로그램을 개선하거나 대안을 찾기 위한 정보를 얻을 수 있다.

성과가 매우 뛰어난 집단을 살펴보는 것도 유용한 정보를 제공할 것이다. 만약 최상위 집단에서도 프로그램의 목표를 성취할 수 없다면, 아마도 다른 사람들도 마찬가지일 것이라고 보는 전략이다. (이 방법을 사용하여 프로그램에서 가르쳤던 갈등 해소 전략을 가장 잘 실천하는 사람들을 통해 교육 프로그램을 평가한 Greene의 논의에 대해 자세히 알고 싶다면, Fitzpatrick와 Greene[2001]을 참조하라.) 자료의 선택이 주의 깊게 숙고되고 결정된 것이라는 가정하에, 특히 목적이 일반화가 아니라 탐색하고 탐구하는 것일 때는 유의표집이 대표표집(representative sampling)[4]보다 더 유용할 수 있다. 예를 들어, 관심 있는 이슈에 대해 더 많이 알거나 더 많이 경험한 사람에 대한 심층 인터뷰는 거의 언제나 유목적적 표집에 의해 실행된다.

표집은 자원이나 시간이 제한적일 때, 집단이 너무 클 때, 또는 특정 하위 집단에 관심이 있을 때 평가자가 사용하는 방법이다. 평가자의 질문에 답하기에 적합한 표집방법이 무엇인지 판단하고 이 방법을 평가 계획에 포함시켜야 한다. 이러한 활동들은 예산 책정 및 일정 확정 시 고려되어야 한다.

---

4) 역주: 모집단을 정확하게 반영하는 표본으로서 완전히 무작위적인 방식에 의해 표본을 추출한다. 예를 들면, 연령구조, 계급구조, 교육배경 같은 속성을 갖는 표본이다.

정보 수집 방법의 결정. 각 유형의 자료 수집을 위해 자료가 수집되어야 할 상황뿐 아니라 누가 자료를 수집할 것인지를 결정해야 한다. 이를 위해 다음 내용을 숙고해야 한다.

- 누가 정보를 모을 것인가? 평가 팀원, 프로그램 실행자, 자원봉사자 또는 기타 사람들인가? 면담, 관찰, 포커스 집단 같은 정보 수집 방법의 특성들이 참여자의 행위에 어떤 영향을 주는가?
- 자료를 수집하는 사람들에게 제공해야 할 교육은 무엇인가? 자료 수집 과정에서 체크해야 할 항목들은 무엇인가?
- 자료 수집을 위한 장소는 어떻게 구성할 것인가? 참여자들이 필요한 정보를 제공하는 데 도움을 주는 환경적 요소는 무엇인가?
- 평가자들은 어떻게 참여에 대한 동의를 구할 수 있는가?
- 익명성 또는 비밀 유지 절차가 필요한가? 이와 같은 조건들을 참가자들에게 어떻게 알릴 것이며 실행할 것인가?
- 자료 수집은 참여자에게 어떤 손해를 줄 수 있을 것인가? 또는 어떤 잠재적 이익이 있는가? 자료 수집과 절차들은 AEA의 안내 원칙(부록 A 참고)에서 제언한 것과 같은 "평가 이해관계자의 가치와 자기가치를 존중"하는가?
- 자료 수집에 특별한 장치 또는 준비물이 필요한가?

정보 수집 시기의 결정. 사건들과 관계가 있는 평가 정보가 너무 늦게 수집되면 유용성이 없음은 다시 언급할 필요조차 없는 사실이다. 시기의 적절성은 필수적 조건이다. 정보를 수집할 시기를 결정할 때, 평가자는 세 가지 준거를 고려해야 한다.

1. 정보가 필요할 때는 언제인가?
2. 정보가 수집 가능한 때는 언제인가?
3. 정보를 용이하게 수집할 수 있는 때는 언제인가?

정보가 필요할 때를 안다는 것은 정보 수집을 위한 마감 일자를 확정 짓는 것이다. 왜냐하면 분석할 시간, 해석하고 결과 보고서를 쓸 시간을 남겨두어야 하기 때문이다. 수집 가능성 또한 중요한 이슈이다. 5월 말에 학년이 끝나는 경우, 6월 초에 학생들의 사후 테스트를 계획하는 것은 맞지 않다. 그럼에도 불구하고 우리는 너무 늦게 그 사실을 발견한 평가자를 본 적이 있다. 유사하게, 많은 학생들이 공휴일 행사로 너무나 바쁜 때인 12월 중순에 실시하는 메일링 설문조사는 현명한 계획이 아니다. 또한 단지 한 번만 수집하면 되는 자료의 수집을 위해 사이트를 반복적으로 이용하는 것은 비효율적이다. 만약 각각의 자료 수집을 위한 시기를 결정했다면, 다른 평가 질문들에 적합한 자료가 용이하게 같은 시기에 수집될 수 있는지를 살펴보는 것은 쉬운 일일 것이다.

정보의 조직, 분석, 해석을 위한 타당한 방법과 기법 결정

평가자들은 정보를 교환하고, 조직하고, 저장하고, 검색하기 위한 방법을 설계하는 것에 덧붙여서 수집할 정보의 형태를 계획해야 한다. 비록 컴퓨터와 컴퓨터 데이터베이스로 인해 이 작업들이 수월해졌지만, 평가자들은 데이터베이스를 누가 만들고 유지할 것인지, 이것을 어떻게 누구와 공유할 것인지, 누구에게 접근권한을 줄 것인지 등을 고려해야 한다. 이 점들에 대해 고려하지 못했던 선례들은 이것이 중요함을 보여주고 있다. 한 컨설턴트가 학군으로부터 "수집한 평가 자료"를 "다음 주 또는 2주 후까지 분석"해야 한다는 도움을 요청받고는 자료를 한번 보자고 하였다. 우리의 친구는 일반 교실의 거의 절반 정도되는 크기의 방으로 안내되었다. 거기에는 학급 및 학교에 의해 수집된 수천 명에 이르는 학생들의 일기장 다발인 자료가 통로를 제외하고 바닥에서 천장까지 방을 가득 채우고 있었다. 우리 친구의 첫 번째 두려움은 자료가 그에게 쏟아져 내릴까 하는 것이었다고 한다. 그의 두 번째 두려움은 학군 담당자가 이 모든 자료를 1~2주라는 짧은 시간 안에 타당하게 분석할 수 있다고 믿고 있다는 것이었다. 컨설턴트와의 몇 번의 토의 끝에, 학군 담당자는 자료를 무작위 표집으로 분석하는 방법만이 가능함을 깨달았다. 또한 만약 그들이 처음부터 수집해야 할 자료를 결정했다면, 학생들을 번거롭게 하지 않을 수 있었을 뿐 아니라 그들의 시간도 절약할 수 있었음을 알게 되었다.

정보의 분석 방법 결정. 각각의 평가 질문을 위해, 평가자는 수집된 정보를 분석할 방법을 결정해야 한다. 이것은 두 단계를 필요로 한다. (1) 정보 분석을 위해 활용할 통계기법에 대한 요약문을 작성한다. (2) 분석을 수행하기 위한 방법(means)을 설계한다. 위의 학생 일기의 예에서 볼 때, 최우선 과제는 질적 소프트웨어를 결정하는 것과 일기 내용 중에서 보고서를 위해 인용문으로 사용할 내용을 추출하는 것이다. 중심 경향성(central tendency)과 분산기술통계(dispersion descriptive statistics)는 주제에 대한 빈도분석과 타당성을 검사하기 위해 사용될 수 있다. 분석 수행 방법은 자료 분석을 위해 유용하게 사용될 수 있는 소프트웨어를 결정하는 것 또는 일기 내용의 일부나 전체 내용을 검사하기 위한 분석시간(staff time)을 결정하는 것으로 간주된다. 소프트웨어 구입 기간과 분석시간이 평가 계획을 위해 고려되어야 한다.

결과의 해석. 통계표 또는 요약문 자체가 의미를 제공하지는 않는다. 같은 결과를 본 다른 사람은 그들의 가치관, 과거의 경험, 개인적 기대 등에 따라 그것들을 매우 다르게 해석하기도 한다. 이와 같은 이유로 평가 의뢰인과 다른 주요 평가 이해관계자들이 분석 결과가 무엇을 의미하는지 해석할 수 있도록 자료 분석 결과를 공유하는 것은 유용한 일이다. 어떤 평가 질문들의 경우에는 개발된 준거와 지침들이 해석을 위한 안내자 역할을 해야 한다. 나아가 평가 계획은 이해관계자들이 정보를 검토할 시간을 허용해야 한다. 이 정보 검토 시간은 이해관계자들이 집단들과 평가자들과 대화하고 보고서 작성에 필요한 다양한 시각들에 대해 심사숙고하고 결론을 내리기 위해 꼭 필요한 시간이기 때문이다.

평가 결과 보고를 위한 적당한 방법의 결정

평가자는 평가 질문별로 평가 결과에 대한 해석과 답변을 언제 준비해야 하고 누구를 위해 준비할 것인지를 결정해야 한다. 어떤 경우에는 정기적인 보고가 적당할 것이고, 다른 경우에는 단 한 번의 보고로 충분할 것이다. 어떤 보고들은 형식을 갖춘 기술적 문서가 적당할 것이고, 다른 경우에는 메모, 비형식적 논의, 구두 발표, 또는 회의의 형식을 취할 수도 있다.

평가 결과로 발견된 것을 보고하기 위한 좋은 계획은 각각의 평가 질문과 다음 내용을 행렬로 표현하는 것이다.

(1) 보고 대상
(2) 보고 내용
(3) 보고 형식
(4) 보고 일정
(5) 보고 상황

예를 들면 표 14.1과 같다.

결국 평가자들은 각각의 평가 질문별로 필요한 보고 계획을 세워야 한다. 그리고 평가자들은 보고 계획이 필요한 정보를 잘 제공하고 있는지를 다시 검토해야 한다. 17장에서 평가 보고에 대해 자세히 다룰 것이다. 계획 단계에서는 Brinkerhoff와 그의 동료들(1983: 48)에 의해 제안된 매우 유용한 질문들만을 다루고자 한다.

1. 보고 대상은 결정했는가? 그들은 충분히 관용적인가?
2. 보고의 형식, 내용, 일정 등은 보고 대상의 요구사항과 맞는가?
3. 평가 보고는 정보를 균형 있게 다루고 있는가?

표 14.1 평가 보고 계획을 위한 워크시트 예시

평가 질문	보고 대상	보고 내용	보고 형식	보고 일정	보고 상황
1. 중요한 프로그램 활동들이 계획처럼 실행되었는가?	프로그램 관리자들	진행 일정; 주의가 필요한 프로그램	메모와 구두 발표	매달 초	팀원 회의에서 발표, 1쪽의 간단한 문서로
2. WANDAH가 학생의 작문능력에 미친 영향은 무엇인가?	교장, 언어관련 교수자들, 학교 위원회	전체적인 측정과 분석적인 측정에서 나타난 학생 성과	서면 보고, 구두 브리핑과 함께, 실행적 요약문을 덧붙여서	3월 15일 예비 보고, 5월 1일 최종보고	교장과 전 교직원과 함께 하는 예비 보고에서는 브리핑과 토의, 최종보고에서는 교장과 전 교직원에게는 서면 최종보고, 위원회에게는 실행적 요약문 제공, 위원회가 요구할 경우 구두 브리핑 제공

4. 보고는 시의적절하고 효율적인가?

5. 보고 계획은 관련된 보고 대상들에 대한 존중과 함께 지식과 정보에 대한 권리를 알려주고 있는가?

평가 계획을 요약 정리하는 워크시트

평가 계획의 윤곽을 잡을 수 있는 항목들에 대해 간단하게 논의하는 것은 유용할 것이다. 평가 연구에서 초점을 잡는 데 활용된 각각의 평가 질문별로 다음 사항들을 결정하는 것은 중요한 일이다.

1. 평가 질문에 답하기 위해 **필요한 정보(들)**(수집되어야 할 정보를 고안하거나 변경하기)

2. 정보를 수집하기 위해 사용될 **설계(들)**

3. 정보의 **자원(들)**

4. 정보 수집을 위한 **방법(들)**

5. 정보 수집 **절차들**

     a. 표집 절차(필요하다면)

     b. 수집 절차(정보를 수집하는 사람; 어떤 조건하에서)

     c. 수집을 위한 일정을 포함해서

6. **분석 절차들**

7. **해석 절차들**(타당한 기준을 포함해서)

8. **보고 절차들**

     a. 보고 대상(들)

     b. 보고 내용

     c. 보고 형식

     d. 보고 일정

     e. 보고 상황을 포함해서

이 단계를 실행하기 위한 효율적 방법은 첫째 열에 평가 질문을 목록화하고 다음 열에 각각의 중요한 계획 내용을 대응시킨 행렬표를 활용하는 것이다. 표 14.2가 이 모든 것을 포함한 좋은 예가 될 것이다. 물론 특정 평가에서는 가장 중요한 것을 열로 사용하는 것도 고려해볼 수 있다.

그림 14.1은 단순한 양식의 예시이다. 이 양식은 특히 짧은 양식을 선호하는 의뢰인과 함께할 때 유용하다. 그리고 평가자에 의해 제안된 것을 이해해야 하는 재정 지원 기관들과 함께할 때 더 유용하다. 물론 부가적으로 필요한 열과 항목을 양식에 첨가할 수도 있다. 이 단순한 양식은 의뢰인과 다른 보고 대상들에게 평가 계획을 요약, 제시하거나 제안하고자 할 때, 평가자가 채택할 수 있는 가장 유용한 도구이다.

평가의 실행 방법 결정하기: 관리 계획

평가 연구 계획의 마지막 작업은 그것을 어떻게 실행에 옮길 것인가를 기술하는 것이다. 관리 계획은 프로젝트의 감독을 위해 꼭 필요한 일이다: 누가 무엇을 할 것인가? 얼마의 비용이 소요될 것인가? 주요 관리시점(milestone)은 언제인가? 시간표와 일정표는 어떤 것인가? 완전하고 체계적인 평가 연구를 수행한다는 것은 복합적인 기획이다. 노력이 성공을 거두려면 평가자는 평가 활동 자체뿐 아니라 이의 수행을 위해 할당된 자원들까지도 효과적으로 관리해야 한다. Bell(2004: 603)은 평가를 위해서는 양질의 관리활동이 필

표 14.2 평가 계획의 요약 제시를 위한 워크시크 예시

평가 질문	필요한 정보	설계	정보 자원	정보 수집 방법
고용 훈련 종료 후, 생활 보호 대상 여성들의 고용형태는 무엇인가? 그것은 의료보험을 포함하는가? 급료는 자기효능감을 갖기에 적당한가?	직업명, 책임감, 고용 형태(공공, 사설, 비영리), 주당 근무시간 수, 급여, 의료보험, 근무기간, 그들이 발생시키는 다른 요인들	기술적, 횡단면적, 가능하다면 사례연구	고용 훈련의 성적	설문조사, 인터뷰, 가능하다면 포커스 그룹

표집	정보 수집 절차	일정	분석 절차
설문조사는 전체 인원(n=50), 인터뷰는 이 중 20명, 포커스 그룹은 10명	설문조사는 의뢰인이 수료장을 나누어 줄 때; 인터뷰는 그 다음에 배치하고, 훈련연구 보조자에 의해 그들의 가정에서 실행; 포커스 그룹은 컨설턴트에 의해 시행, 25달러의 급료와 베이비시터를 제공받는 채용된 사람 15명을 임의로 뽑아서	설문조사—10월 인터뷰—11월 포커스 집단—12월	설문조사를 위해서는 기술적 통계와 카이제곱방법; 인터뷰 결과를 활용, 인터뷰의 중요 테마를 요약, 포커스 그룹을 계획하기 위한 결과 활용; 분석을 위한 포커스 그룹의 녹음 청취 기록 활용; 경향성과 해결법을 설명하기 위해 모든 결과를 통합

	보고 절차			
해석 절차	보고 대상	보고 내용	보고 형식	보고 일정
적어도 그들 중 3분의 2는 가족을 부양할 정도의 충분한 급여를 받고 있는가? 그들은 자녀를 보살필 적당한 여유를 갖는가? 의료보험은 제공되는가? 어떤 고용이 자기효능감을 만들어내지 못하는가? 또는 만들어 내는가? 해결방법은 무엇인가?	재정 지원자(시와 주의 부서들), 프로젝트 관리자들, 프로그램 실행자들(특히 고용 컨설턴트들), 의뢰인, 크게 일반 대중	질문에 답하도록 돕는 것: 프로그램은 더 잘 수행될 수 있는가? 요구되는 변화는 무엇인가?	재정 지원자와 프로젝트 관리자들에게는 기술적 보고, 각각의 재정 지원자들과는 결과에 대해 토의하는 한 번씩의 회의; 의뢰인과는 결과를 보고하고 그들의 의견을 받아들이는 회의; 일반 대중에게는 보도자료를 통한 발표	결과 토의를 위한 회의—1월; 결과 발표와 보도자료 발표—2월 중순

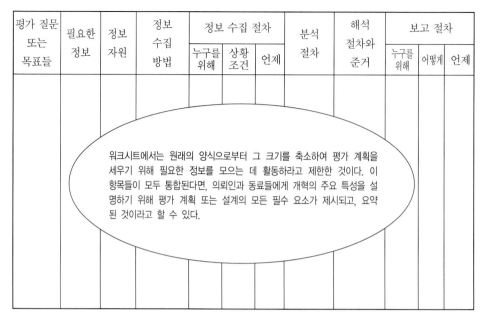

평가 질문 또는 목표들	필요한 정보	정보 자원	정보 수집 방법	정보 수집 절차			분석 절차	해석 절차와 준거	보고 절차		
				누구를 위해	상황 조건	언제			누구를 위해	어떻게	언제

그림 14.1 평가 계획의 요약 제시를 위한 워크시트 예시(단순 양식)

수적 요인이라고 강조하면서, "타당하고 유용성 있는 평가는 정밀한 연구 설계만큼이나 효과적인 관리에도 의존한다"고 진술하고 있다.

그러나 이와 같이 중요한 평가 관리는 다면적이므로, 평가 관리자는 다음과 같은 일을 실행해야 한다.

- 고용, 훈련, 동기유발 그리고 다른 프로젝트 팀원의 작업을 모니터하기
- 평가 의뢰인, 참여자, 다른 평가 이해관계자와 연락하기
- 정치적 영향력을 명료화하고 잘 대처하기
- 개발, 업무 처리, 예산을 모니터하고, 필요하다면 이들을 수정하기
- 결과가 정확한 시기에 나올 수 있도록 일정표를 만들고 모니터하고 필요하다면 일정을 수정하기
- 모든 활동들이 좋은 평가를 위한 기술적이고 윤리적인 기준들에 합치되도록 하기

평가를 관리하는 것은 좋은 대인기술, 의사소통 기술, 조직기술(organizational skill)을 필요로 한다. 좋은 대인기술과 의사소통 기술은 효과적으로 평가 팀원을 감독하고 평가 이해관계자들과 다른 보고 대상(audience)들과 의사소통하기 위해서 필수적인 기술이다. 또한 조직기술은 일정과 예산을 계획하고, 이것들을 효과적으로 모니터링하며, 수정해야

할 때를 알기 위해 필요하다. 『프로그램 평가 기준들(Program Evaluation Standards)』에서 볼 수 있는 것처럼, 좋은 평가는 "효과적인 프로젝트 관리 전략"(F1)의 활용과 "효과적이고 효율적으로 자원들"(F4)을 활용하는 것이며, 관리 계획은 자원들(시간, 자금, 사람을 포함하는)을 구조화하고 통제하는 것을 포함해야 한다. 평가 계획의 사례에서 살펴보았던 것처럼, 관리 계획은 변화가 발생한 상황에 맞추어 수정을 하는 일에 항상 개방되어 있어야 한다. 물론 이것이 평가 계획의 중요성을 축소시켜서는 안 된다.

좋은 관리 계획은 평가 질문별로 다음과 같은 사항을 결정하는 것이다: (1) 실행할 과업들과 각 과업별 일정표 (2) 과업 완료를 위해 필요한 인적 자원과 다른 자원들 (3) 비용. 먼저, 과업과 일정을 결정한 다음에 과업을 완성하기 위한 인적 자원과 기타 자원들을 명료화한다. 복잡한 과업은 높은 능력의 직원을 필요로 할 것이고, 많은 시간이 걸리는 과업에는 충분한 시간을 할당해야 할 것이다. 만약 시간이 많이 소요되는 과업을 단시간에 끝내고자 한다면 더 많은 직원을 투입해야 할 것이다. 마지막으로, 각각의 평가 질문을 위한 비용을 결정해야 한다. 표 14.3은 관리 계획의 한 예시를 보여주고 있다. 다음에서 논의될 각 절에서는 관리 계획의 각 요소를 어떻게 개발할지에 대해 설명할 것이다.

평가 과업 실행을 위한 시간 예측과 관리

평가 계획에서 평가 과업 실행을 위한 일정표를 만드는 것은 중요한 일이다. 이 과정의 첫 단계는 중요한 최종 기일과 중간 기일을 명료화하는 것이다. 이것은 정보가 중요한 의사결정자들에게 도착해야 하는 일자이거나 중간 또는 최종 보고가 재정 지원자에게 제공되어야 할 일자일 수 있다. 이때 다음과 같은 이슈를 고려해야 한다: 이 보고를 위해 필요한 정보는 무엇인가? 정보는 어떻게 분석하고 해석할 것이며, 누가 할 것인가? 누구로부터 자료를 수집할 것인가? 자료 수집을 위한 제한사항이 있는가? 이 정보를 수집하기 위하여 명료화하거나 개발해야 할 측정법은 무엇인가? 이 계획에 누가 관련되는가? 실행을 위해 어떤 문헌을 검토할 것인가? 평가 이해관계자 집단들을 초기 계획에 포함시킬 것인가? 이와 같이 일정표를 만들기 위해서는 많은 질문들을 고려해야 한다. 이때 평가자가 주요 관리 시점(평가 계획의 완료, 자료 수집 측정과 절차들의 결정 완료, 다양한 형태의 자료 수집 완료, 그것의 분석과 해석 완료, 보고서 작성 완료)을 명료화하고, 그 후 각각의 활동에 필요한 시간과 시기 등의 일정을 명료화하면 좀 더 쉽게 일정표를 만들 수 있다.

물론, 초기에 이와 같은 예측을 하는 것이 어려울 수는 있다. 유사한 자료 수집 또는 과업 계획을 위해 필요한 시간을 예측해본 경험이 있는, 조직 내의 다른 사람과 컨설팅을 한다면 이와 같은 예측에 큰 도움이 될 것이다. 프로젝트에 신규로 참여하게 된 평가자들

표 14.3 관리 계획 워크시트 예시

평가 질문	과업	일정
1. 프로그램의 주요 활동이 계획대로 실행되었는가?	1a. 프로그램의 주요 활동들과 그것들을 실행하기 위한 핵심 요소들을 명료화하기 위해 평가 대리기관의 팀원과 프로그램 개발자가 함께 작업하기; 유사한 프로그램에 대한 이론과 활동들에 대한 문헌 연구하기	1a. 평가의 첫째 달
	1b. 모니터링 활동을 위한 방법들을 명료화하고 자료 수집 계획하기	1b. 평가의 둘째 달
	1c. 자료 수집, 분석, 해석하기	1c. 2~4개월(프로그램 실행 초기의 몇 개월)
	1d. 발견한 것들에 대해 논의하기 위해 평가 대리기관과 평가 이해관계자들이 만나기	1d. 평가관리 중에, 셋째 또는 넷째 달 중 한 주 동안
2. 레이크 시의 미취업 청년(18~25)의 가장 절박한 요구는 무엇인가?	2a. 평가 대리기관의 팀원과 만나기, 기존 서류 검토하기, 주요 정보와 다른 자원들을 명료화하기	평가의 첫째 달
	2b. 주요 정보를 위한 인터뷰, 3명의 청년으로 구성된 4개의 포커스 그룹 실시, 이들 중 1명과 상호작용하기	둘째와 셋째 달
	2c. 인터뷰 결과와 기존의 자료를 분석하고 해석하기	넷째 달
	2d. 결과를 검토하기 위하여 프로그램 관리자들과 회의하기	넷째 달의 마지막 주

인적 자원과 예상 비용	기타 자원들과 예상비용	총비용
1a. 평가 리더 1일 $1,000*2일＝$2,000	없음	$2,000
b. 평가 팀원(1) 1일 $500*5일＝$2,500	없음	$2,500
c. 평가 팀원 1일 $500*1달에 2일＝$1,000 평가 리더 1일 $1,000*0.5일＝$500 (프로그램은 3개월 지속)	없음	$3,000
d. 평가 팀원 2달 중 1주에 2시간 ＝ 1일 $500*2일＝$1,000		

표 14.3 관리 계획 워크시트 예시(계속)

인적 자원과 예상 비용	기타 자원들과 예상비용	총비용
평가 리더 평가 팀원과 함께 의논하고 의뢰인과의 정기적 회의를 위해 2달 중 1주에 1시간 = 1일 $1,000*1일=$1,000	없음	$1,000
2a. 평가자 1일 $1,000*1일=$1,000 평가 팀원 1일 $500*2일=$1,000	없음	$2,000
b. 평가 리더 1일 $1,000*2일=$2,000 (몇몇 인터뷰들, 포커스 그룹 퍼실리테이터를 신규채용, 1~2 그룹들 관찰) 평가 팀원 1일 $500*8일=$4,000 (주요 정보 인터뷰, 기존의 자료를 획득, 분석 그리고 종합) 다른 팀원 1일 $240*1일=$240 (포커스 그룹을 위해 신규 채용, 인터뷰 룸 배정, 테잎 설치, 재충전 준비 등) 테입 복사를 위한 보조 비용 1일 $160*2일=$320	포커스 그룹 퍼실리테이터, 포커스 그룹을 위해 8시간 그리고 사전준비와 해석에 8시간 = 16시간 또는 2일*$1,000=$2,000; 포커스 그룹 참여자에게 수당 제공 6명씩 4그룹 각 $30=$720; 인터뷰 룸과 재충전(음료 등) 각 $75=$300;	$9,580
c. 평가 팀원 1일 $500*3일=$1,500		$1,500
d. 평가 리더 1시간 $125*1시간=$125 평가 팀원 1일 $500*2일=$1,000	녹취시간 1일 $240*0.5일=$120 출력비용=$200	$1,445
e. 평가 리더 1시간 $125*3시간=$375 평가 팀원 1시간 $68*3시간=$204		$579

은 종종 다른 사람과 컨설팅하는 데 필요한 시간과, 평가 이해관계자와 평가 팀원과 대화하거나 심도 있는 논의를 하는 데 필요한 시간을 경시하는 경향이 있다. 그러나 이와 같은 시간은 계획 단계와 해석이 이루어지는 결과 단계 모두에서 매우 중요하다. 더욱이 복합적이거나 장기간의 과업 또는 새 팀원에 의해 실행되는 작업의 경우는 적절한 시기에 평가를 완료하기 위해 다른 형태의 과업들보다 더 많은 관리시점이 필요하다. 대규모 프로젝트의 모니터링을 위한 관리시점은 단순히 자료 수집의 시작시점과 완료시점이어서는 안 된다. 평가 이해관계자들이 평가 팀원과 함께 진행과정과 발견 결과들을 토의할 수 있는 주요 관리시점을 포함시켜야 한다. 물론, 어떤 활동들은 동시에 발생할 수 있지만, 일정표는 평가팀의 리더가 이 활동들을 명료화하고 시간이 주요 관리시점과 잘 합치되도록 관리할 수 있게 해준다. 과업들의 종료시기 또한 결정되어야 한다.

어떤 한 과업을 수행함에 있어 더 많은 시간이 필요해진다면 평가자는 프로젝트 전체의 일정표를 조정해야 한다. 이것은 직원 증원, 작업 범위 축소, 또는 연구 종료시점의 연기 등을 결정하거나 다음에 시행될 과업에 필요한 시간을 감소시키는 방법으로 해결 가능하다. 일정표는 하나의 도구일 뿐 감독자가 아니기 때문이다. 일정표는 평가 관리자가 평가 진행과정을 조직하고 모니터링하는 하나의 도구인 것은 사실이지만, 예기치 않은 사건이나 요구가 발생했을 때, 예를 들어 자료 수집에서 뜻밖의 난관이 발생한 경우, 결과의 모호성 해결을 위해 더 심도 있는 자료의 수집이나 부가적 자료 수집이 필요한 경우, 주요 평가 이해관계자 또는 프로그램 직원이 교체된 경우, 의뢰인이 부가적 정보를 요구하는 경우 등은 이 요구들을 수렴할 수 있도록 일정표를 조정해야 한다.

프로젝트를 보기 좋게 배치하기 위해 평가 관리자들은 각 과업별로 진행과정을 간결하게 보여주는 비례적인 연대화 척도를 사용한 일정표인 간트 차트(Gantt charts)를 활용하기도 한다. 간트 차트는 세로선에 과업을, 가로선에 시간을 기록한다. 각 과업이 얼마의 기간 동안 수행되는지를 보여주기 위하여 각 과업별로 수평선을 그린다. 평가자는 간트 차트를 슬쩍 쳐다만 봐도 활동이 시작되어야 할 시기, 그 활동이 얼마동안 지속되어야 할지 알 수 있다. 간트 차트는 만들기 쉽고 관리에도 도움을 주며, 평가 계획과 상호 비교해보는 데도 효과적이다. 간트 차트의 예시를 그림 14.2에서 볼 수 있다.

PERT 차트는 좀 더 복합적인 프로젝트를 조직하기 위해 활용되며, 관련된 평가들을 계획하고 조정해야 하는 내부 평가조직에 의해 활용된다. PERT는 Program Evaluation and Review Technique의 머리글자로 이루어진 용어로서, 미국방부에 의해 개발된 군대 프로젝트를 위한 다면적인 관리 도구였다. 이후, 프로젝트 완료를 위해 필요한 과업들과 과업 수행 시간과 시기를 상호 관련시키기 위하여 다른 많은 평가 연구에서 사용되었다

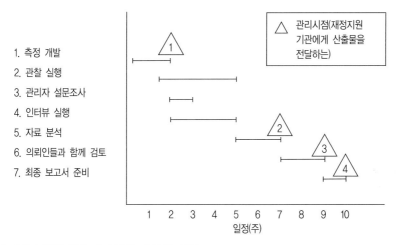

1. 측정 개발
2. 관찰 실행
3. 관리자 설문조사
4. 인터뷰 실행
5. 자료 분석
6. 의뢰인들과 함께 검토
7. 최종 보고서 준비

관리시점(재정지원 기관에게 산출물을 전달하는)

일정(주)

그림 14.2 간트 차트에서 관리시점 제시의 예시

(Cook, 1996; Sylvia, Meier, & Gunn, 1985). PERT 차트는 세부사항을 간과한다면 풀리지 않는 문제들이 발생할 수 있는 대규모의 복합적인 연구에 가장 유용하다. 그러나 대부분의 평가에서는 PERT를 사용하는 것이 이미 알려진 것처럼 번거로운 일이며, 시간 낭비일 수 있다. 대부분의 평가 연구에서는 단순화된 버전의 PERT를 활용하는 것으로 충분하다. 단순화된 버전의 PERT는 과업 수행을 위해 필요한 시간을 예측한 후, 그것을 다른 과업들(동시에 또는 그것의 전 또는 후에 수행되어져야 할)과 연결하는 것만으로 충분하다. 단순 PERT 차트의 예시는 그림 14.3에서 볼 수 있다.

평가 연구에 초점을 두는 순간부터 최종 보고까지를 고려하여 충분한 시간을 잡아야 한다. 예기치 못한 일을 위한 여분의 시간도 고려해야 한다. 예를 들어, 직원 교체로 인해 필요한 시간, 즉 평가 팀원 또는 의뢰자, 주요 평가 이해관계자들 중 신입인 사람들에게 평가에 대해 오리엔테이션하는 데 소비되는 시간 등을 고려해야 한다. 좋은 평가 관리는 주요 평가 팀원들이 성과의 질을 훼손하거나 평가 이해관계자의 참여와 피드백을 어렵게 만드는 비현실적인 어려움에서 벗어나게 해준다.

개인의 요구 분석과 과업 할당

평가의 질은 그것을 수행하는 사람들의 능력과 열정에 깊게 의존한다. 어떤 평가에서는 단지 한 명의 평가자가 모든 것을 책임져야 할지도 모른다. 그러나 일반적으로는 여러 사람들(평가팀의 구성원들, 컨설턴트들, 또는 사무직원들)이 평가에 관여한다.

아마도 모든 평가 관리자의 첫 번째 관심은 능력 있는 개인들을 다양한 평가 과업의

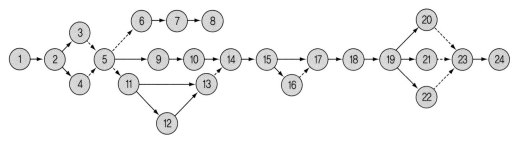

사건 명세표

1. 프로젝트 시작	9. 시험적 테스트 시작	17. 일람표 시작
2. 목표 설정	10. 최종 테스트 시작	18. 통계적 테스트 시작
3. 자료 패러다임 설정	11. 면접관 선정 시작	19. 테스트 완료
4. 가설 설정	12. 관리절차 완성	20. 해석 완료
5. 아이템 구성 시작	13. 일정표 완성	21. 표 작성 완료
6. 모집단 정의	14. 현장 인터뷰 시작	22. 차트 작성 완료
7. 표집 시작	15. 자료 코딩 시작	23. 기술 시작
8. 표본 선정 시작	16. 후속 활동 완료	24. 기술 완료

그림 14.3 설문조사 연구 프로젝트를 위한 과업 연결망(단순 양식)

출처: *Program Evaluation and Review Technique: Applications in Education* (Monograph No. 17, p. 43,) by D. L. Cook, 1966, Washington, DC: U.S. Office of Education Cooperative Research. 허가하에 게재함.

수행에 연관시키는 일일 것이다. 비교적 작은 평가의 경우, 평가팀 리더는 자신의 시간을 가장 잘 사용하는 방법을 스스로 결정해야 한다. 이것은 리더가 사용하게 될 다른 평가 팀원의 기술뿐 아니라 리더십 같은 자신의 능력, 평가 이해관계자들의 기대 등에 의존하게 될 것이다. Bell(2004)은 수행해야 할 과업들의 목록 그리고 직원 또는 과업 수행에 필요한 기술들로 이루어진 평가 팀원 표를 만들도록 제안했다. 수행해야 할 과업 목록은 평가팀 리더와 팀원들이 수행해야 할 과업들 또는 일시적으로 평가에 참여하는 팀원들이 수행해야 할 과업들을 모두 포함해야 한다. 과업 목록은 표 14.3에서 볼 수 있는 것과 같은 과업들이며, 이 과업들이 평가 팀원 표의 열(columns)로 사용된다. 그리고 목록의 각 과업별로 그것을 수행할 개인(들)을 할당한다.

일을 수행할 사람을 결정한다는 것은 각 과업을 완료하기 위해 필요한 기술을 고려한다는 것이다. 누가 이 기술을 가지고 있는가? 이 분야에 누가 경험과 관심을 가지고 있는가? 누가 내용 분석에 대한 훈련을 받았고 경험이 있는가? 포커스 집단을 해본 경험이 있는 참여자는 누구인가? 자료 분석에서 경로 분석(path analysis)을 사용해본 사람은 누구인가? 일반 대중을 위해 간결하면서도 흥미를 끄는 보고서를 써본 경험이 있는 사람은 누구인가? 작은 프로젝트에서는 평가자와 한두 명의 보조자 또는 컨설턴트 중에서 이와 같은 일을 담당할 사람이 선택된다. 대규모 프로젝트에서는 기존의 전문적 팀원들이 지닌 기술을 고려하면서, 그들의 기존 작업량이 별도의 업무를 수행할 수 있을 정도인지 그리고 이와 같은 결정이 가장 타당한 결정인지를 검토하게 된다. 심지어는 기존의 팀원이 다수여도 해당 과업의 수행을 위해 컨설턴트가 신규 채용될 수도 있다.

내부 평가의 경우에는 대체로 현재 다른 업무를 수행하고 있는 직원 중에서 평가 업무 담당자가 선택된다. 출판 편집자 또는 홍보 업무를 하고 있는 직원이 평가 정보를 보급하는 일을 담당할 수 있다. 컴퓨터와 공학계열 직원은 온라인 자료 수집, 자료 접근과 저장, 새로운 소프트웨어의 구매, 그리고 자료 분석을 보조할 수 있을 것이다. 관리 보조자와 회계 업무를 담당하고 있는 직원은 반복적인 평가 과업을 수행하도록 할 수 있다. 대부분의 참여적(그리고 확실하게 권한부여된) 평가에서는 프로그램 실행 직원과 의뢰인들이 자료 수집과 분석, 해석에 참여할 수 있다. 이때 관련된 기술, 장점, 그리고 각 집단 또는 개인이 평가에 가져올 위험 요인을 고려하면서 그들을 평가에 활용할지 고민해야 한다. 그러나 자주는 아니지만 특정 과업을 수행하기 위해 새로운 사람을 고용할 수도 있다.

평가팀 리더 또는 관리자는 이 과업들을 수행하기 위해 평가 팀원을 신규 보충하거나 선발, 고용하는 일에 대한 책임을 진다. 11장의 그림 11.3에 목록화된 평가자의 능력을 고려하고 해당 지위에 필요한 과업들을 수행하는 데 적절한 사람인지를 고려하면서 채용을 결정해야 한다. 평가 팀원 또는 컨설턴트를 신규 채용하기 위해서는 지역 또는 주 평가위원회를 활용할 수도 있다. (미국의 주 또는 지역 평가위원회가 구성원들을 위해 알림판에 게시하는 동료 가입자들의 목록을 알고자 한다면, http://www.eval.org/aboutus/ organization/affiliates.asp를 참고하거나 http://www.eval.org/find-an-evaluator/consultant_listing.asp의 '평가자 찾기(Find a Evaluator)'를 활용하라. 다른 지역의 전문평가협회들도 평가 전문가를 재고용하거나 재추천하기 위해 유사한 방법을 사용한다.) 물론, 평가팀 리더는 새로 고용된 팀원들이 자신의 조직과 평가되어야 할 프로젝트에 관심을 두도록 하는 오리엔테이션을 하고 훈련을 제공해야 한다.

평가 활동을 위한 비용 예측과 평가 예산서 작성

평가에는 많은 비금전적이고 비직접적인 비용(기회비용 또는 정책비용과 같은)이 포함된다. 그러나 여기서는 단순하게 직접적인 금전적 비용에만 한정지어 논의할 것이다.

전형적인 자원과 그 비용. 모든 평가 예산은 대개 다음과 같은 10개의 예산범주에 포함된다.

1. **평가 팀원의 급여와 부가급부.** 직원 급여는 전통적으로 평가 예산의 가장 큰 부분을 차지한다. 팀원이 평가 과업에 소비하는 시간의 양과 그 과업 수행에 필요한 전문적 수준 두 가지가 모두 비용에 영향을 준다. 급여는 다양한 과업을 수행하는 사람들과 각 과업 수행에 소요되는 시간의 양에 의해 결정된다. 부가급부(benefits)는 건강보험 비용의 증가로 인해 예산에서 차지하는 비중이 점차 증가해왔다. 이 범주의 비용은 기존의 급여와 부가급부 총액을 활용하면 비교적 쉽게 예측할 수 있다. 평가에 소요될 개인의 시간 비율을 결정한 후에, 팀원의 급여와 부가급부를 평가 예산에 할당한다. 대부분의 조직은 일련의 부가급부율(급여의 몇 퍼센트에 해당하는)을 가지고 있다. 만약 새로운 직원을 고용해야 한다면, 출판물의 광고와 직원 모집 공고를 검토하여 유사한 지위에 얼마의 급여가 제공되고 있는지를 살피고, 동시에 고용인과 함께 다른 조직들로부터 컨설팅을 받으면서 제안된 지위에 맞는 급여를 결정할 수 있다.

2. **컨설턴트 비용.** 언급했던 것처럼 컨설턴트는 (a) 일반적으로 프로젝트 팀원들에 의해 수행되지 못하는 그러나 조직에 상설로 필요하지는 않은 기술을 제공받기 위해 또는 (b) 프로그램 또는 평가에 독립적인 시각을 제공받기 위해 가끔 시행한다. 컨설턴트는 부가급부가 필요하지 않다는 장점을 가지고 있다. 컨설턴트 비용은 일당 또는 시간당으로 계산될 수 있다.

3. **출장비용(팀원과 컨설턴트를 위한).** 평가 설계와 수행을 위해 현장에서의 업무 수행의 양과 개인적 상호작용의 정도에 따라 비용을 산출해야 한다. 어떤 협약서는 출장비용에 제한을 두는 경우도 있다(예를 들어, 조직의 통근거리 내의 출장을 위한 비용은 지급하지 않는다 등). 출장비용은 통근거리 이외의 지역에서의 회의, 훈련, 관찰, 자료 수집과 타 활동들을 위한 비용으로서, 자동차의 경우 마일당 여비로 계산될 수 있다. 항공요금, 교통비, 숙박비와 식사비는 장거리 출장을 위해 산출될 수 있는 비용들이다.

4. **커뮤니케이션 비용(우편요금, 전화비 등).** 이 범주의 비용은 고정 비용(예를 들면, 매달 청구되는 유선 전화요금, 컴퓨터 통신요금, 인터넷 접속료)과 가변 비용(컨퍼런스 회의, 팩스와 같은 특별 의사소통을 위한)을 모두 포함한다. 고정 비용은 협정서에 의해, 즉 협정서에 포함된 의뢰한 조직의 작업 비율에 의해 예산을 세울 수 있다. (그러나 이들 요소 중 대부분은 비직접적 또는 간접비에서 계산된다.) 가변 비용은 수행해야 할 과업들의 특징에 토대를 두고 예측할 수 있다. 우편 설문조사가 연구의 일부분이라면 우편요금이 높아질 것이다. 이 경우 우편요금은 우편의 양과 반송 여부에 따라 직접 계산할 수 있다.

5. 인쇄와 복사비용. 설문조사, 관찰과 인터뷰, 평가 보고서, 그리고 타 문서들을 준비하는 비용이다. 반복적 비용은 과거의 프로젝트와 비교하거나 유사한 프로젝트에 참여했던 사람들과의 논의를 통해 예측할 수 있다. 서무 직원의 도움을 받아 이 범주의 예산 비용을 예측할 수도 있다. 인쇄, 복사, 최종 보고서 제본, 또는 그래픽 작업은 복사 센터와 함께 점검해야 한다. 보고서를 이메일로 배포하거나 인터넷에 게시한다면 인쇄비용을 감소시키거나 없앨 수 있다. 그러나 이 경우 관련 웹의 디자인 비용을 포함시켜야 한다.

6. 컴퓨터 비용. 새 소프트웨어가 자료 분석, 저장, 검색을 위해 구매되어야 하는지를 고려해야 한다. 만약 웹기반 설문조사를 한다면, 'Survey Monkey'와 같은 기존의 설문조사 시스템과의 연결 비용도 고려해야 한다. 또한 필수적인 기술을 지닌 팀원을 활용할 수 있는지 그리고 조직을 위해 웹기반 설문조사를 개발하는 것이 더 나은지도 고려해야 한다. 평가 보고서를 게시하기 위해 자신이 소속되어 있는 조직의 웹 사이트, 평가 기관의 사이트, 프로그램을 관리하거나 지원하는 조직의 사이트, 또는 이 세 개의 사이트 모두를 활용하는 것 중에서 어떤 방법을 선택할지도 결정한다. 그리고 특정 웹 사이트 관리가 이 보고서들을 위해 또는 평가 팀원과 평가 이해관계자들 간의 의사소통을 위해 필수적인지 아닌지를 결정한다.

7. 인쇄 자료 구입 비용. 이 범주의 비용은 기존의 자료 수집 도구들과 자료들을 구입하기 위한 비용이다. 출판된 책과 통계 패키지 구입비용이 포함된다.

8. 물품 및 장비 구입 또는 임대비용. 이 범주는 구매해야 하거나 임대해야 할 장비뿐 아니라 특정 물품 구입을 위한 비용이다. 만약 반복적으로 구입해야 하는 물품(연필, 펜, 종이 등)이라면, 협정서를 단순화하기 위해 전형적으로 문구류로 분류하여 예측하고 할당한다. 그러나 종종 특별 구매 또는 임대가 필요한 경우가 있다. 이 비용은 프로젝트를 위해 필요한 비디오테이프 장비, 특별 소프트웨어 또는 하드웨어, 기 구축된 데이터베이스의 구매 또는 기 구축된 자료의 사용 비용, 또는 자료 수집을 위한 기계적 장치(혈액-압축 모니터와 같은)를 포함한다. 특별 장비의 구매와 임대비용은 해당 장비의 공급자로부터 구할 수 있다. 어떤 협정서는 장비를 구입하기보다는 임대를 하도록 요구한다.

9. 부계약 비용. 이 범주는 거래명세 보고의 제출, 법적 서비스, 테스트 개발 등과 같은 모든 협정된 서비스를 위한 지출을 포함한다. 모든 부차적인 협정사항은 평가 예산이 완료되기 전에 부계약자들과 협상을 해야 한다. 각각의 부계약 비용들은 독립 예산으로 제시한다. 평가 대리기관과 기관들은 종종 이 비용을 간접비에 포함시킨다. 그러나 규모

가 작은 기관이나 신설 기관들은 이와 같은 서비스를 위한 청구서를 별도로 할당한다.

10. 간접비(설비, 시설). 외부 인력과 서비스의 활용이 증가하면 간접비가 낮아진다. 그러나 정형적으로 한 기관은 평가를 위해 구축해야 할 환경이 무엇인지에 관계없이 확실하게 고정된 간접비(예를 들어, 설치된 물리적 장치를 잘 유지하기 위한 유지비 등)를 부담해야만 한다. 대부분의 조직들은 전체 예산, 또는 직원 급여, 예산 중 고정된 비율을 간접비로 할당하고 있다. 그러므로 간접비로 할당된 비용을 청구하지 않도록 무엇이 간접비로 포함되어 있는지를 체크해야 한다. 간접비가 통신, 컴퓨터, 정산, 법적 서비스를 위한 고정 비용을 포함하고 있다면 이것들은 별도로 비용을 책정하지 않는다.

각각의 예산 범위 내에서 비용이 산정되고 나면 평가를 위한 총비용을 결정한다. 총비용에 대한 첫 번째 예측 결과는 종종 평가자 또는 의뢰인의 기대보다 많을 때가 있다. 이와 같은 일이 발생했을 때는 각 항목을 재검토하고 비용을 줄일 수 있는 방법을 고민한다. 효과적인 비용 절감법은 다음과 같다.

- 팀원 급여와 부가급부를 감소시키기 위해 자원봉사자 또는 저임금 노동자를 활용한다.
- 평가 팀원이 원거리에 있다면 출장비용을 감소시키기 위해 자료 수집을 위한 지역 전문가를 활용한다.
- 선택된 과업을 수행하기 위해 급여가 적게 드는 직원을 고용한 후, 훈련시켜 활용한다.
- 장비, 인력, 재료들, 필요물품을 차용한다.
- 외부 평가자가 고용된 조직(종종 공적 관계를 통해 발생)이나 또는 재정지원 기관으로부터 호의적인 봉사자를 찾는다.
- 특정 영역의 평가를 차후로 연기시킴으로써 평가의 범위를 축소시킨다.
- 기존의 측정법, 자료 또는 보고서를 활용한다.
- 결과의 엄격성을 손상시키지 않는다면 값싼 자료를 수집하고 활용한다.
- 결과를 보급하기 위해 대중매체를 활용한다.
- 다른 연구에 포함시킨다.
- 좋은 관리를 통해 효율성을 증가시킨다.

평가 협정서 확정하기

의뢰인과 평가자들이 자신의 역할과 책임 그리고 타인의 역할과 책임을 명확하게 이해하고 있다면, 평가동안 발생하는 많은 잠재적 문제들이 더 잘 해결될 수 있다. 높은 수준의 전문적 지침과 윤리성을 지닌 관리자들과 평가자들 사이에서조차 기대치에 대한 가정이 명확하지 않기 때문에 갈등이 발생하기도 한다. 계획 단계에서 그리고 기대와 책임을 문서화하기 위해 협정을 할 때, 평가자는 의뢰인과 함께 이 이슈에 대해 충분히 논의해야 한다. Guba와 Lincoln(1981)은 오늘날 평가 협정이 매우 중요해지고 있다고 경고한다.

> "평가는 평가를 위탁하는, 그것의 합법성을 제공하는 그리고 비용을 지급하는 의뢰인을 위해 실행된다. 평가자는 평가가 무엇을 성취해야 하는지, 누구를 위한 것인지, 그리고 어떤 방법을 써야 하는지를 의뢰인과 함께 확고하게 이해해야만 한다. 이것은 의뢰인이 부도덕한 평가자에게 대항하기 위해 필요한 것이며, 평가자 또한 의뢰인의 변덕과 횡포 그리고 유해하거나 비윤리적인 행동에 대항하기 위해 필요한 것이다. 이와 같은 이해를 얻고 이와 같은 보호 장치를 확립하기 위한 수단이 바로 평가 협정이다." (p. 270-271)

합동위원회(Joint Committee)의 『프로그램 평가 기준(Program Evaluation Standards)』은 특정 기준인 '형식적 협정(Formal Agreements)'을 포함한다. 특정 기준은 "P2: 공적 합의는 평가 합의를 통해 의무사항을 명시하고 의뢰인 및 기타 이해관계자들의 요구, 기대, 문화적 상황을 고려하여 협상되어야 한다."라는 것이다(Joint Committee, 2010). 그들은 협정을 위한 가이드라인을 제시하고 협정 과정에서 발생할 수 있는 일반적 실수를 제공하고 있다. Stufflebeam(1999)은 평가 협정을 위한 유용한 안내 자료로 활용할 수 있는 체크리스트를 개발했다(www.wmich.edu/evalctr/checklists/contracts.pdf 참조). 체크리스트는 우리에게 획득해야 할 정보와 그것을 분석하는 방법, 필요한 보고 방법, 그리고 평가자와 의뢰인 양측의 기대사항에 대해 협정을 맺도록 요구한다. 신중하게 다루어야 할 골치 아픈 몇몇 이슈들은 평가의 소유권과 평가 결과의 보고이다: 판권은 누가 갖는가? 의뢰인과 평가 이해관계자의 심의권은 무엇인가? 보고서를 발표할 최종 권한은 누가 갖는가? 평가자들은 평가 결과를 출판할 권한 또는 관심 있는 다른 이슈들을 전문 학술지에 게재할 권한을 갖는가? 물론 이 협정은 계획 단계에서 협의되어야 하고, 작성된 협정은 평가자와 의뢰인 또는 (만약 다르다면) 재정 지원자들이 공유해야 한다. 마지막으로 평가가 비교적 오랜 기간 동안 진행된다면, 예를 들어 1년 이상, 협정의 내용들이 매년 재검토되어야 하고 필요하다면 재협상되어야 한다.

이 시점에서 발생할 수 있는 의뢰인과 평가자 간의 또 다른 협정은 윤리성과 기준에 관한 것이다. 평가자는 『프로그램 평가 기준』인 안내 원칙(Guiding Principles)을 의뢰인과 주요 평가 이해관계자들로 구성된 자문위원회[5]와 공유해야 한다. 이 정보는 보고 대상이 평가로부터 기대할 수 있는 것을 알도록 도와준다. 안내 원칙과 『기준(Standards)』은 www.eval.org에서 얻을 수 있으며, 안내지는 요청하는 사람들에게 배포하는 사이트로부터 얻을 수 있다. (더 자세한 안내 원칙과 『프로그램 평가 기준』은 3장을 참고하라. 그리고 둘의 주요 부분에 대한 목록은 부록 A를 참고하라.)

메타평가 계획과 실행하기

협정 또는 계약은 평가 그 자체의 단계를 명료화하는 것이지만, 계획 과정의 마지막 단계는 평가자 또는 의뢰인이 평가의 질을 평가할 때와 그 방법을 고려하는 것이다. 평가자들은 자신들을 평가해야 한다는 것을 인정해야 한다. 우리는 우리 자신의 작업에 대한 평가를 하지 않고서는 다른 사람을 평가할 수 없으며, 그들을 어떻게 개선할지, 유지할지, 확대할지, 종결할지를 말할 수 없다. 메타평가를 시행한다면, 평가자는 자신들이 부지불식간에 편견과 실수를 하고 있음을 깨달을 수 있다. 그들은 특정 보고 대상을 무시하거나 정확한 자료 수집과 의사소통을 가로막는 문화적 차이를 간과하기도 한다. 평가자와 의뢰인은 모두 평가의 질에 관심을 둔다: 평가자는 그들의 개인적 기준과 전문적 명성의 표시이기 때문에 양질의 평가에 관심을 두며, 의뢰인은 잘못된 결과를 발견하는 데 투자(정책적으로나 재정적으로나)하는 것을 원하지 않기 때문에 양질의 평가에 관심을 둔다. 만약 평가의 어떤 중요한 측면이 불충분하다면, 두 집단은 모두 많은 것을 잃게 된다. 이것이 바로 메타평가(평가에 대한 평가)가 중요한 이유이다. 형성적 메타평가는 회복시킬 수 없을 정도로 너무 늦어버리기 전에 평가 연구를 개선할 수 있다. 총괄적 메타평가는 최종 결과에 신뢰성을 부여할 수 있다.

메타평가의 개발과 현재의 활용 상황
비형식적 측면에서의 메타평가는 평가 연구의 질에 대해 의문을 품는 누군가를 위해 평

---

5) 다른 지역의 청중은 그 지역의 평가를 위한 윤리적 규약을 참고해야 한다. 캐나다, 유럽, 유럽 내의 개별 국가들과 전 세계의 다른 국가들은 평가를 위한 윤리 규약을 개발해 보유하고 있다.

가 중간 중간 진행되었었다. 그러나 1960년대 들어 평가자들은 형식적 메타평가 절차와 준거에 대해 논의하기 시작하였고, 저자들은 좋은 평가와 좋지 않은 평가를 구성하는 것이 무엇인지를 제안하기 시작하였다(예를 들어, Scriven, 1967; Stake, 1970; Stufflebeam, 1968). 그리고 미출판된 평가 기준 체크리스트가 평가자들 사이에서 비공식적으로 교환되기 시작하였다. 부가해서, 몇몇 평가자들은 평가 계획 또는 평가 보고를 판단할 때 활용하기 위한 가이드라인 또는 메타평가 준거를 출판하기도 했다(Scriven, 1974b; Stake, 1969; Stufflebeam, 1974; Stufflebeam et al., 1971). 메타평가에 대한 이 초기의 논의를 통해 메타평가의 바람직한 준거에 대해 어느 정도 의견 일치가 이루어졌다. 이것은 광범위하게 받아들여지고 있는 평가의 질을 결정하는 준거들을 토대로 하여 평가의 기준을 개발하고자 한 것이다.

1975년 Daniel Stufflebeam은 전문가 협회에 의해 지명된 16명으로 구성된 교육평가 기준합동위원회의 회장을 맡았다. 그들의 일은 기존의 준거들에 대한 합의를 만들어내는 것이었다. 이 합동위원회는 평가 프로그램, 프로젝트, 자료들에 대한 평가를 위해 특별하게 고안된 첫 번째의 평가 기준을 만들어냈다. 그들의 본래 작업은 교육평가를 안내하고 평가하기 위하여 전문위원회에 의해 활용될 수 있는 첫 번째 기준을 구성하는 것이었다(Joint Committee, 1981). 합동위원회는 1년간 그 일을 계속했고, 평가에 관심을 둔 12-15개의 전문가 협회(미국평가학회, 캐나다평가학회, 미국교육연구학회, 미국심리학회 그리고 학교 관리와 운영에 관심을 둔 많은 전문가 협회들이 포함되어 있는)의 대표자로 구성되었다(Stufflebeam & Shinkfield, 2007; http://www.jcsee.org/). 그들의 작업은 매우 성공적이었다. 그들의 『기준』은 초기의 『기준』보다 확대되어 모든 프로그램 평가에 적용될 수 있도록 만들어졌고, 미국 국가기준기관(American National Standards Institute)에 의해 인증되었다. 이 『기준』은 미국에서 광범위하게 활용되어 왔고 최근 세 번째로 개정되었다(Joint Committee, 2010). 오늘날 메타평가는 평가의 질을 판단하기 위하여 이와 같은 국제적으로 승인된 기준들 또는 AEA 안내 원칙을 활용한다.

1994년 두 번째 수정판에서, 합동위원회는 한 개의 기준으로서 메타평가를 추가했다. 『기준』의 세 번째 개정판(2010)에서는 메타평가와 관련된 두 개의 『기준』과 함께 새 범주인 "평가 책무성"을 만들었고, 메타평가의 중요성이 증가하고 있음을 강조했다.

"E2 내부 메타평가: 평가자는 평가 설계, 활용된 절차, 수집된 정보, 결과에 대한 책무성을 검증하기 위하여 활용 가능한 기준들을 적용해 보아야 한다.

E3 외부 메타평가: 프로그램 평가 재정지원자, 의뢰인, 평가자, 기타 이해관계자는 이러

한 활용 가능한 기준들을 사용하는 외부 메타평가의 실시를 적극적으로 고려하여야 한다.” (Joint Committee, 2010).

　　내부 메타평가는 평가 작업을 판단하고 평가의 질을 개선하기 위해 『기준』, 안내 원칙, 또는 다른 적용 가능한 기준을 활용하여 평가자 스스로에 의해 시행된다. 외부 메타평가는 외부 평가처럼 외부인에 의해 실행되고, 형성적 또는 총괄적 목적을 위해 활용된다. 외부인은 후원자, 의뢰인, 또는 평가자일 수 있다. 이 접근의 성공은 평가가 다음 기준들, 즉 “유용성 정보(Valid Information)” 또는 “건전한 설계 및 분석(Sound Designs and Analyses)”과 얼마나 잘 연관되어 있는지를 판단하는 사용자의 기술적 능력에 의존한다. 그러나 합동위원회의 『기준』과 AEA 안내 원칙은 반드시 기술 훈련을 받지 않아도 활용할 수 있다. 기술적 이슈에 더 직접적인 관심을 두고 이와 같은 기준 또는 원칙을 적용하는 외부 평가자와는 독립적으로 평가 의뢰인이 직접 이 준거들을 효율적으로 활용하는 것도 충분히 가능하다.

　　불행하게도 평가 문헌들에서 볼 수 있는 메타평가의 예시들처럼 메타평가가 자주 시행된 것은 아니다. Hanssen, Lawrenz, Dunet(2008)은 그들이 “병행적 메타평가”라 부르는 메타평가에 대해 설명했다. 왜냐하면 메타평가자의 활동은 평가와 동시에 공존하기 때문이다. 메타평가자들은 대규모 평가가 시작되는 그 순간부터 평가 개선을 위한 정보를 평가자에게 피드백하기 위해 고용된다. (우리는 그것이 형성적 메타평가의 한 예라고 생각한다. 그러나 그들이 지적한 것처럼, 대부분의 메타평가는 평가가 완료된 이후에 시작된다. 더욱이 개선을 위한 의도 없이, 다만 평가의 질과 강점 및 약점을 판단하기 위해서 시행된다. 그들이 강조하는 것은 형성적 목적을 위하여 메타평가를 평가와 동시에 수행해야 한다는 것이다.) Hanssen과 그의 동료들에 의해 수행된 메타평가는 메타평가자들이 검토해야 할 평가에 의도적으로 연루되었다는 점에서 이례적이다. 메타평가자들은 평가 연구에 개입하면서 평가 질문 각각을 위해 수집된 자료를 검토했다. 예를 들어, 그들은 매주 평가팀 회의에 참여했고 문서 초안을 검토했으며, 사이트를 방문하고 관찰했고, 자료를 수집한 사람뿐 아니라 자료를 제공한 사람들까지도 면담했다. 그들의 피드백은 평가를 개선하는 데 매우 생산적이었다. 많은 메타평가자들처럼, Hanssen과 동료들도 메타평가를 시행하기 위해 『기준』을 활용했다. 그러나 그들은 두 개의 다른 준거들, 즉 Scriven의 『평가를 위한 핵심 체크리스트(Key Evaluation Checklist)』(2007)와 예방연구협회(The Society for Prevention Research)의 『증거의 기준들(Standards of Evidence)』(2004)을 추가로 활용하였다. (평가는 사이트에서 행하는 건강 예방 활동에 관심을 두었다.) 더욱이 그들의 프로젝트는 두 개의 부가적 기준들의 활용이 특정 프로젝트에 타당한 것으로, 그리고 그들이 검토하는 평가에 긍정적으로 영향을 주는 집중적이고 형성적 메타평가에 타당한 것으로 설명했다.

또 다른 메타평가는 매우 다른 접근을 취했다. Perry(2008)는 그녀의 수업에서 학생에 의해 수행된 평가를 검토하고 평가하기 위해 『기준』과 AEA의 안내 원칙을 활용했는데, 이를 "정신적(mental) 메타평가"라 불렀다고 진술했다. 그녀는 평가를 검토하기 위해 기준들을 활용하는 것 자체가 학습을 유발한다고 설명한다. Perry는 평가와 평가의 상황, 그리고 평가의 평가에 대해 진술하면서, 특정 『기준』과 안내 원칙이 자신이 평가에서의 특정 이슈를 분석하는 것을 도왔다고 설명했다. 메타평가는 그녀가 특정 평가를 분석하는 것을 도왔을 뿐 아니라 그녀의 실천 그리고 그녀의 학생들의 미래에 대해 숙고하도록 도왔다고 진술했다. 그러면서 Perry는 학급에서 수행했던 프로젝트에 대해 메타평가를 했던 학생들은 그 자신의 작업을 평가하는 과정에 익숙해졌다면서 메타평가의 활용을 권고했다. 이 두 개의 글은 목적과 실행 단계, 비용이 매우 다른 메타평가를 보여주고 있다. 그러나 두 가지 메타평가가 모두 아주 유용한 목적을 달성했음을 보여주고 있다.

Patton(2008a)과 Stufflebeam은 총체적인 메타평가가 모든 평가에서 반드시 필요한 것은 아니라고 하였다. 만약 총체적인 메타평가가 비용이 많이 든다면, Patton이 "높은 위험(high stake)"이라고 부르고 있지만, 메타평가를 평가가 끝날 때까지 미루어둘 수 있다. 그는 다음과 같은 가이드라인을 제안했다.

> "평가를 위한 위험도가 높은 평가(예를 들면, 총괄평가)는 평가가 수행되는 상황을 더 정치화하고자 할 때, 정치화된 환경 내에서 시행하게 될 평가를 더 잘 가시화하고자 할 때, 평가의 질에 대한 독립적인 사정을 통해 제공될 신뢰성이 더 중요할 때 활용한다."
> (2008a, p. 537)

이 가이드라인은 메타평가가 광범위한 자원들(재정적인 것이든 인력이든 시간이든 간에)을 필요로 할 때는 분명히 타당성이 있음에 주목해야 한다. 그러나 Perry의 메타평가는 평가자와 그 동료들이 평가를 사정하고 학습하고 이것을 통해 미래의 실천이 개선되는 방법으로써, 메타평가가 적은 비용으로도 수행될 수 있음을 잘 보여주고 있다.

메타평가 실행을 위한 일반적인 가이드라인

평가자들은 Perry와 Hanssen 그리고 그의 동료들에 의해 설명되었던 메타평가를 더 잘 형성하였다. 메타평가가 평가의 개선을 의도하는지 또는 보고 대상을 위해 평가의 질을 판단하고자 하는지를 고려해야 한다. 메타평가가 평가의 개선을 목적으로 한다면 메타평가가 평가와 동시에 시작되고 수행되어야 한다. 메타평가는 서로 다른 목적을 위해 서로 다른 시기에 수행될 수 있다. 평가 계획 또는 설계가 완료된 후에는 진행 상황을 점검하고 문제점을 파악하기 위해 평가가 수행되는 동안 주기적인 간격으로 메타평가를 실시한다. 그리고 발견 결과와 보고서를 검토하고 평가의 절차와 결과를 감사하는 것이 목적이라면 메타평가는 평가가 종료된 후에 실시한다. 메타평가의 목적과 시기를 결정하고 나면 (그리고 의뢰인 및 재정지원자가 메타평가를 수행하기를 원한다면) 평가자는 내부 검토자를 활용할지 아니면 외부 검토자를 활용할지를 결정한다.

내부 검토는 평가자 중 한 명 또는 평가위원회 또는 평가 지원 팀에 의해 실행될 수 있다. 평가가 진행되는 동안 평가자는 평가 이해관계자 집단과 평가 팀원에게 참여를 요청할 수 있고, 평가 계획의 실행 일정표, 다양한 과업들의 비용, 그리고 모든 수정 사항에 대한 검토를 요청할 수도 있다. 이와 같은 회의시간은 의뢰인을 위한 더 유용하고 진보된 보고서를 제공할 수 있게 해준다.

외부 검토는 유사한 평가에서 성공적 경험을 한 적은 있지만 해당 평가와는 이해관계가 없는 외부인에 의해 수행될 수 있다. Hanssen 등(2008)이 사례에서 설명한 것처럼, 메타평가가 평가 초기에 시작된다면, 외부 평가자는 평가 계획과 계획 실행을 위해 취해진 행동들을 검토할 수 있고 그것의 보완을 위해 제언을 할 수 있다. 또한 외부 검토자는 평가 내내 기술적 지원을 제공할 수도 있다. 그리고 프로젝트의 말미에는 평가 결과와 결론, 보고서를 검토할 수 있다. 이를 위해, 외부 평가자는 평가 파일들, 도구들, 자료들, 보고서들 그리고 보고 대상들에게 충분히 접근하기 위해 각 검토 단계에서 방문해야 할 사이트에 대한 일정표를 요구할 수 있다. 이 일정표는 평가 계획과 각종 정보, 즉 적절한 평가 정보에 접근하는 방법과 장소, 다양한 기준들과 기준의 의미들, 그들의 적용에 대한 정보를 모두 포함하고 있어야 한다.

메타평가를 수행하는 사람이 누구이든 간에, 그 다음에 할 일은 활용할 기준들과 초점을 둘 이슈들을 명료화하는 것이다. 메타평가자는 자신들의 작업 목적과 초점을 어디에 두어야 할지를 결정하기 위해 그리고 메타평가를 위해 활용할 기준들을 논의하기 위해, 전형적으로 평가자 또는 평가팀과 함께 작업을 하거나 메타평가를 필요로 하는 의뢰인과 함께 작업을 한다. 그 다음에 메타평가자는 메타평가 수행을 위해 필요한 정보를 명료화한다. 이것은 종종 기존의 문서와 기록들(평가 계획, 회의 메모, 데이터베이스, 평가 보고서)과 인터뷰할 사람들(평가자, 의뢰인, 평가 이해관계자를 포함하여)의 조합으로 구성된다. 이와 같은 정보는 인터뷰에서 검토되거나 수집될 수 있으며, 그것을 선택한 기준들과 비교함으로써 분석할 수도 있다. 이와 같은 작업의 결과들이 종합되면 메타평가자는 평가의 각 단계별로 타당한 결론을 내리고 평가 개선을 위한 제언을 제공한다.

매우 간단한 예를 한번 살펴보자. 우리는 평가 설계와 그것의 독특성에 메타평가의 초점을 둘 것이다. 평가에서 설계는 매우 중요하다. 미흡한 설계는 평가를 만족스럽게 이끌수 없기 때문이다. 우리는 메타평가자가 평가자에게 설계 개선을 위한 피드백을 제공하는 형성적 목적을 위해, 그리고 메타평가를 평가 계획이 완료됨과 동시에 시작하는 것으로 협정했다고 가정할 것이다. 메타평가는 계획과 실행 측면에서 설계를 검토할 것이다. 이 경우 평가 설계를 위한 메타평가는 다음 사항을 포함하게 된다.

- 제안된 계획이 실행되었고 주장된 것이 지켜졌는지에 대해 검토하기
- 과업이 계획대로 완료되었고 예산 내에서 이루어졌는지를 살피기 위해 설계를 모니터하기
- 도구, 절차, 산출물(자료와 보고서 같은)의 질을 점검하기
- 가능한 한 중간 교정을 위해 설계를 검토하기(특히 주요 보고 대상을 위해 평가의 효용성이 잘 드러나고 있는가 또는 평가에 문제가 발생했는가에 비추어서)
- 평가 설계에 미친 메타평가의 영향을 점검하기

제한된 분량 때문에 이것들 하나하나를 논의하거나 설계를 평가하는 또 다른 예들을 제시하기는 어렵다. 독자들은 다음에 논의될 내용으로부터 쉽게 평가의 다른 측면과 단계들에 대한 메타평가를 예측할 수 있을 것이다.

평가 설계를 평가하기 위해 거쳐야 할 단계. 다음에 제시되는 단계들은 평가 설계를 메타평가하기 위해 제안된 것이다.

1. **검토를 위해 준비된 형식에 설계 복사하기.** 평가 설계에 대한 형성적 메타평가는 설계가 생산적 검토를 할 수 있을 만큼 충분히 잘 만들어져 있을 때, 하지만 아직 자료 수집은 시작하지 않았을 때에 시행해야 훨씬 유용하다. 평가 설계는 메타평가로부터의 피드백에 의해 수정되어야 한다.

2. **메타평가를 수행할 사람 명료화하기.** 내부 평가는 이 프로젝트에 참가하지 않는 한 명의 평가자를 활용할 수도 있다. 소규모 외부평가를 위해서, 평가자는 평가 개선을 위해 건설적인 피드백을 제공할 수 있을 정도의 충분한 독립성을 지닌 사람을 신규 채용할 수 있다. 대규모 외부 평가를 위해서, 평가자는 기술적 컨설턴트의 지원과 함께 지원

심의회가 메타평가를 수행하고 피드백을 제공하도록 할 것이다. 이것은 평가팀이 설계의 효용성에 대한 의뢰인의 의견, 설계의 기술적 타당성에 대한 컨설턴트의 피드백 그리고 지원 팀의 의견을 받아들일 수 있도록 해준다.

3. 설계를 평가하기 위해 존재하는 권리 확보하기. 만약 당신이 재정지원자이거나 의뢰인이고 평가를 요청했던 평가자에게서 평가 설계를 제출받았다면 당신은 평가 설계를 평가할 권한을 지닌다. 즉, 일반적으로 당신이 평가 수행을 점검할 다른 메타평가자를 배치하는 것에 전문적 또는 법적 제약이 전혀 없다. 반대로, 노숙자 임시 숙소 위원회에 반대하는 시민단체의 의장이 당신에게 지역 노숙자 임시 숙소 위원회가 자신들의 프로그램을 평가하는데 활용하기 위하여 제안했던 내부 평가 설계의 결점을 찾도록 요청했다고 가정해 보자. 당신은 역할의 타당성에 대해 의문을 제기할 것이다. 특히 만약 당신이 내부 평가 설계가 단지 내부적으로 참조하기 위한 그리고 불만 많은 임시 숙소의 고용인에 의해 위원회에 전달되어진 덜 정련되고 덜 다듬어진 초고 수준인 것을 발견했다면, 더욱 당신 역할의 타당성에 해 의문을 제기할 것이다. 메타평가자들은 (평가자들처럼) 그들 자신이 고용된 총잡이처럼 활용되어지는 것을 발견하곤 한다. 그러나 메타평가자는 권총집의 버클을 채우기 전에 그들의 급료 지급자에 의해 요구되어지는 메타평가가 윤리적 또는 법적 원칙을 위반하는 것인지를 확실히 점검해야 한다.

4. 평가의 다양한 단계에서 평가 설계에 활용되고 적용될 기준 선정하기. 『프로그램 평가 기준(The Program Evaluation Standards)』은 종종 메타평가를 위해서도 활용된다. 그러나 기준 그 자체로만 본다면 다른 적절한 기준들을 활용할 수도 있다. 평가 설계에 대한 메타평가를 수행한다는 것은 바로 메타평가자가 설계와 관련된 『기준』과 안내 원칙 중 활용할 기준을 선택하는 것이다. 처음에는 명백하게 설계에 관심을 두고 있는 A6에 초점을 두어야 할 것이다. 그러나 그 다음에는 U3, P1, P3~P5, 그리고 A1~A5를 포함한 다른 연관된 기준들에도 관심을 두어야 한다. 또한 선정된 설계가 주어진 경우 그리고 평가 이해관계자들의 개입이 결정된 경우에는, 메타평가자는 설계와 그것의 선택이 기준 U2, U4, U6, F1~F4, 그리고 E1에 들어맞는지를 고려해야 한다. 설계에 대한 메타평가에서 가장 널리 쓰이는 안내 원칙은 A1, B1, C6, D2~4 그리고 E2이다. 다른 연관된 원칙들은 A, B2~3, C1, C4, D5~6, 그리고 E1, E4~5이다. (부록 A의 『기준』과 안내 원칙을 참고하라.)

5. 평가 설계의 적절성 판단하기. 어떤 평가 설계도 완벽하지 않다. 받아들일 수 있는 수준의 평가의 질을 확보하면서 동시에 평가의 목적을 달성할 수 있을 것으로 보이는 평

가 설계인지를 총괄적으로 판단하면서, 이 두 가지 조건 사이에 균형을 잡는 일을 해야 한다.

더 나은 메타평가를 위한 요구조건

행운이 따랐다면 우리는 독자가 메타평가의 개념이 유용하고 목적을 위해 활용할 수 있는 적절한 도구라는 것을 깨닫게 했을 것이다. 그러나 합동위원회(Joint Committee)의 『기준』이 광범위한 대중성과 활용 가능성을 지니고 있음에도 불구하고 실제로는 적은 수의 메타평가만이 수행되고 있다. 몇몇 수행된 메타평가들도 대부분 평가에 참여하고 있는 평가자에 의해 행해진 내부 평가들이며, 자신들의 노력을 평가하도록 외부 전문가에게 요청하는 평가자는 거의 찾아보기 어렵다. 그 이유는 매우 많고 복합적이지만 그 중 한 가지 이유는 매우 설득력이 있다. 즉, 평가자는 인간이므로 자신의 작업이 평가되는 것에 대해 부담감을 가질 수밖에 없다. 사실 자신이 내린 처방을 철회해야 하는 것은 심각하게 무기력한 경험이 될 수 있다. 비록 좋은 메타평가가 자주 이루어지지 않는 상황을 충분히 이해할 수 있더라도, 불완전한 평가 실천이 잘 발견되지도 않고 반복을 통해 점점 나빠지면서 전문성을 해치고 있는 것을 간단히 묵인해서는 안 된다는 것을 명심할 필요가 있다.

주요 개념과 이론

1. 평가는 다음과 같은 주요 기능으로 구성되어 있다: 평가에 초점 맞추기, 정보 수집하기, 정보 조직하기, 정보 분석하기, 정보 보고하기, 평가 관리하기.

2. 계획 단계에서 평가자는 평가 질문에 답해진 그리고 그것을 실행하기 위한 방법이 담겨진 평가 계획을 고안하고 개발한다. 평가 계획은 평가 연구를 통해 건의된 평가 질문들과, 설계, 자원들, 방법들, 절차들, 분석들, 각각의 질문을 위해 활용된 해석 방법들로 목록화될 수 있다. 이 계획은 평가자가 의뢰인 또는 주요 평가 이해관계자들과 평가 수행의 목적, 초점과 방법들에 대해 논의하기 위해 필요한 중요한 문서이다.

3. 둘째로, 평가 계획은 평가팀 리더의 평가 관리를 돕기 위해 필요하다. 관리 계획은 완료되어야 할 과업과 일정표, 인력과 각 과업에 할당된 비용을 명료하게 계획하는 것이다. 관리 계획은 평가를 모니터하고 감독하기 위한 안내서로서의 역할을 한다. 그러나 상황이 변화하면 관리 계획도 변화되어야 한다. 또한 평가를 관리하는 것은 평가를 위한 예산을 책정하고 모니터링하는 것뿐 아니라 프로젝트를 위해 팀원을 배정하고, 가능하다면 채용하고 오리엔테이션을 제공하는 것까지도 포함한다.

4. 예산 책정에서 평가자는 평가 팀원의 급여와 부가급부, 컨설턴트 비용, 출장비용, 통신비, 인쇄와 복사비, 필요물품과 장비 구입 및 임대비, 간접비를 고려해야 한다. 이 각각의 비용들은 평가 이해관계자가 각 과업에 참여하는 정도와 산출되어야 할 평가 보고서의 특성뿐 아니라 평가의 형태와 활용되는 자료 수집 방법에 따라 달라진다.

5. 평가자는 의뢰인과 평가의 목적, 완료해야 할 활동들, 평가자와 의뢰인의 권한과 책임에 대해 명백한 협정을 해야 한다.

6. 마지막으로, 평가자는 반드시 평가를 개선하거나 평가의 질을 판단하기 위하여 타인으로부터 피드백을 받는 메타평가를 해야 한다. 메타평가는 정형적으로 메타평가 실행을 위한 준거로서 『프로그램 평가 기준(Program Evaluation Standards)』, AEA의 안내 원칙(Guiding Principles) 또는 다른 타당한 기준들을 활용한다.

토의 문제

1. 당신은 대부분의 평가자들이 실행할 수 있는 그러면서도 가장 유용한 표집 방법은 무엇이라고 생각하는가? 무작위 표집인가? 아니면 유의표집인가? 평가자가 각 전략을 생산적으로 활용할 수 있는 때는 언제인가?

2. 평가자가 평가와 관련된 비용을 감소시킬 수 있는 방법은 무엇인가?

3. 방법론의 선택은 평가자들 간의 많은 논의와 토론을 촉진한다. 예를 들면, Mark와 Henry(2006)는 정책입안자는 프로그램 또는 정책과 산출 사이의 인과관계를 알려주는 평가 결과를 활용하는 것에 가장 관심을 두고 가장 좋아한다고 주장한다. 그러나 다른 평가자들은 정책입안자들이 너무 바쁠 뿐 아니라 수행하는 일에 대해 자신들만의 주장을 가지고 있기 때문에 평가 결과들을 실제로 활용하지는 않는다고 주장한다. 그러면서 평가는 프로그램 수준(프로그램 관리자와 팀원이 종종 기술적 정보에 더 많은 관심을 두는)에서 가장 잘 활용된다고 주장한다. 당신은 어떤 유형의 설계(인과관계 또는 기술적)가 더 많이 활용된다고 생각하는가? 누구에 의해 활용되는가? 그 이유는 무엇인가?

4. 평가자와 의뢰인 간의 계약적 협정은 왜 유용한가? 당신은 협정이 이루어지지 않고 검토되지 않는다면 가장 많이 발생할 수 있는 논쟁이 무엇일 것이라고 생각하는가? (이 논의를 용이하게 하기 위해 http://www.wmich.edu/evalctr/checklists/contracts.pdf에 있는 Stufflebeam의 평가 협약 체크리스트를 참고하라.)

5. 학생들에 의해 수행된 평가에 대해 메타평가를 한 후 작성한 Perry의 글을 읽고 당신도 같은 결론을 내릴지 논의해보라. 또한 당신이 알고 있는 평가를 대상으로 Perry가 설명한 과정을 활용할 수 있을지 논의하라. 이 과정이 도움이 될 것인가? 어떤 방식으로 도움이 될 것인가?

적용 연습

1. 13장의 결론에서 개발한 평가 질문을 활용하여 이 질문들에 맞는 평가 계획과 관리 계획을 세워보자. 당신이 계획을 세울 때 필요한 정보는 무엇인가? (다음 장들이 그 방법에 대해 더 잘 설명해줄 것이다.) 당신은 평가 설계를 계획할 때 어떤 평가 이해관계자들을 포함시킬 것인가? 각 단계에서 어떤 과업을 수행해야 하는가? 누가 그것을 수행하는가? 언제 수행하는가?

2. 각 장의 말미에 제공되고 있는 사례연구의 인터뷰 중 하나를 선택한 후, 그 글로부터 평가 계획을 재구성해 보자. 평가 연구에서 답변되어야 하는 평가 질문은 무엇인가? 어떤 정보가 수집되었는가? 어떤 설계, 재료들, 방법들이 사용되었는가? 복합적 방법이 활용되었는가? 얼마만큼의 자료가 분석되고 해석되었는가? 평가 이해관계자 또는 의뢰인은 평가 계획에 얼마나 관여했는가?

3. 평가 연구를 수행한 누군가를 인터뷰하라. 그 사람이 설계를 어떻게 개발했는지에 대

해 질문하라. 평가 단계에서 가장 갈등을 일으킨 이슈는 무엇인가? 평가 이해관계자들을 이 이슈에 얼마나 관여시켰는가? 평가 이해관계자들이 중요한 역할을 한 이슈는 무엇인가? 평가자는 얼마나 많은 의사결정권을 지니고 있었는가? 왜 그랬는가? 당신은 그 사람의 연구와 얼마나 다르게 개발할 것인가? 그 사람의 계획 중 당신 자신의 평가표에 그대로 포함시킬 것은 무엇인가?

4. 3번을 연습하기 위해 인터뷰하는 동안, 평가자들이 연구를 어떻게 관리했는지에 대해서도 질문을 하라. 전문적인 평가자, 연구 보조자, 사무직원은 각각 무엇을 했는가? 어떤 종류의 과업들이 내부 팀원에 의해 수행되었는가? 그들은 프로그램에 어떻게 관여되었고, 어떻게 훈련되었는가? 평가팀 리더는 일정표를 어떻게 모니터했는가? 마지막으로, 인터뷰 대상자가 당신에게 예산의 복사본을 제공한다면 비용을 어떻게 결정했는지를 질문해보라. 비용이 개발된 프로젝트에 맞추어 변경되었는가? 당신이 가져온 예산을 다른 학생들이 가져온 예산과 비교해보라.

5. 만약 당신의 수업에서 평가를 수행한다면 Perry의 전략을 시도하고 당신의 프로젝트에 대한 메타평가를 수행하기 위해 기준과 안내 원칙을 활용해보라. 비록 Perry의 메타평가는 평가가 완료된 후에 이루어졌지만, 당신의 메타평가는 형성적일 수 있고 변화를 위한 피드백을 제공할 수 있다.

관련 평가 기준

부록 A의 전체 기준들 중 이 장의 내용과 관련이 있는 기준들은 다음과 같다.

U1-평가자 신뢰성	A1-결론 및 의사결정의 정당성
U6-과정 및 결과의 유의미성	A2-정보의 타당성
U7-소통 및 보고의 시의적절성 및 적합성	A3-정보의 신뢰성
F1-평가 프로젝트 관리	A5-정보 관리
F2-절차적 실용성	A6-설계 및 분석의 충실성
F4-자원 활용성	A8-소통과 보고
P2-공적 합의	E1-평가 기록화
P3-참여자 권리와 존중	E2-내부 메타평가
P5-투명성과 공개성	E3-외부 메타평가
P7-재정적 책임	

사례 연구

이 장에서 우리는 프로젝트를 관리하는 서로 다른 양상을 설명하기 위해 세 개의 인터뷰를 제공했다. 『Evaluation in Action』에 수록된 6장(Rog), 11장(Ross Conner), 13장(Allan Wallis와 Victor Dukay)이다.

6장에서 Rog는 노숙자 가족들에 대한 국가적이고 여러 사이트와 연관된 평가에 대해 설명했다. Rog는 자신이 재정지원자 그리고 사이트들과 얼마나 밀착되어 일했고 그들의 의견을 어떻게 구했으며 평가를 어떻게 개선했는지를 설명했다. 또한 자신이 평가 계획을 프로젝트 진행 과정에 어떻게 적용시켰고 노숙자 가족들이 자신의 가정과 얼마나 달랐는지를 보여주었다. 출처는 다음과 같다: Fitzpatrick, J. L. & Rog, D. J. (1999). The evaluation of the Homeless Families Program: A dialogue with Debra Rog. *American Journal of Evaluation, 20*, 562-575.

11장에서 Conner는 자신이 콜로라도 지역 의료정책의 멀티사이트 평가를 어떻게 수행하고 관리했는지를, 즉 각 지역에 있는 사이트를 사용하여, 사이트들이 자신을 방문하게 하여, 그리고 시작 초기부터 프로젝트를 계획하기 위해 재정지원자와 함께 일하면서, 사이트들에 지원을 제공하면서 어떻게 평가를 진행해 갔는지를 설명했다. 출처는 다음과 같다: Christie, C. & Conner, R. F. (2005). A conversation with Ross Conner: The Colorado Trust community-based collaborative evaluation. *American Journal of Evaluation, 26*, 369-377.

13장에서 Wallis와 Dukay는 미국 평가팀과 함께, 그들이 평가하게 될 아프리카의 작은 마을에 있는 고아원을 방문하기 위한 준비작업에 어떻게 투입되었는지를 설명했다. Dukay는 이 고아원을 설립한 사람인데, 이제는 평가자의 역할을 맡게 되었다. 그들은 탄자니아 학자 팀과 그것을 지원할 도시 주민들과 함께 평가에 투입되었다. 이 장은 『Evaluation in Action』에서 활용할 수 있다.

추천 도서

Bell, J. B. (2004). Managing evaluation projects. In J. S. Wholey, H. P. Hatry, & K. E. Newcomer (Eds.), *Handbook of practical program evaluation* (2nd ed.) San Francisco: Jossey-Bass.

Compton, D. W., & Braizerman, M. (Eds.). (2009). *Managing program evaluation: Toward explicating a professional practice*. New Directions for Evaluation, 121. San Francisco: Jossey-Bass. 참고: 이 이슈는 한 조직의 평가를 관리하기 위한 기본적인 것이며, 조직의 평가 관리자들에 의한 내용들뿐 아니라 이슈들에 대한 우수한 내용들을 제공하고 있다.

Perry, K. M. (2008). A reaction to and mental metaevaluation of the Experiential Learning Evaluation Project. *American Journal of Evaluation, 29*(3), 352-357.

Russ-Eft, D. F., & Preskill, H. S. (2001). *Evaluation in organizations: A systematic approach to enhancing learning, performance, and change.* Cambridge, MA: Perseus.

Stufflebeam, D. L. (2000). Lessons in contracting for evaluations. *American Journal of Evaluation, 21,* 293-314.

Stufflebeam, D. L., & Shinkfield, A. J. (2007). Budgeting evaluations (Chapter 22) and Contracting evaluations (Chapter 23). *Evaluation theory, models, and applications.* San Francisco: Jossey-Bass.

Part IV

평가 실시 및 활용을 위한 실천적 지침

제3부에서 우리는 평가를 실시해야 하는가에 대한 결정 방법, 평가가 정당하게 수행되고 있는가에 대해 확실시하는 방법, 평가의 세부사항들을 계획하는 방법 등 평가 착수에 필요한 지침을 제공했다. 제4부에서 우리는 평가를 실제로 실시하고 보고하는 것에 대한 지침을 다룰 것이다. 제15장과 제16장은 평가자가 자료 수집에 있어서 다양하게 선택해야할 사항에 대해 초점을 둘 것이다. 그 선택들은 평가가 이루어지는 순서대로 제시될 것이다. 즉, 먼저 평가자는 평가되는 프로그램의 맥락에서 구체적인 평가 질문에 답하기 위해어느 설계를 활용할 것인가를 선택한다. 이러한 구체적인 설계와 함께 표집 전략도 고려한다. 15장은 일반적으로 활용되고 있는 설계와 표집 방법을 다룬다. 그런 다음 평가에서필요한 구체적 정보를 수집하는 데 필요한 수단과 그것에 대한 분석 및 해석 방법을 고려할 수 있는데 이는 16장에서 다루어진다. 우리는 단지 방법의 범주를 근거로 논의하지 않고 평가 질문들의 성격과 프로그램 맥락을 근거로 양적, 질적 설계와 방법을 제시할 것이다. 대부분 평가 연구에서 질적 및 양적 연구를 혼합하는 방식으로 사용된다. 17장에서우리는 평가의 활용 또는 영향을 극대화하도록 결과를 보고하는 다양한 방법을 기술하며, 또한 활용에 대한 다양한 유형과 틀에 대해서도 다룰 것이다.

제4부의 각 장은 각 주제에 대해 충실하게 다루어질 것이다. 그래서 각 장의 주제들의확대된 논의는 이루어지지 않는다. 각 장은 단지 그 주제를 도입하고 실제 평가에서 자료를 어떻게 활용할 것인가에 대한 실천적 제언을 하는 수준에 그칠 것이다. 각 주제에 대한 더 폭넓은 논의를 위해서 보다 상세한 정보를 원하는 고객을 위해 참고자료를 제시할것이다.

15

평가 정보 수집하기: 설계, 표집, 비용 결정

핵심 질문

1. 평가에 필요한 자료 수집 계획을 수립하거나 실제 수집 활동을 함에 있어 따라야 할 절차는 무엇인가?

2. 평가에 있어 혼합 방법을 사용하거나 다양한 패러다임에 근거함은 평가의 질을 어떻게 높일 수 있는가? 혼합 평가 방법은 어떻게 하면 가장 효과적으로 사용되는가?

3. 평가자는 평가에 필요한 정보를 어디에서 수집할 것인가를 어떻게 결정하는가?

4. 각각의 평가 설계 유형의 목적은 무엇인가? 어떤 환경에서 각각의 평가 설계가 사용되는가?

5. 평가에 있어 표집은 어느 시점에서 중요한가? 사례 연구에서 적합한 사례를 선택하기 위해 따라야 하는 절차는 무엇인가? 보다 큰 집단으로의 일반화가 평가 목적일 때 적합한 표집 전략은 무엇인가?

6. 비용-편익과 비용-효과의 차이는 무엇인가?

정부는 통계치를 축적하는 데 관심이 많다. 통계치들을 수집하고, 더하고, n제곱하고, 세제곱근을 구하여, 훌륭한 도표를 만들어낸다. 하지만 잊지 말아야 할 점은 이러한 수치들이 맨 처음에는 한 마을의 경비원이 기분 내키는 대로 기록한 것일 수도 있다는 점이다(Josiah Stamp경의 말을 Light와 Smith[1970]에서 재인용).

정보 수집은 평가에 있어 기초가 된다. 정책입안가 또는 일반 국민들이 자료에 바탕을 두지 않은 또는 사실에 바탕을 두지 않은 평가라고 비웃을 수 있음에도 불구하고, 어떤 평가자도 증거를 수집하지 않고 평가적 판단을 하지는 않는다.

하지만 정보는 상황에 따른 것이어서 평가에 따라 달라진다. 이와 유사하게 평가자가 정보를 수집하기 위해 사용하는 방법도 또한 평가 질문, 프로그램의 상황, 이해관계자들의 정보에 대한 요구와 가치 등에 따라 변하기 마련이다. 한 가지 확실한 선택이 있는 경우는 드물다. 가장 경험이 많은 평가자라 할지라도 정보 수집을 위한 자원, 방법, 도구 등과 관련하여 어려운 선택을 해야만 한다. 평가자는 정책적 측면에서의 바람직성과 다양한 이해관계자들의 수용 가능성뿐만 아니라, 측정하려는 구인, 정보 수집을 위한 방법의 타당도, 신뢰도, 실용도, 적합도, 그리고 계획의 비용과 관리 용이성 등을 고려해야만 한다.

대부분의 평가 연구에서 정보 수집의 본질적인 절차는 다음과 같다.

1. 평가 계획에서 개발된 평가 질문을 연구하고, 어떤 정보가 수집되어야만 하는지를 결정하라. 평가 질문에 답하기 위해서는 어떤 정보가 필요한가? 평가되거나 기술되어야 할 구인은 무엇인가? 자료 수집 방법은 평가 질문의 본질이 무엇인지에 따라 선택된다.

2. 평가하려는 프로그램 자체와 지역사회뿐만 아니라 고객, 재정지원자, 후원자, 기타 이해관계자 등 프로그램을 둘러싼 상황의 본질을 고려하라. 평가 질문은 프로그램과 관련된 주요 이해관계자들을 위한 정보가 무엇인지를 정의하지만, 어떠한 유형의 증거가 이러한 이해관계자들과 지역사회에게 가장 설득력이 있을 것인가? 어떤 설계와 방법이 가장 실현 가능한가?

이러한 토대 위에 평가자는 다음과 같은 단계를 따라야 한다.

1. 필요한 정보를 수집하기 위한 설계안을 개발하거나 선택하라. 각각의 평가 질문에 답하기 위해 가장 적절한 평가 설계는 무엇인가? 이러한 평가 설계는 해당 연구가 지니고 있는 특정한 환경에서 어떻게 변경되어야 하는가?

2. 필요할 경우 표집 전략을 고려하라. 정보는 모든 사람 또는 모든 장소로부터 수집되어야 하는가? 사람 또는 장소의 수는 비용-효과 측면을 고려할 때 충분히 큰가? 특정한 하위 집단을 표집하는 데 관심이 있는가? 만약 그렇다면, 목적에 가장 부합하는 표집 전략은 무엇인가?

3. 정보를 수집하기 위한 적절한 자원과 방법, 복합적인 측정이 요구되는 지역을 확인하라. 누가 이 정보(자원)를 지니고 있는가? 그것을 수집하기 위해 가장 적합한 방법은 무엇인가?

4. 정보를 수집하기 위한 절차를 개발하라. 누가, 언제, 어떻게 정보를 수집할 것인가?

이를 위해 필요한 훈련이나 지시사항은 무엇인가?

5. 적절한 점검표를 사용하여 정보를 수집하라.

6. 정보를 분석하라. 통계 방법이 적합한가? 만약 그렇다면, 어떤 통계 방법이 사용될 것인가? 질적 정보는 어떻게 구조화되고 해석될 것인가? 필요한 소프트웨어는 무엇인가?

7. 결과를 해석하고, 평가 결론을 도출하라.

대부분의 책들에는 단일한 자료 수집 방법, 도구, 또는 절차를 기술하고 있다. 평가자들이 사용해 왔거나 가치를 부여하는 많은 자료 수집 방법을 이 책에서 상세하게 기술하기는 어렵다. 대신, 평가 정보 수집과 관련된 사항을 두 장에 걸쳐 기술하였다. 이 장에서는 평가자들이 따라야 하는 단계 가운데 1~3단계에 대해서 논의할 것이다. 자료의 수집, 분석, 해석 등과 관련된 쟁점사항들은 16장에서 논의할 것이다.

혼합 평가 방법 사용하기

평가 방법별 논쟁

1970년대부터 1990년대 초반까지 평가와 관련하여 질적 또는 양적 방법의 사용과 관련된 논쟁이 있었다. 때로는 불화를 일으키기도 했지만, 평가 방법과 관련된 논쟁은 배경과 학문 분야가 다른 평가자들에게 유용하고 대안적인 접근법과 측정 방법을 알려주었고, 평가자들에게 다각적인 자료와 방법의 사용을 장려하였다. 평가자들은 요구조사, 성과, 비용 연구 등 다른 유형의 질문에 답하고, 혈압에서부터 자아존중감까지, 계산 능력에서부터 삶의 질까지 다양한 범위의 개념들을 측정한다. 수행해야 할 과업의 범위가 주어지면, 평가자들은 질적 그리고 양적 방법 모두를 아우르는 다양한 도구를 지니고 있어야 한다.

현재 전문적인 평가자들은 한 가지 방법이나 접근이 늘 적합하지는 않음에 동의한다. 사실 평가 질문, 프로그램의 상황과 특징, 다양한 이해관계자들의 가치와 시각에 대한 심사숙고 없이 평가 방법을 결정해서는 안 된다. 이 주장을 입증하기 위해 두 전문가의 의견을 인용하겠다. Chelimsky(2007)는 평가 방법의 선택과 관련된 책에서 다음과 같이 주장하였다.

평가 질문의 발단과 상세한 특성에 대한 분명한 관심 없이 평가 방법을 먼저 선택함은 말 앞에 마차를 두는 것과 같다. 이는 국방부가 치르고 있는 전쟁의 종류, 적군의 특성, 역사, 기술적 수준, 군사 작전의 전략과 전술에 대한 충분한 이해 없이 무기 체제를 선택하는 것과 같다. (p. 14)

이 책의 편집자인 Julnes와 Rog는 다양한 관점을 지니고 있는 각 장의 저자인 평가자들이 이 쟁점사항에 동의한다고 진술하고 있다. 좋은 설계와 방법은 그 자체로 존재하는 것이 아니다. 좋은 설계를 선택하는 것은 평가 질문과 상황에 부합하도록 하는 것이다.

그럼에도 불구하고, 평가자들은 방법론적인 쟁점사항에 대해 지속적으로 소리 높여 언쟁해왔다. 1980년대에서 1990년대 초반까지 의견 차이는 질적과 양적 방법에 관한 것이었지만, 최근에는 무선배치 임상 실험(randomized clinical trials, RCTs)에 관한 것이다. 방법과 관련된 의견 차이는 비단 평가자들에게만 있는 것은 아니다. 소위 경성과학(hard science)이라고 여겨지는 의학 분야 연구자들도 유사한 쟁점사항으로 논쟁해왔다. Sackett 와 Wennberg(1997)는 다음과 같이 진술하고 있다.

수많은 지적 그리고 정서적 에너지, 잉크, 종이, 그리고 독자의 귀중한 시간이 무선배치 임상 실험, 성과 연구, 질적 연구, 그리고 관련된 연구 방법을 비교하고, 대조하고, 공격하고, 옹호하는 데 소비되었다. 이것은 대부분 시간과 노력의 낭비이고, 대부분의 논쟁 자들은 질문보다 방법에 초점을 둠으로써 그릇된 것에 대해 논쟁해왔다. 우리의 논제는 짧다. 답해져야 할 질문이 사용되어야 할 적합한 연구 구조, 전략, 수단 등을 결정한다. … (Schwandt, 2007에서 재인용)

따라서 우리는 이제부터 옳은 것으로 초점을 옮기고자 한다. 우리는 질적 또는 양적 범주가 아니라 평가자와 연구자가 하게 되는 다른 선택, 즉 연구 설계, 표본, 자료 또는 정보 수집 도구, 분석과 해석 방법 등에 대한 선택에 따라 평가 방법을 구성하고자 한다. 우리의 권고사항은 특정한 유형의 방법을 위한 것이 아니라, 답해져야 할 평가 질문과 연구가 이루어지는 상황에 부합하는 선택을 위한 것이다. 일반적으로 이러한 것들은 혼합 평가 방법이다. 왜냐하면 오직 하나의 전략에 의해 답해질 수 있는 질문들은 거의 없기 때문이다. 하지만, 하나의 평가 질문과 상황이 평가자들로 하여금 하나의 전략에 매진하게 한다면, 평가자들은 확실히 그러한 선택을 할 수 있다.[1]

---

[1] Evaluation in Action에서 인터뷰한 저명한 평가자들 각각은 혼합 방법을 사용하였다. 일부는 양적 자료를 보다 강조하였는데, 그러한 자료가 그들이 답하고자 하는 질문들 그리고 그들의 주된 이해관계자들에

오늘날의 논쟁은 미국과 기타 국가, 특히 EU의 일부 연방 기관의 무선배치 임상 실험에 대한 관심 또는 우선시와 관련되어 있다(2장에 제시된 최근 경향에 대한 논의 부분 참조). 하지만, 이 새로운 방법론적 논쟁에 대한 다양한 의견으로 인해 이 논쟁이 기초하고 있는 방침이 변하고 있고, 사실 원래 내포된 의미에 보다 융통성이 부여되고 있다(Lipsey, 2007 참조). RCT에 대해서는 이 장의 말미에서 좀 더 논의할 것이지만, 평가자들의 목표는 사회과학과 다양한 방법을 사용하여 정책적으로 의미 있는 결정을 돕는 데 있음을 기억해야 한다. 질적 방법을 지향했던 평가자인 Greene과 양적 방법을 지향했던 평가자인 Henry는 『Encyclopedia of Evaluation』에서 평가와 관련된 질적-양적 논쟁에 대한 그들의 의견을 다음과 같이 제시하고 있다.

> 우리 양적 평가자들과 질적 평가자들은 하나가 되어야 한다. 그렇지 않고 좁게 설정된 기준에 따라 불충분한 증거를 갖게 됨은 공리공론 또는 미사여구에만 기초하여 행동을 취하는 격이 되기 때문이다. 우리는 또한 하나가 되어 다양한 방법을 인정하여 다양한 방식을 사용해서 지식을 획득하고, 사회과학이 사회적 정책과 프로그램에 기여했음에 대한 지속적인 대화를 통해 방법 자체보다는 본질과 가치에 초점을 두며, 궁극적으로 민주적인 사회 개선과 사회 정의 실현을 위해 우리의 평가 전문성의 방향을 재설정해야만 한다(Green & Henry, 2005, p. 350).

혼합 평가 방법의 정의와 논의

연구 설계에 대해 기술하면서 John Creswell(2009)은 혼합 방법 연구를 다음과 같이 정의하였다.

> 질적 유형과 양적 유형 모두를 결합하거나 연합한 연구에 대한 접근법으로 여기에는 철학적 전제, 질적·양적 접근법의 사용, 그리고 한 연구에서 두 접근법의 혼합이라는 의미를 내포하고 있다. 따라서 단순히 두 종류의 자료 모두를 수집하여 분석하였음 이상을 뜻한다. 두 가지 접근법 모두를 서로 연결하여 사용함으로써 각각의 질적 연구나 양적

의해 가치를 인정받은 증거의 유형에 핵심적이었기 때문이다(James Riccio와 Leonard Bickman의 인터뷰 참조). 그러나 그들은 프로그램 내용과 운영에 대한 이해를 돕기 위해 고객 인터뷰와 기록물에 대한 검토를 또한 포함하였다. 다른 사람들은 질적 자료를 보다 강조하였는데, 그러한 자료가 그들이 답하고자 하는 질문들 그리고 주된 이해관계자들에 의해 가치를 인정받은 증거의 유형에 핵심적이었기 때문이다(David Fetterman과 Jennifer Greene 참조). 하지만 이들도 역시 그들이 평가하려는 프로그램에 대해 더 이해하기 위해 양적 자료, 즉 프로그램 참여자들에 대한 설문조사를 사용하였다.

연구보다 한 연구의 전반적인 연구력이 보다 상승함을 의미한다(p. 4).

Jennifer Greene은 평가자들마다 철학적 전제가 다름을 인정하는 한편, 혼합 방법을 보다 단순하게 "같은 연구 또는 프로젝트에서 두 개 이상의 다른 유형의 실험 설계 또는 자료 수집과 분석 도구를 계획적으로 사용하는 것"이라고 정의하였다(2005, p. 255). 질적-양적 논쟁을 겪은 후에 그녀는 우리와 같이 평가 설계에 있어 주된 방법적 단계, 자료 수집과 분석에 있어 평가자들은 다른 방법을 선택할 수 있음을 강조하였다. 평가에 있어 혼합 방법의 사용이 증가하면서 이제는 일상적인 관행이 된 지금 패러다임적 또는 인식론적 차이는 덜 중요해졌다고 그녀는 말한다.

Greene은 정의를 넘어서 혼합 방법은 다음과 같은 다양한 목적으로 사용될 수 있다고 언급하였다.

- 삼각화(triangulation)
- 후속 연구 개발(development)
- 보완(complementarity)
- 아이디어 창안(initiation)
- 가치 다양화(value diversity) (Greene, 2005, p. 255)

삼각화란 혼합 방법의 과거 형태로 하나의 구인에 대한 자료를 수집함에 있어 다양한 방법을 사용하는 양적 연구자에서 비롯되었다(삼각형 안쪽 영역에 구인을, 그리고 각 변에는 다른 측정 방법을 제시). 전체적으로 보았을 때 구인에 대한 측정에 있어 타당도 또는 정확도를 증가시키기 위한 목적이었다. 모두 같은 추상적인 구인을 다른 방법으로 구명하기 위한 세 가지 다른 측정 결과를 합함으로써 해당 구인에 대한 측정의 타당도가 전반적으로 증가하고, 그 구인에 대한 이해도 또한 증가한다. 두 가지 유형의 지필검사는 아마도 관심 있는 구인에 대한 완전한 그림을 제공하기에는 불충분하다. 이와 유사하게 개별 인터뷰와 짧은 시간 동안 같은 개인들을 대상으로 한 포커스 그룹 인터뷰는 유용한 정보를 제공할 수 있지만, 관심 있는 현상에 대한 완전한 평가를 하기에는 방법적으로 크게 다르지 않다. 대신 평가자들은 그들의 측정을 삼각화하고, 그럼으로써 구인에 대한 측정의 타당도를 증가시키기 위해 검사와 인터뷰 조합을 사용할 수 있다.

Greene과 Carracelli(1997)는 혼합 방법을 사용한 57개 평가를 연구하여 혼합 방법을 사용한 다른 목적들을 확인하였다. 그들은 혼합 방법이 다른 후속 측정의 개발을 돕기 위해 종종 사용됨을 발견하였다(개발 목적). 예를 들면 평가자들은 설문조사를 사용하여 보다 대규모 집단을 대상으로 연구할 필요가 있는 요인을 확인하기 위해 포커스 그룹 인터뷰와 일련의 개별 인터뷰를 사용할 수 있다. 이와는 반대로 포커스 그룹 인터뷰 또는 개별 인터뷰를 대규모 설문조사 이후에 실시하여 설문조사에 대한 예기치 못했고 애매모호한 응답에 대해 보다 연구할 수도 있다. 타당도를 높이거나 후속 측정을 개발하기 위해 혼합 방법을 사용하는 것 이외에 Greene과 Carracelli는 혼합 방법이 때로는 관심 있는 구인에 대해 보다 완전하게 이해하기 위해 사용됨을 발견하였다(보완 목적). 서로 다른 편견을 갖는 방법들은 선택될 수 있고, 이 경우 결과가 수렴되거나 타당도를 증가시킬 것이라고 기대하기 어렵다. 대신 다양한 방법들이 조합된다면 평가를 통해 우리가 조사하고자 하는 추상적인 구인에 대한 보다 완전한 그림을 제공함으로써 다소 다른 결과를 기대할 수 있다. 마지막으로 그들은 혼합 방법이 새로운 아이디어와 생각을 촉발하는 데 사용됨을 발견하였다(창안 목적). 평가자들은 측정을 통해 유사한 결과가 나올 것이라고 생각했지만 예상에서 빗나가는 결과가 나오는 경우가 있을 수 있다. 평가자들과 다른 사람들은 자신들의 모형과 여타의 모형들을 곰곰이 생각해볼 것이고, 혼합 방법을 사용하여 이 놀라운 다른 결과를 설명할 수 있는 새로운 자료를 수집할 것이다.

혼합 방법은 다른 가치들을 표현하기 위해 또한 사용될 수 있다. 어떤 이해관계자는 특정한 유형의 측정 또는 증거가 여타의 유형들보다 신뢰롭다고 여길 수 있다. 하나의 평가에서 이해관계자들의 가치는 다를 수 있고, 평가자들은 이러한 다른 요구 또는 가치에 부합하는 다른 방법을 사용할 수 있다.

이상과 같이 혼합 방법은 다양한 목적으로 이용될 수 있다. 타당도, 이해도, 다양도를 높이기 위해 사용될 수 있는 것이다. 혼합 방법은 또한 설계, 자료 수집, 분석 등과 관련된 많은 다른 선택을 수반한다. 다음 절에서 우리는 한 연구에서 조합되거나 개조될 수 있는 다른 유형의 설계에 대해 기술할 것이다. 어떤 경우에 있어서 평가 질문은 혼합 방법을 필요로 하지 않을 수도 있다. 그러한 질문은 한 가지 유형의 설계를 통해 쉽게 답해질 수 있다. 하지만 다른 경우에 있어서는 하나 이상의 설계가 필요할 것이다. 한 연구에서 다양한 설계를 사용할 것인지를 고민할 경우, 다음을 고려하라: (a) 설계가 동시에 시행될 것인가 아니면 순차적으로 시행될 것인가? 한 설계의 결과가 다른 설계의 특성에 반영되므로 순차적으로 시행함이 최선인가? 아니면 동시에 시행됨으로써 변화된 무엇이 아니라 있는 그대로의 현상에 대한 이해를 높이는 데 도움을 줄 것인가? (b) 순차적으로 시행된다면 평가자는 각 단계에서 얻어진 결과에 대해 심사숙고하고, 다음 단계를 재설계하기 위해 반복적이고 유연한 방식을 취해야만 한다.

기술적인 인과관계 정보를 위한 평가 설계

평가에서 사용되는 설계 또는 설계들을 선택함은 평가자가 내려야 할 가장 중요한 결정 가운데 하나이다. 다른 유형의 설계가 갖는 가치, 특히 원인과 효과 질문에 답하기 위한 설계는 평가에 있어 논점의 뼈대가 되므로 우리는 그러한 쟁점사항에 대해 살펴볼 것이다. 하지만 다른 방법론적 결정에서와 같이 좋은 설계란 평가 질문의 목적을 밝히고, 프로그램의 상황과 이해관계자들의 가치에 부합하는 것이다. 이 절에서 우리는 다양한 유형의 설계, 각 유형이 답할 가능성이 가장 높은 질문 유형, 그리고 각 유형을 시행함에 있어 중요한 세부사항이나 유의점에 대해 기술할 것이다. 표 15.1은 우리가 논의하게 될 설계의 개요를 제시하고 있다.

기술적인 설계

인과관계 설계가 평가자들과 정책입안가들 사이에서 보다 관심을 받고 있음에도 불구하고, 평가에 있어서는 기술적인 설계가 가장 많이 사용되고 있다. 그 이유는 무엇일까? 왜냐하면 많은 평가 질문들이 기술적이기 때문이다. 몇 가지 예를 제시하면 다음과 같다.

- 요구 또는 우선 사항에 대한 질문들: 지난 몇 년과 비교할 때 우리 학생들이 가장 많이 향상된 과목은 무엇인가? 어떤 유형의 학생들의 성취도가 가장 낮았는가? 그들이 경험한 코스 또는 수업 전략은 무엇인가? 이러한 질문들에 대한 답은 프로그램을 계획할 때 사용될 수 있다.
- 프로그램 서비스를 받은 사람들을 기술하는 질문들: 어떤 유형의 학생들이 프로그램에 참가하였는가? 그들의 프로그램 설계 시 대상 집단과의 일치도 또는 불일치도는 어떠한가? 대상의 차이가 프로그램의 전달 방식이나 잠재적 성과에 영향을 미쳤는가? (예1: 실업 프로그램은 구직과 인터뷰 기술을 제공하기 위해 설계되었다. 프로그램 참가자들은 이러한 기술을 지니고 있었고, 오히려 현재의 불경기 경제에서 시장성이 있는 기술들을 지니고 있지 못하였다. 따라서 설계된 프로그램은 대상자의 요구에 부합하지 않는다. 예2: 방과 후 개인지도 프로그램은 방과 후 말썽을 피울 수 있거나, 개인지도를 요구하는 아동들을 대상으로 한다. 하지만 이 프로그램에 참가한 학생들은 학업성적이 좋고 성취도가 낮거나 비행에 연루될 위험이 없는 학생들이었다.)
- 프로그램의 운영과 관련된 질문들: 프로그램의 주요한 부분들은 계획대로 운영되

표 15.1 일반적으로 사용되는 설계의 특징

설계	특징	목적	질문 예
기술적인 설계			
사례 연구	사례에 초점 다각적인 측정 질적 강조	심도 있는 기술, 이해	학생들의 중도탈락 이유는 무엇인가? 새롭게 연장된 진료 시간 동안 의료진과 환자의 상호작용은 어떠한가?
횡단	양적, 설문조사	집단의 행동, 태도, 특징, 믿음에 대한 그림	담당자는 프로그램을 어떻게 운영하는가? 그들이 직면한 문제들은 무엇인가?
시계열	경향 조사 기존 자료 이용	시간에 따른 변화 관찰	대중교통을 이용하여 등교하는 학생 수는 증가하고 있는가?
인과관계 설계			
사후검사 사전-사후	무선배치	프로그램과 성과 간의 원인-효과 관계 조사	연구실을 활용하는 학생들의 연구 능력은 향상되었는가? 그들의 성적은?
준실험			
부정기 시계열	변화를 위한 경향 조사 기존 자료 필요	상동	등교 시간을 늦춘 고등학교의 지각이 감소하였는가?
비교집단	두 집단 비교 유사 집단 선택	상동	교사 가버넌스를 시행한 학교에서 학생들의 학업성취도가 더 향상되었는가?
사례 연구	논리적 모형에 대한 향상 평가, 프로그램 성공/실패에 대한 기여 탐색	원인-효과 관계 설명	종합교육개혁의 효과는 무엇이고, 어떻게 달성되었는가?

었는가? 의도했던 질적 수준으로 지속되었는가? (예: 많은 프로그램들은 계획된 대로 운영된다. 하지만 훈련의 부족, 자격 있는 담당자의 부족, 프로그램의 목적과 활동에 대한 담당자들 간의 차이, 불충분한 자원 또는 시간 등으로 인해 그렇지 않은 경우도 있다.) 프로그램의 시행과 관련된 이러한 차이점들은 확인되어야만 한다. 다양한 이유가 있을 수 있는데, 예를 들면 어떠한 것들이 일어나고 있는지 알기 위

해, 모형이 정확하게 운영되어 성과 평가가 실제로 그 모형에 대한 검사인지 여부를 결정하기 위해, 해당 프로그램을 추후에 운영함에 있어 변경되어야 할 사항이 무엇인지를 확인하기 위해 등이다.

- 프로그램 산출, 성과, 영향에 관련된 질문들: 헬스 프로그램의 학생들은 수업 중 얼마나 운동하는가? 수업 시간 외에는 어떠한가? 그들은 원한 체중 감량 또는 헬스 목적을 달성하였는가? (이 질문은 인과관계가 아님에 주목해야 한다. 프로그램 결과 참가자들을 단순히 묘사하는 것이다. 목적이 달성되었다면 변화가 프로그램 때문이라는 결론을 내릴 필요는 없다. 하지만 보다 복잡한 인과관계 설계를 시작하기 전에 성과가 먼저 기술된다. 기술적인 연구를 통해 의도했던 성과가 얻어지지 않았다면, 평가자와 여타 이해관계자들은 계속해서 인과관계 설계를 시행하지 않을 것이다.)

기술적인 연구의 중요성. 평가와 의사결정에 있어 기술적인 설계의 중요성과 복잡성을 명확히 하기 위해 언론에 보도된 최근 연구에 주목하라. 아동 학대 및 방치의 전국 발생률 연구라는 대규모 국책연구가 미 국회의 지시에 의해 보건복지부의 협조를 받아 Westat 이라는 평가연구회사에 의해 수행되었다(Sedlak et al., 2010). 이 연구는 미국의 아동 학대 및 방치 발생률을 조사하고, 1993년 연구 이래의 변화를 조사하기 위해 수행되었다. 이 연구는 인상적인 결과 때문에, 덴버 포스트(Denver Post)의 일면을 장식하였다. 연구 결과에 따르면 1993년부터 2005-2006년까지 12년의 기간 동안 아동에 대한 성적 학대는 38%, 정서적 학대는 27%, 신체적 학대는 15% 감소하였다. 아동 학대 및 방치에 관한 자료는 10,791명의 파수꾼들(이 연구에서 그렇게 부르고 있음)로부터 수집되었는데, 이들은 학대를 아는 사람들로 아동 복지 분야에서 일하는 사람들, 경찰관, 교사, 의료시설 종사자, 보육원 종사자 등이었다. 자료는 전국에 걸쳐 대표성이 있는 122개 카운티로부터 수집되었다. 이 연구는 표집, 정보원 선택, 수집된 자료의 종류 등에서 복잡하였다. 기술적인 연구로서 1993년에 사용된 방법을 되풀이하여 사용함으로써 아동 학대에 있어 상당한 감소, 즉 긍정적인 결과를 확인하였다. 이 연구는 또한 아동 학대 정책의 개선을 위해 학대된 아동의 확인을 돕기 위한 제언과 같은 정보를 제공한다. 저자인 Andrea Sedlak은 아동 학대가 감소했음에 기쁘지만, 다음을 언급하였다. "절반 이상의 경우가 아동 보호라는 측면에서 조사되지 못했음을 우려한다. … 아동 보호 체제가 아직 갈 길이 멀었음을 말하고 있는 많은 문헌들이 여전히 있다"(Carary, 2010, p. 9). 우리는 기술적인 연구가 제공할 수 있는 중요한 종류의 정보를 설명하기 위해 이 연구에

대해 기술하였다.[2]

지금부터는 가장 흔히 사용되는 기술적인 설계인 사례 연구, 횡단 설계, 시계열 설계에 대해 기술할 것이다.

사례 연구

사례 연구는 평가에서 가장 흔히 사용되는 설계 방법 가운데 하나이다. 질적 방법에 가장 의존하지만, 질적 방법과 양적 방법 모두가 사용될 수도 있다. 사례 연구를 기술적인 설계 부분에서 소개하고 있지만, 인과관계 목적으로도 이용될 수 있기에 해당 절에서도 사례 연구의 목적에 대해 논의할 것이다. 각자 사례 연구 방법에 대해 저술한 Robert Yin(2009)과 Robert Stake(1995)는 평가자들이 다양한 관점에서 어떻게 사례 연구에 접근할 수 있는지를 보여주는 좋은 예이다. Stake는 질적 방법을 강력하게 강조하는 보다 해석적인 접근에 의존한다(8장 참조). 그의 관심은 개인 사례를 이해하고 묘사하는 데 있는 반면, Yin은 그 사례로부터 지식 또는 이론까지의 확장을 강조한다. Yin은 후기실증주의 관점에서 사례 연구에 접근하여 질적 · 양적 방법을 혼합하여 사례 연구를 위해 그가 만들어낸 세 가지 목적, 즉 기술, 탐색, 설명을 달성하고자 한다.

사례 연구는 평가의 목적이 특정한 사례를 깊이 있게 기술하는 데 있을 경우 특히 유용하다. 평가는 많은 경우 프로그램 또는 정책의 "어떻게"와 "왜"를 탐색하는 데 주된 관심을 갖는다. 어떤 프로그램이 어떻게 고객의 특정한 성과를 달성하였는가? 그 프로그램이 현장에서 어떻게 변경되었는가? 부모들은 왜 차터 스쿨을 선택하였는가? 왜 좋은 교사들이 우리 학군을 떠나는가? 다른 대학으로 옮기는 학생들은 어떻게 교우관계를 맺는가? 사례 연구는 이러한 유형의 질문에 대한 해답을 찾을 수 있는 우수한 방법이 될 수 있다. 왜냐하면 사례 연구는 쟁점사항들에 대해 깊이 있게 탐색하도록 하고, 각각에 대해 다른 관점이 많이 있음을 인정하기 때문이다.

사례 연구의 초점은 사례 그 자체에 있다. 이러한 접근법은 보다 큰 모집단으로 일반화할 필요가 크지 않고, 가까이에 있는 구성단위 또는 사례에 대해 깊이 있는 정보를 제

---

2) 이 연구는 또한 헤드라인, 전문가 인터뷰를 포함하여 많은 신문 보고서가 그러하듯이 대중매체가 기술과 인과관계를 혼동하는 경향이 있음을 설명하고 있다. 헤드라인은 "아동 학대에 대한 엄중한 단속으로 인해 사례 수가 크게 감소하였다"고 제시되어 있다. 기사 문구는 "전문가들은 엄중한 단속과 국민 인식 확산 캠페인이 진보를 낳았음을 입증하는 결과에 갈채를 보냈다"고 기술함으로써 "원인"에 대해 모호한 입장을 보였지만, 후반부에 체포와 실형 판결의 증가(엄중한 단속), 규준의 변화, 성적 학대자에 대한 중재 등 여타의 원인들에 대해 논의하였다.

공하는 데 특히 적합하다. 평가란 일반적으로 특수한 상황을 지향하기 때문에 사례 연구 설계는 개별적인 사례의 유일한 특성을 밝혀낸다는 측면에서 유용하다. 연구가 흔히 초점을 두는 일반화는 평가의 목적이 아니다. Stake(1995)는 "사례 연구의 실제 임무는 일반화가 아니라, 특수화에 있다. 우리는 특수한 사례를 조사하여 그것에 대해 잘 알게 된다. 즉 그 사례가 다른 사례와 어떻게 다른가보다는 그것이 무엇이고 무엇을 수행하는가에 대해 알게 되는 것이다"라고 기술하였다(p. 8).

사례 연구는 다음과 같은 세 가지 측면에서 특징을 갖는다.

1. 선택된 사례 또는 사례들에 대한 초점
2. 쟁점사항에 대한 깊이 있는 이해에 대한 열정
3. 많은 다양한 방법들(관찰, 인터뷰, 기존 문헌 고찰 등과 같은 질적 방법 중심)을 통한 자료의 수집

사례 선택. 첫 번째 도전적인 단계는 사례를 선택하는 것일 수 있다. Stake(2000a)는 한 사례는 넓을 수도 좁을 수도 있다고 진술한다. "한 사례는 단순할 수도 복잡할 수도 있다. 아동기 상태를 연구함에 있어 사례는 한 아동, 한 학급의 아동들, 또는 한 사건일 수 있다"(p. 436). 한 사례란 하나의 큰 구성단위(도시, 학군, 병원), 좀 더 작은 구성단위(학급, 병실), 또는 개인 자체(학생, 고객, 관리자, 공급자)로 구성될 수 있다. 일반적인 사례가 선택될 수도 있지만, 일상적이지 않은 사례가 선택될 수도 있다. 어떤 사례를 선택할 것인가는 계획 단계에 관여한 평가자와 여타 관계자에 달렸지만, 선택하게 된 근본적인 이유는 명확히 밝혀져야만 한다. 평가자가 사례를 선택할 필요가 없는 경우도 있다. 평가되어야 할 프로그램 자체가 사례인 경우가 그러하다.

일상적이지 않은 사례가 선택되는 몇몇 유용한 예를 제시하면 다음과 같다. 여러 장소에서 운영되는 프로그램을 생각해보자. 많은 장소에서는 프로그램을 실행하여 소기의 성과를 내기 위해 노력할 것이다. 몇몇 장소는 불리한 환경에서도 성공적으로 프로그램을 실행할 것이고, 평가자는 성공적인 하나 이상의 장소에 대해 사례 연구를 하여 그러한 성공을 촉발한 요인들을 탐색하고자 할 수 있다.[3] 무엇인가에 대해 잘 하는 구성단위 또는 조직을 확인하여 해당 구성단위나 조직을 심도 있게 묘사하는 모범 사례(best practice) 연구는 보다 넓은 의미에서 일반적인 사례가 선택되지 않는 예라고 할 수 있다. 부적응

---

3) Brinkerhoff의 성공 사례 기법(Success Case Method)은 통상적으로 프로그램 참여자 개인을 대상으로 성공 사례와 실패 사례를 비교하여 성공 원인을 확인한다.

학생들의 학업성취도 점수가 높은 학교에 대한 사례 연구의 경우 이와 같은 사례 선택이 이루어질 수 있다. 다른 평가에서는 일반적이거나 행동의 범위를 반영한 사례가 선택될 수 있다. 이 책의 저자 가운데 한 명이 수행한 평가에서는 네 명의 약물 남용 여성이 사례로 선택되어 그들이 직면하고 있는 어려움과 그들이 약물 남용 치료 주거 시설에 머문 후 지역사회로 복귀하는 데 사용한 전략을 심도 있게 연구되었다. 첫 번째 예에서 선택된 사례는 성공적이었던 조직으로서의 학교였고, 두 번째 예는 대표성이 있는 성과를 낸 사례로부터 선택된 개인들이었다.

정보 수집. 양적 사례와는 달리 사례 연구는 하나의 명확하게 기술된 방법을 가지고 있지 않다. 실제로 사람들은 사례 연구를 달리 명명하고 있다. 어떤 사람들은 설계라고 부르는 반면, 다른 사람들은 방법, 접근 등으로 부른다(Patton, 2001). Stake는 "질적 사례에서 사용되는 방법에 대한 가장 단순한 규칙은 아마도 발생하고 있는 일의 핵심부에 이용 가능한 최상의 두뇌를 배치시키는 것"이라고 언급하였다(p. 242). 그는 사례 연구를 수행하는 사람은 사례에 대해 보다 잘 이해하기 위해 자신의 관찰과 반성적 사고 기술을 사용할 수 있어야 한다고 기술하였다.

사례 연구에 사용되는 방법들이 여타의 설계처럼 명확하지 않은 반면, 사례 연구 방법들은 다각적인 방법들을 사용하고, 관찰, 인터뷰, 문헌 연구와 같은 질적 방법들을 보다 강조한다는 데 특징이 있다. 이미 언급하였듯이 사례 연구의 목표는 이해를 위해 깊이 있게 묘사하는 데 있다. 평가자가 해당 사례에 대해 보다 이해하게 됨에 따라 사례 연구에 사용되는 방법들은 선택되거나 변경될 수 있다. 다시 말하면 사례 그리고 가까이에 놓여 있는 환경에 따라 사례 연구의 설계는 반복적이다. 평가자들이 사례에 대해 충분히 이해했다는 믿음을 가질 때까지 계속해서 변경될 수 있다.

사례 연구에 있어 깊이 있는 기술 또는 이해에 도달하기 위해 질적 방법에 초점을 두지만, 양적 방법도 또한 사용될 수 있다. 설문조사, 기존 자료에 대한 통계 분석 등이 평가자가 관찰과 인터뷰를 통해 알게 된 사항을 보완하기 위해 사용될 수 있다. 연구가 진행됨에 따라 방법들이 선택될 수 있고, 평가자는 불확실성에 대한 방향, 즉 추가적인 정보 또는 이해가 요구되는 영역이 어디인지를 확인한다. 따라서 평가자는 설계의 각 단계에서의 쟁점사항을 면밀히 조사하는 데 적합한 방법을 선택할 수 있다.

사례 연구 보고. 결과 작성은 사례 연구의 전반과 관련된 것으로 결과는 "청중이 주의하고 있는 점에 초점을 두고 의미를 분명히 하는 방식으로 전달되어야만 한다"(Guba & Lincoln, 1981, p. 376). Guba와 Lincoln은 사례 연구를 "전체론적이고 살아있는 듯하여, 어편 상황에서 실제 참가자들에게 설득력이 있는 그림을 제공하고, 관련된 청중들의 '자연스러운 언어' 속으로 쉽게 녹아들어 갈 수 있어야 한다"고 기술하였다(1981, p. 376). 이러한 사례 연구가 보다 잘 활용될 수 있는데, 보고서가 쉽게 이해될 수 있고, 일반적인 보고서보다 설득력이 있기 때문이다. Yin(2009)은 사례 연구를 작성함에 있어 선택할 수 있고, 평가 목적에 따라 변경될 수 있는 여섯 가지 구조를 다음과 같이 제안하였다: 선형-분석적인(전통적인 연구 구성과 동일); 비교적인(다른 사례들을 비교); 연대기적인(시간 순서에 따른 이야기 진술); 이론-생성적인(한 이론 또는 모형에 대한 대립적인 결과); 서스펜스적인(성과에서 출발하여 그것이 달성되게 된 방법으로 진행); 그리고 마지막으로 비연속적인(기술적인 평가에 흔히 사용-). Lincoln과 Guba(1985)는 사례를 보고하는 방식에 대해 논의하였고, Herbert(1986)는 질적 유형으로서 사례 연구의 예를 제시하였다. Stake(1995)는 그의 책 마지막 장에 해설과 함께 사례 연구의 매우 유용한 예를 제시하고 있다. 사례 연구와 관련하여 보다 상세한 정보는 Stake(1995)와 Yin(2009)을 참조하라.

사례 연구는 기술적인 목적, 즉 여러 다른 관점에서 쟁점사항을 면밀히 조사함이 주된 목적일 때 흔히 사용된다. 보다 양적으로 접근하고 있는 횡단 설계, 시계열 설계와 같은 두 가지 여타 설계 방법이 사례 연구의 일부분을 구성할 수도 있고, 그 자체가 기술적인 질문에 대한 해답을 제공하기 위한 설계로 사용될 수도 있다. 이것들은 꽤 단순한 설계일 수 있지만, 시간의 변화에 따른 질문에 대한 답을 찾는 데 흔히 사용된다.

횡단 설계

횡단 설계는 시간의 흐름에 따라 사람들이 어떻게 생각하고, 믿고, 또는 행동하는지에 대한 스냅사진을 보여주기 위해 사용된다. 정치 여론조사가 이러한 설계의 대표적인 예이다. 수집된 태도는 특정한 시점에서 사실로 여겨진다. 계속적인 여론조사는 태도의 변화를 보여준다. 횡단 설계는 다양한 집단의 태도, 행동, 의견, 또는 삶에 대한 정보를 수집하기 위해 일반적으로 설문조사 접근을 사용한다. 이때 집단은 모집단 전체일 수도 있고, 모집단으로부터 표집된 하위 집단일 수도 있다. 횡단 설계는 모든 집단에 걸친 경향을 묘사하기 위함과 하위 집단들 사이의 차이를 확인하기 위함 모두를 목적으로 한다. (대중매체를 통해 보고되는 정치 설문조사는 우리로 하여금 누가 당선될 것인가—전반적인 경향—와 어떤 하위 집단이 어떤 후보를 선호하는가 모두에 대해 알게 해준다. "횡단(cross-section)"이라는 용어는 하위 집단을 조사한다는 의미이다. 평가와 관련된 정보를 획득하기 위해 횡단 설계를 사용한 대표적인 예로 고객 또는 피고용인들을 대상으로 한 조직 차원의 설문조사를 들 수 있다. 대부분의 조직들은 가끔 또는 정기적으로 고객들을 대상으로 설문조사를 실시하여 피드백을 받는다. 대부분의 학교에서는 부모를 대상으로 한 설문조사가 매년 실시되어야만 한다. 병원은 예전 환자들을 대상으로 설문조사를 실시한다. 하지만 이러한 정기적인 시행이 횡단 설계를 완벽하게 활용하지 못하는 경우도 있다. 왜냐하면 이러한 정기적인 자료 수집을 통해 탐색될 수 있는 평가 목적을 고려하거나, 특별히 관심을 가지고 분석해야 할 하위 집단을 확인하는 데 실패하였기 때문이다.[4]

횡단 연구는 다음의 질문들 가운데 어떤 하나에 대한 답을 얻는 데 사용될 수 있다. 교장은 "학부모들은 학교에 대해 어떻게 생각하는가? 그들은 학교 환경, 시설, 교육과정, 교직원들의 강점과 약점을 무엇이라고 보는가? 자녀들의 학년에 따라 학부모들의 의견에는 차이가 있는가? 자녀들의 학업에 따라서는? 민족은? 학부모들의 교육수준과 기대는?"과 같은 질문을 할 수 있다. 정신의료센터의 외래 환자부 부장은 "우리 고객들은 우리에 대해 어떻게 듣고 있는가? 정신 의료 처치에 대한 그들의 기대는 무엇인가? 어떠한 문제가 일반적으로 그들이 최초로 우리 센터를 방문하게 하는가? 이러한 의견들이 고객들의 연령, 수입, 교육수준, 민족에 따라 다른가? 그들이 현재 지니고 있는 문제의 본질에 따라서는?"과 같은 질문을 할 수 있다. 이러한 질문들은 요구조사 또는 형성평가를 통해 진술될 수 있다. 이런 시작 단계에서 주된 관심사는 문제 또는 우선순위를 확인하는 데 있다. 추가적인 평가는 횡단 설계를 통해 확인된 문제에 대한 해결책의 실행 가능성을 탐색하기 위해 사례 연구 형태로 옮겨갈 수 있다.

시계열 설계

시계열 설계는 시간의 흐름에 따른 경향 또는 변화의 증명을 위함이다. 부정기 시계열 설계와는 달리 시계열 설계의 목적은 어떤 개입의 영향을 조사하는 데 있지 않고, 앞서 기술된 아동 학대 발생률과 같이 관심 있는 구인을 단순히 탐색하고 변화를 기술하는 데 있다. 만약 평가자가 이해관계자들과 함께 결과에서 나타나는 변동을 탐색하고자 한다면 시계열 설계의 결과는 사례 연구의 시작 단계에서 매우 유용할 수 있다. 그들의 관점을 통해 자료 수집에 있어 다음 단계로의 방향이 결정될 수 있다.

횡단 설계의 경우와 마찬가지로 시계열 설계를 통해 답해져야 할 질문들은 상대적으로 단순하고 명확하다. 병원 관리자는 "우리 병원에서 미숙아 출산 수가 감소하고 있는

---

4) 이 책의 저자 가운데 한 명이 의사결정을 위한 자료 수집과 관련하여 학부모 대상 연차 설문조사용 질문 개발을 위해 학교들과 작업을 하였다. 예를 들면 자원이 부족한 시기에는 삭감되어야 할 영역에 대한 의견을 수집하기 위해 일상적인 학부모 설문조사가 개정되었다. 이런 방식을 통해 교장 또는 교육감은 의견을 좀 더 내는 사람들이 아니라 보다 대표성이 있는 집단의 학부모들의 의견을 들을 수 있다.

가?'라고 질문할 수 있다. 고등학교 교장은 "제2언어로서의 영어(ESL) 수업을 필요로 하는 학생 조직의 비율이 증가 또는 감소하는가?'를 질문할 수 있다. 경찰서장은 "우리 시에서 청소년 범죄 경향은 어떠한가? 어떤 청소년 범죄가 증가하고 있는가? 무엇이 감소하고 있는가? 무엇이 변동이 없는가? 전체 시민 중 청소년 수와 비교할 때 이러한 경향은 어떠한가? 다음 10년 동안 청소년 수는 현재와 같을 것인가"와 같은 질문을 할 수 있다. 경찰서장이 할 수 있는 질문들은 서장과 부원들에게 계획 단계에서 도움이 될 만한 여러 질문들을 포함하고 있다. 하지만 모든 질문들은 간단한 시계열 설계를 통해 확인될 수 있다.

시계열 설계는 일반적으로 시간의 흐름에 따른 충분한 관찰 정보를 획득하기 위해 기존의 정보를 사용한다. 핵심적으로 결정해야 할 사항은 사용될 시간의 범위(일별, 주별, 분기별, 반기별, 연도별)와 획득해야 할 자료 수집 시점의 수와 관련된다. 평가자들이 시간을 거슬러 여러 시점에서 자료를 수집함에 있어 자료 수집 방법 자체가 변하지 않아야 함을 확실히 해야 한다. 자료 수집 방식 또는 용어 정의의 변화(청소년이란 무엇인가? 중죄란 무엇인가? 어떤 범죄가 기록되는가? ESL 수업이란 무엇인가? 미숙아 출생이란 무엇인가?)가 있으면 실상 자료가 수집되거나 유형화되는 방식 때문에 변화가 발생할 때 연구하고 있는 현상에 있어 변화가 있을 수밖에 없음은 명확한 사실이다(시계열과 횡단 설계에 대한 보다 상세한 정보는 O'Sullivan, Rassel, Berner[2003] 참조).

인과관계 설계

인과관계 설계는 물론 인과관계적인 평가 질문에 대해 답하기 위함이다. 다음과 같은 종류의 질문들이 관련된다. X 프로그램 또는 정책이 Y 성과에 대한 원인인가? 이러한 경우 이해관계자들은 단지 프로그램 성과가 바라던 수준이었는지 또는 프로그램 성과를 달성함이 실제 프로그램에 참여했는지와 관련되었는지를 알기 원하지 않는다. 그들은 프로그램 자체가 그러한 성과를 변하게 했는지를 알기 원한다. (그 변화가 바라던 수준이었는지의 여부는 자료를 해석하고 평가 계획 단계에서 설정된 기준과 비교함으로써 확인될 것이다. 인과관계 설계는 다만 관찰된 변화가 그 프로그램 때문이었는지 여부를 확인하는 데 초점을 둔다.)

이해관계자들의 기대와 이해 명확화. 이해관계자들은 일반적으로 성과에 관심을 두지만, 인과관계 확립에 관심을 둘 수도 있다. 사실 그들은 둘의 차이를 이해하지 못할 수도 있다. 아동 학대의 경향에 대한 연구에서와 같이 적용된 설계 방법이 프로그램과 보고된 성과 사이의 인과관계 확립에 있지 않음에도 불구하고, 연구 방법에 대해 알지 못하는 대중매체와 여타 사람들은 프로그램 또는 정책에 기인하여 기대된 변화를 확인하고 싶어한다. 어떤 경우에는 정치적인 이유들 때문에 이해관계자들이 인과관계를 조사하지 않는 것을 선호한다. 기대된 목표가 달성되었다면 많은 사람들, 특히 해당 프로그램에 대한 지지자들은 거기에서 멈추고 프로그램이 성공하였다고 생각한다. 그러므로 평가자들은 주의 깊게 조사하고, 성과에 대한 이해관계자들의 관심사항에 대해 논의하여 그들이 알기 원하는 것이 무엇이며, 그러한 정보를 어떻게 사용하기를 바라는지 보다 잘 알아야 한다. 부록에 제시된 『기준』 및 안내 원칙에서와 같이 평가자들은 이해관계자들과 그들이 적용한 방법의 제한점 또는 발생할 수 있는 오해를 공유할 의무가 있다. 특히 안내 원칙 A2는 다음을 의미한다.

평가자들은 생산적인 다양한 평가 질문들 그리고 이러한 질문에 답하기 위해 사용되는 다양한 접근방법 모두의 강점과 단점을 고객과 함께 탐색해야만 한다.

한편 안내 원칙 A3는 다음을 뜻한다.

평가자들은 그들이 사용하는 방법과 접근에 대해 정확하고 충분히 상세하게 의사소통함으로써 다른 사람들이 그들의 작업을 이해하고, 해석하며, 비평할 수 있도록 해야 한다. 평가자들은 평가의 제한점과 결과를 명확히 해야만 한다. 평가자들은 평가 결과의 해석에 유의미한 영향을 미치는 가치, 가정, 이론, 방법, 결과, 분석에 대해 전후사정을 고려하여 적절한 방법으로 논의해야만 한다. 이와 같은 것은 초기의 개념화부터 평가 결과의 궁극적인 사용에 이르기까지 평가의 모든 측면에 적용된다.

대중과 여타 이해관계자들은 인과관계를 결정하는 방법에 대해 충분한 지식이 없기 때문에 이러한 원칙들은 기술적인 설계보다는 인과관계 질문과 보다 관련된다. 물론 기술적인 설계에 있어서도 오해가 발생할 수 있다. 그럼에도 불구하고 평가자들은 고객 그리고 주요 이해관계자들과 인과관계 질문에 대해 주의 깊게 논의하여 그들의 기대가 무엇인지를 보다 잘 알고, 성과에 대해 평가가 제공할 수 있는 다른 유형의 정보를 그들에게 알려주어야만 한다. 성과에 대한 기술, 프로그램과 성과 간의 인과관계 확립, 성과의 충분한 달성 여부 결정 각각이 갖는 의미와 그들 간의 차이를 고객은 이해해야만 한다. 이러한 다른 목적으로 인해 비용과 복잡성 측면에서 다른 설계 방법이 요구되고, 프로그램을 운영함에 있어 융통성이 필요한 것이다.

인과관계 설계의 범위와 중요도. 신문을 읽는 사람은 적절한 표현은 모른다고 하더라도 실험 설계에 익숙하다. 뉴스를 통해 보고되는 다양한 약물 또는 의학적 처치의 효과성에 대한 연구들은 흔히 새로운 약 또는 의학적 처치를 받은 집단과 가짜 약 또는 기존 처치를 받은 집단의 결과를 대조한다. 환자들은 각 집단에 무선으로 배치된다. 의료진과 환자들은 그들이 속해 있는 집단에 대해 알지 못한다. 처치가 있고, 자료가 수집되어 분석되며, 결론이 도출된다. 이러한 설계는 의학 문헌에서 쉽게 발견되고, 의료 소비자로서 우리는 FDA로부터 승인을 받은 면밀한 연구를 기대한다.[5]

우리의 건강이 위태로울 때 만약 그러한 설계가 적합하다거나 오히려 바람직하다고 생각된다면, 학습, 직무 훈련, 상담, 아동 보호, 또는 우리가 마시는 공기 등이 쟁점사항일 때는 왜 그렇지 않겠는가? 의학적 모형을 생각 없이 사회 정책과 관련된 쟁점에 적용함은 잘못된 것이다. 실험 설계의 잘못된 사용은 논리적으로 비판받아 왔다(House, 1990; Johnson et al., 2008; Schwandt, 2005). 하지만 이런 설계를 실행할 수 없고, 비윤리적이건, 유익하지 않은 것처럼 즉시 거절함은 평가자들이 방법적으로 선택할 수 있는 여지를 불필요하게 제한할 수 있다. 의학적 모형과 실험 설계는 사람을 대상으로 한 서비스 프로그램을 연구하는 데에는 제한점이 있다. 왜냐하면 인간의 행동과 인간 행동에 대한 처치는 약물 또는 외과적인 개입보다 흔히 훨씬 더 복잡하고 변수가 많다. 다양하게 변경되어 실행되고 효과가 나타나는 데 오래 걸리기 때문에 복잡한 프로그램 이론 또는 약물 남용 치료 프로그램이나 독서 이해 프로그램의 논리적 모형을 평가하는 것은 약물의 효과를 밝히는 것보다 훨씬 더 어렵다. 우리 동료 가운데 한 사람이 "이것(공공 정책에 대한 연구)은 뇌수술이 아니다"라고 폄하하여 언급한 적이 있다. 이에 대해 우리 중 한 사람이 "아니, 훨씬 어렵다. 인간의 뇌는 비교적 유사하지만, 행동은 그렇지 않다. 따라서 교육적, 사회적 현상을 연구한다는 것은 뇌수술보다 훨씬 더 어렵다"고 응답하였다.

Chelimsky(2007)는 미국 회계감사원(Government Accountability Office, GAO)의 프로그램 평가 및 방법국(Program Evaluation and Methodology Division, PEMD)을 14년 동안 운영한 것에 대해 다음과 같이 기술하고 있다.

---

5) 간단한 예를 들어보자. Vioxx(FDA에 의해 면밀히 검증되었다고 생각되어 관절염에 널리 사용되는 약제)와 관련된 사건으로부터 우리가 아는 것처럼, 그러한 연구들은 잘못된 정보를 제공할 수 있다. 이 약은 2004년 시장으로부터 회수되었는데, 심혈관 질환의 발생을 증가시키기 때문이었다. 1999년부터 2003년까지 이 약은 27,000명 이상의 환자들에게 심장마비를 유발하였다. 약제를 검사하는 확실한 실험조차도 오차 또는 편의로부터 자유롭지 않다.

인과관계 질문은 각 부처의 정책입안가들에 의해 평가자들에게 주어지는 질문들 가운데
단지 작은 일부분이다. 이는 다른 유형의 질문들이 의회 또는 여러 행정부에서 인과관계
보다 높은 정치적 우선권을 갖기 때문이거나, 연구되어야 할 프로그램 또는 정책에 대한
정부의 또는 조직의 상황 때문에 실험 설계가 평가자들에게 실행 불가능하거나 권장되
지 않기 때문이거나, 정책입안가들은 항상 그리고 어디에서나, 특히 예전 법안 또는 정
책과 충돌할 수 있는 영역에서 프로그램의 효과성을 알기를 갈망하기 때문이다. (p. 21)

다른 사람들(Datta, 2007)은 인과관계 설계 사용 여부는 평가 질문의 목적보다는 기관
의 문화에 따라 다름을 발견하였다. 미국 법무부, 세계은행, 미국국제개발기구 등은 인과
관계 목적을 위해 사례 연구를 광범위하게 사용하는 반면(법무부는 Yin의 사례 연구 방법
을 적용하였다), 미국 국립위생연구소(National Institute of Health, NIH), 약물남용 및 정
신건강 서비스국(Substance Abuse and Mental Health Services Administration, SAMHSA)
등과 같은 의료 관련 기관들은 실험 설계를 선호한다. 국립과학재단은 연구 질문에 적합
한 다양한 설계 방법을 지원하고, 북미 인디언국(Bureau of Indian Affairs, BIA)은 그들의
문화에 보다 적합한 민속지적 접근을 선호한다. 정책입안가들이 인과관계 질문을 구명하
기 위해 실험 설계를 선호한다고 Mark와 Henry(2006)가 주장함에도 불구하고, 그 증거는
혼재되어 있다. 주된 고객이 정책입안가일 때조차도 평가자들은 고객의 기대와 정보 요구
를 주의 깊게 평가할 필요가 있다.

혼히 사용되지 않음에도 불구하고, 인과관계 설계는 큰 관심을 받고 있다. 왜냐하면
프로그램의 궁극적인 장점과 가치와 관련된 아주 중요한 질문 그리고 재정을 지원하고
지속할 가치가 있는지 여부를 구명할 수 있기 때문이다. 평가자들이 대중의 관심과 이익
을 고려해야만 하는 것처럼(AEA 안내 원칙 E 참조), 우리는 질문과 상황에 따라 인과관계
적인 실험 설계를 추천해야만 한다. 지금부터 이러한 몇몇 설계를 조사함으로써 독자들은
무엇이 주어진 상황에서 가장 적합한지를 이해할 수 있다.

실험 설계

실험 설계 또는 무선통제실험은 실행 가능하다면 연구의 내적 타당도에 대한 위협요소에
보다 잘 대응할 수 있다는 측면에서 준실험 설계보다 선호된다. 이것은 실험 설계 결과에
서 해당 프로그램 또는 처치를 받은 이들이 여타의 프로그램 또는 처치를 받은 이들보다
향상되었다면 평가자들과 청중들은 그러한 향상이 다른 설계가 사용되었을 때 확인될 수
있는 여타의 요인들이 아니라 해당 프로그램에 기인한 것임을 보다 확신할 수 있음을 의

미한다. 실험 설계에는 사전-사후 설계와 사후검사만이 실시되는 설계가 있다. 이러한 설계 각각에서는 프로그램 참가자들을 집단에 무선적으로 배치한다. 충분한 사람들을 각 집단에 무선적으로 배치함으로써 실험 설계는 개인 특성과 태도, 과거 역사, 그들의 삶에서 현재 진행되고 있는 것들과 같이 프로그램에 대한 그들의 반응에 영향을 미칠 수 있는 요인들이 각 집단에 동등할 확률을 최대화한다. 물론 집단 내의 개인들이 같지는 않지만, 집단 전체는 동등하다고 간주된다. 따라서 프로그램 후 실시되는 측정에 있어 집단별 차이는 여타의 원인이 아니라 프로그램 자체 때문임이 보다 타당성을 가질 수 있다.

사후검사 설계. 이 설계 방법은 실험 설계 가운데 가장 덜 복잡하여 단순히 다음을 필요로 한다. 첫째, 어떤 비교가 요망되고 의미 있는지가 결정되어야 한다. 예를 들어 관심 있는 프로그램(이 경우 X라고 불리는 실험적인 교육 프로그램)이 대안적인 교육 프로그램인 Y(프로그램 X와 같은 목적을 다른 방식으로 달성하기 위한)와 비교될 것인가? 또는 X 집단에 속한 학생들은 X와 유사한 목적을 지닌 유사한 또는 대안적인 프로그램을 이수하지 않은 다른 집단의 학생들과 비교될 것인가? 달리 말하면 평가자들은 새로운 프로그램 또는 처치를 받지 않은 이들이 무엇을 받을지를 고려해야만 한다. 일반적으로 통제 집단은 정책입안가들의 선택 가운데 대표적인 것을 받는다. 그러한 선택은 새로운 프로그램 자체의 선택일 수도 있고, 새로운 프로그램과 기존 프로그램 간의 선택일 수도 있다.

둘째, 연구 참가자들을 여러 처치 집단에 무선적으로 배치해야 한다.

다음으로 평가자들 또는 연구자들은 한 집단에 속한 사람들이 다른 집단에 속한 사람들이 받은 처치에 영향을 받지 않고, 프로그램이 계획대로 진행되고 있는지를 확실히 하기 위해 그러한 처치를 모니터해야만 한다.

마지막으로 프로그램이 종료된 후 차이가 발생했는지를 결정하기 위해 정보가 수집되어야 한다(사후검사).

사후검사라는 용어가 측정이 무조건 이루어져야 함을 의미하지는 않는다. 사후처치 측정은 설문조사, 인터뷰, 관찰, 검사 또는 성과에 대한 큰 그림을 얻는 데 적합하다고 생각되는 여타의 측정 등으로 이루어질 수 있다. "사후검사"라는 용어는 정보가 수집되는 시점만을 의미한다. 측정하려는 구인이 복잡하거나 기대되는 성과가 여러 가지 있다면 복합적인 측정이 이루어질 수 있다. 사후검사 설계에서는 사전검사 정보가 수집되지 않는다. 왜냐하면 프로그램 또는 처치에 대한 개인 또는 구성단위(부서, 학교, 학습)가 무선적으로 배치되므로 두 집단이 동등하다고 가정되기 때문이다.

사전-사후 설계. 이 설계 방법은 사전처치 측정이 유용한 정보를 제공할 수 있을 때 사용된다. 예를 들면 집단 구성원 수가 적다면, 동등성에 대한 우려가 있을 수 있다. 수집된 측정에 대해서만 그러하지만, 사전검사는 동등성의 확립에 도움을 줄 수 있다. 프로그램의 중도탈락자가 많아서 사후검사가 가능한 참가자들이 더 이상 동등한 집단이 아닐 수 있다는 우려가 있다면, 사전검사 점수는 남아 있는 두 집단의 차이를 조사하는 데 사용될 수 있다. 예를 들어 주요 실업자를 대상으로 한 6개월 과정 훈련 프로그램을 평가함에 있어 중도탈락은 우려할 만한 것이지만, 안정적인 등록을 하고 있는 학교의 4학년을 대상으로 한 1개월 프로그램에서는 크게 문제가 되지 않을 수 있다. 그러므로 사전검사는 집단 구성원이 적거나, 중도탈락률이 높은 집단에는 유용한 정보를 제공할 수 있다.

프로그램 참여를 통해 발생한 변화를 결론 부분에서 보고함에 있어 사전검사가 기준점으로 사용되는 경우가 많다. 이러한 보고는 흔히 이해관계자들의 마음을 끌 수 있다. 하지만, 사전과 사후의 변화는 프로그램 그리고/또는 참가자들 삶의 여타 요인들, 예를 들면 시간의 흐름에 따른 자연적인 변화, 여타의 학습, 중간에 발생한 사건들에 기인한 것일 수도 있기 때문에 사전-사후 비교는 잘못된 방향으로 이끌 수도 있다. 대신 비교 집단에 대한 사후 측정이 일반적으로 보다 적합한 비교라고 할 수 있다. 왜냐하면 실험 집단이 새로운 교육과정 또는 프로그램을 받지 않았다면 그 시점에서 실험 집단이 어떠할 것인지를 그러한 측정이 보다 잘 보여줄 것이기 때문이다. 달리 말하면 비교 집단은 새로운 프로그램을 받은 집단의 사전으로부터 사후 측정까지의 변화에 기여한 같은 요인들을 같은 시간 동안 경험했다. 그들이 경험하지 않은 것은 프로그램뿐이다. 그러므로 비교 집단과 처치 집단과의 차이는 사전-사후 측정의 변화를 비교하는 것보다 프로그램의 효과를 보다 분명히 입증할 수 있다.

실현 가능성과 적절성. 실험 설계는 참가자들을 집단에 무선으로 배치하고, 집단들 간의 오염을 피하기 위해(한 집단의 참가자들은 다른 집단으로부터 영향을 받을 수 있다) 여러 가지 실험 통제를 필요로 한다. 프로그램(정책의 경우는 더 그러하다)은 모든 이들에게 적용되어야만 하기 때문에 많은 경우 무선배치는 단순히 실행 가능하지 않을 수 있다. 예를 들면 최고 속도 제한은 고속도로 안전에 대한 속도의 영향을 연구하기 위해 무선적으로 할당될 수 없다. 목재 연소의 공기 오염에 대한 효과를 조사하기 위해 목재 스토브의 사용 제한과 같은 공기 오염 방지 정책이 세대에 무선적으로 할당될 수 없다. 차터 또는 선택의 효과를 연구하기 위해 학생들을 차터 스쿨에 무선적으로 배치할 수 없다. 사실 차터 스쿨 또는 학습에 대한 선택의 효과를 연구함에 있어 선별은 타당도를 위협하는 주된 요소이다. 왜 그럴까? 주변 학교 이외의 학교를 탐색하여 아마도 다른 학교를 선택하는 부모들은 그렇지 않은 부모들에 비해 자녀의 교육에 보다 관심을 가지고 있고, 보다 시간이 많으며, 교육 장소를 선택함에 있어 보다 확신을 지니고 있기 때문이다. 그러므로 그들의 자녀들은 차터 스쿨에 의해 제공되는 교육 이외의 이유 때문에 주변의 공립학교에 다니는 학생들보다 성적이 높을 수 있다.[6]

참가자들을 프로그램 또는 대안적인 조건으로 배치함에 있어 무선배치를 사용하기 어렵기 때문에 실험 설계의 실현 가능성이 제한될 수 있지만, 여타의 다른 어려움들도 또한 존재한다. 계획된 대로 전달되어 프로그램이 실제 측정되는 것과 일치하는지를 입증하기 위해서는 통제 집단이 받은 실험 처치와 서비스 모두가 면밀히 모니터되어야만 한다. 장기간 프로그램의 경우 중도탈락이 발생할 수밖에 없고, 따라서 두 집단은 더 이상 동등하지 않다. 평가자는 처치 집단에서 탈락한 이들이 통제 집단으로부터 탈락한 이들과 동등하다고 확신할 수 있는가? 남아 있는 구성원들의 동등성을 유지하기 위해서는 프로그램을 떠난 이들의 집단 간 차이를 통계적으로 보정하기 위해 광범위한 사전검사가 사용될 수 있다. 하지만 모든 이러한 통제는 비용이 많이 들고, 복잡하며, 때로 일반적인 조직에서는 적용되기 어려울 수 있다. 그러므로 실험 설계를 사용하고자 할 때 평가자들은 프로그램 내외 관계자, 이들이 포함된 조직, 그리고 함축된 의미를 잘 알고 있어야 한다.

많은 이들이 윤리적인 이유 때문에 처치에 대한 무선배치에 반대한다. 이러한 우려는 정당할 수 있다. 흔히 새로운 프로그램들은 주의 깊게 계획되고, 확고한 이론적 기반을 가지고 있으며, 참가자들에게 거대한 약속을 제공한다. 하지만 새로운 교육과정, 정책, 또는 프로그램을 면밀하게 연구하지 못하는 것과 관련된 윤리적 쟁점사항을 우리는 흔히 고려하지 못하는 경우가 있다. 실행될 경우 현재 용인된 프로그램보다 목표를 달성함에 있어 덜 성공적인 처치 또는 프로그램에 사람들을 노출시키는 것이 윤리적인가? 필요로 하는 이들의 기대를 높여 시행된 적이 없고 검증되지 않은 프로그램에 이들을 내던지는 것이 윤리적인가? 공공 자원이 감소하는 시기에 이러한 자원들이 효과가 입증된 방식으로 효과적으로 요구에 부합하도록 사용될 수 있을 때 검증되지 않은 접근에 지속적으로 비용을 지출함이 윤리적인가? 이러한 질문들은 쉽게 답할 수 있는 질문들이 아니다.

무선화의 결과는 각각의 상황에 따라 주의 깊게 고려되어야만 한다. 각 집단에 대한

---

6) 학교 선택에 대한 일부 연구들은 실험 설계 방법을 사용하였다. 그러한 연구들에서 학부모들에게 바우처 자격이 무선적으로 할당되었다. 이 설계는 이후 학생들의 학업 성취의 차이를 추적하고, 학교 선택에 대한 바우처 자격을 통해 확인된 차이의 속성을 확인할 수 있다. 하지만 연구 결과는 바우처 프로그램에 대해 초기에 관심이 없는 부모들의 학생들에게 일반화될 수 없다. 설계 방식 때문에 내적 타당도는 확립되었지만, 외적 타당도 또는 일반화 가능도는 확립되지 않았다.

위험요소는 무엇인가? 새로운 처치에 대해 우리는 얼마나 많이 알고 있는가? 기존의 처치에 대해서는? 연구 기간은 얼마의 기간 동안 지속될 것인가? 참가자들에게 발생할 수 있는 위험성에 대한 설명과 동의는 어떻게 주어질 것인가? 그들의 존엄성은 어떻게 보호될 것인가? 어떤 환경에서 자료 수집이 중지되고, 모든 이들에게 보다 나은 처치가 제공될 것인가?

프로그램을 시행함에 있어 재료 또는 담당자 훈련의 측면에서 새로운 프로그램의 비용이 비싸지 않은 경우는 흔하지 않다. 이러한 또는 여타 이유 때문에 새로운 프로그램 또는 교육과정을 모든 학생 또는 소비자에게 전달하는 경우는 거의 없다. 다른 경우 새로운 프로그램이 논쟁의 대상이 될 수도 있다. 프로그램을 전달하는 스태프를 포함하여 어떤 이해관계자들은 현재의 전달 방식 또는 여타의 선택권에 대한 해당 프로그램의 장점에 동의하지 않을 수 있다. 이러한 상황에서 새로운 처치에 대한 무선배치는 가장 공정한 선택일 수 있다.

무선배치 임상 실험의 사용을 옹호한 Robert Boruch(2007)는 다음의 질문에 대한 답이 긍정적일 경우 무선설계가 고려될 수 있다고 주장하였다.

1. (프로그램이 구명하는) 사회적인 문제가 심각한가?
2. 그 문제에 대해 주장된 해결책들이 논쟁의 여지가 있는가? 달리 말하면 고려되고 있는 여타의 선택이 있는가 또는 이것이 유일한 선택인가?
3. 무선실험의 효과를 추정함에 있어 다른 접근법들보다 변호할 수 있는(덜 애매하고 편견 없는) 결과를 낳을 것인가?
4. 결과가 사용될 것인가?
5. 인간의 권리가 보호될 것인가? (p. 56-57)

우리는 질문을 추가할 것이다. 프로그램 또는 정책은 예비검사를 통해 조정되어 기대된 대로 작동하고 있는가? 문제를 해결할 기회를 가지지 못한 프로그램의 인과관계적 성과를 황급히 조사할 이유는 없지만, 오늘날 성과에 열광하고 있는 정책입안가들은 서둘러 판단하고 있다.

흔히 Boruch의 질문에 대해 적어도 하나의 대답은 부정이다. 프로그램이 구명하는 문제는 그렇게 심각하지 않을 수 있다. 또는 프로그램이 널리 시행되는 데에는 비용이 너무 많이 들기 때문에 궁극적으로 그 결과를 사용할 자원 또는 의지가 부족할 수 있다. 하지만 각 질문에 대한 답이 긍정이라면, Boruch는 무선실험이 사용되어야만 한다고 주장한다.

> 미국과 개발도상국의 심각한 사회적 문제들을 고치는 프로그램을 우리가 시작할 때 그
> 것을 고치는 이론적인 대상들을 고려해야 한다. 우리가 1일 복용량의 아스피린을 섭취하
> 는 것처럼 그들에게 제공될 개입이 그들의 생존 기회를 증진시킴에 효과적임이 확실하
> 게 입증되어야 한다. (2007, p. 72)

준실험 설계

효과의 확립과 관련된 많은 평가에 있어 무선배치는 실현 가능성이 없거나 바람직하지
않다. 이러한 경우 준실험 설계가 보다 적합할 수 있다. 이러한 설계는 무선배치를 필요로
하지 않지만, 프로그램 이외의 변화에 대한 이유를 저지하는 데 유용할 수 있다. 가장 일
반적으로 사용되는 준실험 설계는 부정기 시계열 설계와 비동등 비교 집단 설계이다.

부정기 시계열 설계. 이 설계에서는 프로그램 시행 전과 프로그램이 도입된 이후 여러 시
점에서 자료가 수집된다. 처치 또는 프로그램이 지역, 시, 주, 또는 국가의 모든 사람에게
적용되어야만 하는 법률이나 정책일 경우 이 방법이 흔히 사용된다. 새로운 공기 오염 기
준은 일부 세대에 무선적으로 할당될 수 없다. 청소년 기소에 대한 법률의 변화도 일부
청소년에게 적용될 수 없다. 하지만 이러한 프로그램 각각에 대해 새로운 법률 또는 기준
이 적용되기 전과 후에 관심 있는 현상에 대한 정보는 언제라도 수집된다. 환경청은 대기
의 질에 대한 자료를 일상적으로 수집하고, 청소년 사법 기관들은 청소년 범죄에 대한 자
료를 수집한다. 이러한 기존 자료들이 분석되어 프로그램의 효과를 평가할 수 있다.

이론적으로 부정기 시계열 설계는 많은 경우에 사용될 수 있다. 사실 가장 흔히 적용
되는 것은 그러한 개입 전에 일상적으로 수집된 기존 자료를 활용하는 것이다. 부정기 시
계열 연구는 개입 전에 이루어진 측정에 그 가치가 있다. 이러한 측정은 프로그램이 시작
되기 이전에 발생한 경향 또는 일반적인 변화를 실증하는 데 도움이 된다. 정책이 시행되
기 전에 수집된 많은 측정치들을 지니고 있기 때문에 평가자는 고등학교 졸업률, 암 생존
율, 주택비용, 마약 체포자들과 같은 조사하고자 하는 구인의 일반적인 기복을 조사할 수
있다. 일반적인 경향을 확립한 다음 프로그램 또는 정책의 도입 후 경향에 변화가 있었는
지를 결정하기 위해 자료가 조사될 수 있다. 만약 그렇다면 그 변화는 프로그램(또는 동
시에 발생한 몇 가지 여타 현상들) 때문일 수 있다. 대신 사후 측정이 단순히 일상적인 변
화를 보여준다면, 그 결과는 정책 또는 프로그램의 효과가 없음을 나타낼 수 있다. (그림
15.1에 제시된 시계열선의 예를 보고, 프로그램 효과에 대한 결론을 도출해보라. 어떠한
경우 프로그램 전과 프로그램 후의 측정이 즉각적으로 이루어졌다면 프로그램이 효과적

이었다는 결론이 도출될 수도 있다.)

이러한 유형의 설계에 있어 프로그램 전 경향을 확립함이 매우 중요함에 주목하라. 이 경향은 개입이 이루어지기 이전에 여러 시점에서의 자료를 통해서만 추정될 수 있다. 한 번의 사전 측정은 충분하지 않다. 왜냐하면 그것은 측정 오차, 예외적인 집단 또는 시간, 또는 이러한 세 가지 모두의 조합에 의해 발생한 이상치일 수 있기 때문이다. 사실 새로운 프로그램들은 이전 해의 성과가 극히 나쁠 경우에 흔히 시작된다. 전년도가 비정상적이었기 때문에 다음 해에는 우연히 향상이 나타날 수 있다. 그럼에도 불구하고, 이해관계

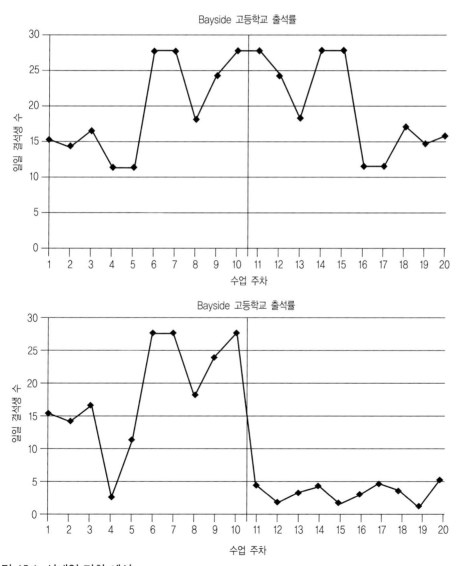

그림 15.1 시계열 경향 예시

자들이 프로그램의 전년도와 첫 해 자료만을 조사한다면 그 프로그램은 성공적일 것이다. 왜냐하면 모니터된 것은 규준으로 돌아갔는지 여부(또는 통계적 복잡성 때문에 평균으로의 회귀)이기 때문이다. 이러한 종류의 실수로 대부분의 주에서 단지 전년도와의 비교에 기초하여 학교 기준 점수의 변화를 보고하는 경향을 들 수 있다. 지난 경향이 확립되지 않았고, 그렇기 때문에 증가 또는 감소가 교수 방법, 학생 자원, 교직원의 실제 변화 때문인지, 또는 측정 오차 때문인지 여부를 결정함은 불가능하다. 그러나 일반 대중과 선출직 공무원은 이러한 연간 변화가 각각의 그리고 모든 사례의 실제 변화를 반영한다고 믿는다.

충분한 사전 개입 자료가 옳게 사용되었을 때조차도 부정기 시계열 설계는 단점을 지니고 있다. 추세선의 변화는 확실히 프로그램 또는 정책의 효과를 나타낼 수 있지만, 그 변화는 동시에 발생한 여타의 다른 것에 기인할 수도 있다. 우리가 신임 교원의 지속률을 향상시키기 위한 프로그램을 도입하여 지난 15년 동안의 신임 교원의 연간 이직률을 조사하기 위해 부정기 시계열 설계를 사용하였다고 가정하자. 2년 후에 우리의 도표는 오리엔테이션 프로그램 이전의 경향과 비교하여 이직률의 감소를 보여준다. 이 변화는 오리엔테이션 때문일 수도 있지만, 해당 기간 동안 우리 학군의 경제가 심각한 하락세여서 직업들이 부족하였다면 어떠할까? 직업의 부족이 신임 교원으로 하여금 전직을 못하게 하여 유지율이 향상되었을 수 있다. 달리 말하면 부정기 시계열 설계가 인과관계의 확립에 사용될 때 평가자들, 이해관계자들, 그리고 기타 청중들은 개입이 변화를 불러일으켰을 기간 동안 여타의 일들이 발생했는지 여부를 늘 고려해야만 한다. 관련된 문제로 공공 부문에서는 매우 자주 심각한 문제를 다루기 위해 일련의 여러 개혁안들이 실행되는 경우가 매우 흔하다. 이러한 패키지는 문제를 종합적으로 밝혀내는 데 도움을 줄 수는 있지만, 패키지의 어떤 측면이 유효하게 작용했는지를 밝혀내지는 못한다. 개입 또는 프로그램은 개혁안의 전체 패키지를 포함하고 있다고 간주되어야만 하거나, 여타의 개혁안들은 단일한 개입과 성과 간의 명백한 인과관계에 대한 대안적인 설명으로 인식되어야만 한다.[7]

주의해야 할 다른 한 가지 것으로 부정기 시계열 설계는 상대적으로 빠른 변화를 기대

---

7) 예: 콜로라도 주는 심각한 교통사고를 내는 연령 집단에 속해 있는 초보운전자들 사이의 교통사고, 상해, 사망을 줄이기 위해 몇 가지 개혁안을 실행하였다. 이러한 개입에는 최종 운전면허를 획득하기 위해 예비면허 기간을 늘리고, 형제자매 이외의 청년들과의 운전을 제한하며, 예비면허 기간 동안 처벌을 강화하는 등이 포함되었다. 청년 운전자들의 교통사고, 상해, 사망이 감소하였고, 전체 패키지는 필요하고 가치가 있었을 수 있다. 하지만 우리는 패키지로 구성된 개혁안 가운데 어떤 요소가 가장 효과가 있었는지 또는 전체적으로 효과가 있었는지를 분류할 수 없었다.

하는 프로그램에 가장 적합하다. 변화가 점진적이라면 추세선의 변화는 점진적일 것이고, 관찰된 변화가 프로그램의 결과라고 생각하기가 어렵다. 물론 자료 수집 지점 간의 시간을 길게 하여 추세선이 보다 즉각적인 효과를 보일 수도 있지만, 지점 간의 시간이 길어 질수록 다른 요인들이 변화를 일으킬 가능성도 커진다.

요약하면 다음 조건이 확립될 수 있을 때 부정기 시계열 설계의 사용을 고려해보라.

- 무선배치가 부적절하거나 실행 불가능하다.
- 관심 있는 구인이 지속적으로 측정된 기존 자료를 이용할 수 있다.
- 새로운 프로그램 또는 정책에 앞서 경향을 확립하기 위해 다수의 자료 수집 지점이 존재한다.
- 구인을 변화시킬 수 있는 다른 요인들이 있다고 하더라도 동시에 발생할 가능성이 거의 없다.
- 프로그램 또는 정책이 상대적으로 빠른 영향을 미친다.

비교 집단 또는 비동등 통제 집단 설계. 비교 집단 설계는 사전-사후 실험 설계와 유사하지만, 참가자 또는 학생들이 무선으로 집단에 배치되지 않는다. 대신 새로운 프로그램을 이수하게 될 집단과 매우 유사한 기존 집단을 찾으려고 노력한다. 실험 설계에서보다 이 설계에 있어 사전검사는 보다 중요한 구성요소이다. 왜냐하면 집단 간의 동질성을 조사하는 데 도움을 주기 때문이다. 물론 사전 측정이 있다면, 그 목표는 집단들의 동질성을 확보하는 데 있다. (두 집단의 비교를 위해서 다른 기술적인 자료가 수집되어 보다 더 동질성이 탐색되면 좋을 것이다.) 큰 조직 내에서 기존의 집단들(부서, 학급, 학교, 구)이 연구되고, 프로그램이 단기간일 경우 동등한 비교 집단을 발견하는 것은 상대적으로 쉽다. 하지만 조직이 작을 경우(한 학년이 3개 학급인 단일 초등학교 또는 고등학교가 2개인 학군) 다른 구성단위는 일부 유의한 차이를 가질 가능성이 있다. 프로그램이 길 경우 집단들은 상대적으로 동등하게 시작할 수 있으나, 다른 차이점이 프로그램 과정 중에 발생하여(예를 들면 다른 동기, 기술, 주안점을 갖는 다른 교원 또는 스태프) 최종 측정의 차이에 기여할 수 있다(아동의 연령 관련 성과를 평가하기 위해 비무선적으로 구성된 비교 집단에 대한 유용한 논의와 관련해서는 McCall, Ryan, Green[1999] 참조).

회귀-불연속 설계. 이 설계 방법은 연구되는 프로그램의 적절성이 특정 준거점 이상 또는 이하의 개인들에 의해 결정되는 경우에 특히 유용하다(예를 들면 고혈압 또는 콜레스테롤 수준). 예를 들면 신장과 성별에 따른 기준 체중 지침의 최소 30% 이상인 자들에 기초한 특별 체중감량 프로그램에는 환자들이 적합할 수 있다. 이 설계 방법은 회귀 방법을 사용하여 이 프로그램에 적합하지 않은 사람들의 성과와 환자들의 성과를 비교한다. 두 집단에 대한 회귀선에서의 불연속 또는 차이가 프로그램 효과를 나타낸다. 이 설계 방법은 매우 천부적인 학생들을 위한 프로그램과 같이 프로그램이 가장 필요하거나 자질이 있는 이들에게 제한되는 경우 그리고 적격성 여부가 분명하게 정의된 선발점에 의해 결정되는 경우 유용할 수 있다. 이 설계에 대한 추가적인 정보는 Trochim(1984), Reichardt, Trochim, Cappelleri(1995)를 참조하라.

Shadish, Cook, Campbell(2002)은 일반적으로 이 설계에 대해, 그리고 특히 준실험 설계에 대해 보다 많은 정보를 제공하고 있다. 실험 설계에 있어 새로운 쟁점사항의 하나는 설계를 계획함에 있어 통계적 검증력을 적절히 고려하는 데 실패함과 관련된다. 결국 유형 II 오류(실제 차이가 존재할 때 집단 간의 유의한 차이를 발견하지 못하는 오류)가 우리가 알고 있는 것보다 훨씬 자주 발생한다. 이러한 오류는 우리로 하여금 유용한 프로그램을 거절하게 할 수 있다. 왜냐하면 실제로 작은 표본 크기 또는 큰 집단 변량으로 인해 차이를 발견하는 능력이 제한될 때 우리는 차이가 없다고 믿을 수 있기 때문이다. 이러한 문제를 피하기 위한 설계 계획 방법들을 Lipsey(1990)가 논의하고 있다.

인과관계 목적을 위한 사례 연구. 사례 연구는 평가의 목적이 기술적일 때 흔히 사용되지만, 성과 관련 쟁점사항을 조사하는 데에도 또한 매우 성공적일 수 있다. 프로그램 또는 교육과정이 어떻게 시행되는지를 설명한 앞선 사례 연구를 생각해보라. 프로그램의 선택에 영향을 미치는 요인들로는 초기 시행 단계, 직면한 문제들, 견뎌낸 욕구 불만, 경험한 놀람, 형성된 적응, 달성된 성공, 스태프와 참가자들의 반응, 환경적인 영향 등을 들 수 있다. 이러한 연구들은 청중들로 하여금 프로그램을 실질적으로 이해하게 하고, 프로그램을 바라보는 다른 많은 방법들을 제공한다. 프로그램과 관련된 다른 많은 이해관계자들의 목소리와 관점을 들을 수 있다.

Robert Yin(2009)은 프로그램과 그 성과 간의 인과관계를 설명함에 있어 사례 연구를 사용할 것을 오랫동안 주장하여 왔다. 그는 실험 설계가 통제에 대한 초점으로 인해 인과관계의 여타 원인 또는 내적 타당도에 대한 위협요소를 제거하기 위해 프로그램과 성과의 관계를 힘들여 설명한다고 진술하였다. 그렇게 함에 있어 실험 또는 무선배치 임상 실험은 모든 것이 통제되기 때문에 실제 프로그램이라고 하기 어렵다. 한 프로그램이 실제 작동하는지를 보고 작동 여부를 탐색하고 설명하기를 원한다면, 사례 연구가 매우 유용할 수 있다. 실험의 장점은 "처치의 효율성을 확립하는 데" 있지만, 실험은 "처치가 필연적으로 '어떻게' 또는 '왜' 작동하는지를 설명함에 있어서는 제한적인 반면, 사례 연구는 그러한 쟁점사항들을 조사할 수 있다"고 Yin은 언급하였다(2009, p. 16). 사례 연구의 장점은 통제가 아니라 상황과 세부사항에 주의를 기울이는 데 있다. Yin은 또한 "당신은 실제 삶에서의 현상을 깊이 있게 이해하기를 원하기 때문에 사례 연구 방법을 사용할 수 있지만, 그러한 이해는 중요한 상황적 조건들을 포함한다. 왜냐하면 이러한 조건들이 당신이 연구하는 현상과 깊은 관계가 있기 때문이다"(2009, p. 18)라고 기술하였다. 달리 표현하면 Yin은 사례 연구는 통제가 없고 상황에 집중하여 그 결과가 실제 세상에 보다 잘 적용될 수 있기 때문에 평가에 있어 인과관계를 확립함에 있어 선호되는 방법이어야 한다고 주장하였다. 실험은 프로그램을 상황적 쟁점사항들과 분리하여 단지 몇 가지 변인들, 즉 의도된 원인(프로그램)과 효과(기대되는 성과)에만 주의한다. 설명적인 사례 연구는 상황을 조사하고 연구하여 프로그램의 작동을 이해하고 설명한다.

사례 연구는 어떻게 이것을 하는가? 사례 연구의 목적이 기술적이거나 탐색적이라기보다 설명적이라면, 평가자는 프로그램 이론과 Yin이 증거 사슬이라고 명명한 것을 확립하기 위해 문헌과 프로그램을 개발한 사람들을 대상으로 작업한다. 프로그램 이론은 프로그램이 대상으로 하고 있는 이들에게 이루고자 하는 변화를 위해 시작부터 종료까지의 개별적인 단계를 구체화한다. 그러므로 사례 연구란 각 단계에 대한 정보를 수집한다. 이러한 변화는 일어나는가? 이러한 변화는 어떻게 발생하는가? 각 단계마다 변화가 일어나는가? 모든 참가자들에게 또는 일부 몇몇에 대해서만? 물론 사례 연구는 프로그램의 진전과 작동을 설명하는 데 도움을 줄 수 있는 이러한 질문들 또는 여타의 질문들에 답하기 위해 다양한 방법들을 사용한다. Mark와 Henry(2006)는 사례 연구보다는 인과관계 방법에 보다 초점을 둔 다소 다른 시각을 지니고 있는데, "어떤 프로그램이 어떻게 효과를 미치는지를 평가하기 위해" 프로그램 이론, 변화 이론들(Weiss, 1995), 조절효과의 검사(Mark, 2003)의 사용을 논의하고 있다(Mark & Henry, 2006, p. 319). Yin과 같이 그들은 프로그램을 설명하기 위해 이러한 변화 이론들 또는 조절변인들의 측정을 강조하였다. 실험 방법의 단점을 인정함에 있어 그들은 다음과 같이 기술하였다.

> 말하자면 특별한 청소년 범죄 프로그램이 작동하였음을 아는 것과 그것이 어떻게 유효하게 작용하였는지를 아는 것은 별개이다. 프로그램이 작동한 이유가 그렇게 명명하지 않아서일까, 프로그램이 청소년들의 자존감을 증진시켰기 때문일까, 청소년들의 지역사회와의 관계를 강화시켜서일까, 문제를 일으킬 수 있는 기회를 줄이는 매력적인 활동들을 제공해서일까? (Mark & Henry, 2006, p. 319)

하나의 설명적인 사례 연구가 이러한 모든 선택을 탐색할 수는 없다. 왜냐하면 특별한 사슬의 추론 또는 변화 이론을 가지고 있는 특수한 프로그램을 평가하는 데 초점을 두기 때문이다. 사례 연구는 그러한 사슬의 단계마다 자료를 수집한다. 하지만 사례 연구 방식에서 변화에 대한 여타의 가능한 경로에 대한 평가자들의 지식은 성공에 이르게 하는 이러한 여타의 가능한 경로를 탐색하도록 촉구한다. 목적은 어떠한 경로가 바라는 성과를 내는지를 입증하는 데 있다. 물론 가장 분명한 경로는 프로그램 개발자에 의해 제안된 것이다. 그러나 프로그램들은 종종 다른 방식으로 성공하곤 한다. 통제보다는 이해를 위해 평가자들을 프로그램과 상황에 가까이 놓는 사례 연구 접근은 평가자들에게 변화에 대한 다른 메커니즘을 탐색하고 그것들이 발생함을 입증하도록 한다.

Yin은 종합적인 개혁안 또는 지역사회, 시, 또는 주 전체를 아우르고 개입에 대해 많은 다른 요소를 지니고 있는 개혁안을 평가하는 데 사례 연구 방법을 사용한 우수한 예를 제시하였다. 그는 전통적인 실험 설계는 이러한 개혁안을 연구하는 데 적절하지 않다고 주장하였다. 분석 단위가 시 또는 주와 같이 너무 크기 때문에 무선배치가 불가능하다. 이에 더하여 개입이 많은 측면을 지니고 있기 때문에 통제가 어렵다. 하지만 이러한 종합적인 개혁안은 정부가 보다 어려운 문제들을 구명함에 있어 점점 더 빈번하게 등장하고 있다. 그는 체계적인 변화와 종합적인 개혁을 위한 노력의 예로 초중등교육, 약물 남용과 에이즈 예방을 위한 공공 건강 캠페인, 정신 건강, 그리고 사회적, 경제적 발전을 위한 지역사회 파트너십을 언급하였다. 첫 단계로서 종합적인 개혁을 위한 논리 모형 개발을 사용함에 있어 Yin은 8개 주에서의 주 전체에 걸친 종합적인 교육 개혁을 평가하기 위해 사례 연구 방법을 어떻게 사용하였는지를 기술하고 있다. 이전의 평가는 종합적인 프로그램에 대한 좁은 정의에 초점을 두었기 때문에 효과를 거의 발견하지 못했다. 종합적인 개혁과 관련된 그리고 이에 의해 영향을 받은 많은 요소들을 연구함으로써 Yin은 주 교육부의 노력 이상의 중요한 효과를 발견하였다(Yin & Davis, 2007; Yin & Kaftarian, 1997 참조). 그는 유사한 방법을 27개 도시 학군의 종합적인 개혁과 그 효과를 연구하는 데 사용하였다(Yin, Davis, & Schmidt, 2005).

혼합 방법 설계

지금까지 언급된 설계, 즉 사례 연구, 실험 및 준실험 설계, 횡단 및 단순 시계열 설계들은 특정한 평가에서 관심 있는 질문에 적합한 설계 또는 설계들을 만드는 데 있어 통찰력 있는 평가자들이 사용할 수 있는 모든 모형들 또는 전형들이다. 이 논의의 시작 부분에서 언급하였듯이 모든 상황에 최선인 단일한 설계는 없다. 좋은 설계란 계획 단계에서 개발된 평가 질문, 평가 상황, 그리고 이해관계자들의 정보 요구와 가치에 부합하는 것이다.

평가가 개발됨에 따라 평가자들은 이러한 설계들을 다른 상황에 맞게 변경해 왔다. 사례 연구는 실험 설계가 발견한 어떤 효과를 설명하기 위해 실험 설계를 보완할 수 있다. 횡단 설계 또는 설문조사는 프로그램이 어떻게 전달되는지를 보다 이해하기 위해 실험 또는 준실험 설계를 보완하는 데 사용될 수 있고, 준실험 설계의 경우 내적 타당도 또는 프로그램과 성과 간의 명백한 인과관계를 설명하는 다른 요인들의 위협을 극복하기 위해 사용될 수 있다. 참가자들을 대상으로 한 설문조사는 비교 집단 설계에서의 참가자들의 동등한 정도, 그리고 집단으로서 그들의 유일한 차이가 프로그램에 대한 노출 여부인지를 결정하는 데 사용될 수 있다. 물론 사례 연구는 다양한 방법을 사용하여 넓은 목적 내에서 시계열 설계와 횡단 설계를 포함할 수 있다.

그러므로 혼합된 방법은 설계 단계에서 선택된다. 평가자들은 원형들로서 이러한 설계들을 검토하고 보다 학습함으로써 현명한 선택을 할 수 있다. 그런 다음 평가자들은 연구에 있어 개별적인 평가 질문들의 요구, 프로그램이 일어나는 상황, 그리고 다양한 이해관계자들의 정보 요구와 가치에 부합하도록 설계들을 어떻게 변경하거나 조합할 것인지에 대해 면밀히 생각해야만 한다. 이러한 요구에 부합하도록 함은 도전적인 과업이고, 설계의 구성요소들을 혼합하거나 조합하는 것이 이를 달성하는 하나의 방법이다.

표집

표집이란 평가자가 연구해야 할 구성단위(사람, 학급, 학교, 부서, 카운티 등)를 선택하는 데 사용하는 방법이다. 예방접종 비율에 대한 전국적인 평가에서 주별 아동 구성비만을 검사하고자 한다면 표집을 할 것이다. 표본이 어떤 무선의 절차를 사용하여 구성된다면 표본으로부터 수집된 정보를 전체 목표 모집단(이 경우 미국 내 모든 아동들)의 예방접종 비율과 유형을 추론하는 데 사용할 수 있다. 하지만 일반화가 목적이 아니라면 그러한 방식의 표집을 사용함은 적절하지 않기 때문에 다른 표집 전략이 사용되어야만 한다.

모든 평가에서 표집이 필요한 것은 아니다. 관심 있는 모집단 또는 연구 결과가 확장될 집단이 작다면, 전체 집단을 대상으로 정보를 수집함이 현명할 것이다. 하지만 모집단이 크다면, 표집을 통해 정보 수집 비용을 줄일 수 있다. 우리는 결코 300명의 고객들을 대상으로 심도 있는 인터뷰를 시행하려 하지는 않을 것이다. 이와 유사하게 일반적으로 3만 명의 졸업생을 설문조사하지도 않을 것이다.

표본 크기

표집이 필요할 경우 평가자는 먼저 적합한 표본 크기를 결정해야만 한다. 조사되는 현상의 가변성과 바라는 정확도 모두가 표본 크기에 영향을 준다. 물론 평가자의 어떤 판단이 필요하지만, 측정되는 현상의 변이가 많고 상대적으로 측정에 있어 높은 유의수준이 요구된다면, 표본 크기가 좀 더 커야 할 것이다. 횡단 연구의 경우 많은 통계학자들은 각 셀 또는 연구에서 조사되는 하위 그룹마다 적어도 30명 이상으로부터 자료가 수집되어야 한다고 제안한다. 유사한 평가에서 사용된 표본 크기를 조사하여 지침을 얻을 수도 있다. 최종적으로 통계 책들은 바라는 표본 크기를 추정하기 위해 검증력 분석에 대해 상세하게 기술하고 있다(Lipsey, 1990; O' Sullivan, Rassel, & Berner, 2003). 또한 당신이 필요로 하는 최종 표본 크기를 추정하려고 한다는 점을 기억하라. 이것은 설문조사에 응답하거나 기존 자료를 획득하는 데 동의한 모든 사람을 의미한다. 설문조사 또는 동의를 구하는 과정에서 100%의 응답률은 불가능하기 때문에 표본을 예측함에 있어 무응답자들로 인한 자료 손실을 또한 고려해야만 한다.

바라는 표본 크기를 추정하기 위한 통계적 방법에 더하여 Henry(1990)는 평가자들이 중요한 이해관계자들에게 표본 크기에 대한 신뢰를 확보해야만 한다고 강조한다. 그는 한 연구를 예로 들었는데 이 연구에서 평가자들은 60개의 인가된 가정 표본을 선택하였다. 상세한 자료가 수집된 후에 평가자들은 관리자들이 표본이 너무 작다고 생각함을 알게 되었다. 240개의 추가적인 가정으로부터 보다 광범위한 자료가 수집된 후 최종 결과는 초기의 보다 작은 표본을 대상으로 한 결과와 3% 내였다. 그러므로 문제는 최초의 표본 크기가 아니라 연구의 핵심 청중들의 표본 크기에 대한 신뢰에 있었다. Henry는 "계획에 앞서 표본에 대한 신뢰성을 약화할 수 있는 요인들에 주의함으로써 부당한 공격을 받지 않을 수 있다"고 경고한다(1990, p. 126). 그의 충고와 예들은 이러한 보다 기술적인 결정에 서조차도 중요한 이해관계자들을 어떻게 관여시키는지가 중요함을 설명한다.

무선표집

평가자가 비용을 줄이기 위해 표집을 하여 궁극적인 목적이 보다 큰 집단을 기술하기 위한 것이라면 확률표집(모집단의 각 구성단위가 선택될 확률이 이미 알려진 경우)이 적절하다. 확률표집의 한 유형인 단순무선표집을 통해 각 구성단위는 동등하고 독립적으로 선택될 기회를 갖는다. 이 방식으로 추출된 표본들은 충분히 크다면 편의 또는 유의표집을 통해 추출된 표본보다 모집단을 대표할 가능성이 크다. 가장 규모가 큰 평가 프로젝트(예를 들면 미국 국가수준 학업성취도 평가, NAEP)와 여론조사는 확률표집을 사용한다.

확률표집은 무엇을 수반하는가? 첫째, 몇 가지 용어를 정의해 보자. "표집 단위"는 목표 모집단에서의 구성요소 또는 구성요소의 집합을 의미한다. 표집 단위는 개인; 학급, 사무실, 부서 등; 학교, 병원, 또는 교도소 같은 기관 전체일 수 있다. 추론하고자 하는 구성요소와 일치하는 표집 단위를 선택하는 데에는 각별한 주의가 필요하다. 개별 학교에 대한 결론을 도출하고 싶다면 학급 또는 개별 학생이 아니라 학교를 표집 단위로 사용해야만 한다.

"표집 구성"이란 표집 단위가 정의되거나 기재된 리스트, 지도, 주소록, 또는 여타 출처로, 이로부터 일련의 단위가 선택된다. 목표 모집단이 아이오와 주의 모든 소규모 초등학교(학생 수 200명 미만)라면, 표집 구성은 이러한 학교들의 리스트 또는 주소록일 수 있다. 표집 구성을 선택함에 있어 평가자는 표집 구성이 관심 있는 모집단 모두를 포함하고 있는 정도를 고려해야만 한다. (아이오와 주에서 학생 수 200명 미만의 모든 초등학교가 리스트에 포함되어 있는가? 리스트가 개발된 이후 새롭게 개교한 학교가 있는가?) 거꾸로 표집 구성이 현재 관심 있는 모집단에 속하지 않은 단위를 포함하고 있는지를 결정하는 것 또한 중요하다. (해당 문서가 출판된 이후 학생 수가 200명 이상으로 성장한 학교가 리스트에 포함되어 있는가?) 표집 구성이 전체 목표 모집단만을 포함하고 있는 정도는 표집 과정의 정확성(최종 표본이 평가에 있어 관심 있는 모집단을 대표하는 정도)에 분명히 영향을 미친다.

무선표본을 추출하기 위해서 평가자들은 먼저 평가에서 관심 있는 모집단을 정의하고 표집 단위를 구체화해야만 한다. 그런 다음 평가자들은 관심 있는 단위에서 모든 모집단을 포함하고 있는 표집 구성을 찾아야만 한다. 더 이상 모집단에 속하지 않는 단위를 제외하고, 새로운 단위를 포함시키기 위해 표집 구성을 다소 조정할 필요가 있다. 단순무선표집을 사용하고자 한다면, 평가자들은 정보가 수집될 표집 구성에서 표본을 선택하기 위해 난수표를 사용할 수 있다. 보다 일반적으로는 수작업으로 번호를 선택하는 문제를 피하기 위해 컴퓨터가 난수 리스트를 생성할 수 있다. 최종 숫자는 자료 또는 정보가 수집될 개인 또는 구성단위가 된다.

설문조사에서 사용되는 단순무선표집의 일반적인 변형으로 유층화무선표집이 있다. 유층화무선표집은 평가자들이 모집단 내 하위 집단 간의 차이를 조사하는 데 관심이 있을 때 사용된다. 일부 경우 그 수가 너무 작아서 단순무선표본에서는 충분한 사례가 포함되지 않을 수 있다. (관심 있는 모든 하위 집단의 수가 크다면, 유층화는 불필요하다. 충분한 수가 단순표집을 통해 얻어질 수 있다.) 그러므로 평가자들이 학교에 대한 학부모들의 태도를 조사하고자 한다면, 특수 학급 아동들의 부모 여부를 차원으로 하여 표본을 유충화해야 한다. 이러한 유충화는 평가자들이 이와 같이 중요한 하위 집단의 태도를 기술함에 있어 모집단이 학군 내 특수학급 아동의 학부모를 충분히 포함하고 있음을 확실히 하는 데 도움을 줄 수 있다. 흔히 소수 인종 또는 민족은 다른 견해를 가지고 있다고 믿어지거나, 하나 이상의 집단이 모집단 가운데 작은 부분을 나타낸다면 표본은 인종 또는 민족에 따라 유충화된다. 회사 설문조사의 경우 표본에 관리직이 충분히 포함되었음을 확실히 하기 위해 직급에 따라 유충화된다. 유충화무선표집은 관심 있는 하위 집단을 대표하는 계층에 따라 모집단을 나눈다. 그런 다음 각 계층 내에서 단순무선표집을 사용하여 구성단위를 선택한다.

표집에 대한 종합적인 논의는 Henry(1990)에서 이루어진다. 우리는 또한 NAEP와 같은 대규모 평가 프로젝트 또는 미시간대학 사회연구소에서 이루어진 설문조사 연구에서 사용된 잘 설계된 표집 절차를 평가자들이 공부할 필요가 있음을 제안한다. 기존 많은 표집 설계가 평가자들에 의해 채택되거나 변경될 수 있다.

그림 15.2는 적절한 표집 방법을 선택함에 있어 주된 몇 가지 단계를 정리하고 있다.

유의표집

14장에서 언급하였듯이 모든 표집 절차가 모집단을 대표하는 표본을 얻는 데 사용되는 것은 아니다. 인터뷰 또는 사례 연구를 할 때 연구를 위해 기대되는 정보를 제공할 수 있는 개인 또는 조직을 선택하는 데 유의표집이 사용된다. 쟁점사항에 대해 견문이 넓거나

그림 15.2 표집 절차 선택을 위한 체크리스트

1. 사례 연구 설계인가? (그렇지 않다면 2로 가시오.)
   a. 어떤 구성단위에 관심이 있는가(개인, 학급 또는 사무실, 조직)?
   b. 충분한 이해를 위해서는 얼마나 많은 구성단위가 필요한가?
   c. 구성단위는 하나 이상의 차원에서 일련의 특성, 전형적인 구성단위, 또는 예외적인 구성단위를 대표해야만 하는가?
   d. 선택을 함에 있어 어떤 특성에 관심이 있는가?
   e. 어떤 방법에 의해 사례들이 확인될 것인가?

2. 표본을 넘어 결과를 일반화함이 우선시되는가?
   a. 표집 단위를 어떻게 정의하는가(단위의 유형, 중요한 특성)?
   b. 모두가 아니라 대부분의 표집 단위가 표집 구성에 포함되어 있는가? 표집 구성에서 표본을 대표하지 않는 단위는 어떻게 제거될 수 있는가? 표집 구성에서 제외되었을 수도 있는 단위를 어떻게 확인할 수 있는가?
   c. 모든 하위 집단의 반응을 조사하는 데 관심이 있는가? 그렇다면 하위 집단별로 충분한 사례가 얻어졌음을 확실히 하기 위해 유충화를 고려하라.

(전문가) 평가 질문에 답하는 데 중요한 특별한 집단을 대표하는 사람을 선택하는 것이 목표이다. 후자의 경우 특별한 하위 집단에 대해 보다 잘 이해하고 있어야 한다. 이러한 경우 평가자들은 평가를 위해 탐색되어야만 하는 사례 유형을 결정하고, 그러한 사례들을 확인하고 선택하는 방법을 찾아야만 한다.

유의표집의 경우 표본은 특별한 목적 또는 판단에 기초하여 추출된다. 교사들이 직면하는 훈육 문제의 유형을 기술하기 위해서는 교사들에 의해 그러한 문제가 가장 크다고 여겨지는 학생들이 선택될 수 있다. 프로그램으로부터의 정보를 적용함에 있어 고객들이 직면하는 문제의 유형을 결정하기 위해서는 심층 인터뷰를 위해 재정 상담 프로그램에 참여한 전형적인 고객 집단이 선택될 수 있다. 유의표본은 성공 영향 요인을 알기 위해 대단한 성공을 경험한 개인, 구성단위, 또는 조직으로부터 추출될 수 있다. 예를 들면 위험한 상태에 있는 학생들의 중도탈락률이 낮은 고등학교들은 미래 전략을 탐색하는 요구 분석에서 유용한 표본이다. 프로그램 평가에서 성공한 학생 또는 고객을 확인하여 그들의 향상 정도와 그러한 성공에 프로그램이 영향을 미친 방식에 대해 보다 이해하는 것은 프로그램의 개정과 개선에 매우 유용할 수 있다.

유의표집을 사용할 때 첫 번째 단계는 유의표본의 특성을 확인하여 그들을 연구하는 이유를 문서화하는 것이다. 어떤 유형의 학생 또는 고객이 연구될 것이고, 그 이유는 무엇인가? 프로그램을 이수한 일부분의 사람들로부터 정보를 수집함은 평가 질문에 답하는 데 어떤 도움을 줄 것인가?

표본을 추출하기 전에 평가자들은 얼마나 많은 수를 연구하기를 원하는지 생각해야만 한다. 유의표본은 선택된 이들 그리고 그들의 행동을 잘 알고 있는 다른 이들에 대한 인터뷰를 통해 각 개인에 대한 광범위한 자료 수집을 요구하기도 한다. 그러므로 유의표본을 통한 자료 수집에는 비용이 많이 들 수 있다. 그렇다면 선택된 사례 수는 적을 수 있다. 평가자들은 얼마나 많은 표본을 선택하여 자료를 수집하고 유용한 결론을 도출할 여력이 있는지를 결정해야만 한다.

그러므로 평가자들은 사례들이 어떻게 확인될 것인지를 생각해야만 한다. 자발적 제공자 또는 교사 추천이 전형적인 전략일 수 있다. 하지만 평가자들은 잠재적인 후보자들을 확인하기 위해 기존 자료를 분석할 수 있고, 동료 추천 또는 가능한 상황이라면 관찰을 또한 사용할 수 있다. 사례들을 선택함에 있어 여타의 이해관계자들을 관여시켜라. 관심 있는 쟁점사항을 가장 잘 설명하고 이에 대한 지식을 더하는 사례는 무엇인가? 그러한 사례들을 확인하는 최선의 방법은 무엇인가?

중요 사항: 유의표집은 비계획적이지 않다. 유의표집에는 의도가 있다. 하위 집단이

확인되고, 그들을 연구하는 논리적인 이유가 개발된다. 편의표집에는 어떤 계획성이 없다. 자료는 우연히 주위에 있는 이들로부터 수집된다. 그들이 누구냐에 상관없이 표본을 위해 기관에 오는 첫 번째 네 사람을 선택한다면, 편의표본을 추출하는 것이다. 그들이 그 시간에 온 이유가 있겠지만, 우리는 그 이유들을 알지 못한다. 그러므로 이 표본은 대표적이지도 않고, 유의하지도 않다. 평가자들은 프로그램 현장을 방문했을 때 참가자들, 부모들, 또는 가족 구성원들과 대화를 나눌 수 있고, 그러한 노력은 추가적인 조사를 위해 유용한 정보를 제공할 수 있다. 하지만 이것이 효과적인 표집 방법으로 간주되어서는 안 된다. 대신 이러한 모임은 추후에 보다 주의하여 깊이 있게 탐색되어야 할 사항에 대한 힌트를 제공한다.

비용 분석

대부분의 프로그램 관리자들은 계량경제학자가 아니므로 그들이 관리하고 있는 프로그램과 관련된 모든 재정적, 인적, 또는 시간적 비용을 확인함에 있어 숙련될 필요는 없다. 하지만 이러한 일종의 관대함이 평가자들에게까지 확장될 수는 없다. 왜냐하면 그들의 평가는 산출물 또는 프로그램에 책임이 있는 개발자들, 운영자들, 관리자들이 주목할 수 있도록 비용 측면에서 정확한 정보를 전달할 것을 요청받기 때문이다.

　공공 부문 프로그램에 대한 비용과 편익 분석은 시행하기 복잡할 수 있다. 공공 행정가들, 선출직 공무원들, 그리고 대부분의 대중들은 오늘날 공공 프로그램의 비용에 매우 관심이 많다. 그러므로 비용 연구는 중요하다고 할 수 있다. 하지만 여러 유형의 비용 연구들 가운데 시행될 수 있는 것을 구별하는 것은 아주 중요하다. 각각의 유형들은 유용하지만, 질문, 선택, 프로그램 단계에 따라 기여하는 바가 다르다. 비용-편익, 비용-효과, 비용-효용, 비용-실현 가능성 분석에 대한 Levin과 McEwan(2001)의 논의가 유용한 가이드가 될 것이다.

비용-편익 분석

비용-편익 분석은 대안적인 개입들 또는 프로그램들을 비교함에 있어 금전 자료를 이용한다. 각 프로그램의 비용이 결정되고 편익이 확인되고 금액화되어 달러 단위로 전환된다. 각각의 개입 또는 프로그램에 대해 이러한 자료를 가지고 비용-편익 비율이 계산되어 비교된다. 이러한 활동은 프로그램의 성과에 대한 금전적인 가치에 주목하는 데 도움이 된다. 여타의 소비자와 마찬가지로 정책입안가들은 가장 값싼 프로그램을 단순히 구입해서는 안 된다. 대신 그들은 금전적인 여유가 있다면 가장 큰 비용 효과를 제공하는 또는 비용에 비해 산출이 큰 프로그램을 선택해야만 한다.

비용-편익 연구를 수행하기 위해서는 프로그램과 관련된 모든 비용과 편익을 확인하여 비금전적인 비용 또는 편익을 금전으로 반드시 전환시켜야 한다. 모든 비용을 결정하여 금전화함은 어려울 수 있으나, 편익을 금전화하기가 일반적으로 더 어렵다. 대부분의 공공 부문 프로그램의 성과를 금전으로 전환함은 어렵다. 보다 나은 정신 건강의 금전적인 가치는 무엇인가? 깨끗한 공기는? 추가된 1년의 교육은? 살인 1건의 감소는? 교육적인 편익은 흔히 예상되는 수입의 증가 또는 만약 그러한 프로그램이 제공되지 않았다면 교육 서비스를 위해 지불해야만 하는 돈의 액수로 전환된다. 수명 연장(건강 프로그램, 깨끗한 공기) 또는 생산성 증대(훈련, 보다 나은 정신 건강)에 기여하는 여타의 성과들은 또한 편익을 금전화하기 위해 수입을 사용한다. 국립공원의 편익은 그곳을 방문하고 여행하기 위해 사람들이 지불하는 돈을 계산하여 금전화된다(Mills, Massey, & Gregersen, 1980). 평가자들은 평가되어야 하는 프로그램 분야에서의 비용-편익 연구에 대한 문헌들을 분석하여 일반적으로 용인되는 편익은 무엇이고 이러한 편익을 금전으로 전환하는 데 사용되는 방법을 확인할 필요가 있다.

물론 비용-편익 분석의 단점은 모든 편익을 금전으로 전환하기가 매우 어렵다는 데 있다. 수입의 증가가 교육의 한 가지 편익인 반면, 두 가지 예만 든다고 하더라도 삶의 질에 대한 교육의 영향과 다음 세대의 교육적 열망을 통해 다른 편익들이 발생한다. 게다가 비용-편익 연구에는 상당히 기술적인 쟁점사항이 관련될 수 있다. 모든 비용을 같은 시점으로 계산하여 기입해야 하고(1970년의 천 달러는 2010년에는 가치가 다르다), 다른 선택을 하지 않는 데서 오는 기회비용이 발생할 수 있다. (물론 대학을 졸업한 후에 수입이 증가할 수 있지만, 재학기간 동안 일하지 못하고, 노동시장에 진입하게 되면 갖게 되는 경험과 연공이 적어짐으로 인한 수입의 손실을 또한 고려해야만 한다.) 이러한 방법들은 최종 비율의 정확성을 향상시킬 수 있지만, 이러한 연구를 수행함에 있어 추정 또는 판단을 더 복잡하게 한다. Levin과 McEwan(2001)은 "비용보다 편익이 더 많음이 금전으로 쉽게 전환될 수 있을 때, 또는 전환될 수 없는 편익이 중요하지 않거나 고려하고 있는 여타의 대안들에서도 비슷할 경우"에만 비용-편익 분석이 사용될 수 있다고 주의를 준다(p. 15).

연구 결과 좋고 산뜻한 비율이 나왔다고 하더라도 비용-편익 연구에 대해서 평가자가 이해관계자들에게 전달해야 하는 가장 중요한 요소 가운데 하나는 이러한 숫자가 잘못될 수도 있다는 것이다. 포함된 비용과 편익 그리고 이러한 비용과 편익을 어떻게 금전으로 변환시킬지를 결정하는 데에는 많은 판단과 추정이 필요하다. 좋은 연구들은 흔히 다양한 비율(민감도 분석이라 불리는)을 제시하여 가정이 바뀌게 되면 비율이 어떻게 바뀔지를 보여준다.

하지만 비용-편익 분석은 프로그램의 가치에 대해 설득력 있게 진술할 수 있도록 한다. Levin과 McEwan(2001; Levin, 2005)은 여러 성공적인 사례를 제시하였다. 페리 유치원 프로그램(Perry Preschool Program)에 참가한 경험이 있는 성인과 통제 집단으로 그렇지 않은 사람들을 비교한 비용-편익 분석은 그 프로그램의 효과에 대한 강력한 증거를 제공하였다. 비용-편익 연구는 학교교육, 고임금, 축소된 공적 부조에서 편익을 보여주었고, 참가자당 10만 달러에 가까운 범죄 사법 체계에는 낮은 관련성을 나타냈다. 사회적으로 편익-비용 비율에서 유치원 프로그램에 사용된 1달러는 거의 7달러의 편익을 나타냈다(Barnett, 1996). 이는 유치원 프로그램의 경제적 편익에 대한 강력한 증거이다! 이와 유사하게 개발도상국에서 빈혈을 줄이기 위한 식이 보조식품 사용에 관한 Levin의 연구는 보조식품을 제공하는 데 사용된 1달러에 대해 4달러에서 38달러의 편익을 발견하였다. 편익은 일반적으로 빈혈 감소로 인한 작업 산출의 증가로 측정되었다(Levin, 1986). 보조식품을 제공하는 다른 방법들에 대한 편익-비용 비율은 이러한 가난한 국가들(인도네시아, 케냐, 멕시코 등)의 가장 큰 편익을 주는 전략을 결정하는 데 도움이 된다.

"비용-편익"이라는 용어는 잘 알려져 있고, 저자들은 사실 그러한 연구가 고객의 정보 요구를 구명하지 않을 때에 비용-편익 연구를 수행할 것을 한 번 이상 요청받아 왔다. 흔히 간단한 비용 분석이 고객을 만족시키는 데 충분할 것이다. 아주 다른 성과를 내는 프로그램들에 대해 이해관계자들이 종합적인 결정을 내리고자 할 때, 비용이 주어진다면 비용-편익 연구들은 단지 비용-효과적이다. 우리는 놀이터를 다시 만들거나 새로운 책들을 구매해야만 하는가? 공공 텔레비전 방송 또는 아동 예방접종 가운데 보다 많은 재정 지원을 받을 가치가 있는 프로그램은 무엇인가? 유사한 성과를 내는 프로그램들 사이에서 선택이 이루어져야 할 때에는 편익을 금전화할 필요가 없는 다른 유형의 비용 연구가 보다 적합할 수 있다.

비용-효과 연구

비용-효과 분석이란 같은 또는 유사한 성과를 달성하도록 설계된 프로그램의 비용을 비교하는 것이다. 관리자 또는 이해관계자들에게 주어진 과업이 같은 목적을 달성하기 위해 여러 다른 방법 가운데 선택하는 데 있다면, 이 방법은 옳은 선택이다. 비용-편익 분석과 마찬가지로 비용-효과 분석의 결과는 비율로 나타난다. 하지만, 비율의 편익 부분이 금전적인 용어로 표현되지 않는다. 대신 비교되는 프로그램들에 대해 기대되는 성과 단위로 표현된다. 성과는 수명의 1년 연장, 읽기 능력, 취업, 또는 대학 배치고사에 있어 1년 동안의 증가, 또는 폭력 범죄의 1건 감소 등일 수 있다. 따라서 그 비율은 달성된 성과당 각 프로그램의 비용을 나타낸다. 프로그램들은 바라는 성과를 달성함에 있어 비용-효과가 쉽게 비교될 수 있다.

비용-효과 분석의 장점은 편익이 금전적인 용어로 전환될 필요가 없다는 데 있다. 게다가 비용-효과 비율은 대부분의 관리자들이 내려야 하는 결정들, 즉 특정한 목표 달성을 위해 어떤 프로그램을 실행해야 하는지를 보다 적절하게 반영한다. 하지만 비용-편익 분석과 비교할 때 단점들도 또한 있다. 이 방법을 사용하여서는 공통의 목적과 효과성에 대한 측정이 같은 프로그램들에만 비교가 가능할 수 있다. 최종적인 비율은 프로그램 비용이 편익에 의해 어떻게 상쇄되는지에 대해 알려주지 않는다. 달리 말하면 비용-편익 비율을 가지고 우리는 편익이 비용보다 큰지 여부에 대한 정보를 제공받는다. 우리는 비용-효과 비율을 통해서는 이러한 평가를 할 수 없다. 모두가 그런 것은 아니지만, 최종적으로 비용-편익 연구는 비율당 많은 편익을 우리가 전달할 수 있도록 한다. 비용-효과 비율 각각은 단지 하나의 편익에 대한 비용을 전달한다.

많은 프로그램들은 복합적인 목적을 지니고 있기 때문에 비용-효과 비율에서 초점을 두어야 할 목표를 결정하는 데에는 판단이 필요하다. 프로그램들의 다른 목표들을 반영하기 위해서는 여러 비율이 계산될 수 있다. 두 가지 읽기 프로그램의 비용-효과 연구에서 읽고자 하는 열망을 주입함에 있어 그 프로그램들의 성공을 측정하기 위해 읽기 능력의 향상이라는 성과 측면에서 비율이 계산될 수도 있고, 다음 해에 자발적으로 읽어질 책들이라는 성과 측면에서의 비율이 계산될 수도 있다. 여러 비율들로 인해 의사결정이 복잡해질 수 있지만, 프로그램들의 비교적인 가치를 전달하는 데 있어서는 유용할 수 있다. 비용-편익 비율의 장점은 금전화를 통해 비율의 편익 측면에서 모든 프로그램 편익 또는 성과를 포함할 가능성이 있다는 것이다. 비용-효과 연구는 각각의 편익에 대해 다른 비율을 개발해야만 한다. 하지만, 편익을 금전적인 용어로 바꾸기가 어렵고, 프로그램이 두세 가지 주된 성과를 가지고 있다면, 여러 가지 비용-효과 비율이 선호될 수 있다.

비용-분석에 대한 이상의 개괄적인 논의가 독자들로 하여금 기본적인 접근과 필요한 단계를 이해하는 데 도움을 줄 수 있는 충분한 개요를 제공하기를 바란다. 교육에 있어 비용-분석과 관련된 상세한 논의는 Levin과 McEwan(2001) 그리고 Kee(2004)에서 찾을 수 있다. Yates(1996)는 사람을 대상으로 한 서비스 분야에서 비용-효과 그리고 비용-편익 분석을 실시하는 방법을 논의하고, 그것들이 약물 남용, 자살 방지 프로그램, 합숙 프로그램, 기타 상황에 적용되는 유용한 예들을 제공한다. Williams와 Giardina(1993)는 국제적으로 접근된 비용-편익 분석에 대해 재미있는 논의를 제공한다. 보건과 운송 분야의 예들이 포함되어 있다. Layard와 Glaister(1994)는 환경, 보건, 운송 분야의 사례를 사용하여 비용 연구의 방법과 문제를 조사하였다. Scoot과 Sechrest(1992)는 Chen의 이론 주도적 접근으로부터 비용 연구를 논의하고 있다.

주요 개념과 이론

1. 평가자들은 그들의 평가 연구들에서 많은 설계와 방법을 사용한다. 곧 답해져야 할 질문, 프로그램의 상황, 이해관계자들의 정보 요구 등에 가장 적합한 방법에 기초하여 선택이 이루어져야 한다. 일반적으로 복합적인 방법들이 필요하다.

2. 기술적인 설계가 평가에 있어 가장 일반적인 설계이고, 여러 유용한 목적을 달성한다. 횡단 설계는 다수의 개인과 집단에 대한 유용한 양적 정보를 제공한다. 사례 연구는 쟁점사항을 깊이 있게 탐색하고, 실행되는 프로그램들, 다른 성과들, 상황적인 쟁점사항들, 그리고 여러 이해관계자들의 요구와 관점을 깊이 있게 묘사함에 있어 매우 귀중하다. 시계열 설계는 시간에 따른 변화를 기술하는 데 효과적이다.

3. 평가 질문의 목적이 인과관계에 있다면, 평가자들은 이해관계자들의 기대와 함의를 주의 깊게 논의해야 한다. 실험 설계, 준실험 설계, 그리고 설명적인 사례 연구 설계가 선택될 수 있다.

4. 평가 목적과 이해관계자들의 요구에 부합하기 위해 여러 설계가 혼합될 수 있다.

5. 관심 모집단이 상대적으로 작고, 관심 집단을 넘어선 외적 타당도(또는 일반화 가능도)가 우선되지 않는다면, 대부분의 평가 질문에 답하기 위해서는 전체 모집단으로부터 자료가 수집될 것이다. 집단이 크거나 일반화 가능도가 중요하다면 무선표집 방법이 사용될 수 있다. 그 집단을 보다 이해함에 있어 확인된 특정한 하위 집단으로부터의 정보가 평가에 도움이 될 때는 유의표집이 유용하다. 유의표집은 일반적으로 심층 인터뷰를 수행하거나, 사례 연구에 사용된다.

6. 비용 연구는 프로그램 성과가 비용만큼의 가치가 있는지를 결정하는 데 도움이 된다. 가장 일반적인 방법은 다른 성과를 갖는 프로그램들을 비교하는 데 사용되는 비용-편익 분석이다. 비용-효과 분석은 같은 성과를 내는 프로그램들의 비용을 비교하는 데 유용할 수 있다.

토의 문제

1. 당신의 분야에서 가장 일반적으로 사용되는 설계들은 무엇인가? 이러한 설계들의 강점과 약점은 무엇인가? 다른 많은 유형의 설계들을 읽은 후에 무엇이 당신의 조직에서 보다 자주 사용될 것이라고 생각하는가?

2. 어떤 사람들은 모든 사람들이 새로운 프로그램의 혜택을 받아야만 한다는 측면에서

무선배치가 비윤리적이라고 주장한다. 이러한 입장에 대한 반대 논거는 무엇인가? 어떠한 환경에서 무선배치에 대해 편안하게 생각할 수 있는가? 편안하지 않은가? 그렇다면 각각의 이유는 무엇인가?

3. 어떤 유형의 설계가 가장 자주 사용되어야 한다고 생각하는가? 그 이유는 무엇인가?

적용 연습

1. 14장에서 자신의 평가 계획 [워크시트]를 확인하라. 이 장에서 학습한 것을 사용하여 계획을 변경할 것인가? 설계 또는 표집을 다시 고려하기를 원하는가? 비용과 관련된 질문을 첨가할 것인가? 다소 달리 접근할 것인가?

2. 자신이 속해 있는 조직에서 현재 논란이 되는 문제 또는 쟁점사항을 생각하라. 그러한 쟁점사항을 구명하는 데 가장 적합한 설계 또는 설계의 혼합은 무엇인가? 당신의 설계는 어떤 평가 질문에 답할 것인가? 어떻게 그 설계를 실행할 것인가?

3. 자신의 분야에서 비용-편익 연구를 찾아보라. 해당 연구를 읽고, 가설을 고찰하라. 편익은 어떻게 수량화되었는가? 어떤 비용들이 고려되었는가? 비율에 누구의 관점이 사용되었는가(고객, 대중)? 민감도 분석이 수행되었는가? 그 연구는 어떠한 유형의 결정에 기여하는가? 비용-효과 분석이 보다 적합한 접근인가?

4. 이 장에서 검토된 평가 설계들 또는 표집 전략들 가운데 하나 이상을 사용한 평가 연구를 찾아라. 그 방법(들)이 어떻게 프로그램에 실마리를 던지는가? 그 방법들은 어떤 유형의 질문들에 답하는가? (예: 고전적인 사례 연구의 하나인 Janesick, V. (1982). Of snakes and circles: Making sense of classroom group processes through a case study. *Curriculum Inquiry, 12*, 161-185를 읽어라.)

5. Greene과 Caracelli(1997)의 『Advances in mixed-method evaluation』의 2장 "Crafting Mixed-Method Evaluation Designs"(Caracelli & Greene)를 읽어보라('추천 도서'에 제시된 문헌 참조). Caracelli와 Greene의 틀을 사용하여 첫 번째 질문에서 개발된 자신의 평가 계획과 네 번째 질문에서 리뷰한 연구를 비평하라. 자신의 평가에 있어 주된 목적은 무엇인가? 이 가운데 비평한 것이 있는가? Caracelli와 Greene의 논의와 예를 바탕으로 자신의 설계 또는 2장에서 읽은 것(Greene과 Caracelli, 1997)을 어떻게 변경할 것인가?

관련 평가 기준

부록 A에 제시된 목록 가운데 이 장의 내용과 관련이 있는 평가 기준들은 다음과 같다.

U3-평가목적에 대한 협의 P3-참여자 권리와 존중

U4-가치의 명시성 A2-정보의 타당성

U6-과정 및 결과의 유의미성 A3-정보의 신뢰성

F2-절차적 실용성 A4-프로그램 및 맥락 보고의 명확성

F3-상황적 실용성 A6-설계 및 분석의 충실성

F4-자원 활용성 E1-평가 기록화

P1-반응성 및 통합성

사례 연구

이 장과 관련하여 우리는 설계와 표집의 다른 측면을 설명하는 다음의 다섯 개의 인터뷰 가운데 하나 또는 두 가지를 읽기를 권한다. 『Evaluation in Action』의 2장(Riccio), 4장 (Bickman), 3장(Greene), 5장(Fetterman), 6장(Rog)이다.

2장과 4장에서 Riccio와 Bickman은 그들 각자가 복지 개혁과 정신 건강 처치에 무선 할당을 실제 실험에 어떻게 적용함으로써 각각 명확한 상황에서 유의미한 중요성을 가진 인과관계를 확립하였는지를 논의하고 있다. 그들의 연구는 비록 양적인 것에 주된 초점을 두었음에도 불구하고, 그들이 평가하는 프로그램을 기술하기 위해 그들은 기술적인 설계 를 사용하였다. 출처는 다음과 같다: Fitzpatrick, J. L. & Riccio, J. (1997). A dialogue about an award-winning evaluation of GAIN: A welfare-to-work program. *Evaluation Practice, 18*, 241-252. Fitzpatrick, J. L., & Bickman, L. (2002). Evaluation of the Ft. Bragg and Stark County stems of care for children and adolescents: A dialogue with Len Bick-man. *American Journal of Evaluation, 23*, 67-80.

3장과 5장에서 Greene과 Fetterman은 그들의 평가에서 프로그램 효과성에 주된 관심 을 갖지만, 프로그램 사례에 대해 사례 연구 접근을 주로 사용하고, 실제 프로그램에 대 해 보다 이해하고 그것의 효과를 설명하기 위해 광범위한 관찰을 사용한다. Greene은 유 의표집을 사용하여 직무 훈련을 통해 학습한 갈등 해결 전략을 가장 잘 실천할 수 있을 것 같은 개인들을 선택하였고, 이러한 훈련생들을 대상으로 심도 있는 사례 연구를 수행 하였다. 이를 통해 Greene은 해당 훈련이 어떻게 응용되는지에 대해 알게 되었고, 이러한

사례들이 평가에 어떠한 의미를 주는지를 논의하였다. 출처는 다음과 같다: Fitzpatrick, J. L., & Greene, J. (2001). Evaluation of the Natural Resources Leadership Program: A dialogue with Jennifer Greene. *American Journal of Evaluation*, 22, 81-96. Fitzpatrick, J. L., & Fetterman, D. (2000). The evaluation of the Stanford Teacher Education Program (STEP): A dialogue with David Fetterman. *American Journal of Evaluation, 20*, 240-259.

6장에서 Rog는 집 없는 가족들을 대상으로 전국적으로 여러 장소에 걸친 평가 연구를 기술하고 있다. 이 연구의 목적은 초기에는 인과관계적인 것이어서 다른 장소의 개입 프로그램들이 집 없는 가족들에게 어떻게 영향을 미쳤는지를 밝히는 데 있었다. 목적과 사용된 방법들이 변했음에도 불구하고, 연구자는 수집한 정보 유형을 통해 몇 가지 인과관계적 결론을 도출할 수 있었다. 이 설계는 기술적이고 인과관계적인 요소를 결합하고 있다고 볼 수 있다. 출처는 다음과 같다: Fitzpatrick, J. L. & Rog, D. J. (1999). The evaluation of the Homeless Families Program. A dialogue with Debra Rog. *American Journal of Evaluation, 20*, 562-575.

추천 도서

Greene, J. C., & Caracelli, V. J. (Eds.). (1997). Advances in mixed-method evaluation: The challenges and benefits of integrating diverse paradigms. *New Directions for Program Evaluation,* No. 74. San Francisco: Jossey-Bass.

Henry, G. T. (1990). *Practical sampling.* Newbury Park, CA: Sage.

Julnes, G., & Rog, D. J. (Eds.). (2007). Informing federal policies on evaluation methodology: Building the evidence base for method choice in government sponsored evaluation. In *New Directions for Evaluation,* No. 113. San Francisco: Jossey-Bass.

Levin, H. M., & McEwan, P. J. (2011). *Cost-effectiveness analysis: Methods and applications.* Thousand Oaks, CA: Sage.

O' Sullivan, E., Rassel, G. R., & Berner, M. (2003). *Research methods for public administrators* (3rd ed.). White Plains, NY: Longman.

Shadish, W. R., Cook, T. D., & Campbell, D. T. (2002). *Experimental and quasi-experimental designs for generalized causal inference.* Boston: Houghton Mifflin.

Stake, R. E. (1995). *The art of case study research.* Thousand Oaks, CA: Sage.

Yin, R. K. (2009). *Case study research: Design and methods* (4th ed.). Thousand Oaks, CA: Sage.

16

평가 정보 수집하기:
자료 출처와 방법, 분석, 해석

핵심 질문

1. 평가자들이 혼합된 방법을 사용하여 자료를 수집하기 시작한 것은 언제부터이며 왜 그랬는가?
2. 방법을 정하기 위해 평가자들이 사용하는 척도는 무엇인가?
3. 자료 수집에 있어서 일반적인 방법은 무엇인가? 각 방법들은 어떻게 사용되는가?
4. 방법을 선택하고 구성하는 데 있어서 어떻게 이해관계자들이 참여할 수 있는가? 자료를 분석하고 해석하는 데에 있어서는 어떻게 하는가?
5. 해석과 분석은 어떻게 다른가? 왜 해석이 중요한가?

우리는 앞 장에서 평가자들이 이해관계자들과 함께 어떤 평가 질문이 연구의 주제와 맞을지, 적절한 답이 나오도록 항목을 어떻게 구성할지 등의 중요한 결정을 하기 위해 어떻게 일하는지를 살펴보았다. 이번 장에서는 자료 수집과 관련된 선택들에 대해 알아볼 것이다. 이는 정보의 출처를 정하고, 수집 방법을 정하고, 과정을 기획하는 등 수집, 분석, 그리고 결과를 해석하는 모든 과정을 포함한다.

구성과 사례 수집처럼, 중요한 선택이 이루어지는 순간은 많다. 방법을 선택하는 것은 질문이 의도하는 답의 성격, 평가자와 이해관계자의 관점, 환경과 예산의 성격, 자료 수집 방법에 따라 영향을 받는다. 그럼에도 불구하고, 혼합된 방법들이 주제의 전반적인 틀을 얻는 데에는 큰 도움을 준다. 평가자의 방법론적인 수단들이 단일 규율을 따른 연구자들의 전통적인 수단보다 거대하다는 것을 명심하라. 그리고 이는 평가자들이 다양한 환경에서 일하고, 많은 질문들에 답을 하고, 다른 사고를 지닌 이해관계자들과 소통하기 때문이다. 15장에서처럼, 우리는 주요 사안과 각 단계에서 이루어지는 선택에 대해 논의하고 각 방법에 대한 구체적인 사안에 대해 보게 될 것이다.

특정 방법에 대한 토론을 하기 전에, 특히 정보를 수집하는 데 있어서 사용되는 질적인 방법과 양적인 방법 사이에서 이루어지는 선택에 대해 간단히 논의해보자. 만약 양적이나 질적인 방법 둘 중 하나에만 의존한다면 평가 연구는 완성될 수 없을 것이다. 평가자들은 프로그램과 이해관계자들의 맥락에 상통하는 답안이 나올 수 있도록 평가 질문을 만들어야 한다. 우선 그들은 정보의 출처를 잘 선택하고 그 출처에서 어떤 방법으로 정보를 수집할지를 잘 정해야 한다. 특정 프로그램과 평가 질문을 위해 고급 정보를 생산하는 방법이 무엇일지를 알아내는 것이 그들의 목표이기 때문이다. 또한 많은 정보를 보유해서 주요 이해관계자들로부터 신뢰를 얻고, 편견과 방해를 최소화하고, 비용이 효율적이고, 실현 가능한 방법을 찾는 것도 그들의 목표이다. 간단하지 않은가? 당연히 어떤 준거(criteria)가 구체적인 평가 질문들에 있어서 중요한지를 정하는 것도 어렵다. 누군가에게는 증거의 질이 가장 중요하고, 또 다른 누군가에게는 실현 가능성과 비용이 가장 중요할 수도 있다.

기존 자료의 내용 분석, 심층 인터뷰, 포커스 그룹, 직접적인 관찰 같은 질적인 방법과 설문, 검사, 전화 인터뷰와 같은 양적인 방법을 모두 고려해야 한다. 이들 각각과, 분류되기 어려운 다른 방법들 모두 평가 질문에 답하는 데에 있어서 기회를 제공한다. 현실적으로, 양적인지 질적인지 분류되기 어려운 방법이 많다. 몇몇 인터뷰와 관찰은 구조적이고 양적 수치 방법을 통해 분석되기도 한다. 또 다른 설문들은 구조적이지 않고 본질적으로 질적인 방법으로 자료를 구해야 하는 주제를 가지고 있기도 하다. 우리는 방법을 일컫는 호칭이나 이론의 틀에 주목하지 않고, 어떻게 언제 각 방법이 사용될 수 있고 그로부터 발생되는 정보의 속성이 어떤지에 대해 주목할 것이다.

정보 수집의 일반적인 출처와 방법

기존 문서와 기록

정보 수집에 있어서 평가자들이 제일 처음 고려하는 것은 기존 정보 혹은 문서와 기록들이다. 우리는 다음과 같은 세 가지 이유 때문에 기존 정보를 제일 처음으로 고려한다. (1) 기존 자료를 사용하는 것은 근원 자료를 찾는 것보다 비용 측면에서 효율적이다. (2) 이러한 정보는 수집하고 해석하는 단계에서 변질되지 않는다. 반면에, 다른 방법으로 정보를 수집한다면 대체적으로 편협한 응답을 초래할 것이다. (3) 너무 많은 정보가 이미 존재하며 충분히 사용되지 않았다. 프로그램을 평가하는 데 있어서, 우리는 가끔 이미 평가 질문에 답이 될 만한 기존 정보를 경시하곤 했다.

Lincoln과 Guba(1985)는 기존 정보를 문서와 기록의 두 분야로 분류하는 구별법을 만들었다. 문서는 평가 목적을 위해서 특별히 준비되거나 다른 체계적인 방법으로 사용되지 않은 사적인 기록들을 포함한다. 문서는 회의 기록이나 메모, 학생이나 환자에 대해 남긴 소견서, 연간 보고서, 제안서 등을 포함하기도 한다. 비록 대부분의 문서들이 글로 작성되었지만, 비디오, 녹음, 혹은 사진이 문서가 되기도 한다. 비공식적이고 일정하지 않은 특성 때문에, 문서는 다양한 개인 혹은 집단의 관점을 보여준다. 회의록, 편지, 주의 교육 기준서, 강의 계획서, 혹은 개인적인 글이나 답장들에 대한 내용 분석들도 그러한 사건들의 진면이나 시선을 보여준다. 문서의 장점 중 하나는 평가자들이 사건을 이해하고, 평가를 시작하여, 그들이 개인적으로 판단하거나 외부의 시선에 의존하지 않도록 해주는 것이다 (Hurworth, 2005). 글로 작성된 문서들은 컴퓨터로 스캔할 수도 있고, 내용 분석 절차를 이용하여 기존의 질적 소프트웨어들을 분석할 수도 있다(이 장의 끝부분에 나오는 "질적 자료 분석" 참고).

기록은 공식적 문서 혹은 문서보다도 유형별로 선별되거나 정리되어 누군가의 사용을 위해 준비된 자료들이다. 많은 기록들이 전산화되어 있다. 일부는 기관 내부의 용도로 수집되었지만, 그들은 문서보다 더 공식적이다. 따라서 이들은 체계적으로 수집되었다. 이러한 기록들은 직원의 출결 혹은 환자나 학생이 받는 서비스, 그들의 통계, 점수, 건강상태, 출결 등과 같은 개인적인 자료들도 포함한다. 또 다른 기록들은 외부 기관이 다른 조사를 위해 혹은 추적하기 위해 정리한 것이기도 하다. 이들은 주립 교육부에서 검사성적을 수집한 것, 환경부에서 공기 오염도를 측정한 것, 정부 기관들이 경제적 자료를 수집한 것, 인구조사 등을 포함한다. 당연히, 이러한 공공의 정보는 정황을 파악하는 데 있어서 큰 틀을 잡아주겠지만, 프로그램의 효과를 밝히기에는 그다지 민감하지 않다. 비록 기존 정보가 값쌀 수는 있지만, 정보가 현재 진행 중인 평가연구의 목적과 맞지 않는다면 오히려 손해임을 명심하라. 연구를 위해 수집된 기존 자료들과는 달리 이러한 정보들은 다른 목적을 위해 수집된다. 이러한 목적은 당신의 평가와 일치할 수도, 일치하지 않을 수도 있다.

근원 자료 수집의 출처와 방법의 확인: 과정

많은 사례를 통해서, 기존 자료는 도움이 될 수 있지만 이해관계자들이 만족할 정도로 평가 질문에 완벽한 답을 제공하지는 못한다는 것을 알 수 있다. 그래서 대부분의 연구에서 평가자들은 몇몇 근원 자료를 수집하려고 한다. 14장에서, 우리는 자료의 전형적인 근원에 대해 배웠다. 자료의 일반적인 근원은 다음과 같다.

- 프로그램 수혜자(예, 학생, 환자, 고객 혹은 훈련생)
- 프로그램 전달자(사회복지사, 치료사, 훈련사, 선생님, 의사, 간호사)
- 프로그램 수혜자에 대한 정보를 가진 사람들(부모, 배우자, 동료, 감독관)
- 프로그램 관리자
- 프로그램의 영향을 받은 개인이나 집단 혹은 작업에 영향을 줄 수 있는 사람(대중, 미래 참여자, 기구 혹은 프로그램의 이해관계에 연관된 집단의 구성원들)
- 정책결정자(선거 당선자들과 그의 직원들, CEO, 의회)
- 프로그램을 기획하거나 프로그램에 투자한 사람(다른 프로그램 전문가들, 대학교 연구자)
- 프로그램의 사건이나 활동을 객관적으로 관찰하는 사람

출처나 방법을 선택하기 위해 평가자들은 다음과 같은 단계를 거친다.

1. 평가 계획에서 구체적으로 드러난 각 평가 질문 속의 개념이나 구성을 밝힌다. 예로, 만약 질문이 "6주간의 명상 수업 이후 환자의 건강상태가 개선되었는가?"라면, 여기서 주요 개념은 환자의 건강일 것이다.

2. 이 개념에 관해 해박한 사람이 누구일지 생각해본다. 다양한 사람들이 떠오를 것이다. 당연히, 환자 스스로가 그들의 상태에 대해 제일 잘 알겠지만, 어떤 경우에는 그들이 자신의 상태를 명확하게 전달할 수가 없다. 이러한 경우에, 가족들이나 간병인이 이차적으로 중요한 사람이다. 마지막으로, 환자가 고혈압이나 고지방, 혹은 비만과 같은 특별한 의학적 상태에 놓여있다면, 평가자는 주기적인 신체측정을 위해 약사나 기존 기록을 찾아봐야 할 것이다. 이러한 경우에, 환자의 건강에 대한 전반적인 이해를 위해서는 다양한 측정이 유용할 것이다.

3. 어떻게 정보를 습득할 수 있을지 고민해본다. 평가자들이 환자나 가족들에게 설문이나 인터뷰를 하는 것일까? 얼마나 자세한 정보가 필요한가? 대답들이 얼마나 비교 가능할까? 만약 평가자가 통계학적으로 대답들을 비교하고 싶다면, 설문조사가 알맞을 것이다. 만약 얼마나 환자가 아픈지 혹은 프로그램이 그들에게 도움을 주는지 등에 대해 알고 싶다면, 인터뷰가 더 나은 전략일 것이다. 인터뷰나 설문 모두 사용될 수 있지만 비용이

많이 들 것이다. 비슷한 맥락에서, 환자의 혈압이나 다른 수치들에 대해서는, 평가자들이 기록을 얻는 것이 나을까? 아니면 건강 상담사와 환자의 건강에 대한 정보를 얻는 것이 나을까?

4. 정보를 얻기 위해 사용하는 수단이 무엇인지를 밝힌다. 그들이 명상수업이나 다른 수업에 올 때마다 대인면접으로 설문을 실시할 것인가? 아니면 전화로 짧은 인터뷰를 할 것인가? 만약 환자나 그들의 가족들이 컴퓨터로 하기를 원한다면, 전자설문도 사용될 수 있을 것이다. 마지막으로, 우편으로 설문조사를 할 수도 있다. 몇몇 선택은 환자의 상태와 상관있을 수 있다. 가족이나 간병인도 접근하기 어려운 상태라면, 대인면접으로 실행하는 설문조사나 인터뷰가 이루어질 것이다. 또한 집으로 방문하는 방법을 통해 가족들 없이 환자와 사적으로 진행할 수도 있을 것이다. 전화 인터뷰도 이와 비슷하게 사생활을 지켜 줄 것이다. 우편이나 전자설문의 경우도 가능하다.

5. 이렇게 자료를 습득하는 데에 어떠한 훈련이 필요하며 어떻게 정보를 기록할지 정한다.

이 평가 조사에서 고려해야 될 또 다른 개념은 6주간의 명상 수업이다. 평가자들은 프로그램이 계획대로 실행되는지를 정하고 그 질을 평가해야 할 것이다. 프로그램 이론에 따르면 이 수업은 일정 시간 동안 특별히 마련된 장소에서 충분한 훈련을 받았고 능력이 있는 리더가 가르친다는 특정 환경에서 이루어져야 한다. 대개, 편하게 앉을 수 있는 카펫이 깔려있는 방에서 이루어진다. 프로그램의 전달을 측정하기 위해, 평가자들은 감시하거나 묘사해야 할 주요 개념들을 밝히고, 정보의 출처와 방법, 과정을 밝혀야 할 것이다.

우리는 정보를 수집하기 위해 간단히 측정되어야 할 구성요소, 잠재적 출처, 주어진 출처 등의 단계에 대해 묘사해 보았다. 이제 다른 종류의 정보 수집 방법에 대해 알아보자. 그리고 독자들이 적당한 방법을 선택할 수 있도록 각 방법의 강점과 약점을 알아보자.

혼합연구의 사용. 앞의 예시에 나왔듯이, 평가자들은 자주 혼합연구를 사용한다는 점에 주목하라. 혼합연구를 사용하는 방법에서 평가자들은 올바르게 혼합하여 측정하기 위해 그들의 의도를 염두에 둬야 한다. 혼합연구는 다음과 같은 이유로 인해 쓰일 수 있다.

- 삼각법, 혹은 주어진 자료와 방법에 각각 다른 비중을 둬서 측정하기 위해서 혼합 연구를 쓸 수 있다. 만약 이렇게 다른 방법들이 같은 결과를 보여준다면, 평가자들

은 이 구성법이 제대로 된 것이라는 확신을 가질 수 있다. 본인의 건강에 대한 양부모 각자의 보고서와 가족들이나 간병인이 써준 보고서를 모두 고려하는 것이 삼각법의 일종이다. 이는 가족들의 보고서가 환자 본인의 것과 비슷하리라는 기대를 가지고 실행하는 것이다.

- 상보성 혹은 다른 방법과 출처를 통해 구성의 각기 다른 측면을 측정해서 구성에 대한 우리의 이해를 높이기 위해서 혼합연구를 쓸 수 있다. 건강에 대한 본인의 보고서와 의학적 소견서를 비교해보는 것 또한 상보성을 위한 것이다. 이는 건강과 관련하여 상관있으면서도 다른 부분을 볼 수 있게 해준다. 예로, 어떤 환자의 혈압이 개선되었을 수 있지만 환자 본인은 여전히 아플 수 있다. 다른 어떤 사람들은 혈압이 낮아지지 않았지만 활발해지거나 안정감을 찾으면서 건강해지기도 한다. 각각의 경우―건강에 대한 인식과 신체측정―들 모두 중요하며 전반적인 환자의 건강에 대한 평가자의 시각에 도움을 준다.
- 발달 목적, 한 측정에 대한 반응들이 다음 측정에 도움이 되는 경우를 위해 혼합연구를 사용할 수 있다. 이러한 경우에, 인터뷰나 설문이 발달 목적을 위해 사용된다고 할 수 있다. 설문 자료 분석에 뒤이어 환자나 치료사와 인터뷰를 하여 설문 자료에 나타난 경향에 대해 심층적으로 알게 될 수 있다.

다음 절에서는 자료 수집의 몇 가지 일반적 방법에 대해 배울 것이다. 14장에서 보았던 분류체계를 만들어볼 것이다. 하지만, 여기서 우리가 중점을 둬야 할 부분은 우리가 선택한 특정 방법에 대해 자세히 살펴보고, 장단점을 묘사하며, 특정 방법을 개선하기 위해 평가자들이 어떻게 해야 할지 의견을 제시해보는 것이다.

관찰

관찰은 모든 평가에 있어서 가장 필수적이다. 이 방법은 프로그램이 실행 중인 장소를 답사하는 것과 이해관계자들과의 상호작용이 이루어지는 상황을 파악하는 것을 포함한다. 관찰은 넓은 의미로 프로그램의 작동이나 성과에 대해 배우는 것, 이해관계자들과의 관계, 참가자의 반응, 그리고 평가 질문에 답하는 데 있어서 중요한 요소들에 대해 아는 것도 포함한다. 평가 정보를 수집하기 위해 사용하는 관찰 방법은 양적이거나 질적이고, 구조적이거나 구조적이지 않고, 평가 질문이 가장 잘 전달될 수 있는 방법이 되어야 한다.

관찰의 가장 큰 강점은 평가자들이 놀이터에서 노는 어린이나 강당의 학생들, 일상생활 속의 참가자들을 만나면서 (진행 중인 프로그램의) 현실을 볼 수 있다는 점이다. 만약 평가 질문이 관찰 가능한 요소를 포함한다면, 평가자들은 관찰을 해야 한다. 하지만, 많은 관찰은 심각한 단점을 지닌다. 관찰 그 자체가 보여지는 것을 왜곡할 수 있다는 것이다. 따라서 평가자들은 실제를 보는 것이 아니라 보고 싶은 것을 관찰하고 있는 것이라 할 수 있다. 프로그램 수행자 혹은 참가자들 또한 아마도 타인이 지켜보고 있다는 점 때문에 다르게 행동할 수 있다. 몇 가지 관찰 중인 프로그램이나 현상들은 공적인 것이라서 관찰자의 존재가 알려지지 않기도 한다; 이러한 프로그램에는 이미 관중이 존재한다. 예로, 재판 중이거나 시의회를 청강하는 경우 (평가자가 아닌) 관중들이 많기 때문에 신경 쓰지 않고 관찰할 수 있다. 하지만, 대개의 경우, 평가자의 존재가 명확하기 때문에 이러한 상황에서 관찰자들은 자신을 소개하고 역할을 설명해야 한다. 관찰되는 사람들에게도 관찰이 일어나고 있다는 사실을 알려야 한다. 이러한 경우에, 여러 가지 관찰이 구성되거나 관찰당하는 사람이 관찰에 익숙해질 수 있기를 추천한다. 그로 인해 관찰자가 없다고 생각하고 그들이 자연스럽게 행동할 수 있게 된다. 평가자들은 각 관찰 환경의 잠재적 반응을 평가하고, 만약 반응이 문제가 되면 어떻게 이를 최소화하고 극복할 수 있을지 고민해야 한다. 반응에 대해서는 뒤에 이야기하자.

당연히, 어떠한 평가에서든 관찰은 비밀리에 이루어지거나 알고 있다는 동의를 얻은 상황에서 이루어져야 한다. 평가자들은 어떠한 관찰에서든 위엄을 위해 지켜야 할 윤리 강령과 프로그램 참가자와 이해관계자들의 사생활을 고려해야 한다.

비체계적인 관찰. 비체계적인 방법은 평가의 초기 단계에 유용하게 쓰인다. 평가자들은 관찰력을 통해 이해관계자들과의 교류에서 중요한 사실들을 캐낸다. 고객이나 이해관계자들이 어떻게 평가자를 대하는가? 그들이 타인과는 어느 정도 교류하는가? 어떠한 만남에 누가 초대된 것인가? 다른 이해관계 집단을 대표할 사람은 누구인가? Jorgensen(1989)은 다음과 같이 썼다.

> 이 거대하고 분산된 초기 관찰의 목표는 내부 집단의 세계와 익숙해져서 부속적인 관찰과 정보 수집을 가능하게 하는 것이다. 이는 매우 중요하다. 왜냐하면 이렇게 상이한 환경을 경험할 일이 없었던 당신이 아주 빠르고 아주 자세하게 관찰할 수 있기 때문이다. (p. 82)

만약 평가자가 기회에 민감하다면, 비체계적인 관찰은 평가 내내 유용하다. 모든 만남은 이해관계자의 행동을 관찰하고, 그들의 관심과 필요를 알아채고, 그들이 타인과 상호작용하는 방법을 알 수 있는 기회이다. 만약 허락된다면, 평가 중인 프로그램에 대해 비공식적인 관찰이 자주 사용될 수도 있다.[1] 이러한 관찰들은 평가자가 타인(참가자, 실행자, 관리자)의 경험에 대해 중요한 정보를 얻을 수 있게 하며, 물리적인 환경 또한 알 수 있게 해준다. 각각의 평가 스태프는 프로그램을 적어도 하나쯤은 관찰해야 한다. 대부분의 관계자들은 프로그램을 자주 관찰하여 변화를 발견하고 진행되는 프로그램에 대해 잘 이해할 수 있어야 한다. 두 명 이상의 평가자들이 같은 계층, 시간, 혹은 활동에 대해 관찰을 한다면, 그들은 그들의 관찰에 대한 각자의 관점에 대해 토론을 해야 한다. 모든 관찰자들은 당시 인식한 것들을 문서에 기록으로 남겨야 한다. 이 기록들은 훗날 적절한 주제에 따라 정리될 것이다(Fitzpatrick과 Fetterman이 프로그램 관찰의 광범위한 사용을 통해 평가한 것[2000]이나 Fitzpatrick과 Greene이 관찰자 간의 다른 인식과 어떻게 이러한 차이점을 사용할 수 있을지에 대해 토론한 것[2001] 참고).

체계적인 관찰. 관찰의 체계적인 방법은 평가자가 특정한 행동이나 성격을 관찰하고 싶을 때 유용하다. 어떤 특정한 행동이나 성격이 관찰될 수 있을까? 많은 공공 프로그램에서 주요 인물들은 교실의 크기나 배치, 정원관리, 도로 자재, 운동장 시설, 도서관의 책들, 신체적 조건 혹은 프로그램 장소의 밀도 등의 환경에 익숙해야 한다.

다른 관찰들은 교사와 학생 간의 상호작용, 교사와 행정직원 간의 상호작용, 학생과 행정직원 간의 상호작용, 의사-간호사-환자 간의 상호작용, 직장인과 고객 간의 상호작용, 치료사와 환자 간의 상호작용, 접수담당 직원과 고객 간의 상호작용 등 프로그램 시행자와 참가자 간의 상호작용을 포함할 수 있다.

관찰의 마지막 분류는 참가자의 행동이다. 어떠한 행동을 관찰해야 하는 것일까? 운동장 문제와 관련된 학교 기반의 갈등과 해결 프로그램을 상상해보라. 운동장에서 일어나는 행동을 관찰한다면 이에 따른 성과는 상당할 것이다. 참가자의 관심도나 성향에 대해 알고 싶은 신도시의 분리수거 프로그램을 상상해보라. 비록 진행과정이 조금 비위생적이더라도 프로그램 참여도와 분리수거하지 않는 양을 쉽게 관찰할 수 있다. 교육 조사에서 숙제에 대한 학생의 관심도는 일반적으로 관측되는 부분이다. 많은 프로그램들이 관찰하기 어려운 성과에 초점을 두지만, 자긍심 혹은 알코올과 약물남용을 방지하는 행위는 쉽게 관찰될 수 있다. 이는 특히 목적 대상이나 프로그램 참가자가 병원, 학교, 감옥, 공원 혹은

---

1) 치료과정이나 신체검사와 같은 몇몇 프로그램은 사적이기 때문에 "허락된다면"이라는 구절을 사용한다. 이러한 과정은 참가자의 동의 없이는 비공식적인 방법으로 절대 관찰할 수 없다. "비공식적 관찰"이란 우리가 자연스럽게 프로그램 속에 들어가 관찰한다는 뜻이다. 훈련이나 교육 프로그램 그리고 몇몇 사회 서비스나 판결 프로그램의 경우 이러한 기회를 제공한다.

도로와 같은 공공 기관에 모여 있다는 가정하에 가능하다.

관찰의 체계적인 방법은 전형적으로 관찰을 기록하기 위해 관찰 스케줄이라고 부르기도 하는 특정 형태를 포함한다. 양적인 관찰 자료가 필요할 때마다, 우리는 기존의 측정 문헌을 복습하고, 필요하다면 평가하려는 프로그램의 특별함을 측정하는 도구에 적응해야 한다. 체계적인 관찰을 위해 필요한 다른 부분은 관찰자가 일관성을 유지하는 훈련을 받는 것을 포함한다. 일관성 혹은 신뢰성을 위한 훈련과 측정은 중요하다. 자료에서 차이점이 발견되면 이는 관찰자의 인식이 차이 나는 것이 아니라 관찰된 것의 차이임이 확실해야 하기 때문이다. 무엇을 관찰할지뿐만 아니라 관찰의 표본도 잘 고려해야 한다: 어떤 지역을 관찰할까? 어떤 시간대 혹은 시각에 관찰할까? 만약 개인 참가자나 학생들이 관찰 집단에서 선택되어야 한다면, 몇 명이나 고를까? (Greiner가 2004년에 체계적인 관찰을 통해 관찰자를 훈련시키고, 신뢰성을 계산하고, 관찰의 질을 높이기 위해 피드백한 문헌 참고)

평가에서 관찰의 사용. 프로그램의 실행을 측정하고 평가하기 위해 평가에서는 관찰을 주로 사용한다. 많은 평가들이 프로그램이 어떻게 실행되고 있는지를 묘사하고 싶어했다. 프로그램의 과정에 대한 연구가 선행되어야 평가자들이 프로그램이 어떻게 진행되는지를 알기 때문에 평가의 성과 혹은 효과를 알 수 있다. 평가자들은 이러한 묘사 없이는 프로그램의 성공 혹은 실패의 이유를 알 수 없다. 왜냐하면 프로그램의 과정은 "블랙박스"와 같은 것이기 때문이다. 그들은 실제로 어떻게 이루어지고 있는지를 알지 못한다. 하지만 프로그램 과정에 대한 평가는 단순히 과정 연구가 어떻게 프로그램이 실행되고 있는지를 묘사하고 개선을 위한 조언을 하기 위해서라도 타당성이 있다. 이러한 연구는 이전 연구를 통해 프로그램 모델이 효과적이라고 증명되거나, 특정 방법을 통해 모델을 개선해야 하는 경우에 특히 유용하다. 만약 모델이 받아들여진다면, 평가자들은 (좋은 이유로는) 이전의 경우와는 다른 학생과 참가자들의 요구에 맞춰주기 위해서 혹은 (나쁜 이유로는) 프로그램 진행자가 훈련이나 자본 혹은 시간이 부족할 경우에 대비해서 왜 프로그램이 받아들여졌는지에 대해 검사해야 한다. 비록 프로그램 진행자와 참가자 중의 보고자가 전해주는 일지나 일기가 있더라도, 관찰은 프로그램 진행에 대한 정보를 얻는 중요한 수단이다.

Brandon 등(2008)은 프로그램 진행의 질을 측정하는 데에 있어서 관찰을 사용한 훌륭한 사례를 보여준다. 이 경우, 그들은 중학교에서 조사기반의 과학 프로그램의 진행을 평가하는 중이었다. 그들은 검사 진행의 세 가지 목적을 밝혔다: 본래 모델의 시행을 고수하기 위해, 모델에 대한 학생과 참가자의 노출 정도를 위해, 시행의 질을 위해서였다. 고수(고착)란 프로그램이 논리적 모델 혹은 프로그램 이론에 따라 진행되고 있는지 여부와 실행 중인 프로그램의 질과 관련된다. 그들은 "관찰은 외부 검토자의 관점을 제공하고 자기 보고의 편견을 방지해주기 때문에 질을 측정하는 데에 필요하다."라고 말했다 (2008, p. 246). 그들은 조사기반의 커리큘럼에서 비디오를 "핵심 단계"로 이용했으며, 선생님이 질문하는 전략을 사용하는 데에 집중했다. 그들이 말했듯이, 과정은 그들이 무엇을 관찰할지에 대해 결정하게 하였고, 따라서 "프로그램의 질을 직접적으로 드러내는 필수 요소를 검토할 수 있는 프로그램의 특징과 학생들의 학습과 이해에 영향을 주기 쉬운 프로그램의 특징을 가려낼 수" 있게 해주었다(p. 246). 그들은 어떤 학교와 교사가 비디오 녹화를 할지, 어떠한 사건이나 특징을 녹화할지에 대해 결정을 내려야 했고, 판단자가 비디오를 통해 교사들의 반응을 비교해 낼 수 있도록 훈련시켜야 했다. 이러한 프로젝트는 관찰의 복잡성을 보여주지만, 질적인 행위는 무엇으로 구성되는지를 평가하고 드러내는 유용성도 보여준다. 독자가 관찰을 사용하는 것은 덜 복잡하겠지만, 이것은 Brandon과 그의 동료들 그리고 그들의 질에 초점을 맞추고 사용했던 절차와 형태를 알려줄 수 있다.

관찰은 프로그램 진행에 수반되는 프로그램의 질 검사에도 사용될 수 있다. 이러한 경우, 묘사하거나 평가하는 요소는 프로그램의 논리적 모델이나 이론의 핵심 요소여야 한다. 프로그램 진행자는 그들의 활동에 관련한 일지나 일기들을 지속하라는 지시를 받을 수 있고, 참가자들은 그들이 핵심 요소와 관련하여 무엇을 경험했는지에 대해 질문을 받을 수 있다. 하지만 관찰을 포함한 혼합 방법은 이러한 자기보고의 측정에 있어서 신뢰도와 타당성을 기록하기에 유용하다. 평가 스태프는 관찰자가 관찰을 통해 어떠한 변수를 발견했는지를 설명할 수 있는 체크리스트를 이용하여 프로그램의 핵심 요소를 기록하고 묘사할 수 있도록 훈련시켜야 한다. Zvoch(2009)는 큰 규모의 학교 교사들이 두 종류의 아동 읽기 프로그램을 진행하는 교실을 관찰한 예시를 보여준다. 그들은 핵심 요소 관찰 체크리스트를 사용했고, 프로그램 진행에 있어서 전반기, 후반기 모두에서 변수 사항을 찾아냈다. 그들은 교사의 특징과 문제점을 발견하고 분석하기에 유용한 프로그램 모델과 관련하여 맥락적인 변화들을 발견할 수 있었다. 예로, 큰 규모의 반을 가르치는 교사는 이 모델과 비슷하지 못했다. 당연하게도, 이는 미래에 프로그램을 전파시키는 데 필요한 정보를 제공하는 데 큰 역할을 했다.

조사

조사(때때로 설문이라고 함)[2]는 다양한 목적을 가지고 평가에서 사용된다. Vraverman (1996)은 평가에서 조사를 사용하는 것에 대한 검토를 하면서, "조사는 평가를 하는 데에 존재하는 정보 수집 도구들에 있어서 가장 중요한 도구 중 하나이다."라고 말했다(p. 17). 조사는 비용 효율적인 면접을 하기에는 출처가 너무 많고 많은 사람들로부터 정보를 얻고 싶거나 양적인 수단을 통해 분석하고 싶을 때 사용한다. 일반적인 사용은 다음과 같다.

- 프로그램 참가의 시각을 얻거나 프로그램 진행을 보고하기 위해 프로그램의 완결 혹은 진행 중에 그들에 대해 조사하는 것. 보고는 (프로그램 중에 그들에게 일어난 일을 묘사하는) 사실 기반의 자료이다. 프로그램의 질에 대한 소견이나 다양한 구성요소의 유용성에 대한 반응처럼 이러한 견해는 평가적이다.[3]

- 프로그램 진행자(교사, 훈련가, 의료 종사자, 서비스를 이행하기 위해 참가자와 교류를 하는 프로그램 스태프 누구나)에 대한 조사는 그들이 어떻게 프로그램을 진행하는지, 그들이 만드는 변화나 적용법, 이러한 변화의 합리성, 참가자들에 대한 그들의 생각과 요구사항, 참가자들의 반응과 행동들, 그들이 관찰한 참가자들 내의 변화, 그리고 변화를 위한 그들의 조언들을 얻기 위해 이루어진다. 진행자가 많으면, 비록 적은 표본을 뽑아서 자세한 면접을 보고 보충하기는 하지만, 조사는 그들이 프로그램을 위해 투입한 것들을 얻어내기에 용이하다.

- 프로그램 참가자들 혹은 그들의 가족들을 조사하는 것은 프로그램이 산출한 것들을 얻게 해준다. 이러한 응답자들은 가끔씩 참가자의 행동을 참가자 본인들보다 더 객관적으로 알려주거나 변화를 더 잘 관찰한다.

- 의도된 특정의 프로그램 청중을 조사하는 것은 그들의 요구사항, 행동, 지식, 능력, 태도, 혹은 그들의 특징(교육, 직업, 나이, 거주지, 가족관계 등) 등을 알 수 있게 해준다.

- 이해관계자들 혹은 일반 대중에 관한 조사는 프로그램 혹은 그들의 집단에 대한 인식, 정책 문제와 관련한 대중인식, 그들의 집단과 관련된 결정에 대한 그들의 인식

---

2) 조사(survey)는 일반적인 방법을 뜻한다. 반면에 설문(questionnaire), 면접(interview), 이러한 것들은 실질적인 자료를 수집하는 수단을 일컫는다.

3) 대부분의 조직은 고객, 학부모 등에 대한 만족도 조사를 시행한다. 이는 자주 무턱대고 특정 방법으로 진행된다. 우리는 평가자와 관리자들이 이러한 설문을 이용하여 특정, 시대적 상황과 관련하여 유용한 것들을 추가하기를 바란다.

들을 얻게 해준다(Henry, 1996).

조사의 일반적인 이용 방법에는 여러 가지가 있지만, 조사는 다양한 청중들에게 다양한 목적으로 이용될 수 있다. 우리는 이제 어떻게 평가자들이 평가 연구에서 조사를 밝히고 발전시켰는지에 대해 알아볼 것이다.

기존 조사의 규정. 수집할 수 있는 어떤 종류의 정보이든 간에 우선 첫째로 평가자는 현재 연구에 맞게 쓰일 수 있는 설문지가 존재하는지에 대해 고민해 보아야 한다. 연구 초기 단계에 문헌을 찾아내는 것은 관련된 구성을 평가하기 위해 일반적으로 사용되는 조사나 조사 도구를 밝히는 데에 도움을 준다. 비록 조사에 저널기사를 잘 포함시키지는 않지만, 작가들은 그들의 소재가 관련만 되어 있다면 이에 대해 쓰고 싶어한다. 평가 보고서는 사용되었던 조사들을 부록에 꼭 넣는다. 마지막으로 유용할 수 있는 측정 자료들을 참조에 넣는다. 『정신발달조사연감(The Mental Measurement Yearbook)』시리즈는 몇 년간 일반적으로 사용된 검사나 측정법에 대한 개별적인 평론을 담고 있다. 오늘날 htttp://wwww.unl.edu/buros/bimm/html/00testscomplete.html에서도 이를 볼 수 있다. 참조에 관한 서론은 www.unl.edu/buros/에서 찾아볼 수 있다.

조사의 발달. 조사의 목적이 평가 중인 프로그램과 관련한 의견, 행동, 태도 혹은 삶의 상황들을 측정하는 것일 때, 평가자들은 그들 스스로 설문지를 개발하는 상황에 놓인다. 이러한 경우, 우리는 전체적인 평가를 위해 사용되었던 평가 구조와 유사한 설문지 구조를 개발할 것을 추천한다. 첫째 열에, 조사에서 얻고 싶은 답을 이끌어 낼 질문들(문항들이 아니다)을 나열하도록 한다. 즉, 어떤 질문들이 조사 결과에 대한 답을 내줄까? 둘째 열에는 이 정보를 얻기 위해 사용되어야 하는 문항들을 명시한다. 셋째 열에는 문항들을 개발하기 위해 각 질문과 관련해서 참고한 참조자료의 개수를 쓴다. 그리고 넷째 열에는 분석수단을 구체적으로 쓴다. 표 16.1이 실례를 보여준다.

이러한 구성은 설문지를 구상하고 얻은 정보를 분석하는 데에 안내서가 되었다. 이는 평가자가 쉽게 각 질문에 대답하기에 충분한 수의 문항이 포함되었는지를 확인하게 해주었다. (몇몇 질문은 다른 질문들보다 더 많은 문항을 필요로 한다.) 이러한 구성은 흥미로워 보이지만 평가 질문을 제대로 드러내지 못하는 문항을 만들지 않도록 도와주기도 한다. 물론 평가자들이 이러한 문항을 포함시킬 수도 있지만, 그들의 목적에 더 중점을 두고 생각해야 한다. 관련된 질문에 답을 주지 못하는 문항은 설문지만 길게 할 뿐 응답자의 시간이나 인권을 존중하지 않는 것으로 보일 뿐이다.

표 16.1 설문지 계획

질문	문항 유형	문항 개수	분석
1. 기관에 대한 고객의 의견이 무엇인가?	5점 만점의 리커트 척도	2~20	각 문항과 총점 기술
2. 고객이 처음 기관에 대해 배운 것이 무엇인가?	선다문항	21	백분율
3. 그들은 기관으로부터 어떤 종류의 서비스를 받았는가?	체크리스트	22~23	백분율
4. 그들의 의견은 서비스의 종류가 요구하는 것과 다른가?		22~23 (2~20의 점수)	T 검사와 분산분석

문항의 유형을 고르는 데 있어서는 여러 문항의 형태를 통해 측정할 수 있는 다양한 변수에 대해 생각해야 한다. 대부분의 설문지들이 의도하는 반응을 얻고, 이를 통계적으로 분석하려고 한다. 문항 유형은 다양한 선택이 가능해야 하며, 형용사적 응답(예로, 좋으면 [1]점 나쁘면 [5]점 등의 5점짜리 범위를 사용하는 것), 부사적 응답으로 구성된 문항(항상, 자주 등), 리커트 척도(동의-반대), 개방형 문항 등으로 구성되어야 한다. 개방형 문항의 경우는 집안의 어린이 수와 같은 단답형이거나 프로그램에서 가장 중요한 요소 혹은 개선하고 싶은 사항 등 주제에 따라 질적으로 정리될 수 있는 긴 응답이어야 한다. 개방형 문항을 포함한 조사는 성의 없는 답안이 많고 응답자가 이 주제에 딱히 관심이 없으면 응답하지 않기도 하기 때문에 어려움이 많다. 오늘날, 전자설문과 쉽게 키보드로 입력하는 방법을 통해 이러한 개방형 문항에 응답하는 경우가 늘고 있지만, 여전히 문제가 존재한다. 아래의 목록은 조사에 있어서 측정될 수 있는 구성요소와 이에 평가자들이 사용할 수 있는 항목의 유형을 보여준다.

- 태도: 리커트 척도 문항
- 행동: 부사(행동의 빈도) 혹은 선다형(행동의 유형)
- 의견: 형용사적 문항(선호도) 혹은 선다형(선호 항목 표시)

● 삶의 상황 혹은 환경: 선다형(수 척도, 예-아니오 혹은 다른 대안들)

설문지, 지시서, 그리고 (만약 우편으로 분배한다면) 표지 등을 세심하게 만드는 법은 다음과 같다. 초고에서, 평가자들은 다음 사안들을 고려해야 한다.

1. 질문 배열하기

   a. 앞에 나온 질문들로 인해 생긴 편견으로 뒷부분의 대답이 나오는가?

   b. 설문지가 쉽고, 위협적이지 않으며, 적절한 질문으로 시작하는가?

   c. (특정 답으로 이끄는) 유도 질문을 지양했는가?

   d. 논리적이고 효율적인 연속 질문이 있는가? (예로, 일반적, 구체적 질문에서 언제가 적당한지를 고려해 질문을 사용하는 것)

   e. 폐쇄형 혹은 개방형 질문의 사용이 적절한가? 만약 폐쇄형 문항이라면, 분류가 철저하고 다른 것들과 배타적인가? 분석을 위해 의도한 자료의 척도대로 대답이 나올 수 있는가? (예로, 명목척도, 서열척도, 등간척도)

   f. 주요 논제가 충분히 다루어졌으며 중요하지 않은 것은 빨리 넘어갔는가?

2. 질문 서술하기

   a. 간결하게 질문을 썼는가? (누가, 무엇, 언제, 어디서, 왜 어떻게? 너무 길게 쓰지 마라)

   b. 설문지가 응답자에게 너무 많은 지식을 요구하는 것을 지양했는가?

   c. 오직 하나의 주제에 관한 항목들인가?

   d. 응답자들이 질문에 답을 할 수 있는 위치에 있는가, 혹은 추측으로 답을 해야 하는가? 만약, 그렇다면 당신은 그의 추측들을 필요로 하는가?

   e. 정의들이 명확한가?

   f. 감정적인 단어들을 지양했는가?

   g. 청중의 수준에 맞는 단어를 사용했는가? 전문용어, 은어, 속어 등이 사용되었다면, 그것들이 그들과 소통할 수 있는 가장 적절한 방법인가?

   h. 응답 수단이 적절한가? 명확한가? 일관적인가?

   I. 질문이 간단하고 단순한가?

3. 라포를 생성하고 지속하는 것과 협력을 이끌어내기

   a. 설문들이 응답하기에 쉬운가? (질문은 길거나 복잡하지 않아야 한다.)

   b. 응답을 위해 주어진 시간이 적절한가?

   c. 도구(종의의 질, 편집 등)들이 매력적인가?

    d. "응답자를 위한 오리엔테이션"이 있는가?

    e. 표지인사가 목적, 후원, 응답 방법, 익명성에 관한 설명을 하고 있는가?

    f. 응답자의 참가에 대해 보상이 주어지는가?

4. 지시사항 전달하기

    a. 응답자들이 어떻게 자신의 응답을 기록하는지에 대해 명료하게 말해 주었는가?

    b. 설문지를 돌려주는 것에 대한 지시를 하였는가? 만약 설문지가 우편으로 보내졌다면, 회신할 편지봉투와 우표를 보냈는가?

많은 평가자들이 Donald Dillman이 조사를 위해 개발한 종합적 구성 방법(Total Design Method)을 사용한다. 그가 최근 출판한 책에서 그는 전통적인 방법과 함께 인터넷을 사용한 조사를 보여준다(Dillman, Smyth & Christian, 2009). 그는 형식, 길이, 표지인사, 후속조치, 그리고 응답률을 높여줄 흥미유발을 위한 특별 제안을 한다. Fink의 『어떻게 조사를 할 것인가(How to conduct surveys)』(2008)의 네 번째 개정판, 교육 조사를 개발하는 데에 초점을 둔 Cox(2007)의 책들을 통해 조사를 개발하고 구성을 짜는 것에 대한 도움을 받을 수 있다.

조사는 대인면접, 전화, 전자로 혹은 우편으로 배달되거나 직접 나눠준 서면 형태로 시행될 수 있다. 앞부분의 내용들은 대개 우편으로 배달되거나 함께 모여 있는 참가자들이 동시에 시행하는 서면 설문지와 관련되었다. 이제 전화, 전자, 혹은 대인면담으로 정보를 수집하는 조사에 관해 배워보자.

전화 조사 혹은 인터뷰. 많은 사람들이 저녁을 준비하거나 아이들의 숙제와 싸움하고 있을 때 전문 조사 기관으로부터 전화를 받아본 경험이 있을 것이다. 이러한 전화 조사는 정보를 수집하는 상당히 일반화된 방법이다. 이를 통해 수집된 정보는 질적이고 개별 인터뷰보다는 형식적인 질문으로 이루어지기 때문에 분석하기 쉽다. 개별 인터뷰와 다르게, 전화 인터뷰는 눈을 마주본다거나, 비언어적 행동을 관찰하지 못하기 때문에 접촉을 형성하지 못한다. 그래도 서면으로 하거나 전자로 하는 조사보다는 접촉을 형성할 가능성이 크다. 응답하기 곤란한 질문을 뛰어넘기 위해 말을 가지치는 방법이 사용되는 반면에, 비체계적인 개별 인터뷰에서는 응답자들이 질문을 잘 받아들이지 않기도 한다. 대신에, 기준화가 사용된다면 이러한 문제가 해결될 것이다.

전화 조사와 서면 설문지의 근본적인 차이는 다음과 같다.

1. 전화 조사에서 시각상의 요소는 배제되어 있다. 즉, 응답자들은 항목을 읽어볼 수

없다. 이는 응답자가 미리 읽어보거나 건너뛰지 못하기 때문에 장점이 되기도 한다. 또한 일관되게 그들의 응답을 바꾸지도 못한다. 전화 인터뷰 진행자가 지시한다는 점도 장점이다.

2. 전화 조사는 구두적 요소로 진행된다. 질문들은 구두로 물어지고 답해진다. 따라서 항목들이 길거나 복잡하면, 선다택일이나 의견에 대한 선호도 척도 조사와 같이 작은 부분으로 나누어서 인터뷰해야 한다. 하지만 개방형 문항의 경우에는 서면보다 전화가 더 자주 사용되기도 한다. 왜냐하면, 응답자가 글로 적기보다는 말하는 것을 더 선호하기 때문이다.

3. 우편으로 설문을 하는 것보다 전화로 조사하는 것이 더 빠르다. 하지만 설문지를 직접 만나는 집단(학생, 직원, 고객)에게 배포할 수 있다면, 설문지 방식이 더 효율적이고 효과적이다.

4. 문항들이 예민한 문제를 담고 있다면, 응답자들이 익명으로 할 수 있는 서면 설문이 더 낫다. 비록 전화 조사가 무작위로 번호를 눌러 전화를 거는 것이기는 하지만 대답하는 사람은 자신의 전화번호가 기록되었다고 생각하고 압박을 느끼기 때문이다. 예로 Dillman과 Tarnai(1991)는 11%의 사람들이 전화보다 서면으로 응답할 때 취중진담처럼 솔직하게 답하는 경향이 있다고 밝혔다.

5. 전화 조사에서는 가지치기(특정 응답과 관련 없는 항목을 뛰어넘는 것)를 사용할 수도 있다. 서면 조사가 길어 보이면, 응답자들이 건너뛰기를 하지만, 전화 조사로 가지치기를 하는 것이 더 좋아 보인다. 전화 조사자는 자동으로 응답자와 관련된 항목으로 넘어가는 컴퓨터 프로그램을 사용한다. 예로, 학교에 다니는 자녀를 둔 부모에게 전화 조사를 한다면, 유치원에 다니는 학생의 부모와 고등학교에 다니는 학생의 부모에 대한 질문이 각각 다를 것이다.

6. 서면 설문지가 우편으로 배달된다면 각 방법의 비용은 비슷할 수 있다. 비용의 분야는 약간 다르다. 설문지를 우편으로 보내는 데 드는 비용에는 시간, 종이, 복사, 우편, 봉투 등이 포함된다. 전화 조사의 경우는 조사를 실행하는 직원과 감시하는 직원의 임금이 기본적으로 들어간다. 장거리 요금, 전화와 훈련에 필요한 시설을 임대하는 비용, 전화기를 구매하는 비용도 포함된다. 많은 평가자들과 면접관들은 전화 조사를 수행하는 회사를 사용하며, 그곳에는 훈련받은 조사자가 있다. 전화 조사 회사들은 인터뷰를 수행하고

글로 쓰여진 항목들에 대한 의견을 보여주는 소프트웨어와 전화 설문자에 대한 지시사항을 제공한다.

(a) 빨리 받기를 원할 때, (b) 응답자가 주저하거나 서면 조사를 끝낼 수는 없지만 전화로는 가능할 때, (c) 질문들이 전화로 응답하기에 더 쉬운 경우, 전화 설문이 우편설문보다 선호된다.

전자 조사. 전자 조사는 조사를 운영하는 데 있어서 일반적으로 사용된다. 오늘날 산업국가의 많은 사람들이 인터넷이나 전자우편을 사용하며, 이는 응답 집단이 한쪽으로 편중되는 것을 걱정했던 과거와는 다른 추세이다. 그럼에도 불구하고, 평가자들은 그들이 조사하고자 하는 집단이 전자우편이나 웹사이트에 접근이 가능한지 알기 위해 그들의 전자우편이나 웹사이트를 자주 확인해야 한다. 조사 회사 직원이나 대학생의 경우, 평가자들은 집단 구성원들이 전자우편 주소를 가지고 있으며 정보를 받아볼 수 있을 것이라고 확신한다. 다른 다양한 집단의 경우에는 그렇지 않을 수도 있다. 다른 집단이 접근이 불가할 때 평가자들은 일부에게는 전자우편을, 나머지에게는 우편을 보내는 혼합적 방법을 사용하거나 모두에게 우편을 보낼 수 있다. 몇몇 주요 주제들은 다음과 같다.

1. 전자 조사는 전화 조사보다는 서면 조사와 특성이 비슷하다. 다시 말하자면, 응답자들은 항목을 볼 수 있기 때문에, 복잡하게 항목을 구성해도 된다. 하지만, 대개 응답자들은 앞으로 혹은 뒤로 건너뛸 수 없기 때문에, 항목 선택을 계속 바꾸지도 않는다. 응답자들은 필기하는 것보다 타자를 통해 더 빨리 쓸 수 있으며 개방형 문항에 응답하는 경우가 서면보다 많다. 하지만 전화로 하는 경우보다는 적다.

2. 전자 조사의 응답률이 우편 조사보다 다소 낮다는 연구들도 있다(Fricker & Scholau, 2002). 오늘날 혼합적 접근이 더욱 지지받는 추세이다. 예로, Converse, Wolfe, Huang, Osward(2008)는 우편으로 전자 설문이 있을 것이라고 공지한 경우가 전자우편으로 하는 것보다 응답률이 높다는 것을 발견하였다.

평가자들은 고객이나 직원과 같은 응답자가 그들의 전자우편 주소가 연결되지 않고 바로 설문조사를 할 수 있는 웹사이트로 연결되어 응답하면 익명성을 느낀다는 사실을 발견했다. 여러 회사들이 설문지 개발을 알려주고 응답에 대한 기본 해석을 제공하는 웹사이트를 제공한다. surveymonkey.com, zoomerang.com, questionpro.com, hostedsurvey.com 등이 그 예이다.

면대면 조사. 조사는 다양한 이유 때문에 인터뷰를 통해 진행된다: 글을 읽는 데에 문제가 있거나 질문을 이해하는 데에 어려움이 있는 고객들의 정보를 얻기 위해서, 참여자들이 반응하도록 자극하거나 동기부여를 하기 위해서, 혹은 가끔 응답의 질을 높이기 위해 면접관의 심중을 떠보기 위해서 인터뷰가 사용된다. 면대면으로 조사를 진행하는 것은 스스로 시행하는 조사보다는 비싸고 만약 응답자의 집을 방문해야 하는 경우라면 전화 조사보다 비싸다. 그럼에도 불구하고, 이 방법을 통해 자료를 수집하는 것은 응답자가 기관으로 찾아온다거나 조사를 위해 만나는 경우에 실용적이다. 당연히, 조사는 응답자의 익명성, 사생활, 위엄을 존중해 줄 수 있는 개별적인 방과 같은 사적인 공간에서 진행되어야 한다. 대인면접 조사의 경우는 목소리가 이용된다는 점에서 서면 혹은 전자 조사보다는 전화 인터뷰와 성향이 비슷하다. 대인면접 조사와 전화 인터뷰 간의 몇 가지 차이점은 다음과 같다.

1. 면접자는 전화보다 대인면접으로 응답자와 친밀감을 쌓을 수 있다. 이렇게 하기 위해 면접자는 응답자를 편하게 하여, 편견 없이 관계를 맺을 수 있도록 잘 훈련받아야 한다. 따라서 면접자는 눈을 맞추고, 조사의 목적에 대해 설명하고, 답을 하고, 웃고, 응답자를 편하게 해주고 대답을 독려하는 과정에서 동의 혹은 반대와 같은 자신의 개인적 견해를 보여서는 안 된다.

2. 어떻게 자연스럽고, 지나치게 야단스럽지 않게, 하지만 개방적인 방법으로 대답들을 기록할 수 있을지를 생각해 보아야 한다. 면접자는 선택된 대답을 빨리 표시할 수 있지만, 만약 응답이 개방형 문항이라면 음성녹음을 사용하는 경우가 필요하다.(평가자들은 음성 녹음기를 사용하는 데 있어서 의견이 다양하다. 어떤 사람들은 눈을 더 맞춰 친밀도를 높이게 해준다며 찬성하지만, 다른 사람들은 녹음기의 존재가 상대와의 토의에 영향을 줄 수 있다며 대화를 기록하기를 원한다. 우리는 음성녹음을 통해 대답을 정확하게 알고, 눈을 맞추며 친밀도는 높이는 데에 도움이 되어 면접관이 대답을 받아 적기보다는 질문에 초점을 맞출 수 있게 도와준다고 생각한다.)

3. 응답자들은 다른 어떤 유형보다도 대인면접을 통해 사회적으로 바라는 답안을 내놓는 경향이 높다. 이는 응답자와 면접자의 성, 나이, 인종, 그리고 다른 내재적 성격 등을 통해 조절할 수 있다. 왜냐하면 응답자가 면접자를 자신과 비슷하게 받아들일수록 친밀감을 얻고 더 정직하고 완벽하게 응답해주기 때문이다. 잘 훈련받은 면접자의 경우는 이해관계 집단의 자기시행 혹은 전화 조사보다 더 구체적인 답안을 얻는 데 성공할 수 있다.

4. 만약 다양한 사람들이 인터뷰를 시행한다면, 훈련하는 데 있어서 고민해볼 필요가 있다. 면접자의 편견은 실패의 큰 원인이 될 수 있다(Braverman, 1996). 실패의 원인은 조사, 몸짓 언어, 면접자의 구술력 혹은 문제의 단어를 교체하는 것 등에서 일관성의 부족 등이다. 따라서 면접자는 조사, 휴식, 민첩성; 정보를 기록하는 기술; 친밀감을 형성하고 유지하는 방법 등 질문을 전달하는 표준화된 방법대로 훈련을 받아야 한다(Bernard, 2000).

인터뷰

인터뷰는 질적 자료 수집의 주요 방법이다. 관찰은 질적 평가의 핵심 요소이지만, 평가자가 관찰하는 동안에도 놓치는 부분이 많고, 같은 현상을 바라보더라도 평가자들의 관점이 다른 경우가 많다. 따라서 질적 인터뷰는 관점, 태도, 행동, 그리고 타인의 경험에 대해 배우는 데에 이용된다. Stake는 "인터뷰는 다양한 현실로 가는 기본 도로이다"라고 말했다 (1995, p. 64). 다르게 말하자면, 듣기와 타인의 이야기를 해석함으로써 평가자는 다양한 현실에 대해 깨닫고, 다른 집단과 개인들이 사물과 경험으로부터 얻은 다른 관점들에 대해 배운다.

개별 인터뷰를 통해 조사하는 것과 자료를 수집하는 것 간의 가장 큰 차이점은 인터뷰를 통해 분류하고 조사하고 탐험하는 것이 가능하다는 점이다. 인터뷰는 자료를 수집할 때 모호한 특성을 지닌다거나 심도 깊은 조사가 필요할 때 정형화된 조사방법을 사용하는 것보다 유용하다. 개별 인터뷰는 조사보다 많은 시간을 요구하기 때문에, 더 많은 사람을 인터뷰할수록 비용은 더 늘어난다. 하지만 이는 확실히 좋은 정보를 제공한다.

하지만 좋은 인터뷰는 기술이다. 좋은 면접자는 사람들이 그들의 이야기를 할 수 있도록 독려하면서, 질문과 조사를 통해 평가 질문과 관련된 토의의 방향으로 이끌어야 한다. 동시에, McCracken은 면접관들이 그들 스스로가 "관심을 가지고 어떠한 사실을 귀담아 듣겠다는 의지를 지닌 상냥하고, 협조적이며, (질문이 너무 많은 것이 아니라) 호기심이 많은 사람"임을 증명해야 한다고 했다(1988, p. 38). Kvale은 평가자들이 자신의 역할과 목적을 생각해야 한다고 조언하며 이를 두 가지 은유에 비유했는데, 면접자는 "매우 타당성 있는 지식"일 수도 있는 "발굴되지 않은" 지식을 사용하기 위해 인터뷰를 하는 광부와 같다(p. 3)는 표현과 "대지를 돌아다니며 마주치는 사람들과 대화를 나누는" 여행가와도 같다(1996, p. 4)고 하였다. 여행가이자 면접자라는 단어는 질적인 접근성을 의미한다. 이 은유는 면접자의 역할이 방황하고, 배우고, 가끔 변화하고, 그리고 모국의 사람들에게 배운 것을 해석하기 위해 되돌아오는 것임을 보여준다. Kvale은 인터뷰의 개념을 평가의 목적에 맞춰 인터뷰한 사람들의 "현실 세계"를 이해하고 배우도록 구성된 대화로 보았다. 그는 이러한 목적을 위해 인터뷰한 수많은 사례들을 제공하고 논의했다.

Rubin과 Rubin(2004)은 대화적 협력으로서의 인터뷰에 대해 토론하고, 규범과 권력관계로 이루어진 사회적 관계라는 것을 깨달았다. 그들은 질문과 조사를 구상하고 사후조치 질문을 준비하여, 어떻게 인터뷰에서 협력을 이끌어 낼지에 대해 토론했다.

비록 각각의 질적 인터뷰에서 질문할 문제들은 다르지만, Stake(1995)는 우리에게 이러한 점을 깨닫게 해준다.

> 면접자들은 강력하고 수준 높은 계획을 갖고 있어야 한다. 좋은 질문을 하는 것은 실패하기 쉬우며, 당신이 선택한 주제에 해박한 참가자에게 자극을 주기 어렵다. 그들은 그들 스스로의 관점이 있다. 대부분의 사람들은 자신의 말을 들어주기를 원한다. 면접자와 안면을 트는 것이 사례연구에 있어서 가장 쉬운 일일 것이다. 좋은 인터뷰를 한다는 것은 쉽지 않다. (p. 64)

당신의 질문들을 계획할 때, 당신이 답하려는 평가 질문에 대해 생각해보라. 질문에 답을 하기 위해 어떠한 정보가 필요한가? 그들이 나로부터 원하는 경험 혹은 의견은 무엇인가? 당신은 그들의 어떤 연관성, 생각 혹은 경험을 얻고 싶은가? 어떻게 조사하고 싶은가? 광범위한 질문 목록을 만들고 발생 가능한 상황들에 대비하라.

면접자가 저지르는 가장 흔한 실수는 말을 너무 많이 하는 것이다. 친밀감이 형성된 이후에 면접자는 듣는 것과 반응을 이끌어 내는 데에 집중해야 한다. 좋은 면접자는 침묵에 편안해야 하고 그 틈을 채우려는 압박감을 느끼지 않는다. 응답자는 어렵고 민감한 정보를 말하는 과정에서 자주 침묵한다. 만약 면접자가 그 침묵을 깨려고 한다면, 그 정보들을 잃는 것이다. 비슷한 맥락에서, 면접자는 발생 가능한 상황들에 대비해서 토의가 이어질 수 있도록 해야 한다: "그 부분과 관련해 더 말해주세요" "아주 흥미롭네요" "네, 그렇죠" 혹은 "아하" 이러한 말들은 당신이 듣고 있음을 알려주며 응답자가 스스로 방향을 정하면 말할 수 있도록 도와준다. 응답자의 마지막 발언을 같이 반복해주는 것도 계속 대화가 진행되도록 도와준다. 면접자들은 자신의 견해를 말하지 않도록 조심해야 한다. 대신에 인터뷰하는 사람의 견해가 무엇인지를 알려고 노력해야 한다.

다음은 인터뷰 질문을 만드는 데에 필요한 정보들이다.

1. 쉽고, 비격식적인 혹은 "수다"스러운 질문으로 시작해서 친밀감을 형성하고, 응답자의 유형이나 방법이 무엇인지 파악하라.

2. 응답자의 언어 수준에 맞추어라. 특정 분야 종사자를 위한 질문들은 그들이 익숙한 용어를 써서 그 주제에 관한 면접자의 전문성을 보여라. 기술적인 전문어를 사용하는 것은 특정 분야 종사자와 심도 있는 대화를 할 수 있게 해준다. 하지만 일반 대중과의 인터뷰라면 일반적으로 쓰는 언어를 사용해야 한다. 평가자가 쓰는 언어와 다른 언어를 구사하는 개인이나 집단일 경우에는 특별히 더 신경 써야 한다. Agar는 폐결핵 영상 프로그램의 민족지학적 평가를 하는 기관에서 발견한 언어/문화에 대해 논의했다.

3. 긴 질문을 피하라. 그들은 가끔 모호하고 헷갈린다.

4. 당신이 사실적 사건과 의견을 찾는 것인지 혹은 각 질문과 관련된 넓은 관점을 찾는 것인지 생각하라. 상황에 대처하거나 사후조치 질문을 이용하여 원하는 정보를 얻어라.

5. 응답자가 사실적이거나 일차적 정보를 줄 것이라고 기대하지 마라. 부모는 자녀가 무엇을 읽는지를 알려줄 수 있지만, 자녀만이 얼마나 자신들이 책 읽기를 즐겼는지를 정확하게 말해줄 수 있다.

6. 함축적인 추측이나 편견에 주목하라. 이는 질문에 대한 답안만큼이나 중요하다. 응답자의 말이 특정 태도 혹은 관점을 보여주는지 생각하고 그러한 관점을 어떻게 조사할지 정하라. 예로, 만약 응답자가 학교 상품권에 대해 불평을 한다면, 면접자는 응답자가 개인적 혹은 정치적 이유로 상품권에 반대하는지를 정하고, 정해지면 이러한 이유들의 특성에 대해 더 관찰하라.

7. 당신이 직접적인 질문, 간접적인 질문, 혹은 혼합적인 질문들을 원하는지 정하라. 직접적인 질문의 예로는 "근무 중에 도둑질을 한 적이 있나요?"가 있다. 간접적인 질문의 예로는 "근무 중에 도둑질을 한 사람을 알고 있나요?"가 될 수 있다. 혼합적인 방식은 "근무 중에 도둑질을 한 사람을 알고 있나요?"라고 말하고, 바로 "당신도 근무 중에 무언가를 훔친 적이 있나요?"라고 물어보는 것이다.

8. 질문의 형식을 짤 때 대화에서 당신이 알아내고 싶은 수준에 맞춰라. 예로, 만약 잡지책 읽기를 좋아하는 청중에게 질문한다면, "얼마나 많은 잡지를 읽나요?"보다는 "어떤 잡지를 주로 읽으세요?"라고 물어라.

9. 응답자의 자존심을 지켜주어라. "대법원의 수석재판관의 성함을 아십니까?"라고 질

문하지 마라. 대신 "혹시 대법원의 수석재판관의 성함을 알고 계십니까?"라고 물어보라.

10. 만약 당신이 부정적이고, 비판적인 정보를 얻고 싶다면, 응답자가 자신의 긍정적인 감정을 보여준 후에 편안해지면 비판적인 의견을 표현하도록 기회를 주어라. 우선, "X의 어떤 점이 좋으세요?"라고 물어본 후, "X의 어떤 점은 싫으세요?" 혹은 "X의 어떤 점이 거슬리나요?"라고 물어보라.

마지막으로, 어떤 방법으로 얻은 정보를 기록할지에 대한 문제가 남았다. 앞에 적었듯이, 면대면 조사는 평가자들이 음성녹음을 할지 인터뷰 중에 메모를 할지에 대한 논쟁이 있다. 질적인 인터뷰를 위해서는 응답자가 편하게 이야기를 하도록 시선을 맞추고, 친밀감을 쌓는 것이 중요하기 때문에 절차에 관한 결정이 매우 중요하게 여겨진다. 노트를 작성하는 것이 응답자를 불편하게 만들고 그들의 경험을 진정으로 격려하고 공유하고 있다는 몸짓을 보여주지 못하게 하기 때문이다. 만약 응답자가 음성녹취를 불편해한다면, 인터뷰 과정에서 몇 가지 노트를 쓰거나 핵심 단어를 쓰는 방법을 택할 것이다. 그리고 인터뷰가 끝난 직후, 응답자의 발언을 바탕으로 긴 노트를 작성한다. 그리고 응답자와 이 노트를 공유해서 당신의 해석이 맞는지 동의를 구한다.

이 주제와 관련해서 반대하는 의견이 있다. Stake(1995)는 다음과 같이 썼다.

> 응답자로부터 정확한 단어를 얻는 것은 별로 중요하지 않다. 그것이 무엇을 의미하는지가 중요하다. … 응답자들은 자주 그들의 문장이 우아하지 않다는 점과 기록이 그들이 의도한 대로 전달되지 않았다는 점에 당황한다. 그리고 상황이 지나고 오랜 뒤에 기록을 보면 빈정거림이 사라진다.(p. 66)

반대의 경우, 인터뷰를 녹음하는 것을 당연하게 보고 비언어적 행동을 포착하기 위해 비디오 녹화를 권장하는 관점도 있다(Kvale, 1996; McCracken, 1988; Patton, 2001). Patton(2001)은 다음과 같이 썼다.

> 당신이 사용하는 인터뷰의 유형이 어떤지, 당신이 얼마나 질문의 단어에 신경을 쓰는지에 상관없이, 만약 당신이 인터뷰하는 사람의 실제 단어를 포착하지 못한다면 다 소용없는 일이다. 인터뷰 정보 그 자체는 응답자의 말을 사실적으로 인용한 것이다. 다른 사람이 말한 사실과 같은 그 어떠한 것도 이 정보를 대신할 수 없다.(p. 380)

녹음을 하는 것은 면접자가 발언을 연구하게 해주고, 정보 분석에 있어서 구체적이게 해주며, 과정의 진실성을 얻게 해준다.

Denzin과 Lincoln(2005), Kvale(1996), Patton(2001), 그리고 Rubin과 Rubin(2004)은 모두 질적인 인터뷰를 이행하는 데에 유용한 안내를 제공했다. 이러한 정보들은 인터뷰를 사용하려는 평가자들에게 훌륭한 조언이 될 것이다.

포커스 그룹

포커스 그룹은 한 집단으로부터 질적인 정보를 얻고자 할 때 많이 쓰이는 방법이다. 포커스 그룹은 면대면 상호작용을 한다는 점에서 인터뷰와 비슷하지만, 그들은 집단 과정에서 형성된다. 훈련받은 포커스 그룹은 그룹 내 참가자들의 아이디어나 화제를 이용하고 그룹 내 다른 사람들의 반응을 수집할 것이다. 포커스 그룹 내의 논의는 면접자와 응답자 간의 관계에 관한 것뿐만 아니라 참가자들 스스로에 대해서도 이루어진다. 따라서 인터뷰는 집단 과정에 속한다.

포커스 그룹 기술은 마케팅 분야에서 신제품에 대한 잠재적 고객의 반응과 제품에 관련된 고객들의 요구를 얻기 위해 개발되었다. 포커스 그룹 방법은 어떻게 개인이 계획 중이거나 기존 서비스, 정책, 혹은 과정에 반응하는지를 알기 위해, 참가자 혹은 잠재적 고객의 요구와 환경에 대해 배우기 위해 다양한 분야에 적용되고 있다. 더욱이, 포커스 그룹 참가자들은 화제에 대해서 새로운 방법을 제시하거나 기존 프로그램과 정책에서 문제가 되는 환경을 설명할 수 있다.

포커스 그룹은 요구사항을 평가하고 연구를 감시하며 형성 중인 평가에 유용하다. 참가자들은 그들의 경험을 묘사하고 새로운 프로그램이나 변화에 대한 반응을 보여주며, 어떤 변화를 바라는지, 혹은 어떤 신뢰, 태도 혹은 삶의 환경이 프로그램의 성공을 좌우하는지를 제시할 수 있다. 포커스 그룹은 또한 프로그램을 기획하는 단계에서 프로그램 이론을 결정하는 데에도 도움을 준다. 그들은 자신의 경험을 바탕으로 한 참신한 아이디어를 제공할 수도 있다. 포커스 그룹은 또한 그들이 얻은 것을 얼마나 많은 참가자들이 사용할지, 어떠한 장벽에 부딪혔었는지, 혹은 프로그램에서 어떤 변화를 만들어 낼지 등 프로그램의 성과를 예측하는 데에도 유용하다.

포커스 그룹은 대체적으로 동질적이지만 서로를 잘 모르는 6명에서 10명 정도의 개인들로 구성된다(Kruger & Casey, 2009). 이렇게 작은 인원들이 그룹의 교류를 자극하고 그들의 관심사와 그들 스스로를 잘 표현할 수 있는 환경을 조성한다. 그들의 목표는 대표하는 것이 아니라 심층적인 정보를 얻어내는 것이다. 포커스 그룹 내의 개인들로부터 나오는 반응은 그룹 내의 다른 사람들로 하여금 더 많은 것을 보여주게 한다. 동질적이라는 점은 그룹의 교류를 활발하게 한다; 교육, 임금, 명성, 권위, 혹은 다른 성격적으로 큰 차이가 나버리면 결과는 참혹하거나 하위에 위치한 사람의 탈퇴가 될 것이다. 전형적으로, 서너 개의 포커스 그룹들이 같은 주제에 대해 시행될 수는 있지만, 20명의 사람들을 하나의 포커스 그룹으로 묶는다면 이는 목표에 부합하지 않다!

팀장의 역할은 과정을 소개하고 말해주며, 초반에 주기적으로 문제를 던져주며, 목소리가 큰 팀원의 반응을 중재해주며, 조용한 다른 팀원의 반응을 이끌어주고, 주요 문제가 충분히 논의될 수 있도록 시간조절을 하면서 논의가 원활히 진행될 수 있도록 하는 것이다. 팀장은 또한 모호함을 해결해줄 질문을 던지거나 다른 팀의 반응을 살펴보아야 한다. 질문은 연구를 위해 평가 질문에 부합하는 답을 이끌어낼 수 있는 것이어야 한다. 하지만 참가자가 의견을 드러내거나 특정 경험을 설명하도록 유도하는 질문이어도 괜찮다 (Kruger, 2005).

Fontana와 Frey(2000)는 포커스 그룹을 이끌기 위해 필요한 기술은 좋은 면접관에게 요구되는 것과 비슷하지만, 팀장은 그룹의 활동을 운영할 수 있는 방법에 대해 잘 알고 있어야 한다고 주장했다. 효율적인 포커스 그룹을 이끈다는 것은 도전적인 일이다. 자주 일어나는 실수 중 하나는 포커스 그룹이 짧고, 강제 선택적인 질문(예, 아니오)에 너무 오래 매달린다는 것이다. 혹은 거수를 통해 반응을 살피는 것이다. 이렇게 될 경우, 포커스 그룹은 체계화된 그룹 인터뷰가 되는 것이지 더 이상 포커스 그룹이 아니다. 왜냐하면, 그들은 팀원들의 상호교류, 개방, 탐험이라는 포커스 그룹의 특성을 상실했기 때문이다. 성공적인 중재자는 참가자들이 소수의 의견을 말하더라도 편하게 할 수 있는 환경을 만들어주어, "집단사고 오류"를 방지해야 한다.

중재자를 선택하는 과정에서, 중재자의 성격과 배경이 어떻게 집단토의를 발전시킬 것인지를 고민해보라. 피고용자들 혹은 포커스 그룹 참여자를 아는 사람들은 포커스 그룹의 리더가 되어서는 안 된다. 팀장의 자리와 태도가 좋지 못한 방향으로 논의에 영향을 끼칠 수 있기 때문이다. 따라서 항상 필요한 것은 아니지만, 중재자와 팀의 성격을 나이, 성, 인종 혹은 민족성 등의 인구학적 변수를 고려해 맞추는 것도 방법이 될 수 있다. 최소한, 중재자는 참가자들의 발언을 이해하고 해석하며 효과적으로 교류를 이끌어내기 위해 그들의 문화와 생활에 대해 잘 알고 있어야 한다.

대개 집단은 신체 언어와 교류를 관찰하고 활동이 일어나는 시간을 잘 이해할 한 명의 중재자와 조수가 이끈다. 세션은 음성 녹음되고 참가자들은 자신들의 시간을 보상받는다. 일반적으로 시간은 한 시간 반에서 두 시간에 이른다. 포커스 그룹의 환경은 중요하다. 일반적으로, 환기가 가능하며 대화가 가능한 공간이어야 한다. 결과는 테이프로부터 얻은 기록을 분석하여 얻을 수 있다. 이러한 결과들은 열린 결말의 토론을 통해 주제에 따라 다시 분석되거나 중재자가 제시한 질문에 대한 반응을 통해 분석될 수 있다.

포커스 그룹에 대해 더 많은 정보를 얻고 싶다면, Kruger와 Casey(2009) 혹은 Barbour(2008)를 참고한다.

지식과 능력을 평가하기 위한 검사(시험)와 그 외 방법들

검사(시험)는 교육과 훈련 프로그램에 대한 평가 정보를 얻는 데에 가장 흔히 쓰이는 방법이다. 교육 프로그램의 기본 목적은 지식의 습득으로, 이는 검사를 통해서만 측정되는 것이 아니다. 비록 교육 평가자들만큼 큰 범위는 아니지만 다른 분야의 평가자들도 검사를 사용한다. 훈련 환경을 평가하는 사람들은 그들의 궁극적 목표가 직업에 대한 적용 혹은 기관에 미치는 영향이더라도 검사를 사용한다. 보건 분야에 있는 이들도 고객을 위한 교육 프로그램이나 사용자들을 위한 건강교육 프로그램에 대한 검사를 사용한다. 사회 서비스의 평가자들은 고용이나 특허 프로그램의 성과를 측정하기 위해 검사를 사용할 수 있다. 따라서, 모든 평가자들은 정보 수집 방법으로서의 검사에 대해 알 필요가 있다.

검사를 하는 데에 가장 흔한 접근법에는 규준지향 검사(norm-referenced testing, NRT), 준거지향 검사(criterion-referenced testing, CRT), 목적지향 검사(objectives-referenced testing, ORT), 영역지향 검사(domain-referenced testing, DMT)가 있다. 네 가지 전략들은 공통요소를 지니고 있지만 어떠한 전략을 쓰느냐에 따라서 검사의 개발이나 해석이 크게 달라진다. 규준지향 검사의 경우 주로 학생들의 행동을 같은 검사를 치르는 다른 학생들과 비교한다. 이 검사는 비록 주에서 실행하는 기준(standard)기반 검사의 권한에 의해 사용이 줄어들고 있지만 교육과정을 평가하기 위해서 많은 학교구에서 시행된다. 규준기반 검사의 예로는 캘리포니아 학력고사(California Achievement Test), 종합 기초학력 평가(Comprehensive Test of Basic Skills), 아이오와 기초학력평가(Iowa test of Basic Skills)가 있다. 이러한 검사의 강점은 이미 인정받은 규준집단과의 비교가 가능하다는 것이다. 그들은 "우리나라의 다른 학교들과 비교했을 때 우리 학교는 어떻게 일반적으로 받아들여진 지식과 기술을 전달하는 것일까?"와 같은 질문에 답하는 데에 유용하다. 평가 목적에 있어서 그들의 가장 큰 약점은 평가 중인 교육과정이나 프로그램에 유효하지 않은 내용들을 포함하고 있을 수 있다는 것이다.

규준지향 검사와는 반대로, 준거지향 검사는 몇몇 절대적인 준거에 반대되는 양상을 측정하기 위해 개발되었다. 미국의 50개 주에서 시행되는 기준 검사들은 각 주에서 개발한 기준 준거를 지향하는 검사이다. 그들은 대개 평가 목적에 있어서 규준지향 검사를 대체하였다. 이는 시민들과 정책가들이 학생을 다른 집단과 비교하는 것이 아니라 학생들이 무엇을 아는지를 평가하고 싶어했기 때문이었다. (2장에 설명한 "성과 측정 방법"논의 참고) 기준기반 검사는 대부분의 주에서 학교나 학교관할구역의 활동을 평가하기 위해 사용된다. (Fitzpatrick and Henry[2000]의 기준기반 시험에 대한 논의 참조) 이러한 책이 출판된 이후, 미국 의회에서는 「낙오학생방지법(No Child Left Behind)」을 제정하여 기준과 검사에 대한 주의 권한을 강조하였고, 이 법안과 관련한 행동이 지속적으로 생겨날 것이라고 기대하였다. 반면에, 많은 주들은 그들의 기준과 검사를 더 유효하고 적절한 방향으로 개혁하였다. 몇몇 주에서는, 기준이 너무 높게 설정되어서 소수의 학생들만이 검사 범위를 소화할 수 있었다. 기준은 특히 수학과 과학 분야에서 이전 시대의 학생들이 배운 부분보다 더 상향 조정되었다.[4]

이러한 검사의 점수는 K-12 환경에서 일하는 평가자들에게는 유용한 정보를 제공해 주지만, 다른 기존 정보들처럼 평가자의 판단을 거쳐야 한다. 평가의 항목들이 평가 질문의 개념을 맞게 측정해 주는지를 고민해보라. 어떤 경우에는 기준기반 평가가 중요하고 유용한 척도이기도 하다. 이러한 검사가 평가 질문에 명시된 구성을 잘 드러내는 것이라면 후보점수나 개별적인 항목을 사용하는 것을 생각해보라. 목표가 "검사 점수를 올리는 것"이 아니라 학생들의 학습을 개선하는 것이라는 점을 항상 명심하라. 평가 중인 프로그램과 교육과정에 초점을 둔 지식과 기술이 무엇인지를 뚜렷하게 하라. 만약 점수, 하위영역 점수 혹은 기준기반 검사의 항목들이 학습에 대한 정보를 제공해 준다면, 무슨 수단을 써서라도 그들을 사용하라! 하지만, 미국평가학회(American Evaluation Association)와 같은 생각에서 우리는 학습 성과를 측정하기 위해 다양한 방법을 사용할 것을 장려한다. 검사 점수는 학습을 평가하기 위한 효율적인 수단이지만 다른 것들도 필요하다.

전통적으로, 준거지향 검사는 특정 프로그램이나 교육과정을 보여주기 위해 개발되었다. 검사 점수는 교육과정에서 학생들의 발전을 판단하고, 궁극적으로 프로그램의 성공을 가늠할 수 있는 방법 중 하나로 사용되었다. 이러한 측정은 많은 프로그램 평가에 유용하다. 왜냐하면 항목의 내용이 교육과정을 드러내기 때문이다.

목적지향 검사는 교육과 훈련 프로그램의 특정 교육목적을 드러내는 항목을 사용한다. 이러한 검사는 어떤 부분이 목적에 부합하며 성공했고 어떤 부분이 개선이 필요한지

---

4) 콜로라도 기준 검사(Colorado standards test)와 콜로라도 학생평가 프로그램(Colorado Student Assessment Program, CSAP)의 10학년 수학시험에 관한 연구를 진행한 교육부는 10학년의 수학시험이 대학교 2학년의 수학수준과 비교할 수 있을 정도라고 발표했다. "적절한"의 하한선이 전국기준의 시험에서 90%에 가까운 수준과 일치했다. 콜로라도 주의 10학년 중에서 "적절한" 등급을 받은 학생이 몇 없다는 사실은 당연한 결과였다.

를 평가해주기 때문에 선생님과 훈련가들이 평가 피드백을 형성하는 데에 유용하다. 그들은 또한 특정 교육목표를 성취하는 데에 있어서 프로그램이 성공을 거둘지에 대한 부가적인 결정을 내리는 데에도 유용하다. 영역지향 검사는 특정 내용이나 영역에 대한 학생의 지식을 측정하기 위해 사용된다. 항목들은 교육과정보다는 영역내용을 측정하기 위해 구성된다(예로, 미국역사, 비교해부학). 이러한 문항들은 비록 목적지향, 준거지향 검사보다는 비싸지만 평가목표에 유용하다. 일반적으로, 평가자들은 이미 개발되어 있고 유효한 방법을 선택한다. 영역지향 검사는 "얼마나 많은 우리 졸업생들이 X내용에 관해 알고 있을까?"와 같은 질문에 대한 답을 얻는 데 사용된다. 기준은 졸업생의 지식 혹은 학생들이 교육과정 끝에 얻어야 할 지식과 관련한 학교와 기관의 기대치를 보여주기 위해 개발되었다.

14장에 정보 수집 방법을 나열한 목록을 보면, 지필 검사와 관련하여 지식을 측정하는 다른 방법들이 사용되기도 한다. 이들은 유사 상황 혹은 역할놀이, 학생들의 포트폴리오를 포함한 직업의 사례 혹은 비고용자들의 산출물 등을 통해 기술을 시연해볼 수도 있다. 평가자들은 항상 평가 질문을 측정하는 데 적절하며 이해관계자들의 믿을 만한 기준과 프로그램 내용에도 부합한 방법을 선택해야 한다. 비록 지난 몇 년간 기준기반 검사(standards-based test)가 미국 학생들의 학습능력을 측정하는 가장 흔한 방법이긴 했지만, 많은 학교에서는 포트폴리오를 사용하고 있다. 포트폴리오란 "학생들의 수행 작품의 모음집이다"; Mabry가 말하듯, "포트폴리오는 이제껏 해온 작업들을 포함하는 덕분에, 학생들의 성취도를 추론하고 학생들의 발전을 보여주는 또 다른 평정기술이 된다"(2005, p. 323). 포트폴리오는 총평(assessment)에 자주 사용되지만, 평가(evaluation)에는 덜 사용된다. 하지만, 평가자들은 기준기반 검사 성적의 균형을 맞추는 데 다면적인 측정 방법의 사용을 고려해야 한다. 그것은 비록 검사보다는 덜 표준화되어 있지만 학생의 실제 작업 결과물을 보여준다. 몇몇 기술 기반 분야나 훈련에 대한 평가목표를 위해, 수행평가는 유용한 평가 수단이다. 예로, 구술 시험은 관찰자가 판단하고 평가한다. 외국어로 대화하는 능력을 측정할 때, 체계적인 언어 능력 인터뷰가 지필 검사보다 더 적합하다. 실험을 위해 과학 장비를 사용하는 것을 측정하기 위해서는 실험실에서의 수행평가가 적절한 방법이다. 문법 오류를 수정하는 능력을 측정하기 위해서는 지필 검사가 더 효율적이다. 기준기반 검사에 초점을 두는 것은 오늘날 학습능력을 측정하려는 평가의 접근 방법의 추세에 따라 사용이 줄어들고 있다.

앞서 언급했듯이, 『정신발달측정연감(The Mental Measurements Yearbook)』은 다른 측정 방법에도 유용한 출처가 될 수 있다. 이 시리즈는 흔히 쓰이는 검사와 다른 방법들

표 16.2 자료 수집의 다양한 방법들

정보 수집 방법	특성
문서	비공식적 지면: 회의록, 노트, 계획 연구의 영향을 받지 않은 행동, 생각, 관점을 드러낸다.
기록	공식적 문서: 인구조사, 출석부, 임금 문서보다 타당성과 신뢰성이 더 높다.
관찰	프로그램 내용과 활동, 참여자의 행동, 환경에 대한 관찰은 체계적이거나 비체계적 일 수 있다. 거의 모든 평가에 유용하다.
조사	태도, 의견, 행동, 삶의 상황의 보고는 개인적으로 이루어지거나 우편으로 이루어 질 수 있다.
전화 인터뷰	조사와 목적이 비슷하다; 질문들이 조금 더 열린 답안을 지니지만 짧아야 한다. 유 대감을 형성하고 민첩하게 구술할 수 있어야 한다.
전자 인터뷰와 조사	컴퓨터 기술을 통해 질문을 내고 답한다. 항목들은 열려있거나 닫혀있다.
인터뷰	질적인 인터뷰는 타당성, 관점, 경험, 그리고 구체적인 답을 얻는 데 유용하다. (대 면하는 경우) 체계적이거나 질적일 수 있다.
포커스 그룹	6명에서 10명의 팀원들이 집단토의를 통해 반응, 경험을 배우고, 집단의 교류가 반 응을 장려하고 강화할 때 유용하다.
검사(시험)	지식과 기술을 측정하기 위해 사용된다. 교육과 훈련 분야에 사용된다.

에 대한 개별적인 검토를 묶어 책으로 발간한 것이다. http://www.unl.edu/buros/imm/html/00testscomplet.html을 통해 종합적인 온라인 평을 보라. '지필 검사(Test in Print)'와 같은 다른 참조자료를 www.unl.edu/buros/에서도 찾아볼 수 있다.

표 16.2는 우리가 배운 정보 수집 방법을 정리해주고 각각의 중요한 특성을 보여준다. 표 16.3은 특정 평가 질문들을 표현하는 데에 사용된 방법들을 보여준다.

정보 수집의 계획과 구성

정보 수집 방법은 적합한 권한자의 허가를 얻어야 한다. 이러한 권한자로는 고객, 평가 중인 프로그램의 관리자, 프로그램 스태프와 참가자들, 연구윤리심의기구(Institutional

표 16.3 평가를 위한 자료 수집에 사용되는 질문들: 몇 가지 사례들

평가 질문	자료 출처와 방법
학생들이 학교에 결석하는 주된 이유는 무엇일까?	학교의 출결부, 선생님 인터뷰, 상담사 인터뷰, 결석이 많은 학생과 부모 인터뷰, 학생 설문조사
6학년 선생님이 갈등-해결 프로그램을 어떻게 교실에서 실행할까?	선생님일지, 학생 조사와 보고서, 사무실 기록, 선별적인 관찰
도시 권한의 물 통제에 대해 시민들은 어떻게 생각할까? 어느 정도까지 시민들은 이러한 제한을 따를까?	전화조사와 도시 수자원 기록
왜 좋은 선생님들은 X학교 구역을 떠날까?	인터뷰와 뒤이어 광범위의 사람들을 대상으로 한 우편 혹은 전자 조사(우선 어떤 좋은 선생님들이 떠났는지 문헌적 조사를 함)
X 독서 프로그램이 학생들의 읽기 능력을 향상시키는 데 성공했는가?	지필 준거지향 검사와 사례에 대한 구술시험

Review Boards, IRBs) 혹은 기관과 관련한 다른 평가집단이 될 수 있다. 올바른 경로를 통한 승인과 기관정책을 따르기 위해, 평가자들은 누가 자의적 혹은 타의적으로 자료 수집에 포함되는지를 살펴보아야 한다(예로, 조사에 응답하는 것, 시험 수행을 도와주는 것 혹은 행위를 관찰하거나 관찰당하는 것). 이러한 대중의 협력은 성공적인 정보 수집에 필수적이다. 만약 그들이 정보 수집 방법이나 절차에 반대하거나 목표를 이해하지 못하면, 그들은 잘못된 정보를 제공하게 되어 일을 대충 해치울 수 있다. 다른 사람들도 정보 수집을 심각하게 생각하지 않을 수 있다. 그들의 협력이 얼마나 중요한지를 설명하면 많은 잠재적 문제들을 예방할 수 있다. 응답자의 비밀과 익명성을 보장하는 것도 매우 중요하다. 시간을 준다거나 연구의 피드백을 주는 것 등의 보상 또한 협조를 장려하는 방법이다. 참가자의 권리를 보호하는 윤리적 수행을 고수하는 것이 자료출처의 접근을 안전하게 하는 데 필수적이다.

자료 수집에 따르는 기술적 어려움

평가자들에게 머피의 법칙은 다음과 같다: "만약 정보 수집에 있어서 잘못될 수 있는 확률이 존재한다면, 반드시 일어날 것이다." 잠재적 오류에 대한 종합적인 목록은 이 장을 모두 다 채울 수도 있다. 하지만 여기에는 중요한 몇 가지만 나열하겠다.

- 부적절한 반응을 초래하는 불명확한 지시사항, 혹은 도구들이 세심하지 않거나 목

적을 벗어나는 경우(당신의 방법을 항상 시범해보라)

- 경험이 부족한 정보 수집가가 수집한 정보의 질을 감소시키는 경우(항상 광범위한 훈련과 시험을 해보라. 잠재적으로 문제를 일으킬 직원이 사고를 일으키기 전에 제거하라. 정보 수집과정을 감시하고 문서화하라)
- 정보의 일부 혹은 모두를 잃어버리는 경우(복사본을 저장하고, 백업파일과 기록을 챙겨라; 기록과 일차적 자료들을 비밀번호나 열쇠를 이용하여 저장하라)
- 정보가 잘못 기록된 경우(항상 진행과정에서 정보 수집을 검사하라. 기록된 정보를 사람들이 번갈아가며 확인하는 것도 필요하다)
- 사기가 발생한 경우(정보를 제공해주는 사람을 한 명 이상 두어라. 정보를 비교하고, "믿기 힘든 정보"는 주시하라)
- 절차과정에서 실패한 경우(실행계획을 항상 간단히 하라. 절차를 통제하는 직원을 감시하라. 대체할 수 없는 도구, 일차적 자료, 기록들은 복사본을 준비하라)

자료 분석과 조사결과에 대한 해석

자료 분석

평가는 어마어마한 정보를 공정하는 작업을 포함한다. 만약 의미 있는 해석을 가능하게 하는 틀이 갖춰져 있지 않다면, 이는 타당성이 없어지고 최악의 경우에는 오해를 만들어 낸다. 정보 분석의 목표는 정보를—말이 되게—최소화하고 통합하며 사람들의 추론을 가능케 하는 것이다. 만약 정보 분석의 대체 방법을 찾는다면, 평가자는 다음과 같은 두 질문을 할 것이다.

1. 어떤 정보 분석 방법이 내가 답하려는 질문과 내가 수집하려는 정보, 그리고 정보를 수집할 때 쓰려는 방법에 적절할까?
2. 어떠한 정보 분석 방법이 보고를 받을 청중에게 신뢰를 주고 이해될 수 있을까?

이해관계자를 정보 분석의 시작단계에서부터 포함시켜라. 고객 혹은 다른 이해관계자들이 결과를 검토할 수 있도록 만남을 갖는 것은 정보 분석 단계를 이해되기 쉽게 만들며, 잠재적 사용자를 적극적으로 포함하는 것이다. 평가자는 고객이나 다른 이해관계자들이 흥미로워할 정보의 유형이 무엇인지 알게 되고 정보를 보여주는 효과적인 방법이 무엇인지도 알게 된다. 고객 혹은 집단과 일하는 평가자는 정보 분석이 드러낼 새로운 질문과 화제에 대해 배우게 해주기도 한다.

양적이고 질적인 정보를 분석하는 데에는 많은 방법이 존재한다. 우리는 독자들이 중요한 사건들이나 방법에 대해 알게 하고 다른 분야의 조사에 도움이 될 수 있는 참조자료를 추천하기도 한다. 하지만 우리가 가진 것들은 정보 분석에 대한 교과서가 아니며 방대한 분석의 영역을 몇 쪽으로 요약한다는 것은 적절하지 못하다.

양적 자료 분석. 양적인 정보 분석을 위해 평가자들은 각 평가 질문들을 고민해보고 어떻게 중요한 이해관계자 집단을 위해 결과를 요약해 줄지를 생각해야 한다. 만약 목표로 하는 대상이 조사자 혹은 정책가라면 평가 질문에 다양한 변이, 다양한 방법 혹은 발전된 통계학이 사용될 수 있다. 하지만, 일반적으로 이해관계자 집단은 양적인 정보가 경제적인 방법으로 정리되고 분석되기를 원한다. 양적 기반 평가자인 Henry(1997)는 그래프를 사용하여 평가 정보의 다양한 범주를 설명하고 유용한 논의, 안내, 예시들을 제공하였다.

다른 교실, 학교, 혹은 장소에서 학생, 고객과 같은 특정 집단의 성과에 나타나는 차이점을 분석하는 것 또한 어떻게, 왜 프로그램이 실행되는지에 대해 알 수 있게 해준다. Pawson과 Tilley(1997)는 부분집단 분석을 통해 프로그램 이론에 대해 더 잘 알 수 있다고 추천했다. 예로, 프로그램이 오직 한 장소에서만 실행된다는 점은 평가자가 장소 간의 차이점을 발견하여 어떻게 이러한 차이가 성과의 차이를 낳는지를 알 수 있게 해준다. 이러한 발견은 프로그램의 어떤 점이 중요한지를 알 수 있게 한다. 이는 프로그램과 그 효과에 대해 전반적인 이해를 가져다주는 통합적, 반복적 평가 구성이다. (예로, Zvoch [2009]가 "관찰"이라는 장에서 한 논의를 살펴보라. 여기에서 그의 논의는 확실히 드러난다.) 우리는 또한 Babbie 등(2010)에서 나온 통계자료도 추천한다. 이것은 사회과학자를 위한 통계패키지(Statistics Package for social sciences, SPSS)의 안내서 역할을 한다. 혹은 자료 분석을 위한 엑셀 사용을 도와주는 Salkind(2009)의 자료도 추천한다.

양적 정보를 분석하려는 최근의 경향은 통계뿐만 아니라 효과 크기를 포함한다. 평가자의 의무는 관련된 변수들 간의 확률을 간단하고 유용하게 전달해서 고객과 다른 이해관계자들이 통계적 유의도를 이해하도록 하는 것이다. 더 작은 p 값은 관계가 더 크다는 것을 뜻하는 것이 아니라 관계가 존재한다는 확신성을 나타낸다. 이해관계자와 정책가가 더욱 똑똑한 사용자가 되면서, 그들은 성과에 대한 프로그램 효과의 실제 규모를 보여주는 효과 크기에 관심을 보인다. 효과 크기와 계산, 활용에 관한 실제적인 논의가 궁금하면 Kline(2009)을 참조하라.

질적 자료 분석. Stake(1995)는 질적인 기술과 양적인 기술은 자료 분석 단계에서 가장 큰 차이점을 보인다고 밝혔다. "질적인 조사자는 사례에 집중한다. 그것들을 분리하고 다시 붙여보면서 의미를 만들어낸다−직접적인 해석을 통해 분석과 통합을 하는 것이다. 양적인 조사자는 사례의 수집에 초점을 둔다. 다 모이면 주제와 관련된 의미 있는 자료들이 나타날 것이라고 믿으면서 말이다"(Stake, 1995, p. 75). 질적인 정보가 수집되면, 분석도 함께 시작된다. 평가자는 범주를 만들고, 범주을 변경하고, 현장 일지를 검토하고, 다른 관점이 나올 때까지 더 많은 정보를 모으는 역할을 한다. 하지만 평가자들은 어떻게 자신들이 모은 방대한 양의 정보를 정리할까? 어떻게 그것을 보증하고 그것이 이해관계자들과 다른 사용자들에게 신뢰를 줄 수 있다고 확신할까? 같은 맥락에서, 평가자들은 어떻게 하면 그들의 질적 정보를 분류하고 정리하며 일어난 다양한 사건들을 이야기하는 데 사용할 수 있을지 고민하기 시작했다.

질적 정보의 분석 방법은 정보의 성격과 적용된 개념의 틀에 달려있다. 질적 정보를 분석하는 방법은 반복과 주제에 초점을 맞춘다. 또한 여기서 가정을 도출하여 실행을 통해 확신을 얻고 가정에 부합하지 않는 반례를 확인하고 분석한다. 정보 분석은 상호적이며 대체 가능한 주제를 찾고 탐험할 수 있게 해준다. 질적 자료 분석에 대한 유용한 구체적 사실들과 사례를 제공해주는 문헌으로는 Bernard와 Ryan(2010), Patton(2001), Strauss와 Corbin(1998), Yin(2009)이 있다.

오늘날, 텍스트와 내용을 분석하기 위한 NVivo(http://wwww.qsrinternational.com/), 학교용으로 고안된 Acculin(http://www.harpe.ca/Download.php), 질병관리센터에서 개발한 텍스트 분석기 AnSWR(http://www.cdc.gov/hiv/software/answr.htm), 그리고 다양한 소프트웨어 패키지가 있다. 미국평가학회의 웹사이트는 질적 정보를 분석하기 위한 소프트웨어의 목록과 간단한 설명을 제공한다. http://www.eval.org/ Resources/QDA.htm.

자료 해석

자료 분석은 주제 혹은 통계적 기술과 추론에 따라 수집한 정보들을 정리하고 줄이는 데에 초점을 둔다. 반대로, 해석은 정리된 정보에 의미를 부여하고 평가 질문에 답하기 위해 사용한다. 분석은 근거 있는 결론을 도출하기 위한 타당성을 부여하는 해석, 관점, 개념적 자질과 같은 정보를 정리하고 요약하는 것으로 생각될 수 있다. 해석은 평가에서 타당성 있는 요소이다−Alkin과 Christie의 평가 나무의 세 번째 가지에서, 다른 두 큰 나뭇가지 혹은 중요한 주제들을 평가에 사용하는 것이다(Alkin과 Christie의 나무를 보려면 4장 참고).

해석은 조심히, 공정하게, 열린 연구 방법으로 특징화되어야 한다. "숫자가 말해준다"라고 주장하는 사람은 순진하거나 아니면 사기꾼이다. 해석은 자료를 사용하여 평가 질문에 답하는 것을 의미한다. 이는 평가의 목적을 판단하고 이러한 판단이 지니는 함축적 의미를 보여주는 것이다. 평가자들이 방법론을 지나치게 강조한다고 믿는 Schwandt(2004)는 평가에 있어서 중요한 문제는 평가 판단의 질이라고 주장하였다. Stake와 Schwandt(2006)는 질에 대해 다음과 같이 썼다.

(건강과 질병에 대한 판단에는 반드시 의사의 동의가 필요하고, 유죄인지 아닌지에 대한 판단에는 판사의 권한이 필요하듯이) 질에 대해 판단을 내리는 것은 프로다운 평가자로서의 책임이 필요하다. 평가자들은 질을 판단하기 위한 책임감을 지녀야 한다. 이는 질의 모호성이라는 현실과 질에 대한 견고하고, 신속하고, 전 세계적인 기준이 없는 현실에도 불구하고 올바르게 판단하겠다는 책임이다. (혹은 올바른 판단에 큰 역할이라도 해야 한다.) (p. 416)

모든 평가자들은 평가의 성과에 영향을 주는 방법인 비꼬기 혹은 넌센스─다른 이들이 평가자의 도움 없이는 볼 수 없는 것─를 발견하기를 통해 평가 정보와 그 분석을 바라본다. 만약 평가가 교육적 기능을 수행한다면, 청중이 그것(평가)을 사용하고 고민하는 가장 좋은 방법을 알 수 있도록 결과가 도출되어야 한다. 이해관계자들은 이러한 해석과 판단과정에 참여하여 그것(평가)들이 이해 가능하고 사용할 수 있도록 해야 하지만 평가자들의 궁극적 목표는 결과를 해석하고 판단에 도달하는 것이다. 만약 그렇게 함으로써 전문가가 판단에 이르거나 도움을 받을 수 없다면 이해관계자들은 평가자를 고용하지 않아도 된다.

조사결과들을 해석하는 방법. 물론, 정보 분석과 조사결과의 해석은 평가 계획에서 발생한 평가 질문에 답하는 것과 관련이 있다. 이러한 질문들은 이해관계자들의 요구를 드러내며, 가능한 한 평가의 조사결과로 대답되어야 한다. 전체적인 평가는 이러한 질문들로 구성되어 있다. 13장에서 보여주었듯, 몇 가지 사례에서 평가자들과 이해관계자들은 평가 질문에 구체화되는 프로그램의 구성요소를 판단하기 위한 구체적인 준거와 기준을 지닌다. 이러한 경우, 구체화된 기준은 안내자 역할을 한다. 어떻게 수집된 자료와 정보들이 평가 질문에 답하는 데 도움을 줄까? 어떻게 쟁점과 구체화된 기준에 반하는 프로그램과 구성요소를 판단하는 데 도움을 줄까? 때때로, 해석이 상대적으로 직설적이기도 하다. 고등학교 중퇴 방지 프로그램에 대한 준거는 고등학교 과정을 마쳤거나 학교에 다니고 있는 참가자들의 비율이었다. 표준선은 구체적으로 70%였다. 수집된 정보와 기준을 비교하면 판단을 내릴 수 있었다. 만약 중퇴 방지 프로그램의 성과가 50%라면, 프로그램은 기준에 도달하지 못한 것이다. 그렇다면 프로그램은 실패한 것인가? 아마도 그럴 것이다. 평가자들은 이 특정학생들과 특정 프로그램의 수행을 설명할 수 있는 정보를 찾아 논의해야 한다. 미래에라도 이 프로그램이 70%의 성과를 이룰 수 있는 가능성이 있는가? 이 프로그램 없이는 학교를 관둘 뻔한 학생이 반이나 되는데 이것 또한 충분한 성과가 아닌가? 어떻게 이러한 성과를 다른 비슷한 자본과 노력이 투입된 프로그램과 비교할 수 있을까? 상대적으로 선명한 준거와 기준을 가지고서도 최종 결론을 내리기 어려울 수 있다.

해석에 영향을 주는 다른 요소들은 프로그램의 내용과 이해관계자들의 성향에 따라 생겨난다. 이는 다음의 경우를 포함한다.

1. 목적이 성취되었는지 판단하라.
2. 법, 국가 목표, 법률안, 혹은 윤리적 원리에 부합하는지 판단하라.
3. 평가된 필요들이 줄어들었는지 판단하라.
4. 프로그램의 타당성을 형성하고 비용이 드는 방법, 정책가나 이해관계자들의 의견 혹은 수단을 통해 참가자들이 성취하는 것이 있도록 하라.
5. 본질이 비슷한 보고서의 결과들을 비교하라.

하지만 어떻게 정보 분석에서 이러한 결론에 이를 수 있을까? 가끔 우리의 혼합된 방법은 복잡한 조사결과를 초래한다. 이러한 애매모호함이 문제가 되어서는 안 된다. 대신에, 이는 평가자들이 최종 해석에 이르기까지 많은 관심을 기울여야 한다는 것을 의미한다. 만약 증거가 모순된다면, 의견일치를 강요해서는 안 된다. 대체 가능한 해석과 애매모호함에 관한 진실한 토론이 마련되어야 한다; 화제와 관련하여 심층적이고 집중된 연구를 추천할 수 있다.

이해관계자의 참여. 해석에 있어서 타인의 개입은 중요하다. 자료 분석의 해석은 평가자 혼자만의 영역이 아니다. 대부분의 평가자들은 혼자서 결과를 해석하고 요약하는 것은 바람직하지 못한 방법이라고 배운다. 평가자는 여러 가능한 관점들 중 하나를 가진 것이며 사실 새로운 시각으로 자료를 바라보는 다른 사람들의 관찰력 있는 해석보다 못할 때도 있다. 프로그램 경험이 있는 고객과 참여자들도 이해를 도와줄 수 있다.

사실, 자료 분석의 결과 해석에 이해관계자들이 참여하는 것은 여러 가지 목적을 지닌다. 결과의 타당성과 이해를 위해서, 그들의 개입은 어떻게 결론에 도달했는지를 알게 해주기 때문에 훗날 이 정보를 사용할 확률을 높여준다. 마지막으로, 결론 해석에 있어서 이해관계자의 개입은 기관의 평가 능력을 높여준다. 해석에 관한 평가자의 역할은 이해관계자가 다양한 관점이 존재하며 이러한 관점을 사용하여 분류하는 방법을 찾을 수 있도록 도와주는 것이다.

이해관계자들은 비슷하거나 상반되는 이해집단 간의 만남 모두를 일컫는다. 만약 참가자들이 많이 개입되면, 평가자는 그들을 작은 집단으로 나눠 그들의 해석에 대해 논의하고 결론을 내리게 할 수 있다. 결과는 만나기 전에 참가자들에게 공지되어 발표 시간을 줄이고 대신 분석을 할 수 있게 한다. 혹은 참가자들은 각 설문항목의 응답 확률 혹은 비밀리에 이루어진 인터뷰와 같은 상대적으로 가공되지 않은 자료들을 받을 수도 있다. 그리고 뒤이어 평가자들은 각 평가 질문에 해당하는 분석을 하게 된다. 이러한 과정은 분석과 해석 단계에서 투명도를 높여주며 이해관계자들에게 유용한 기술을 제공한다. 하지만, 평가자들도 편견을 지니듯이, 이해관계자들도 그렇다. 이러한 역할을 가능케 하기 위해, 평가자들은 이해관계자들이 자료 중심으로 결론에 도달할 수 있게 도와줘야 한다. (Jean King이 교사, 학부모, 교육행정가들과 함께 학교의 특별 프로그램의 질에 관한 자료 분석 연구를 함께한 것을 묘사한 책『Evaluation in Action』에서 한 인터뷰를 참조하라. 조력자로서, 그녀는 이해관계자들이 각 결론을 내리는 데에 증거를 사용하도록 요구했다.)

결과적으로, 합동위원회의『기준(Standards)』(2010)은 해석에 관한 길을 제시했다.

> **A7 평가 논리의 명세성:** 정보와 결과 분석, 해석, 결론, 판단으로부터 나오는 평가 논리는 명확하고 철저하게 기록되어야 한다.

AEA의 안내 원칙 A3에도 관련된 내용이 나온다.

> 평가자들은 그들의 방법과 접근법에 대해 정확하게 이야기하고 부족한 사안들에 대해서는 다른 사람들이 이해, 해석, 비판할 수 있도록 해야 한다. … 평가자들은 내용적으로 적합한 방법으로 해석이나 조사결과를 평가하는 데에 영향을 줄 수 있는 가치, 추정, 이론, 방법, 결과, 분석에 대해 논의해야 한다.

따라서 정보 수집, 분석, 해석을 통해 평가자들은 초기 계획에서부터 도출된 평가 질문에도 대답하려고 한다. 그리고 다음 단계는 최종 정보를 보고하는 것과 관계있다. 이는 독자들이 다음 장에서 보게 되는데, 오늘날 사용이 적고 아직 해결되지 않은 문제이다.

주요 개념과 이론

1. 평가자들은 다양한 정보 출처와 방법을 사용한다. 출처와 방법에 대한 선택은 평가 질문의 속성, 평가될 프로그램의 내용, 그리고 이해관계자와 고객들과 관련된 신뢰성 있는 증거의 속성들에 따라 결정된다.

2. 평가자는 정보를 수집하는 방법으로 다양한 방법을 고려해야 한다. 이는 문서와 기록, 관찰, 설문, 인터뷰, 포커스 그룹, 시험들을 모두 포함한다.

3. 복합적인 방법은 신뢰성을 높이고 이해력을 증진시키거나 이후의 정보 수집을 알려줄 수 있다.

4. 양적 자료는 기술적이고 추론적인 통계 방법들을 사용하여 분석된다. 양적 자료는 양식이나 주제에 따라 분석된다. 범주는 정보가 축적됨에 따라 혹은 새로운 고려대상이 나타남에 따라 형성되거나 개정된다.

5. 정보는 평가 질문에 답할 수 있어야 하고 평가의 최종 판단에 대한 근거를 제공해야 한다. 해석은 다른 정보 출처, 방법을 종합하고 각 평가 질문의 답을 분석하는 데 근거를 둘 수 있다. 고객과 다른 이해관계자들은 이러한 해석에 제기되는 다른 관점을 허용하고, 해석의 타당성을 높이고, 사용을 향상시키는 데 적극적으로 관여할 수 있다.

토의 문제

1. 이해관계자나 고객들은 정보 수집, 분석, 해석 단계에서 사용되는 기술적 부분에 참여해야 하는가? 그렇다면 이유가 무엇인가? 그들은 무엇을 첨가시켜야 하는가? 그들을 포함함으로써 생기는 강점과 한계는 무엇인가?

2. 고등학교에서 수학 프로그램을 실행한다고 하였을 때 당신은 프로그램이 진행 중인 것을 알기 위해 관찰, 교사 일지를 쓰겠는가? 혹은 학생 보고서를 쓰겠는가? 각 방법의 장점과 약점은 무엇인가? 혼합 방법을 사용한다면 어떤 방법을 사용하겠는가?

3. 관찰 정보를 수집하는 것에 대한 장점과 단점에 대해 토론하라. 당신이 이미 알고 있는 프로그램을 생각해보라. 관찰을 통해 유용하게 수집될 정보로는 무엇이 있는가? 관찰 방법을 통해 얻기 어려운 주요 프로그램 결과는 무엇인가?

적용 연습

1. 14장에서 사용한 활동지를 생각해보라. 그때 당신이 고려했던 정보 수집의 출처와 방법에 대해 다시 생각해보라. 각 평가 질문에 대해 답하기에 어떤 방법이 적합했는가?

2. 이 과정에 대한 동료 학생들의 반응을 인터뷰할 계획을 세워보라. 어떻게 그들의 요구를 충족시킬 것인가? 미래에 그들은 정보를 어떻게 사용할 것인가? 이러한 질문에 답하기 위한 질문을 만들어보라. 그리고 세 명의 학생을 개별적으로 인터뷰하라. 각 반응에서 어떠한 차이점이 드러나는가? 당신의 인터뷰 스타일이 변화했는가? 개선되었는가? 어떻게? 이 질문에 답하기 위해선 인터뷰가 최선의 방법인가? 조사나 포커스 그룹을 사용하는 것과 비교해보라. 어떠한 상황 속에서 당신은 각 방법을 사용하겠는가? 모두 충족했는가?

3. 당신의 직장을 생각해보라. 어떤 문서와 기록이 평가에 유용하게 쓰이는가? 문서와 기록은 어떻게 다른가? 두 정보 분야를 다루는 데 있어서 어떠한 문제점이 있는가?

4. 작은 그룹에서 당신의 대학교에 대한 학생들의 태도를 측정하는 설문지를 개발해보라. 우선, 질문들을 만들어라.(이는 작은 그룹으로 나누기 전인 큰 그룹을 대상으로 행해질 수 있거나 혹은 작은 그룹이 실행해보게 할 수 있다.) 그리고, 각 질문에 적절한 답안 항목을 구성해보라. 소개와 지시 문구를 작성해보라. 당신의 설문지를 다른 그룹에 예비 시험해보고 그들의 반응과 해석에 대해 토론해보라. 어떻게 당신의 설문지를 고칠 것인가? 정보를 얻기에 적절한 질문들이었는가? 그렇다면 그 이유가 무엇인가? 그렇지 않다면 그 이유가 무엇인가?

5. 어떤 정보 수집 방법을 사용하여 다음 질문에 답하겠는가?

   a. Smith High School의 교사들이 사용한 방법은 지난 가을 학기에 처음 시도한 수업 일수 줄이기 정책과 일치하는가?

   b. 새로운 읽기 교육과정이 2학년 학생들의 읽기 능력 향상에 도움을 주었는가? 그들은 읽기에 흥미가 생겼는가?

   c. Early Head Start의 아버지들과 관련하여 어떠한 형식의 영입 전략이 가장 효과적이었는가?

   d. 학부모, 학생, 교사, 상담가, 코치들과 같은 이해관계 집단들이 고등학교 일과를 아침 9시부터 오후 4시로 변경하는 것에 대해 서로 어떻게 생각하는가?

   e. Haley Middle School로 새로운 이민학생들이 전학 오는 것을 도울 수 있는 가장 효과적인 방법은 무엇인가?

관련 평가 기준

우리는 이 장의 내용과 관련되는 다음과 같은 평가 기준을 고려한다. 기준 전문은 부록 A에 수록하였다.

U2-이해관계자에 대한 관심

U4-가치의 명시성

U6-과정 및 결과의 유의미성

U8-결과 및 영향력에 대한 관심

F2-절차적 실용성

F3-상황적 실용성

F4-자원 활용성

P1-반응성 및 통합성

P3-참여자 권리와 존중

A1-결론 및 의사결정의 정당성

A2-정보의 타당성

A3-정보의 신뢰성

A4-프로그램 및 맥락 보고의 명확성

A5-정보 관리

A6-설계 및 분석의 충실성

A7-평가 논리의 명세성

A8-소통과 보고

사례 연구

이 장에서 우리는 정보 수집과 분석과 관련하여 다양한 이슈들을 다루었다. 우리는 독자의 특정 이해와 관련한 다른 여러 인터뷰들을 추천한다. 『Evaluation in Action』의 3장 (Henry), 5장(Fetterman), 8장(King), 11장(Conner), 13장(Wallis and Dukay)이다.

3장에서 Henry는 어떻게 그와 그의 집단이 학교 평가 카드를 만들기 위해 다양한 학교의 질적 요소를 골라냈는지에 대해 말해준다. 그들은 기존 자료를 이용했지만 그는 가치 있는 정보를 전달하고자 어떻게 그 자료들을 선택했는지에 대해 말한다. 그는 또한 Georgia 시민들에게 설문을 통해 그들이 학교에 대해 알고 싶어하는 것이 무엇인지를 알아냈다. 그리고 그는 학부모와 시민들 모두가 그 자료를 해석할 수 있도록 허가를 받아냈다.

5장에서 Fetterman은 교실에 대한 집중적인 관찰을 통해 Stanford Teacher Education Program에 나타난 교육의 질에 대해 측정하였다. 그와 그의 보조 조사원들은 참여하는 관찰자로서 모든 수업에 참석하고 사진과 인터넷 논의를 통해 정보를 교류하였다.

8장에서 King은 그녀가 학교구에서 특별교육 프로그램이 어떤지를 평가하기 위해 이해관계자들과 함께 일했음을 보여준다. King은 이해관계자들이 평가능력을 기르고 다양한 해석을 이해할 수 있도록 도와주는 역할을 했다.

11장에서 Conner는 이해관계자들을 이용하여 설문조사를 하고 그 진행에 관한 긍정적인 해석을 하였다. 그는 또한 29개의 다른 집단에 대한 관찰과 비공식적 인터뷰를 이용하여 결정과정에 대해 묘사하는 데 있어서 그와 그의 보조 조사원들이 어떠한 역할을 해야 하는지에 대해 토론하였다.

13장에서 Wallis와 Dukay는 기존의 심리학적 측정법과 신체적 측정법, 시험 성적, 기존 정보, 인터뷰, 포커스 그룹을 사용하여 탄자니아의 고아들에 대해 평가하였다. 인터뷰는 문화적 차이를 드러내는 데 큰 역할을 했다. 다른 문화에 대해 평가를 할 때 측정도구를 선택하고, 인터뷰 진행자를 훈련시키고, 인터뷰를 진행하고, 자료를 해석하고, 다른 문제들이 생겨나는 것에 대해 고려하기 시작했다.

추천 도서

Denzin, N. K., & Lincoln, Y. S. (2008). *Strategies of qualitative inquiry* (3rd ed.). Thousand Oaks, CA: Sage.

Dillman, D. A., Smuth, J., & Christian, L. M. (2009). *Internet, mail, and mixed-mode surveys: The tailored design method* (3rd ed.). Hoboken, NJ: John Wiley & Sons.

Krueger, R. A., & Casey, M. A. (2009). *Focus groups: A practical guide for applied research* (4th ed). Thousand Oaks, CA: Sage.

Patton, M. Q. (2001). *Qualitative research and evaluation methods* (3rd ed). Thousand Oaks, CA: Sage.

Stake, R. E. (1995). *The art of case stedy research*. Thousand Oaks, CA: Sage.

17

평가 결과 보고하기: 최대 사용과 이해

핵심 질문

1. 청중의 요구에 맞춰 평가의 결과를 보고할 때 중요한 고려사항에는 어떤 것이 있는가?
2. 이해관계자들에게 결과를 전하는 방법에는 무엇이 있는가?
3. 사용자에게 효과적이도록 평가 보고서를 어떻게 디자인할 수 있는가?
4. 구두 평가 보고서는 어떻게 구성되고 발표되어야 하는가?
5. 평가 보고서가 보급되는 다른 방법에는 무엇이 있는가?

앞의 두 개의 장에서, 우리는 평가 정보의 수집, 분석, 해석에 대해 논의했다. 당연히, 이러한 활동들은 그 자체로 끝나는 것이 아니라 평가 정보가 유용하게 쓰일 수 있는 중요한 수단들이다. 이러한 정보는 효과적으로 전달되지 않으면 효과적으로 쓰이기 어렵다. 보고하기는 아직 많은 평가자들이 깊게 생각하지 않는 부분이기도 하다.

지난 10년간 평가자들은 평가 보고 솜씨가 좋지 않다는 것을 깨달아왔다. 사실, 평가자들은 한 보고서의 질을 최대한 끌어올리기가 힘들다고 깨닫고, 보고서의 질이 이해관계자들, 프로그램, 정책에 영향을 끼친다는 점을 무시하고 있었다고 깨달았다. 생각이 깊은 평가자들은 그들의 결과가 어떻게 사용되었을 때 그것들이 유용하다고 확신을 줄 수 있는지 눈여겨보기 시작했다.

이 장에서, 우리는 각기 다른 청중에게 결과를 전달하는 다양한 방법을 살펴볼 것이다. 여기서 보고의 성격과 그 목적에 대한 고찰과 다양한 보고 방법에서의 선택, 특정 청중을 고려한 보고를 기획하는 법에 대해 알아볼 것이다. 우리는 이 논의를 서면 보고와 구두 발표의 최종판에 대한 논의로 끝낼 것이다.

평가 보고의 목적과 보고서

평가자들은 평가 보고를 마지막 단계로 생각하는 경향이 있다. 비록 우리가 이 장을 실전 안내서(Practical Guidelines)의 4부의 마지막 장에서 논의하긴 하지만, 평가자는 프로젝트 가 끝나기 전에 어떻게 평가를 잘 보고할지에 대한 고민을 시작해야 한다. 전통적으로, 평가자는 평가 보고 최종본을 서면으로 작성했다. 그리고 보고의 초점은 과정을 맺는 것으로 생각했다. 오늘날, 우리는 보고서도 이해와 학습에 관한 것이라고 생각한다. 평가 결과의 사용을 극대화하기 위해서 우리는 이해관계자들에 대해 줄곧 이야기해 왔으며, 그들에게 평가를 통해 우리가 얻는 것, 그들의 반응을 얻고, 무엇을 기대하는지에 대해 알려주는 역할을 수행해왔다. 보고는 의도하는 주요 사용자들이 의미 있는 대화에 참여해서 최종적인 결과가 놀랍지 않음을 의미한다. 대신에－그들과 우리의－학습 또한 함께 발생한다. 결과가 놀라운 것들은 잘 사용되지 않는다. 그들은 의도된 사용자들의 경험에 모순된다. 따라서 방법적으로 부적절하기 때문에 잊혀진다(Weiss & Bucuvalas, 1980b). 의도된 사용자들과 대화하면서 우리는 결론에 대한 그들의 반응을 통해 배우고 결과를 더욱 효과적으로 전달할 수 있는 미래의 대화에 대비한다. 만약 그들이 결과를 보고 놀란다면 그리고 우리가 결과에 확신을 가진다면, 우리는 왜 이런 결과가 놀라운 것이며 그들의 이해를 도울 수 있는 방법이 무엇일지에 대해 공부하게 될 것이다. 우리가 부가적인 자료를 더 구해야 할까? 결과 토론에 다른 사람들이 참여할 수 있도록 해야 할까? 더 구체적인 조사결과를 전달할까? 다양한 상황에서 프로젝트가 끝나 결과를 전달할 때까지 기다려라. 그러면 우리의 의도된 사용자들의 반응을 보지도, 그들이 결과를 사용하는 것을 극대화할 수 있는 방법을 고민하지 않아도 될 것이다. 비슷한 맥락에서, 결과의 발표를 늦추는 것이 의도된 사용자들이 조사결과에 대해 생각하거나, 평가자와 대화를 하거나, 혹은 결과의 타당성과 사용 가능성에 대해 생각할 시간을 주는 것은 아니다. 보고는 진행 중인 과정이며, 다양한 유형과 방법의 상호작용을 필요로 한다. 이는 궁극적으로 이해를 형성하고 사용할 수 있도록 한다. 이는 잦은 대화 없이는 발생할 수 없다.

우리는 1장에서 평가는 다양한 목적을 지니고 정보는 다양한 용도에 따라 재단될 수 있다고 배웠다. 예로, 형성평가 정보는 그들이 개발하거나 사용 중인 프로그램을 개선하고자 하는 사람들이 사용한다. 반면에 총괄평가 정보는 프로그램의 투자가 혹은 잠재적 고객이 프로그램의 성공과 실패를 예견하고 지속할지 여부를 결정하기 위해 사용한다.

그렇다면, 보고 또한 평가의 목적을 지닌다. 결과를 프로그램의 지속 혹은 확산을 결정하는 데 사용하려는 청중이 총괄평가를 사용하는 경우, 대화가 상대적으로 잦지 않다.

평가자는 최종 보고서를 제출하기 전에 기본 고객에게 서면 보고서를 주고 결과에 대한 평을 듣기 위해 구두 회의를 잡기 때문이다. 하지만, 형성평가에서는 평가자와 주요한 의도하는 사용자 간의 접촉이 잦다. 결과 보고를 위한 형식적 자리에서 평가자들은 의도하는 사용자들이 프로그램을 찾을 때마다 평가에 관해 이야기할 것이다.

총괄적이고 형성적인 목적 둘 다를 평가의 주요 범주로 고려하기 위해 평가자들은 결과의 다른 잠재적 목표에 대해 고민하고 그들의 보고 전략을 개발해야 한다. Henry와 Mark(2003), Preskill과 Torres(1998), Chelimsky(2001, 2006), Patton(2008a) 그리고 다른 사람들 모두 평가 조사결과들이 사용될 수 있는 방법의 범위에 대해 토론하였다. 그들이 밝힌 목적은 다음과 같다.

- 의무를 증명하기 위해
- 결정을 내리는 데 도움이 되기 위해
- 타인들의 주의집중을 얻기 위해 이슈를 끌어오기 위해(의제 설정)
- 이해관계자들의 이슈에 관한 그들의 의견을 정교화하거나 강화하는 것을 돕기 위해
- 다른 사람들의 행동을 촉구하기 위해
- 문제들을 탐구하고 조사하기 위해
- 프로그램 계획과 정책 개발에 이해관계자들을 포함시키기 위해
- 이슈에 대한 이해를 돕기 위해
- 태도를 바꾸기 위해
- 집단 간의 대화와 교류의 성격을 바꾸기 위해
- 정책에 영향을 주기 위해
- 평가를 통해 다른 방향의 사고를 할 수 있게 하기 위해

실제로, 평가 보고는 많은 목적을 지닌다. 하지만, 모든 목적의 중심에는-청중들에게 평가에 대해 알리고 그들이 결과를 이해하고 사용할 수 있도록 하는-메시지를 전달한다는 목적이 존재한다.

보고의 다른 방법

평가자들은 평가 보고에 사용할 수 있는 다른 방법들에 대해 넓게 생각해야 한다. 우리가 논의했듯, 보고의 방법은 청중에게 맞춰져야 한다. 청중의 관심을 얻고 그들의 이해를 도

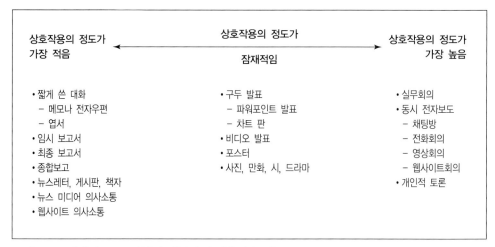

그림 17.1 전달과 보고 형식의 청중과의 상호작용 정도

출처: *Evaluation Strategies for Communicating and Reporting: Enhancing Learning in Organizations* by Torres, Preskill & Piontek. Copyright 2005 by Sage Publications. Reproduced with permission of Sage Publications.

와 사용할 수 있도록 자극하기 위한 가장 효과적인 방법은 다를 것이다. 가끔은 극단적으로 다를 것이다. Torres, Preskill, Piontek(2005)는 만약 결과가—청중이 그들의 반응을 공유하고 적극적으로 결과를 생각하는 등—더 상호작용하는 방법으로 전달되면 학습이 증가한다고 논쟁하였다. 그리고, 당연히, 평가자는 그들의 반응으로부터 배울 것이다. 그림 17.1에서 우리는 전달과 보고의 가능한 형식들의 목록을 보여준다. 이 목록은 상호작용 정도에 따라 분류되었다. 임시 보고서 혹은 최종 보고서처럼 전통적인 것이 많지만 청중에게 다가가는 데는 여전히 효과적이다. 어떤 것들은 자주 사용되었고 많은 청중들을 고려해야 한다. 그 예로 신문, 게시판 혹은 책자, 포스터, 그리고 웹사이트에 게시되는 비디오 발표가 있다. 이 목록은 또한 우리가 잘 사용하지 않았던 형식들을 강조하기도 한다. 예를 들면 개인적 토론, 전화회의 등이다. 마지막으로 사진, 만화, 시, 드라마를 사용하는 것은 특정 청중의 관심을 끌어 그들의 이해를 도울 수 있다.

평가 보고 기획에서 중요한 요소

목적에 부합하기 위해 평가 보고의 요소는 다음을 포함해야 한다.

- 정확도, 균형, 공정성
- 정보의 청중

- 언제 정보가 전달되어야 하며 언제가 최적의 시간인지
- 효과적인 전달 방법
- 글 쓰는 스타일
- 보고서의 외양
- 정보의 예민함
- 전달될 정보의 성격(긍정적, 부정적, 가치중립적)

우리는 여기서 각각의 주제에 대해 토론하고 이 장의 뒷부분에서 몇 가지는 더 자세히 다룰 것이다.

정확도, 균형, 공정성

평가 보고가 공정하고, 균형 있고, 정확해야 한다고 말하는 것은 너무나도 당연하다. 사실 진실을 파악하기는 어렵지만 평가자들은 수집되고 분석된 정보가 발표와 같은 상황에서 의도치 않게 왜곡되지 않았는지 살펴봐야 한다. 합동위원회(1994)가 말한 바에 따르면, "모든 행동, 공공 공지, 평가에 대한 서면보고서는 직접성, 개방성, 완결성이라는 요소에 부합해야 한다."(p. 190) 비슷한 맥락에서 평가자들은 그들의 편견에 조심하고 정보를 드러낼 때 그들의 영향을 최소한 줄여야 한다. 프로그램 감독이 예의가 없거나 평가자와 만날 수 없다고 가정해보라. 이러한 요소들이 판단을 흐리거나 평가 보고서의 글에 영향을 주면 안 된다. 당연히 프로그램 감독 또한 프로그램에 부정적 영향을 주는 사람들을 경계해야 한다. 보고에 있어서 공정성은 평가자의 전문성을 드러내는 척도이다.

마지막으로, 모든 이야기에는 두 가지 혹은 더 많은 관점이 있다. 균형 잡힌 방법으로 합법적인 의견들이 보고되는 것은 매우 중요하다. 어떠한 평가자들도 편견으로부터 자유롭지 않지만, 보고할 때마다 편견을 제어하려는 노력을 기울여야 한다. 합동위원회는 정확도에 대한 다음과 같은 기준을 제시하였다.

A8: 소통과 보고: 평가 소통은 적절한 범위에서 이루어져야 하며 잘못된 개념, 편견, 왜곡, 실수가 없도록 주의하여야 한다.

미국평가학회의 안내 원칙도 관련된 안내를 제공한다. 그들은 평가자는 :

A3: 평가의 접근, 방법, 한계를 정확하게 그리고 다른 사람들이 이해, 해석, 비판할 수 있도록 충분히 구체적으로 전달해야 한다.

C5: 평가의 절차, 자료, 조사자료들을 정확하게 드러내고 다른 사람이 잘못된 방법으

로 사용하지 못하게 해야 한다.

D4: 평가를 시행하고 그 결과를 이해관계자들의 위엄과 상응하는 방법으로 전달해야 한다.

E3: 이해관계자들의 접근을 가능케 하고, 정보와 현재 평가 결과를 사람들을 존중하고 비밀을 지켜줄 수 있는 이해 가능한 형태로 만들어 적극적으로 배포한다. (www.eval. org/Publications/GuidingPrinciples.asp 참조)

청중에 맞춘 보고

12장에서 우리는 많은 이해관계자들과 청중이 평가에 얼마나 중요한지 그리고 그에 부응하는 절차에 대해 알아보았다. 평가 보고에서도 청중에 대한 확실한 정의가 필요하다. 또한 청중들이 조사자료들에 대해 어떤 의문을 주로 제기하는지에 대해 아는 것도 중요하다. 청중을 설정하지 않고 평가 보고를 쓰는 것은 눈을 가리고 총을 쏘는 것과 같다. 그리고 총알의 속도처럼 빠르게 뛰는 황소의 눈을 그리려는 것과 같다. Lee와 Holly(1978)가 말했듯 "청중을 설정하라"는 명백하고 진부한 사실이지만, 자주 간과되던 부분이다. 그들은 평가 보고에 관련하여 일어나는 몇 가지 일반적인 실수들을 인용하였다.

대부분의 평가는 청중이 많다. 그들 모두를 확인하지 않는 것이 흔히 일어나는 실수이다. 무시당한 청중은 성마르고 상황에 원치 않게 흥분하곤 한다. 더 큰 실수는 특정 정보가 필요한데 받지 못한 청중은 주요 정보가 결여된 결정을 내릴 수도 있다는 것이다.

청중을 확인하는 데에 일어나는 또 다른 실수는 청중의 범위를 너무 넓게 혹은 좁게 설정하는 것이다. 사례로, 평가자는 특허 의회가 평가 청중이라 생각했는데 실제 청중은 의회회장인 경우가 있다. (그녀는 집단의 의견을 이끄는 장이며 의회의 행동을 결정하는 사람이다.) 따라서, 평가자의 노력의 대부분이 의회로 돌아가던 것에서 회장 한 명에게 평가 정보의 타당성과 실행 가능성을 설명하는 방법으로 방향을 틀어야 한다.(p. 2)

각기 다른 청중들은 정보를 요구하는 방법도 다르다. 정보를 얻는 사람들의 가치에 대한 지식은 평가자가 전달을 효과적으로 할 수 있게 도와준다. 모든 이해관계자들을 위해 우리는 청중 분석을 해야 한다고 생각한다. 그러한 분석은 각 청중이 어떻게 정보를 받아들이고 흥미를 가질지를 결정하게 해주고, 청중이 생각하는 가치와 정보들을 전달하기 좋은 형태와 수단으로 만드는 것을 의미한다.

예를 들어, 방법론적인 이해관계자들, 청중 혹은 동료 학자들은 완성, 정보 수집 절차의 구체적인 보고서, 분석 기술 등을 중시한다. 이는 전형적인 정책가, 관리자, 고객, 공공

이익단체에는 적용되지 않는다. 학교의 관리자나 병원 직원들도 평가 기술에 대한 글에는 관심이 없다. 이러한 청중들은 평가자의 기술적 정보를 이해할 필요가 없기 때문이다. 이러한 집단을 위한 보고는 이해 정보가 명확하게 전달되고 신뢰성을 줄 수 있도록 재단되어야 한다. 정보, 언어, 기술의 수준은 청중을 위한 것이어야 한다.

청중을 위한 보고 내용, 형식, 스타일. 그들의 다양한 배경, 관심, 선호, 동기들 때문에 평가 보고를 받고 사용하는 사람들은 각기 다른 것을 본다. 청중에 대한 작은 관찰과 대화를 통해 평가자는 각 집단이 관심 갖는 정보가 무엇인지 정할 수 있다. 이러한 행동은 청중 분석으로 시작한다. 모임이나 개인 교류에서 각 청중이 어떠한 관심을 가지는지 관찰하라.

비록 요구하는 정보가 평가마다 다르고 이해집단마다 다르지만, 일반적인 프로그램 관리자와 스태프들은 프로그램 실행의 구체적 사안들, 산출결과, 성과에 관심을 가진다. 그들은 프로그램에 대해 잘 알고 프로그램을 개선하고 싶어한다. 이해관계자들―같은 기관 내의 관리자들, 예를 들면 투자자 혹은 프로그램 관련 주제에 관해 투표할 외부 기관의 정책가―은 대개 정보의 성과가 미치는 영향에 관심을 둔다. 이러한 청중은 프로그램에 대한 고객, 부모 혹은 시민 만족도에도 관심이 많다. 마지막으로 중요한 이해관계자 집단은 프로그램의 성공에 관심이 있다. 하지만 일반적으로 프로그램을 전반적으로 보기보다는 덜 구체적으로 본다. 프로그램에 익숙하지 않거나 전체 집단(고객이나 학생의 가족들)은 프로그램의 간단한 설명에 관심을 지닌다.(이 영역에서 사진이 프로그램을 보여주는 데 유용하게 쓰일 수 있다.) 마지막으로, 위와 다르게, 비슷한 프로그램을 실행하거나 고객을 접대하는 청중들은 프로그램 설명이 프로그램 성과에 대한 정리와 함께 구체적이기를 원한다. 당연히 이러한 제안들은 일반적인 것이며 어떻게 청중들이 요구하는 정보와 관심이 다른지를 독자에게 알려주기 위한 것일 뿐이다.

특정 내용을 포함하는 것도 각 청중들에게 중요하다는 점에서, 평가자는 청중들이 평가 보고서를 해석하고 받아들일 모든 상황의 차이점을 계산하고 있어야 한다. 어떤 그룹은 특정 정보가 신뢰성 있고 유용하다고 느끼지만 다른 그룹은 같은 결과를 ("과학적" 증거를 갖췄더라도) 비웃을 수 있다. 학교 프로그램을 평가할 때, 학생들과 교사의 증명서가 몇몇 청중에게는 설득력 있는 정보지만, 다른 사람들에게는 학생의 시험점수의 통계표가 설득력 있을 수도 있다. 평가자는 다양한 청중들이 판단하는 데 사용하는 준거와 대상의 성공 혹은 실패를 결정하는 데 사용하는 기준을 고려해야 한다. 어떠한 수준의 성과를 각 집단은 성공이라고 여길까?

Torres, Preskill, Piontek(2005)는 청중마다 정보 전달 형태를 선택하는 방법과 정보 전달 전략이 다르다는 점에서 주요한 몇 가지에 대해 논의했다. 그 특성은 다음과 같다.

- 접근성
- 독해력
- 프로그램과 평가에 익숙함
- 프로그램에 대한 태도와 흥미 수준
- 결정과정에서의 역할
- 일반적인 검색과 평가에 익숙함
- 평가에 대한 태도와 흥미 수준
- 평가 조사자료를 이용한 경험(p. 7)

접근이 가장 쉬운 청중은 평가자가 자주 보고 가끔은 일대일로도 만나는 개인이나 집단이다. 내부 평가자 혹은 외부 평가자가 프로그램 가까이에서 일하다 보면, 프로그램의 관리자나 스태프들에게 쉽게 접근할 수 있다. 이러한 경우, 사적 대화나 근무회의는 잦은 대화의 중요한 자리가 된다. 상류층 고객 혹은 고객의 가족들과 같은 접근이 쉽지 않은 청중들은 다른 방법으로 접근할 필요가 있다. 평가자들은 학교기반 프로그램에 대한 평가를 한 후 학교 편지나 PTSA 혹은 학부모 집단과의 대화를 통해 조사결과를 학부모에게 전달할 수 있다. 자문의회 회원들은 고객들에게 평가와 결과의 정보를 배포하고 드러내는 데에 중요한 수로역할을 한다. 그들이 그렇게 할 수 있도록 독려하자. 그들에게 파워포인트나 요약본을 제공하여 그들의 집단에게 자발적으로 전달할 수 있도록 하자. 하지만 집단에 가장 좋은 방법으로 전달되는 방법이 그들의 대표자를 통해서일지 평가자를 통해서일지는 생각해 보아야 한다. 양쪽 모두 장점이 있지만, 내용에 따라, 그룹의 특성에 따라 대표자(얼마나 정확하게 결과를 추측하는가?)가 할지 평가자(얼마나 섬세하고 적절하게 결과를 전달하는가?)가 할지가 결정된다.

기술의 사용. 전자우편의 출현과 인터넷의 보급은 새로운 차원의 평가 보고 시대를 열었다. 대부분의 평가 보고가 기관의 웹사이트에 게시되고 이는 대중의 접근을 가능하게 한다. 하지만, 보고서는 청중의 마음에도 접근할 수 있어야 한다. 예로, 인터넷과 기술은 관심을 자극하고 이해를 도울 수 있는 (각기 길이와 주제가 다른) 프로그램 관련 사진과 영상을 사용하여 사용자들이 그들에게 관심을 열도록 할 수 있다.

오늘날 블로그, 트위터, 다른 SNS 수단은 정보 전달의 창의적인 수단이며 다른 사람과의 대화를 창조한다. 전자우편의 가장 큰 장점은 개인과 집단원 간의 빈번하고 일시적인 대화를 가능케 하는 것이었다. 이렇게 발달 중인 대화의 가능성과 유연성은 예비판과 최종판 보고서를 전달하던 일반적인 평가 보고뿐만 아니라 변칙적인 보고를 알리는 데에도 큰 역할을 하였다. 예를 들어, 평가자는 예비단계에서 얻은 조사자료와 결과를 그들의 반응을 빨리 얻을 수 있도록 작게 나눠서 고객들에게 전송할 수 있다. 따라서 고객은 어떻게 평가 결과가 사용될 수 있을지를 함께 생각할 수 있다. 또한 자문위원회 회원들, 평가팀 팀원 혹은 의도된 사용자들이 평가에 대한 정보를 공유할 수 있도록 검색엔진 사이트가 사용된다. David Fetterman(Fetterman, 2001; Fitzpatrick & Fetterman, 2000)은 정보를 공유하고, (노트, 사진, 양적 자료 등의) 평가 조사자료를 평가팀의 팀원들이 알 수 있도록, 그들의 활동, 논의, 해석과 관련한 대화를 팀원들과 할 수 있도록 인터넷을 사용하였다. 그는 평가 인터넷 사이트에 슬라이드 필름을 게시하여 그의 평가 조사자료를 이용하는 사람들이 연구의 상황과 맥락에 대해 알 수 있도록 하였다.

청중의 요구에 따라 보고서를 작성하는 데에 청중 스스로도 도울 수 있다. Patton(2008a)은 평가자가 형식, 형태, 보고 기관에 대해 사용자와 토론하고 협상한다면, 평가 자료가 더 많이 활용될 수 있다고 주장했다. Vrinkerhoff와 그의 동료(1983)는 청중 스스로가 필요한 정보가 무엇인지, 언제 필요한지, 그리고 유용하게 쓰일 시각자료들에 대해 알려 주어야 한다고 주장했다. 우리는 고객들과 (자료가 완성되기 전에) 모의 자료와 표를 공유하여 그들이 받게 될 정보에 대해 관심을 끌고 어떻게 차후에 발표될지를 알려준다. 고객들은 진행과정을 이해하기 시작하고 다른 가능한 형식들도 고민해 볼 수 있다.

이 장의 시작부분에서 보고는 진행 중인 전략이라고 말하였다. 오늘날, 많은 평가자들이 의도된 사용자 혹은 이해관계자와 함께 일을 하며, 진행 중인 대화를 통해 그들의 이해, 관심, 결과에 대한 주인의식을 키울 수 있다. 동시에, 평가자들은 이해관계자들을 통해 어떻게 그들과 비슷한 청중들에게 결과를 잘 전달할 수 있을지 배울 수 있다.

평가 보고의 적당한 시기

평가 보고의 목적이나 청중이 다양하기 때문에 이를 보고하는 적절한 시기도 다양하다. 형성평가 보고는 프로그램 실행 중에도 개선 사안을 프로그램 관리자들에게 알려야 하기 때문에 (총괄평가 보고처럼) 프로그램이 종료된 이후 보고되어서는 안 된다. 범위가 한정되고 아직 다듬어지지 않았지만 관련 결정을 내리기 전에 발표되는 평가 보고를 결과가 나온 이후 다듬어지고 종합적으로 정리된 보고서보다 선호하는 것이다. 초기에 경고를 주는 비형식적인 구두 보고는 형식적이지만 늦게 하는 보고서보다 선호된다. 시의적절성은 평가에서 중요한 요소이다.

평가 조사자료들의 일정을 정하는 것은 연구의 역할에 따라 정해져야 한다. 예를 들어, 일찍 보고하는 것은 총괄평가 보고보다는 형성평가 보고에 적절하다. 하지만 총괄평가 보고를 형식적이고 서면에 작성된 방법으로만 생각하면 이 또한 잘못된 생각이다. 실제로, 너무 형식적인 것은 평가 조사자료가 활용되기 어렵다. 평가의 청중들이 보고를 굳이 공부하듯 보려고 하지 않기 때문이다. 높은 수준의 관리자나 정책가는 종종 그들의 직원이나 보고서를 읽고 그들의 선호하는 특별한 메시지를 추출한 사람들에게서만 평가 결과를 듣는다. 자신들의 메시지가 관리자에게 잘 전달되기를 바라는 평가자들은 비형식적이고 서면상에 의존하지 않는 방식에 의존해야 한다. 예를 들면:

- 관리자가 요구하는 정보를 지니고 있고 제공할 수 있으며 항상 그 주위에 있어야 한다.
- 관리자가 믿고 의지하는 사람들과 이야기해야 한다.
- 예시, 이야기, 일화 등을 활용하여 간결하고 기억에 남게 해야 한다.
- 청중의 언어에 맞춰 자주, 간단히 이야기해야 한다.

이러한 제안들은 Cousins와 Leithwood가 그들의 보고서에서 평가 결과가 평가자와 의사결정자 사이에 진행 중인 의사소통과 또는 가까운 지역적 근접성에 의해 향상된다고 주장한 것과 비교할 수 있다.

예정된 중간 보고서. 평가를 기획하고 수행하는 과정에서, 평가자는 이해관계자를 만나 결과에 대해 토론하고 반응을 살필 수 있는 회의 날짜를 정해야 한다. 이해관계자들은 대개 그들의 관점에 맞는 조사결과를 이용한다는 사실을 기억하라(Weiss & Bucuvalas, 1980a). 조사결과가 잠재적 사용자의 관점 혹은 가치에 반한다면, 중간 조사자료들에 대해 이해관계자들과 지속적으로, 정기적으로 만나 논의하는 방법으로 최종 결과에 대비할 수 있다. 이러한 회의는 조사결과에 대한 그들의 인식을 살펴보고, 태도를 바꾸고, 평가와 평가자에 대한 그들의 신뢰를 높이고, 궁극적으로 평가의 영향을 극대화시킬 수 있게 한다.

보고는 평가(인터뷰의 마지막 날, 시험 정보 분석을 완료한 날) 혹은 프로그램(예산안이 끝날 무렵, 학기 혹은 프로그램이 끝날 무렵)에서, 고객 또는 이해관계자들과의 정규적 회의(PTSA 회의, 직원회의)에서 중대 시점에 발표될 수 있다. 내부 평가자는 언제 결과를 발표하는 것이 유용한지 알기 때문에 이점이 존재한다. 하지만 모든 평가자들은 이러한 상황에 대해 잘 알고 있어야 한다.

예정되지 않은 중간 보고서. 예정되지 않은 중간 보고서는 모든 요구사항을 사전에 갖출 수 없다. 중간 보고서가 예정되었더라도, 평가 정보가 공유되는 데는 추가적인 시간이 필요하다. 형성평가의 경우, 평가자는 주요 문제나 장애물에 대해 발견할 수 있다. 예로, 평가자는 연방 육류 감독관을 훈련하도록 고안된 실험적 프로그램에서 사용되는 비디오 화면이 너무 작아 셋째 줄 이후에 앉은 사람부터는 잘 보지 못할 수 있다는 것을 발견할 수 있다. 이는 몇 주나 후에 있을 다음 중간 보고까지 위해적 요소가 되며, 공중보건에 대한 실험 프로그램에서 새로운 세대의 육류 감독관이 배울 것이 별로 없다는 것이 놀랍지 않은 사실을 알려주게 될 것이다. 유능한 평가자는 갑자기 사건이 터지거나 예상하지 못한 사건이나 결과들이 나타날 때면 예정되지 않은 중간 보고서를 전달할 수 있다. 당연히, 평가 정보의 공유가 예정되지 않는다면, 형성평가는 제한적이 된다. 앞서 말했듯, 총괄평가자들은 관계자들이 그들의 결과를 사용하기를 바라며 비형식적이더라도 자주 평가 결과를 공유해 주기를 바란다.

최종 보고서. 최종 보고서는 너무 익숙하기 때문에 다음 몇 가지만 언급하겠다.

(1) 이것은 점점 늘어난다(예비 최종 보고서는 최종 보고서 후에 따라오는 이해관계자들의 평을 듣기 위해 발간된다).

(2) 고객의 요구에 따라 문서화되지 않는 것도 있다. 대부분의 고객들이 서면상의 최종 보고서를 여전히 요구하지만, 우리는 그 주제에 대해 이후 절을 할애한다.

전달과 설득의 전략

서면상의 평가 보고는 누가 썼느냐에 따라 다양하지만, 대부분은 공통점이 있다: 그 읽기 자료는 따분하고 지루하다. 사실, 평가 보고의 다양성은 쓰여진 정보를 지루하게 만드는 다양한 방법에 의해 제한적으로 보여진다. Mark Twain은 특정 책에 대해 익살스럽게 표현했다: "프린트물계의 클로로폼". 몇몇 사람들은 독자들의 흥미를 떨어뜨리는 디자인이 이렇게 끔찍하게 지루한 결과를 초래한다고 믿는다. 하지만 모든 평가 보고서가 끔찍한 것은 아니다. 흥미로우면서도 정보적이거나, 재미있으면서도 계몽적으로 보이거나, 종합적이면서도 마음을 사로잡는 보고서도 있다. 하지만 이는 보석들이 그렇듯이 드물다.

전달은 평가의 모든 단계에서 중요한 역할을 한다. 만약 평가의 기원이나 내용에 대해 잘 이해하고 싶고, 이해관계자들로부터 평가 질문과 비판을 끌어내고 싶고, 평가 계획과 관련해 고객들의 동의를 얻어내고 싶고, 평가 연구에 있어서 정치적, 대인적 부분에서 성과를 거두고 싶고, 정보 수집 과정에서 라포와 프로토콜을 유지하고 싶다면, 평가자에게 좋은 전달은 필수적이다. 그러한 전달의 질은 평가자의 메시지가 명쾌하게 아니면 혼동되게, 흥미롭게 아니면 지루하게, 건설적이게 아니면 적대적이게, 믿을 수 있게 아니면 믿을 수 없게 전달되었는지를 판단하게 해준다. 평가자들은 대부분의 이해관계자들에게―그들의 이해가 관련되거나 그들이 믿는―중요한 부분에 대한 정보를 제공한다. 따라서, 평가자는 사람들의 관점이나 스타일에 민감해지고, 어떠한 전달 방법이 흥미, 이해, 신념, 결과의 사용에 도움을 줄지 고민해야 한다.

넓은 범위에 걸쳐서 전달은 한 사람이 다른 사람에게 무언가를 알려주는 모든 단계를 일컫는다. (맞는 정보이더라도) 타인이 이해할 수 없게 정보를 발표하는 것은 전달의 나쁜 예이다. 통계학을 이해하지 못하는 청중에게 통계적 정리를 발표하는 것 또한 (전달이라고 할 수 없는) 나쁜 전달이다. 이는 통계학을 잘 아는 청중이 같은 정보를 잘 받아들였다고 해도 나쁜 전달이다. 청중들의 대부분이 상대적으로 교육받지 못한 이해관계자들이라서 단어나 읽기 능력이 현저하게 낮은데, 방대한 질적 정보를 산문으로 정리하는 것과 같은 어리석은 행동이다.

좋은 전달은 평가자가 이야기하듯 결과를 발표할 수 있도록 한다. House(1980)는 이렇게 말했다.

> 모든 평가는 일관성을 유지해야 한다. 최소한의 일관성은 평가가 이야기를 …
>
> 일반적으로 이야기를 하는 데에는 두 가지 방법이 있다. 하나는 평가자가 가치중립적 위치에 있는 것이다. 즉 과학적 관찰자가 되는 것이다. 이러한 경우, 이야기는 함축적이다. "난 분리된, 중립적 관찰자야. 나는 과학의 원리에 따라 측정하고, 성과를 발견할 거야." 대개 이야기는 '프로그램이 실행되고 이러이러한 결과를 초래했다.' 라고 말한다. 그러나 실제 설명은 대개 드물다. … 일반적 발표는 프로젝트와 그 목표, 처방 방법, 결과 혹은 영향, 결과를 설명하기 위해 이루어진다.
>
> 두 번째 방법은 화자의 '목소리' 처럼 평가자가 프로그램의 가까이에 서있는 것이다. 그리고 구체적으로 사건을 설명하며 이야기를 한다. 이때 평가자는 감정적으로 고조된 언어를 사용하거나 독백 발표를 하는 경우도 있다. 이야기는 보고서처럼 느껴질 것이다.
>
> (p. 102-103)

이야기하듯 평가를 보고하는 것은 매우 중요하다. 어떠한 이야기 방법을 사용하여 전달할지를 생각하면 청중들을 잘 설득할 수 있다. 몇몇 청중들은 무미건조하고 전문적인 발표에 익숙하다. 그리고 정보의 신뢰성에 결함이 되는 부분을 찾기 위해 집중한다. 당연히 많은 사람들은 나중에 나온 서술적인 이야기가 더 매력적이며, 그들의 관심을 끌고 이해도를 높인다고 생각한다. 어떠한 방법을 쓰더라도, 평가자들은 어떤 메시지를 전달하고, 청중들이 그를 통해 무엇을 얻고, 어떤 방법으로 정보를 전달하여 청중을 집중시킬지 그리고 결과적으로 어떤 점을 배워 가게 할지 고민해야 한다.

기술적 작성 유형

진부하고, 불필요한 군더더기가 많고, 간결하지 않은, 불편하고 이상한 표현을 쓴 글을 읽는 것만큼 지루한 것은 없다. (우리가 무슨 말을 하는지 알겠는가?) 이는 간단히 "복잡한 글을 읽는 것만큼 지루한 것은 없다."라고 이야기하면 되는 것이다.

우리는 평가 보고의 작성 방법을 개선할 몇 가지 방안을 제시한다.

- **특수용어 사용을 피하라.** 하지만 만약 사용자가 특정 용어를 사용한다면, 간결성과 신뢰성을 위해 특수용어를 사용하는 것이 필요하다.
- **간단하고, 직접적인 언어를 사용하라.** 언어 사용 수준은 청중의 수준에 맞춰져 있어야 한다. 횡설수설하지 마라.
- **예시, 일화, 그림을 사용하라.** 백문이 불여일견이다. 그러나 왜 우리가 이 책에 그림을 쓰지 않느냐고 묻지는 마라.
- **정확한 문법과 구두법을 사용하라.** 어느 나라에서 보고서가 사용되느냐에 따라 단어 선택이 달라질 수 있다.
- **지루하지 않은, 흥미로운 말을 사용하라.**

보고서의 외형

우리가 "평가 보고"라는 단어를 들었을 때 제일 처음 머리에 떠오르는 단어는 무엇일까? 이에 대한 열린 답안 조사를 진행하면 재미있을 것이다. 우리는 어떤 응답이 제일 많이 나올지 추측할 수는 없지만 만약 "매력적이다" "멋있다" 혹은 "시각적으로 멋있다"라는 말이 나온다면 기쁠 것이다. 역사적으로 미적인 것을 고려하는 것도 국세청이 동정을 해주는 것만큼 평가자들 사이에서 흔하지 않은 것이었다. 대부분의 평가자들은 보고서가 무엇을 말하는지에만 신경을 쓰지, 어떻게 메시지를 매력적으로 보이게 전달할지를 신경 쓰지는 못한다.

하지만 외형은 어떻게 문서를 사람들이 읽어줄지에 영향을 준다. 시장 분석가와 광고 전문가들은 평가 자료가 사용되기 바라는 평가자들에게 유용한 정보를 줄 수 있다(예를 들면 평균적으로 관리자가 수신함의 편지들을 휴지통으로 버리는 데에 얼마나 시간이 걸릴까 혹은 긴 편지나 첨부 파일을 버리는 데에 얼마나 걸릴까와 같은).

10년 전에는 많은 평가자들이 겉만 번지르르한 광고기법을 사용하였다. 오늘날 대부분의 평가자들은 내용만큼이나 보고서의 외형에 신경을 쓴다. 많은 평가자들이 대중을 위해 자주 고품질의 책자나 평가 보고서를 만들어낸다. 시장, 광고미학, 출판 분야에 대한 많은 지식이 평가 보고서를 시각적으로 아름답고 읽기 쉬워 보이게 만들어주고 있다.

전문적인 출판 기관은 책자나 보고서를 인쇄할 때 출판, 제본, 표지, 색깔 등에 대한 정보를 제공하기도 한다. 학술적 인쇄물처럼 만들려고 하지 마라! 당신의 청중은 학자가 아니다! (당신의 평가에 대한 저널출판 때 위의 방법을 활용하라. 전문가인 청중들을 상대로 할 때는 위의 방법을 써야 한다.) 대신에, 여백과 제목, 글자체, 사이즈 등을 자유롭게 사용하여 보고서가 전문적이며—독자들이 특정 파트나 정보를 골라 읽을 수 있을 정도로—깔끔하게 정리된 인상을 줄 수 있도록 하라. 컴퓨터 소프트웨어에 있는 수많은 기술들이 표와 차트를 매력적이고 예쁘게 만들 수 있도록 도와준다. 다양한 "그림판" 프로그램과 같은 전자 출판 소프트웨어와 경제적인 컬러 프린트기 덕분에 평가자는 더 이상 지루하고 진부한 보고서를 만들지 않아도 된다.

평가 보고서에 사용되는 시각적 전시는 이야기를 들려주는(혹은 보여주는) 데에 유용하다. 사진, 만화, 그림들을 사용하여 프로그램의 활동과 개념을 설명하라. 색깔의 사용에 따라 평가 보고서가 더 매력적이고 기능적으로 보일 수도 있다. 사업 기획서 요약이 평가 보고서의 제일 첫 장에 나오면, 그것은 색지에 인쇄하라. 그것은 시각적으로도 매력적일 뿐 아니라 요약에 관심을 끌어 독자들이 뒤에 잘 이해할 수 있도록 도와준다. 부록도 다른 색지를 사용하여 인쇄하라. 그러면 찾기 쉬울 뿐 아니라, 흰 종이들 사이에 색지가 보이면서 시각적으로 예쁘다. 그래픽 디자이너 혹은 웹 디자이너를 고용하여 보고서의 표지, 별도의 사업 기획서 요약본 혹은 책자를 만들어라. 사실 모든 평가 보고서에 보험을 들거나 표지를 준비할 필요는 없다. 형성평가 연구와 몇몇 총괄평가 경우 타이핑된 표지가 큰 효과를 보여주겠지만, 더 매력적인 보고서의 표지는 독자를 유혹하고 평가자가 보고서에 포함한 정보들이 전문적으로 발표될 만한 가치가 있는 것처럼 보이게 한다.

평가 결과 보고에서의 인간과 인간적인 고민

많은 평가자들은 메시지가 미칠 효과를 잊고 발표를 할까봐 걱정한다. 만약 미국 해안경

비병의 신입훈련 교육과정을 계획이 잘못되었으며 부적절하게 시행하는 것이라고 평가한다면, 교육과정을 설계하고 프로그램을 시행한 훈련가들의 자존심(혹은 전문가의 명성)에 큰 상처가 남을 것이다. 이는 감정을 위해 진실을 숨기라는 뜻이 아니라 조심스럽고 민감하게, 최대한 전문적으로 전달해야 한다는 점을 시사한다. 평가가 영향을 미칠 사람들의 인권과 감정을 보호해야 한다는 점은 이상적으로 명백하다. 더 나아가 실용적인 이유도 있다. 예를 들어, 많은 평가에서 결과에 대해 프로그램을 기획하거나 운영 중인 사람들에게 책임을 묻기도 한다. 자녀가 못생겼다고 부모에게 말할 수 있는 사람이 없듯 평가자들도 운영자나 직원에게 당신이 3년이라는 시간을 투자해 온 이 프로그램이 소용없는 것이라고 말할 수 없다. 당연하게도, 프로그램 시행자들은 평가와 평가자들을 깎아 내리는 태도를 보인다. 사용에 대한 메시지는 돌이킬 수 없이 사라질 수 있다.

평가자들은 평가에 관련된 모두의 인권과 감정을 지키기 위해 올바른 노력을 해야 한다. 평가자들은 가공되지 않은 기술적 사실 그대로를 감정을 건드리지 않게 말해야 한다. 다음 절에서 우리는 (1) 부정적 메시지를 전달하는 법, (2) 최종본이 나오기 전에 초안을 볼 수 있는(그리고 수정본을 제안할 수 있는) 사람들에 대해 알아볼 것이다.

부정적 메시지를 전달하는 법

과거에 왕에게 소식을 전달하던 메신저는 위험 속에서 살았다. 만약 소식이 나쁜 것이면 그들은 혀 또는 머리가 잘릴 수도 있었다. 오늘날 나쁜 평가를 들어야 하는 사람들도 (예의 바른 것 같긴 해도) 포악하긴 마찬가지이다.

때때로 평가 고객(혹은 평가에 참여한 사람들)은 어떠한 비판이나 결함에 대해 민감하여 부정적 자료가 보고될 때마다 반응 또한 방어적이다. 하지만 우리는 방어적 반응이 부정적 결과를 전달하는 방법 때문에 나타나기도 하는 것을 발견하였다.

평가자들은 프로그램의 강점을 설명하면서 시작하는 것이 좋다. (보고서에서 어떠한 장점을 찾을 수 없다는 사람들은 생각이 깊은 사람들이 아니다. 최악의 프로그램이더라도 그들의 노력이나 헌신 또는 수고에 대해 한마디해 줄 수 있다.) 우리는 또한 Van Mond-frans(1985)가 제안한 다음과 같은 단계를 통해 평가에 관련된 사람들이 쓴 약도 삼킬 수 있기를 바란다.

1. 평가의 주 사건에 대해 평하거나 예상되는 점에 대해 구두로 보고를 할 때에는 부정적 정보가 최대한 좋아 보이게 전달되어야 한다. 고객과 상대적으로 친근감이 드는 구두 보고의 경우 고객은 더 쉽게 부정적 정보를 받아들인다.

2. 부정적 정보를 담고 있는 예비보고서는 최대한 긍정적으로 보이면서도 사실적 방법으로 기술되어야 한다. 가끔 예비보고서가 논의된 이후 개인적으로 방문하거나 정보가 불공정하다고 찾아와 수정을 요구하는 고객들이 있다. 만약 예비보고서에서 수정이 필요하다면 그들은 부정적 정보를 모호하게 명시하거나 오해의 소지가 없도록 해야 한다. 하지만, 부정적 정보에 대해 토론할 때 고객은 당시 예비보고서가 쓰일 당시에는 나타나지 않았던 정보를 가져와 따질 수도 있다. 이러한 다른 정보들은 최종보고서에 부정적 정보와 함께 명시되어 해석을 돕도록 해야 할 것이다.

3. 부정적 정보가 포함된 최종보고서는 정확하게 전부 발표되어야 한다. 고객은 부정적 정보를 여러 번 검토한 후에야 받아들일 준비를 하고 다른 관련된 정보를 찾아 평가자에게 전달할 수 있다. 평가자는 다른 정보들도 검토해보고 그들을 보고서에 포함시켜 부정적 정보를 해석하는 데에 도움을 줄 수 있다(p. 3-4).

Benkofske(1994)는 이해관계자들이 프로그램의 실적에 대한 부정적 정보를 받아들일 수 있도록 하는 방법을 제시했다. 그녀는 부정적 정보가 질적 정보에서 증류되는 것을 중요시한다. 그녀는 대부분의 고객들이 질적 정보의 장점에 대해 많이 알지만 그들의 프로그램에 이를 적용하는 것은 달가워하지 않는다는 것을 발견했다. 따라서 그녀는 논의의 초반부에 고객이 참여할 수 있도록 하여 질적 정보가 부정적으로 작용하면 어떻게 될지에 대해 논의했다. 그녀는 이렇게 말했다.

고객들은 모두 그들의 프로그램에는 질적 연구가 필요하다고 생각한다. 하지만 나는 질적 연구가 긍정적인 결과를 보이지 않을 경우, 이해관계자들이 평가결과에 대해 준비해야 한다는 점을 발견했다. 이는 질적 연구에 종사하는 나의 개인적 경험으로, 프로그램의 문제점에 대해 자세하게 적힌 종이들을 보는 것은 지옥과도 같다. 질적 자료들이 긍정적 결과를 나타내는 경우 "얼굴에 화색이 도는" 반면에, 부정적인 경우 상처를 준다.

그렇다면 부정적 조사자료가 나올 것을 대비해 고객에게 준비시킬 것은 무엇인가?

1. 실망스러운 조사자료를 시작부터 고객에게 줘라. 회의의 시작부분에, 모든 평가는 성공과 실패 모두를 본다는 점을 강조하라. 기준치만큼의 목적을 달성하는 프로그램은 소수이다. 주요 이해관계자들에게 이 점을 자주 상기시켜라.

2. 주요 이해관계자들이 부정적 조사결과에 대해 빨리 알도록 하라. 평가자들은 놀랍거나 전형적인 부정적 자료를 찾는 즉시 주요 이해관계자들에게 말해야 한다. 예를 들

면, "몇몇 인터뷰를 하다가 놀랐습니다. 사람들은 우리가 생각한 직업을 찾는 것이 아니었습니다."

그리고 그들의 반응을 살펴라. 그런 다음, 개별로 혹은 집단으로 이해관계자들과 실무 회의에서 결과에 대해 토론하라. 그들이 어떻게 해석하는지를 보고, 괜찮다면 잠재적 방안에 대해 토론하라.

3. 정보의 정확성에 대한 주요 이해관계자들의 걱정 혹은 의문점에 대해 경청하라. 자료, 방법론, 혹은 해석들이 의문시될 때, 평가자들은 이러한 의문점을 청중들이 평가의 결과를 받아들일 때처럼 심각하게 받아들여야 한다. 평가자는 이전 단계로 돌아가서 자료를 다른 방법으로 혹은 다른 출처로부터 추가 자료를 수집하여 타당성을 높이고 다른 출처의 자료들과 균형을 맞추도록 해야 한다. 이러한 행동은 평가와 평가자에 대한 신뢰를 얻는다. 평가자는 고객들이 따라해 주기를 원하는 롤 모델을 제공할 수 있다: 질문하고, 진실을 추구하며, 실패에 개방적이고, 배우고자 하며 개선 방안을 찾는 사람들을 원한다.

4. 실망스러운 결과로부터 생긴 행동을 생각하라. 고객이 부정적 자료를 받아들일 때, 평가자들은 다른 사람들에게 구두로 혹은 최종 보고서로 어떻게 알릴지에 대한 논의를 시작해야 한다. 목적이 형성에 있다면, 그 문제를 어떻게 고쳐 나갈지에 대해서도 생각해 보아야 한다. 살펴보았듯이, 모든 정보가 모든 청중에게 가는 것은 아니다. 따라서 몇몇 부정적 정보 혹은 그 구체적 사실들은 한정된 청중들만 알 수도 있다.

5. 고객들이 검토하고, 새로운 제안을 하고, 다른 사람들에게 부정적 자료들을 알릴 수 있도록 하라. 평가자들은 보고서의 정확성을 지키면서도 이러한 정보를 어떤 방식으로 전달하여 결과의 사용을 증가시킬 수 있을지 고민해야 한다. 만약 의도된 사용자들이 고객이며 그들이 조사자료와 변화를 위한 제안에 책임지는 사람들이라면, 어떤 방법으로 알릴지를 고민하는 것은 맞는 선택이다. 만약 의도된 사용자가 다른 청중일 경우―깊이 관여되지 않은 사람들―평가자들은 앞서 논의한 대로 조사자료들을 전달하려고 해야 한다.

보고서 검토를 위한 기회 제공. 아주 거만한 평가자만이 그들의 작업과 보고서가 완벽하며 공정하다고 생각할 것이다. 아주 작은 사실적 오류도 판결과 결론에 있어서 큰 오류를 일으킬 수 있다. 해석과정에서 평가자가 정확하게 알지 못한 사실들을 간과할 수도 있기 때문이다. 또한 평가자의 편견은 평가자의 눈에 띄지 않게 평가 서술에 녹아들어 있을 수 있다.

이러한 이유들 때문에, 우리는 평가자가 평가 보고서를 고객 혹은 주요 이해관계자들과 돌려보고 조언을 얻어 그들이 문제 삼는(혹은 어디가 적당한지) 단어, 사실, 혹은 실수들을 찾아내도록 한다.

검토자들은 오류로 보이는 것들을 찾을 뿐만 아니라 대체할 수 있는 사실이나 그들의 해석을 제안해야 한다. 검토자들은 (보고서를 고객이 원하는 방향대로 쓰라는 의도가 아니기 때문에) 평가자들이 검토자들의 제안을 들을 의무가 없다는 것을 안다. 하지만 이러한 제안은 고민해볼 가치가 있다. 평가자들은 제안을 무시할 권한도 있고 근거가 있는 경우만 받아들일 수도 있다.(이러한 논제—최종보고서를 작성하는 데에 대한 평가자의 권리, 이해관계자나 고객의 참견 권리—는 평가의 계약 단계에서 앞서 정리되었다.)

예비 보고서를 돌려보는 것은 보고서를 신중히 읽는 사람이 늘어난다는 뜻이며, 보고서의 정확도에 책임을 공유하는 사람들이 늘어난다는 것이다. 어떤 이들은 초안을 사용하면 최종보고서에 대한 관심이 떨어지리라 걱정한다. 예비보고서를 읽은 주요 인사들이 최종보고서를 읽지 않을 확률은 매우 희박하다. 우리가 언급했듯, 최종보고서는 예비보고서를 읽은 사람에게 놀랍지 않다. 그들은 이미 정보를 알고 있고 구체적 사실들에 대해서 잘 알기 때문이다.

만약 평가자가 보고서에 대한 수정 제안을 거부한다면, 수정을 제안한 검토자가 보고서의 불확실성, 불공정, 실수를 자꾸 주장한다면 어떻게 할까? 간단하다. 검토자를 초대해 반대 의견서와 같은 글을 쓰며 생각을 나누어라. 우리는 검토자들이 반박, 소송, 반대의견을 제시하는 것을 문제 삼지 않는다. 만약 평가자의 자료 수집, 분석, 해석, 판단 그리고 결론이 굳건하다면, 평가자들은 이러한 비난에도 흔들리지 않는다. 만약 평가자들이 불안하고 이러한 도전을 견디지 못한다면, 그들은 도전받아 마땅하다.

서면 보고서의 주요 요소

아무도 모든 서면 보고서에 들어맞는 최상의 틀을 정하지 못했다. 평가는 규정하기에는 너무 많은 역할, 목표, 내용을 담고 있다. 각각 특이점과 이상한 점을 지니고 있으며 보고는 그러한 특성에 맞춰서 작성되어야 한다.

이미 (거의 모든 형식적, 최종 평가 보고서와 임시보고서들과 같은) 대부분의 서면 평가에 꼭 들어가야 할 항목들은 정해져 있다. 이러한 항목들은 잘 작성된 서면 평가 보고서의 핵심이 된다.

우리는 외부 청중을 위한 형식적 보고서의 형태에 신경을 써야 한다고 생각한다. 우리는 다음과 같은 개요를 다른 상황에도 적용할 수 있다고 생각한다. 하지만 평가자들이 서면 평가 보고서를 준비하여 만든 경험적 체크리스트를 함께 보기 바란다.

서면의, 종합적인, 기술적 평가 보고서는 전형적으로 다음과 같은 목록을 포함할 것이다.

I. (경영) 종합보고

II. 보고서 소개

    a. 평가의 목적

    b. 평가 보고의 청중

    c. 평가의 한계

    d. 보고 내용의 개요

III. 평가의 초점

    a. 평가 대상의 설명

    b. 연구에 관련된 평가 질문들

    c. 평가 완료를 위해 필요했던 정보

IV. 평가 계획과 절차에 대한 간단한 개요

V. 평과 결과 발표

    a. 평과 조사자료들의 요약

    b. 평가 조사자료들에 대한 해석

VI. 결론과 추천방안

    a. 평가 대상을 판단하는 데 사용한 준거와 기준

    b. 평가 목적에 대한 판단(강점과 약점)

    c. 추천방안

VII. 반대 의견 또는 응답(만약 있다면)

VIII. 부록

    a. 평가 계획/설계, 도구, 그리고 자료 분석과 해석

    b. 자세한 도표 혹은 양적 정보의 분석, 질적 정보에 대한 요약이나 기록

    c. 그 외 정보들, 필요한 만큼

각 부분에 대한 간단한 논의는 다음과 같다.

종합보고

기관이 많은 평가 보고서들을 거대하게 만든다. 이는 주입식인 구체적 보고서로부터 벗어나 왜, 그리고 어떻게 연구가 진행되었는지, 어떤 정보가 중요한지를 바쁜 독자들이 찾도록 한다. 가끔씩 필수 정보의 간단한 요약이 결과 발표와 부록 사이 어딘가에 끼워져 있지만, 독자들은 중요한 정보들을 놓쳐버린다.

대부분의 평가 청중들은 틀에 박힌 정보나 서술로 가득한 두꺼운 보고서를 읽을 시간이나 에너지가 없다. 따라서 간단한 종합보고(executive summary)를 통해 이를 해결할 수 있다.

보고서 속의 종합보고. 대부분의 평가 연구에서, 종합보고는 보고서 자체에 들어있는 것이 제일 좋다. 제일 앞에 위치하여 보고서를 열면 바쁜 관리자나 제공자가 쉽게 볼 수 있는 것이 좋다. 우리는 또한 종합보고서가 다른 색지에 인쇄되어 관심을 끄는 것도 제안한다. 요약은 두 장에서 네 장 정도의 분량으로, 이는 평가의 범위나 복잡성과 관련된다. 또한 아주 간단하게 연구의 목적을 설명하고, 어떻게 정보를 수집했는지(예로 "자료는 각 기관 직원들에게 우편설문하고 기관 관리자들에게 포커스 그룹 인터뷰를 진행하여 수집했다.) 알려줌으로써, 요약은 아주 중요한 조사자료, 판단, 그리고—아마도 질문과 답변 형태이거나 중요한 자료와 방안은 순서 매겨진—추천방안들을 보여준다. 만약 평가 보고서가 크다면, 앞서 말한 부분들을 포함하는 종합보고를 개별적으로 나눠주는 것도 경제적이다.

초록. 많은 평가 청중은 종합보고를 한두 장의 초록으로 축약해서 근거 문서들을 뺀 채 주요 자료들과 방안만 포함하길 원한다. 이러한 기획서는 대규모의 입법부, 학부모, 시민, 단체장들, 전문협회의 직원들에게 평가 결과를 전달하기에는 유용하다.

한 저자는 논란이 되는 프로그램에 대해 주 대상의 평가를 진행할 때, 밀접하게 관련된 3개의 평가 보고서를 준비했다: (1) 초기 개요형태에 맞춰 수집한 정보들을 포함한 크고 구체적인 기술 보고서, (2) 주요 해석과 판단을 요약한 중간 크기의 요약, (3) 연구 목적, 자료, 결론을 포함한 종합보고. 이 세 보고서의 존재는 신문과 텔레비전을 통해 널리 알려졌다. 어느 쪽이 강세인지는 복사하는 사람들의 수와 이 복사본들의 저장소의 한 곳만 둘러봐도 알 수 있었다. 400명에 이르는 개인들이 종합보고를 읽었고, 40명이 중간 수준의 해석적인 보고서를 읽었고, 오직 한 명만이 완결된 보고서를 읽었다(그리고 그는 평가의 반대자들이 오류를 발견하기 위해 고용한 방법론 전문가였다). 이러한 결과가 보여주듯 보고서는 짧을수록 널리 배포된다.

보고서 개관

보고서의 저명한 위치에도 불구하고, 종합보고는 간단한 초록일 뿐 개관서는 아니다. 적절한 개관은 보고서를 읽는 사람들에게 개요와 기본 목적을 알려주어 청중이 받아들일 수 있게 한다. 예를 들어, 교사를 위한 수행평가와 새로운 방식에 대해 조언할 수 있는 예산 분석가에게 정보를 제공하는 것을 목표로 하는가 아니면 현장 조사로 Mid-City의 교사평가 프로그램의 수행을 기록하기 위함인가? 청중이 주립 교육부의 프로그램을 개발하는 주 입법기관의 사람들인가? 아니면 프로그램을 실행하는 각 학교의 행정가와 직원들인가? 아니면 그냥 Mid-City 직원인가?

보고서가 전반적인 평가의 이유를 포함하면 사람들은 보고서를 믿는다. 평가 이유는 다음과 같은 질문을 설명할 수 있어야 한다: 왜 평가를 실행하는가? 평가가 얻고자 하는 의도가 무엇인가? 어떤 질문들이 나왔는가? 왜 평가가 이 방법으로 진행되었는가? 이러한 정보가 제공되고 나면, 청중은 이 보고서가 각 질문이 잘 대답되고 쓰여진 믿을 수 있는 것인지 결정해야 한다.

개관은 또한 독자가 정보의 수집, 분석, 혹은 해석에 영향을 미친 한계점에도 주의할 수 있도록 하는 논리적 부분이다. 이러한 한계는 여기서 개방되어야 한다(아니면 후반부의 평가의 절차에도 나와야 한다). 비슷하게, 보고서의 시작부분에(서론 혹은 제목 페이지에서) 포기각서를 명시하여 평가가 무엇인지를 확실히 적어서, 고객과 평가자 모두를 오해로부터 나오는 비판으로부터 보호해야 한다.

간단한 독자 안내서를 제공하는 것도 유용하다. 주요 주제를 나열한 표도 유용하다. 독자의 안내서는 각 주제가 어떻게 구성되었는지 설명해줄 것이다.

평가의 초점

이 부분에서는 평가될 프로그램을 설명하고 평가가 대답할 질문들을 보여준다. 프로그램 전체를 설명하는 것은 12장에서 설명했듯이 드문 일이다. 익숙하지 않은 사람들을 위해 짧게 프로그램을 설명하는 경우가 많다. 이 부분에서는 프로그램의 간단한 역사(언제, 왜 시작되었고 누가 시작했는지), 논리적 모델과 프로그램의 이론을 각각 주요 부분에 대해 논의하는 방안으로 설명할 것이다. 또한 프로그램의 목적과 의도한 성과, 프로그램 직원 구성의 설명, 고객들의 수와 그들의 특성, 그리고 또 다른 내용적 논제들, 예를 들어 장소, 법안 혹은 규제 등이 있다. 이 설명 요소들 중 몇 가지(논리적 모델, 프로그램 이론, 직원 설명 등)는 이 부분에서 설명하기에는 너무 구체적이기 때문에 부록에 포함될 수 있다 .

평가 초점에 사용된 평가 질문을 초반부에 나열하는 것도 중요하다. 만약 차별적인 우선권이 질문에 할당된다면 이에 대한 과정이 설명되어야 한다.

마지막으로, 평가가 수집, 분석, 보고하려고 했던 정보들의 개요의 세부항목들을 포함하는 것도 중요하다. 이러한 목록은 다음 부분이 필요한 이유를 설명해준다.

평가 계획과 절차에 대한 간단한 개요

평가 보고서들은 구체적인 평가 계획, 정보 수집 도구, 그리고 분석하고 해석하는 데 사용한 방법과 기술을 다 포함해야 한다. 하지만 이는 보고서의 본론에 포함될 필요는 없다. 평가 수행 초기에, 모든 구체적 사안들을 이 세션에 포함한다. 10년 혹은 20년 후에는 구체적인 절차가 (그리고 도구들까지) 부록에 필요하다면, 요약해서 이 부분에 수록하는 것도 충분하다. 그리고 10년이 더 지난 후에는 모든 설계, 도구, 정보 수집, 분석 절차들을 부록으로 옮긴다. 이 부분에서는 일반적으로 어디서 정보를 수집했고 어떻게 얻었는지에 대해서만 이야기한다. 보고서의 독자들 중 구체적인 것을 원한다면 부록을 참고하면 된다.

평과 결과 발표

이 부분에서는 평가의 결과와 뒤따라오는 결과의 출처, 추천방안을 완결된 요약, 표, 전시, 적절한 인용을 사용해 보여준다. 또한 부록에서 구체적인 정보 요약과 기록을 참조할 수도 있다. 몇몇 청중들은 너무 통계적인 정보(요인 분석, 다중 회기, 그리고 대부분의 비기술적인 청중들이 기피하는)에 지친다. 하지만, 많은 정책가, 운영자, 그리고 그래프나 차트에 호의적인 응답자들은 자신들이 이해하는 대로 스스로 요약할 수 있다(Alkin Stecher, & Geiger, 1982; Henry, 1997). Henry(1997)는 그래프를 효과적으로 표현하는 방법에 대한 책을 내기도 하였다.

숫자가 프로그램을 표현하는 데 실패하면 이는 다른 부분에도 영향을 준다는 점을 명심하라. 고객 혹은 기관 직원과의 인터뷰, 프로그램 활동 사진, 개별 학생 혹은 서비스 사용자들과의 소규모 연구 혹은 이야기 등은 독자가 화제에 대해 깊게 이해하는 데 효과적이다. (Fischer와 Wertz[2002]에서 정책가들에게 범죄 희생자와 재활 시설에 대해 알리기 위해 네 가지 형식으로 연구를 진행한 부분을 찾아보라.)

결과에 대한 해석은 그것의 발표만큼이나 중요하다. 평가는 평가자의 인식과 해석 능력에 달려있다. 정보를 해석하는 것은 비공식적이거나 격식이 없어서는 안 된다. 오히려 신중한 절차에 따라 평가자는 모든 내용을 공개적으로 자세히 나열하고 특정 판단과 추천방안에 다다를 수 있도록 해야 한다.

많은 평가 보고서를 불안하게 만드는 결점 중 하나는 제기한 평가 의문에 관련된 조사자료들이 독자가 보는 데에 도움을 줄 수 있도록 정리되지 않았다는 점이다. 정리와 분류가 없으면, 조사자료들은 모호해지고 이해하기 힘들어진다. 우리는 평가자들이 그들의 조사자료를 가장 논리적인 형태로 정리하기를 촉구한다. 우리는 조사자료가 평가 질문들 근처에 질문과 대답 형태로 정리되어 있는 것을 선호한다. 다른 정리 방법은 (만약 그것이 평가의 초점이라면) 목표나 목적을 포함하거나 프로그램의 구성요소 혹은 다른 집단의 고객을 포함하는 것이다. 정리 방법에 상관없이, 가장 단순하고, 하나의 변인을 가진, 질문이 하나인 평가를 제외한 모든 평가는 구조를 갖춰야 한다.

결론과 추천방안

이 부분에서 우리는 우선 평가의 주요 결론을 요약해야 한다. 결과가 구체적이면 독자가 큰 그림을 잃기도 한다. 다른 경우로, 독자가 결과 보기를 건너뛰어 결론만 보기도 한다. 따라서 이 부분의 시작은 평가 질문에 따라 정리된 주요 조사자료의 나열이어야 한다.

그런 후에 보고서는 이러한 조사결과에 대한 토론이나 통합을 하는 방향으로 나갈 수 있다. 그것의 의미는 무엇인가? 어떻게 그들은 기준 또는 준거에 반응하며 프로그램을 판단하기 위해 평가의 시작 단계부터 기준 또는 준거가 설정될 수 있는가?

기준과 준거는 간결하게 나열되어야 한다. 정보 스스로가 답을 말해주지 않는다. 정보를 잘 아는 평가자가 정보에 기준을 정하고 평가 대상이 효과적인지 아닌지, 가치 있는지 없는지 등을 판단하는 데에 도달할 수 있다. 판단을 내리는 것은 평가자의 중요한 역할이다. 뚜렷한 준거가 없는 평가는 판단이 정보에 기반하지 않는다는 것을 의미하며 이는 저자의 지혜가 부족함을 의미한다.

우리는 평가적인 강점(제일 처음 명시할 것)과 한계(익숙하게 강점과 한계점이라는 것과 평행한)를 두고 평가적인 판단을 조직하는 것을 선호한다. 이러한 두 갈래의 발표를 통해 축적되어 온 장점은 다음과 같다.

- 긍정적, 부정적 판단 모두에 관심을 가진다.
- 독자들은 평가자의 판단이 긍정인지 부정인지 쉽게 찾을 수 있다.
- 강점을 먼저 말하는 것은 약점을 받아들이고, 평가의 목적에 책임이 있는 사람들을 도와준다.

강점과 한계점에 대한 논의는 독자가 추천방안의 기반이 될 이유와 판단을 알 수 있도록 충분히 이루어져야 한다. 높은 교육 수준을 지니고 협동적인 설계자들에게 친숙한 또 다른 유용한 형식은 SWOT 형식이다(강점(Strengths), 약점(Weakness), 기회(Opportunities), 위협(Threats)).

우리는 추천방안들을 나열하며 보고서를 끝내기를 원한다. 이러한 추천방안들은 만약 그것이 평가의 목적이라면 자연스레 부가된 것일 수도 있다. 그들은 직설적으로 프로그램이 지속될지, 그렇다면, 다른 분야로 확장되어야 할지, 그 분야의 성격은 어떠한지를 설명할 수 있어야 한다. 만약 중지하는 것이 추천된다면, 평가자는 지속하게 만들 수 있는 다른 중재방안을 만들어야 한다. 형성평가는 프로그램 개선을 위해 추천방안을 필요로 한다. 프로그램 스태프와 관리자를 위해 시행과 관련하여 다른 수단과 방법으로 많은 구체적 추천방안이 이미 만들어져 있을 수도 있다. 이 최종 보고서는 구체적인 추천방안을 위한 것이 아니다. 대신, 그 목적은 다른 사람들이 이 추천방안의 일반적인 성격을 알고, 운영자들과 스태프들이 수정을 제안할 수 있도록 하고 고위 이해관계자들이 추천방안과 비용, 이유 등에 더 많은 질문을 할 수 있도록 하는 것이다.

평가자들은 그들이―그들의 직업은 정보를 수집하고 그에 근거하여 판단하는 것이기 때문에―특정 추천방안에 대해 잘 모른다고 생각한다. 하지만, 보고의 결과와 판단으로부터 나온 행동은 바로 독자들에게 보이지 않는다. 몇몇 형성적인 추천방안이 프로그램 스태프와 운영자들을 위해 생기고 나서야, 투자자 혹은 프로그램 관리자들이 다른 추천방안들을 구체적으로 논의한다. 하지만, 보고서는 이러한 추천방안들의 요약을 제공해야 하며, 평가자는 추천방안이 현실화될 수 있게 해야 한다. 어떤 경우에는, 평가자가 행동에 관한 지식이 부족해서, 구체적인 수단을 이야기하지 못한 채 문제해결에 관심을 가져야 한다고 말하는 데 그치기도 한다. 또 다른 경우에는 평가자가 자문단 혹은 고객, 이해관계자들과의 협력을 통해 현실적이고 적당하게 수정할 수 있는 행동을 포함한 추천방안을 개발하기도 한다. 이렇게 이해관계자들과의 협력을 통해 만든 추천방안은 보고서의 신뢰성을 높여준다.

추천방안이 적당히 생략되어야 하는 경우도 있다. 어떤 경우에는 보고서가 추천방안을 전략적으로 개발하는 계획 단계로서 필요하기도 하다. 평가자는 단계에 도움을 주는 사람이거나, 만약 평가자가 전략 기획에 능력이 부족하다면 그는 자원으로서 활용될 수 있다. 하지만 이런 경우에, 추천방안을 만들기 위한 구조가 필요하다.

반대의견 또는 응답들

앞서 언급했듯이, 누가 평가자의 판단, 결론 혹은 추천방안에 반대하는지를 적어주는 것은 중요하다. 이를 통해 반대의견을 공유할 수 있기 때문이다. 혹은 만약 평가 집단의 한 구성원이 다수의 의견에 반대하면, 마지막 부분에 반박이나 반박 보고서를 넣는 것이 현명해 보인다.

부록

(보고서 안에 포함되거나 별책의) 부록은 독자가 (자료가 존재한다면) 절차에 어떤 자료가 사용되었는지, 어떻게 수집된 정보가 정확하다고 할 수 있을지, 그리고 어떤 특정 통계적, 서술적 분석 절차가 사용되었는지를 알기 위해 필요한 정보를 담고 있다. 이는 평가자가 필요한 방법론적이고 기술적인 정보를 제공하는 부분이다. 기본 청중뿐만 아니라 동료 평가자가 누가 연구를 진행하는 것이 더 좋은 결과를 만들 수 있을지 정하는 데에도 도움이 된다. 평가자는 방법론적이고 기술적인 적정성에 관심을 가진 동료 평가자가 그들의 보고서를 읽어준다는 사실을 기억해야 한다. Campbell(1984)의 주장에 따르면 "사회과학적 동료와 함께 교차연구를 진행하는 데에는 완전한 학문적 분석이 존재한다(재분석가를 위한 정보가 존재하는 곳이기도 하다)"(p. 41). 부록은 이러한 구체적인 평가 절차, 자료 분석, 관찰 일지, 중요한 인터뷰의 기록 모음집, 그리고 본론에 쓰기에는 너무 구체적인 다른 관련 정보를 적을 수 있는 공간이다. 부록은 또한 실제 자료모음 도구를 포함하고 너무 구체적이거나 본론에 포함되기에는 길고, 흥미로운 중요한 정보를 포함한다 (예, 지역 조사의 단위를 정하기 위한 주변 지도). 부록을 적절히 사용하면 보고서를 간소화하고 매우 읽기 쉽게 만들게 될 것이다.

효과적인 구두 보고를 위한 제안

서면의 평가 보고서는 매우 흔하지만 가장 효과적인 방법은 아니다. 적절한 시각적 효과를 포함한 구두 보고는 관심을 끌고, 대화와 교류를 촉진하고, 이해를 돕기에 매우 효과적이다. 그들과 눈을 맞추고, 다른 사람들의 반응이 어떤지를 발표 중에도 알 수 있게 한다. 몇몇 구두 발표는 발표 도중에 교류를 가능케 하는데, 이는 청중이 참여하여 긴 발표 사이에 휴식과 변화를 줌과 동시에 청중의 관점에 대해 배울 수 있게 한다. 마지막으로, 구두 발표는 질문과 답변 그리고 평가, 제안, 아이디어를 얻는 기회를 제공한다. 이들 중 어느 것도, 비록 초안을 배포하더라도, 서면 보고서로는 얻을 수 없다.

서면 보고서를 개선하기 위한 초기 제안들은 구두 보고서에도 적용된다. 다음과 같은 질문을 생각해보라: 청중이 누구인가? 기관의 직원, 관리자 혹은 투자자로 구성된 작은 집단에 보고할 것인가? 혹은 프로그램 진행자, 고객과 가족, 혹은 지역 구성원들과 같은 거대규모 집단에게 발표할 것인가? 회의의 성격이 무엇인가? 평가자가 청중을 개별적으로 알고 있는가 혹은 초면인가? 이러한 주제는 청중이 요구하는 이해와 정보에 맞춰 청중과 평가자 모두에게 필요한 정보를 전달할 수 있도록 준비하고 구두 발표를 할 수 있게 한다. 청중은 프로그램 주제 중에서 그들에게 유리한 것이 무엇인지를 배우게 된다. 평가자는 청중이 평가와 프로그램의 특정 부분에 대해 어떻게 생각하는지를 배우게 된다.

최종 보고서에서 평가에 대한 생각들이 다르듯, 구두 발표에서도 직원회의부터 이사회 앞에서의 공식 발표까지 다양한 의견이 나온다. 따라서 구두 발표에서 우리의 조언을 일반화하는 것은 어렵다. 하지만 우리는 몇 가지 중요한 고려사항은 강조할 수 있다.

가장 중요한 요소는 청중에 맞춰 발표를 하는 것이다. 청중의 규범과 기대치에 대해 공부하라. 그들은 형식적인가, 그렇지 않은가? 프로그램과 평가에 있어서 청중이 갖는 흥미는 무엇인가? 그들이 프로그램과 평가에 대해 이미 아는 것은 무엇인가? 그들로부터 얻고 싶은 것은 무엇인가?(반응, 관점, 결과의 다른 사용들) 서면상의 보고서처럼, 평가자들은 다음과 같은 원리를 고려한다.

- 정확도, 균형, 공정성
- 대화와 설득
- 요구되는 구체성(구두 발표는, 요구되지 않는 이상, 상대적으로 길고 형식적인 발표보다 구체적이지 않아도 된다)
- 간단하고 직접적이고, 적절한 흥미로운 언어를 사용하라.
- 특수 용어와 불필요한 기술적 언어의 사용을 피하라.
- 관련된 사람들의 인권과 감정을 신경 써라.

구두 발표는 시청각 자료를 이용하여 특정 관심을 요구한다. 제안은 흔히 발표나 교류 과정 그리고 관련 글을 통해 전달되지만, 아래와 같이 구두 평가 보고를 위한 조언들과도 관련이 있다.

1. 당신이 말하고 싶은 이야기를 정하라. 그것을 전달하기 위해서는 어떤 정보가 필요한가? 어떤 경험담이나 개인적 이야기가 핵심 포인트를 잘 그려낼 수 있을까? 어떻게 시각적으로 효과를 줄 수 있을까?(사진, 표/그래프, 차트, 공고)

2. 누가 이야기를 할지 정하라. 책임 평가자가 책임 이야기 전달자여야 하는 것은 아니다; 이야기가 잘 전달되었느냐가 중요하다. 만약 책임 평가자가 능력이 있다면 그 사람이 하는 것이 맞는 선택이다. 하지만 평가 팀의 다른 팀원(혹은 외부 "리포터")을 사용하

는 것도 선호되는 선택이다. 대체적으로 책임 평가자는 미숙함을 최소화하기 위해서 발표에 관여한다. 이는 언어의 사용, 관습에 익숙함, 지리, 역사 등으로 나타난다.

3. 형식적 발표를 위해, 구두 보고 수단을 선택하라. (구두 서술, 영상, 무대 토론, 고객과 학생의 발표 등) 발표 형식을 흥미롭게 만들고 다양한 미디어, 발표자 혹은 변이들을 사용하라. 청중이 예상하는 대로 형식을 사용하지 마라; 그들의 흥미를 끌 수 있는 다른 형식을 선택하라.

4. 시각적 자료를 발표에 동반하라. 하지만 "동반"이란 단어에 주목하라. 시각적 자료가 발표보다 우세하고 발표를 이끌면 안 된다. 파워포인트도 발표를 시각적 자료가 지배해 버려서 실패할 수 있다. 파워포인트에 띄운 목록을 단순히 읽기만 하는 것은 시각적 자료를 활용하는 것이 아니다. 반대로, 파워포인트를 사용하여 중요한 문제를 강조하고; 창의적인 그래픽, 사진, 그림, 차트 혹은 복잡한 표를 사용하는 것; 혹은 유머와 색감을 발표에 입히는 것은 청중들이 조사자료에 관심을 갖게 한다. 발표할 장소에서 시연해보라. 발표자가 컴퓨터의 사양을 제대로 알지 못해서 발표가 실패하기도 한다.

5. 당신에게 자연스럽고 편한 방법으로 발표하라. 그리고 쉽게 전달될 때까지 연습하라. 레이저 포인터와 같이 효과적으로 강조하는 기술을 사용하라. 고객의 눈에 레이저를 쏘아서는 안 될 것이다!

6. 발표에 청중을 개입시켜라. 발표하는 동안, 당신은 다른 화제나 경험에 대해 도움을 요청할 수 있다. 아니면 두세 개의 팀에 삼분 시간을 주고 그들의 생각과 추천대안을 요구할 수도 있다. 질문에 대해 충분한 시간을 주는 것을 명심하라. 만약 발표가 길어지면, 멈추고 질문을 받아라.

7. 의제를 만들고 집중하라. 가장 효과적인 구두 발표는 짧지만 형태가 정형적이며, 길이가 목적에 알맞다. 많은 발표는 5분에서 10분 정도 소요된다. 15분은 지역 청중들과 대부분의 이해관계자들에게는 너무 길다. 너무 긴 구두 발표는 사람들을 의자에 앉은 채 자게 만들 것이다(최악의 경우 의자에서 일어나 나가버린다). 사업 계획서 요약 혹은 청중에게 더 많은 정보를 제공할 책자를 나눠주어라. 또한 구두 발표 시간 동안 사람들이 중요한 부분에 관심과 의문을 제기할 수 있도록 하라. 질문과 토론을 위한 시간을 할당하라. 대부분의 경우 Q&A 시간은 평가자가 정보를 주는 시간에 불과했다. 하지만 이 시간은 평가자가 청중들로부터 배우기도 하는 시간이라는 점을 기억하라.

물론, (직원회의, 고객 혹은 지역 구성원들과의 공개토론, 주요 운영자나 정책가와의 개별 면접과 같은) 잦은 구두 평가의 결과는 청중이 평가 과정에 참여하고 궁극적으로 그 영향을 높이게 해준다. 평가자들은 다양한 집단들과 회의에 참석하고, 각 집단이 원하는 유형의 정보가 무엇인지 관찰하고, 그들의 교류 방법 혹은 그들이 요구하는 정보에 대해 배울 수 있다. 또한, 평가자들은 회의를 통해 평가에 대한 새로운 사실을 얻고 진행과정에서 청중들이 주는 도움을 감사히 여겨야 한다. 이렇게 잦은 비공식적 발표 방법은 청중이 호기심, 흥미, 낙관적인 시선으로 최종 보고서를 볼 수 있게 해준다.

좋은 평가 보고를 위한 체크리스트

좋은 평가 보고를 위한 재료는 이미 앞에 제시했다. 하지만, 편의를 위해 우리가 전형적으로 좋은 평가 보고라고 부르는 데 필요한 체크리스트를 준비했다.

_____ 중간 혹은 최종 보고서가 가장 유용하게 쓰일 시기

_____ 청중을 위한 내용, 형식, 유형

_____ 보고서의 형식과 유형을 정하는 데에 있어서 청중의 참여

_____ 종합보고 요약

_____ 각 단계에 대한 적절한 소개

_____ 연구의 한계점을 언급

_____ 평가 계획과 절차에 대한 적당한 언급(대부분 부록)

_____ 결과를 효과적이고 조직적으로 발표

_____ 제공 가능한 모든 필요 기술 정보(대부분 부록)

_____ 평가 판단을 위한 기준과 준거의 구체성

_____ 평가 판단

_____ 강점과 약점 목록

_____ 행동에 필요한 추천방안

_____ 고객과 이해관계자의 이해를 보호

_____ 평가 조사자료들에 영향받을 사람들 신경 쓰기

_____ 반대 보고와 반박하는 사람들에 대한 대책

_____ 정확하고 편향적이지 않은 발표

_____ 이야기를 통한 효과적인 전달과 설득

_____ 구체화의 적절한 수준

_____ 정확하고, 복잡하지 않고, 흥미로운 언어 사용

_____ 예시와 그림 사용

_____ 시각적 외양과 매력에 중점 두기

평가 정보의 사용 방법

평가의 유용성은 그 가치를 측정하는 데에 있어 가장 중요한 준거이다(Joint Committee, 2010). 평가가 조사와 다른 점은 사용이다. 평가는 즉시 혹은 근시간 내에 효과를 주는 것이 목표이다; 조사는 한 분야에서 지식과 이론을 넓혀가는 반면에 그것이 산출하는 결과는 가끔씩 사용되지 않기도 한다. 만약 평가 연구가 아무 영향을 주지 못할 것 같다면, 이는 그 기술, 실용성 혹은 윤리적 장점에 상관없이 쓸모없다고 판단될 것이다. 하지만 조사의 경우 사용에 대한 준거가 동일하게 적용되지 않는다.

평가자들은 평가의 사용에 대해 평가가 전문성을 획득한 초기 시절부터 고민해왔다(Suchman, 1967; Weiss, 1972). 1970년대와 1980년대에 촉망받았던 많은 평가자들은 평가 결과가 가끔 무시된다고 보고했다(Cousins & Leithwood, 1986; Patton 1986; Weiss, 1997). 하지만, 최근 들어 관찰자는 이러한 초기 평가자들이 평가 연구의 실질적 영향을 간과했다고 주장했다. 예로, Cook은 "지난 10년 동안 도구적 (직접적인) 사용이 발생했고, 그것 이전의 가치는 과장되었다는 것이 명백해졌다"라고 적었다(1997, p. 41).

평가자들은 전통적으로 평가의 사용을 세 가지 유형으로 정했다.

- 평가에서 어떤 조사자료가 직접적으로 (형성적) 프로그램을 바꾸거나 (총괄적) 프로그램의 지속 혹은 투자에 사용되는지를 보는 도구적 사용
- 평가의 조사자료들이 새로운 정보(새로운 개념)를 제공하고, 그 정보가 행동으로 이어지거나 프로그램의 구성요소에 대한 태도나 믿음을 바꾸게 하는 개념적 사용
- 평가 결과가 상징적으로 사용되어 현재의 혹은 예비 행동을 지속하게 해주는 상징적 사용 모델(Leviton & Hughes, 1981)

지난 수십 년 동안, 평가자들은 다른 사용들이 자리잡고 있음을 깨달았다. Patton (1997c)은 "과정 사용"이라는 용어를 처음 정의했다. 이는 Cousins(2003)가 이전에 평가 조

사자료들의 도구적 사용으로부터 구별해낸 것이었다. 과정 사용은 평가에 관련된 결과로 나타난다. 왜냐하면 그들의 행동은 학습을 초래하기 때문이다. Patton은 과정 사용을 "평가 과정 동안 학습의 결과가 나타나면서 평가에 관여하는 사람들 사이에서 일어나는 사고나 행동에 있어서의 개인적 변화와 절차와 문화에 있어서의 프로그램 혹은 기관의 변화"라고 정의했다(1997c, p. 90). 이러한 변화들은 미래 프로그램의 개발에 영향을 주거나 기관 또는 새로운 사고방식을 위한 새로운 아이디어를 창조하는 데 영향을 줄 수 있다.

과정 사용의 개념은 많은 평가자들이 기관과 개인의 학습에 초점을 맞출 수 있게 도왔다. Cousins와 Shula가 관찰했듯, "이러한 관점의 평가는 실천적 문제 해결이기보다는 학습에 가깝다"(2006, p. 271). 여러 저명한 평가자들은 프로그램 평가를 기관의 행동 혹은 정책에 영향을 주기 위해 기관에 간섭하는 것이라고 개념화했다(Cousins, 2003; Henry & Mark, 2003). Preskill과 Torres(1998, 2000)와 Preskill의 2008년 연구는 기관이 더 배울 수 있도록 미국평가학회가 역할에 초점을 두는 것을 보여준다(Torres, Preskill, Piontek[2005]가 앞서 보고 부분에서 언급했다. 그들은 평가를 통해 학습을 강화하는 데에 초점을 두어 보고했다). 평가 능력 구축 또한 이러한 초점 속에서 나타났다; 평가는 어떻게 기관이 운영되는지 혹은 어떻게 프로그램에 대한 기관의 생각이 바뀔지에 영향을 끼친다.

최근에 평가를 이해하는 데에 있어서 강조된 또 다른 것은 내용이다. 모든 설정에서 사용이 동일하게 나타나지 않는다. 대신에, 프로그램과 기관 모두의 내용이 어떻게 평가가 사용될지에 영향을 준다. 정치적 압박도 평가의 사용을 독려하거나 방해할 수 있다. 어떤 프로그램들은 강한 이해관계자들 혹은 대중의지 때문에 비효과적인데도 지속되고 있다. 평가자들은 정치적 영향과는 별도로 기관이 비이성적인 방법으로 작동되고 있다는 것을 배울 수 있다. 기관의 문화는 새로운 또는 다른 아이디어로 그것의 개방성에 영향을 준다.

마지막으로, 개인들과 그들의 성향이 평가의 사용에 영향을 줄 수 있다. 이러한 효과를 찾은 첫 연구는 Weiss와 Bucualas(1980a; Weiss, 1983)에 의해 시행된 것이었다. 그들은 우선 이슈에 대한 전문가의 정신적 건강상태를 측정하고, 평가 보고서를 그들에게 보내서 그에 대한 피드백을 요구했다. 그들의 분석은 보고의 조사자료들과 일치하는 생각을 지닌 관리자들은 보고서를 더 가치 있는 것으로 본다는 점을 밝혀주었다. 지식과 경험에 기반한 관점을 지닌 사람들은 보고서의 조사자료들과 심각하게 충돌하기도 한다. 이러한 연구에서 Weiss와 Bucuvalas는 "진실성 조사"와 "유용성 조사"로 정의하고 이들을 평가 보고를 판단하는 수단으로 사용하였다. 결과가 독자의 지식과 경험과 일치하면 보고서는 진실 시험을 통과했다. 결과가 유용하다고 판단되면 유용성 시험에 통과했다. Cousins와

Shula(2006)는 평가의 사용에 영향을 주는 다른 개별적 요소에 대해 알기 위해 지식의 유용성과 관련한 조사를 진행하였다. 평가에 관련한 조사자료들 중에 제공자와 수령자가 비슷한 위치에 있거나 믿음을 가질 때 정보가 가장 잘 전달될 수 있다(Rogers, 1995). 그리고 사람들은 정보가 "직접적으로 경제적 도움이 되거나, 사회명성, 직업적 편리함 혹은 만족감과 같은" 그들의 개인적 이해를 만족시킬 때 정보를 더 많이 사용한다(Cousin & Shula, 2006, p. 274; Rich & Oh, 2000).

사용 모델

Kirkhart(2000)와 Henry와 Mark(2003)은 각기 다른 상황에서 평가가 미치는 영향력의 유형과 성격을 파악할 수 있는 모델을 제시했다. Patton의 이론 위에 성립된 Kirkhart와 다른 이론들(Weiss, 1980)은 우리가 사용하는 언어에 따라 우리가 평가 사용을 정하는 것이 결정된다는 점을 강조했다. Kirkhart는 "사용" 대신 "영향력"(눈으로 볼 수 있는 혹은 간접적인 수단을 통해 효과를 생산하는 사람이나 도구들의 능력 또는 힘)이라는 용어를 사용하여 평가의 잠재적 영향을 강조하고자 했다(2000, p. 7). 또한 그녀는 영향력의 통합적 이론 모델을 제시하여 평가의 다양한 잠재적 영향을 설명하고자 했다(그림 17.2 참고). 그

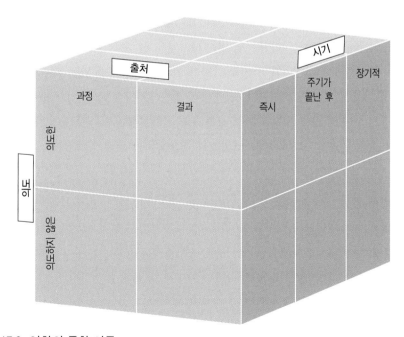

그림 17.2 영향의 통합 이론

출처: From "Reconceptualizing Evaluation Use: An Integrated Theory of Influence"(p.8) by K. E. Kirkhart, 2000. In V. J. Caracelli & H. Preskill(Eds.), *The Expanding Scope of Evaluation Use*, New Directions for Evaluation, No. 88. San Francisco: Jossey-Bass. Reprinted with permission.

의 모델은 세 가지 차원을 강조한다. 영향의 출처, 의도, 시기이다.

영향의 출처 차원은 평가가 결과 또는 과정을 통해 영향을 준다는 점을 알려준다. 앞서 보았듯, 전통적으로 평가자들은 평가 연구를 통해 얻은 조사자료로부터 얻은 도구적이거나 개념적인 결과를 사용하는 데 초점을 두었다. 하지만 Kirkhart의 모델은 평가 진행 과정의 영향도 포함한다.

의도의 차원은 의도하지 않은 방법으로도 평가가 사용될 수 있다는 점을 알려준다. 11장에서 14장을 통해 우리는 연구의 목적, 의도된 청중 그리고 그들이 결과를 사용하는 것을 고려하여 평가를 기획하는 방법에 대해 토론하는 방법을 제안했다. 모든 평가는 이렇게 의도와 영향력을 고려하는 방법을 통해 시작된다.[1] 이러한 계획은 다른 이해관계자들의 요구를 들어주기 때문에 평가의 영향력을 증가시킨다. 하지만, Kirkhart는 "의도치 않은 평가의 영향은 영향의 파문과 우리의 작업에 대한 모든 결과를 우리가 알 수 없다는 것을 알려준다."라고 말하였다(2000, p. 2). 그는 의도치 않은 영향은 의도한 영향을 넘어선다고 생각했다.

마지막으로, 그녀는 시기에 대해 논의할 때, 결과는 주기가 끝난 후나 즉시적으로 나타나는 영향력에만 사용되는 것이 아니라고 하였다. 비록 시기가 세 분류로 나뉜 모델이 묘사되어 있지만, Kirkhart는 이 차원은 사실 연속적이라고 주장한다. 장기적 영향을 살펴보면 우리의 평가가 미치는―연구 조사자료나 참여과정에서의 영향 때문에 생겨난 의도적 혹은 의도치 않은―영향은 평가를 넘어선다는 것을 알 수 있다. 이러한 영향에 대한 사례는 많다: 이전 학교에서 5년간 시행해온 평가 절차를 사용하기 위해 학부모와 교사를 기획과정에 참여시키는 교장, 이전 기관에서 참여했던 아기들에 관한 초기 중재 프로그램의 영향을 새 고객들을 위해 사용하려고 생각해내는 사회복지사, 포커스 그룹의 일과를 이전 평가에 대해 고객과 피드백하는 회의에서 사용하는 관리자. 각각의 사례는 평가의 장기적인 영향을 보여준다.

사용에 대한 이전 개념은 영향력의 통합 모델 속에서 하나 혹은 두 가지로 나타났다: 주기의 끝난 후 혹은 즉시 의도적으로 사용하는 것. 영향력에 관한 Kirkhart의 통합이론은 초기 생각을 확장시키고 평가자들이 영향력에 대해 넓게 생각할 수 있도록 해주었다.

Henry와 Mark(2003)는 평가의 영향에 대한 연구와 실험을 할 수 있는 다른 모델과 틀

---

1) 위임된 평가를 위한 최소한의 요구를 충족하는 평가에도 예외가 있다. 어떠한 경우에는 목적이 요구된 형식을 갖췄지만 신뢰성이 낮게 평가된다. 이러한 평가를 가지고 작업할 때 우리는 다른 이해관계자들의 잠재적 사용을 위해 평가를 확대시키거나 개조한다.

을 제안했다. Kirkhart처럼 Henry과 Mark는 우리가 "사용"이라는 용어를 넘어서서 평가의 영향력을 측정해야 한다고 생각했다. 모순되게도, 그들은 즉시 사용하는 것을 지양하고 장기적 사용을 방해했다. 이는 다른 유형의 사용들에 대한 우리의 실험을 방해하는 것이다. 그들의 모델은 영향력에 대한 3가지 수준, 혹은 분류로 구성되었으며, 각각은 각 수준에서 일어날 수 있는 영향이나 변화를 나열했다(그림 17.3 참고). 이러한 수준들과 유형의 변화는 심리학적, 정치과학적, 조직행동론, 그리고 다른 분야의 변화와 관련한 조사자료들로부터 나온다. 그들의 모델은 우리에게 평가의 영향을 단순히 개인으로 한정하는 것이 아니라 그들의 태도와 신념, 상호작용을 통한 집단, 기구, 협력단체, 정부기관 내 수집활동 모두에 영향을 준다는 것을 알려준다.

이제껏 논의되어 온 방법을 살펴보면, Henry와 Mark의 모델은 영향력의 다른 분류를 제시한다는 점에서 Kirkhart의 통합이론과 유사하다. 이는 매우 유용하다. 하지만, 이 저자들은 실제로는 사용 경로에 대해서 강조하였다. 그들은 평가 이론과 문헌이 사용의 다른 방법들을 표명하지만, 그들은 사용의 다른 유형을 실험하지는 못하였다. 그들의 논점을 확실히 하기 위해, 그들은 평가의 영향을 보여주는 두 잠재적인 통로의 사례를 제시하였다. 하나는 평가 결과로부터 시작되며 다른 하나는 진행과정의 영향에서 시작된다.

첫 번째 경로: 평가 조사자료들 → 반발 집단의 영향 → 의제 설정 → 의견 구체화 → 정책 변화

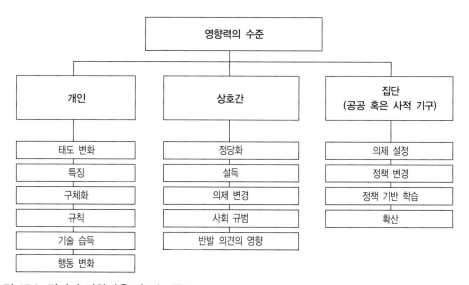

그림 17.3 평가가 영향력을 만드는 구조

출처: From "Beyond Use: Understanding Evaluation's Influence on Attitudes and Actions" (p. 298) by G. T. Henry and M. M. Mark, 2003, *American Journal of Evaluation 24*(4), 293-314.

이러한 가설에 근거한 경로에서, 평가 조사자료는 다수와 의견이 다른 집단을 자극하여 화제와 관련한 다른—미디어, 공공의, 혹은 기관의—자료를 찾게 만든다.[2] 대중이 화제와 관련하여 관심을 가질수록, 그들은 자신의 의견을 더 개발, 정제, 구체화하고자 한다. 평가 조사자료들은 구체화하는 데에도 영향을 준다. 마지막으로, 결과로, 대중에 의해 새롭게 형성된 의견이 정책의 변화를 이끌어낸다.

두 번째 경로: 평가 진행과정 → 태도 변화 → 사회적 규범 → 행동 변화

이러한 경로에서는 평가 과정의 참여가 개인의 태도를 변화시킨다. 예를 들어, 한 평가에 참여하는 동안, (비영리 단체의 관리자 혹은 교장인) 운영팀장은 결정과 관련한 다른 이해관계자들의 요구에 민감해지게 된다. 운영팀장은 자신의 기관의 다른 관리자들과 토론하여 점진적으로 참여와 관련한 사회적 규범을 바꾸게 된다. 궁극적으로, 사회 규범의 변화는 기관 전체의 행동을 변화시키고, 이는 결정과정에 더 많은 사람이 참여하는 경우도 포함한다.

이러한 가설에 근거한 경로는 우리가 평가 결과를 바꾸기 위해 필요한 중재 단계에 대해 생각해보게 하기 때문에 유용하다. 평가자는 어떻게 이러한 아이디어를 사용할까? 그들은 원했던 목표가 무엇인지와 목표를 위한 가상경로를 예상해볼 수 있다. 경로의 첫 번째 단계를 설정하고 나면, 평가자들은 평가와 설정한 첫 번째 단계를 바꾸려는 보고 과정을 더 알맞게 디자인할 수 있다(예, 두 경우로 나뉘는 태도 변화 혹은 반발 조직).

평가의 사용에 영향을 주는 단계

지난 몇 년간, 우리는 사용에 대해 연구해왔다. 우리는 평가가 어떻게 정책, 프로그램, 개인, 기구에 영향을 미치는지에 대한 연구를 확충하고 명확히 했다. 우리는 특정한 사용과 영향을 야기하는 영향력이나 경로에 대한 모델을 개발하기도 했다. 지식 사용에 대한 연구는 평가만큼이나 잘 알려져 있다. 다음은 평가자들이 사용을 극대화할 수 있도록 조언을 하기 위해 다른 출처들로부터 만들어 낸 추천방안이다.

- 프로그램과 기구의 존재뿐만 아니라 정책과 의사결정 맥락을 이해하고 연구하라 (Leviton, 2003).

---

2) "반발 집단의 영향"은 민주적 방법의 소수를 뜻하는 것이 아니라 다수 의견과 다른 의견을 취하는 집단을 의미한다.

- 내용만을 이용 혹은 연합하여 사용자의 평가에 대한 이해에 도움이 되는지 고려하라. 이는 조사자료들 혹은 진행과정이 사용자들에게 영향을 준다는 것을 의미한다 (Cousins, 2003; Cousins & Shula, 2006).

- 권력을 지닌 주요 사용자들이 연구 결과를 사용하도록 하는 이해관계를 파악하고, 그들이 평가에 참여하고 알 수 있도록 하라. 그들이 함께 일할 파트너를 만들어주는 것도 방법이다(Patton, 1997c, 2008a).

- 평가의 주제와 관련한 주요 사용자들의 가치, 신념, 경험, 지식으로부터 배워라. 그리고 당신의 결과가 그들이 생각하는 사실과 맞지 않다면 어떻게 난관을 극복할지 생각하라. 예로, 다른 이해관계자들과 협력하지 않거나 그들을 자료 수집, 분석, 결과 해석에 포함시키는 것이 있다. 그러한 보고서가 유용해 보일 수 있도록 실용성 시험도 통과할 수 있도록 하라.

- 기본이라고 생각하겠지만, 주요 사용자와 다른 이해관계자들과의 접촉의 빈도를 늘려라. 사람들과 이야기하는 것도 평가에 사용되며, 이는 이 장의 앞부분에서 강조했던 것이다. 정보만 주는 전문가가 되지 마라. 그들로부터 정보를 얻기도 하라. 공유와 교환을 통해 서로의 수준이 비슷해지고 더 많이 배울 것이다(Huberman, 1994).

- 기관 내의 혹은 외부의 연결망에 대해 공부하라. 사회적 연결망은 오늘날 중요한 조사 영역이다. 인맥이나 사회적 절차(다른 사람을 정보를 처리하고 연구하는 데 포함시키는 것) 방법을 통해 연구에 대한 지식을 늘릴 수 있다(Evaluation in Action 에서 Jean King이 결과를 해석하기 위해 사회적 절차를 사용한 사례를 볼 수 있다. 다른 예시들은 Cousins와 Leithwood[1993], Mycio-mommers[2002]에서 찾아볼 수 있다).

- Kirkhart의 영향력 모델과 Henry와 Mark가 설명한 통로를 고려하여 당신의 팀이 영향력에 대해 얻고 싶은 방법을 터득하라.

이 장의 시작부분에서, 우리는 결과를 보고하고 사용을 장려하는 추천방안을 보여주었다. Coo(1997)처럼 우리는 직접적, 도구적으로 사용해야 하며 평가자들은 그러한 사용을 장려해야 한다고 믿는다. 또한 평가 사용의 확장된 정의 혹은 영향력은 결과가 미칠 수 있는 수많은 개인과 기관에 대해 생각해 볼 수 있도록 한다. 이러한 영향력에 대한 적극적인 고민은 우리가 평가를 시행하고 결과를 배포할 때 평가의 성과가 그의 목적과 동일할 수 있도록 한다. 그들의 목적은 다른 사람들이 좋은 쪽으로 판단하게 하고 궁극적으로 좋은 사회를 만드는 것이다.

보고와 영향

이 장에서 우리는 어떻게 이해관계자들의 이해도를 높일 수 있게 최종보고서를 서면 혹은 구두로 전달할 수 있을지에 대해 배웠다. 우리는 당신이 우리의 안내서를 따르기를 바란다. 그것은 이해를 돕고 연구 결론을 내리는 데 있어서 결함이 없는 것이기 때문이다. 하지만, 이러한 행동이 평가에 영향을 준다는 점을 기억하라. Kirkhart는 평가에 영향을 주는 상당수가 의도치 않은 것이었으며 결과나 조사자료의 개념적 사용 때문이 아니라 진행과정에서 나타난 것이라고 주장했다. 그리고 이는 연구가 끝난 후에는 나타나지 않을 것이라고 생각했다. 합동위원회의 『기준』은 결과가 사용될 능력이 있는지를 알려주는 실용성을 요구했다. 그들은 즉시 사용되는 것을 원하는 것이 아니다. 왜냐하면 많은 화제들이 평가자의 능력범위 밖에 있기 때문이다. 사실 Henry(2002)는 바로 사용되는 것에 초점을 맞추면 장기간, 혹은 긴 시간을 필요로 하는 더 중요한 행동(예, 정책)에 방해가 된다고 주장했다. 우리는 평가의 사용에 대한 넓은 해석을 지지하며 그것이 다양한 개인과 기관에 다양한 방법으로 영향을 미치는 것을 고민해야 한다고 생각한다.

주요 개념과 이론

1. 평가가 끝날 때까지 평가 결과를 보고하는 것은 꾸준히 진행되어야 하며 연기되어서는 안 된다. 평가 진행을 통해 발견점들을 받아들이고, 사용자들의 반응에 대해 배우며, 궁극적으로 사용되기 위해서 평가자들은 보고할 기회의 장점을 이용하고 주요 사용자들, 다른 이해관계자들과 토의해야 한다.

2. 평가 보고는 다양한 목적을 지닐 수 있다. 각각 독자를 위한 목적과 그 목적에 부합하는 보고 수단과 방법을 생각해보라.

3. 보고는 각 독자의 특성과 기대에 맞춰져야 한다. 독자 분석은 그들의 정보 수요, 인식 그리고 프로그램과 관련한 가치를 결정하는 데 도움을 준다. 그들이 어떻게 받아들이고 대답하며 평가 정보를 쓰는지에 대해서도 결정할 수 있다. 이는 평가자들이 정보를 전달하고 대화를 이어나가는 데에 어떤 방법이 적절한지 정할 수 있게 도와준다.

4. 시간, 방식, 정보 발표의 형식 등에 대해 청중과 함께 결정하는 것은 그들이 결과를 받아들이는 것을 용이하게 한다.

5. 평가를 통해 얻게 된 점들은 다양한 방법으로 발표될 수 있다. 짧게 서면으로 된 소통 방식은 다음과 같다: 전자우편, 인터넷 사이트, 혹은 블로그; 중간 보고서와 최종 보고서; 전단지와 뉴스레터; 시각자료를 동반한 구두 발표; 포스터; 워킹 세션; 개인적 토론.

6. 평가 발견점들을 보고하는 데 사용될 다른 요소들은 정확성과 균형, 타이밍, 소통 방식과 억양 그리고 청중을 집중시키고 대화를 자극시켜 줄 수 있는 요소들이다.

7. 최종 보고서는 요약, 개요, 평가 대상에 대한 묘사와 질문문항을 포함해야 한다; 평가 계획과 방법에 관련한 간단한 논의와 결과 발표 그리고 결론에 대한 토론과 추천방안들도 포함해야 한다. 자세한 기술적 정보들은 부록에 포함될 수 있다.

8. 평가 사용은 영향보다 더 개념적이다. 몇몇 평가결과들은 직접적으로, 즉각적으로 결과를 사용하지만, 다른 것들은 영향으로 분류되어 드러나기도 한다. 이는 평가 진행, 의도하지 않은 영향, 평가가 끝난 이후에도 드러나는 평가의 영향을 포함한다.

토의 문제

1. 중간 보고서를 공유하고 싶지 않은 때는 언제일까? 왜 그런가?

2. 평가의 결과에 대해 알리기 위해 전자우편을 사용하는 것에 대한 장점과 잠재적 단점에 대해 논의해보라. 이러한 방법에 어떤 청중을 포함시킬 것인가? 어떻게 대화를 지

속시키고 반응을 이끌어 낼 것인가? 교육은 어떻게 할 것인가? 어떻게 피드백을 장려할 것인가?

3. 다른 이해관계자들에게 결과를 알릴 때 내부 평가자와 외부 평가자의 영향력을 비교해보라. 각각 어떠한 장점과 단점을 지니는가?

4. 미국평가학회의 안내 원칙은 평가를 사용하고 보고하는 것에 많은 관심을 보였다(부록 A 참조, 특히 A3, C5, D4, E3, E4, E5). 보고에 있어서 이러한 방식이 함축하는 바에 대해 토론하라. 당신이 최근에 참여했던 평가를 생각해보라. 보고 방식이 이러한 원칙들과 일치했는가?

5. 어떻게 정보를 얻는 법이 최선일까? 서면과 구두 중 어떤 방식을 선호하는가? 짧은 길이 혹은 긴 길이의 보고서를 원하는가? 질적 정보와 양적 정보 중 어느 것을 원하는가? 공식적 혹은 비공식적 방식 중에서는 어느 것을 원하는가?

6. 어떠한 방식의 평가 사용 혹은 영향이 가장 중요하다고 생각하는가? 과정의 영향 혹은 발견의 영향 중에서는? 이유는 무엇인가?

적용 연습

1. 이 장에서 배운 좋은 평가 보고 체크리스트와 미국평가학회의 안내 원칙을 평가 연구에 적용해보라. 서면 보고서와 관련해서는 예정된 사용자들을 인터뷰하고 그들이 어떻게 정보를 받아들였는지 그리고 어떻게 그들에게 영향을 줬는지에 대해 알아보라. 이러한 평가 보고 진행 절차에 있어서 강점과 약점이 무엇인지 알아내라.

2. 수업 중에, 파워포인트와 같은 시각적 자료를 사용해서 5분에서 10분 정도의 구두 발표를 하라. 청중들을 서로 다른 이해관계 집단으로 가상해서 그들을 투자자, 관리자, 프로그램 수행자, 고객, 혹은 시민집단으로 생각해보라. 이러한 청중을 위해 발표를 구상하라. 그리고, 발표가 끝난 후에는 질의 응답을 위한 5분에서 10분 정도의 시간을 가져라. 결과적으로, 학생 역할을 한 청중으로부터 피드백을 받아라. 당신 발표에 대한 장점은 무엇인가? 어떤 점이 바뀌어야 할 것인가?

관련 평가 기준

우리는 이 장과 관련된 다음 항목들을 평가 기준으로 생각하여 부록 A에 나열했다.

U1-평가자 신뢰성   F3-상황적 실용성

U2-이해관계자에 대한 관심   P1-반응성 및 통합성

U3-평가목적에 대한 협의   P4-명료성과 형평성

U4-가치의 명시성   P5-투명성과 공개성

U5-정보의 적절성   A1-결론 및 의사결정의 정당성

U6-과정 및 결과의 유의미성   A7-평가 논리의 명세성

U7-소통 및 보고의 시의적절성 및 적합성 A8-소통과 보고

U8-결과 및 영향력에 대한 관심

사례 연구

이 장에서 우리는 세 사람의 인터뷰를 추천한다. 이들은 보고에 관한 다른 관점을 담고 있다. 『Evaluation in Action』의 3장(Jennifer Greene), 9장(Stewart Donaldson), 12장 (Bledsoe)이다.

3장에서 Greene은 그녀가 과거에 일했던 고객들과 함께 작업을 했다. 그녀는 그들과 의사소통을 함으로써 다양한 방법을 연구했다. Greene과 Fitzpatrick 또한 그녀가 Greene 의 평가 접근법에서 중요하게 다룬 최종보고서에서 환경 가치에 대해 발언한 것에 대해 토론했다. 출처는 다음과 같다: Fitzpatrick, J. I., & Greene, J. (2001). Evaluation of the Natural Resources Leadership Program: A dialogue with Jennifer Greene. *American Journal of Evaluation, 22*(1), 81-96.

9장에서 Donaldson은 하나의 특정 프로젝트에 관해 토론하고자 하지만, 평가에서 다양한 고객과 관련한 그의 작업을 보여준다. 그는 진행 중인 프로그램에서 이해관계자들과 투자자들과의 소통에 관해 이야기한다. 360도 피드백을 사용하여 이해관계자들이 어떻게 평가자의 성과에 대해 피드백을 제공하는지를 보여준다. 출처는 다음과 같다: Fitzpatrick, J. L., & Donaldson, S. I. (2002). Evaluation of the Work and Health Initiative: A dialogue with Stewart Donaldson. *American Journal of Evaluation, 23*, 24-265.

12장에서는 Bledsoe가 중요한 방법의 사용과 개념적 사용에 대해 설명한다. 그녀는 발견의 영향과 과정에 대해 말한다. 그녀가 변화에 대한 사용자의 개방성에 대해 이야기 하는 것에 주목하라. 출처는 다음과 같다: Fitzpatrick, J, L. & Bledsoe, K. (2007). Evaluation of the Fun with Books Program: A dialogue with Katrina Bledsoe. *American Journal of Evaluation, 28*, 522- 535.

추천 도서

Henry, G. T. (Ed.). (1997). *Creating effective graphs: Solutions for a variety of evaluation data*. New Directions for Evaluation. No. 73. San Francisco: Jossey-Bass.

Torres, R. T., Preskill, H., & Piontek, M. (2005). *Evaluation strategies for communicating and reporting: Enhancing learning in organizations* (2nd ed.). Newbury Park: Sage.

18

평가의 미래

핵심 질문

1. 미래의 프로그램 평가는 현재의 평가와 비교하여 다음 측면에서 어떻게 달라질 것인가?
   - 정치적 고려사항을 다루는 방식?
   - 활용 접근법?
   - 이해관계자의 참여?
   - 평가 실시자?
2. 평가는 조직 내의 다른 활동들과 어떤 공통점이 있는가?
3. 다른 국가에서는 평가를 어떻게 다른 시각으로 바라보는가?

이제 이 책의 마지막 장에 이르렀지만 프로그램 평가에 대하여 충분히 다루지 못한 듯하다. 각 장별로 다양한 읽을거리를 제시하였지만 이 역시 평가라는 성장 분야에 존재하는 문헌에 비추어볼 때 작은 부분일 뿐이다. 저자들은 (1) 프로그램 평가에 대한 대안적 접근법, (2) 평가 연구의 계획, 실시, 보고 및 활용을 위한 실제적 지침에 집중하기로 선택하면서, 이렇듯 복합적이고 다면적인 분야에 대한 광범위한 개관을 단 한 권의 책에서 다룰 때 가장 중요하다고 생각하는 바를 강조하고자 하였다. 우리의 선택이 옳았기를 바라며, 프로그램 평가를 공부하는 학생들과 현장의 평가자들이 이 책을 넘어서서 풍부하고 깊이 있는 다른 평가 문헌들을 탐색할 것을 권장한다. 이 마지막 장에서는 평가의 미래에 대한 저자들 그리고 동료 평가자들의 인식을 함께 나누고자 한다.

평가의 미래

미래를 예측하는 것은 과거를 되돌아보는 것보다 훨씬 어려우며, 우리의 경우도 마찬가지다. 그러나 현재의 상황을 자세히 들여다보면 앞으로 몇 십년간 프로그램 평가에서 이루어질 현상에 대하여 조심스럽게 예측해볼 수 있다. 우리의 예측이 앞으로의 평가에 유용할 만큼 정확한지는 시간이 말해줄 것이다.

우리는 프로그램 평가가 계속하여 전 세계적으로 빠르게 보급될 것이며 이에 따라 최소한 가끔씩이라도 프로그램 평가를 실시하지 않는 국가나 지역은 거의 없게 되리라 생각한다. 앞에서 지적하였듯이 프로그램 평가에 대한 관심이 널리 퍼지고 있다는 것은 몇 년간 전 세계적으로 평가 학회들이 설립되어 활발하게 활동하고 있다는 데서 분명하게 드러난다. 또한 다음의 측면에서 평가가 점점 더 유용하게 되리라 생각한다.

- 프로그램 향상을 통하여 프로그램 수혜자의 삶이 더 나아지도록 하기
- 통치기관, 입법부, 국회와 관련 기관의 정책결정이 더 잘 이루어지도록 하기
- 조직의 학습 및 의사결정이 더 잘 이루어지도록 하기
- 프로그램과 관련된 사회문제 개선을 통하여 더 나은 사회 만들기
- 평가, 그 자체를 향상시키기

전문분야로서의 평가에 대한 예측

1. 우리 사회에서 평가는 점점 더 큰 영향력을 미칠 것이다. 지적한 바와 같이 평가가 프로그램, 조직, 사회에 발휘하는 영향력은 점점 더 커질 것이다. 이 책에서 논하였던 여러 동향(성과 모니터링, 조직학습 등)은 다양한 분야에서 평가에 대해 점점 더 큰 관심을 가지며 평가의 영향력이 증가한다는 사실을 보여준다. 평가에 기초한 사고방식은 프로그램과 정책의 계획 및 실시를 향상시켜 의도한 성과를 달성하도록 하며, 더 넓게 보면 사회를 향상시킬 것이다.

2. 평가는 미국을 비롯한 여러 선진국에서 증가할 것이다. 미국을 비롯한 선진국에서는 핵심적인 서비스를 제공하는 정부 및 비영리 기관의 책무성을 요구하는 압박이 증가하기 때문에 평가도 증가할 것이다. 21세기의 첫 십 년 동안 책무성과 데이터기반 의사결정이 극적으로 증가해왔다. 또한 사실상 모든 트렌드가 미래에 공공·사립·비영리 분야

에서 평가가 더 많이 이루어질 것이며 결코 적어지지 않을 것임을 가리킨다. 어떤 조직에서는 외부의 정치적 압력에 대한 대응책으로 성과를 기록하는 데 초점을 두기도 한다. 또 어떤 조직에서는 평가를 조직의 성장과 발전을 위해 활용하는데, 궁극적으로 이러한 성과 달성을 향상시키는 것이다. 어떤 상황에서든 평가가 요구되는 것은 마찬가지다.

3. 평가는 계속하여 전 세계에 급속도로 보급될 것이다. 평가가 전 세계로 보급되면서 프로그램 평가가 최소한 가끔이라도 실시되지 않는 국가가 거의 없게 될 것이다. 또한 전국적 및 국제적 규모의 전문 평가단체가 증가할 것이다.

4. 직업으로서의 프로그램 평가 기회가 지속적으로 증가할 것이다. 이는 평가 기술에 대한 수요가 증가하기 때문이다. 2010년에 Lavelle와 Donaldson은 "평가 실제는 최근 몇 년간 급속하게 성장하였다"(2010, p. 9)고 하였다. 미국에서 평가가 성장했다는 사실은 지난 10년간 미국평가학회(American Evaluation Association)의 회원 수가 급증하였다는 사실(Mark, 2007)로 증명된다.

5. 수요 증가에 따라 평가관련 대학원 과정이 증설될 것이다. Lavelle와 Donaldson(2010)은 평가관련 대학원 과정의 수가 몇 년간 감소하여 2006년에는 27개밖에 없었는데 2008년에는 48개로 증가하였음을 발견했다. 특히 교육학 분야에서 증가가 두드러졌지만, 공공정책, 심리학, 범죄학, 사회학 분야에서도 평가관련 대학원 프로그램이 늘어났다. 그러나 48개 과정 중 절반 이상은 소규모로, 평가관련 과목을 두세 개밖에 제공하지 않았다. 평가 전문직이 성장함에 따라 시장에서 더 많은 평가 전문가가 배출되기를 요구하므로 이러한 대학원과정이 수적으로나 질적으로나 모두 성장하게 되기를 기대한다. 평가 수요가 증가하는 세계에서는 평가자가 구현할 수 있는 평가방법이 다양할 수 있도록 교육받은 전문가가 평가를 실시할 것을 요구한다.

6. 많은 평가자들이 더 구체적인 평가교육을 필요로 할 것이다. 대학원 과정으로는 수요를 쫓아갈 수 없다. 게다가 평가가 상대적으로 새로운 전문직이기 때문에 많은 사람들이 평가라는 전문분야를 제대로 인식하지 못하고 있으며 전문 평가자가 활용하는 구체적인 접근법이나 방법론을 잘 모른다. 조직 내에서 평가를 실시하는 사람이나 외부 컨설턴트 중 상당수가 사회과학 방법론이나 조직경영에 관한 교육은 받았지만 평가에 대한 교육을 심층적으로 받지는 못했다. 교육자, 공직자, 비영리단체 관리자, 회사 임직원 등 다양한 역할을 하는 사람들이 자신의 전문 업무를 하면서 덧붙여 평가를 실시하는 책임을 맡게 되기 때문에, 이들을 위한 평가교육 요구가 증가할 것이다(Datta, 2006).

7. 내부 평가는 위험요소가 있지만 장점이 많기에 더 중요해질 것이다. 내부 평가자들은 조직 환경을 잘 알고 있다. 이들은 조직학습이 이루어질 수 있도록 중요한 영향력을 지속적으로 발휘할 수 있으며 새로운 정보기술의 활용에서부터 인적 자원관리와 전통적인 프로그램 평가까지 다양하고 많은 측면에서 조직 전반적으로 평가기술을 사용할 수 있다. 많은 평가에서 내부 평가자와 외부 평가자 간 협력이 증가할 것이라고 예측한다.

8. 전문협회가 커지고 평가의 공적 역할을 확장하는 새로운 영역으로 확대될 것이다. 2010년, 미국평가학회(AEA)의 회원 수는 6,000명에 달하였다(Kistler, 2010). AEA를 비롯하여 현장 평가자나 평가이론가를 위한 여러 협회들은 지속적으로 프로그램 평가 분야가 성숙하는 데 기여할 것이다. 다른 전문 협회들과 마찬가지로 AEA는 평가에 관련되는 쟁점사안에 대하여 공식적 입장을 취하기 시작하였으며, 최근에는 평가정책에 관심을 기울이며 이러한 정책결정에 영향력을 발휘하고자 노력하게 되었다(Trochim, Mark, & Cooksy[2009] 참조). 캐나다평가학회에서는 자격증 과정을 통해 전문평가자를 인증하는 프로그램을 개발하여 자격을 갖춘 평가자로서의 준거를 충족하여 적용하는 이들을 구분할 수 있게 하였다. 다른 전문직에서처럼 이러한 과정은 평가의뢰자와 프로그램 관계자들이 훈련 및 경험 측면에서 직접적인 교육을 받은 전문평가자와 그렇지 않은 이들을 구분할 수 있도록 돕기 위한 것이다. 이러한 노력과 평가 실제 및 기준에 대한 재교육을 통해서 협회에서는 프로그램 관계자들이 평가가 제공해줄 수 있는 혜택과 평가가 부적절하게 활용되었을 때의 위험성에 대하여 알 수 있도록 할 것이다.

9. 평가관련 문헌은 양과 질 모두에서 향상될 것이지만 평가과정 자체에 대한 연구에 기초한 문헌은 비교적 적을 것이다. 현재 평가과정 연구에 대한 재정 지원에 관심을 가진 기관이 없다. 정부는 프로그램이 제대로 작동하는지, 그리고 어떻게 작동하는지를 파악하기 위해 책무성, 성과 모니터링, 평가에는 많은 자원을 투입하고 있다. 그러나 이에 대한 접근법은 여전히 추론과 직관에 의존하며, 평가자가 어떻게 해야 관계자와 가장 잘 협력할 수 있는지, 어떤 형태의 참여가 어떤 유형의 영향력을 가지며 어떻게 활용을 증가시키는지 등에 대한 탄탄한 실증적 증거를 쌓아가지 못하고 있다. 따라서 평가에 대한 실증적 지식기반은 매우 느리게 증가할 것이다. 평가가 확장됨에 따라 평가 실제가 어떻게 이루어지고 있으며 무엇이 효과적이며 무엇이 그렇지 않은가에 대한 연구가 더 많이 이루어질 필요성이 절실해질 것이다.

평가 실제에 대한 예측

이 분야가 성장하고 확장하면서 평가 실제는 더욱 극적으로 변화할 것이다.

1. 평가접근법은 더 절충적이며 상황적 여건에 적합하게 될 것이다. 프로그램 평가는 계속하여 다원적일 것이지만, 평가자가 타당하고 적절한 평가결과를 제공하고 다양한 상황에서 프로그램, 정책, 의사결정을 향상시키고자 노력함에 따라 점점 더 실용주의적으로 될 것이다. 대중이나 공직자는 아니더라도 전문평가자들은 단일방법 평가가 복잡한 프로그램이나 다양한 대상을 평가하기에는 지나치게 단순하며 부적합하다고 볼 것이다. 삼각검증, 교차 타당화, 반복 · 확장 설계가 더 일반적으로 사용되고, 질적 접근법과 양적 접근법을 상보적으로 활용하면서 평가결과를 더 풍부하게 할 것이다. 맹종하며 따라야 하는 모형이 아니라, House(1994a)가 제안한 것처럼 이 모두가 평가자들이 이해하고 익숙하게 활용할 수 있는 '평가의 문법'이라고 생각할 때 다양한 접근법들은 유용성을 가질 것이다.

> [평가자는] 평가 모형을 평가의 문법책에 있는 예문 같은 것으로 보게 될 것이다. (중략) 시간이 지나감에 따라 (중략) 평가자는 문법 그 자체를 공부하거나 특정한 오류를 수정할 때를 제외하고는 평가 모형들을 의식적으로 생각할 필요가 없게 된다.
>
> 마찬가지로 (중략) 경험 많은 평가자들은 특정 모형에 의존하지 않는 평가 설계를 구성할 수 있다. 실제 평가 설계는 다양한 모형의 구성요소들을 조합한 것일 수 있다. (중략) 마치 화자가 한 언어의 기본 문법을 학습한 이후에는 문법에 맞는 문장을 새로이 생성해낼 수 있는 것과 같다. (pp. 241-242)

2. 평가는 모든 조직에서 대세를 이룰 것이다. 논리적 모형이나 프로그램 이론에 기초한 평가방법은 이미 프로그램 경영자나 프로그램 개발 직원들이 활용하고 있다. 평가를 통한 과정학습과 조직학습이 증가함에 따라 모든 조직에서 평가적인 사고방식이 확장될 것이다. 평가는 굳이 '평가'라고 불리지는 않더라도, 학습하고 의사결정에 정보 및 데이터를 활용하는 문화를 조성하는 데서 그 영향력이 느껴질 것이다(Mark, 2007).

3. 새로운 분야로 프로그램 평가가 확장될 것이다. 미국과 캐나다에서 평가자는 주로 교육학이나 심리학을 전공하고 그 분야의 프로그램을 평가해왔다. 그러나 주택공급, 사회복지, 도시계획, 교통, 보건, 범죄, 바이오테크놀로지, 여가생활, 환경 프로그램 등에

서 평가의 역할이 점점 커지고 있다. 이렇듯 낯선 분야에서 활동하는 평가자들은 이러한 새로운 맥락, 새로운 정치적 역동성, 조사해야 할 새로운 쟁점에 맞게 자신의 평가접근법과 방법론을 확장해 나가야 할 것이다. 유럽에서는 평가자가 대개 정치과학, 경제학, 공공행정 전공에서 나오기 때문에 결과적으로 다소 상이한 방법을 활용하여 다양한 유형의 프로그램에 초점을 맞춘다. 이러한 차이에 대한 인식이 증가함에 따라 각 국가에서 활동하는 평가자는 다른 국가에서의 평가 실제로부터 배울 수 있음을 알게 될 것이다.

4. 평가자는 기획입안자, 정책분석자, 조직개발자의 활동을 인식하고 관여하게 될 것이다. 평가활동은 정책분석자, 기획입안자, 조직개발자의 활동과 교차하는 부분이 있다. 평가자는 정책분석자에게 도움이 될 수 있는 평가접근법과 질적 방법론을 갖고 있다. 정책분석자는 평가자에게 보탬이 될 수 있는 경제적·분석적 방법론을 갖고 있다. 마찬가지로 도시계획자나 프로그램 기획입안자는 요구 사정을 수행하는 평가자와 유사한 방식으로 정보를 수집한다. 논리적 모형이나 프로그램 이론을 개발하는 평가자의 기술은 프로그램 계획에 도움이 될 것이다. 우리는 다양한 전문가들이 접근법과 방법론을 공유하면서 여러 분야를 넘나들며 더 활발하게 소통할 것이라고 예측한다. 앞에서 지적한 바와 같이, 이들의 활동이 반드시 '평가'라고 불리지 않을지도 모르나 평가전문가들은 자신의 평가기술을 해당 과제에 적용할 것이다.

5. 평가(그리고 평가자)는 정치적 측면에 대해 훨씬 더 잘 알게 될 것이다. 평가의 목적이 정책입안자와 프로그램 운영자가 평가 정보를 활용하여 의사결정을 내리도록 권장하고 투표권자와 대중을 교육시키는 데 있음을 인식하게 된다. 더 절충적이고 적응적인 평가 실제를 지향하고 우리들 사이의 내분을 지양하게 될수록 이 측면에서 더 성공적으로 될 수 있다. Greene과 Henry는 평가자들 간에 논쟁이 있다고 "완전히 이데올로기나 고삐 풀린 수사학적 주장에 기초하여 행동하는 것을 허용해서는 안 된다. 우리가 믿는 바에 대해서는 하나로 뭉쳐야 한다. (중략) 사회과학이 사회정책이나 프로그램에 기여하는 바에 대한 대화를 다시 해야 한다."(2005, p. 350)고 조언한 바 있다. 이데올로기나 수사학적 주장은 대중의 의견과 마찬가지로 정치체제의 한 부분이다. 프로그램 평가연구가 제공하는 정보, 결론, 판단은 정책입안자가 받게 될 여러 혼재된 투입자료의 한 부분일 뿐이다. 평가자는 프로그램 및 정책을 향상시킬 수 있는 정보로 주의를 환기시키려면 정치적 소동에 지나치게 휘말리는 것을 경계하고 역할의 객관성 측면에서 균형을 잡아야 우리의 평가활동이 전면에 자리 잡을 수 있다. 오늘날 평가연구는 열성적인 지지자들이나

정치적 싱크탱크 집단에서 제공하는 정보와 경쟁해야 한다. 시민을 비롯하여 일부 정책입안자들은 그 차이점을 모를 수 있다. 평가자는 이해관계자들이 평가의 장점을 인식하는데 효과적인 도움을 제공해야 한다.

6. 윤리적 쟁점에 대한 고려가 증가할 것이다. 평가자들이 정치적 쟁점에 더 관여하게되면서 윤리적 문제가 부상할 것이다. 현재 마련된 평가 『기준』[1] 및 『안내 원칙』 등은 평가의 신빙성을 유지하는 도구이자 점차 정치화되어 가는 환경 속에서 지켜야 할 강령과 윤리에 대해 널리 알려주는 역할을 한다. 기업체의 재정 상태를 검토하는 데 있어서 회계사의 '독립적' 역할에 대한 대중의 환멸을 직면하게 된 전문 회계사들은 윤리강령 및 회계사 양성교육을 강화한 바 있다(Fitzpatrick, 1999). 평가자들은 현재와 미래의 평가자들을 위한 윤리교육을 강화함으로써 엔론의 분식회계로 인한 아서앤더슨 회계법인의 몰락이나 2009년 경제위기 때 스탠다드앤푸어스(S&P) 등의 신용평가기관에서 높게 평가했던 채권들이 급락하면서 겪었던 난관을 피해야 할 것이다.

7. 전자 및 기타 테크놀로지의 발전으로 인해 평가자가 정보를 수집하고 결론을 도출하며 결과를 보고하는 방식이 변할 것이며, 이를 통해 더 폭넓은 이해관계자 참여와 평가 보고서 및 결과에 대한 접근성이 증가할 것이다. 오늘날에는 인터넷 설문조사나 면담을 통해 자료를 수집하는 것이 보편화되었다. 온라인상으로 평가팀 구성원이나 자문위원들과 결과를 공유하고 토론하며 살펴볼 수 있다. 데이터베이스를 공유함으로써 구성원들이 직접 데이터를 살펴보고 다양한 해석을 내릴 수 있다. 중간보고서 및 최종보고서를 해당 조직의 웹사이트에 정기적으로 게시하고 프로그램을 묘사하거나 결과를 나타내주는 비디오나 오디오 자료를 링크하여 열어볼 수 있게 한다. 읽어본 사람들이 논평을 게시할 수 있도록 한다. 테크놀로지의 가능성과 활용률이 증가함에 따라 이러한 활용방안이 증가할 것이며 또 다른 방법들도 구현될 것으로 기대된다.

8. 평가를 민주화하기 위한 노력이 증가할 것이다. 이는 많은 국가에서 시민 의견을 더 많이 반영하고자 하는 흐름의 일부로 이루어질 것이다. 미국 전역에서 숙의민주주의 방법이 활용되고 있는데 지역 시민들이 공무원을 비롯한 여러 관계자들과 함께 정책 쟁점에 대해 알아보고 권고사항을 만드는 데 참여한다. 참여적 평가도 이러한 동향의 일부

---

1) 역주: 교육평가기준합동위원회(Joint Committee on Standards for Educational Evaluation)에서 마련한
『프로그램 평가 기준(The program evaluation standards)』을 의미한다.

다. 다양한 이해관계자들을 많이 참여시키고 평가적인 사고양식과 목적을 알려줌으로써 지속적으로 평가를 민주화할 것이다.

9. 수행성과평가 운동이 더욱 성장할 것이다. 이는 책무성에 대한 끊임없는 요구에 부응하는 것이다. 어떤 형식이나 방법으로든 수행성과평가(performance measurement)가 대부분의 지역, 주, 연방정부 기관에서 의무적으로 실시되고 있으며 United Way[2]나 세계은행과 함께하는 비영리기관들에서도 마찬가지이다. 일반대중이나 성과평가를 의무화했던 정책입안자들의 기대치가 높다. 그렇지만 대부분의 운영자들은 성과를 의미 있게 측정할 수 있는 전문성을 갖고 있지 못하다. Newcomer(2001)는 이 과정이 단순히 보고를 위한 통과의례가 되지 않도록 하는 데 전문평가자의 역할이 크다고 지적한다. 평가자들은 성과를 프로그램 활동에 연결시켜주는 프로그램 이론의 구축을 도울 수 있으며, 이에 따라 형성적 목적에 도움이 되는 성과정보를 제공할 수 있다. 더 나아가 평가자의 방법론적 전문지식은 성과를 측정하는 데 반드시 필요할 것이다.

그러나 성과평가는 평가분야에 잠재적인 위험성도 던져준다. 고정된 교육기준에 따라 학습자를 검사하는 지방정부에서 조악하게 단순화된 학습목적만 갖고 교육평가 활동을 그저 이 쟁점만 중심으로 하였던 것처럼 성과평가도 평가활동을 과도하게 단순화시키고 협소화시킬 수 있다. 많은 정책입안자와 운영자들은 프로그램 성과를 측정하는 것의 어려움을 과소평가하고 있으며 성과평가의 의무화로 인해 평가의 역할을 성과평가로만 제한시켜 보는 경향이 있다. 평가자들은 자신의 전문성을 발휘하기 위해서 이 영역에서 더 능동적으로 되어야 할 것이다.

평가의 비전

평가라는 직업과 실제에 대한 예상에 덧붙여 평가의 비전 혹은 목적도 제시하고자 한다. 이러한 비전이 실현될 수 있을지는 명확한 증거를 갖고 있지 않기에 예측과는 구분된다. 그럼에도 불구하고 비전을 기술하지 않고 이 책을 마친다면 저자들이 태만한 게 될 것이다. 우리의 비전에는 다음이 포함된다.

---

2) 역주: 미국에 위치한 자선단체의 하나다.

1. 평가에 대한 세계적인 가치 부여. 전문분야, 직업범주, 사회분야, 지정학적 경계, 문화라는 한계를 초월하여 형식적으로 학문화된 평가를 가치 높게 인식한다. 이러한 가치 부여가 어떻게 해야 가능할 것인가? 다른 이들이 평가와 그 중요성에 대하여 인식하게 함으로써, 의무적으로 평가를 실시하는 이들이 의무화되지 않는다 할지라도 그 가치를 볼 수 있게 함으로써, 조직 내부에 평가기관, 평가정책 및 절차, 평가적 사고양식을 심어줌으로써 그렇게 할 수 있을 것이다(Sanders, 2001).

2. 다양하고 많은 평가목적 달성을 위한 다양한 방법과 절충적 접근법의 생산적 활용. 질적 방법과 양적 방법에 관한 논쟁은 잦아들었으며 많은 이들이 다양한 상황에 따라 다양하게 증가된 방법론적 도구를 실제적으로 활용하게 되었다. 대립을 불러일으키는 논쟁이 계속되는 것을 피하기 위해서는 평가의 목적, 문제와 상황의 다원성을 인정해야 한다. 미국정부와 함께 성과 모니터링 문제를 다루고 있는 평가자의 경우 새로운 수혜자 집단과 작업하는 비영리기관에 대한 특별하고 형성적인 목적의 평가를 설계하는 평가자와는 방법론적으로나 정치적으로나 상이한 도전을 안고 있는 것이다. 이 평가자들이 내리는 각기 다른 선택에 대해 논쟁하기보다는 이들이 선택한 바를 살펴보고 어떤 접근법이 어떤 상황에 가장 적합한지에 대하여 배워나가야 할 것이다. 평가자로서 우리는 충분한 정보 없이는 다른 평가에서 이루어진 의사결정을 섣부르게 판단하지 않아야 함을 알고 있다. 성급한 판단을 미뤄두고 이러한 선택에 관한 정보를 탐색하고 수집하기 위해 더 많은 노력을 경주해야 할 것이다. 평가에 대한 심층기술(thick description)을 해보자!

3. 평가 실제를 향상시키기 위한 메타평가의 활용 증가. 평가 전문학술지에서 유감스럽게 드문 유형이 이전 평가 보고서들에 대한 비평, 즉 메타평가이다. 합동위원회의 『기준』이 널리 받아들여지고 활용 가능하지만, 오늘날 이러한 메타평가 기준이 개발되기 전보다 더 정밀하게 검증해보고 있다고 할 수 없다. 우리 자신의 활동에서 배우기 위해서는 이에 대한 점검과 평가에 개방적인 자세를 가져야만 한다. 다른 이들이 우리의 평가로부터 배우는 것과 마찬가지로 평가자들도 자신의 평가로부터 배울 수 있다.

결론

마지막으로 독자들의 마음에 두 가지 생각을 남겨주고자 한다.

첫째 평가를 수행하고 연구해온 우리의 지난 경험에 따르면 적절하게 실시된 평가는 교육, 인적 지원 서비스, 비영리 조직을 비롯하여 사실상 우리 사회의 모든 영역에서의 프로그램이나 실제를 향상시킬 수 있는 큰 잠재성을 갖고 있다. 운영자, 정책입안자를 비롯한 다양한 이해관계자들은 일부 평가가 잘못 활용되거나 무시되고 있음을 알게 되었다. 그 결과 어떤 사람들은 평가과정에 대한 강조를 줄여야 한다고 주장하기도 한다. 그렇지만 과학이 모든 질병을 없애는 데 아직 성공하지 못했다는 이유로 의료적 진단을 포기하는 것만큼 현명하지 못한 일이다.

우리가 독자들에게 전해주고 싶은 두 번째 생각은 바로 크게 도약하기는 했으나 우리가 평가에 대하여 알아야 하는 것에 비하여 실제로 알고 있는 바가 명백하게 매우 적다는 사실이다. 이 책이 이러한 지식에 작은 보탬이 되어서 인류의 운명을 향상시키고자 하는 정책과 프로그램을 개발하고 실천하는 현재의 과정을 덮고 있는 짙은 어둠에 한줄기 빛을 비출 수 있기를 진정으로 소망한다.

추천 도서

Datta, L. (2006). The practice of evaluation: Challenges and new directions. In J. F. Shaw, J. C. Greene, & M. M. Mark (Eds.), *The Sage handbook of evaluation.* Thousand Oaks, CA: Sage.

Mark, M. M. (2007). AEA and evaluation: 2006 (and beyone). In S. Mathison (Ed,). *Enduring issues in evaluation: The 20th anniversary of the collaboration between NDE and AEA.* New Directions for Evaluation, No. 114. San Francisco: Jossey-Bass.

Smith, M. F. (2001). Evaluation. Preview of the futere #2. *American Journal of Evaluation, 22,* 281-300.

Americal Journal of Evaluation (2002) 22호와 *Evaluation Practice* (1994) 15호 참조 바람. 각 호에서 평가 이론, 실제, 현황에 대한 성찰과 함께 미래에 대한 예측을 중점적으로 다루고 있다.

『프로그램 평가 기준』과 『평가자를 위한 안내 원칙』

프로그램 평가 기준

유용성(Utility)

U1 평가자 신뢰성(Evaluator Credibility): 평가는 평가 맥락에서 신뢰성을 구축하고 유지할 수 있는 자격이 있는 사람에 의하여 실시되어야 한다.

U2 이해관계자에 대한 관심(Attention to Stakeholders): 평가는 프로그램에 관여하며 평가의 영향을 받는 모든 범위의 개인과 집단에 관심을 기울여야 한다.

U3 평가목적에 대한 협의(Negotiated Purposes): 이해관계자의 요구에 기초하여 평가목적을 확인하고 지속적으로 협의하여야 한다.

U4 가치의 명시성(Explicit Values): 평가는 목적, 과정, 판단에 내재된 개인적·문화적 가치를 밝히고 명료화하여야 한다.

U5 정보의 적절성(Relevant Information): 평가 정보는 확인하였던 그리고 새로이 확인되는 이해관계자 요구에 부합하여야 한다.

U6 과정 및 결과의 유의미성(Meaningful Processes and Products): 평가는 참여자들이 자신들의 이해 및 행위를 재발견, 재해석하고 수정할 수 있도록 격려하는 방식으로 활동, 보고, 판단을 구성하여야 한다.

U7 소통 및 보고의 시의적절성 및 적합성(Timely and Appropriate Communicating and Reporting): 평가는 다원적 청중의 지속적인 정보 요구에 주의를 기울여야 한다.

U8 결과 및 영향력에 대한 관심(Concern for Consequences and Influence): 평가는 의도하지 않은 부정적 결과나 오용이 이루어지지 않도록 주의하면서 책임감 있고 적응

력 있는 활용이 이루어지도록 권장하여야 한다.

실현가능성(Feasibility)

F1 평가 프로젝트 관리(Project Management): 평가는 효과적인 프로젝트 관리 전략을 사용하여야 한다.

F2 절차적 실용성(Practical Procedures): 평가 절차는 실용적이며 프로그램 운영방식에 부합하여야 한다.

F3 상황적 실용성(Contextual Viability): 평가는 문화적·정치적 이해관계와 개인·집단의 요구를 인지하고 점검하고 균형을 맞추어야 한다.

F4 자원 활용성(Resource Use): 평가는 자원을 효과적이고 효율적으로 활용하여야 한다.

적절성(Propriety)

P1 반응성 및 통합성(Responsive and Inclusive Orientation): 평가는 이해관계자와 지역사회에 민감하게 반응하여야 한다.

P2 공적 합의(Formal Agreements): 평가 합의를 통해 의무사항을 명시하고 의뢰인 및 기타 이해관계자들의 요구, 기대, 문화적 상황을 고려하여 협상되어야 한다.

P3 참여자 권리와 존중(Human Rights and Respect): 평가는 참여자와 다른 이해관계자의 개인적·법적 권리를 보호하고 존엄성을 유지할 수 있는 방식으로 설계되고 실시되어야 한다.

P4 명료성과 형평성(Clarity and Fairness): 평가는 이해관계자의 요구 및 목적을 다루는 데 있어서 이해할 수 있고 공평하여야 한다.

P5 투명성과 공개성(Transparency and Disclosure): 평가 결과 공개가 법적 책무와 적절성 의무를 위반하는 것이 되지 않는 한, 모든 이해관계자에게 평가 결과, 제한점, 결론을 온전하게 담은 보고서를 제공하여야 한다.

P6 이해관계의 충돌(Conflicts of Interests): 평가에 영향을 미칠 수 있는 실제적 혹은 잠재적 이해관계의 충돌을 공개적으로 정직하게 찾아서 다루어야 한다.

P7 재정적 책임(Fiscal Responsibility): 평가는 모든 재원 사용을 적합하게 하여야 하며 건실한 회계 절차와 과정을 따라야 한다.

정확성(Accuracy)

A1 결론 및 의사결정의 정당성(Justified Conclusions and Decisions): 평가의 결론 및

의사결정은 결과에 영향을 미치는 문화 및 상황에 정당함을 명백하게 보여야 한다.

A2 정보의 타당성(Valid Information): 평가 정보는 의도된 목적에 부합하며 타당한 해석을 돕는 것이어야 한다.

A3 정보의 신뢰성(Reliable Information): 의도하는 활용에 따라 충분하게 믿을 만하며 일관된 정보를 산출할 수 있는 평가 절차를 사용하여야 한다.

A4 프로그램 및 맥락 보고의 명확성(Explicit Program and Context Descriptions): 평가는 프로그램과 그 맥락적 정보를 기록함에 있어서 적절하고 자세하게, 그리고 평가 목적의 범위를 반영하여야 한다.

A5 정보 관리(Information Management): 평가는 체계적인 정보 수집, 검토, 확인, 보관 방법을 활용하여야 한다.

A6 설계 및 분석의 충실성(Sound Designs and Analyses): 평가는 평가 목적에 적합하도록 기술적으로 적합한 설계 및 분석 방법을 채택하여야 한다.

A7 평가 논리의 명세성(Explicit Evaluation Reasoning): 정보와 결과 분석, 해석, 결론, 판단으로부터 나오는 평가 논리는 명확하고 철저하게 기록되어야 한다.

A8 소통과 보고(Communication and Reporting): 평가 소통은 적절한 범위에서 이루어져야 하며 잘못된 개념, 편견, 왜곡, 실수가 없도록 주의하여야 한다.

평가 책무성(Evaluation Accountability)

E1 평가 기록화(Evaluation Documentation): 평가는 협상된 목적, 실시된 설계, 절차, 자료, 결과에 대하여 충실히 기록하여야 한다.

E2 내부 메타평가(Internal Metaevaluation): 평가자는 평가 설계, 활용된 절차, 수집된 정보, 결과에 대한 책무성을 검증하기 위하여 활용 가능한 기준들을 적용해 보아야 한다.

E3 외부 메타평가(External Metaevaluation): 프로그램 평가 재정지원자, 의뢰인, 평가자, 기타 이해관계자는 이러한 활용 가능한 기준들을 사용하는 외부 메타평가의 실시를 적극적으로 고려하여야 한다.

출처: D. B. Yarbrough, L. M. Shulla, R. K. Hopson 및 F. A. Caruthers, 2011, 『프로그램 평가 기준(The program evaluation standards)』, 제3판. 교육평가기준합동위원회로부터 사용 승인을 구함. Thousand Oaks, CA: Sage. 승인하에 사용됨

미국평가학회의 평가자를 위한 안내 원칙

A. 체계적 탐구(Systematic Inquiry): 평가자는 데이터에 기초하여 체계적으로 연구하여야 한다.

1. 자신이 도출하는 평가 정보의 정확성과 신빙성을 확보하기 위하여 평가자는 활용하는 방법에 있어서 가장 높은 수준의 전문적 기준을 철저하게 따라야 한다.

2. 평가자는 의뢰인과 함께 다양한 평가 문제와 이러한 문제에 답하는 데 사용될 다양한 접근법 모두의 단점과 강점을 살펴보아야 한다.

3. 평가자는 다른 사람들이 자신의 일을 이해하고 해석, 비평할 수 있을 정도로 충분히 자세하고 정확하게 방법론과 접근법에 대하여 소통하여야 한다. 평가와 그 결과의 한계점에 대하여 명확하게 해야 한다. 평가자는 평가 결과의 해석에 의미 있는 영향을 미칠 수 있는 가치, 가정, 이론, 방법, 결과, 분석에 대하여 맥락에 적합한 방식으로 협의하여야 한다. 이는 최초의 개념화 작업에서부터 평가 결과의 궁극적인 활용에 이르기까지 평가의 모든 측면에 적용된다.

B. 유능성(Competence): 평가자는 이해관계자에게 유능한 수행능력을 제공하여야 한다.

1. 평가자는 평가에서 제안된 과제를 수행하는 데 적합한 교육, 능력, 기능, 경험을 갖추고 있어야(혹은 평가팀의 누군가가 갖추고 있도록 하여야) 한다.

2. 인식, 정확한 해석, 다양성 존중을 위하여 평가자는 평가팀의 구성원들 전체가 문화적 유능성을 갖추도록 하여야 한다. 문화적 유능성은 평가자가 자신의 문화에 기초한 가정을 인식하고, 상이한 문화를 가진 평가 참여자와 이해관계자들의 세계관을 이해하며 문화적으로 다양한 집단들과 협력하는 데 적합한 평가 전략과 기능을 활용하는 데 반영되어야 한다. 인종, 민족, 성, 종교, 사회경제적 지위, 기타 평가맥락에 관련된 요인 등의 측면에서 다양성이 존재한다.

3. 평가자는 자신의 전문직 훈련 및 유능성의 한계 안에서 실천하여야 하며 이러한 한계를 실질적으로 넘어서는 평가를 하겠다고 수락해서는 안 된다. 위탁 혹은 요청을 거절하는 것이 불가능하거나 부적합할 경우에는 평가자가 그로 인하여 평가에 영향을 줄 수 있는 중요한 제한점에 대하여 분명하게 밝혀야 한다. 평가자는 직접적으로 그러한 유능성을 갖추도록 모든 노력을 다하여야 하며, 아니면 평가에 필요한 전문성을 갖춘 다른 사람들의 지원을 구하여야 한다.

4. 평가자는 평가를 최고 수준으로 수행하기 위하여 자신의 유능성을 유지하고 향상

시키도록 지속적인 노력을 하여야 한다. 이러한 지속적인 전문성 개발에는 강의 듣기, 워크숍 참여하기, 스스로 학습하기, 자신의 평가 실제에 대해 평가하기, 다른 평가자와 협력하면서 이들의 기능과 전문성 배우기 등이 포함된다.

C. 도덕적 무결성/정직성(Integrity/Honesty): 평가자는 행동에 있어 정직성과 무결성을 보여야 하며 평가 과정 전반에서의 도덕적 무결성과 정직성을 추구하여야 한다.

1. 평가자는 의뢰인 및 적절한 이해관계자들과 함께 비용, 실시될 과제, 방법론적 한계, 예측되는 결과의 범위, 특정 평가에서 도출된 자료의 활용 등에 대하여 정직하게 협의하여야 한다. 대화를 시작하여 이러한 문제를 분명하게 해두는 것은 의뢰인이 아닌 평가자의 주된 책임이다.

2. 평가 과제를 수락하기 전에 평가자는 평가자로서의 자신의 역할이나 이해관계에서의 상충(혹은 상충 징조)을 야기할 수 있는 그 어떤 역할이나 관계든 공개하여야 한다. 평가를 계속 맡게 된다면 평가 결과 보고서에 이러한 이해상충(들)을 명확하게 기술하여야 한다.

3. 평가자는 원래 협의하였던 프로젝트 계획을 수정한 경우 그러한 변경이 이루어진 이유와 함께 모두 기록해야 한다. 이러한 변경이 평가의 범위와 가능한 결과에 중대한 영향을 미친다면 평가자는 변화와 있을 수 있는 영향에 대하여 신속하게(더 나아가기 전에, 그렇게 하지 않아야 하는 적절한 이유가 없을 경우) 의뢰인 및 기타 주요 이해관계자들에게 공지하여야 한다.

4. 평가자는 평가의 수행 및 결과에 관한 자신, 의뢰인, 기타 이해관계자의 관심사와 가치관을 명료하게 밝혀야 한다.

5. 평가자는 자신의 평가 절차, 자료, 혹은 결과를 그릇되게 보고해서는 안 된다. 합당한 한계 안에서, 다른 사람들이 평가를 오용하는 것을 방지하거나 바로잡으려 노력하여야 한다.

6. 평가자가 특정 절차나 활동이 평가 정보나 결론을 오도할 가능성이 있다고 판단한다면 이러한 우려와 그 근거를 적절하게 전달할 책임을 가지고 있다. 의뢰인과의 논의를 통해 이러한 우려를 해소하지 못한다면 평가자는 평가 실시를 거절하여야 한다. 평가 과제 거부가 현실적으로 불가능하거나 부적절할 경우 평가자는 다른 적절한 진행방법에 대하여 동료나 관련 이해관계자와 의논하여야 한다. (더 높은 지위에 있는 사람과 협의하는 것, 자신의 이견을 담은 표지 혹은 부록을 첨부하는 것, 혹은 마지막 문서에 서명하지 않는 것 등도 가능한 선택사항이다.)

7. 평가자는 평가의 재정적 지원이 어디서 나왔는지, 누가 평가 요청을 하였는지를 공개하여야 한다.

D. 사람에 대한 존중(Respect for People): 평가자는 평가 반응자, 프로그램 참여자, 의뢰인, 기타 평가 이해관계자들의 안전보장, 존엄성, 자기가치를 존중하여야 한다.

1. 평가자는 평가의 중요한 맥락 요소들을 종합적으로 이해하려고 노력하여야 한다. 평가 결과에 영향을 줄 수 있는 맥락 요소에는 지리적 위치, 시기, 정치·사회적 분위기, 경제적 상황, 동시에 진행되고 있는 다른 적절한 활동 등이 있다.

2. 평가자는 평가에 참여하는 사람들에게 있을 수 있는 위험, 해로움, 부담감 등에 대하여, 평가에 대한 설명과 참여 동의에 대하여, 그리고 비밀보장의 범위와 한계를 참여자와 의뢰인에게 알리는 것에 대하여 현재의 전문직 윤리, 기준, 규정을 따라야 한다.

3. 평가에서는 합당한 근거를 가진 부정적 혹은 비판적 결론을 명확하게 진술해야만 하기 때문에 평가는 간혹 의뢰인이나 관계자의 이해에 해로울 수 있는 결과를 도출하기도 한다. 이러한 상황에서 평가자는 혜택을 최대화하고 불필요한 위해의 발생을 줄이기 위하여 노력하되 이로 인해 평가 결과의 도덕적 무결성이 훼손되지 않도록 하여야 한다. 평가자는 평가를 실시하거나 특정한 평가 절차를 수행하는 것으로 인한 혜택이 위험이나 해로움보다 언제 우선시되는지를 주의 깊게 판단하여야 한다. 가능한 한, 이러한 쟁점은 평가를 협의할 때 미리 예측되어야 한다.

4. 평가가 일부 이해관계자의 이해에 부정적인 영향을 줄 수 있음을 인지하게 된 평가자는 이러한 이해관계자의 존엄성과 자아가치를 분명하게 존중하는 방식으로 평가를 수행하고 그 결과를 소통하여야 하다.

5. 가능하다면 평가자는 평가에서 사회적 형평성을 촉진하기 위해 노력하여 평가에 참여하는 사람들에게 혜택이 되돌아갈 수 있도록 하여야 한다. 예를 들어 평가자는 자료를 제공하고 위험을 감수하는 사람들이 자발적으로 이렇게 하는 것인지, 평가의 혜택에 대하여 온전한 지식과 획득기회를 가지고 있는지를 확실하게 해두어야 한다. 프로그램 참여자들에게 자신의 서비스 수혜 자격이 평가 참여에 의하여 좌우되지 않는다는 사실을 공지하여야 한다.

6. 평가자는 문화, 종교, 성, 장애, 연령, 성적 취향, 민족 등에서의 차이와 같은 참여자 간 차이를 이해하고 존중하고 이러한 차이가 평가를 계획, 실시, 분석, 보고할 때 잠재적으로 시사하는 바에 대하여 밝힐 책임을 가지고 있다.

E. 일반 및 공공의 복지에 대한 책임(Responsibilities for General and Public Welfare): 평가자는 평가에 관련되는 일반적 및 공적 이해와 가치의 다양성을 명확히 하고 고려하여야 한다.

1. 평가를 계획하고 결과를 보고할 때 평가자는 전 범위의 이해관계자들의 관점과 관심사를 적절하게 포함시켜야 한다.

2. 평가자는 평가되는 것의 즉각적 운영 및 성과뿐만 아니라 광범위한 가정, 시사점, 잠재적 부수효과에 대해서도 고려하여야 한다.

3. 정보의 자유는 민주주의에서 본질적인 것이다. 평가자는 모든 적절한 이해관계자들이 사람들을 존중하고 비밀보장 약속을 존중하는 방식으로 평가 정보에 접근할 수 있도록 허용하여야 한다. 평가자는 자원이 허용되는 한 이해관계자들에게 평가 정보를 적극적으로 널리 알려야 한다. 특정 이해관계자에게 적합하게 소통하려면 그 이해관계자의 관심사에 관련되는 모든 결과를 포함시켜야 하며 다른 이해관계자들에게 적합한 소통내용도 언급하여야 한다. 모든 경우에 평가자는 의뢰인과 기타 이해관계자들이 평가 과정 및 결과를 쉽게 이해할 수 있도록 결과를 간단명료하게 제시하고자 노력하여야 한다.

4. 평가자들은 의뢰인의 요구와 다른 요구들 간에 균형을 유지하여야 한다. 평가자는 평가에 필요한 재원을 제공하거나 평가를 요청한 의뢰인과의 특별한 관계를 가지게 되기 마련이다. 이러한 관계를 고려할 때 평가자는 가능하고 적절한 경우에는 의뢰인의 정당한 요구를 충족시키고자 노력하여야 한다. 그렇지만 이러한 관계는 의뢰인의 이해관계가 다른 이해관계와 충돌하거나 체계적 탐구, 유능성, 도덕적 무결성, 사람에 대한 존중에 대한 평가자의 책임과 충돌할 경우 평가자에게 어려운 딜레마를 던지기도 한다. 이러한 경우 평가자는 의뢰인 및 적절한 이해관계자들과 이해상충에 대하여 분명하게 밝히고 의논하여야 하며, 가능하다면 이를 해결하고 그럴 수 없을 경우에는 평가를 지속할지의 여부를 결정하고 이해상충이 해결되지 않음으로 인해서 발생할 수 있는 평가의 중요한 한계점에 대하여 명확하게 해두어야 한다.

5. 평가자는 공공의 이해와 선을 추구할 의무를 가진다. 이러한 의무는 평가자가 공적 재원으로 지원받을 때 특히 중요하지만 공공의 선에 대한 명백한 위협은 평가에서 결코 간과해서는 안 된다. 공공의 이해와 선이 특정 집단(의뢰인 혹은 재정지원자 포함)의 이해관계와 동일한 경우는 거의 없기 때문에 평가자는 대체로 특정 관계자들의 이해관계 분석을 넘어서서 사회 전체의 복지를 고려하여야 할 것이다.

출처: 미국평가학회, http://www.eval.org/Publications/GuidingPrinciples.asp. 1994년에 최초로 승인되고 2004년에 구성원에 의하여 수정이 승인됨. 협회의 허락을 구하여 사용함.

참고문헌

Abma, T. A., & Stake, R. E. (2001). Stake's responsive evaluation: Core ideas and evolution. In J. C. Greene & T. A. Abma (Eds.), *Responsive evaluation*. New Directions for Program Evaluation, No. 92, 7-22. San Francisco: Jossey-Bass.

Affholter, D. P. (1994). Outcome monitoring. In J. S. Wholey, H. P. Hatry, & K. E. Newcomer (Eds.), *Handbook of practical program evaluation*. San Francisco: Jossey-Bass.

Agar, M. (2000). Border lessons: Linguistic "rich points" and evaluative understanding. In R. K. Hopson (Ed.), *How and why language matters in evaluation*. New Directions for Evaluation, No. 86, 93-109. San Francisco: Jossey-Bass.

Alkin, M. C. (1969). Evaluation theory development. *Evaluation Comment, 2*, 2-7.

Alkin, M. C. (1991). Evaluation theory development: II. In M. W. McLaughlin & D. C. Phillips (Eds.), *Evaluation and education: At quarter century. Ninetieth Yearbook of the National Society for the Study of Education, Part II*. Chicago: University of Chicago Press.

Alkin, M. C. (Ed.). (2004). *Evaluation roots: Tracing theorists' views and influences*. Thousand Oaks, CA: Sage.

Alkin, M. C. (2005). Utilization of evaluation. In S. Mathison (Ed.), *Encyclopedia of evaluation*. Thousand Oaks, CA: Sage.

Alkin, M. C., & Christie, C. A. (2004). An evaluation theory tree. In M. C. Alkin (Ed.), *Evaluation roots* (pp. 12-65). Thousand Oaks. CA: Sage.

Alkin, M. C., & Ellett, F. (1985). Evaluation models and their development. In T. Husén & T. N. Postlethwaite (Eds.), *International encyclopedia of education: Research and studies*. Oxford: Pergamon.

Alkin, M. C. & House, E. (1992). Evaluation of programs. In M. Alkin (Ed.), *Encyclopedia of educational research*. New York: Macmillan.

Alkin, M. C., Stecher, B. M., & Geiger, F. L. (1982). *Title I evaluation: Utility and factors influencing use*. Northridge, CA: Educational Evaluation Associates.

Altschuld, J. W. (2009). *The needs assessment kit*. Thousand Oaks, CA: Sage.

American Evaluation Association. (1995). Guiding principles for evaluators. In W. R. Shadish, D. L. Newman, M. A. Scheirer, & C. Wye (Eds.), *Guiding principles for evaluators*. New Directions for Program Evaluation, No. 34, 19-26. San Francisco: Jossey-Bass.

American Evaluation Association. (2002). *Position statement on high stakes testing in Pre K-12 Education*. Retrieved March 1, 2010 from http://www.eval.org/hst3.htrn.

American Evaluation Association. (2004). *Guiding principles for evaluators*. Retrieved January 21, 2010 from http:/fwww.eval.org/Publications/GuidingPrinciples.asp.

American Evaluation Association. (2006). Public statement: Educational accountability. Retrieved May 29, 2009 from http://www.eval.org/edac.statement.asp.

American Evaluation Association. (2008). *AEA 2007/2008 Internal Scan Report to the Membership by Goodman Research Group*. Retrieved January 22, 2010 from http://www.eval.

org/Scan/aea08.scan.report.pdf.

Amie, M. (1995). The Australasian Evaluation Society. *Evaluation, 1,* 124-125.

Andersen, L. A., & Schwandt, T. A. (2001). *Mainstreaming evaluation in society: Understanding the moral/political orientation of evaluation practice.* Paper presented at the annual meeting of the American Evaluation Association, St. Louis, MO.

Arens, S. A., & Schwandt, T. A. (2000). Review of values in evaluation and social research. *Evaluation and Program Planning, 23*(3), 261-276.

Argyris, C., & Schöen, D. A. (1978). *Organizational learning: A theory of action perspective.* Reading, MA: Addison-Wesley.

Babbie, E., Halley, F. S., Wagner, W. E., III, & Zaino, J. (2010). *Adventures in social research: Data analysis using SPSS 17.0 and 18.0 for Windows* (7th ed.). Thousand Oaks, CA: Sage.

Baker, A., & Bruner, B. (2006). *Evaluation capacity and evaluative thinking in organizations* (Vol. 6). Cambridge MA: Bruner Foundation, Inc.

Bandura, A. (1977). *Social learning theory.* Englewood Cliffs, NJ: Prentice Hall.

Bandura, A. (1986). *Social foundations of thought and action: A social cognitive theory.* Englewood Cliffs, NJ: Prentice Hall.

Barbour, R. (2008). *Doing focus groups. Qualitative research kit.* Thousand Oaks, CA: Sage.

Barnett, W. S. (1996). *Lives in the balance: Age 27 benefit-cost analysis of the High Scope Perry Preschool Program.* Ypsilahti, MI: High/Scope Press.

Barnette, J. J., & Sanders, J. R. (2003). *The main-streaming of evaluation.* New Directions for Evaluation, No. 99. San Francisco: Jossey-Bass.

Bell, J. B. (2004). Managing evaluation projects. In J. S. Wholey, H. P. Hatry, & K. E. Newcomer (Eds.), *Handbook of practical program evaluation* (2nd ed.). San Francisco: Jossey-Bass.

Bell, W. (1983). *Contemporary social welfare.* New York: Macmillan.

Belmont Report (1979). Department of Health, Education, and Welfare, The National Commission for the Protection of Human Subjects of Biomedical and Behavioral Research. http://ohsr.od.nih.gov/guidelines/belmont.html.

Benjamin, L. M., & Greene, J. C. (2009). From program to network: The evaluator's role in today's public problem?solving environment. *American Journal of Evaluation, 30*(3), 296-309.

Benkofske, M. (1994, November). *When the qualitative findings are negative.* Paper presented at the annual meeting of the American Evaluation Association, Boston.

Bernard, H. R. (2000). *Social research methods: Qualitative and quantitative approaches.* Thousand Oaks, CA: Sage.

Bernard, H. R., & Ryan, G. W. (2010). *Analyzing qualitative data: Systematic approaches.* Thousand Oaks, CA: Sage.

Bickman, L. (Ed.). (1987). *Using program theory in evaluation.* New Directions for Program Evaluation, No. 33. San Francisco: Jossey-Bass.

Bickman, L. (Ed.). (1990). *Advances in program theory.* New Directions for Program Evaluation, No. 47. San Francisco: Jossey-Bass.

Bickman, L. (2002). The death of treatment as usual: An excellent first step on a long road. *Clinical Psychology. 9*(2), 195-199.

Bloom, B. S., Engelhart, M. D., Furst, E. J., Hill, W. H., & Krathwohl, D. R. (1956). *Taxonomy of educational objectives: Handbook I. Cognitive domain.* New York: David McKay.

Bloom, B. S., Hastings, J. T., & Madaus, G. F. (1971). *Handbook of formative and summative evaluation of student learning.* New York: McGraw-Hill.

Boruch, R. (2007). ,Encouraging the flight of error: Ethical standards, evidence standards, and randomized trials. In G. Julnes & D. J. Rog (Eds.), *Informing federal policies on evaluation methodology: Building the evidence base for method choice in government sponsored evaluation*. New Directions for Evaluation, No. 113, 55-74. San Francisco: Jossey-Bass.

Botcheva, L., Shih, J., & Huffman, L. C. (2009). Emphasizing cultural competence in evaluation: A process-oriented approach. *American Journal of Evaluation, 30*(2), 176-188.

Brandon, P. R. (1998). Stakeholder participation for the purpose of helping ensure evaluation validity: Bridging the gap between collaborative and non-collaborative evaluations. *American Journal of Evaluation, 19,* 32 5-337.

Brandon, P. R. (2005). Using test standard-setting methods in educational program evaluation: Assessing the issue of how good is good enough. *Journal of Multidisciplinary Evaluation, 3,* 1-29.

Brandon, P. R., Taum, A. K. H., Young, D. B., Pottenger, F. M., Ill, & Speitel, T. W. (2008). The complexity of measuring the quality of program implementation with observations: The case of middle school inquiry-based science. *American Journal of Evaluation, 29*(2), 235-250.

Braverman, M. T. (1996). Sources of survey error: Implications for evaluation studies. In M. T. Braverman & J. K. Slater (Eds.), *Advances in survey research*. New Directions for Evaluation, No. 70, 17-28. San Francisco: Jossey-Bass.

Braverrnarm, M. T., & Slater, J. K. (1996). *Advances in survey research*. New Directions for Evaluation, No. 70. San Francisco: Jossey-Bass.

Brinkerhoff, R. O. (2003). *The success case method: How to quickly find out what's working and what's not*. San Francisco: Berrett Kohler.

Brinkerhoff, R. O., Brethower, D. M., Hluchyj, T., & Nowakowski, J. R. (1983). *Program evaluation: A practitioner's guide for trainers and educators*. Boston: Kluwer-Nijhoff.

Brittingham, B. (2009). Accreditation in the United States: How did we get to where we are? In P. M. O'Brian (Ed.), *Accreditation: Assuring and enhancing quality*. New Directions in Higher Education, No. 145, 7-27. San Francisco: Jossey-Bass.

Buchanan, G. N., & Wholey, J. S. (1972). Federal level evaluation. *Evaluation, 1,* 17-22.

Buckley, J., & Schneider, M. (2006). Are charter school parents more satisfied with schools? Evidence from Washington, DC. *Peabody Journal of Education, 81*(1), 57-78.

Calhoun, E. F. (1994). *How to use action research in the self-renewing school*. American Society for Curriculum Development.

Calhoun, F. F. (2002). Action research for school improvement. *Educational Leadership, 59*(6), 18-25.

Campbell, D. (1969a). Ethnocentrism of disciplines and the fish-scale model of omniscience. In M. Sheriff & C. Sherif (Eds.), *Inter-disciplinary relationships in the social sciences*. Chicago: Aldine.

Campbell, D. T. (1969b). Reforms as experiments. *American Psychologist, 24,* 409-429.

Campbell, D. T. (1984). Can we be scientific in applied social science? In R. F. Conner, D. G. Altman, & C. Jackson (Eds.), *Evaluation studies review annual* (Vol. 9). Beverly Hills, CA: Sage.

Campbell, D. T., & Stanley, J. C. (1966). *Experimental and quasi-experimental designs for research*. Chicago: Rand McNally.

Canadian Evaluation Society. (1992). Standards for program evaluation in Canada: A discussion paper. *Canadian Journal of Program Evaluation, 7,* 157-170.

Caracelli, V. J., & Greene, J. C. (1997). Crafting mixed-method evaluation designs. In J. C. Greene & V. J. Caracelli (Eds.), *Advances in mixed-method evaluation: The challenges and benefits of integ rating diverse paradigms.* New Directions for Program Evaluation, No. 74. San Francisco: Jossey-Bass.

Carrnan, J. G., Fredericks, K. A., & Jntrocaso, D. (2008). Government and accountability: Paving the way for nonprofits and evaluation. In J. G. Carman & K. A. Fredericks (Eds.), *Nonprofits and evaluation.* New Directions for Evaluation, No. 119, 5-12. San Francisco: Jossey-Bass.

Caro, F. G. (Ed.). (1971). *Readings in evaluation research.* New York: Russell Sage.

Carr, W., & Kemmis, S. (1992). *Becoming critical: Education, knowledge, and action research.* London: Falmer.

Chelimsky, E. (1994). Evaluation: Where are we? *Evaluation Practice, 15,* 339-345.

Chelimsky, E. (1997). The coming transformations in evaluation. In F. Chelimsky & W. R. Shadish (Eds), *Evaluation for the 21st Century: A handbook.* Thousand Oaks, CA: Sage.

Chelimnsky, E. (1998). The role of experience in formulating theories of evaluation practice. *American Journal of Evaluation, 20,* 35-56.

Chelirnsky, E. (2001). What evaluation could do to support foundations: A framework with nine component parts. *American Journal of Evaluation, 22*(1), 13-28.

Chelimsky, E. (2006). The purposes of evaluation in a democratic society. In I. F. Shaw, J. C. Greene, & M. M. Mark (Eds.), *The Sage handbook of evaluation.* Thousand Oaks, CA: Sage.

Chelimsky, E. (2007). Factors influencing the choice of methods in federal evaluation practice. In G. Julnes & D. J. Rog (Eds.), *Informing federal policies on evaluation methodology: Building the evidence base for method choice in government sponsored evaluation.* New Directions for Evaluation, No. 113, 13-34. San Francisco: Jossey-Bass.

Chelimsky, E. (2008). A clash of cultures: Improving the "fit" between evaluative independence and the political requirements of a democratic society. *American Journal of Evaluation, 29,* 400-415.

Chelirnsky, E., & Shadish, W. R. (1997). *Evaluation for the 21st century: A handbook.* Thousand Oaks, CA: Sage.

Chen, H. T. (1990). *Theory-driven evaluations.* Newbury Park, CA: Sage.

Chen, H. T. (1994). Current trends and future directions in program evaluation. *Evaluation Practice, 15,* 229-238.

Chen, H. T. (1996). A comprehensive typology for program evaluation. *Evaluation Practice, 17,* 121-130.

Chen, H. T., & Rossi, P. H. (1980). The multi-goals, theory-driven approach to evaluation: A model linking basic and applied social sciences. *Social Forces, 59,* 106-122.

Chen, H.T., & Rossi, P. H. (1983). Evaluating with sense: The theory-driven approach. *Evaluation Review, 7,* 283-302.

Chinman, M., Hunter, S. B., Ebener, P., Paddock, S., Stillman, L., Imm, P., & Wanderman, A. (2008). The Getting To Outcomes demonstration and evaluation: An illustration of the prevention support system. *American Journal of Community Psychology, 41*(3-4), 206-224.

Christie, C. A. (2003). What guides evaluation? A study of how evaluation practice maps onto evaluation theory. In C. A. Christie (Ed.), *The practice-theory relationship in evaluation.* New Directions for Evaluation, No. 9, 7-36. San Francisco: Jossey-Bass.

Christie, C. A., & Barela, E. (2008). Internal evalualion in a large urban school district: A Title I best practices study. *American Journal of Evaluation, 29*(4), 531-546.

Christie, C., & Conner, R. F. (2005). Aconversationwith Ross Conner: The Colorado Trust Community-Based Collaborative Evaluation. *American Journal of Evaluation, 26,* 369-377.

Christie, C., & Preskill, H. (2006). Appreciative Inquiry as a method for evaluation: An interview with Hallie Preskill. *American Journal of Evaluation, 27*(4), 466-474.

Chubb, J. F., & Moe, T. M. (1990). *Politics, markets, and America's schools*. Washington, DC: Brookings Institute.

Compton, D. W., & Baizerman, M. (2007). Defining evaluation capacity building. *American Journal of Evaluation, 28*(2), 118-119.

Compton, D.W., Baizerman, M., & Stockdill, S. H. (Fds.). (2002). *The art, craft, and science of evaluation capacity building*. New Directions for Evaluation. San Francisco: Jossey-Bass.

Compton, D. W., Glover-Kudon, R., Smith, I. E., & Avery, M. E. (2002). Ongoing capacity building in the American Cancer Society (ACS) 1995-2001. In D. W Compton, M. Braizerman, & S. H. Stockdill (Eds.), *The art, craft, and science of evaluation capacity building*. New Directions for Evaluation, No. 93, 47-62. San Francisco: Jossey-Bass.

Converse, P. D., Wolfe, E. W., Huang, X., & Oswald, F. L. (2008). Response rates for mixed-mode surveys using mail and e-mail/web. *American Journal of Evaluation, 29*(1), 99-107.

Cook, D. L. (1966). *Program evaluation and review technique: Applications in education* (Monograph no. 17). Washington, DC: U.S. Office of Education Cooperative Research.

Cook, T. D. (1997). Lessons learned in evaluation over the past 25 years. In F. Chelimsky & W. R. Shadish (Fds.), *Evaluation for the 2lst century: A handbook*. Thousand Oaks, CA: Sage.

Cook, T. D., & Campbell, D. T. (1979). *Quasi-experimentation: Design and analysis issues for field settings*. Skokie, IL; Rand McNally.

Cooksy, L. J. (2000). Commentary: Auditing the off-the-record case. *American Journal of Evaluation, 21,* 122-128.

Cousins, J. B. (2003). Utilization effects of participatory evaluation. In T. Kellaghan, D. L. Stufflebeam, & L. A. Wingate (Eds.), *International handbook of educational evaluation* (pp. 245-266). Dordrecht, The Netherlands: Kluwer Academic.

Cousins, J. B. (2005). Will the real empowerment evaluation please stand up? A critical friend perspective. In D. M. Fetterman & A. Wandersman (Eds.), *Empowerment evaluation principles in practice,* pp. 183-208. New York: Guilford.

Cousins, J. B., Donohue, J. J., & Bloom, G. A. (1996). Collaborative evaluation in North America: Evaluators' self-reported opinions, practices, and consequences. *Evaluation Practice, 17*(3), 207-226.

Cousins, J. B., & Earl, L. M. (1992). The case for participatory evaluation. *Educational Evaluation and Policy Analysis, 14*(4), 397-418.

Cousins, J. B., & Earl, L. M. (Fds.). (1995). *Participatory evaluation in education: Studies in evaluation use and organizational learning*. London: Falmer.

Cousins, J. B., & Leithwood, K. A. (1986). Current empirical research on evaluation utilization. *Review of Educational Research, 56,* 331-364.

Cousins, J. B., & Shula, L. M. (2006). A comparative analysis of evaluation utilization and its cognate fields of inquiry: Current issues and trends. In I. F. Shaw, J. C. Greene, & M. M. Mark (Eds.), *The Sage handbook of evaluation* (pp. 266-291). Thousand Oaks, CA: Sage.

Cousins, J. B., & Shula, L. M. (2008). Complexities in setting standards in collaborative evaluation. In N. L. Smith & P. R. Brandon (Fds.), *Fundamental issues in evaluation* (pp. 139-158). New York: Guilford.

Cousins, J. B., & Whitmore, E. (1998). Framing participatory evaluation. In E. Whitmore (Ed.), *Understanding and practicing participatory evaluation*. New Directions for Evaluation, No. 80, 5-23. San Francisco: Jossey-Bass.

Covert, R. W. (1992, November). *Successful competencies in preparing professional evaluators*. Paper presented at the annual meeting of the American Evaluation Association, Seattle,

WA.

Cox, J. (2007). *Your opinion please: How to build the best questionnaires in the field of education* (2nd ed.). Thousand Oaks, CA: Sage.

Crary, D. (2010, February 4). Child-abuse crackdown makes huge dent in cases. *Denver Post,* pp. 1, 9a.

Creswell, J. W. (2009). *Research design: Qualitative, quantitative, and mixed methods approaches* (3rd ed.). Thousand Oaks, CA: Sage.

Cronbach, L. J. (1963). Course improvement through evaluation. *Teachers College Record, 64,* 672-683.

Cronbach, L. J. (1982). *Designing evaluations of educational and social programs.* San Francisco: Jossey-Bass.

Cronbach, L. J., Ambron, S. R., Dornbusch, S. M., Hess, R. D., Hornik, R. C., Phillips, D. C., Walker, D. F., & Weiner, S. S. (1980). *Toward reform of program evaluation.* San Francisco: Jossey-Bass.

Cullen, A. (2009). *The politics and consequences of stakeholder participation on international development evaluation.* Unpublished doctoral dissertation, Western Michigan University.

Dahler-Larsen, P. (2003). The political in evaluation. *E-journal Studies in Educational Policy and Educational Philosophy, 1.* http://www.upi.artisan.se.

Dahler-Larsen, P. (2006). Evaluation after disenchantment? Five issues shaping the role of evaluation in society. In I. F. Shaw, J. C. Greene, & M. M. Mark (Eds.), *The Sage handbook of evaluation.* Thousand Oaks, CA: Sage.

Datta, L. (1999). The ethics of evaluation neutrality and advocacy. In J. L. Fitzpatrick & M. Morris (Eds.), *Current and emerging ethical challenges in evaluations.* New Directions for Evaluation, No. 82, 77-88. San Francisco: Jossey-Bass.

Datta, L. (2006). The practice of evaluation: Challenges and new directions. In I. F. Shaw, J. C. Greene, & M. M. Mark (Eds.), *The Sage handbook of evaluation.* Thousand Oaks, CA: Sage.

Datta, L. (2007). Looking at the evidence: What variations in practice might indicate. In G. Julnes & D. J. Rog (Eds.), *Informing federal policies on evaluation methodology: Building the evidence base for method choice in government sponsored evaluation.* New Directions for Evaluation, No. 113, 35-54. San Francisco: Jossey-Bass.

Datta, L. E., & Miller, R. (2004). The oral history of evaluation Part II: The professional development of Lois-Fllm Datta. *American Journal of Evaluation, 25,* 243-253.

Davidson, J. (2005). Criteria. In S. Mathison (Ed.), *Encyclopedia of evaluation,* p. 91. Thousand Oaks, CA: Sage.

Davidson, J. (2010). Posting on evaluation discussion. American Evaluation Association. Thought leaders. 1/20/2010.

deLeeuw, E. D., Hox, J. J., & Dillman, D. A. (2008). *International handbook of survey methodology.* Psychology Press.

deLeon, L., & Denhardt, R. (2000). The political theory of reinvention. *Public Administration Review, 60*(1), 89-97.

Denzin, N. K., & Lincoln, Y. S. (Eds.). (2005). *The Sage handbook of qualitative research* (3rd ed.). Thousand Oaks, CA: Sage.

Dewey, J. D., Montrosse, B. E., Shroter, D. C., Sullins, C. D., & Mattox, J. R. (2008). Evaluator competencies: What's taught versus what's sought. *American Journal of Evaluation, 29,* 268-287.

Dickeson, R. C. (2006). The need for accreditation reform. Retrieved from http://www.ed.gov/about/bdscomm/list/hiedfuture/reports/dickeson.pdf. June 1, 2010.

Dilhnan, D. A., Smyth, J., & Christian, L. M. (2009). *Internet, mail, and niixed-mode surveys: The tailored design method* (3rd ed.). Hoboken, NJ: John Wiley.

Dillman, D. A., & Tarnai, J. (1991). Mode effects of cognitively-design ed recall questions: A comparison of answers to telephone and mail surveys. In P. P. Biemer, R. M. Brover, L. E. Lyberg, N. A. Mathiowetz, & S. Sudman (Eds.), *Measurement errors in surveys*. New York: Wiley.

Dodson, S. C. (1994). *Interim summative evaluation: Assessing the value of a long term or ongoing program, during its operation*. Unpublished doctoral dissertation, Western Michigan University, Kalamazoo.

Donaldson, S. E., & Scriven, M. (Eds.). (2003). *Evaluating social programs and problems: Visions for the new millenniums*. Mahwah, NJ: Erlbaum.

Donaldson, S. I. (2007). *Program theory-driven evaluation science: Strategies and applications:* New York: Erlbaum.

Donmoyer, R. (2005). Connoisseurship. In S. Matthison (Ed.), *Encyclopedia of evaluation*. Thousand Oaks, CA: Sage.

Duignan, P. (2003). Mainstreaming evaluation or building evaluation capability? Three key elements. In J. J. Barnette & J. R. Sanders (Eds.), *The mainstreaming of evaluation*. New Directions for Evaluation, No. 99, pp. 7-22. San Francisco: Jossey-Bass.

Eden, C., & Ackermann, F. (1998). *Making strategy: The journey of strategic management*. London: Sage.

Eisner, E. W. (1975, April). *The perceptive eye: Toward the reformation of educational evaluation*. Invited address at the American Educational Research Association, Washington, DC.

Eisner, E. W. (1976). Educational connoisseurship and criticism: Their fonn and function in educational evaluation. *Journal of Aesthetic Education, 10,* 135-150.

Eisner, E. W (1979a). *The educational imagination: On the design and evaluation of school programs*. New York: Macmillan.

Eisner, E. W. (1979b). The use of qualitative forms of evaluation for improving educational practice. *Educational Evaluation and Policy Analysis. 1,* 11-19.

Eisner, E. W. (1985). *The art of educational evaluation: A personal view*. Philadelphia, PA: The Falmer Press.

Eisner, E. W. (1991a). Taking a second look: Educational connoisseurship revisited. In M. W. McLaughlin & D. C. Phillips (Eds.), *Evaluation and education: At quarter century*. Nintieth Yearbook of the National Society for the Study of Education, Part II. Chicago: University of Chicago Press.

Eisner, E. W. (1991b). *The enlightened eye: Qualitative inquiry and the enhancement of educational practice*. New York: Macmillan.

Eisner, E. W. (2004). The roots of connoisseurship and criticism: A personal journey. In M. C. Alkin (Ed.), *Evaluation roots*. Thousand Oaks, CA: Sage.

Elliott, J. (2005). Action research. In S. Mathison (Ed.), *Encyclopedia of evaluation*. Thousand Oaks, CA: Sage.

Evaluation Research Society Standards Committee. (1982). Evaluation Research Society standards for program evaluation. In P. H. Rossi (Ed.), *Standards for evaluation practice*. New Directions for Program Evaluation, No. 15, 7-19. San Francisco: Jossey-Bass.

Fals-Borda, O., & Anisur-Rahman, M. (1991). *Action and knowledge: Breaking the monopoly with participatory action research*. New York: Apex Press.

Fetterman, D. M. (1984). *Ethnography in educational evaluation*. Beverly Hills, CA: Sage.

Fetterman, D. M. (1994). Empowerment evaluation. 1993 presidential address. *Evaluation Practice, 15,* 1-15.

Fetterman, D. M. (1996). Empowerment evaluation: An introduction to theory and practice. In D. M. Fetterman, S. Kaftarian, & A. Wandersman (Eds.), *Empowerment evaluation: Knowledge and tools for self-assessment and accountability.* Thousand Oaks, CA: Sage.

Fetterman, D. M. (2001a). *Foundations of empowerment evaluation.* Thousand Oaks, CA: Sage.

Fetterman, D. M. (2001b). The transformation of evaluation into a collaboration: A vision of evaluation in the 21st century. *American Journal of Evaluation, 22*(3). 381-385.

Fetterman, D. M. (2005). In response to Drs. Patton and Scriven. *American Journal of Evaluation, 26*(3), 418-420.

Fetterman, D. M., Kaftarian, S., and Wandersman, A. (Eds.). (1996). *Empowerment evaluation: Knowledge and tools for self-assessment and accountability.* Thousand Oaks, CA: Sage.

Fetterman, D. M., & Wandersman, A. (Eds.). (2005). *Empowerment evaluation principles in practice.* New York: Guilford.

Fetterman, D. M., & Wandersman, A. (2007). Empowerment evaluation: Yesterday, today, and tomorrow. *American Journal of Evaluation, 28*(2), 179-198.

Fink, A. (2008). *How to conduct surveys: A step-by-step guide* (4th ed). Thousand Oaks, CA: Sage.

Fischer, C. T., & Wertz, F. J. (2002). Empirical phenomenological analyses of being criminally victimized. In A. M. Huberman & M. B. Miles (Eds.), *The qualitative researcher's companion.* Thousand Oaks, CA: Sage.

Fitzpatrick, J. L. (1988). *Alcohol education programs for drunk drivers.* Colorado Springs: Center for Community Development and Design.

Fitzpatrick, J. L. (1989). The politics of evaluation with privatized programs: Who is the audience? *Evaluation Review, 13,* 563-578.

Fitzpatrick, J. L. (1992). Problems in the evaluation of treatment programs for drunk drivers: Goals and outcomes. *Journal of Drug Issues, 22,* 155-167.

Fitzpatrick, J. L. (1994). Alternative models for the structuring of professional preparation programs. In J. W. Altschuld & M. Engle (Eds.), *The preparation of professional evaluators: Issues, perspectives, and programs.* New Directions for Program Evaluation, No. 62, 41-50. San Francisco: Jossey-Bass.

Fitzpatrick, J. L. (1999). Ethics in disciplines and professions related to evaluation. In J. L. Fitzpatrick & M. Morris (Eds.), *Current and emerging ethical challenges in evaluation.* New Directions for Evaluation, No. 82. San Francisco: Jossey-Bass.

Fitzpatrick, J. L. (2004). Exemplars as case studies: Reflections on the link between theory, practice, and context. *American Journal of Evaluation, 25,* 541-559.

Fitzpatrick, J. L. (2005). Informed consent. In S. Mathison (Ed.), *Encyclopedia of evaluation.* Thousand Oaks, CA: Sage.

Fitzpatrick, J. L., & Bickman, L. (2002). Evaluation of the Ft. Bragg and Stark County systems of care for children and adolescents: A dialogue with Len Bickman. *American Journal of Evaluation, 23,* 67-80.

Fitzpatrick, J. L., & Bledsoe, K. (2007). Evaluation of the Fun with Books Program: A dialogue with Katrina Bledsoe. *American Journal of Evaluation, 28,* 522-535.

Fitzpatrick, J. L., & Donaldson, S. I. (2002). Evaluation of the Work and Health Initiative: A dialogue with Stewart Donaldson. *American Journal of Evaluation, 23,* 347-365.

Fitzpatrick, J. L., & Fetterman, D. (2000). The evaluation of the Stanford Teacher Education Program (STEP): A dialogue with David Fetterman. *American Journal of Evaluation, 20,* 240-259.

Fitzpatrick, J. L., & Greene, J. (2001). Evaluation of the Natural Resources Leadership Program: A dialogue with Jennifer Greene. *American Journal of Evaluation, 22,* 81-96.

Fitzpatrick, J. L., & Henry, G. (2000). The Georgia Council for School Performance and its perf ormance monitoring system: A dialogue with Gary Henry. *American Journal of Evaluation, 21,* 105-117.

Fitzpatrick, J. L., & King, J. A. (2009). Evaluation of the special education program at the AnokaHennepin School District: An interview with Jean A. King. In J. Fitzpatrick, C. Christie, & M. M. Mark (Eds.), *Evaluation in action.* Thousand Oaks, CA: Sage.

Fitzpatrick, J. L., & Miller-Stevens, K. (2009). A case study of measuring outcomes in an MPA program. *Journal of Public Affairs Education, 15*(1), 17-31.

Fitzpatrick, J. L., & Riccio, J. A. (1997). A dialogue about an award-winning evaluation of GAIN: A welfare-to-work program. *Evaluation Practice, 18,* 241-252.

Fitzpatrick, J. L., & Rog, D. J. (1999). The evaluation of the Homeless Families Program. A dialogue with Debra Rog. *American Journal of Evaluation, 20,* 562-575.

Flexner, A. (1910). *Medical education in the United States and Canada* (Bulletin no. 4). New York: Carnegie Foundation for the Advancement of Teaching.

Flexner, A. (1960). *Abraham Flexner: An autobiography.* New York: Simon & Schuster.

Floden, R., E. (1983). Flexner, accreditation, and evaluation. In G. F. Madaus, M. Scriven, & D. L. Stufflebeam (Eds.), *Evaluation models: Viewpoints on educational and human services evaluation.* Boston: Kluwer-Nijhoff.

Fontana, A., & Frey, J. H. (2000). Interviewing: From structured questions to negotiated text. In N. K. Denzin & Y. S. Lincoln (Eds.), *Handbook of qualitative research.* Thousand Oaks, CA: Sage.

Frankfort-Nachmias, C., & Nachmias, D. (2008). *Research methods in the social sciences* (7th ed.). New York: Worth Publishers.

Frechtling, J. (2002). *The 2002 user-friendly handbook for project evaluation.* Arlington, VA: National Science Foundation.

Freire, P. (1970). *Pedagogy of the oppressed.* New York: Seabury Press.

Freire, P. (1982). Creating alternative research methods: Learning to do it by doing it. In B. Hall, A. Gillette, & R. Tandon (Eds.), *Creating knowledge: A monopoly. Participatory research in development.* New Delhi: Society for Participatory Research in Asia.

Fricker, R. D., & Schonlau, M. (2002). Advantages and disadvantages of Internet research surveys: Evidence from the literature. *Field Methods, 14,* 347-367.

Frierson, H., Hood, S., & Hughes, S. (2002). Strategies that address culturally responsive evaluation. In J. Frechtling (Ed.), *The 2002 user-friendly handbook for project evaluation.* Arlington, VA: National Science Foundation.

Gephart, W. J. (1978). *The facets of the evaluation process.* A starter set. Unpublished manuscript. Bloomington, IN: Phi Delta Kappan.

Gilmour, J. B., & Davis, D. E. (2006). Does performance budgeting work? An examination of the Office of Management and Budget's PART scores. *Public Administration Review, 66,* 742-752.

Girard, G., & Impara, J. C. (2005). Making the cut: The cut score setting process in a public school district. *Applied Measurement in Education, 18*(3), 289-232.

Gitomar, D. (2007). *Teacher quality in a changing policy landscape: Improvements in the teacher pool.* Princeton, NJ: Educational Testing Service.

Godfrey-Smith, P. (2003). *An introduction to the philosophy of science.* Chicago: University of Chicago Press.

Goldring, E. B., & Shapira, R. (1993). Choice, empowerment, and involvement: What satisfies parents? *Educational Evaluation and Policy Analysis, 15,* 396-409.

Goodlad, J. (1979). *What schools are for.* Bloomington, IN: Phi Delta Kappa Educational Foundation.

Gore, A. (1993). *From red tape to results: Creating agoveminent that works better and costs less: The report of the National Performance Review.* New York: Plume.

Greene, J. C. (1987). Stakeholder participation in evaluation design: Is it worth the effort? *Evaluation and Program Planning, 70,* 379-394.

Greene, J. C. (1988). Stakeholder participation and utilization in program evaluation. *Evaluation Review, 12,* 91-116.

Greene, J. C. (1997). Evaluation as advocacy. *Evaluation Practice, 18,* 25-35.

Greene, J. C. (2000). Challenges in practicing deliberative democratic evaluation. In K. E. Ryan and L. DeStefano (Eds.), *Evaluation as a democratic process: Promoting inclusion, dialogue, and deliberation.* New Directions for Evaluation, No. 85, pp. 13-26. San Francisco: Jossey-Bass.

Greene, J. C. (2005). Mixed methods. In S. Mathison (Ed.), *Encyclopedia of evaluation.* Thousand Oaks, CA: Sage.

Greene, J. C. (2006). Evaluation, democracy, and social change. In I. F. Shaw, J. C. Greene, & M. M. Mark (Eds.), *The Sage handbook of evaluation.* London: Sage Publications.

Greene, J. C. (2008). Memories of a novice, learning from a master. *American Journal of Evaluation, 29*(3), 322-324.

Greene, J. C., & Abma, T. (Fds.). (2001). *Responsive evaluation.* New Directions for Evaluation, No. 92. San Francisco: Jossey-Bass.

Greene, J. C., & Caracelli, V. J. (Eds.). (1997). *Advances in mixed-method evaluation: The challenges and benefits of integrating diverse paradigms.* New Directions for Program Evaluation, No. 74. San Francisco: Jossey-Bass.

Greene, J. C., & Henry, G. T. (2005). Qualitative-quantitative debate in evaluation. In S. Mathison (Ed.), *Encyclopedia of evaluation.* Thousand Oaks, CA: Sage.

Greene, J. C., Lipsey, M. W., Schwandt, T. A., Smith, N. L., & Tharp, R. G. (2007). Method choice: Five discussant commentaries. In G. Julnes & D. J. Rog (Fds.), *Informing federal policies on evaluation methodology: Building the evidence based for method choice in government sponsored evaluation.* New Directions for Evaluation, No. 113, 111-128. San Francisco: Jossey-Bass.

Greiner, J. M. (2004). Trained observer ratings. In J. S. Wholey, H. P Hatry, & K. E. Newcomer (Eds.), *Handbook of practical program evaluation* (2nd ed.). San Francisco: Jossey-Bass.

Guba, E. G. (1969). The failure of educational evaluation. *Educational Technology, 9,* 29-38.

Guba, E. G., & Lincoln, Y. S. (1981). *Effective evaluation.* San Francisco: Jossey-Bass.

Guba, E. G., & Lincoln, Y. S. (1985). *Naturalistic inquiry.* Beverly Hills, CA: Sage.

Guba, E. G., & Lincoln, Y. S. (1989). *Fourth generation evaluation.* Thousand Oaks, CA: Sage.

Guba, E. G., & Lincoln, Y. S. (1994). Competing paradigms in qualitative research. In N. K. Denzin & Y. S. Lincoln (Eds.), *Handbook of qualitative research.* Thousand Oaks, CA: Sage.

Hall, B. L. (1992). From margins to center? The development and purpose of participatory research. *American Sociologist, 3,* 15-28.

Hammond, R. L. (1973). Evaluation at the local level. In B. R. Worthen & J. R. Sanders, *Educational evaluation: Theory and practice.* Belmont, CA: Wadsworth.

Hanssen, C. E., Lawrenz, F., & Dunet, D. O. (2008). Concurrent meta-evaluation: A critique. *American Journal of Evaluation, 29*(4), 572-582.

Hebert, Y. M. (1986). Naturalistic evaluation in practice: A case study. In D. D. Williams (Ed.), *Naturalistic evaluation.* New Directions for Program Evaluation, No. 30, 3-21. San Francisco: Jossey-Bass.

Hendricks, M., & Conner, R. F. (1995). International perspectives on the Guiding Principles. In

W. R. Shadish, D. L. Newman, M. A. Scheirer, & C. Wye (Eds.), *Guiding principles for evaluators*. New Directions for Program Evaluation, No. 66, 77-90. San Francisco: Jossey-Bass.

Hendricks, M., Plantz, M. C., & Pritchard, K. J. (2008). Measuring outcomes of United Way-funded programs: Expectations and reality. In J. G. Carman & K. A. Fredericks (Eds.), *Nonprofits and evaluation*. New Directions for Evaluation, No. 119, 13-35. San Francisco: Jossey-Bass.

Henry, G. T. (1990). *Practical sampling*. Newbury Park, CA: Sage.

Henry, G. T. (1996). Does the public have a role in evaluation? Surveys and democratic discourse. In M. T. Braverman & J. K. Slater (Eds.), *Advances in survey research*. New Directions for Program Evaluation, No. 70, 3-16. San Francisco: Jossey-Bass.

Henry, G. T. (Ed.). (1997). *Creating effective graphs: Solutions for a variety of evaluation data*. New Directions for Program Evaluation, No. 73. San Francisco: Jossey-Bass.

Henry, G. T. (2000). Why not use? In V. J. Caracelli & H. Preskill (Eds.), *The expanding scope of evaluation use*. New Directions for Evaluation, No. 88, 85-98. San Francisco: Jossey-Bass.

Henry, G. T., & Mark, M. M. (2003). Beyond use: Understanding evaluation's influence on attitudes and actions. *American Journal of Evaluation, 24*(3), 293-3 14.

Heron, J. (1981). Validity in co-operative inquiry. In P. Reason (Ed.), *Human inquiry in action*. London: Sage.

Hodgkinson, H., Hurst, J., & Levine, H. (1975). *Improving and assessing performance: Evaluation in higher education*. Berkeley, CA: University of California Center for Research and Developinent in Higher Education.

Honea, G. E. (1992). *Ethics and public sector evaluators: Nine case studies*. Unpublished doctoral dissertation. University of Virginia, Department of Educational Studies.

Hood, S. L. (2000). Commentary on deliberative democratic evaluation. In K. E. Ryan & L. Destefano (Eds.), *Evaluation as a democratic process: Promoting inclusion, dialogue, and deliberation*. New Directions for Evaluation, No. 83. San Francisco: Jossey-Bass.

Hood, S. L. (2001). Nobody knows my name: In praise of African American evaluators who were responsive. In J. C. Greene & T. A. Abma (Fds.), *Responsive evaluation*. New Direction for Evaluation, No. 92. San Francisco: Jossey-Bass.

Hood, S. L. (2005). Culturally responsive evaluation. In S. Mathison (Ed.), *The encyclopedia of evaluation*. Thousand Oaks, CA: Sage.

Horst, P., Nay, J. N., Scanlon, J. W., & Wholey, J. S. (1974). Program management and the federal evaluator. *Public Administration Review, 34*, 300-308.

House, E. R. (1980). *Evaluating with validity*. Beverly Hills, CA: Sage.

House, E. R. (1990). Methodology and justice. In K. A. Sirotnik (Ed.), *Evaluation and social justice: Issues in public education*. New Directions for Program Evaluation, No. 45, 23-36. San Francisco: Jossey-Bass.

House, E. R. (1993). *Professional evaluation*. Newbury Park, CA: Sage.

House, E. R. (2001a). Responsive evaluation (and its influence on deliberative democratic evaluation). In J. C. Greene & T. A. Abma (Eds.), *Responsive evaluation*. New Directions for Evaluation, No. 92, 23-30. San Francisco: Jossey-Bass.

House, E. R. (200th). Unfinished business: Causes and values. *American Journal of Evaluation, 22*, 309-316.

House, E. R. & Howe, K. R. (1999). *Values in evaluation and social research*. Thousand Oaks, CA: Sage.

House, E. R. & Howe, K. R. (2000). Deliberative democratic evaluation. In K. E. Ryan & L.

DeStefano (Eds.), *Evaluation as a democratic process: Promoting inclusion, dialogue, and deliberation*. New Directions for Evaluation, No. 85, 3-12. San Francisco: Jossey-Bass.

Howe, K. R. (1988). Against the quantitative-qualitative incompatibility thesis (or dogmas die hard). *Educational Researcher, 17*(8), 10-16.

Hoxby, C. M. (2000). Does competition among public schools benefit students and taxpayers? *American Economic Review, 90*, 1209-1238.

Huberman, A. M., & Cox, P. L. (1990). Evaluation utilization: Building links between action and reflections. *Studies in Educational Evaluation, 16*, 157-179.

Huberman, A. M., & Miles, M. B. (2002). *The qualitative researcher's companion*. Thousand Oaks, CA: Sage.

Humphreys, L. (1975). *Tearoom trade. Impersonal sex in public places*. Chicago: Aldine.

Hurworth, R. (2005). Document analysis. In S. Mathison (Ed.), *Encyclopedia of evaluation*. Thousand Oaks, CA: Sage.

Huxley, E. (1982). *The flame trees of Thika: Memories of an African childhood*. London: Chatto & Windus.

International Organization for Coordination in Evaluation. (2003). *Mission statement*. Downloaded on March 8, 2009 from http://www.internationalevaluation.corn/ overview/inissionvision.shtml.

Jaeger, R. M. (1990). *Statistics:A spectatorsport* (2nd ed.). Newbury Park, CA: Sage.

Johnson, E. C., Kirkhart, K. E., Madison, A. M., Noley, G. B., & Solano-Flores, G. (2008). The impact of narrow views of scientific rigor on evaluation practices for underrepresented groups. In N. L. Smith & P. R. Brandon (Eds.), *Fundamental issues in evaluation*. New York: Guilford Press.

Joint Committee on Standards for Educational Evaluation. (1981). *Standards for evaluations of educational programs, projects, and materials*. New York: McGraw-Hill.

Joint Committee on Standards for Educational Evaluation. (1988). *Personnel evaluation standards*. Newbury Park, CA: Corwin.

Joint Committee on Standards for Educational Evaluation. (1994). *The program evaluation standards* (2nd ed). Thousand Oaks, CA: Sage.

Joint Committee on Standards for Educational Evaluation. (2010). *The program evaluation standards* (3rd ed.). Thousand Oaks, CA: Sage.

Jorgensen, D. L. (1989). *Participant observation: A methodology for human studies*. Newbury Park, CA: Sage.

Kahn, J. P., & Mastroianni, A. P. (2001). Doing research well by doing it right. *Chronicle of Higher Education*, 15 February, B24.

Kane, M. (1995). Examinee-centered vs. task-centered standard setting. In *Proceedings of the Joint Conference on Standard Setting in Large-Scale Assessment* (Vol. 2, pp. 119-139). Washington, DC: National Assessment Governing Boards and National Center for Education Statistics.

Kaplan, A. (1964). *The conduct of inquiry*. San Francisco: Chandler.

Karlsson, O. (1998). Socratic dialogue in the Swedish political context. In T. A. Schwandt (Ed.), *Scandinavian perspectives on the evaluator's role in informing social policy*. New Directions for Evaluation, No. 77. San Francisco: Jossey-Bass.

Kee, J. E. (2004). Cost-effectiveness and cost-benefit analysis. In J. S. Wholey, H. P. Hatry, & K. E. Newcomer (Eds.), *Handbook of practical program evaluation*. San Francisco: Jossey-Bass.

Kellow, J. T. (1998). Beyond statistical significance tests: The importance of using other estimates of treatment effects to interpret evaluation results. *American Journal of Evaluation*,

19, 123-134.

King, J. A. (1998). Making sense of participatory evaluation practice. In F. Whitmore (Ed.), *Understanding and practicing participatory evaluation.* New Directions for Evaluation, No. 80, 57-68. San Francisco: Jossey-Bass.

King, J. A. (2002). Building the evaluation capacity of a school district. In D. W. Compton, M. Braizerman, & S. H. Stockdill (Eds.), *The art, craft, and science of evaluation capacity building.* New Directions for Evaluation, No. 93, 63-80. San Francisco: Jossey-Bass.

King, J. A. (2005). Participatory evaluation. In S. Mathison (Ed.), *Encyclopedia of evaluation.* Thousand Oaks, CA: Sage.

King, J. A. (2007). Developing evaluation capacity through process use. In J. B. Cousins (Ed.), *Process use in theory, research, and practice.* New Directions for Evaluation, No, 116, 45-59. San Francisco: Jossey-Bass.

King, J. A., Stevahn, L., Ghere, G., & Minnema, J. (2001). Toward a taxonomy of essential evaluator competendes. *American Journal of Evaluation, 22*, 229-247.

Kirkhart, K. E. (1995). Seeking multicultural validity: A postcard from the road. *American Journal of Evaluation, 16*, 1-12.

Kirkhart, K. E. (2000). Reconceptualizing evaluation use: An integrated theory of influence. In V. J. Caracelli & H. Preskill (Eds.), *The expanding scope of evaluation use.* New Directions for Evaluation, No. 88. San Francisco: Jossey-Bass.

Kirkpatrick, D. L. (1977). Evaluating training programs: Evidence vs. proof. *Training and Development Journal, 31*, 9-12.

Kirkpatrick, D. L. (1983). Four steps to measuring training effectiveness. *Personnel Administrator, 28*, 19-25.

Kirkpatrick, D. L., & Kirkpatrick, J. D. (2006). *Evaluating training programs: The four levels* (3rd ed.). San Francisco: Berrett-Koehler Publishers.

Kline, R. B. (2009). *Becoming a behavioral science researcher: A guide to producing research that matters.* New York: Guilford Press.

Knowlton, L. W., & Phillips, C. C. (2009). *The logic model guidebook.* Thousand Oaks, CA: Sage.

Krathwohl, D. R., Bloom, B. S., & Masia, B. B. (1964). *Taxonomy of educational objectives: Handbook II.* Affective domain. New York: David McKay.

Krueger, R. A. (2005). Focus groups. In S. Mathison (Ed.), *Encyclopedia of evaluation.* Thousand Oaks, CA: Sage.

Krueger, R. A., & Casey, M. (2009). *Focus groups: A practical guide for applied research* (4th ed.). Thousand Oaks, CA: Sage.

Kuhn, T. S. (1962). *The structure of scientific revolutions.* Chicago: University of Chicago Press.

Kushner, S. (2000). *Personalizing evaluation.* London: Sage.

Kvale, S. (1996). *InterViews: An introduction to qualitative research interviewing.* Thousand Oaks, CA: Sage.

Lambur, M. T. (2008). Organizational structures that support internal program evaluation. In M. T. Braverman, M. Engle, M. E. Arnold, & R. A. Rennekamp (Eds.), *Program evaluation in a complex organizational system: Lessons from Cooperative Extension.* New Directions for Evaluation, No. 120, 41-54. San Francisco: Jossey-Bass.

LaVelle, J. M., & Donaldson, S. I. (2010). University-based evaluation training programs in the United States: 1980-2008: An empirical examination. *American Journal of Evaluation, 31*(1), 9-23.

Layard, R., & Glaister, S. (Eds.). (1994). *Cost-benefit analysis.* New York: Cambridge University Press.

Lee, A. M., & Holly, F. R. (1978, April). *Communicating evaluation information: Some practical tips that work.* Paper presented at the meeting of the American Educational Research Association, Toronto.

Leeuw, F. L. (2003). Reconstructing program theories: Methods available and problems to be solved. *American Journal of Evaluation, 24*(1), 5-20.

Levin, H. M. (1986). A benefit-cost analysis of nutritional programs for anemia reduction. *World Bank Research Observer, 1*(2), 219-245.

Levin, H. M. (2005). Cost-benefit analysis. In S. Mathison (Ed.), *Encyclopedia of evaluation.* Thousand Oaks, CA: Sage.

Levin, H. M., & McEwan, P. J. (2001). *Cost-effectiveness analysis: Methods and applications* (2nd ed.). Thousand Oaks, CA: Sage.

Leviton, L. C. (2001). Presidential address: Building evaluation's collective capacity. *American Journal of Evaluation, 22*(1), 1-12.

Leviton, L. C. (2003). Evaluation use: Advances, challenges, and applications. *American Journal of Evaluation, 24*(4), 525-535.

Leviton, L. C., & Hughes, E. F. X. (1981). Research on the utilization of evaluations: A review and synthesis. *Evaluation Review, 5,* 524-548.

Lewin, K. (1946). Action research and minority problems. In K. Lewin (Ed.), *Resolving social conflicts: Selected papers on group dynamics.* New York: Harper & Row.

Light, R. J. (Ed.). (1983). *Evaluation studies review annual* (Vol. 8). Beverly Hills, CA: Sage.

Light, R. J., & Smith, P. V. (1970). Choosing a future: Strategies for designing and evaluating new programs. *Harvard Educational Review, 40,* 1-28.

Lincoln, Y. S., & Guba, E. G. (1985). *Naturalistic inquiry.* Beverly Hills, CA: Sage.

Lincoln, Y. S., & Guba, E. G. (2004). The roots of fourth generation evaluation: Theoretical and methodological origins. In M. C. Alkin (Ed.), *Evaluation roots: Tracing theorists' views and influences.* Thousand Oaks, CA: Sage.

Lindblom, C. E. (1977). *Politics and markets: The world's political economic systems.* New York: Basic Books.

Lipsey, M. W. (1990). *Design sensitivity: Statistical power for experimental research.* Newbury Park, CA: Sage.

Lipsey, M. W. (1993). Theory as method: Small theories of treatments. In L. B. Sechrest & A. G. Scott (Eds.), *Understanding causes and generalizing about them.* New Directions for Evaluation, No. 57, 5-38. San Francisco: Jossey-Bass.

Lipsey, M. W. (2000). Method and rationality are not social diseases. *American Journal of Evaluation, 21,* 221-224.

Lipsey, M. W. (2007). Method choice for government evaluation: The beam in our own eye. In G. Julnes & D. J. Rog (Eds.), *Informing federal policies on evaluation methodology: Building the evidence base for method choice in government sponsored evaluation.* New Directions for Evaluation, No, 113, 113-115. San Francisco: Jossey-Bass.

Love, A. J. (1983). The organizational context and the development of internal evaluation. In A. J. Love (Ed.), *Developing effective internal evaluation.* New Directions for Program Evaluation, No. 20, 5-22. San Francisco: Jossey-Bass.

Love, A. J. (1991). *Internal evaluation:Building organizations from within.* Newbury Park, CA: Sage.

Lovell, R. G. (1995). Ethics and internal evaluators. In W. R. Shadish, D. L. Newman, M. A. Scheirer, & C. Wye, C. (Eds.), *Guiding principles for evaluators.* New Directions for Program Evaluation, No. 66, 61-67. San Francisco: Jossey-Bass.

Lyman, D. R., Milich, R., Zimmerman, R., Novak, S. P., Logan, T. K., & Martin, C. (1999). Project DARE: No effects at 10-year follow-up. *Journal of Consulting and Clinical Psychology, 67,* 590-593.

Mabry, L. (1999). Circumstantial ethics. *American Journal of Evaluation, 20,* 199-212.

Mabry, L. (2005). Portfolio. In S. Mathison (Ed.), *Encyclopedia of evaluation.* Thousand Oaks, CA: Sage.

MacDonald, B. (1974). Evaluation and the control of education. In B. MacDonald & R. Walker (Eds.), *Innovation, evaluation, research, and the problem of control.* (SAFARI ONE). Norwich, UK: Centre for Applied Research in Education, University of East Anglia.

MacDonald, B. (1976). Evaluation and the control of education. In D. Tawney (Ed.), *Curriculum evaluation today: Trends and implications.* Schools Council Research Studies Series. London: Macmillan.

Mackay, K. (2002). The World Bank's ECB experience. In D. W. Compton, M. Braizerman, & S. H. Stockdill (Eds.), *The art, craft, and science of evaluation capacity building.* New Directions for Evaluation, No. 93, 81-100. San Francisco: Jossey-Bass.

MacNeil, C. (2000). Surfacing the realpolitik: Democratic evaluation in an antidemocratic environment. In K. E. Ryan and L. DeStefano (Eds.), *Evaluation as a democratic process: Promoting inclusion, dialogue, and deliberation.* New Directions for Evaluation, No. 85, 51-62. San Francisco: Jossey-Bass.

Madaus, G. F. (2004). Ralph W. Tyler's contribution to program evaluation. In M. C. Alkin (Ed.), *Evaluation roogs: Tracing theorists' views and influences.* Thousand Oaks, CA: Sage.

Madaus, G. F., & Stufflebeam, D. L. (Eds.). (1989). *Educational evaluation: Classic works of Ralph W. Tyler.* Boston: Kluwer Academic.

Madison, A. (2007). New Directions for Evaluation coverage of cultural issues and issues of significance to underrepresented groups. In S. Mathison (Ed.), *Enduring issues in evaluation: The 20th anniversary of the collaboration between NDE and AEA.* New Directions for Evaluation, No. 114, 107-114. San Francisco: Jossey-Bass.

Mark, M. M. (2003). Program evaluation. In S. A. Schinka & W. Velicer (Eds.), *Comprehensive handbook of psychology* (Vol 2, pp. 323-347). New York: Wiley.

Mark, M. M. (2007). AEA and evaluation: 2006 (and beyond). In S. Mathison (Ed.), *Enduring issues in evaluation: The 20th anniversary of the collaboration between NDE and AEA.* New Directions for Evaluation, No. 114, 115-119. San Francisco: Jossey-Bass.

Mark, M. M., & Henry, G. T. (2006). Methods for policy-making and knowledge development evaluations. In E. F. Shaw, J. C. Greene, & M. M. Mark (Eds.), *The Sage handbook of evaluation* (pp. 317-339). Thousand Oaks, CA: Sage.

Mark, M. M., Henry, G. T., & Julnes, G. (2000). *Evaluation: An integrated framework for understanding, guiding, and improving policies and programs.* San Francisco: Jossey-Bass.

Mark, M. M., & Shotland, R. L. (1985). Stakeholderbased evaluation and value judgments: The role of perceived power and legitimacy in the selection of stakeholder groups. *Evaluation Review, 9,* 605-626.

Mathison, S. (1999). Rights, responsibilities, and duties: A comparison of ethics for internal and external evaluators. In J. L. Fitzpatrick & M. Morris (Eds.), *Current and emerging ethical challenges in evaluations.* New Directions for Evaluation, No. 82, 25-34. San Francisco: Jossey-Bass.

Mathison, S. (2007). What is the difference between evaluation and research? and why do we care? In N. L. Smith & P. R. Brandon (Eds.), *Fundamental issues in evaluation.* New York: Guilford Press.

McCall, R. B., Ryan, C. S., & Green, B. L. (1999). Some non-randomized constructed comparison groups for evaluating age-related outcomes of intervention programs. *American Jour-*

nal of Evaluation, 2, 213-226.

McClintock, C. (1987). Conceptual and action heuristics: Tools for the evaluator. In L. Bickman (Ed.), *Using program theory in evaluation.* New Directions for Program Evaluation, No. 33, 43-57. San Francisco: Jossey-Bass.

McCracken, G. (1988). *The long interview.* Qualitative Research Methods Series, no. 13. Newbury Park, CA: Sage.

McLaughlin, J. A., & Jordan, G. B. (2004). Using logic models. In J. S. Wholey, H. P. HaIry, & K. E. Newcomer (Eds.), *Handbook of practical program evaluation* (2nd ed.). San Francisco: Jossey-Bass.

McTaggert, R. (1991). Principles for participatory action research. *Adult Education Quarterly, 41*(3), 168-187.

Merriam-Webster's Dictionary (2009). http://www merriam-wester.com/dictionary/politics.

Mertens, D. M. (1994). Training evaluators: Unique skills and knowledge. In J. W. Altschuld & M. Engle (Eds.), *The preparation of professional evaluators: issues, perspectives, and programs.* New Directions for Program Evaluation, No. 62, 17-27. San Francisco: Jossey-Bass.

Mertens, D. M. (1999). Inclusive evaluation: Implications of transformative theory for evaluation. *American Journal of Evaluation, 20,* 1-14.

Mertens, D. M. (2001). Inclusivity and transformation: Evaluation in 2010. *American Journal of Evaluation, 22,* 367-374.

Mertens, D. M. (2008). *Transformative research and evaluation.* New York: Guilford Press.

Mulanowski, A. (2008). *How to pay teachers for student performance outcomes.* Consortium for Policy Research in Education (CPF.E) Project/Strategic Management of Human Capital. Retrieved March 8, 2010 from http://www.smhc-cpre.org/wp-content/uploads/2008/10/cb-paper-4-paying-for-student-performance.pdf.

Miles, M. B., & Huberman, A. M. (1994). *Qualitative data analysis* (2nd ed.). Thousand Oaks, CA: Sage.

Milgram, S. (1974). *Obedience and authority.* New York: Harper & Row.

Miller, R. L., & Campbell, R. (2006). Taking stock of empowerment evaluation: An empirical review. *American Journal of Evaluation, 27*(3), 296-319.

Mills, A. S., Massey, J. G., & Gregersen, H. M. (1980). Benefit-cost analysis of Voyageurs National Park. *Evaluation Review, 4,* 715-738.

Milstein, B., Chapel, T. J., Wetterhall, S. F, & Cotton, D. A. (2002). Building capacity for program evaluation at the Centers for Disease Control and Prevention. In D. W. Compton, M. Braizerman, & S. H. Stockdill (Eds.), *The art, craft, and science of evaluation capacity building.* New Directions for Evaluation, No. 93, 27-46. San Francisco: Jossey-Bass.

Morell, J. A. (2005). Product evaluation. In S. Mathison (Ed.), *Encyclopedia of evaluation.* Thousand Oaks, CA: Sage.

Morris, M. (Ed.). (2008). *Evaluation ethics for best practice: Cases and commentary.* New York: Guilford Press.

Morris, M, & Cohn, R. (1993). Program evaluators and ethical challenges: A national survey. *Evaluation Review, 77,* 621-642.

Morris, M., Cooksy, L. J., & Knott, T. D. (2000). The off-the-record case. *American Journal of Evaluation, 21,* 121-130.

Mueller, M. R. (1998). The evaluation of Minnesota's Early Childhood Family Education Program: A dialogue. *American Journal of Evaluation, 19,* 80-99.

Murray, F. B. (2009). An accreditation dilemma: The tension between program accountability and program improvement in programmatic accreditation. In P. M. O'Brian (Ed.), *Accreditation. Assuring and enhancing quality.* New Directions in Higher Education, No. 145,

59-68. San Francisco: Jossey-Bass.

National Commission on Excellence in Education (1983). *A nation at risk.* Washington, DC: U.S. Department of Education.

National Performance Review. (1993). *Reaching public goals: Managing government for results.* Washington, DC: Government Printing Office.

Nay, J., & Kay, P. (1982). *Government oversight and evaluability assessment.* Lexington, MA: Heath.

Neal, A. D. (October, 2008). Seeking higher-ed accountability: Ending federal accreditation. *Change. The Magazine of Higher Learning, 40*(5), 24-29.

Newcomer, K. E. (2001). Tracking and probing prograin performance: Fruitful path or blind alley for evaluation professionals? *American Journal of Evaluation, 22,* 337-342.

Nowakowski, J., Bunda, M. A., Working, R., Bernacki, G., & Harrington, P. (1985). *A handbook of educational variables.* Boston: Kluwer-Nijhoff.

Oakes, J. M. (2002). Risks and wrongs in social science research: An evaluator's guide to the IRB. *Evaluation Review, 26,* 443-479.

O'Brien, P. M. (2009). Editor's notes. In P M. O'Brien (Ed.), *Accreditation. Assuring and enhancing quality.* New Directions in Higher Education, No. 145, 1-6. San Francisco: Jossey-Bass.

Office of Management and Budget. (2004). *Program evaluation: What constitutes strong evidence of program effectiveness?* Retrieved March 13, 2009, from http://www.whitehouse.gov/omb/part/2004-program-eval.pdf.

OMB Watch. (2000). *GPRA: Background information.* Retrieved March 13, 2009, from http://www.oinbwatch.org/node/326.

Osborne, D., & Gaebler, T. (1992). *Reinventing government: How the entrepreneurial spirit is transforming the public sector.* Reading, MA: Addison-Wesley.

O'Sullivan, E., Rassel, G. R., & Berner, M. (2003). *Research methods for public administrators* (4th ed.). White Plains, NY: Longman.

O'Sullivan, R. G., & D'Agostino, A. (2002). Promoting evaluation through collaboration: Findings from community-based programs for young children and their families. *Evaluation, 8*(3), 372-387.

Owen, J. M., & Lambert, F. C. (1998). Evaluation and the information needs of organizational leaders. *American Journal of Evaluation, 19*(3), 355-365.

Patton, M. Q. (1975). *Alternative evaluation research paradigm.* Grand Forks: North Dakota Study Group on Evaluation.

Patton, M. Q. (1986). *Utilization-focused evaluation* (2nd ed). Beverly Hills, CA: Sage.

Patton, M. Q. (1988). Politics and evaluation. *Evaluation Practice, 9,* 89-94.

Patton, M. Q. (1990). The challenge of being a profession. *Evaluation Practice, 11,* 45-51.

Patton, M. Q. (1994). Developmental evaluation. *Evaluation Practice, 15*(3), 311-319.

Patton, M. Q. (1996). A world larger than formative and summative. *Evaluation Practice, 17*(2), 131-144.

Patton, M. Q. (l997a). Of vacuum cleaners and toolboxes: A response to Fettertnan's response. *Evaluation Practice, 18*(3), 267-270.

Patton, M. Q. (1997b). Toward distinguishing empowerment evaluation and placing it in a larger context. *Evaluation Practice, 18*(2), 147-163.

Patton, M.Q. (1997c). *Utilization-focused evaluation: The new century text.* Thousand Oaks, CA: Sage.

Patton, M. Q. (2000). Overview: Language matters. In R. K. Hopson (Ed.), *How and why language matters in evaluation.* New Directions for Evaluation, No. 86, 5-16. San Francisco:

Jossey-Bass.

Patton, M. Q. (2001). *Qualitative evaluation and research methods* (3rd ed.). Thousand Oaks, CA: Sage.

Patton, M. Q. (2005a). Toward distinguishing empowerment evaluation and placing it in a larger context: Take two. *American Journal of Evaluation, 26*(3), 408-414.

Patton, M. Q. (2005b). Developmental evaluation. In S. Mathison (Ed.), *Encyclopedia of evaluation*. Thousand Oaks, CA: Sage.

Patton, M. Q. (2005c). Book review: *Empowerment evaluation principles in practice. American Journal of Evaluation, 26*(3), 408-414.

Patton, M. Q. (2005d). Patton responds to Fetterman, Wandersman, and Snell-Johns. *American Journal of Evaluation, 26*(3), 429-430.

Patton, M. Q. (2008a). *Utilization-focused evaluation* (4th ed.). Thousand Oaks, CA: Sage.

Patton, M. Q. (2008b). sup wit eval ext? In M. T. Braverman, M. Engle, M. E. Arnold, & R. A. Rennekamp (Eds.), *Program evaluation in a complex organizational system: Lessons from Cooperative Extension*. New Directions for Evaluation, No. 120, 101-115. San Francisco: Jossey-Bass.

Patton, M. Q. (2009). Presidential strand session presented at the annual conference of the American Evaluation Association, Orlando, FL.

Patton, M. Q. (2010). *Developmental evaluation: Applying complexity concepts to enhance innovation and use*. New York: Guilford.

Patton, M. Q., King, J., & Greenseid, L. (2007). The oral history of evaluation Part V: An interview with Michael Quinn Patton. *American Journal of Evaluation, 28,* 102-114.

Pawson, R. (2003). Nothing as practical as a good theory. *Evaluation, 9*(3), 471-490.

Pawson, R., & Tilley, N. (1997). *Realistic evaluation*. Thousand Oaks, CA: Sage.

Perrin, B. (1998). Effective use and misuse of performance measurement. *American Journal of Evaluation, 19,* 367-379.

Perry, J., Engbers, T., & Jun, S. (2009). Back to the future? Performance-related pay, empirical research, and the perils of persistence. *Public Administration Review, 69*(1), 39-51.

Perry, K. M. (2008). A reaction to and mental metaevaluation of the Experiential Learning Evaluation Project. *American Journal of Evaluation, 29*(3), 352-357.

Peters, G. B. (1999). *American public policy: Process and performance*. Chatham, NJ: Chatham House.

Posavac, E. J. (1994). Misusing program evaluation by asking the wrong question. In C. J. Stevens & M. Dial (Eds.), *Preventing the misuse of evaluation*. New Directions for Program Evaluation, No. 64, 69-78. San Francisco: Jossey-Bass.

Positer, T. H. (2004). Performance monitoring. In J. S. Wholey, H. P Hatry, & K. E. Newcomer (Eds.). *Handbook of practical program evaluation* (2nd ed.). San Francisco: Jossey-Bass.

Preskill, H. (2008). Evaluation's second act: A spotlight on learning. *American Journal of Evaluation, 28,* 127-138.

Preskill, H., & Boyle, J. (2008). A multidisciplinary model of evaluation capacity building. *American Journal of Evaluation, 29*(4), 443-459.

Preskill, H., & Torres, R. T. (1998). *Evaluative inquiry for learning in organizations*. Thousand Oaks, CA: Sage.

Preskill, H., & Torres, R. T. (2000). The learning dimension of evaluation use. In V. J. Caracelli & H. Preskill (Eds.), *The expanding scope of evaluation use*. New Directions for Evaluation, No. 88. San Francisco: Jossey-Bass.

Provus, M. M. (1971). *Discrepancy evaluation*. Berkeley, CA: McCutchan.

Provus, M. M. (1973). Evaluation of ongoing programs in the public school system. In B. R.

Worthen & J. R. Sanders (Eds.), *Educational evaluation: Theory and practice*. Belmont, CA: Wadsworth.

Radin, B. (2006). *Challenging the performance movement: Accountability, complexity, and democratic values*. Washington, DC: Georgetown University Press.

Rallis, S. F, & Rossman, G. B. (2000). Dialogue for learning: Evaluator as critical friend. In R. K. Hopson (Ed.), *How and why language matters in evaluation*. New Directions for Evaluation, No. 86, 81-92. San Francisco: Jossey-Bass.

Reason, P. (1994). Three approaches to participative inquiry. In N. K. Denzin and Y. S. Lincoln (Eds.), *Handbook of qualitative research*. Thousand Oaks: Sage.

Reichardt, C. S. (1994). Summative evaluation, formative evaluation, and tactical research. *Evaluation Practice, 15,* 275-281.

Reichardt, C. S., & Rallis, S. F. (1994). Qualitative and quantitative inquiries are not incompatible: A call for a new partnership. In C. S. Reichardt & S. F. Rallis (Eds.), *The qualitative - quantitative debate: New perspectives*. New Directions for Program Evaluation, No. 61, 85-91. San Francisco: Jossey-Bass.

Reichardt, C. S., Trochim, W. K., & Cappelleri, J. C. (1995). Reports of the death of regression-discontinuity analysis are greatly exaggerated. *Evaluation Review, 19,* 39-63.

Resnick, L. B. (2006). Making accountability really count. *Educational Measurement: Issues and Practice, 25*(1), 33-37.

Rich, R. F., & Oh, C. H. (2000). Rationality and use of information in policy decisions. *Science Communication, 22,* 173-211.

Rist, R. C. (Ed.) (1999). *Program evaluation and the management of government: Patterns and prospects across eight nations*. New Brunswick, NJ: Transaction Publishers.

Rodosky, R. J., & Muñoz, M. A. (2009). Slaying myths, eliminating excuses: Managing for accountability by putting kids first. In D. W. Compton & M. Braizerman (Eds.), *Managing program evaluation: Towards explicating a professional practice*. New Directions for Evaluation, No. 121, 43-54. San Francisco: Jossey-Bass.

Rodriguez-Campos, L. (2005). *Collaborative evaluations: A step-by-step model for the evaluator*. Tarmac, FL: Lumina Press.

Rog, D. J. (1985). *A methodological analysis of evaluability assessment*. Unpublished doctoral dissertation. Vanderbilt University.

Rog, D. J. (1994). *The homeless families program: interim benchmarks*. Washington, DC: Vanderbilt Institute for Public Policy Studies.

Rog, D. J., Holupka, C. S., NicCombs-Thornton, K., Brito, M. C., & Hambrick, R. (1997). Case management in practice: Lessons from the evaluation of RWJ/HUD Homeless Families Program. *Journal of Prevention and intervention in the Community, 15,* 67-82.

Rogers, E. M. (1995). *Diffusion of innovations* (4th ed.). New York: Free Press.

Rogers, P. J. (2000). Program theory: Not whether programs work but how they work. In D. Stufflebeam, G. Madaus, & T. Kellaghan (Eds.), *Evaluation models*. Boston: Kluwer Academic.

Rogers, P. J. (2001). The whole world is evaluating half-full glasses. *American Journal of Evaluation, 22,* 431-436.

Rogers, P. J. (2007). Theory-based evaluation: Reflections ten years on. In S. Mathison (Ed.), *Enduring issues in evaluation: The 20th anniversary of the collaboration between NDE and AEA*. New Directions for Evaluation, No. 114, 63-66. San Francisco: Jossey-Bass.

Rogers, P. J., & Williams, B. (2006). Evaluation for practice improvement and organizational learning. In I. F. Shaw, J. C. Greene, & M. M. Mark (Eds.), *The Sage handbook of evaluation*. Thousand Oaks, CA: Sage.

Rosenbaum, D. P. & Hanson, G. S. (1998). Assessing the effects of school-based drug education: A sixyear multi-level analysis of project D.A.R.E. *Journal of Crime and Delinquency, 35,* 381-412.

Rossi, P. H. (1971). Boobytraps and pitfalls in the evaluation of social action programs. In F. G. Caro (Ed.), *Readings in evaluation research.* New York: Sage.

Rossi, P. H., & Freeman, H. E. (1985). *Evaluation: A system atic approach* (3rd ed.). Beverly Hills, CA: Sage.

Rossi, P. H., Freeman, H. E., & Lipsey, M. E. (1998). *Evaluation: A systematic approach* (6th ed.). Newbury Park: CA: Sage.

Rossi, P. H., Lipsey, M. E., & Freeman, H. E. (2004). *Evaluation: A systematic approach* (7th ed.). Thousand Oaks, CA: Sage.

Rouge, J. C. (2004). The origin and development of the African Evaluation Guidelines. In C. Russon & G. Russon (Eds.), *International perspectives on evaluation standards.* New Directions for Evaluation, No. 104, 55-66. San Francisco: Jossey-Bass.

Rubin, H. J., & Rubin, I. S. (1995). *Qualitative interviewing.* Thousand Oaks, CA: Sage.

Russ-Eft, D. F., & Preskill, H. S. (2001). *Evaluation in organizations: A systematic approach to enhancing learning, performance, and change.* Cambridge, MA: Perseus.

Ryan, K. E., & DeStefano, L. (Eds.). (2000a). *Evaluation as a democratic process: Promoting inclusion, dialogue, and deliberation.* New Directions for Evaluation, No. 85, San Francisco: Jossey-Bass.

Ryan, K. E., & DeStefano, L. (2000b). Disentangling dialogue. Lessons from practice. In K. E. Ryan & L. DeStefano (Eds.), *Evaluation as a democratic process: Promoting inclusion, dialogue, and deliberation.* New Directions for Evaluation, No. 85, 63-76. San Francisco: Jossey-Bass.

Ryan, K. E., & Johnson, T. D. (2000). Democratizing evaluation: Meaning and methods from practice. In K. E. Ryan & L. DeStefano (Eds.), *Evaluation as a democratic process: Promoting inclusion, dialogue, and deliberation.* New Directions for Evaluation, No. 85, 39-50. San Francisco: Jossey-Bass.

Sackett, D. L., & Wennberg, J. E. (1997). Choosing the best research design for each question (editorial). *British Medical Journal, 315,* 1636.

Salkind, N. J. (2010). *Excel statistics: A quick guide.* Thousand Oaks, CA: Sage.

Sanders, J. (2002). Presidential address: On main-streaming evaluation. *American Journal of Evaluation, 23*(3), 253-259.

Sanders, J. R. (1995). Standards and principles. In W. R. Shadish, D. L. Newman, M. A. Scheirer, & C. Wye (Eds.) *Guiding principles for evaluators.* New Directions for Program Evaluation, No. 66, 47-52. San Francisco: Jossey-Bass.

Sanders, J. R. (2001). A vision for evaluation. *American Journal of Evaluation, 22,* 363-366.

Sanders, J., & Sullins, C. (2005). *Evaluating school programs* (3rd ed.). Thousand Oaks, CA: Corwin.

Schnoes, C. J., Murphy-Berman, V., & Chambers, J. M. (2000). Empowerment evaluation applied: Experiences, analysis and recommendations from a case study. *American Journal of Evaluation, 21,* 53-64.

Schwandt, T. A. (1997). Reading the "problem of evaluation" in social inquiry. *Qualitative inquiry, 3*(1), 4-25.

Schwandt, T. A. (1999). *Dialogue in evaluation:Philosophy, theory, and practice.* Presentation at the annual meeting of the American Evaluation Association, Orlando, FL.

Schwandt, T. A. (2001a). Responsiveness and everyday life. In J. C. Greene & T. A. Abma (Eds.), *Responsive evaluation.* New Directions for Evaluation, No. 92, 73-88. San Francisco: Jossey-Bass.

Schwandt, T. A. (2001b). *Dictionary of qualitative inquiry* (2nd ed.). Thousand Oaks, CA: Sage.

Schwandt, T. A. (2004). *On methods and judgments in evaluation.* Plenary presentation at the meeting of the American Evaluation Association, Atlanta, Ga.

Schwandt, T. A. (2005). A diagnostic reading of scientifically-based research for education. *Educational Theory, 55,* 285-305.

Schwandt, T. A. (2007). Thoughts on using the notion of evidence in the controversy over methods choice. In G. Julnes & D. J. Rog (Eds.), *Informing federal policies on evaluation methodology: Building the evidence base for method choice in government sponsored evaluation.* New Directions for Evaluation, No. 113, 115-119. San Francisco: Jossey-Bass.

Schwandt, T. A. (2008). Educating for intelligent belief in evaluation. *American Journal of Evaluation, 29*(2), 139-150.

Schwandt, T. A., & Halpern, E. S. (1989). *Linking auditing and metaevaluation.* Newbury Park, CA: Sage.

Schwartz, S., & Baum, S. (1992). Education. In C. T. Clotfelder (Ed.), *Who benefits from the nonprofit sector?* Chicago: University of Chicago Press.

Scott, A., & Sechrest, L. (1992). Theory-driven approaches to benefit cost analysis: Implications of program theory. In H. Chen & P. H. Rossi (Eds.), *Using theory to improve program and policy evaluations.* New York: Greenwood.

Scriven, M. (1967). The methodology of evaluation. In R. E. Stake (Ed.), *Curriculum evaluation.* (American Educational Research Association Monograph Series on Evaluation, No. 1, pp. 39-83). Chicago: Rand McNally.

Scriven, M. (1972). Pros and cons about goal-free evaluation. *Evaluation Comment, 3,* 1-7.

Scriven, M. (1973). The methodology of evaluation. In B. R. Worthen & J. R. Sanders (Eds.), *Educational evaluation: Theory and practice.* Belmont, CA: Wadsworth.

Scriven, M. (1974a). Evaluation perspectives and procedures. In W. J. Popham (Ed.), *Evaluation in education.* Berkeley, CA: McCutchan.

Scriven, M. (1974b). Standards for the evaluation of educational programs and products. In G. D. Borich (Ed.), *Evaluating educational programs and products.* Englewood Cliffs, NJ: Educational Technology.

Scriven, M. (1975). *Evaluation bias and its control.* Berkeley: University of California. Retrieved February 17, 2009, from http://www.wmich.edu/evalctr/pubs/ops/ops04.html.

Scriven, M. (1980). *The logic of evaluation.* Interness, CA: Edgepress.

Scriven, M. (1983). Evaluation ideologies. In G. F. Madaus, M. Scriven, & D. L. Stufflebeam (Eds.), *Evaluation models: Viewpoints on educational and human services evaluation.* Boston: Kluwer-Nijhoff.

Scriven, M. (1991a). *Evaluation thesaurus* (4th ed.). Newbury Park, CA: Sage.

Scriven, M. (1991b). Beyond formative and summative evaluation. In M. W. McLaughlin & D. C. Phillips (Fds.), *Evaluation and education: At quarter century.* Ninetieth Yearbook of the National Society for the Study of Education (pp. 19-64). Chicago: University of Chicago Press.

Scriven, M. (1991 c). Key evaluation checklist. In M. Scriven (Ed.), *Evaluation thesaurus.* Thousand Oaks, CA: Sage.

Scriven, M. (1993). *Hard-won lessons in program evaluation.* New Directions for Program Evaluation, No. 58, 1-107. San Francisco: Jossey-Bass.

Scriven, M. (1996). Types of evaluation and types of evaluator. *Evaluation Practice, 17,* 151-162.

Scriven, M. (2005a). Book review, *Empowerment Evaluation Principles in Practice. American Journal of Evaluation, 26*(3), 415-417.

Scriven, M. (2005b). A note on David Fetterman's response. *American Journal of Evaluation, 26*(3), 431.

Scriven, M. (2007). *Key evaluation checklist.* http://www.wmnich.edu/evalctr/checklists/kec-feb07.pdf.

Scriven, M., Miller, R., & Davidson, J. (2005). The oral history of evaluation Part III: The professional evolution of Michael Scriven. *American Journal of Evaluation, 26,* 378-388.

Sechrest, L. (1997). Review of the book *Empowerment Evaluation Knowledge and Tools for Self-Assessment and Accountability. Environment and Behavior, 29*(3), 422-426.

Sechrest, L., & Figueredo, A. J. (1993). Program evaluation. *Annual Review of Psychology, 44,* 645-674.

Sedlak, A. J., Mettenburg, J., Basena, M., Petta, I., McPherson, K., Greene, A., & Li, S. (2010). *Fourth national incidence study of child abuse and neglect* (NIS-4): Report to Congress, Executive Summary. Washington, DC: U.S. Department of Health and Humnan Services, Administration for Children and Families.

Senge, P. M. (1990). *The fifth discipline: The art and practice of organizational learning.* New York: Doubleday.

SenGupta, S., Hopson, R., & Thompson-Robinson, M. (2004). Cultural competence in evaluation: An overview. In M. Thompson-Robinson, R. Hopson, & S. SenGupta (Eds.), *In search of cultural competence in evaluation: Toward principles and practices.* New Directions for Evaluation, No. 102, 5-20. San Francisco: Jossey-Bass.

Shadish, W. R. (1984). Lessons from the imnplemnentation of deinstitutionalization. *American Psychologist, 39,* 725-738.

Shadish, W. R. (1994). Need-based evaluation theory: What do you need to know to do good evaluation? *Evaluation Practice, 15,* 347-358.

Shadish, W. R. (1998). Evaluation theory is who we are. *American Journal of Evaluation, 19*(1), 1-19.

Shadish, W. R., Cook, T. D., & Campbell, D. T. (2002). *Experimental and quasi-experimental designs for generalized causal inference.* Boston, Houghton Mifflin.

Shadish, W. R., Cook, T. D., & Leviton, L. C. (1991). *Foundations of program evaluation.* Newbury Park, CA: Sage.

Shadish, W., & Miller, R. (2003). The oral history of evaluation Part I: Reflections on the chance to work with great people: An interview with William Shadish. *American Journal of Evaluation, 24*(2), 261-272.

Shadish, W. R., Newman, D. L., Scheirer, M. A., & Wye, C. (Eds.). (1995). *Guiding principles for evaluators.* New Directions for Program Evaluation, No. 66. San Francisco: Jossey-Bass.

Shepard, L. A., & Peressini, D. D. (2002, January). An analysis of the content and difficulty of the CSAP 10th-grade Mathematics Test: A report to the Denver Area School Superintendents' Council (DASSC). Boulder, CO: School of Education, University of Colorado at Boulder. Available at http://www.colorado.edu/education/faculty/lor rieshepard/reforms.html

Sieber, J. E. (1980). Being ethical: Professional and personal decisions in program evaluation. In R. E. Perloff & E. Perloff (Eds.), *Values, ethics, and standards in evaluation.* New Directions for Program Evaluation, No. 7, 51-61. San Francisco: Jossey-Bass.

Smith, E. R., & Tyler, R. W. (1942). *Appraising and recording student progress.* New York: Harper & Row.

Smith, M. F. (1989). *Evaluability assessment: A practical approach.* Boston: Kluwer Academic.

Smith, M. F. (2001). Evaluation: Preview of the future #2. *American Journal of Evaluation, 22,*

281-300.

Smith, M. F. (2005). Evaluabihity assessment. In S. Mathison (Ed.), *Encyclopedia of evaluation*. Thousand Oaks, CA: Sage.

Smith, N. L. (1983). *Dimensions of moral and ethical problems in evaluation* (Paper and Report Series No. 92). Portland, OR: Northwest Regional Educational Laboratory, Research on Evaluation Program.

Smith, N. L. (1997, November). *An investigative framework for characterizing evaluation practice*. In N. L. Smith (Chair), Examining evaluation practice. Symposium conducted at the meeting of the American Evaluation Association, San Diego, CA.

Smith, N. L. (1998). Professional reasons for declining an evaluation contract. *American Journal of Evaluation, 19,* 177-190.

Smith, N. L. (2004). Evidence and ideology. Paper presented at the meeting of the Canadian Evaluation Society, Saskatoon, Canada.

Smith, N. L. (2007). Empowerment evaluation as evaluation ideology. *American Journal of Evaluation, 28*(2), 169-178.

Society for Prevention Research. (2004). *Standards of evidence: Criteria for efficacy, effectiveness, and dissemination*. Retrieved January 29, 2010, from http://www.preventionre-search.org/commlmon.php#SofE.

Sonnichsen, R. C. (1987). An internal evaluator responds to Ernest House's views on internal evaluation. *American Journal of Evaluation, 8*(4), 34-36.

Sonnichsen, R. C. (1999). *High impact internal evaluation*. Thousand Oaks, CA: Sage.

Spiegel, A. N., Bruning, R. H., & Giddings, L. (1999). Using responsive evaluation to evaluate a professional conference. *American Journal of Evaluation, 20,* 57-67.

Springer, M. G., & Winters, M. A. (2009). *New York City's Bonus Pay Program: Early evidence from a randomized trial*. Vanderbilt: National Center on Performance Incentives.

St. Pierre, T. L., & Kaltreider, L. (2004). Tales of refusal, adoption, and maintenance: Evidence-based substance abuse prevention via school-extension collaborations. *American Journal of Evaluation, 25*(4), 479-491.

Stake, R. E. (1967). The countenance of educational evaluation. *Teachers College Record, 68,* 523-540.

Stake, R. E. (1969). Evaluation design, instrumentation, data collection, and analysis of data. In J. L. Davis (Ed.), *Educational evaluation*. Columbus, OH: State Superintendent of Public Instruction.

Stake, R. E. (1970). Objectives, priorities, and other judgment data. *Review of Educational Research, 40,* 181-212.

Stake, R. E. (1973). Program evaluation, particularly responsive evaluation. Keynote address at the conference "New Trends in Evaluation," Institute of Education, University of Goteborg, Sweden, Oct. 1973. In G. F. Niadaus, M. S. Scriven, & D. L. Stufflebeam (Eds.), *Evaluation models: Viewpoints on educational and human services evaluation*. Boston: Kluwer-Nijhoff, 1987.

Stake, R. E. (1975a). *Evaluating the arts in education: A responsive approach*. Columbus, OH: Merrill.

Stake, R. E. (1975b). Program evaluation, particularly responsive evaluation (Occasional Paper No. 5). Kalamazoo: Western Michigan University Evaluation Center.

Stake, R. E. (1978). The case study method in social inquiry. *Educational Researcher, 7,* 5-8.

Stake, R. E. (1980). Program evaluation, particularly responsive evaluation. In W. B. Dockrell & D. Hamilton (Eds.), *Rethinking educational research*. London: Hodeder & Stoughton.

Stake, R. E. (1991). Retrospective on "The countenance of educational evaluation." In M. W.

McLaughlin & D. C. Phillips (Fds.), *Evaluation and education: At quarter century.* Ninetieth Yearbook of the National Society for the Study of Education, Part II. Chicago: University of Chicago Press.

Stake, R. E. (1994). Case studies. In N. K. Denzin & Y. S. Lincoln (Fds.), *Handbook of qualitative research.* Thousand Oaks, CA: Sage.

Stake, R. E. (1995). *The art of case study research.* Thousand Oaks, CA: Sage.

Stake, R. E. (2000a). Case studies. In N. K. Denzin & Y. S. Lincoln (Eds.), *Handbook of qualitative research* (2nd ed.). Thousand Oaks, CA: Sage.

Stake, R. E. (2000b). A modest commitment to the promotion of democracy. In K. E. Ryan & L. DeStefano (Eds.), *Evaluation as a democratic process: Promoting inclusion, dialogue, and deliberation.* New Directions for Evaluation, No. 85, 97-106. San Francisco: Jossey-Bass.

Stake, R. E., & Schwandt, T. A. (2006). On discerning quality in evaluation. In I. F. Shaw, J. C. Greene, & M. M. Mark (Eds.), *The Sage handbook of evaluation.* Thousand Oaks, CA: Sage.

Standaert, R. (2000). Inspectorates of education in Europe: A aitical analysis. Utrecht: Standing Interim Conference of Central and General Inspectorates of Education. Retrieved March 8, 2009, from http://www.sici-inspectorates.org/shared/data/pdf/inspectorates-20of-20education-20in-20-europe-jan00.pd.

Stephan, A. S. (1935). *Prospects and possibilities: The New Deal and the new social research.* Chapel Hill: University of North Carolina Press.

Stevahn, L., King, J. A., Ghere, G., & Minnema, J. (2005). Establishing essential competencies for program evaluators. *American Journal of Evaluation, 26*(1), 43-59.

Stevenson, J., & Thomas, D. (2006). Intellectual contexts. In I. F. Shaw, J. C. Greene, & M. M. Mark (Eds.), *The Sage handbook of evaluation.* Thousand Oaks, CA: Sage.

Stockdill, S. H., Braizerman, M., & Compton, D. W. (2002). Toward a definition of the ECB process: A conversation with the ECB literature. In D. W. Compton, M. Braizerman, & S. H. Stockdill (Eds.), *The art, craft, and science of evaluation capacity building.* New Directions for Evaluation, No. 93, 7-26. San Francisco: Jossey-Bass.

Strauss, A., & Corbin, J. M. (1998). *Basics of qualitative research: Techniques and procedures for developing grounded theory.* Thousand Oaks, CA: Sage.

Stufflebeam, D. L. (1968). *Evaluation as enlightenment for decision making.* Columbus: Ohio State University Evaluation Center.

Stufflebeam, D. L. (1971). The relevance of the CTPP evaluation model for educational accountability. *Journal of Research and Development in Education, 5,* 19-25.

Stufflebeam, D. L. (1973a). Excerpts from "Evaluation as enlightenment for decision making." In B. R. Worthen & J. R. Sanders (Eds.), *Educational evaluation: Theory and practice.* Belmont, CA: Wadsworth.

Stufflebeam, D. L. (1973b). An introduction to the PDK book: Educational evaluation and decision-making. In B. R. Worthen & J. R. Sanders (Eds.), *Educational evaluation: Theory and practice.* Belmont, CA: Wadsworth.

Stufflebeam, D. L. (1974). *Metaevaluation* (Occasional Paper No. 3). Kalamazoo: Western Michigan University Evaluation Center.

Stufflebeam, D. L. (1977, April). Working paper on needs assessment in evaluation. Paper presented at the American Educational Research Association Evaluation Conference, San Francisco.

Stufflebeam, D. L. (1994). Empowerment evaluation, objectivist evaluation, and evaluation standards: Where the future of evaluation should not go and where it needs to go. *Evaluation Practice, 15,* 321-338.

Stufflebeam, D. L. (1999). Evaluation contracts checklist. Retrieved February 15, 2010, from http://www.wmich.edu/evalctr/checklists/contracts.pdf.

Stufflebeam, D. L. (2000). Lessons in contracting for evaluations. *American Journal of Evaluation, 21,* 293-314.

Stufflebeam, D. L. (2001a). Evaluation checklists: Practical tools for guiding and judging evaluations. *American Journal of Evaluation, 22,* 71-79.

Stufflebeam, D. L. (2001b). *Evaluation models.* New Directions for Evaluation, No. 89. San Francisco: Jossey-Bass.

Stufflebeam, D. L. (2001c). The metaevaluation imperative. *American Journal of Evaluation, 22*(2), 183-209.

Stufflebeam, D. L. (2002a). *Institutionalizing evaluation checklist.* Retrieved February 17, 2008, from http://www.wmich.edu/evalctr/checklists/institutionalizingeval.pdf.

Stufflebeam, D. L. (2002b). CIPP evaluation model checklist. Retrieved from http://www.wmich.edu/evalctr/checklists.

Stufflebeam, D. L. (2004a). A note on the purposes, development and applicability of the Joint Committee Evaluation Standards. *American Journal of Evaluation, 25,* 99-102.

Stufflebeam, D. L. (2004b). The 21st-century CIPP model. In M. Alkin (Ed.), *Evaluation roots: Thacing theorists' views and influences.* Thousand Oaks, CA: Sage.

Stufflebeam, D. L. (2005). CIPP model (context, input, process, product). In S. Mathison (Ed.), *Encyclopedia of evaluation.* Thousand Oaks, CA: Sage.

Stufflebeam, D. L., Foley, W. J., Gephart, W. J., Guba, E. G., Hammond, R. L., Merriman, H. O., & Provus, M. M. (1971). *Educational evaluation and decision making.* Itasca, IL: Peacock.

Stufflebeam, D. L., Madaus, G., & Kellaghan, T. (Eds.). (2000). *Evaluation models.* Boston: Kluwer Academic.

Stufflebeam, D. L., & Shinkfield, A. J. (2007). *Evaluation theory, models, and applications.* San Francisco: Jossey-Bass.

Stufflebeam, D. L., & Wingate, L. A. (2005). A self-assessment procedure for use in evaluation training. *American Journal of Evaluation, 26,* 544-561.

Suchman, E. (1967). *Evaluative research.* New York: Sage.

Sylvia, R. D., Meier, K. J., & Gunn, E. M. (1985). *Program planning and evaluation for the public manager.* Monterey, CA: Brooks/Cole.

Tabachnick, B. G., & Fidell, L. S. (2001). *Using multi-variate statistics* (4th ed.). Neeedham Heights, MA: Allyn & Bacon.

Talmage, H. (1982). Evaluation of programs. In H. E. Mitzel (Ed.), *Encyclopedia of educational research* (5th ed.). New York: Free Press.

Tashakkori, A., & Teddlie, C. (1998). *Mixed methodology: Combining qualitative and quantitative approaches.* Applied Social Research Methods, No. 46. Thousand Oaks, CA: Sage.

Tashakkori, A., & Teddlie, C. (Eds.). (2003). *Handbook of mixed methods in social and behavioral research.* Thousand Oaks, CA: Sage.

Taylor-Powell, E. & Boyd, H. H. (2008). Evaluation capacity building in complex organizations. In M. T. Bravermnan, M. Engle, M. E. Arnold, & R. A. Rennekamp (Eds.), *Program evaluation in a complex organizational system: Lessons from cooperative extension.* New Directions for Evaluation, No. 120, 55-69. San Francisco: Jossey-Bass.

Teske, P., Fitzpatrick, J. L., & Kaplan, G. (2006). The information gap? *Review of Policy Research, 23,* 969-981.

Tharp, R. G., & Gallimore, R. (1979). The ecology of program research and evaluation: A model of evaluation succession. In L. Sechrest, S. G. West, M. A. Phillips, R. Rechner, & W. Yeaton (Eds.), *Evaluation Studies Review Annual, 4,* 39-60.

Thompson-Robinson, M., Hopson, R., & SenGupta, S. (Eds.). (2004). *In search of cultural com-*

petence in evaluation: Toward principles and practices. New Directions for Evaluation, No. 102. San Francisco: Jossey-Bass.

Torres, R. T., Padilla Stone, S., Butkus, D. L., Hook, B. B., Casey, J., & Arens, S. A. (2000). Dialogue and reflection in a collaborative evaluation: Stakeholder and evaluator voices. In K. E. Ryan & L. DeStefano (Eds.), *Evaluation as a democratic process: Promoting inclusion, dialogue, and deliberation*. New Directions for Evaluation, No. 85, 27-38. San Francisco: Jossey-Bass.

Torres, R. T., Preskill, H., & Piontek, M. (2005). *Evaluation strategies for communicating and reporting: Enhancing learning in organizations* (2nd ed.). Newbury Park, CA: Sage.

Toulemond, J. (2009). *Personal communication*.

Trochim, W. M. K. (1984). *Research design for program evaluation: The regression-discontinuity approach*. Newbury Park, CA: Sage.

Trochim, W. M. K., & Linton, R. (1986). Conceptualization for planning and evaluation. *Evaluation and Program Planning, 9,* 289-308.

Trochim, W. M. K., Mark, M. M., & Cooksy, L. J. (Eds.) (2009). *Evaluation policy and evaluation practice*. New Directions for Evaluation, No. 123. San Francisco: Jossey-Bass.

Tyler, R. W. (1942). General statement on evaluation. *Journal of Educational Research, 35,* 492-501.

Tyler, R. W. (1950). *Basic principles of curriculum and instruction*. Chicago: University of Chicago Press.

Tyler, R. W. (1991). General statement on program evaluation. In M. W. McLaughlin & D. C. Phillips (Eds.), *Evaluation and education: At quarter century*. Ninetieth Yearbook of the National Society for the Study of Education, Part II. Chicago: University of Chicago Press.

United Way of America. (1996). *Measuring program outcomes. A practical approach*. Alexandria, VA: United Way of America.

U.S. Department of Education. (2006). *A test of leadership. Charting the future of U.S. higher education*. Washington, DC. Retrieved June 1, 2010, from http://www2.ed.gov/about/bdscomm/list/hied-future/reports/final-report.pdf.

Van Mondfrans, A. (1985). *Guidelines for reporting evaluation findings*. Unpublished manuscript, Brigham Young University, College of Education, Provo, UT.

Vestman, O. K., & Conners, R. F. (2006). The relationship between evaluation and politics. In I. F. Shaw, J. C. Greene, & M. M. Mark (Eds.), *The Sage handbook of evaluation*. Thousand Oaks, CA: Sage.

Vroom, P. E., Colombo, M., & Nahan, N. (1994). Confronting ideology and self-interest: Avoiding misuse of evaluation. In C. J. Stevens & M. Dial (Eds.), *Preventing the misuse of evaluation*. New Directions for Program Evaluation, No. 64, 49-59. San Francisco: Jossey-Bass.

Wadsworth, Y. (2001). Becoming responsive—and some consequences for evaluation as dialogue across distance. In J. C. Greene & T. A. Abma (Eds.), *Responsive evaluation*. New Directions for Evaluation, No. 92, 45-58. San Francisco: Jossey-Bass.

Wallis, A., Dukay, V., & Fitzpatrick, J. (2008). Evaluation of Godfrey's Children Center in Tanzania. In J. Fitzpatrick, C. Christie, & M. Mark (Eds.), *Evaluation in action: interviews with expert evaluators*. Thousand Oaks, CA: Sage.

Wandersman, A., Flaspohler, P. Ace, A., Ford, L., Imm, P. S., Chinman, M. J., Sheldon, J., Bowers Andrews, A., Crusto, C. A., & Kaufman, J. S. (2003). PIE à la mode: Mainstreaming evaluation and accountability in each program in every county of a statewide school readiness initiative. In J. J. Barnette, & J. R. Sanders (Eds.), *The main-streaming of evaluation*. New Directions for Evaluation, No. 99, 33-50. San Francisco: Jossey-Bass.

Wandersman, A., Imm, P. S., Chinman, M., & Kafterian, S. (2000). Getting To Outcomes: A results-based approach to accountability. *Evaluation and Program Planning, 23,* 389-395.

Wandersman, A., & Snell-Johns, J. (2005). Empowerment evaluation: Clarity, dialogue, and growth. *American Journal of Evaluation, 26*(3), 421-428.

Weaver, L., & Cousins, J. B. (2004). Unpacking the participatory process. *Journal of Multidisciplinary Evaluation, 1,* 19-40.

Weiss, C. H. (1972). *Evaluation research: Methods for assessing program effectiveness.* Englewood Cliffs, NJ: Prentice-Hall.

Weiss, C. H. (1973). Where politics and evaluation research meet. *Evaluation, 1,* 37-45.

Weiss, C. H. (1977). *Using social research in public policy making.* Lexington, MA: Lexington Books.

Weiss, C. H. (1983). Ideology, interests, and information. In D. Callahan & B. Jennings (Eds.), *Ethics, the social sciences, and policy analysis* (pp. 231-245). New York: Plenum Press.

Weiss, C. H. (1987). Evaluating social programs: What have we learned? *Society 25,* 40-45.

Weiss, C. H. (1995). Nothing as practical as good theory: Exploring theory-based evaluation for comprehensive community initiatives for children and faniilies. In J. P. Connell, A. C. Kubisch, L. B. Schorr, & C. H. Weiss (Eds.), *New approaches to evaluating community initiatives Volume 1: Concepts, methods, and context.* (pp. 65-92). Washington, DC: Aspen Institute.

Weiss, C. H. (1997). Theory-based evaluation: Past, present, and future. In D. Rog & D. Fournier (Eds.), *Progress and future directions in evaluation: Perspectives on theory practice, and methods.* New Directions for Evaluation, No. 76. San Francisco: Jossey-Bass.

Weiss, C. H. (1998a). *Evaluation: Methods for studying programs and policies* (2nd ed.). Upper Saddle River, NJ: Prentice-Hall.

Weiss, C. H. (1998b). Have we learned anything new about the use of evaluation? *American Journal of Evaluation, 19,* 21-33.

Weiss. C. H., & Bucuvalas, M. J. (1980a). Truth tests and utility tests: Decision-makers' frames of reference for social science research. *American Sociological Review, 45,* 302-313.

Weiss, C. H., & Bucuvalas, M. J. (1980b). *Social science research and decision-making.* New York: Columbia University Press.

Weiss, C. H., & Mark, M. M. (2006). The oral history of evaluation Part IV: The professional evolulion of Carol Weiss. *American Journal of Evaluation, 27*(4), 475-483.

Wholey, J. S. (1983). *Evaluation and effective public management.* Boston: Little, Brown & Co.

Wholey, J. S. (1986). Using evaluation to improve government performance. *Evaluation Practice, 7,* 5-13.

Wholey, J. S. (1994). Assessing the feasibility and likely usefulness of evaluation. In J. S. Wholey, H. P. Hatry, & K. E. Newcomer (Eds.), *Handbook of practical program evaluation.* San Francisco: Jossey-Bass.

Wholey, J. S. (1996). Formative and summative evaluation: Related issues in performance measurement. *Evaluation Practice, 17,* 145-149.

Wholey, J. S. (1999a). Performance-based management: Responding to the challenges. *Public Productivity and Management Review, 22*(3), 288-307.

Wholey, J. S. (1999b). Quality control: Assessing the accuracy and usefulness of perfonnance measurensent systems. In H. P. Hatry (Ed.), *Performance measurement: Getting results* (pp. 217-237). Washington, DC: Urban Institute.

Wholey, J. S. (2001). Managing for results: Roles for evaluators in a new management era. *American Journal of Evaluation, 22*(4), 343-347.

Wholey, J. S. (2003). Improving performance and accountability: Responding to emerging management challenges. In S. J. Donaldson & M. Scriven (Eds.), *Evaluating social programs and problems* (pp. 43-61). Mahwah, NJ: Lawrence Erlbaum.

Wholey, J. S. (2004a). Using evaluation to improve performance and support policy decision making. In M. AIIm (Ed.), *Evaluation roots: Tracing theorists' views and influences.* Thousand Oaks, CA: Sage.

Wholey, J. S. (2004b). Evaluability assessment. In J. S. Wholey, H. P. Hatry, & K. E. Newcomer (Eds.), *Handbook of practical program evaluation* (2nd ed.). San Francisco: Jossey-Bass.

Wholey, J. S., Hatry, H. P., & Newcomer, K. E. (Eds.). (2004). *Handbook of practical program evaluation* (2nd ed.). San Francisco: Jossey-Bass.

Wholey, J. S., & White, B. F. (1973). Evaluation's impact on Title I elementary and secondary education program management. *Evaluation, 1,* 73-76.

Williams, A., & Giardina, E. (Eds.). (1993). *The theory and practice of cost-benefit analysis.* Brookfield, VT: Edward Elgar.

Winston, J. (1999). Understanding performance measuremnent: A response to Perrin. *American Journal of Evaluation, 20,* 95-100.

Witkin, B. R., & Altschuld, J. W. (1995). *Planning and conducting needs assessments.* Thousand Oaks, CA: Sage.

Worthen, B. R. (1975). Competencies for educational research and evaluation. *Educational Researcher, 4,* 13-16.

Worthen, B. R. (1977, April). Eclecticism and evaluation models: Snapshots of an elephant's anatomy? Paper presented at the annual meeting of the American Educational Research Association, New York.

Worthen, B. R. (1995). Some observations about the institutionalization of evaluation. *Evaluation Practice, 16,* 29-36.

Worthen, B. R. (1996). A survey of Evaluation Practice readers. *Evaluation Practice, 17,* 85-90.

Worthen, B. R. (2001). Whither evaluation? That all depends. *American Journal of Evaluation, 22,* 409-498.

Worthen, B. R., Borg, W. R., & White, K. R. (1993). *Measurement and evaluation in the schools.* White Plains, NY: Longman.

Worthen, B. R., & Sanders, J. R. (1973). *Educational evaluation: Theory and practice.* Belmont, CA: Wadsworth.

Yates, B. T. (1996). *Analyzing costs, procedures, processes, and outcomes in human services.* Thousand Oaks, CA: Sage.

Yin, R. K. (2009). *Case study research: Design and methods* (4th ed.). Thousand Oaks, CA: Sage.

Yin, R. K., & Davis, D. (2007). Adding new dimensions to case study evaluations: The case of evaluating comprehensive reforms. In G. Julnes & D. J. Rog (Eds.), *Informing federal policies on evaluation methodology: Building the evidence base for method choice in government sponsored evaluation.* New Directions for Evaluation, No. 113, 75-94. San Francisco: Jossey-Bass.

Yin, R. K., Davis, D., & Schmidt, R. J. (2005). The cross-site evaluation of the urban systemic program. Final report, strategies and trends in urban education reform. Bethesda, MD: COSMOS Corporation.

Yin, R. K., & Kaftarian, S. J. (1997). Introduction: Challenges of community-based program outcome evaluations. *Evaluation and Program Planning, 20*(3), 293-297.

Zvoch, K. (2009). Treatment fidelity in multisite evaluation: A multilevel longitudinal examinalion of provider adherence status and change. *American Journal of Evaluation, 30*(1), 44-61.

찾아보기

| 역자 소개 |

김규태
계명대학교 교육학과 교수
공자의 논어 관점에서 본 학교폭력 예방을 위한 교사리더십(2014), 생태학적 관점에서의 학교폭력 원인과 대책에 대한 학교공동체 구성원의 의식 차이(2013), 교육책무성: 이론·정책·제도(2012), A multifocal analysis of Korean accountability policy implementation(2011) 등 다수 저서와 논문 집필

이진희
계명대학교 유아교육과 교수
유아평가의 의미 만들어가기를 위한 실행연구(2012), Quieting educational reform… with educational reform(2006), Early childhood practitioners and accreditation: Perspectives and experiences(2006), Quality in early childhood programs: Reflections from program evaluation practices(2004) 등 다수 저서 및 논문 집필

박찬호
계명대학교 교육학과 교수
다층 구조를 이루는 이분문항 자료의 급내상관계수 추정 방안 비교(2013), Effects of within-group homogeneity on parameter estimation of the multilevel Rasch model(2012), 전문가 판정에 의한 차등 배점을 활용한 제한적 일반화부분점수 모형의 적용(2011) 등 다수 저서와 논문 집필

허영주
남서울대학교 교양과정부 교수
트리즈(TRIZ)의 40가지 문제해결원리 활용이 예비교사의 창의적 교육과정 재구성에 미치는 영향(2014), 교사유머의 유형화 및 유형별 교육효과에 관한 연구(2011), 복잡계 이론의 교육학적 의미: 교육연구의 보완적 패러다임으로서의 적용 가능성(2011), 대학생활과 N+ 리더십(2012) 등 다수 저서와 논문 집필

정진철
서울대학교 산업인력개발학전공 교수
CIPP모형에 기반한 마이스터고 평가준거 개발(2012), 발명교육 활성화 지수 개발 및 적용(2012), 충청북도 특성화 고등학교의 상대적 효율성 분석: 취업률을 중심으로 등 다수 저서와 논문 집필

권효진
고려대학교 의과대학 연구강사
교사의 사기에 대한 교사/학생의 인식 변화(2013), 수학과 성취도 검사 결과의 자기평가를 통한 답원인 유형화(2010), 대학생용 자원·기술·정보 활용능력 진단검사의 개발 가능성 탐색(2010) 등 다수 저서와 논문 집필

프로그램 평가

대안적 접근과 실천적 지침, 제4판

발행일 | 2014년 8월 27일 초판 발행
저 자 | Jody L. Fitzpatrick, James R. Sanders, Blaine R. Worthen
역 자 | 김규태, 이진희, 박찬호, 허영주, 정진철, 권효진
발행인 | 홍진기
발행처 | 아카데미프레스
주 소 | 413-756 경기도 파주시 문발동 출판정보산업단지 507-9
전 화 | 031-947-7389
팩 스 | 031-947-7698
웹사이트 | www.academypress.co.kr
이메일 | info@academypress.co.kr
등록일 | 2003. 6. 18 제406-2011-000131호
ISBN | 978-89-97544-52-3 93370

값 32,000원

* 역자와의 합의하에 인지 첨부는 생략합니다.
* 잘못된 책은 바꾸어 드립니다.